インタビュー(問診)　バイタルサイン　視診　触診　計測診　聴診(胎児心音)　内診(介助) 食生活　排泄　清潔　運動　姿勢・日常生活動作　休息・睡眠　衣生活(更衣)　出産準備	妊婦のケア
インタビュー(問診)　バイタルサイン　視診　触診　計測診　内診(介助) 食生活　排泄　清潔　活動・姿勢　休息・睡眠 出産環境の整備　分娩介助　胎盤計測　産痛緩和	産婦のケア
インタビュー(問診)　バイタルサイン　視診　触診　計測診　腟鏡診・内診(介助)　産褥復古の観察　乳汁分泌の観察 食生活　排泄　清潔　動作・姿勢　休息・睡眠 産後疼痛ケア　悪露交換　脱肛・痔核への対処　排尿障害への対処　産褥体操　母乳育児支援　乳房トラブルのケア　授乳　搾乳	褥婦のケア
バイタルサイン　視診　触診　身体計測　聴診　黄疸　室温・湿度・音・照明　事故・感染防止 保温　点眼　臍処置(出生直後・臍脱落まで)　栄養　与薬(ビタミンK)　更衣　清潔　抱き方・寝かせ方 早期母子接触と母子同室	新生児のケア

第3版

根拠と事故防止からみた

母性看護技術

編集

石村由利子

名古屋女子大学健康科学部看護学科教授・母性看護学

編集協力

佐世正勝

山口県立総合医療センター総合周産期母子医療センター長

医学書院

ご注意

本書に記載されている治療法や看護ケアに関しては，出版時点における最新の情報に基づき，正確を期するよう，著者，編集者ならびに出版社は，それぞれ最善の努力を払っています．しかし，医学，医療の進歩から見て，記載された内容があらゆる点において正確かつ完全であると保証するものではありません．

したがって，看護実践への活用にあたっては，常に最新のデータに当たり，本書に記載された内容が正確であるか，読者御自身で細心の注意を払われることを要望いたします．本書記載の治療法・医薬品がその後の医学研究ならびに医療の進歩により本書発行後に変更された場合，その治療法・医薬品による不測の事故に対して，著者，編集者，ならびに出版社は，その責を負いかねます．

株式会社　医学書院

根拠と事故防止からみた 母性看護技術

発　行　2013年 3 月15日　第1版第1刷
　　　　2015年 4 月15日　第1版第4刷
　　　　2016年 1 月 1 日　第2版第1刷
　　　　2020年 1 月15日　第2版第6刷
　　　　2020年10月15日　第3版第1刷©
　　　　2023年 1 月 1 日　第3版第3刷

編　集　石村由利子（いしむらゆりこ）

発行者　株式会社　医学書院
　　　　代表取締役　金原　俊
　　　　〒113-8719　東京都文京区本郷1-28-23
　　　　電話　03-3817-5600（社内案内）

印刷・製本　山口北州印刷

ISBN978-4-260-04324-3

はじめに

「根拠と事故防止からみた」シリーズの『母性看護技術』も初版から早7年5か月が経過し，この間多くの看護学生，助産学生，臨床の方々にご愛読いただき，今回，第3版が発刊されることになりました.

母性看護学は「性と生殖」をキーワードに，人の一生の様々なステージに広く関与する学問領域です．各時期の成長発達段階に応じた特有の健康問題を学ぶなかで，周産期の母子の看護は重要な学習課題であり，母性看護学の中心に位置づけられてきました．そのため，母性看護実習は主にマタニティサイクルに焦点を当てた学習の場として展開されます．健康なレベルにある人々の健康問題を捉えることと，母体を通して別の生命の健康をアセスメントするという，他領域では経験しえないことが重要な学習課題となり，その診断やケアのために他領域では使わない看護技術を習得することが求められます.

本書はタイトルに『母性看護技術』とあるように，看護学生の学習の一助となるよう企画されたものですが，内診，分娩介助のように，法律上，看護師に許されていない技術も収載しています．母性看護学と助産学との境界は明瞭ではなく，時に母性看護学の教育内容の範疇を超えた課題に発展することがあります．助産技術であっても，その結果やケアの評価は看護実践に反映されます．より広い視野でのアセスメントやケアのために，看護学生であっても，目的や手順を知っておくことは有用と考えます.

第3版では，初版からの構成を踏襲し，アセスメントとケアに必要な看護技術を解説しています．今回もこのシリーズが最も重視している「根拠と事故防止」という観点から，手技が進む時間軸に沿って要点を記し，具体的な留意点や根拠を対比させ，注意事項，事故防止のポイントを示しながら書き進めています．看護実践に責任が問われる時代であり，単に看護技術を習得するだけでなく，根拠を説明できることはさらに重要になると考えます．本書がその役に立つことを願っています.

本文は，「産婦人科ガイドライン」や「妊婦の食事摂取基準」の変更に伴い，内容を見直し，最新の知見へと刷新しました．新生児の章には「黄疸」と「抱き方・寝かせ方」を新たに追加しました．特に「抱き方・寝かせ方」は，日常生活の中で新生児に接する機会をもたない人たちに役立つと思います.

さらに，第2版から好評をいただいている52本の動画に加え，新たに新生児に関する10本の動画を撮影し，一層の充実を図りました．動画は静止画よりはるかに多くの情報を提供してくれます．初学者が容易に自己学習を進めることができるように，看護師の目線を重視する位置や角度にこだわりました.

看護職の技術教育が高い専門性を追求する一方で，今年は新型コロナウイルス感染症拡大防止のため，実習施設からの学生の受け入れ制限や実習時間の短縮，実習中止等が続きました．妊産褥婦との交流を通して健康問題やケアを考える機会は極端に短くなりました．臨地実習は学内の演習では補えない内容が多くあり，いかにイメージを形成できるかが教育する側の課題です．効果的な学びを提供できる学習教材が一層望まれます．本書がその一端を担うことができれば幸いです．

本書の出版にあたり，多くの方々のお世話になりました．撮影を許可してくださった施設の関係者の皆さま，ご尽力くださった皆さまに深く感謝申し上げます．動画の撮影には，生後まだ日の浅い赤ちゃんが，長時間にわたり精いっぱい応じてくれました．感謝とともに健やかな成長をお祈りいたします．

最後に，本書は医学書院諸氏のご支援によって完成しました．心よりお礼申し上げます．

2020 年 8 月

著者を代表して　石村由利子

編集

石村由利子 名古屋女子大学健康科学部看護学科教授・母性看護学

編集協力

佐世　正勝 山口県立総合医療センター総合周産期母子医療センター長

執筆（五十音順）

石村由利子 名古屋女子大学健康科学部看護学科教授・母性看護学
大林　陽子 豊橋創造大学保健医療学部看護学科教授・母性看護学・助産学
神谷　摂子 愛知県立大学看護学部准教授・母性看護学
木村奈緒美 名古屋市立大学大学院看護学研究科助教・性生殖看護学・助産学
佐世　正勝 山口県立総合医療センター総合周産期母子医療センター長
永澤　規子 前さいたま市立病院副看護部長
永見　桂子 三重県立看護大学教授・母性看護学

撮影施設（五十音順）

愛知県立大学
近大姫路大学
姫路赤十字病院
山口県立総合医療センター

撮影協力（五十音順）

太田加代，笹谷孝子

写真・動画撮影（五十音順）

亀井宏昭，さいとうむつみ，ヒロセカオリ

目次

根拠と事故防止からみた 母性看護技術

はじめに …… iii
本書の構成と使い方 …… x
動画の使い方 …… xii

第1章 妊婦のケア

① 妊婦のアセスメント

1 インタビュー(問診) …… 石村由利子 4
2 バイタルサイン …… 石村由利子 8
3 視診 …… 石村由利子 13
4 触診 …… 石村由利子 22
①顔・上肢・乳房・乳頭・腹部・下肢 …… 22
②レオポルド触診法 …… 29
5 計測診 …… 36
①身長・体重 …… 石村由利子 36
②子宮底長・子宮底高・腹囲 …… 石村由利子 39
③骨盤外計測 …… 石村由利子 44
④ノンストレステスト(NST) …… 石村由利子 49
⑤バイオフィジカルプロファイルスコア(BPS) …… 佐世正勝 57
6 聴診(胎児心音) …… 石村由利子 62
7 内診(介助) …… 石村由利子 68

② 妊婦の生活援助技術

1 食生活 …… 石村由利子 76
2 排泄 …… 大林陽子 89
3 清潔 …… 大林陽子 93
4 運動 …… 大林陽子 96
5 姿勢・日常生活動作 …… 大林陽子 100
6 休息・睡眠 …… 大林陽子 104
7 衣生活(更衣) …… 大林陽子 109
8 出産準備 …… 大林陽子 112

第2章 産婦のケア

① 産婦のアセスメント

1 インタビュー(問診) …… 石村由利子 122
2 バイタルサイン …… 石村由利子 127
3 視診 …… 石村由利子 131

4 触診……石村由利子 136
5 計測診……144
①超音波診断……佐世正勝 144
児頭大横径の計測(144)／羊水量の測定(151)
②胎児心拍数陣痛図(CTG)……石村由利子 154
6 内診(介助)……石村由利子 163
② 産婦の生活援助技術
1 食生活……永見桂子 174
2 排泄……永見桂子 179
3 清潔……永見桂子 186
4 活動・姿勢……永見桂子 192
5 休息・睡眠……永見桂子 195
③ 分娩援助技術
1 出産環境の整備……石村由利子 200
2 分娩介助……石村由利子 204
分娩の準備(205)／分娩介助の実際(217)
3 胎盤計測……石村由利子 238
4 産痛緩和……大林陽子 248
アセスメント(248)／セルフコントロールによる産痛緩和法(分娩第1～2期)(249)／身体的ケアによる産痛緩和法(分娩第1～2期)(256)

第3章 褥婦のケア

① 褥婦のアセスメント
1 インタビュー(問診)……永澤規子 264
インタビューの準備(264)／インタビューの実際(266)
2 バイタルサイン……永澤規子 268
3 視診……永澤規子 272
4 触診……永澤規子 278
5 計測診……永澤規子 286
6 腟鏡診・内診(介助)……永澤規子 288
分娩直後(胎盤娩出後)(288)／退院診察時(290)
7 産褥復古の観察……永澤規子 293
子宮復古(293)／悪露(295)
8 乳汁分泌の観察……永澤規子 298
乳腺開口・射乳状態の観察(298)／新生児の体重変化(300)／乳汁分泌量の観察(302)／乳汁の観察(302)
② 褥婦の生活援助技術
1 食生活……永澤規子 304
2 排泄……永澤規子 307

3 清潔……永澤規子 312
身体清拭・シャワー浴(312)／外陰部の清潔ケア(315)
4 動作・姿勢……永澤規子 318
動作(離床)への援助(318)／姿勢への援助(320)
5 休息・睡眠……永澤規子 322
③ 産褥復古支援技術
1 産後疼痛ケア……永澤規子 326
分娩損傷，脱肛・痔核の疼痛緩和の援助(327)／後陣痛緩和の援助(333)／腰痛・恥骨痛緩和の援助(334)／排尿時痛緩和の援助(336)
2 悪露交換……永澤規子 337
3 脱肛・痔核への対処……永澤規子 343
整復(343)／疼痛緩和の援助と指導(347)／悪化防止の指導(348)
4 排尿障害への対処……永澤規子 351
排尿障害の内容と程度の把握(351)／尿閉時のケア(352)／排尿時痛がある場合のケア(355)
5 産褥体操……永澤規子 357
④ 母乳育児支援技術
1 母乳育児支援……永澤規子 362
2 乳房トラブルのケア……永澤規子 367
乳房マッサージ(排乳介助)(367)／乳頭痛のケア(370)／乳房痛のケア(371)
3 授乳……永澤規子 372
直接授乳(373)／搾母乳の授乳(380)／人工乳の授乳(382)
4 搾乳……永澤規子 383
用手搾乳(383)／搾乳器による搾乳(387)

第4章 新生児のケア

① 新生児のアセスメント
1 バイタルサイン……大林陽子 392
①呼吸・心拍・体温……392
②アプガースコア……398
2 視診……大林陽子 403
①全身の状態と便・尿の性状……403
②成熟度の診断……414
3 触診……大林陽子 423
4 身体計測……大林陽子 432
5 聴診……大林陽子 443
6 黄疸……永見桂子 447
② 新生児の環境整備
1 室温・湿度・音・照明……大林陽子 454

2 事故・感染防止……大林陽子 456
③ 新生児の養護技術
1 保温……大林陽子 464
2 点眼……木村奈緒美 466
3 臍処置(出生直後・臍脱落まで)……木村奈緒美 468
4 栄養……神谷摂子 470
初回授乳の援助(470)/自律授乳の援助(473)/人工栄養による授乳の援助(475)
5 与薬(ビタミンK)……木村奈緒美 479
6 更衣……神谷摂子 481
7 清潔……大林陽子 486
①おむつ交換……大林陽子 486
②沐浴……大林陽子 490
③ドライテクニック(全身清拭)……神谷摂子 501
8 抱き方・寝かせ方……永見桂子 510
④ 愛着行動支援技術
1 早期母子接触と母子同室……大林陽子 516
早期母子接触(出生直後〜2時間)(516)/母子同室(519)

索引……521

本書の構成と使い方

☑ ケアの目的・要点・必要物品を確認

それぞれの技術の目的や，チェック項目，適応，注意，禁忌，事故防止のポイントといった要点，また必要物品を最初にまとめました．

☑ 手順のフローと，留意点を押さえよう

左側には，手順の要点が時系列に沿って書かれており，全体の流れが把握できます．
右側には，左側の手順に対応した留意点がまとめられています．これらのポイントをしっかり身につけて，根拠に基づいた看護技術を習得しましょう．

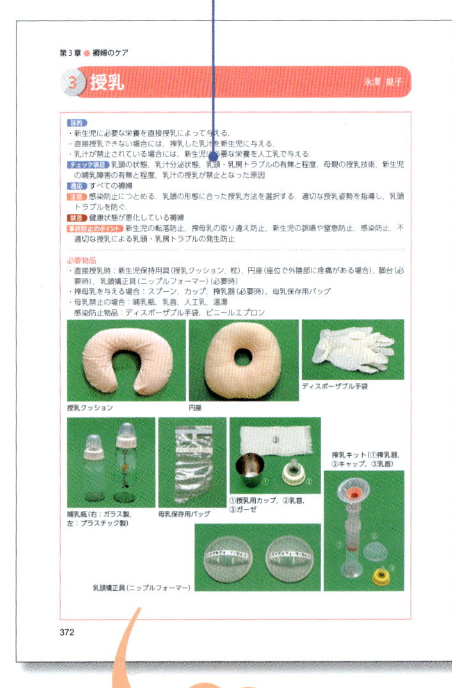
第3章 ● 褥婦のケア

3 授乳　　永澤 規子

目的
・新生児に必要な栄養を直接授乳によって与える．
・直接授乳できない場合には，搾乳した乳汁を新生児に与える．
・乳汁が禁止されている場合には，新生児に必要な栄養を人工乳で与える．
チェック項目 乳頭の状態，乳汁分泌状態，乳頭・乳房トラブルの有無と程度，母親の授乳技術，新生児の哺乳障害の有無と程度，乳汁の授乳が禁止となった原因
適応 すべての褥婦
注意 感染防止につとめる．乳頭の形態に合った授乳方法を選択する．適切な授乳姿勢を指導し，乳頭トラブルを防ぐ．
禁忌 健康状態が悪化している褥婦
事故防止のポイント 新生児の転落防止，搾母乳の取り違え防止，新生児の誤嚥や窒息防止，感染防止，不適切な授乳による乳頭・乳房トラブルの発生防止

必要物品
・直接授乳時：新生児保持用具(授乳クッション，枕)，円座(座位で外陰部に疼痛がある場合)，脚台(必要時)，乳頭矯正具(ニップルフォーマー)(必要時)
・搾母乳を与える場合：スプーン，カップ，搾乳器(必要時)，母乳保存用バッグ
・母乳禁止の場合：哺乳瓶，乳首，人工乳，湿湯
感染防止物品：ディスポーザブル手袋，ビニールエプロン

授乳クッション
円座
ディスポーザブル手袋
哺乳瓶(右：ガラス製，左：プラスチック製)
母乳保存用バッグ
①授乳用カップ，②乳首，③ガーゼ
搾乳キット(①搾乳器，②キャップ，③乳首)
乳頭矯正具(ニップルフォーマー)

372

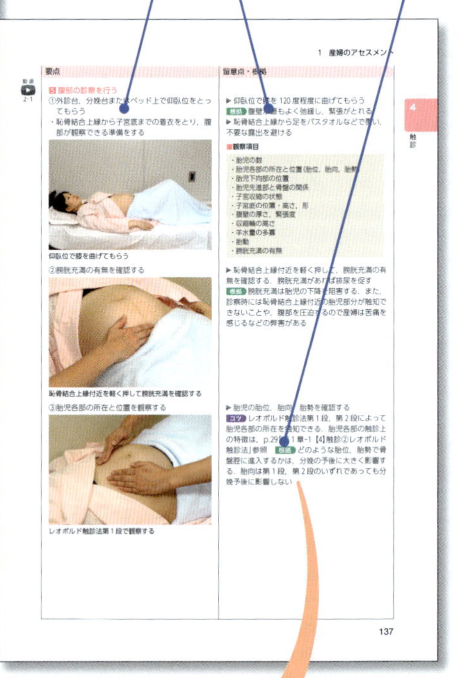
1 産婦のアセスメント

要点	留意点・根拠
動画 2-1 5 腹部の診察を行う ①外診台，分娩台またはベッド上で仰臥位をとってもらう ・恥骨結合上縁から子宮底までの着衣をとり，腹部が観察できる準備をする 仰臥位で膝を曲げてもらう	▶仰臥位で膝を120度程度に曲げてもらう 根拠 腹壁筋もよく弛緩し，緊張がとれる ▶恥骨結合上縁から足をバスタオルなどで覆い，不要な露出を避ける ■観察項目 ・胎児の数 ・胎児各部の所在と位置(胎位，胎向，胎勢) ・胎児下向部の位置 ・胎児先進部と骨盤の関係 ・子宮収縮の状態 ・子宮底の位置・高さ，形 ・腹壁の厚さ，緊張度 ・収縮輪の高さ ・羊水量の多寡 ・胎動 ・膀胱充満の有無
②膀胱充満の有無を確認する 恥骨結合上縁付近を軽く押して膀胱充満を確認する	▶恥骨結合上縁付近を軽く押して，膀胱充満の有無を確認する．膀胱充満があれば排尿を促す 根拠 膀胱充満は胎児の下降を阻害する．また，診察時には恥骨結合上縁付近の胎児部分が触知できないことや，腹部を圧迫するので産婦は苦痛を感じるなどの弊害がある
③胎児各部の所在と位置を観察する レオポルド触診法第1段で観察する	▶胎児の胎位，胎向，胎勢を確認する コツ レオポルド触診法第1段，第2段によって胎児各部の所在を触知できる．胎児各部の触診上の特徴は，p.29「第1章-1【4】触診②レオポルド触診法」参照　根拠 どのような胎位，胎勢で骨盤腔に進入するかは，分娩の予後に大きく影響する．胎向は第1段，第2段のいずれであっても分娩予後に影響しない

4 触診

137

☑ 知っておきたいポイントをチェック

根拠 確かな技術の支えとなり，応用を可能にします．妊産褥婦や家族への説明にも不可欠．
コツ ちょっとした工夫と知識で，実践がスムーズに．プロとして身につけておきたいノウハウが一杯です．
事故防止のポイント 医療事故を防ぐために，必ず押さえておきましょう．
注意 見落とすと事故につながりかねないポイントを赤字で示しました．
禁忌 “やってはいけない”を赤字で記載しました．
緊急時対応 患者の急変につながる危険な徴候がみられたら，初期対応が大切．いつでも慌てず適切な対応ができるように覚えておきたい事項を，赤字で示しました．

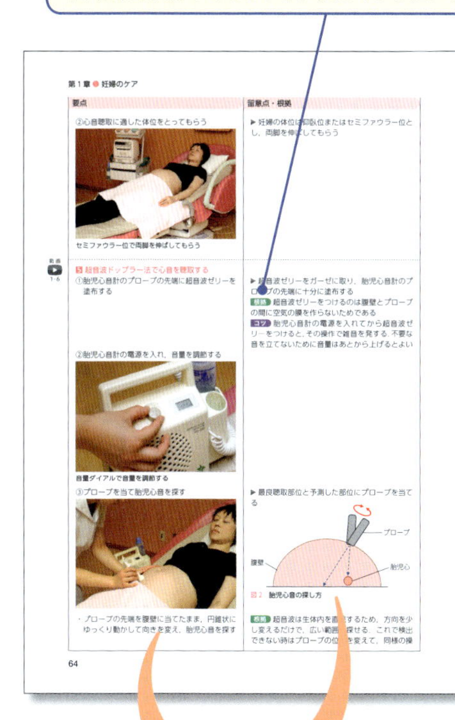

第1章 ● 妊婦のケア

要点	留意点・根拠
②心音聴取に適した体位をとってもらう セミファウラー位で両脚を伸ばしてもらう	▶ 妊婦の体位は仰臥位またはセミファウラー位とし，両脚を伸ばしてもらう
5 超音波ドップラー法で心音を聴取する ①胎児心音計のプローブの先端に超音波ゼリーを塗布する	▶ 超音波ゼリーをガーゼに取り，胎児心音計のプローブの先端に十分に塗布する 根拠 超音波ゼリーをつけるのは腹壁とプローブの間に空気の膜を作らないためである コツ 胎児心音計の電源を入れてから超音波ゼリーをつけると，その操作で雑音を発する．不要な音を立てないために音量はあとから上げるとよい
②胎児心音計の電源を入れ，音量を調節する 音量ダイアルで音量を調節する	
③プローブを当て胎児心音を探す ・プローブの先端を腹壁に当てたまま，円錐状にゆっくり動かして向きを変え，胎児心音を探す	▶ 最良聴取部位と予測した部位にプローブを当てる 図2 胎児心音の探し方 根拠 超音波は生体内を直進するため，方向を少し変えるだけで，広い範囲を探せる．これで検出できない時はプローブの位置を変えて，同様の操

動画 1-6

64

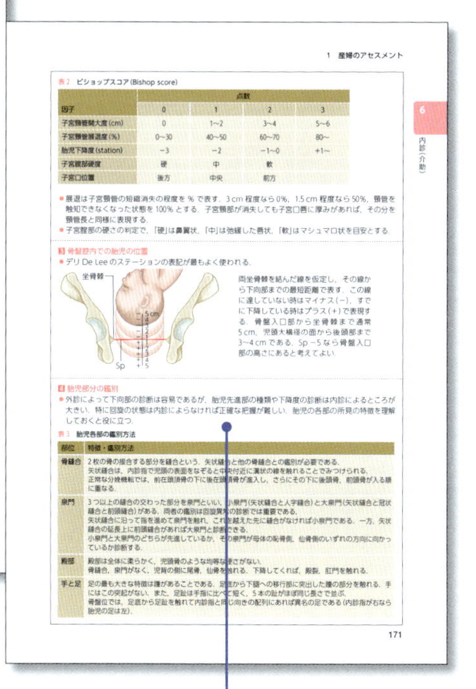

1 産婦のアセスメント

表2 ビショップスコア(Bishop score)

因子	点数 0	1	2	3
子宮頸管開大度(cm)	0	1〜2	3〜4	5〜6
子宮頸管展退度(%)	0〜30	40〜50	60〜70	80〜
胎児下降度(station)	−3	−2	−1〜0	+1〜
子宮腟部硬度	硬	中	軟	
子宮口位置	後方	中央	前方	

● 展退は子宮頸管の短縮消失の程度を % で表す．3 cm 程度なら 0%，1.5 cm 程度なら 50%，頸管を触知できなくなった状態を 100% とする．子宮頸部が消失しても子宮口唇に厚みがあれば，その分を頸管長と同様に表現する．
● 子宮腟部の硬さの判定で，「硬」は鼻翼状，「中」は弛緩した唇状，「軟」はマシュマロ状を目安とする．

3 骨盤腔内での胎児の位置
● デリ De Lee のステーションの表記が最もよく使われる．

両坐骨棘を結んだ線を仮定し，その線から下向部までの最短距離で表す．この線に達していない時はマイナス(−)，すでに下降している時はプラス(+)で表現する．骨盤入口部から坐骨棘まで通常 5 cm，児頭大横径の面から後頭部まで 3〜4 cm である．Sp −5 なら骨盤入口部の高さにあると考えてよい．

4 胎児部分の鑑別
● 外診によって下向部の診断は容易であるが，胎児先進部の種類や下降度の診断は内診によるところが大きい．特に回旋の状態は内診によらなければ正確な把握が難しい．胎児の各部の所見の特徴を理解しておくと役に立つ．

表3 胎児各部の鑑別方法

部位	特徴・鑑別方法
骨縫合	2枚の骨の接合する部分を縫合という．矢状縫合と他の骨縫合との鑑別が必要である． 矢状縫合は，内診指で児頭の表面をなぞると中央付近に溝状の線を触れることでみつけられる． 正常な分娩機転では，前在頭頂骨の下に後在頭頂骨が進入し，さらにその下に後頭骨，前頭骨が入る順に重なる．
泉門	3つ以上の縫合の交わった部分を泉門といい，小泉門(矢状縫合と人字縫合)と大泉門(矢状縫合と冠状縫合と前頭縫合)がある．両者の鑑別は回旋異常の診断では重要である． 矢状縫合に沿って指を進めて泉門を触れ，これを越えた先に縫合がなければ小泉門である．一方，矢状縫合の延長上に前頭縫合があれば大泉門と診断できる． 小泉門と大泉門のどちらが先進しているか，その泉門が母体の恥骨側，仙骨側のいずれの方向に向かっているか診断する．
殿部	殿部は全体に柔らかく，児頭骨のような均等な硬さがない． 骨縫合，泉門がなく，児背の側に尾骨，仙骨を触れる．下降してくれば，殿裂，肛門を触れる．
手と足	足の最も大きな特徴は踵があることである．足底から下腿への移行部に突出した踵の部分を触れる．手にはこの突起がない．また，足趾は手指に比べて短く，5本の趾がほぼ同じ長さで並ぶ． 骨盤位では，足底から足趾を触れて内診指と同じ向きの配列にあれば異名の足である(内診指が右なら胎児の足は左)．

6 内診(介助)

171

流れに沿った写真とイラストで，ひと目でわかる

☑ 評価基準をみてみよう

項目に関連する評価基準や観察項目について，着目すべきポイントをまじえて詳しく解説しています．看護技術を実践する際に参考としてください．

動画の使い方

本書の動画の見かた

本書でマークがついている技術の動画をご覧いただけます．右記QRコードまたはURLのWebサイトにアクセスし，IDとPASS(次ページ下のスクラッチを削ると記載されています)を入力してください．

QR

URL

http://www.igaku-shoin.co.jp/prd/04324/

本Webサイトの利用ライセンスは，本書1冊につき1つ，個人所有者1名に対して与えられるものです．第三者へのID・PASSの提供・開示は固く禁じます．また図書館・図書施設など複数人の利用を前提とする場合には，本Webサイトを利用することはできません．不正利用が確認された場合は，閲覧できなくなる可能性があります．

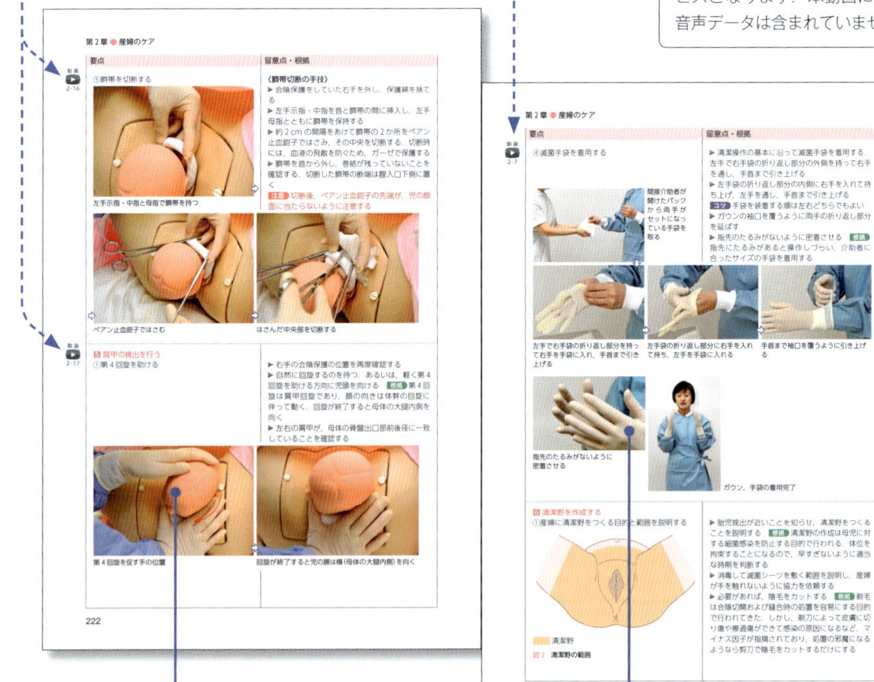

＊動画の閲覧はWeb配信サービスとなります．本動画には，音声データは含まれていません．

☑ 豊富な写真で理解を深めよう

看護技術の流れを具体的にイメージできるよう写真をまじえて解説しています．

動画一覧

第1章　妊婦のケア

1-1　レオポルド触診法　31
1-2　子宮底長の計測　40
1-3　腹囲の計測　42
1-4　トランスデューサーの装着　50
1-5　胎児振動音刺激試験(VASテスト)　53
1-6　ドップラー胎児心音計による聴診　64
1-7　トラウベ法による聴診　65
1-8　内診(腟鏡診)　71
1-9　内診(双合診)　73

第2章　産婦のケア

2-1　レオポルド触診法　137
2-2　ザイツ法　143
2-3　トランスデューサーの装着と片づけ　155
2-4　内診　165
2-5　導尿　208
2-6　滅菌ガウンの着用　211
2-7　滅菌手袋の着用　212
2-8　外陰部消毒(洗浄法)　213
2-9　外陰部消毒(清拭法)　214
2-10　清潔野の作成　215
2-11　人工破膜　217
2-12　肛門の圧迫・保護　218
2-13　保護綿の作成　219
2-14　児頭娩出　220
2-15　臍帯巻絡の解除法　221
2-16　臍帯切断　222
2-17　肩甲・体幹・下肢の娩出　222
2-18　吸引　225
2-19　母児標識の装着，臍帯切断　226
2-20　新生児の第1次検索　229
2-21　胎盤の娩出　229
2-22　胎盤の第1次検索　232
2-23　産婦の観察　232
2-24　縫合の介助　233
2-25　産褥パッドの着用　234
2-26　腹部のマッサージ　257
2-27　腰部・殿部のマッサージ　257
2-28　足のマッサージ　257

第3章　褥婦のケア

3-1　乳頭・乳房の触診　279

第4章　新生児のケア

4-1　バイタルサインの測定　393
4-2　頭部の観察　424
4-3　頸部・胸部・腹部・背部・四肢の観察　426
4-4　モロー反射の観察　429
4-5　口唇追いかけ反射・吸啜反射の観察　430
4-6　手掌把握反射・足底把握反射の観察　430
4-7　自動歩行反射の観察　431
4-8　身長の計測(身長計)　433
4-9　身長の計測(メジャー)　434
4-10　肩甲周囲・胸囲・腹囲の計測　435
4-11　肩幅・腰幅の計測　436
4-12　児頭の計測　438
4-13　胸部の聴診　444
4-14　黄疸の観察　449
4-15　点眼　467
4-16　排気のさせ方　474
4-17　粉ミルクの準備　476
4-18　与薬　479
4-19　更衣　482
4-20　おむつ交換　487
4-21　沐浴　492
4-22　ドライテクニック(全身清拭)　503
4-23　新生児の抱き方　511
4-24　新生児の寝かせ方　513

スクラッチを削ると
IDとPASSが記載
されています

第1章

妊婦のケア

1
妊婦のアセスメント

1 インタビュー(問診)

石村 由利子

目的
・妊娠の診断に必要な情報を得る.
・妊娠経過中の異常の有無を診断する情報を得る.
・妊婦の身体的・心理的状態や生活環境を知り，その後の妊娠・分娩管理に必要な情報を得る.
・ハイリスク因子をスクリーニングする.

チェック項目 主訴，氏名・年齢などの個人情報，身体的情報，心理的情報，社会的情報，家族の情報，日常生活に関する情報

適応 すべての妊婦

注意 個人情報の管理について十分な配慮をする．妊婦の疲労に配慮し，一定の時間内に終了する．処置を急ぐ時は，優先度の高い項目を選び，簡潔な応答で情報が得られるよう心がける.

禁忌 なし

事故防止のポイント 妊婦の取り違え防止，個人情報の保護に関するルールの遵守

必要物品 外来診療録，看護記録，チェックリスト，メモ用紙，筆記用具など

手順

要点	留意点・根拠
1 環境を整える ①診察室の環境を整える	▶ プライバシーが保護される環境を準備する **根拠** 産婦人科の問診には妊婦のプライバシーに関わることや羞恥心を喚起する内容のものが多い．他の人に聞こえない場所を設定する **注意** 個人情報の保護に対する配慮が必要である
②観察者と妊婦の座る位置を決める 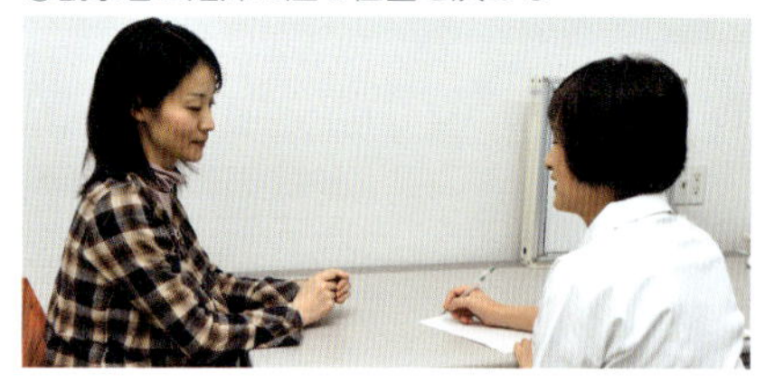	**根拠** 看護者と妊婦が向き合う形で座るより，L字形の位置に座るほうが圧迫感は少ない
2 妊婦の準備を整える ①妊娠期間中の健康診査の時期と回数を確認する	▶ 通常は定期健康診査時に必要な問診を行う ▶ 正常な経過をとる妊婦は次の基準で健康診査を行う ・妊娠初期～妊娠 23 週(第 6 月末)：4 週間に 1 回 ・妊娠 24 週～妊娠 35 週(第 9 月末)：2 週間に 1 回 ・妊娠 36 週(第 10 月)以降分娩まで：1 週間に 1 回
②整理して話せる準備をしてもらう	▶ 妊婦自身が伝えたいことを整理して話せるように準備してもらう **コツ** 問診票を利用するなどの工夫をするとよい

要点	留意点・根拠
3 観察者の準備を整える	
①観察者の服装を整え，態度に気をつける	▶清潔感を与える服装を心がける ▶専門家として信頼を得られるよう，落ち着いた態度で接する
②妊婦が安心して答えられる雰囲気をつくる	▶丁寧な言葉づかいで接する ▶できるだけ専門用語を避ける ▶共感的態度で接する コツ 一方的に質問するのではなく，話を聴こうとしている姿勢を示すことが大切である
4 問診時の注意	
①質問項目を整理する	
・聞くべき項目を整理して臨む	根拠 初診時の問診はハイリスク因子の発見などスクリーニングとしての意味がある．丁寧に聞き取ることが望ましいが，妊娠期間中に必要に応じて情報を追加すればよい．2回目以降も毎回，内容を整理して系統的に話を聞くことができるように心がける 根拠 短時間で必要な情報を得ることで，妊婦に不要な疲労感を与えない コツ 半構成的面接の技法を活用する
・質問内容の優先度を考え，問診を進める	
②妊婦の考えや生活習慣を尊重する	根拠 妊婦にはそれぞれの生活の中で培われてきた考えや生活習慣がある．それらを尊重することがよい関係を築くうえで大切である 注意 批判的な言葉で指摘したり，誤解を招くことがないよう気をつける
③個人情報の管理に注意を払う	▶カルテを妊婦や家族が見ることを考慮して，秘密にしたい内容の記載方法を決めておく 根拠 産婦人科の診療では家族にも知られたくない情報もある 注意 同席者がいる時は質問内容に注意する 事故防止のポイント 情報管理のシステムを確立しておく
5 問診を行う	
①挨拶と自己紹介をする	▶氏名を名乗り，看護師であることを告げる
②問診の目的，所要時間を説明する	
③妊婦の氏名，読み方を確認する	▶フルネームを確認する 注意 妊婦の取り違えが起こらないよう注意する．同姓同名の妊婦がいる場合は，診察券番号，生年月日など，他に識別できる事項で確認する 事故防止のポイント 同姓同名の妊婦を識別する方法を決めて，妊婦の取り違えを防止する 根拠 出生届などの公文書を発行するために，戸籍に記載されている正確な文字，読み方を把握しておく必要がある
④主訴を確認する	▶どのような自覚症状があるのか聞く 根拠 妊娠を疑う自覚症状には月経停止，消化器症状，全身倦怠感などの神経症状がある

要点	留意点・根拠
⑤個人的背景について聞き取る ・生年月日，年齢を確認 ・現住所，電話番号，通院・入院時の交通手段と所要時間，帰省する予定があれば帰省先の住所と名前 ・結婚歴：未婚・既婚の別，初婚・再婚の別，結婚年齢 ・学歴，特に専門教育の内容 ・就業状況：有職女性か専業主婦か，有職女性であれば職種，業務内容，勤務形態，通勤手段	▶ 個人的背景を聞き取り，ハイリスク因子があれば詳しく確認する ・20歳未満の若年妊婦，35歳以上の初産婦，40歳以上の経産婦はハイリスク妊娠と考える ・長時間の立位，不規則な就労時間，振動のある環境，重い荷物を持つなど，身体的負担の大きい業務や職場環境は妊娠継続に影響を及ぼしやすい **注意** 学歴や専門教育の内容は保健指導の理解度を判断する時に根拠の1つとなる．しかし聞かれると不快に感じる事柄もあるので，妊婦の表情をよく観察し，無理に聞くことはしない
⑥身体的情報を聞き取る ・既往歴 ・月経歴 ・現病歴：妊娠・分娩経過に影響を及ぼす合併症の有無 ・既往妊娠歴・分娩歴：妊娠・分娩・産褥経過の異常の有無，児の状態 ・今回の妊娠経過：異常徴候，不快症状の有無 ・非妊時の体格 ・血液型	▶ 身体的情報を聞き取り，ハイリスク因子があれば詳しく確認する ・高血圧，心疾患，腎疾患，呼吸器系疾患，性感染症やウイルス性疾患などの感染症，結核性疾患，糖尿病，甲状腺疾患，肝機能障害，膠原病などは妊娠経過に及ぼす影響が大きい ・婦人科疾患は妊娠の成立や継続に影響するものが多い．不妊症治療を受けた場合は，治療内容，期間，今回の妊娠が治療の結果によるものか確認する **注意** 妊娠・分娩経過に影響を及ぼすことが予測される合併症があれば，主治医と連絡がとれるようにしておく
・妊娠経過中の状況を確認し，異常が疑われれば詳しく話を聞く	▶ 妊娠期は妊婦自身の健康管理に任される期間が長い．健康診査までの期間中の自覚症状について聞く **根拠** 異常徴候，不快症状があれば解決に向けた指導が必要である
・非妊時の体格を確認する	▶ p.36「第1章-1【5】計測診①身長・体重」参照 **根拠** 分娩は出血を伴い，時に輸血が必要な状況が発生する
・血液型を確認する	**注意** 本人の申告だけでなく，必ず検査を行う
⑦心理的情報を聞き取る ・妊娠の受容 ・ボディイメージの変化の受容 ・母親役割行動の獲得状況 ・夫(パートナー)との関係	
・妊娠に対する思いを聞き取り，反応を確認する	**根拠** 望んだ妊娠か否かによって妊娠の受容に関する反応は異なる．一般に妊娠中期以降は肯定的に受け止めるようになるが，いずれの時期にも不安を助長する因子がある **コツ** つわりなどの身体症状との関連を考慮しながら話を聞く
・妊婦としての自己を受け入れ，出産・育児に向けた準備行動がとれているか確認する	
・夫(パートナー)との関係は良好か判断する	**根拠** 夫はサポート資源として重要な役割をもっている．夫の妊娠に対する認識は妊婦の受容に大きく影響する

要点	留意点・根拠
⑧日常生活の状況を聞き取る ・生活環境：居住地の物理的・化学的環境，人的環境，経済的環境 ・生活習慣，食生活習慣，嗜好品 ・セルフケア行動 ・外国人の場合：サポート資源はあるか．母国の文化との違いによる困難の有無	
・生活環境，基本的な生活習慣を知り，適切なセルフケア行動がとれているか確認する	根拠 規則正しい生活習慣をもつことは妊婦自身の健康のみならず，胎児の発育によい影響を与える．嗜好品についても喫煙による胎児発育遅延，胎児性アルコール症候群，特定の薬物による影響はよく知られている．栄養摂取，嗜好品，体重管理，姿勢，日常生活動作，運動，睡眠・休息，排泄，清潔，衣類・靴，マイナートラブル(腰背部痛，消化器症状，頭痛，頻尿，めまい，動悸，息切れ，むくみなどの不快症状)，性生活について情報を得ておくことは保健指導に役に立つ
・妊娠期の健康管理に必要な知識をもっているか，学習意欲はあるか，適切な社会資源の活用が図れる環境にあるか確認する	
⑨家族の状況を聞き取る ・夫(パートナー)の氏名，年齢，職業，勤務先，連絡方法 ・夫(パートナー)の健康状態 ・子どもの人数および健康状態 ・妊婦の両親の健康状態 ・妊婦の兄弟姉妹の人数および健康状態 ・妊婦の母親，姉妹の妊娠・分娩経過に関する情報 ・家族／役割関係	
・夫に関する情報を得る	根拠 氏名，年齢，既往歴，現在の健康状態，血液型，血縁者の遺伝性疾患の有無を確認する．胎児にとって父である配偶者の健康状態は重要な情報である
・子どもの人数，それぞれの年齢，病歴について聞く ・妊婦の両親，兄弟姉妹の健康状態について聞く ・夫の父親役割認識について確認する	根拠 生まれてくる子どもを迎える環境が整っていることが大切である．夫のみならず家族全員の思いを聞く
6 記録，評価をする ①結果をカルテに記録する ②妊婦に問題点を知らせ，保健指導計画を立てる	▶ 専門用語を避け，わかりやすく説明する

評価

- 妊娠・分娩経過に影響する異常徴候がみられる時は医師に報告する．
- 妊婦の身体的・心理的状態や生活環境からその後の妊娠・分娩管理に必要な情報を選別し，ハイリスク因子があれば医師に報告するとともに保健指導の計画を立てる．

2 バイタルサイン

石村 由利子

目的
・妊婦の生理的・機能的変化を把握する．
・妊婦の異常徴候やリスクを早期発見する．

チェック項目 体温，脈拍数，呼吸数，血圧

適応 すべての妊婦

注意 生活行動の影響を最小にする．安静後 2～5 分以上経過してから測定する．

禁忌 なし

必要物品 体温計，血圧計，聴診器，ストップウォッチ，アルコール綿

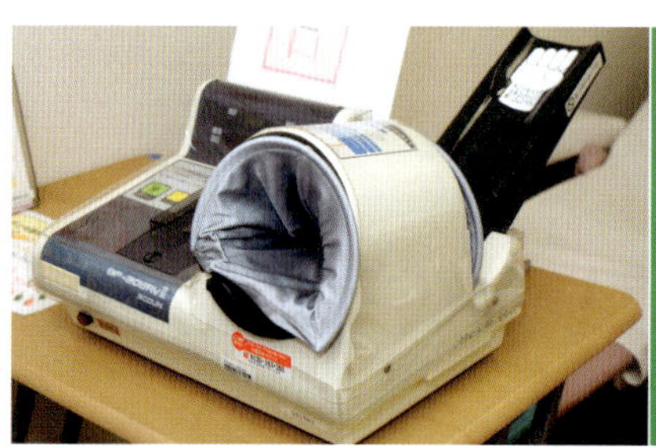
自動血圧計

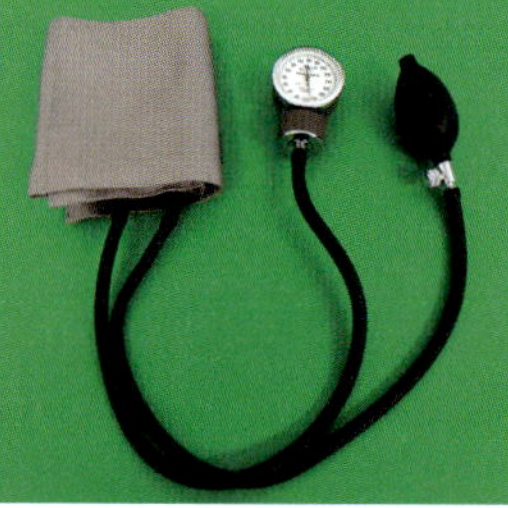
アネロイド血圧計

ストップウォッチ

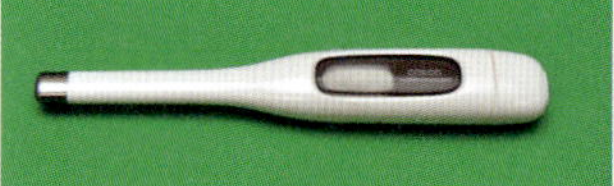
体温計

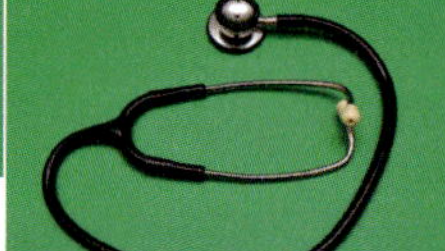
聴診器

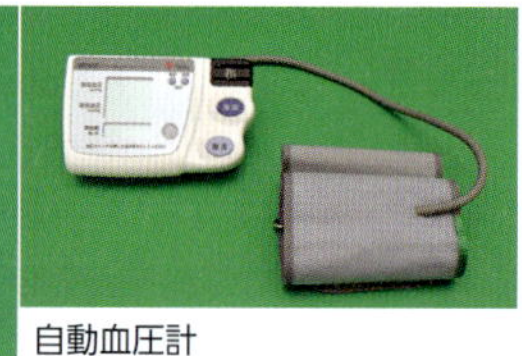
自動血圧計

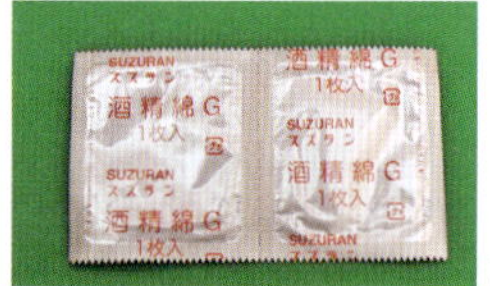

アルコール綿

手順

要点	留意点・根拠
1 環境・必要物品を整える	
①診察室の環境を整える	▶ プライバシーが保護される環境を準備する ▶ 室温を 24～25℃ にする
②体温計，血圧計を準備する ・体温計を準備する	▶ 腋窩体温計を準備する ▶ 電子体温計を使用する時は，ケースから取り出し，温度表示部に計測可能のマークが表示されていることを確認する
・血圧計を準備する	▶ カフが心臓の高さになる位置に血圧計を設置す

要点	留意点・根拠
	る ▶自動血圧計のスイッチを入れる ▶アネロイド血圧計を使用する場合，以下の確認をする ・圧力を加えない時，目盛りは 0 となっているか ・適切なサイズのマンシェットが選択されているか ・マンシェットへの送気，脱気がスムーズか ・マンシェットのマジックテープやゴム球の劣化，破損がないか
2 妊婦の準備を整える ①測定の目的，方法を説明する	**根拠** 妊婦健診では自動血圧計で妊婦が自分で測定する施設が多い．正しい測定値が得られるように指導しておく
②正確に測定できる準備を整える ・安静を保つ	▶血圧は座位で 5 分以上安静にしたのち測定する **根拠** 血圧，脈拍，呼吸数はいずれも生活行動，運動の影響を大きく受ける
3 血圧測定を行う ①血圧の左右差を確認する	**注意** 初回測定時は左右両側で測定し，10 mmHg 以上差がある時は，以降の測定は高い側で測る．一般に右>左である[1]
②血圧を測定する ・下記の手技に従って血圧を測定する	▶測定には水銀血圧計と同程度の精度を有する機器を用いる
・1〜2 分間隔で 2 回測定し，その平均値をとる[2]	**注意** 2 回目の測定値が 5 mmHg 以上変化する場合は，安定するまで数回測定する[2]
《自動血圧計の場合》 ・自動血圧計に腕を挿入する ・スタートボタンを押して，測定を開始する ・測定値を記載した記録紙を取る 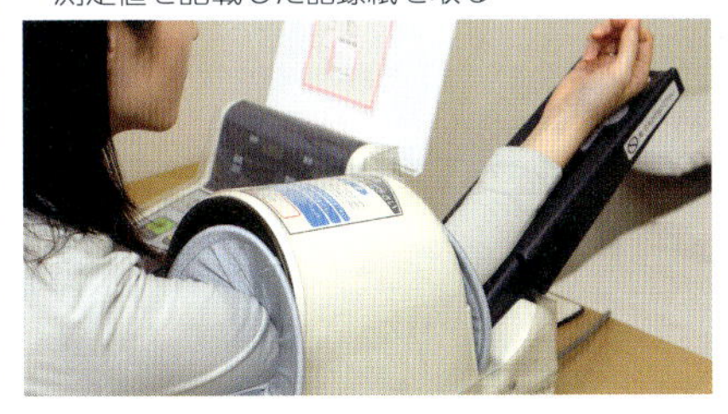	**コツ** 測定中，腕を動かさない **注意** 自動血圧計による測定値が 135/85 mmHg 以上の場合は，聴診法によって確認する[1]
《手動式血圧計 聴診法の場合》 ・妊婦を座位にする ・上腕にマンシェットを巻く ・上腕動脈の上に聴診器を当てて，血圧を測る	▶足は床につけ，安定した座位をとる ▶マンシェットは下縁が肘関節より 2〜3 cm 上になるように当て，指が 1〜2 本入る程度に巻く ▶マンシェットを巻いた前腕を第 4 肋骨の高さに保持して測定する **コツ** マンシェットの内圧を 1 心拍につき 2〜3 mmHg 程度のスピードで下げる．速すぎると正しく測定できない

要点	留意点・根拠
	▶ 拡張期血圧の測定値が確認できたら，速やかに減圧する **事故防止のポイント** 妊婦を仰臥位にすると，増大した子宮によって下大静脈が圧迫されることで静脈還流が阻害され，血圧低下を招くことがある．臥床させて測定する必要はない
4 体温の測定を行う ①測定部位の条件を整える ②体温を測る 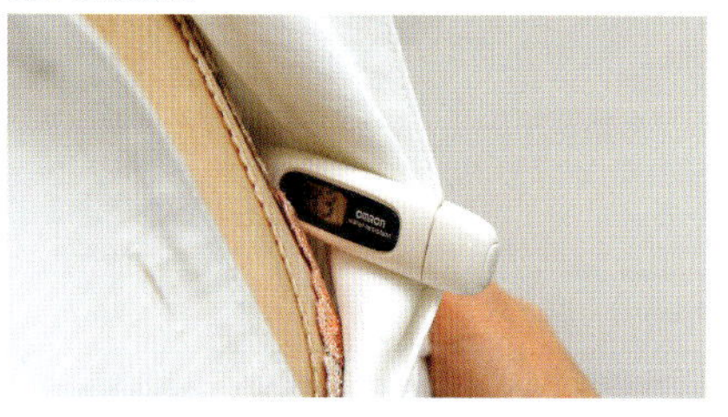 ・腋窩の最深部に体温計を前下方から後上方に向かって挿入する ・体温計を挿入したまま 10 分間保持する	▶ 腋窩に発汗がみられる時は清拭する **コツ** 熱の放散を防ぐために手早く行う **根拠** 平衡温に達するまで 10 分以上必要である **コツ** 肘を 90 度に曲げ，前腕を腹部に引き寄せてもらうと，腋が開かない **注意** 電子体温計は，上昇カーブから体温を予測して短時間で測ることができる（予測値）．高体温の時は実測値を計測する．低体温の時は適正に測定できているか検討する
5 脈拍数の測定を行う ①安静後であることを確認する ②脈拍数を測る ・橈骨下端の内側部位の動脈の走行に沿って，観察者の示指から環指の指腹を軽く当てる ・1 分間脈拍数を数える ・リズムの異常の有無を観察する 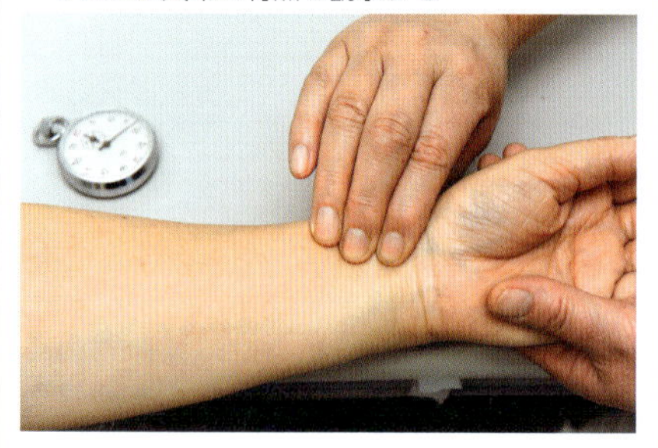	**根拠** 母指は観察者の脈拍が感じられて，妊婦の脈拍を触知しづらい **根拠** リズムの観察をするために基本的に 1 分間測定する．しかし，ほとんどの妊婦は健康で安定していることから，臨床では 30 秒の測定で観察することもある **注意** 自動血圧計は同時に脈拍数も測定できるが，リズムの異常，緊張を観察するためには触診が必要である

要点	留意点・根拠
6 呼吸数の測定を行う ①安静後であることを確認する	根拠 生活行動の影響を除外するため，測定条件を整える
②呼吸数を測る 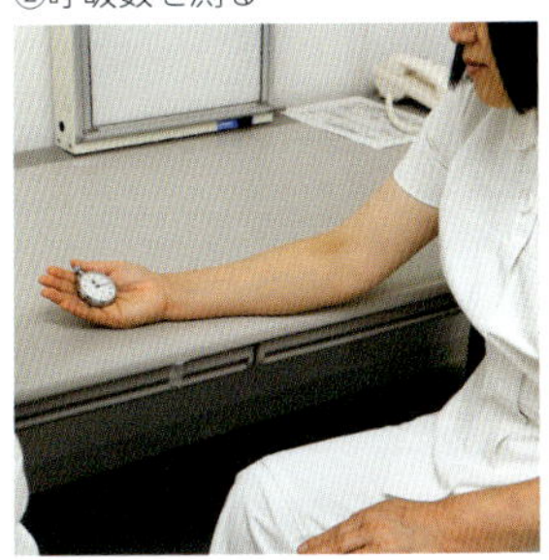 ・呼吸に応じた胸郭の動きを観察し，呼吸数を数える．呼吸数，リズム，深さが保たれていることを確認する	コツ 呼吸数は意識的に調節できる．正しい測定値を得るために平常の呼吸をするように指導する 注意 呼吸数は数が少ないので1分間測定し，誤差を少なくする
・呼吸のしかた，自覚症状の観察を行う	根拠 妊娠後期には増大した子宮によって横隔膜が挙上され，呼吸運動が円滑に行われにくくなる
7 後始末をする ①使用した物品を片づける ・体温計をアルコール綿で清拭して，ケースに収める 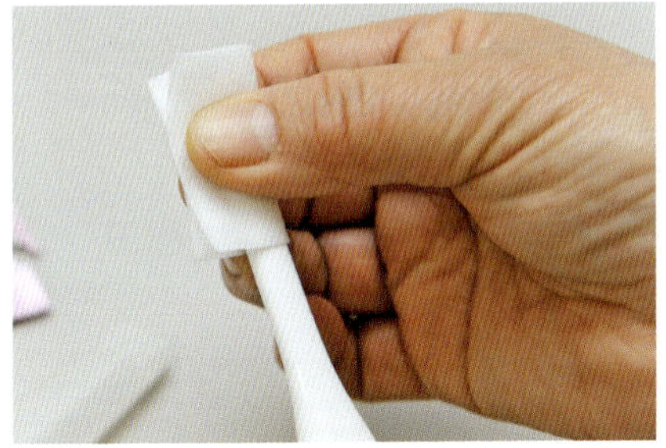 体温計をアルコール綿で清拭する	
・血圧計を片づける	▶ 自動血圧計の場合：スイッチを切る ▶ 手動式血圧計の場合：マンシェットから空気を抜いてたたむ
・聴診器のチェストピースとイヤーピースをアルコール綿で清拭する	
8 記録，評価をする ①結果をカルテに記録する ②血圧は母子健康手帳にも記録する	▶ 数値に異常がみられた時は随伴症状を記録する ▶ 正常からの逸脱が観察された時は，医師に報告する
③妊婦に結果を知らせる	

評価

1 体温

- 妊娠初期は 36.7～37.2℃ 程度で経過する．妊娠中期以降，下降して低温相のレベルに戻る．
- 37.5℃ 以上は何らかの感染症を疑う．随伴症状を注意深く観察することと原因の検索が必要である．

2 脈拍数

- 脈拍数は妊娠 8 週頃から増加し始め，妊娠 28～32 週頃に最大になる．
- 妊娠後期でその増加率は 15% 程度（約 10 bpm）で，妊婦自身が自覚することはほとんどない．

3 呼吸数

- 呼吸数は非妊時と変わらない．安静時，成人では 1 分間に 14～18 回である．
- 妊娠期は酸素必要量が増すために換気亢進が生じ，息切れとして自覚されることがある．症状が強くなれば心疾患との鑑別が必要である．

4 血圧

- 妊娠期の血圧は心拍出量や循環血液量の増加，末梢血管抵抗の低下などの影響を受けるが，正常妊娠では一般に大きな変化はみられない．
- 妊娠中期以降に上昇傾向がみられる時は，妊娠高血圧症候群の発症に留意する．

表 1　妊娠高血圧症候群における高血圧の診断基準[2)]

診断基準
収縮期血圧 140 mmHg 以上 または拡張期血圧 90 mmHg 以上

注）2018 年の定義の改定に伴い，従来の「軽症」「重症」の分類は削除された．収縮期血圧 160 mmHg 以上，あるいは拡張期血圧 110 mmHg 以上については「重症高血圧」とする．

水銀の取り扱い

水銀は生物に対する毒性が強いため，WHO は 2020 年までに水銀を使った血圧計や体温計の使用をやめるとする指針を 2013 年にまとめた．

国内では水銀の排出などから人の健康や環境を保護するため，2013 年の「水銀に関する水俣条約」が採択された．これを受け，「水銀汚染防止法（2015 年）」が制定され，水銀血圧計と水銀体温計は，2021 年には製造，輸出入が禁止となる．

文献

1）三宅良明：妊婦健康診査の異常 血圧．周産期医学 37（増刊号）：184-189，2007
2）日本妊娠高血圧学会編：妊娠高血圧症候群　新定義・分類　運用上のポイント，p.110，メジカルビュー，2019

3 視診

石村 由利子

目的
・妊婦の全身および局所の状態を観察する．
・妊婦の体格，形態学的特徴を把握する．

チェック項目 視診による観察項目（p.20，表1参照）

適応 すべての妊婦

注意 視診によって正常を逸脱していると思われる所見があれば，問診，触診，計測診，聴診，臨床検査でさらに詳しく情報を得る．

禁忌 なし

必要物品　外診台，バスタオルまたは綿毛布

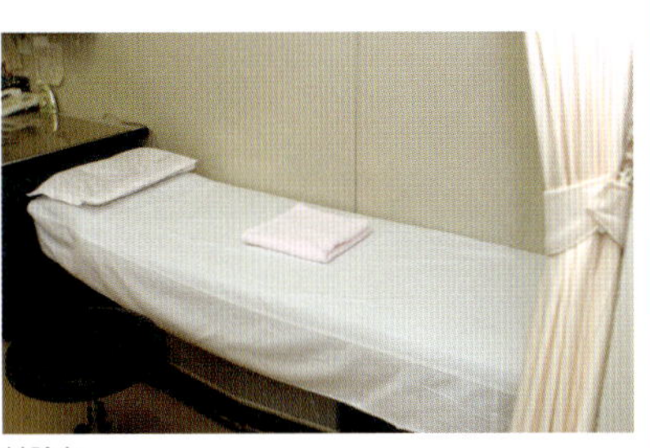

外診台

手順

要点	留意点・根拠
1 環境を整える ①診察室の環境を整える	▶ プライバシーが保護される環境を準備する ▶ 室温を24～25℃に調整する ▶ 診察部位に適した場を準備する．通常，顔面，乳房，上肢の観察は座位で，腹部，下肢の観察は臥位で行う
2 妊婦の準備を整える ①診察の目的を説明する ②排尿を済ませておくよう説明する ③妊婦を呼び，診察室に入室してもらう	**注意** 正しい情報を得るために，妊婦には化粧，マニキュアを落としてもらう **根拠** 妊婦の診察では，部位ごとに視診，触診が続けて行われる．腹部の診察のために膀胱充満がないことが大切である **コツ** 妊婦健診では，尿蛋白，尿糖の検査が行われる．手順よく進めるために，診察前に尿検査を済ませておくよう指導する
3 観察者の準備をする ①カルテから情報を得て準備する 	▶ 妊婦の氏名を確認し，カルテから情報を得ておく ▶ 視診は診察室に妊婦が入ってくる時から始まる．入室時から観察ができるように準備する **根拠** 一般的に人が日常生活で得る情報のうち，視覚から入る情報は約70%といわれる．何をみるのか，目的に沿ってみていくことが大切である **コツ** 系統的に順序よくみていくと見落としがない **注意** 視診で異常が疑われる時は，問診，触診，計測診でより客観的な情報を得る

要点	留意点・根拠
②必要物品を準備する	▶ 診察所見によっては触診の技術が必要である．そのための必要物品（ディスポーザブル手袋など）を整えておく
4 全身の観察を行う ①姿勢，歩き方，動作を観察する 	▶ 診察室に入室する時の姿勢，歩き方を観察する 根拠 体型の変化に伴い，姿勢や歩き方にも変化が現れるので，立位，歩行時の姿を観察することは大切なポイントである
②体格を観察し，栄養状態を推測する ・体格を観察し，妊娠・分娩経過への影響を推測する ・栄養状態を推測する 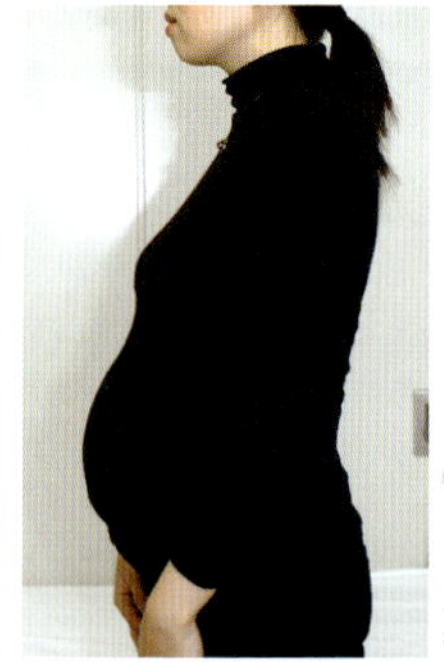 立位で体格を観察する	コツ 体格をみる時は立位が最もわかりやすい．必ず立っている姿をみる．座位や臥位では全身のイメージがつかみにくくなる 根拠 妊婦の形態的特徴は妊娠経過や分娩の難易度に影響する．低身長，肥満は要注意である 注意 **体重測定は健診ごとに行う**（p.36「第1章-1【5】計測診①身長・体重」参照） **■観察項目** 体格，姿勢，骨格の強弱，脊柱の状態，栄養状態，貧血状態，意識状態，動作・運動障害の有無
5 顔の観察を行う ①顔色，表情をみる ・表情を観察し苦痛様症状がないことを確認する ・顔色，色素沈着の程度を観察する	▶ 椅子に座ってもらい，観察する ▶ 妊娠中はホルモンの影響で色素沈着が強まり，しみ，そばかすが増える ▶ 妊娠性肝斑は顔面に左右対称に現れる褐色の色素沈着である．妊娠中期以降の妊婦の70％にみられる
②浮腫の有無をみる	コツ 特に眼瞼周囲の浮腫が見つけやすい 注意 **浮腫感があるだけなのか，他覚的に浮腫があるのか判断する．顔面に浮腫を認める時は，他の部位の浮腫の有無を観察し，浮腫の程度を触診で確認する**

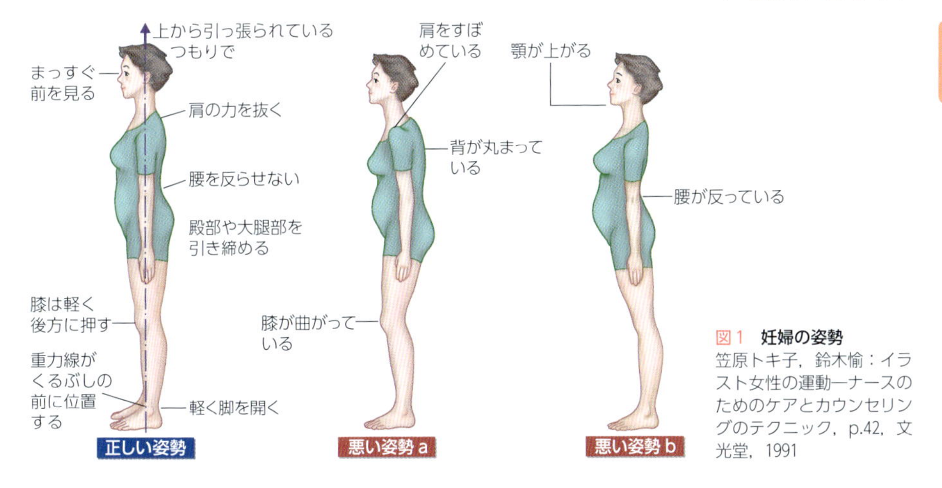

図1 **妊婦の姿勢**
笠原トキ子，鈴木愉：イラスト女性の運動—ナースのためのケアとカウンセリングのテクニック，p.42，文光堂，1991

要点	留意点・根拠
③眼瞼結膜の色，口唇の色を観察する 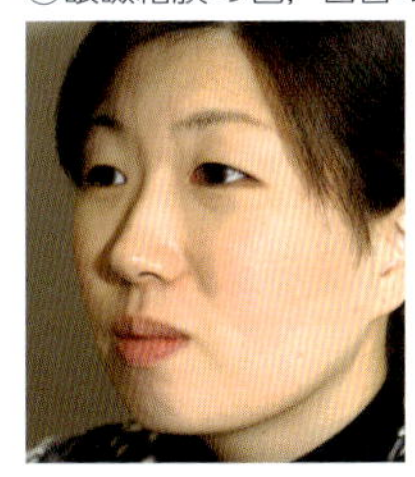	▶ 色がすぐれない場合は貧血を疑う **コツ** 爪の色も有用な情報である．あわせて観察する
④口腔内を観察する 	
・歯を観察し，う歯の有無を確認する	**根拠** 妊娠中は唾液が酸性に傾き，ホルモン分泌の変調のために，う歯や歯周病になりやすい **注意** つわりの時は歯磨きが困難になることが多いので，口腔ケアを勧める[1]
・歯肉の色，出血，浮腫，腫脹の有無を観察する	**注意** 歯科治療は妊娠中でも制限することはない．妊娠の早い時期から歯のアセスメントを行うことが大切である **観察項目** 表情，顔色，眼瞼結膜の色，浮腫の有無，色素沈着の有無，肝斑の有無，口唇の色，う歯・歯肉炎の有無，頸部の腫脹の有無

要点	留意点・根拠

6 上肢の観察を行う

①手掌，手指の観察を行う

・手掌の赤みの有無，広がりを観察する(a)

根拠 妊娠に伴い末梢血流量が増大するために起こる変化で，瘙痒感を伴う．他のアレルギー疾患と鑑別する

・爪の色を観察する(b)

▶ 爪甲が透けて白っぽく見える時は貧血を疑う

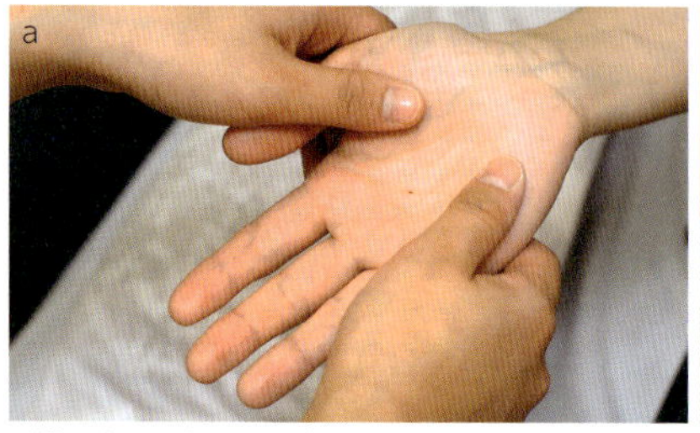

手掌の赤みの有無，広がりを観察する

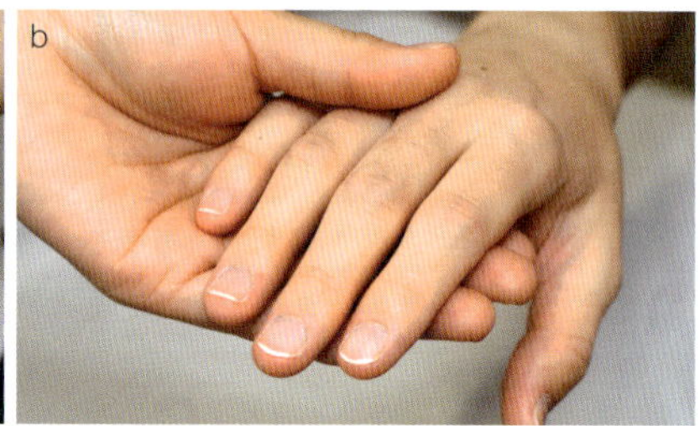

爪の色を観察する

・手指の浮腫の有無をみる

コツ 軽度の浮腫を視診で見つけるのは困難である．手が握りづらいなどの問診で得られる情報とあわせて判断する

観察項目

手掌・爪の色，かゆみの有無，浮腫の有無

7 乳房・乳頭の観察を行う

①座位をとり，胸部を露出してもらう

▶ 着衣を広げ，乳房が観察できる体位をとってもらう

▶ バスタオルで覆い，不要な露出を避ける

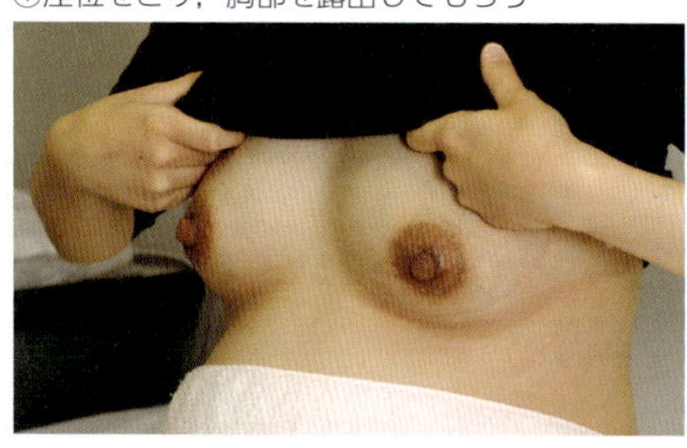

②乳房の観察をする

・乳房の形，大きさを観察する

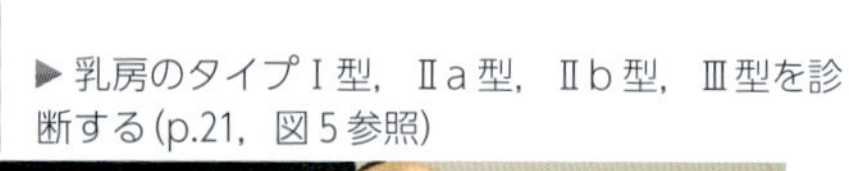

▶ 乳房のタイプⅠ型，Ⅱa型，Ⅱb型，Ⅲ型を診断する(p.21，図5参照)

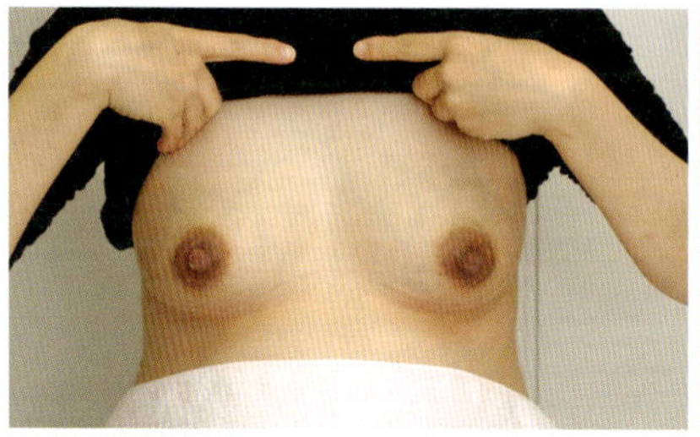
正面から観察する

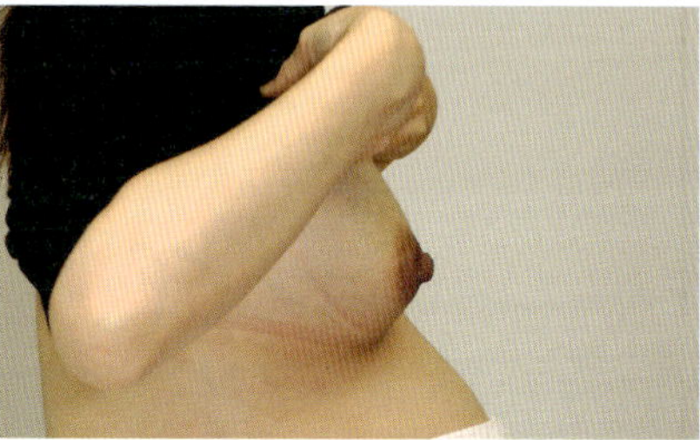
側面から観察する

要点	留意点・根拠
③乳頭を観察する ・乳頭の大きさ，着色の程度を観察する ・乳頭の突出状態を観察する 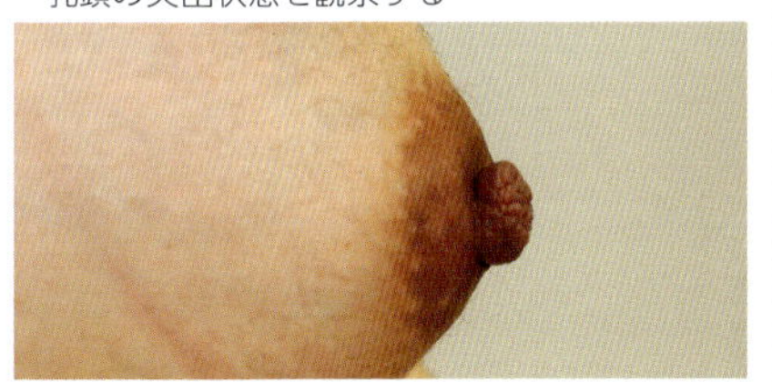	▶扁平乳頭，陥没乳頭などの形態異常の有無を観察する 根拠 乳頭の大きさ，形は産褥期の授乳の適否に影響する
④乳輪部を観察する ・乳輪の広さ，着色の程度を観察する 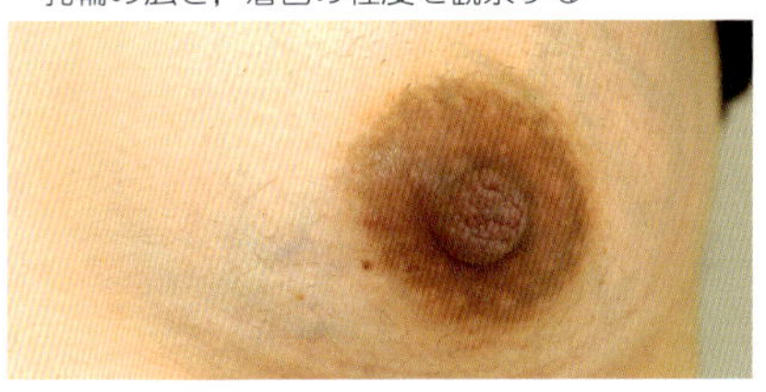 ⑤観察終了後，着衣を整えてもらう	▶乳輪の大きさは個人差が大きく，授乳の適否に関して臨床的意味はない ▶乳頭，乳輪は妊娠 12 週頃から着色がみられる．妊娠に伴う変化の 1 つである **観察項目** 乳房の大きさ，形，妊娠線の有無 乳頭の大きさ，形 乳輪の広さ，着色，モントゴメリー腺
8 腹部の観察を行う ①立位になってもらい腹部の大きさ，形をみる 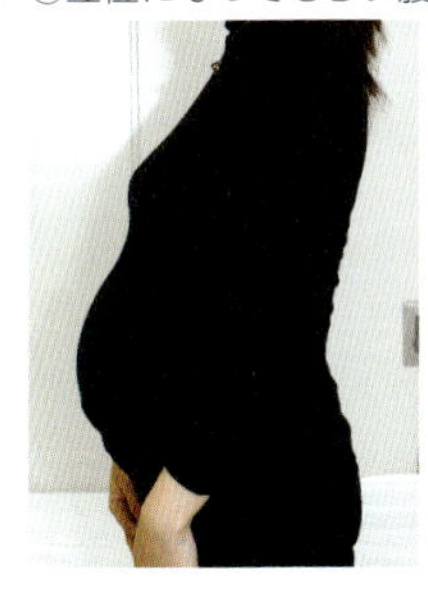	▶立位で腹部の大きさを観察する 根拠 妊娠週数に応じた大きさであるかを確認する ▶腹部の形を観察し，尖腹(せんぷく)，懸垂腹(けんすいふく)の有無をみる 根拠 これらは狭骨盤を疑う所見である コツ 腹部の形は妊婦の側方から観察するとわかりやすい

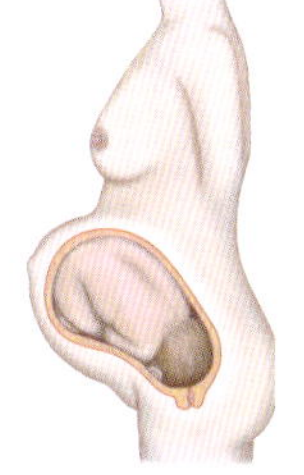

尖腹：腹部が前方に強く突き出ているもの．腹壁に緊張のある初産婦にみられる．

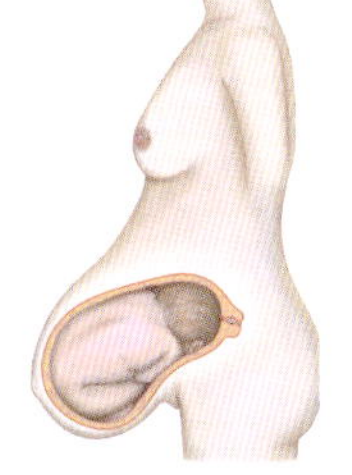

懸垂腹：腹壁が下がっているもの．多産婦で腹壁の弛緩した者にみられる．

図 2　**腹部の形の異常**

要点	留意点・根拠
②外診台で仰臥位になってもらう ・妊婦は外診台で仰臥位をとり，軽く膝を曲げる	▶膝を曲げると腹部の緊張がとれる 根拠 妊娠後期には，増大した子宮による下大静脈の圧迫により仰臥位低血圧症候群を起こすことがある 注意 診察までに時間がある時は，側臥位またはセミファウラー位で待ってもらう 事故防止のポイント 不必要に長く仰臥位をとらせないことで，仰臥位低血圧症候群を予防する
・腹部を露出してもらい，バスタオルまたは綿毛布で覆う	▶恥骨結合上縁から子宮底までの着衣を外してもらい，腹部が観察できる準備をする ▶恥骨上縁から足にバスタオルなどをかけ，不必要な露出を避ける ▶ p.29「第1章-1【4】触診②レオポルド触診法」を参照
③腹部の形を観察する ・腹部の形，膨隆の有無を観察する 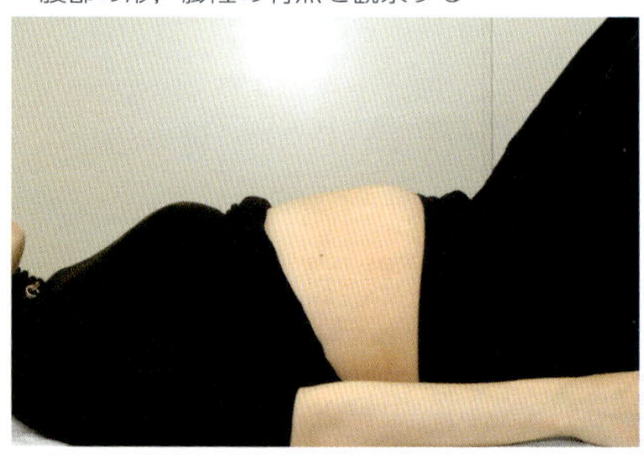 外診台上で腹部を観察する	▶妊婦の腹部は基本的に左右対称で，不自然な凹凸がない．縦位であれば縦長の楕円形である ▶妊娠後期になると腹壁上から胎動を観察できることもある．胎動に伴う腹壁の動きをみる
④皮膚の状態を観察する ・妊娠線の有無を観察する 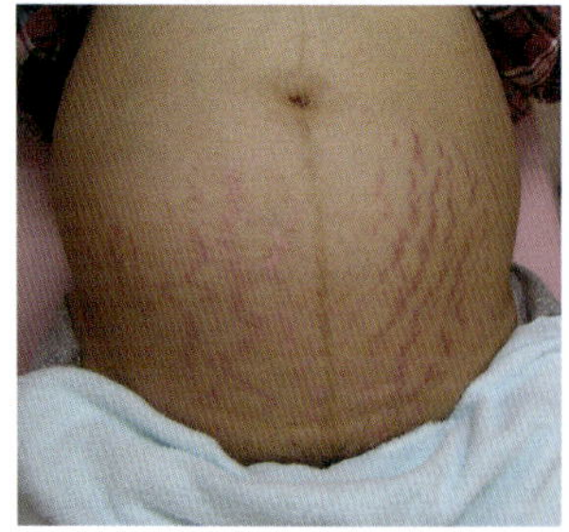 妊娠線　〔写真提供：佐世正勝〕	注意 妊娠線，色素沈着は正常な妊娠経過に起こる変化の1つであり，臨床経過に影響するものではない．しかし，妊婦が否定的なボディイメージを抱く原因となる
・妊娠による色素沈着の有無を観察する ・発疹の有無を観察する	根拠 治療が必要な皮膚疾患を鑑別するために行う．妊娠中は基礎代謝が亢進し，発汗が多く，汗疹ができやすい 注意 瘙痒感の有無を問診で確認する
・浮腫の有無をみる	▶あれば触診で程度を確認する
・臍窩の状態を観察する	▶妊娠経過に従ってくぼみは次第に浅くなり，妊娠後期には消失する

要点	留意点・根拠
	■観察項目 腹部の大きさ，形，臍窩の状態，浮腫の有無 皮膚の変化(着色，新・旧妊娠線の有無，皮下脂肪の増加)，発疹の有無，胎動の状態，手術創の有無
9 下肢の観察を行う ①外診台で足を伸ばしてもらう 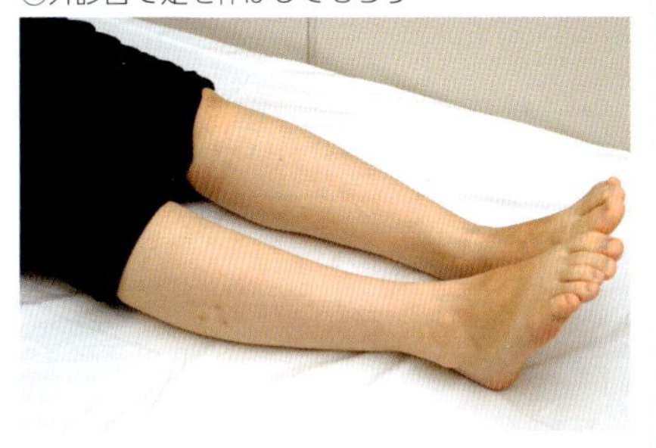	▶脛(けい)骨，腓(ひ)骨，足背，くるぶしが観察できるように，外診台で足を伸ばす
②浮腫の有無を観察する	**注意** 下肢のみに限局した浮腫の場合，長時間の立位によるものもある．生理的な浮腫を除外する **注意** 視診のみでは判断は難しい．必ず触診で程度を確認し，左右差の有無，必要に応じて下肢の周囲長を計測する
③静脈瘤の有無をみる	▶静脈瘤があれば部位，静脈の拡張の程度を観察する **根拠** 症状が進むと浮腫，炎症とともに疼痛や知覚異常などの自覚症状を伴うことがある．症状の問診を併せて行う **■観察項目** 浮腫の有無，静脈瘤の有無
10 外陰部の観察を行う ①診察に適した体位をとる 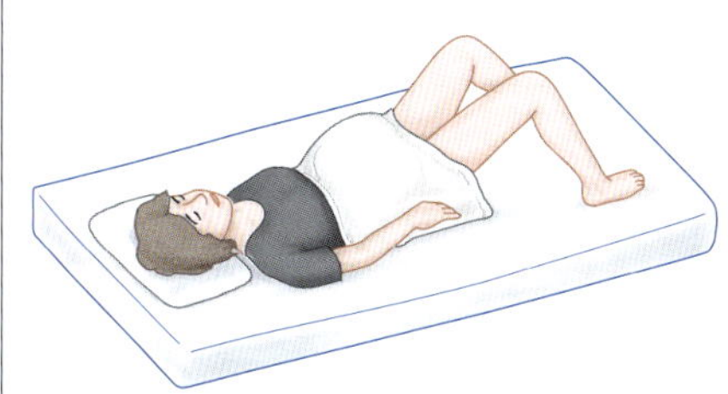 図3 外診台またはベッド上で外陰部を診察する時の体位	▶外陰部の視診，触診は，内診時に行うことが多い〔p.68「第1章-1【7】内診(介助)」参照〕 ▶内診をせず，外陰部の視診のみを行う時は，診察に適した診察台を準備する〔p.68「第1章-1【7】内診(介助)」参照〕 **根拠** 外診台でも観察できるが，内診台のほうが診察部位を広く開いて診察できる **コツ** 外診台あるいはベッド上で観察する時は，下着をとり，仰臥位になってもらう．腰枕を当てたら，膝を立て，かかとを肩幅程度に開いてもらう
②外陰部の観察を行う ・外陰部の状態，静脈瘤の有無を観察する	▶ p.68「第1章-1【7】内診(介助)」参照 **■観察項目** 外陰部の浮腫の有無，静脈瘤の有無，瘢痕の有無 陰唇の着色の程度，分泌物の量と性状

要点	留意点・根拠
11 記録，評価をする	
①結果をカルテ，母子健康手帳に記録する	▶計測診，聴診などの他の診察法によって得られる結果を総合して評価を行う
②妊婦に結果を知らせる	▶専門用語を避け，わかりやすく説明する

評価

1 観察項目

表1 視診による観察項目

部位	項目
全身	体格，姿勢，骨格，脊柱の状態，栄養状態，貧血状態，意識状態，動作・運動障害の有無
顔	表情，顔色，眼瞼結膜の色，口唇の色，浮腫の有無，色素沈着の有無，肝斑の有無，う歯・歯肉炎の有無，頸部の腫脹の有無
上肢	手掌・爪の色，かゆみの有無，浮腫の有無
乳房	乳房の大きさ・形，妊娠線の有無，乳頭の大きさ・形，乳輪の大きさ・着色，モントゴメリー腺
腹部	大きさ，形，臍窩の状態，浮腫の有無，皮膚の変化(着色，新・旧妊娠線の有無，皮下脂肪の増加)，発疹の有無，胎動の状態，手術創の有無
下肢	浮腫の有無，静脈瘤の有無
外陰部	浮腫の有無，静脈瘤の有無，瘢痕の有無，陰唇の着色の程度，分泌物の量と性状

2 姿勢，歩き方

- 妊娠すると骨盤諸関節の結合組織や靭帯は軟らかくなり，骨盤はわずかに弛緩する．殿部を後方に突き出し，身体を左右に振りながら歩く時は，この弛緩が強いと考えられる．さらに弛緩の程度が強くなると，痛みを訴えたり，恥骨結合部や仙腸関節の離開を起こしたりすることがある．
- 妊婦の姿勢は胎児の発育に伴う子宮の増大によって重心が前方に移動するため, 次第に反り身になり，頸椎・腰椎の生理的前彎が増大する．重心の位置が下がり，膝関節は屈曲する．腹部を突き出し，足を上げない歩き方が特徴である．

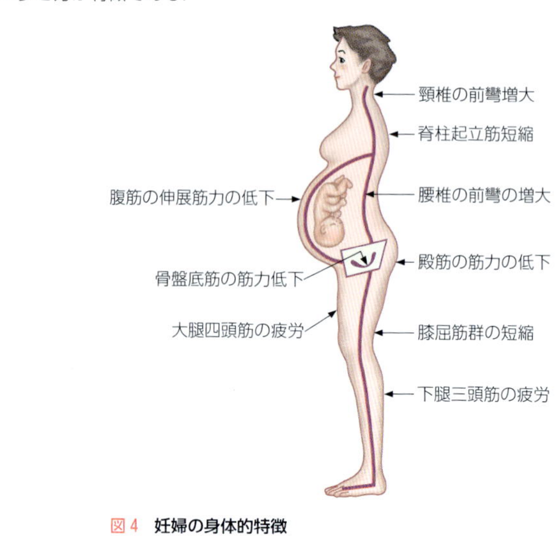

図4 妊婦の身体的特徴

3 体格

- 低身長，肥満は分娩の難易度が高くなる．必ず身体計測を行い，適切な判断をする．

4 乳房，乳頭

- 乳腺組織の発育は乳房の形で判断する．Ⅰ型からⅢ型へいくほど発育状態がよい．

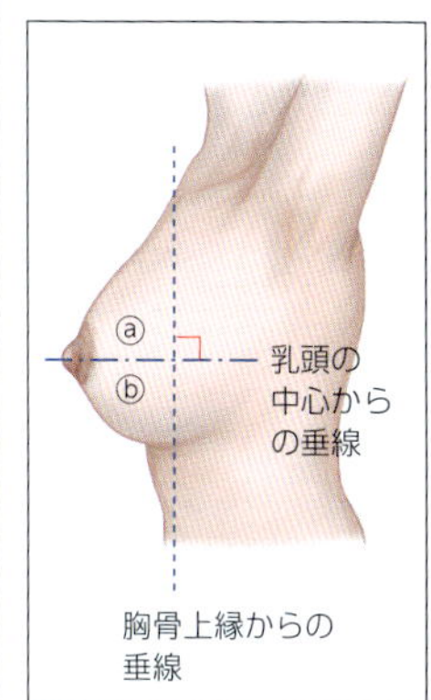

乳房のタイプ	Ⅰ型	Ⅱa型	Ⅱb型	Ⅲ型
ⓐ：ⓑの割合	ⓐ < ⓑ	ⓐ ≒ ⓑ	ⓐ > ⓑ	ⓐ ≫ ⓑ
特徴	扁平	おわん型		下垂が著しい，大きい
		下垂を伴わない	下垂している	
出現頻度	3～4%	52～55%	27～32%	10～15%

図5　**乳房の形態とタイプ**

5 皮膚の状態，浮腫，静脈瘤

- 妊娠経過に伴って生じる変化と治療が必要な疾患の鑑別を行う．さらに他の診察技術によって情報を収集する必要のあるものは観察を続行する．
- 正常を逸脱していると判断されるもの，医師の治療が必要と思われるものは速やかに報告する．

文献

1）日本産科婦人科学会，日本産婦人科医会編：産婦人科診療ガイドライン－産科編2017，p.329，日本産科婦人科学会，2017

4 触診

1 | 顔・上肢・乳房・乳頭・腹部・下肢

石村 由利子

目的
・観察者の手を用いて妊婦の形態学的特徴，生理的変化を観察する．
・腹壁上から胎児の発育状態，子宮内での位置を把握する．

チェック項目 触診による観察項目(p.27，表1参照)

適応 すべての妊婦

注意 触診によって正常を逸脱すると思われる所見があれば，問診，視診，計測診，聴診，臨床検査でさらに詳しく情報を得る．

禁忌 強い子宮収縮がある時の腹壁や乳房・乳頭の触診は行わない．

必要物品 外診台，椅子，バスタオルまたは綿毛布，ディスポーザブル手袋，ガーゼ適宜

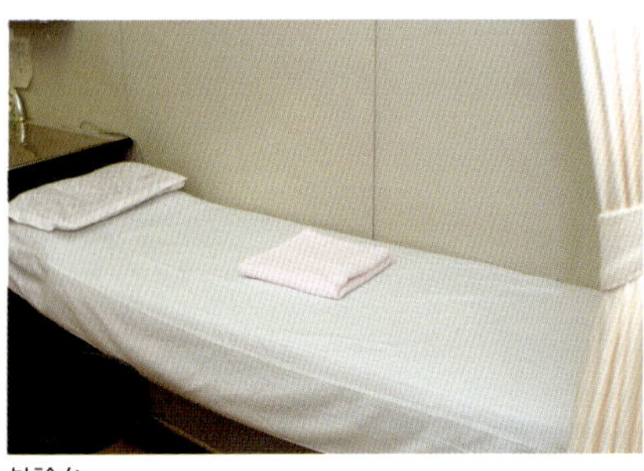
外診台

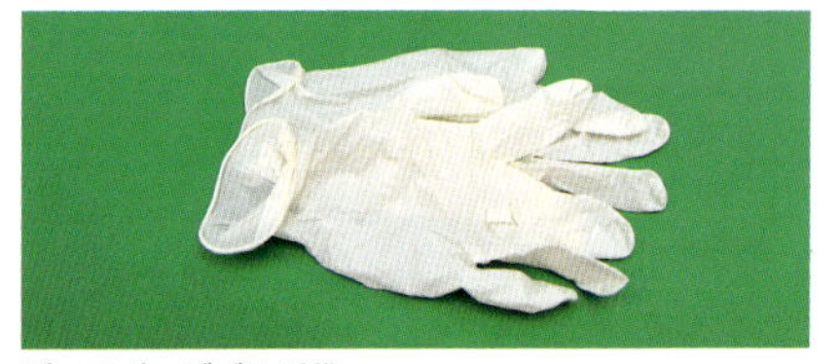
ディスポーザブル手袋

手順

要点	留意点・根拠
1 環境を整える ①診察室の環境を整える	▶プライバシーが保護される環境を準備する ▶室温を24～25℃に調整する ▶診察部位に適した場を準備する．一般に，顔面，乳房，上肢の観察は座位で，腹部，下肢の観察は外診台で行う
2 妊婦の準備を整える ①診察の目的と方法を説明する ②診察の前に排尿を済ませておくよう説明する ③妊婦を呼び，診察室に入室してもらう	**注意** 正しい情報を得るためには，妊婦に化粧，マニキュアを落としてもらう **根拠** 妊婦の診察では，部位ごとに視診，触診が続けて行われる．腹部の診察のために膀胱充満がないことが大切である **コツ** 妊婦健診では，尿蛋白，尿糖の検査が行われる．手順よく進めるために，診察前に尿検査を済ませておくよう指導する

要点	留意点・根拠
3 観察者の準備をする ①カルテから情報を得る	▶妊婦の氏名を確認し，カルテから情報を得ておく ▶触診が必要なケース ・視診で腫脹，膨隆，浮腫，発疹，静脈瘤などがみられる時 ・形，凹凸，硬さ，弾力性，緊張度，可動性，温度など，観察者の手指・手掌の感覚による情報を得ようとする時 ・疼痛を訴える時(部位の確認，腫脹・熱感の有無，圧迫による疼痛の有無をみる) ・圧を加えて反応や症状の程度をみる時(例：浮腫，乳汁分泌状態) ・子宮の大きさ，胎児の位置と可動性，羊水量などをみる時(p.29「第1章-1【4】触診②レオポルド触診法」参照) コツ 系統的に順序よくみていくと見落としがない
②必要物品を整える	▶診察部位に応じて，必要物品を整える 根拠 観察所見によっては計測診，臨床検査が必要となる．そのための必要物品を整えておく
4 顔の観察を行う ①浮腫の程度をみる 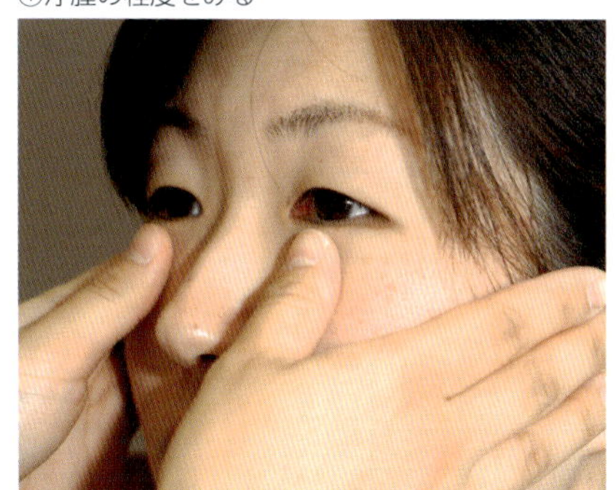 眼瞼の浮腫をみる	▶視診で浮腫が観察された時は，触診でも確認する コツ 特に眼瞼周囲の浮腫がわかりやすい ▶眼窩下縁を指で軽く押して浮腫の程度をみる **観察項目** 浮腫の有無・程度
5 上肢の観察を行う ①手指，手背の浮腫の程度を観察する	コツ 軽度の浮腫では他覚的な判断は難しい．手指の浮腫は手が握りづらいなどの問診の結果とあわせて判断する
②痛み，手指のしびれや異常感覚の有無を観察する	▶症状があれば部位・範囲，動作に伴う症状の変化などを観察する ▶手根管部を軽く叩き，指先に放散痛が発生するか確認する(ティネル徴候) 根拠 妊娠中に手のしびれを訴える疾患としては手根管症候群が最も多い．妊娠に伴う浮腫によって手根管内を通る正中神経が圧迫され，母指・示指・中指と環指の母

要点	留意点・根拠
	指側半分の掌側だけ(初期や軽症のときは，示指・中指だけ)のしびれが発生する[1] コツ 痛み，しびれは自覚症状なので，問診による情報と合わせて判断する **観察項目** 痛み，浮腫の有無・程度，手指のしびれの有無
6 乳房・乳頭の観察を行う ①座位をとり，胸部を露出してもらう	▶着衣を広げ，乳房が観察できる体位をとってもらう ▶バスタオルで覆い，不要な露出を避ける
②乳房の観察を行う ・乳房の緊満の程度をみる	▶両手のひらを使って乳房全体を触診し，しこりや圧痛の有無を確認する
・乳腺の発育状態をみる 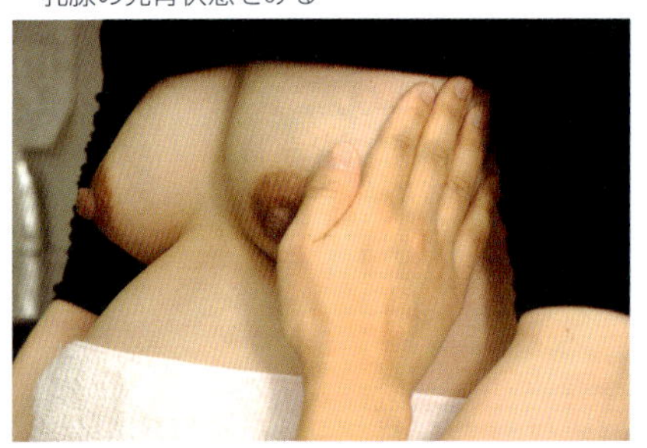 乳腺の発育状態をみる	根拠 乳腺の発育がよいものは，皮下に結節状の乳腺が乳頭から放射線状に緊満して触れる．このような妊婦では産褥期の乳汁分泌は良好である コツ 指先に力を入れない
・乳頭からの分泌物の有無をみる 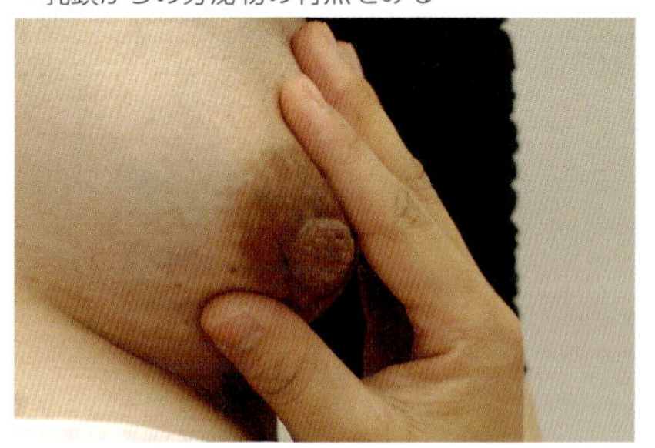 乳頭を母指と示指で軽くつまみ，圧迫して観察する	▶乳頭を母指と示指で軽くつまみ，圧迫する 根拠 乳汁分泌は妊娠16週頃からみられる 注意 乳汁を分泌させることが目的ではないので，強い刺激は与えない

要点	留意点・根拠
③乳頭の観察を行う ・乳頭の硬さ，伸展性をみる 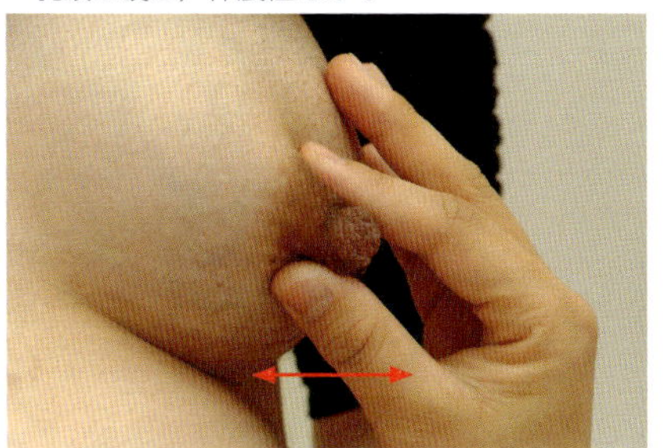 乳頭の伸展性をみる	▶母指と示指で乳頭の根元をつまみ，軽く引っ張る
・乳頭の突出状態をみる 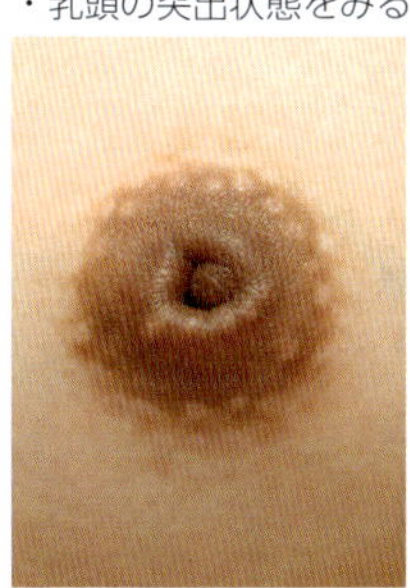 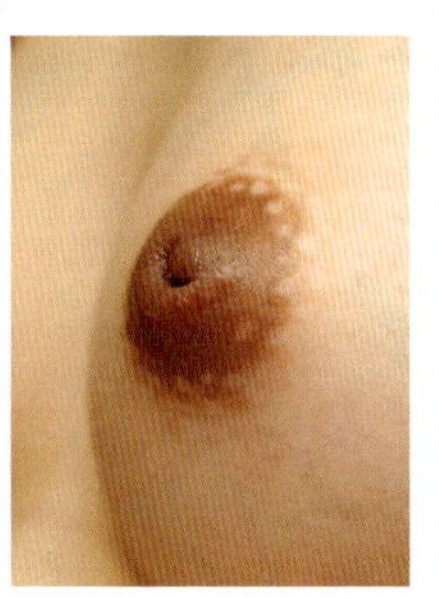 陥没乳頭	▶扁平乳頭，陥没乳頭などの形態異常の有無を観察する コツ 真性陥没乳頭と仮性陥没乳頭の鑑別にはピンチテスト（p.27「評価 2 乳房，乳頭」参照）を行う 注意 扁平乳頭，陥没乳頭に対するケアは妊娠期には有効なものはないといわれる．そのため乳頭の形態について妊婦に説明しないとする考え方が一般的であり，記録にとどめるのみでよい 禁忌 乳頭の刺激は子宮収縮を誘発する．切迫早産の徴候がある時は触診による観察を中止する **観察項目** 乳房の大きさ，形，緊満度，乳腺の発育状態 乳汁圧出の有無 乳頭の大きさ，形，硬さ，伸展性
7 腹部の観察を行う ①妊婦に外診台で仰臥位をとってもらう ・仰臥位の状態で，膝関節を十分に屈曲させる 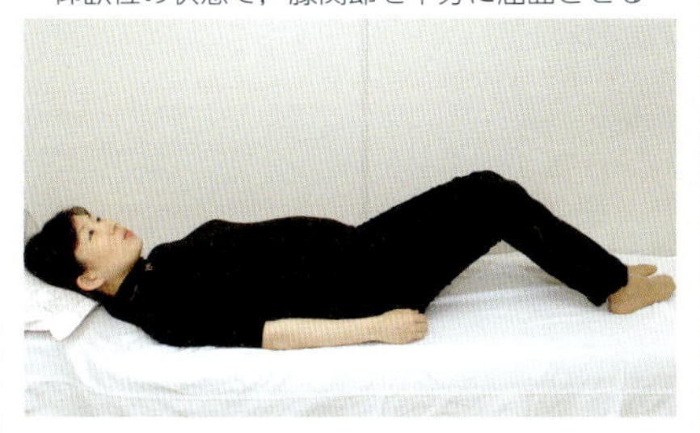	根拠 仰臥位で膝を 120 度程度に曲げた時，腹壁が最もよく弛緩し，緊張がとれる[1] （p.29「第 1 章-1 【4】触診②レオポルド触診法」参照）
・腹部を露出し，バスタオルで覆う	▶恥骨結合上縁から子宮底までの着衣をとり，腹部が観察できる準備をする ▶恥骨結合上縁から足をバスタオルなどで覆い，不要な露出を避ける

要点	留意点・根拠
②腹部の緊張を観察する 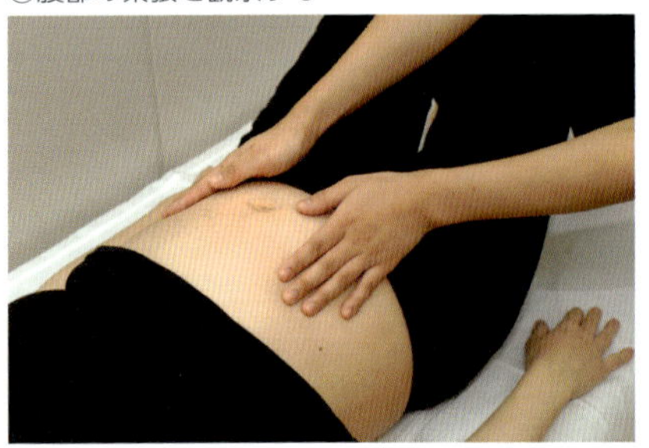 触診して腹部の緊張状態を観察する	▶腹部の緊張の程度，子宮収縮の周期性を観察する 根拠 妊娠20週頃になると腹壁上から不規則な子宮収縮（ブラクストン・ヒックス収縮）が観察されるようになる 注意 規則的な子宮収縮に移行するようなら注意が必要である．規則性を認める時は周期時間を測定して，切迫早産との鑑別が必要である
③浮腫の有無を観察する	注意 トラウベ桿状聴診器，胎児心拍モニターのベルトの跡がつく時は注意が必要である
④子宮の大きさ，胎児の位置，羊水量を観察する	▶ p.29「第1章-1【4】触診②レオポルド触診法」参照 **観察項目** 子宮底の位置，子宮の大きさ，形，硬さ 腹壁の厚さ・緊張度，子宮収縮の状態，胎児の数 胎児各部の所在と位置（胎位，胎向，胎勢） 胎児下向部の位置，胎動，羊水量の多寡
8 下肢の観察を行う	
①外診台上で膝を伸ばしてもらう	▶脛（けい）骨，腓（ひ）骨，足背，くるぶしが観察できるように，膝を伸ばしてもらう
②腫脹，左右差の有無を観察する	▶静脈に沿って触診する ▶足首を背屈して腓腹筋に痛みが出る時は深部静脈血栓症を疑う（ホーマンズ徴候）
③下肢の浮腫の有無を観察する 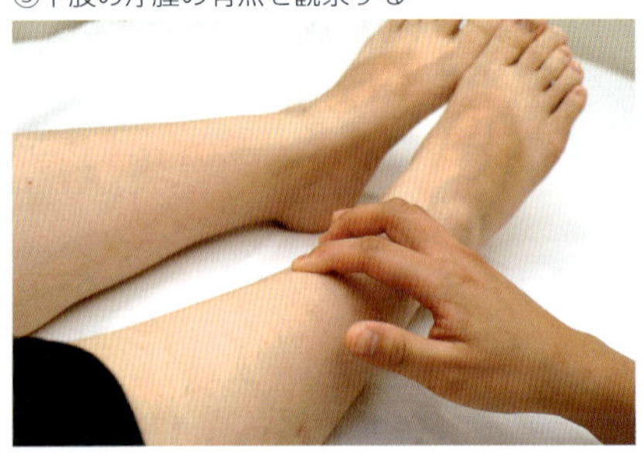 脛骨稜を指圧して陥没の程度をみる	▶妊娠に伴う生理的浮腫の範疇であるか判断する ▶脛骨稜を指圧して陥没の程度を観察する 根拠 浮腫は妊婦の35〜80％にみられるといわれ，特に下肢は見つけやすい[2]．立位では足背，くるぶしにも浮腫が現れやすい コツ 浮腫の判断には，出現部位，広がりや程度について日内変動があるか，体重の変化などの情報が役に立つ．必要に応じて下肢の周囲長を計測する 注意 下肢の一側に浮腫を認めた時は，反対側，および上肢，顔，腹部にも浮腫がないか確認する
④下肢静脈瘤の有無を観察する	▶静脈瘤は静脈が淡青色を呈し，怒張している．部位，程度を確認する **観察項目** 浮腫の有無・程度，下肢静脈瘤の有無・程度

要点	留意点・根拠
9 記録，評価をする ①結果をカルテ，母子健康手帳に記録する	▶触診と他の診察法によって得られる結果を総合して評価を行う
②妊婦に結果を知らせる	▶専門用語を避け，わかりやすく説明する

評価

1 観察項目

表1　触診による観察項目

部位	項目
顔	浮腫の有無・程度
上肢	浮腫の有無・程度
乳房	乳房の大きさ・形・緊満度，乳頭の大きさ・形・硬さ・伸展性，乳腺の発育状態，乳汁圧出の有無
腹部	腹壁の厚さ・緊張度，子宮の大きさ・形・硬さ，子宮収縮の状態，子宮底の位置，羊水量の多寡，胎児の数，胎児各部の所在と位置（胎位，胎向，胎勢），下向部の位置，胎動
下肢	浮腫の有無・程度，静脈瘤の有無・程度

2 乳房，乳頭

- 乳腺組織の発育は乳房の形で判断する．Ⅰ型からⅢ型へいくほど発育状態がよい（p.13「第1章-1【3】視診」参照）．
- 乳頭の形は，図1のように分類される．

正常乳頭

裂状乳頭

扁平乳頭

陥没乳頭

図1　**乳頭の形態**
前原澄子編：新看護観察のキーポイントシリーズ母性Ⅰ，p.55，中央法規出版，2011

- 陥没乳頭の診断はピンチテストによって行う（図2）．母指と示指で乳頭の根元をそっとつまみ，乳頭が引っ込めば真性陥没乳頭と診断する．

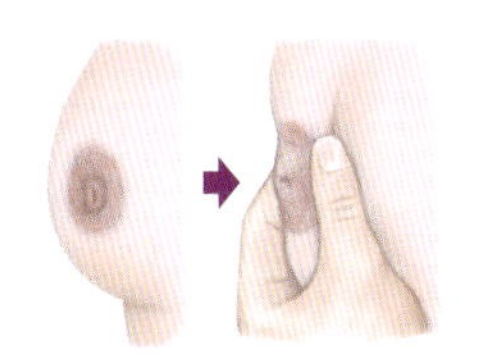
真性陥没乳頭
授乳の要領で乳輪部周辺を母指と示指で圧すると，乳頭が乳輪に埋まるように引き込まれてしまうもの

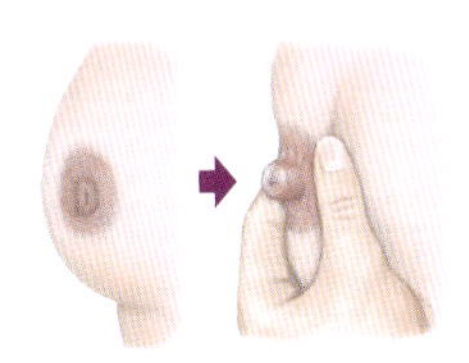
仮性陥没乳頭
左記と同様に圧すると，乳頭が反屈して前方に突出させられるもの

図2　**ピンチテスト**
前原澄子編：新看護観察のキーポイントシリーズ母性Ⅰ，p.55，中央法規出版，2011

3 浮腫

①生理的浮腫か，他の疾患に合併する浮腫か判断する．妊娠後半期の下肢の浮腫はそれだけでは病的なものではなく，妊娠に伴う生理的な変化によって生じる[2]．
②全身性浮腫か局所性浮腫か，陥没性浮腫か非陥没性浮腫かを判断することが，的確な診断につながる．
③高血圧，蛋白尿を伴わない浮腫は妊婦の30%にみられ，母子の予後に影響を与えない．

表2　下肢の浮腫の評価基準

評価	浮腫の程度
−	圧痕がない
±	圧痕不鮮明．触診でくぼみを触知できる
+	軽度の圧痕．すぐに消失する．指頭の1/2程度のくぼみ（約2 mm）
2+	指頭全部が埋まる程度のくぼみ（約4 mm）
3+	圧痕鮮明．1分くらい消えない（約6 mm）
4+	圧痕鮮明．2〜5分くらい消えない（約8 mm）

文献

1）池上信夫：麻痺・脱力・しびれ．周産期医学，47（増刊号）：228，2017
2）仲尾岳大，他：妊娠高血圧症候群で出現する浮腫，降圧利尿薬使うべからず．周産期医学 45（増刊号）：211-214，2015

4 触診

2 | レオポルド触診法

石村 由利子

目的 胎児の位置や大きさを知る.

チェック項目 胎児部分の確認, 子宮の大きさ・形, 胎位・胎向・胎勢, 胎児下降度の判定

適応 妊娠 24 週以降の妊婦

注意 粗暴な手技によって子宮収縮を誘発しない. 仰臥位低血圧症候群の発症を防ぐため, 体位に配慮し, 短時間で終了するよう心がける.

禁忌 強い子宮収縮がある時

事故防止のポイント 子宮収縮の誘発防止, 仰臥位低血圧症候群の防止

必要物品　外診台, バスタオルまたは綿毛布, 記録用紙, 筆記用具

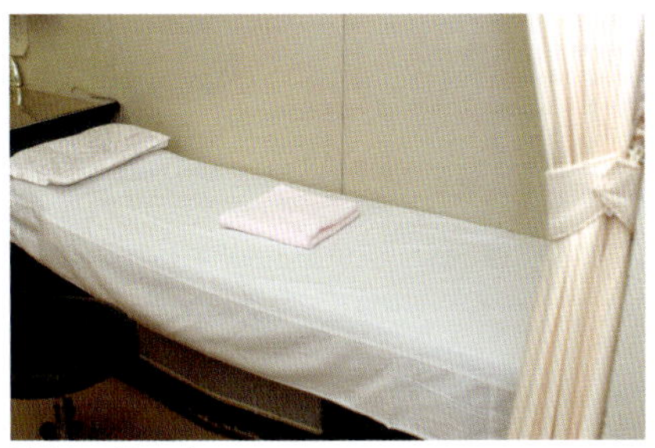

外診台, 枕, バスタオル

手順

要点	留意点・根拠
1 環境・使用物品を整える	
①診察室の環境を整える	▶ プライバシーが保護される環境を準備する ▶ 室温を 24～25℃ にする **根拠** 室温が低いと腹部の緊張を引き起こすため, 胎児部分の判断が難しくなる
②外診台を準備する	▶ 診察は外診台で行う **根拠** 診察は仰臥位で軽く膝を曲げた状態で行うため, 外診台が適している ・外来では妊婦健診の時に腹部の計測, 胎児心音聴取とともに行われる
③必要物品を整える	▶ 不要な露出を避けるため, バスタオルまたは綿毛布を準備する
2 妊婦の準備を整える	
①診察の目的と方法を説明する	▶ 腹部緊張感の有無を確認する **注意** 強い子宮収縮が認められる時は中止する
②排尿を済ませておくよう説明する	**根拠** 膀胱充満があると正しい所見が得られない ・子宮底の位置が上昇する ・恥骨結合上縁付近の胎児部分が触知できない ・第 3 段, 第 4 段で恥骨結合下方に手を挿入する時に障害となる ・腹部を圧迫するので妊婦が苦痛を感じる

要点	留意点・根拠
③妊婦に外診台で仰臥位をとってもらう ④妊婦に腹部を露出してもらう 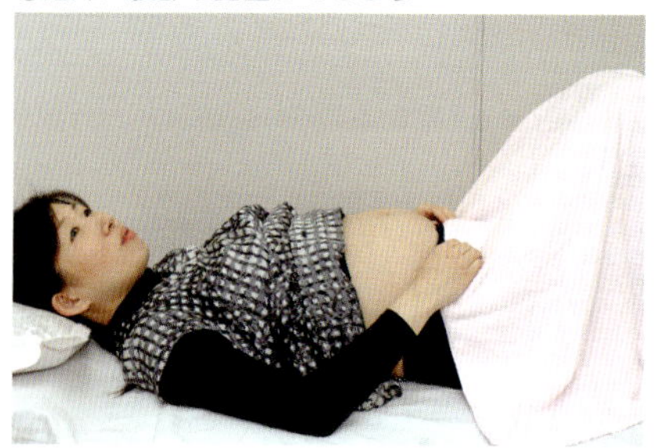 腹部を露出し，恥骨上縁までバスタオルをかける	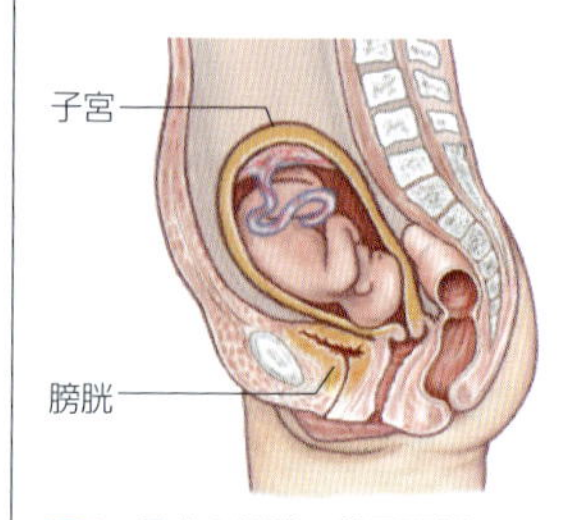 図1　子宮と膀胱の位置関係 ▶仰臥位で，膝を曲げて腹壁を弛緩させる ▶恥骨結合上縁から子宮底までの着衣をとり，腹部の準備をする ▶診察開始までは腹部と足をバスタオルなどで覆い，不要な露出を避ける 注意 妊娠後期には，増大した子宮による下大静脈の圧迫により仰臥位低血圧症候群を起こすことがある．診察まで時間がある時は，側臥位またはセミファウラー位にする 事故防止のポイント 仰臥位低血圧症候群の発症を予防するため，不必要に長く仰臥位をとらせない 緊急時対応 血圧が低下し，悪心・嘔吐，生あくび，めまい，発汗や不安感などの症状がみられた時は，ただちに左側臥位をとらせる 根拠 下大静脈は背骨の前右側を走行している．左側を向けることで圧迫が解除され，静脈還流障害が改善する
3 観察者の準備を整える ①観察者は爪を切り，手を温めておく 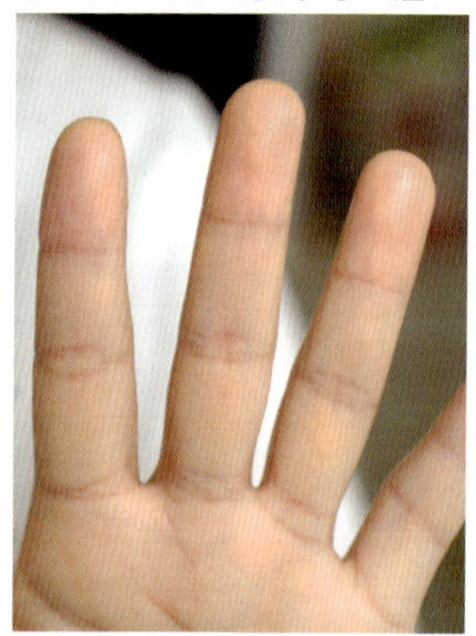 手掌側から見て，爪が見えない長さに切っておく	▶妊婦の腹部を傷つけないように爪を切り整えておく ▶冷たい手で腹部に触れることのないよう，指や手掌を温めておく　根拠 冷たい手で腹部に触れると子宮収縮を誘発することがある 注意 妊娠20週頃には腹壁上から子宮収縮が触知できるようになる．不規則な子宮収縮（ブラクストン・ヒックス収縮）と切迫早産との鑑別が必要である

要点	留意点・根拠
②観察者は適切な位置に立つ ※以下，観察者は右利きとして説明する	▶観察者が右利きの場合は妊婦の右側に立つ 根拠 基本的に診察者の利き手が自由に所見をとりやすい側に立つ ▶第1段から第3段までは顔を妊婦の頭部に向けて相対する位置をとり，第4段は足の方を向く

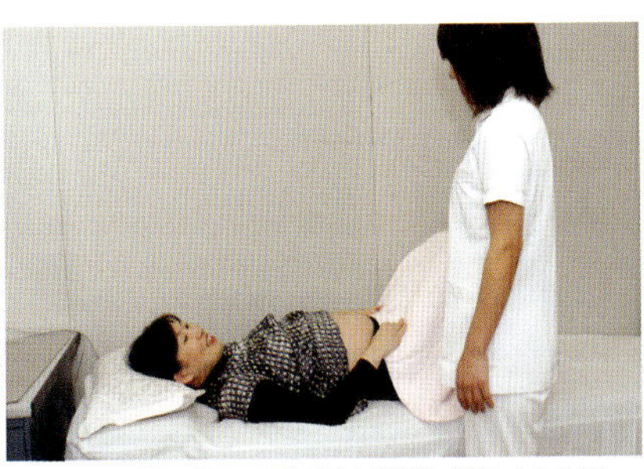

第1段から第3段までは妊婦の頭部に相対する位置に立つ

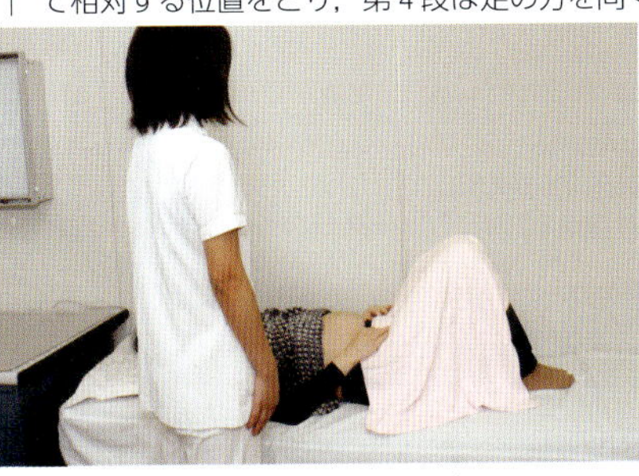

第4段は妊婦の足の方を向いた位置に立つ

動画 1-1

要点	留意点・根拠
4 診察の基本的な注意 ①診察は第1段から第4段へ順に行う	▶手指・手掌に力を入れすぎない 根拠 力が入りすぎると乱暴な手技となり，妊婦に苦痛を与える．また刺激によって腹壁や子宮が収縮して，胎児部分の触知が困難になる ▶実施中に子宮収縮が観察された時は，弛緩するまで待って再開する 注意 収縮が続く時，収縮が強い時は診察を中止する

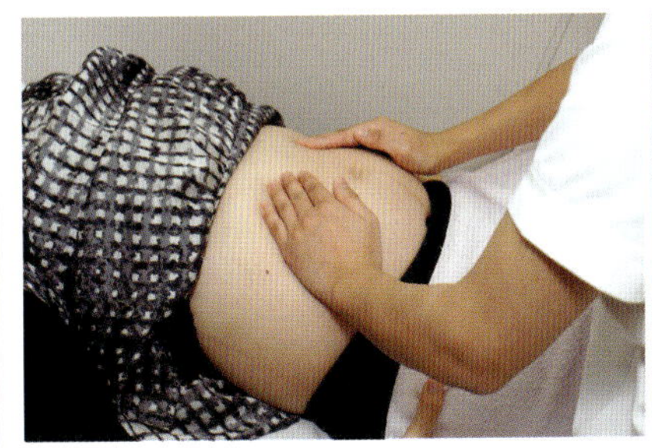

手の力を抜いて軽く腹壁に当てる

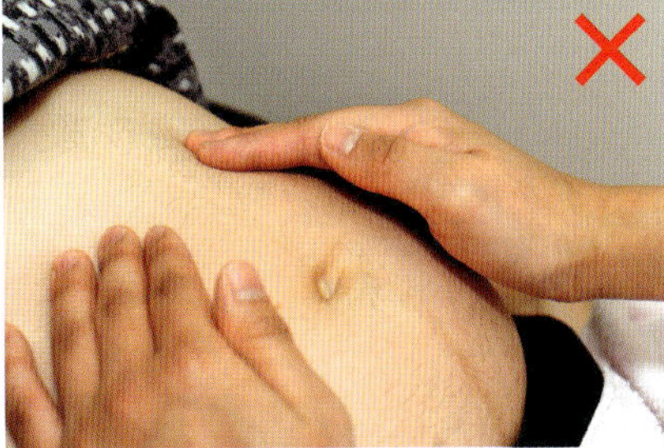

悪い例：指先が緊張し，手掌が腹壁に触れていない

要点	留意点・根拠
②妊婦に診察に適した体位をとってもらう	▶診察時は仰臥位で膝を軽く曲げる 根拠 膝を曲げることで腹部の緊張がとれる
5 診察を行う ①第1段の手技を実施する ・両手を少し彎(わん)曲させ，指先をそろえて子宮底上縁に当て，軽く圧をかける	コツ 手指の先端だけに力が入ることがないよう，腕や指先の力を抜いて，指・手掌全体で静かに診察する

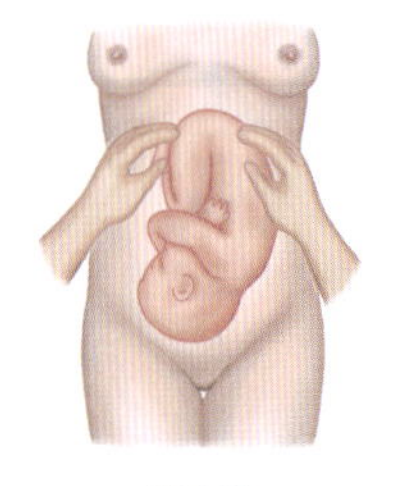
第1段

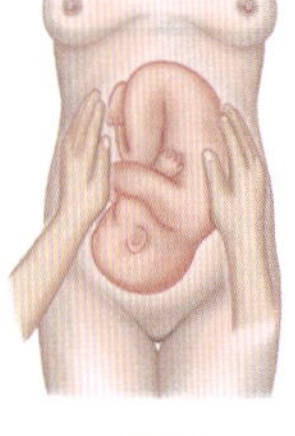
第2段

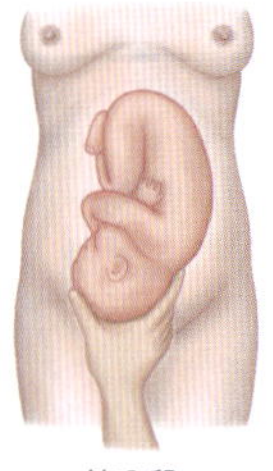
第3段

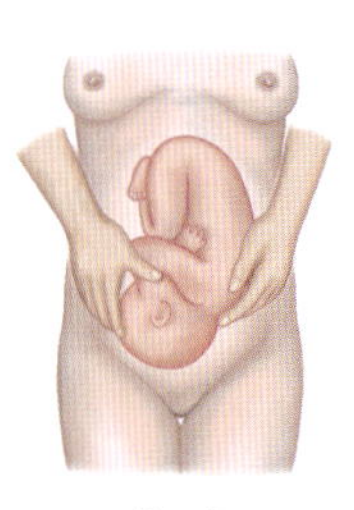
第4段

図2 **レオポルド触診法**
観察者は妊婦の右側に立ち，第1段から第3段までは顔を妊婦の頭部に向けて相対する位置をとり，第4段は足の方を向く．観察は第1段から第4段へ順に行う．乱暴な手技は妊婦に苦痛を与えるだけでなく，刺激によって腹壁や子宮が収縮して胎児部分の触知が困難になる．手指の先端だけに力が入ることがないよう，腕や指先の力を抜いて，指・手掌全体で静かに診察する

要点	留意点・根拠
・子宮底付近にある胎児部分を観察し，胎位を判断する 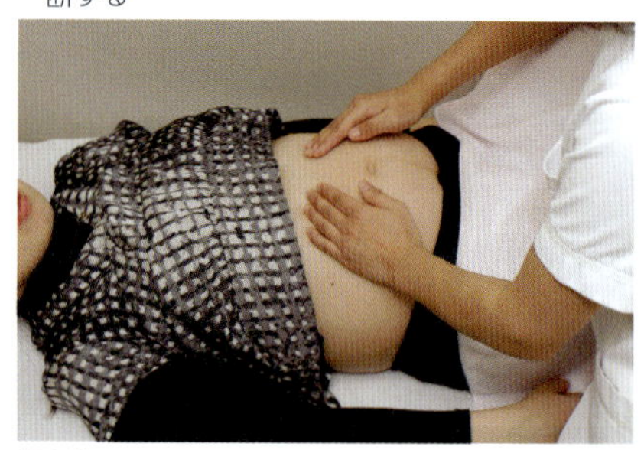 第1段	根拠 p.35，表2参照 コツ 触診手で胎児部分に軽く圧を加える．頭部なら羊水中で一度手を離れ，再び戻ってきて，あたかも硬く大きな球体が浮上するような感じ(浮球感)がある **第1段の観察項目** 子宮底の位置(高さ)，形，胎児部分の存否，種類，胎位の決定，浮球感など
②第2段の手技を実施する ・子宮底に当てた両手を子宮壁に沿って下方に移動させる 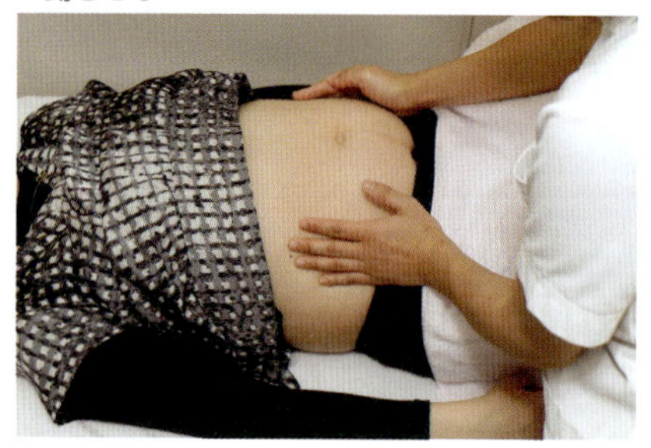 第2段	▶手掌を平らにして子宮の側壁を左右交互に押しながら，臍付近まで移動する コツ 胎児部分の診察は指先の力を抜いて手掌全体で触れるとわかりやすい
・胎児の大部分(頭部，殿部，背部)，小部分(上下肢)を確認し，胎向を判断する	▶両手で交互に触診し，子宮壁に大きな抵抗を触れる側が児背である コツ 一側の手で圧を加える時は他側の手は動かさない
・羊水量の多寡を推定する	コツ 羊水量が多ければ胎児を触れにくく，少な

要点	留意点・根拠
・胎児の数を診断する	ければ腹壁近くに胎児を触れるように感じる ▶超音波診断装置の普及により触診で胎児の数を診断することはほとんどないが，多胎の場合，腹壁上から複数の胎児を触れる **第 2 段の観察項目** 子宮壁の厚さ，緊張度，子宮の形，大きさ，硬さ，羊水量の多寡，胎向の決定(児背，小部分の向き)，胎児の数，胎動など
③第 3 段の手技を実施する ・右手の母指と示指・中指の間で恥骨結合上にある胎児部分を観察する	▶指は恥骨結合上縁から骨盤内部に向かって，なるべく深く押し込む(圧入する)　**根拠** 下向部に可動性がある時は，まだ嵌入していないと判断できる．第 3 段は下向部の全部または大部分が骨盤入口部にあって，可動性がある時に有用な診察法である **第 3 段の観察項目** 下向部の種類，移動性，骨盤入口への嵌入の程度，児頭の位置，浮球感など

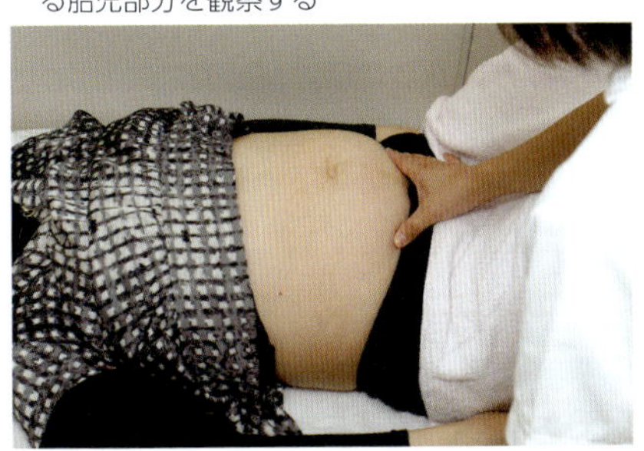

第 3 段

④第 4 段の手技を実施する

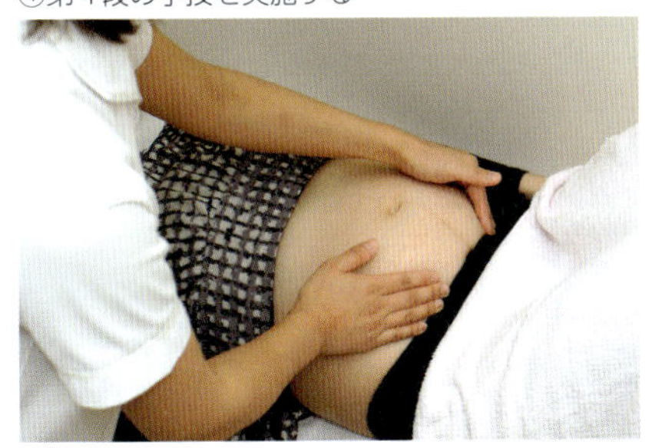

第 4 段

要点	留意点・根拠
・観察者は妊婦の足の方を向く ・両手の 4 指をそろえて少し彎曲させ，子宮側壁に当てる ・母体の下腹部から骨盤の方向にゆっくり指先を圧入し，下向部をつかむ ・下向部の両側に当てた左右両手掌を上方に滑らせて，児体に移行する部分のくびれを観察し，胎勢を判断する	**根拠** 項部のくびれは軽度であるが，額部は突出している(p.35，図 4 参照)　**根拠** 第 4 段は骨盤腔内に嵌入していく経過を診察できる外診法である．小骨盤腔への嵌入の程度が深くなるほど第 4 段の適応範囲が広くなる

要点	留意点・根拠
	■第4段の観察項目 下向部の種類，移動性，胎勢，骨盤内嵌入の程度など
6 後始末をする ①診察が終了したことを告げ，着衣を整えてもらう ②外診台から降りるのを介助する 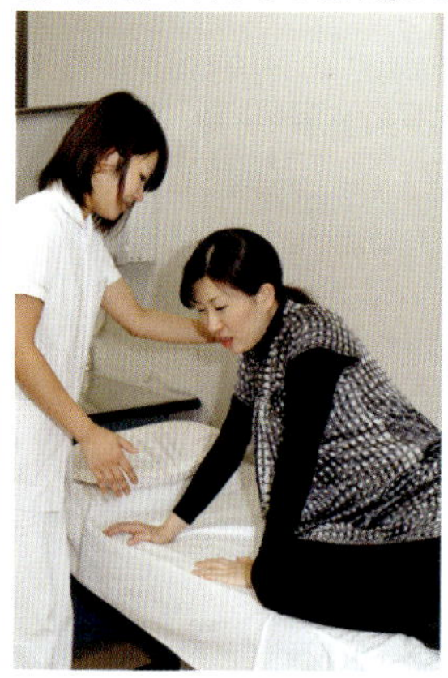 外診台から起き上がるのを介助する ③使用物品の後始末をする	▶妊婦の着衣を整える 根拠 増大した腹部で足元が見えないことがある コツ 側臥位にしてから起き上がらせるとよい 事故防止のポイント 妊婦が診察台から降りる時は，介助して転倒を防止する
7 記録，評価をする ①結果をカルテ，母子健康手帳に記録する ②妊婦に結果を知らせる	▶専門用語を避け，わかりやすく説明する

評価

1 胎児の位置

表1 胎児の位置

胎位	母体の縦軸と胎児の縦軸との関係をいい，両軸の方向が一致するものを縦位，交差するものを横位または斜位という．縦位のうち児頭が下方にあるものを頭位，骨盤端あるいは下肢が下方にあるものを骨盤位という
胎向	児背（横位では児頭）と母体側面との関係をいい，児背が母体左側にあるものを第1胎向，右側にあるものを第2胎向という
胎勢	胎児の姿勢をいう．オトガイ（頤）を胸に近づけて屈曲状態にあるものを屈位，頸部を反らせて体幹を伸展させたものを反屈位という

2 胎児の位置の診断

- 妊娠中，胎児の位置はよく変化する．
- 骨盤位の頻度は，妊娠20〜25週で30〜40%，妊娠32週で15%程度であり，妊娠後期から分娩時はおよそ5%となる．
- 第2段で胎向がわかりづらい時は，指をそろえて，一側から他側に向かって軽く押してみる．この時，腹壁を押し込む方向で指を動かすと，平らに触れる側と凹凸のある側がわかる．

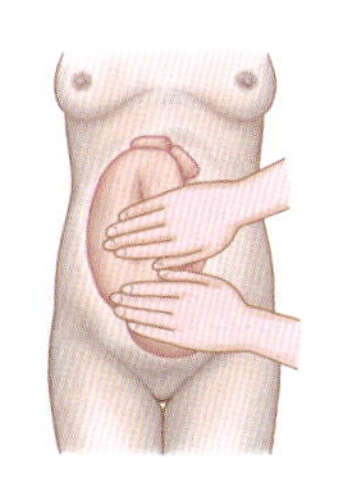
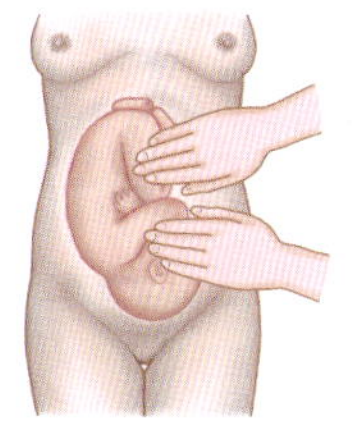

両手で交互に触診すると両手に大きな抵抗がある．これが背部である

図3　児背の触診

表2　胎児各部分の触診上の特徴

胎児部分	特徴
頭部	①児体のどの部分よりも大きい ②均等な球形で，一様に硬く，凹凸がない ③児頭が骨盤内に固定するまでは浮球感(バロットマン)がある
殿部	①頭部に次いで大きい ②球形に近いが，全体に軟らかい ③児体に続く部分に陥没部がない ④浮球感がない
背部	①比較的硬く，長い均等な板状の抵抗として触れる ②弓状に彎曲し，移動性に欠ける
小部分(上下肢の総称)	①常に児背の反対側にある ②膝，肘，かかとなどを，1個または数個の小さな突起として触れる ③可動性があり，衝突様運動を行う

3 胎勢の診断

- 屈位では，児背に続く項部のくびれは軽度で，額部は突出している．
- 胎勢は胎位とともに分娩の難易度に影響するが，妊娠期に問題になることは少ない．

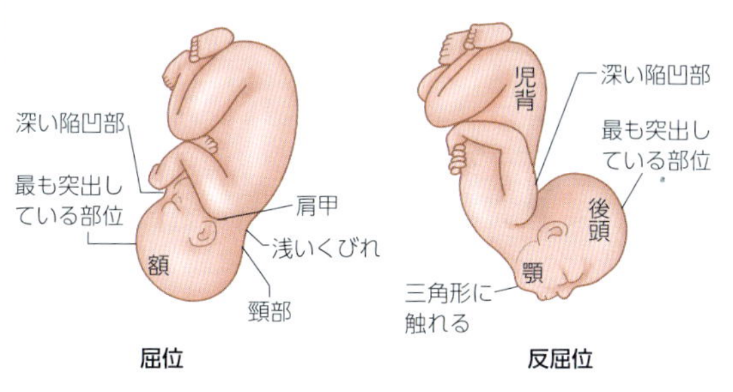

図4　胎勢による胎児の形態的特徴

5 計測診

1 身長・体重

石村 由利子

目的 妊婦の体格・栄養状態を把握する．
チェック項目 身長，測定時の体重，体重増加量
適応 すべての妊婦
注意 毎回できるだけ同じ条件で測定する．
禁忌 なし

必要物品 身長計，体重計

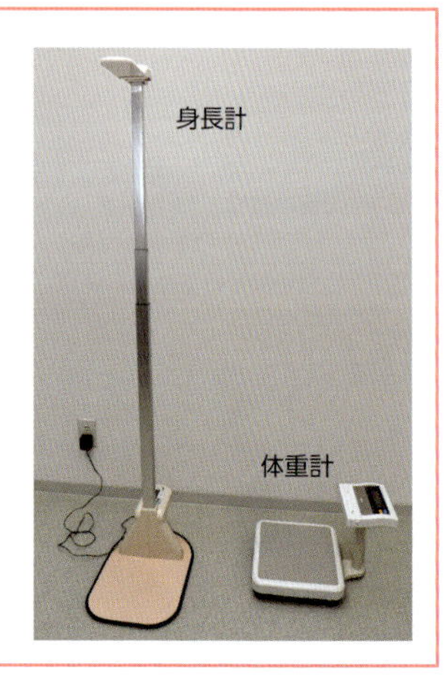

手順

要点	留意点・根拠
1 環境・使用物品を整える ①診察室の環境を整える	▶ プライバシーが保護される環境を準備する ▶ 室温を 24～25℃ に調整する
②身長計，体重計を準備する ・身長計を準備し，右記を確認する	▶ 尺柱が垂直に固定されており，ぐらつきがない ▶ 目盛りが明瞭に読み取れる ▶ 横規が尺柱に直角で，スムーズに動く
・体重計を準備し，右記を確認する	▶ 水平な場所に置いてある ▶ 指針が 0 を示している
2 妊婦の準備を整える ①測定の項目と方法を説明する ・非妊時の体重を問診で聞いておく	**根拠** 非妊時からの体重増加量は妊娠管理に重要である
・診察の前に排尿を済ませておくよう説明する	**根拠** 体重は測定前 2～3 時間は飲食を控え，排尿後に測定する[1]
②正確に測定できる準備を整える	▶ 頭頂部や後頭部で髪を結んでいる時はほどく ▶ 着衣はなるべく同一条件で行うことが望ましい **根拠** 妊婦健診の期間は 3 シーズンにわたる．衣服の影響が最小になるよう調節する
3 身長の計測を行う ①身長を測る ・妊婦に靴を脱いでもらい，身長計の踏み台に立	▶ 身長は自己申告とせず，妊娠期間中に必ず 1 回は測定する **根拠** 自己申告とすると，身長の低

要点	留意点・根拠
たせる ・かかとを尺柱につけてつま先を30～40度開く ・殿部，背中，後頭部を尺柱につける ・目線と目盛りが水平になるように顔の位置を固定し，横規(カーソル)をおろして目盛りを読む 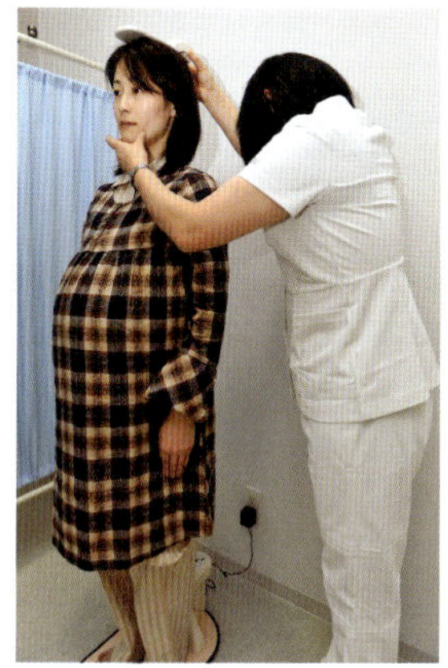 身長を計測する ②終了したことを伝え，身長計からおりてもらう	い場合，高く申告する傾向があるので，正しい測定値を把握しておく 根拠 低身長の場合，児頭骨盤不均衡のリスクが高くなる コツ 妊娠中は子宮の増大に伴い，重心が前方に移動することで反り身になり，身長計に正しく立ちづらくなるので，なるべく妊娠初期に測定しておく 注意 単位はcm，小数点以下第1位までを読む 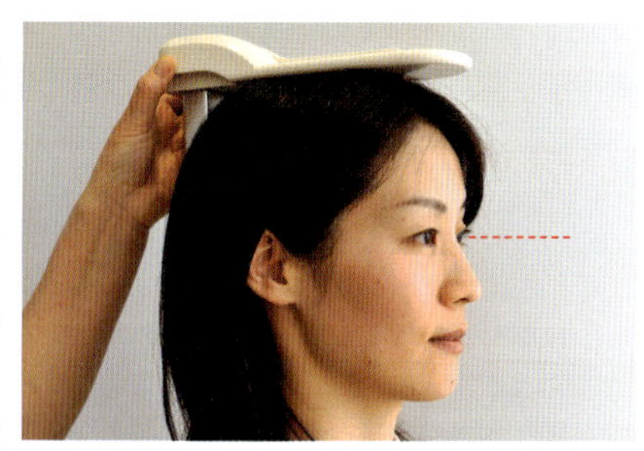 目線と目盛りは水平になるように顔の位置を固定
4 体重測定を行う ①体重を測定する ・靴を脱いで，静かに体重計にのってもらう ・目盛りを読む 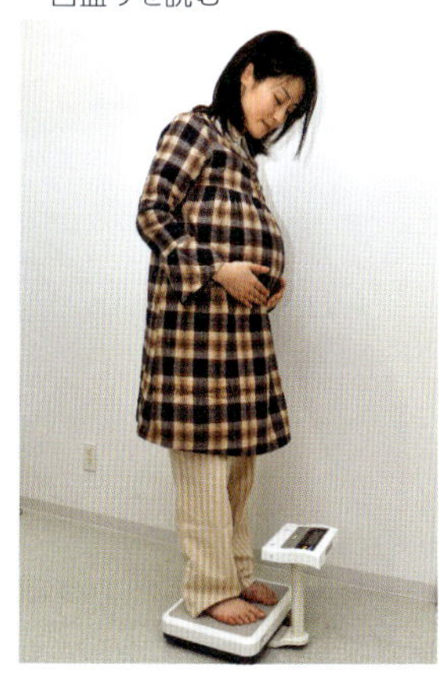 ②非妊時および前回の体重測定からの増加量を計算する ③終了したことを伝え，体重計からおりてもらう ④着衣を整えるように促す	▶体重測定は，初診時および妊婦健診ごとに行う コツ 体重測定は毎回同じ下着で測ることが望ましい．下着あるいは同等の薄手の衣類は0.5 kg，厚手の服は1 kgを差し引く[1] 根拠 妊娠前の体格は胎児発育や分娩時のリスク，母体合併症に影響する[2] (p.38「3 妊娠前の体格，妊娠中の体重増加量とリスク」参照) 根拠 妊娠中の母体体重増加量が多いほど児の出生体重が重くなる傾向がある．また肥満女性では体重増加量より妊娠前肥満度のほうが出生体重に影響する傾向がある[2]

要点	留意点・根拠
5 記録，評価をする ①結果をカルテ，母子健康手帳に記録する ②体格について評価する	▶前回からの体重増加量を計算し，適否を判断する **根拠** 肥満は妊娠，分娩への影響が大きい **根拠** 低身長は分娩の難易度が高くなる
③妊婦に結果を知らせる	▶専門用語を避け，結果をわかりやすく説明する

評価

1 身長

- 身長は骨盤の大きさと関連が深い．
- 150 cm 以下の妊婦は狭骨盤を疑う[3]，児頭骨盤不均衡のため帝王切開術の適応となることが多い．

2 体格区分と体重増加量

- 非妊時の体重と身長から体格を評価し，推奨体重増加量の範囲にあるか判断する（表1）．
- 前回からの増加量をみる．妊娠後期に1週間に 500 g 以上の増加が認められる場合は浮腫の有無を検討する．

表1　体格区分別　妊娠全期間中の推奨体重増加量および1週間あたりの推奨体重増加量（妊娠中期～後期）

体格区分（非妊時）	妊娠期間中の推奨体重増加量	1週間あたりの推奨体重増加量
低体重（やせ）：BMI*1 18.5 未満	9～12 kg	0.3～0.5 kg/週
ふつう　：BMI 18.5 以上 25.0 未満	7～12 kg	0.3～0.5 kg/週
肥満　：BMI 25.0 以上	個別対応*2	個別対応

＊1　BMI（body mass index）＝体重（kg）/［身長（m）］^{2}
＊2　BMI が 25.0 をやや超える程度の場合は，推奨体重増加量はおよそ 5 kg を目安とし，著しく超える場合には他のリスクなどを考慮しながら，臨床的な状況を踏まえ，個別に対応していく．

厚生労働省：妊産婦のための食生活指針．p.28-29，2006 より一部改変

3 妊娠前の体格，妊娠中の体重増加量とリスク

- 妊娠期の体重管理は，非妊時の体格と妊娠期間中の体重増加量の双方から評価し，予後について検討する．

1. 妊娠前の体格について
   1) やせ女性（BMI＜18.5）は切迫早産，早産，および低出生体重児分娩のリスクが高い．
   2) 肥満女性（BMI≧25）は妊娠高血圧症候群，妊娠糖尿病，帝王切開分娩，巨大児などのリスクが高い傾向がある．
2. 妊娠中の体重増加量について
   妊娠中の母体体重増加量が多いほど児の出生体重が重くなる傾向があり，この傾向は妊娠前 BMI 値が小さい女性にはよくあてはまる．一方，肥満女性では妊娠中の体重増加量よりも妊娠前肥満度のほうが出生体重に影響する傾向がある．

日本産科婦人科学会／日本産婦人科医会編・監修：産婦人科診療ガイドライン―産科編 2020．p.45，2020 より一部改変

● 文献

1）茆原弘光ほか：妊婦健康診査の異常 体重，周産期医学 37（増刊号）：194，2007
2）日本産科婦人科学会／日本産婦人科医会編・監修：産婦人科診療ガイドライン―産科編 2020，pp.45-48，2020
3）進純郎：分娩介助学 第2版，p.96，医学書院，2014

5 計測診

2 子宮底長・子宮底高・腹囲

石村 由利子

目的 胎児の発育状態を推測する.
チェック項目 腹部の大きさ，子宮の大きさ
適応 妊娠中期以降の妊婦
注意 仰臥位低血圧症候群の発症を防ぐため，体位に配慮し，短時間で終了するよう心がける.
事故防止のポイント 仰臥位低血圧症候群の防止

必要物品 外診台，メジャー，骨盤計，バスタオルまたは綿毛布

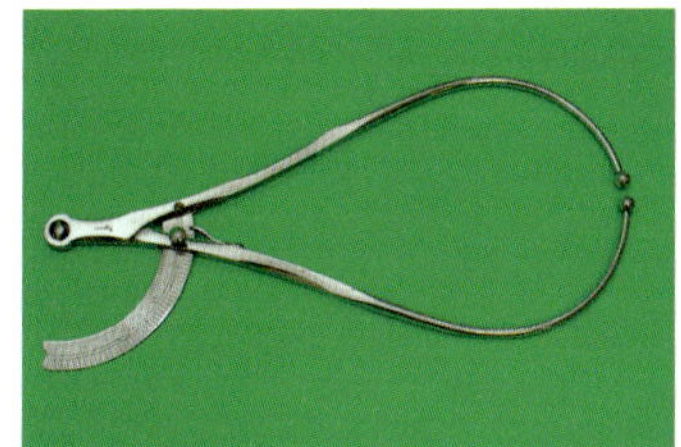
マルチン骨盤計

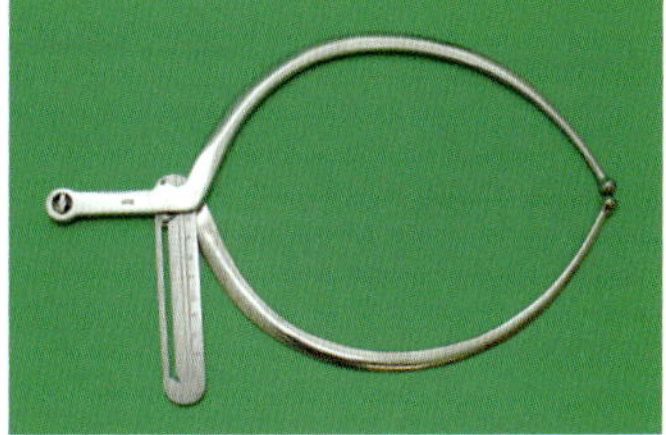
ブライスキー骨盤計

手順

要点	留意点・根拠
1 環境・使用物品を整える ①診察室の環境を整える	▶プライバシーが保護される環境を準備する ▶室温を 24～25℃ に調整する
②外診台を準備する 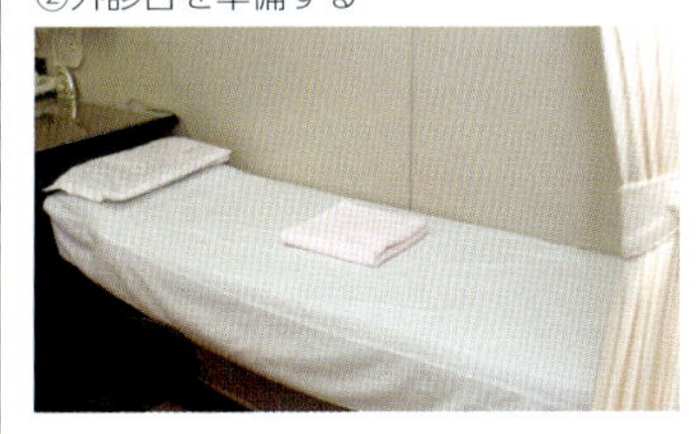	▶診察は外診台で行う **根拠** 診察は仰臥位で行うため，外診台が適している
③必要物品を整える	▶計測に必要な骨盤計，メジャーを準備する．メジャーの目盛りは 0.5 cm 間隔のものでよい **根拠** 子宮底長の測定には測定者間の個人差，反復誤差を伴い，±1 cm 程度の差は許容される．したがって，細かい目盛りで読むことが必ずしも正確とは限らない **コツ** メジャーは目盛りがはっきり読みやすいものを準備する．測定に必要な長さを引き出しておくと扱いやすい ▶不要な露出を避けるため，バスタオルまたは綿毛布を準備する

要点	留意点・根拠
2 妊婦の準備を整える ①計測の目的と方法を説明をする ②排尿を済ませておくよう説明する ③妊婦を測定に適した体位にする ・妊婦は外診台で仰臥位をとり，軽く膝を曲げる ・腹部を露出し，バスタオルまたは綿毛布で覆う 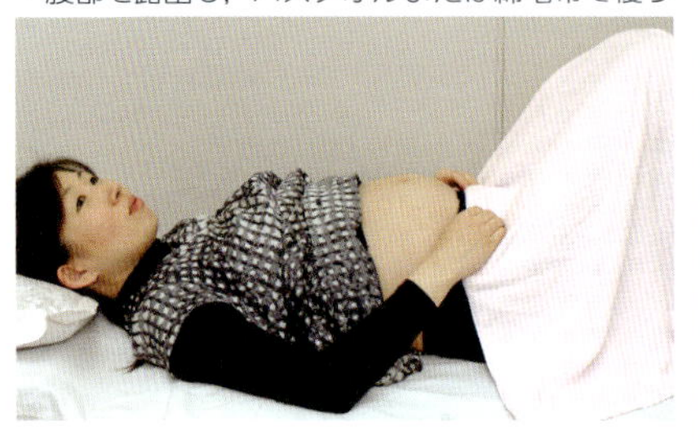	▶ 妊婦に計測の目的と測定する部位を説明する **根拠** 膀胱充満があると，下腹部の膨隆や子宮底の上昇によって，正しい所見が得られない．また，恥骨結合上縁を触診する時，妊婦が不快感をもつ **根拠** 膝を曲げると腹部の緊張がとれる ▶ 恥骨結合上縁から子宮底が触診できる部位までの着衣をとり，計測の準備をする ▶ 恥骨上縁から足にバスタオルなどをかけ，不要な露出を防ぐ **事故防止のポイント** 仰臥位低血圧症候群の発症を予防するため，不必要に長い時間仰臥位をとらせることを避ける
3 観察者の準備を整える ※以下，観察者は右利きとして説明する ①観察者は爪を切り，手を温めておく ②観察者は適切な位置に立つ 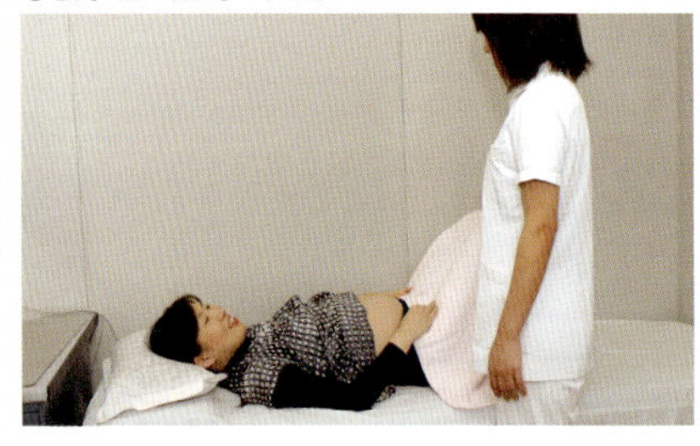	▶ 冷たい手で腹部に触れることのないよう，指・手掌をよく温めておく **根拠** 冷たい手で腹部に触れると子宮収縮を誘発することがある ▶ 観察者が右利きの場合は妊婦の右側に立つ **根拠** レオポルド触診法第1段の手技を用いるため，基本的に利き手が自由に所見をとりやすい側に立つ ▶ 計測の順はどの項目から始めてもよい
動画  1-2 **4 子宮底長を計測する** ①子宮底最高点を確認する 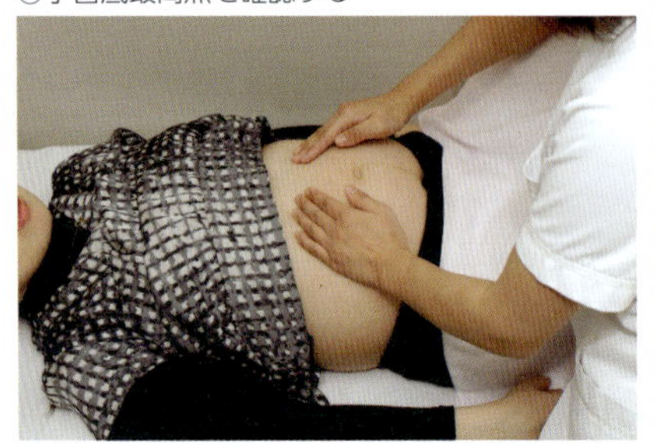 レオポルド触診法第1段で子宮底最高点を確認する	▶ 子宮底長とは，恥骨結合上縁中央から子宮底最高点までの距離を腹壁に沿ってメジャーで測定した長さをいう ▶ 膝関節を十分に屈曲させて腹部の緊張をとり，レオポルド触診法の第1段の手技を用いて子宮底最高点を確認する（p.29「第1章-4【2】レオポルド触診法」参照

要点	留意点・根拠
②恥骨結合上縁中央を確認する ③恥骨結合上縁中央から子宮底最高点までの長さを，腹壁に沿って測定する 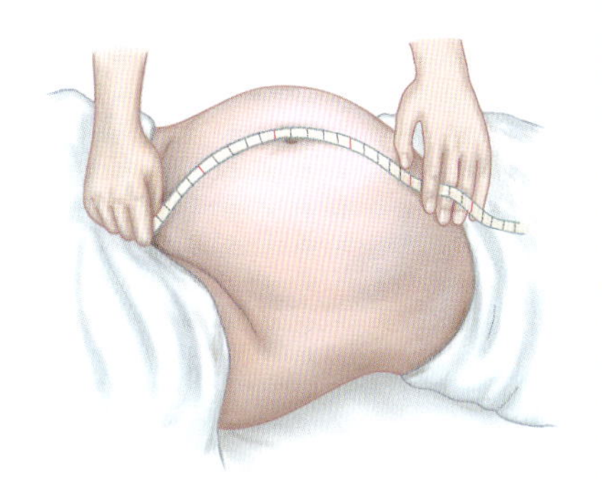 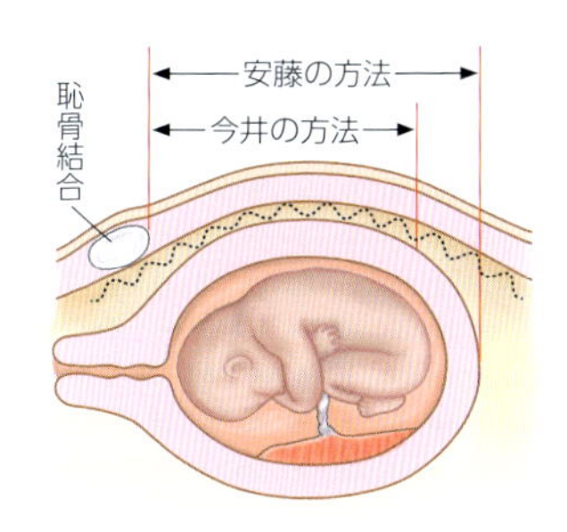 図1 子宮底長の測り方	▶右手で恥骨結合上縁中央部を確認したのち膝を伸展させ，メジャーの0点を固定する ▶左手の示指と中指の間にメジャーをはさみ，子宮壁の彎曲に沿ってメジャーを伸ばし，子宮底最高点までの距離を測定する コツ メジャーを持った手の中指または薬指で子宮底を触診して最高点を見つけ，メジャーを置く．最高点を見つけた指を離さずに測定できる コツ 子宮底の最高点がわかりにくい妊婦では，レオポルド触診法で確認した子宮底の最高点にメジャーの0点を固定し，膝を伸展させたのち，右手で腹壁に沿ってメジャーを伸ばして恥骨結合上縁中央に当て，その距離を測定してもよい ▶測定法によって計測値に差が出るので，方法を一定にしておくことが必要である 根拠 子宮底長の測り方は図1に示す安藤の方法が広く用いられている 注意 子宮は左右いずれかに傾いていることが多く，必ずしも正中線上に最高点があるとは限らない
5 子宮底高を計測する ①骨盤計を正しく持つ 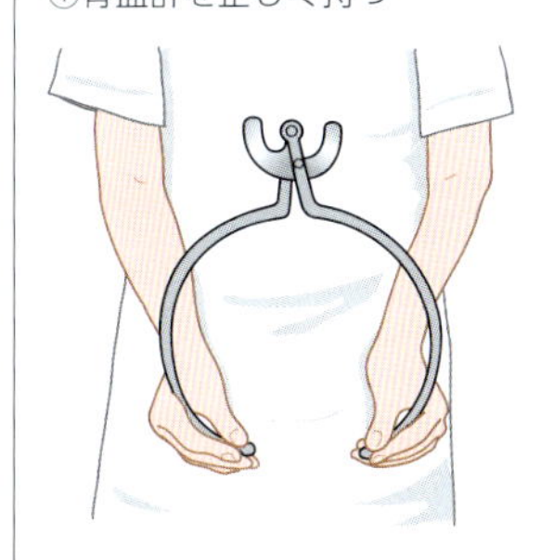 ②恥骨結合上縁中央から子宮底の最高点までの直線距離を測定する ・骨盤計を持ったまま，それぞれ近い側の手の中指で計測部位を探り，子宮底長の測定部位と同じ2点を探す	▶骨盤計は，先端はペンを持つ要領で母指と示指の間にのせてはさむように持ち，目盛りを観察者の側に置く 根拠 誤った持ち方では骨盤計を安定させることができず，目盛り部分が倒れて腹部に当たることがある

要点	留意点・根拠
・計測部位に骨盤計の先端を置き，骨盤計の目盛りを判読する	根拠 子宮底高とは，恥骨結合上縁中央から子宮底の最高点までの直線距離をいう．触診で表現する子宮底のある位置を指す「高さ」とは異なる概念の用語である 注意 子宮底長に比べると計測値の臨床的意義は小さく，現在はほとんど使われていない
動画 1-3 **6 腹囲を計測する** ①腹囲を測定する	▶臍の周囲を測定する方法が最も広く用いられている
・外診台に対して垂直になるように腹部にメジャーを当てて測定する メジャーは外診台に対して垂直に	▶膝を曲げた状態で，腰部を挙上させながら背部にメジャーを通す．この時メジャーがねじれていないことを確認する コツ メジャーを通す時，判読する部分が臍より手前の観察者に近い位置にくるようにする コツ メジャーは腹壁にきつく当てない
・腰をおろして，膝を伸展させ，呼気時に目盛りを判読する	▶最大周囲が臍周囲と異なる場合は，最大と思われる部分を3か所測って，そのうちの最大値をとる方法が用いられる
・測定後は再度腰部を挙上させて，静かにメジャーを外す	
7 後始末をする ①診察が終了したことを告げ，着衣を整える ②外診台から降りるのを介助する	▶妊婦の着衣を整える 根拠 増大した腹部で足元が見えないことがある コツ 側臥位にしてから起き上がらせるとよい 事故防止のポイント 妊婦が外診台から降りる時は，介助して転倒を防止する
③使用物品の後始末をする	
8 記録，評価をする ①結果をカルテ，母子健康手帳に記録する ②妊婦に結果を知らせる	▶専門用語を避け，わかりやすく説明する

評価

1 子宮底長，子宮底高

- 妊娠週数と子宮底長の測定値，子宮底の位置（高さ）の関係は表 1，図 2 の通りである．
- 妊娠週数に対して子宮が大きい，あるいは小さい場合は，まず分娩予定日誤認がないことを確認したのち，表 2 に示す産科異常の有無を鑑別する．測定値の異常がある場合，または前回の測定値と比べて適切な増加がみられない場合は医師に報告する．

表 1　**妊娠週数と子宮の大きさ，子宮底の位置**

妊娠週数	子宮の大きさ	子宮底の位置（高さ）	子宮前壁の長さ
妊娠 3 週末（第 1 月末）	鶏卵大		
妊娠 7 週末（第 2 月末）	鵞卵大		
妊娠 11 週末（第 3 月末）	手拳大		
妊娠 15 週末（第 4 月末）	小児頭大		恥骨結合上　12 cm
妊娠 19 週末（第 5 月末）	成人頭大		恥骨結合上　15 cm
妊娠 23 週末（第 6 月末）		臍高	恥骨結合上　18～21 cm
妊娠 27 週末（第 7 月末）		臍上 2～3 横指	恥骨結合上　21～24 cm
妊娠 31 週末（第 8 月末）		臍と剣状突起のほぼ中央	恥骨結合上　24～28 cm
妊娠 35 週末（第 9 月末）		剣状突起の下 2～3 横指	恥骨結合上　27～31 cm
妊娠 39 週末（第 10 月末）		35 週末よりは低位となる	恥骨結合上　32～35 cm

子宮底長の概算法

①妊娠週数から計算する：妊娠週数 −5 cm
②妊娠月数から計算する：妊娠第 5 か月末まで　妊娠月数×3 cm
　　　　　　　　　　　　妊娠第 6 か月以降　　妊娠月数×3+3 cm

表 2　**妊娠週数に対する子宮の大きさの異常と原因**

妊娠週数に対して大きい	多胎妊娠，巨大児，羊水過多，予定日誤認
妊娠週数に対して小さい	胎児発育不全，羊水過少，予定日誤認

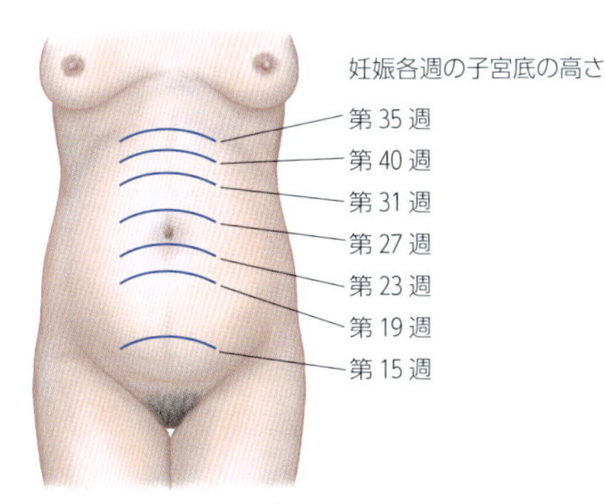

図 2　**子宮底の位置（高さ）**

2 腹囲

- 日本人の平均値は妊娠後期で 85～90 cm である．
- 1 m 以上は肥満のほか，表 2 に示すとおり，多胎妊娠，巨大児，羊水過多が疑われる．
- 妊娠後期にこれらの異常がある時，臍周囲より上に最大周囲径があることが多い．

5 計測診

3 | 骨盤外計測

石村 由利子

目的 大骨盤を骨盤計を用いて計測し，骨産道の大きさや形を推定する．

チェック項目 骨盤の棘間径，稜間径，大転子間径，外結合線，外斜径，前後径の長さ

適応 すべての妊婦．特に身長 145 cm 以下，巨大児が疑われる，骨盤位などの妊婦に対して産道通過の可否を判断し，X 線計測の必要性をスクリーニングする．

注意 骨産道の大きさ，形を必ずしも反映しているとはいえないことを承知して評価する．

禁忌 なし

事故防止のポイント 立位での測定時の転倒防止

必要物品 骨盤計，外診台，バスタオルまたは綿毛布，記録用紙，筆記用具

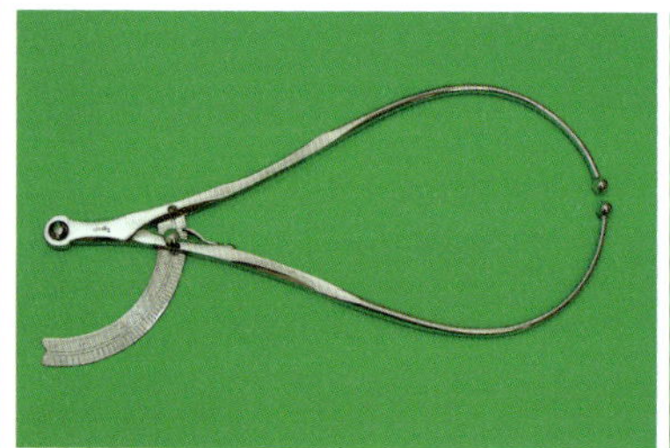

マルチン骨盤計

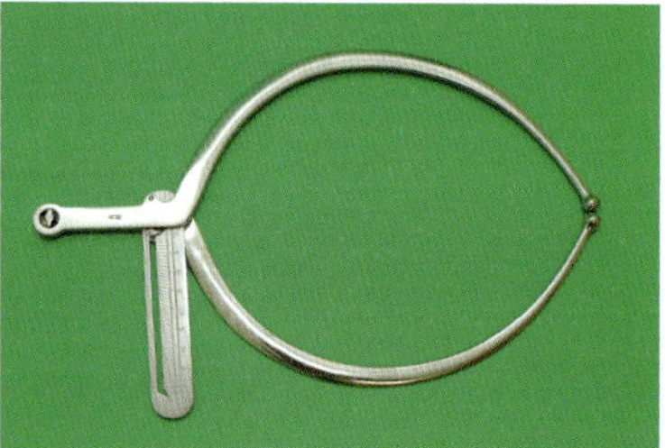

ブライスキー骨盤計

手順

要点	留意点・根拠
1 環境を整える ①診察室の環境を整える	▶ プライバシーが保護される環境を準備する ▶ 室温を 24～25℃ に調整する ▶ 診察方法に適した場を準備する．臥位で測る場合は外診台を準備する
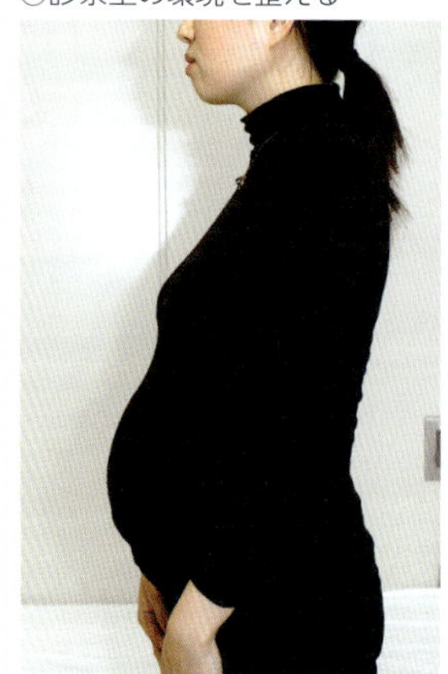 立位での測定	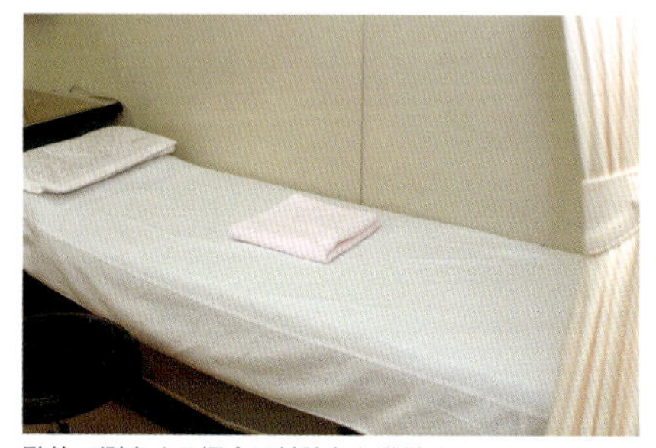 臥位で測定する場合は外診台を準備する

要点	留意点・根拠
2 妊婦の準備を整える	
①計測の目的と方法を説明をする	
②排尿を済ませておくよう説明する	根拠 膀胱充満があると，下腹部の膨隆や子宮底の上昇によって，正しい所見が得られない．また，恥骨結合上縁を触診する時，妊婦が不快感をもつ
③妊婦を測定に適した体位にする	▶妊婦を仰臥位または起立させた状態で測定する．腰部を露出させ，両足を伸ばして両膝を密着させる ▶計測は妊娠初期に行うほうがよい 根拠 妊娠中期以降の妊婦では腹部が大きく，重心が前方に移動している．両足をそろえて立つのは不安定である 事故防止のポイント 立位での転倒防止のため，手すり，壁，椅子の背もたれなど，つかまるものを準備する ▶臥位での計測では，測定開始までは腹部，足をバスタオルなどで覆い，不要な露出を避ける
3 観察者の準備を整える	
①観察者の手を温めておく	▶冷たい手で腹部や外陰部に触れることのないよう，指・手掌を温めておく
②必要物品を準備する	注意 骨盤計の0点が合っていることを確認する
③観察者は測定に適した位置に立つ	▶棘間径，稜間径，大転子間径の測定では妊婦を仰臥位にし，妊婦の右側に立つ ▶立位の場合は妊婦に向き合う位置に立つ ▶外結合線，外斜径，前後径の測定では妊婦を側臥位にして，背側に立つ
4 骨盤外計測を行う	
①骨盤計を正しく持つ 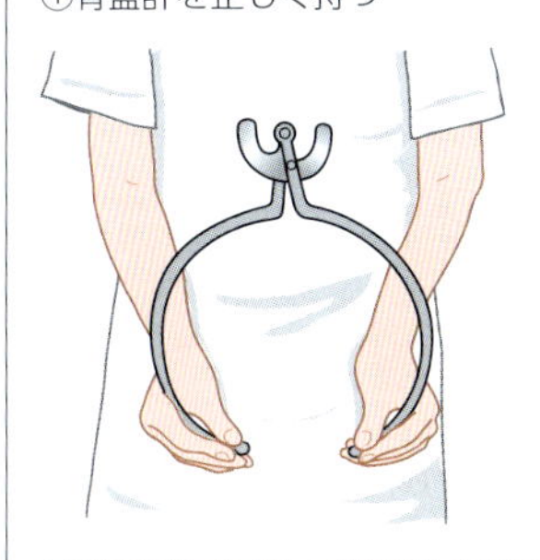	コツ 先端はペンを持つ要領で母指と示指の間にのせてはさむように持ち，目盛りを観察者の側に置く
②測定部位を探して骨盤計を当てる	▶皮膚の上から骨盤を触れ，測定部位を探す コツ 中指で計測部位を探り，骨盤計の先端を当てて目盛りを読む コツ 非妊婦に比べ，腹部の大きい妊婦では腸骨稜が低い位置にあるように感じるが，鼠径部側からたどれば容易にわかる

要点	留意点・根拠
③棘間径を測る 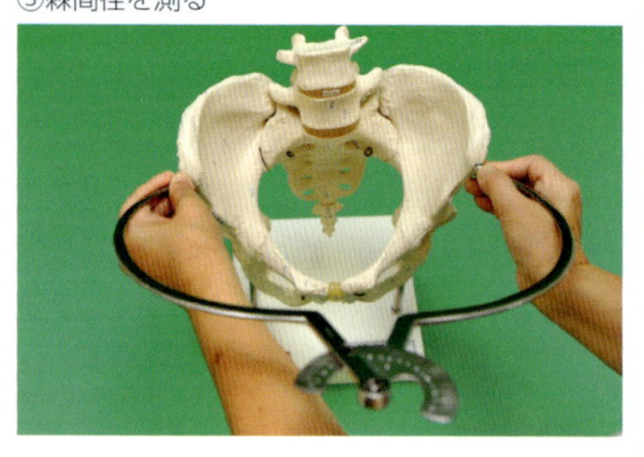	▶ 左右の上前腸骨棘間の距離を測る コツ 前腸骨棘は鼠径窩の内下方から外上方に向かって触診した時，両側外端に触れる突起である 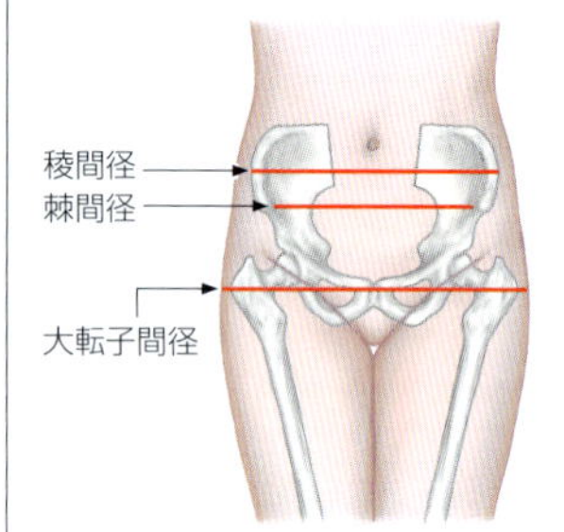 図 1 **稜間，棘間，大転子間各径線**
④稜間径を測る 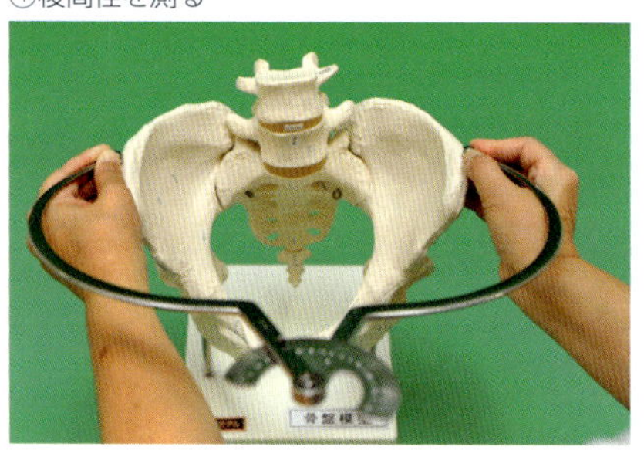	▶ 左右の腸骨稜外縁間の最大距離を測る コツ 前腸骨棘から両手の中指を腸骨稜に沿って上方に進め，最も長い距離を探す．この時，測定部位は左右対称の位置にある
⑤大転子間径を測る	▶ 左右の大腿骨大転子間の最大距離を測る コツ 大転子の見つけ方 ・④で腸骨稜に当てていた指を足の方向へ垂直に下げる．大転子は，立位で腕を下げた時，手拳の位置付近に触れる ・膝を数回屈伸させて大腿骨頭の突出部位を探る．大腿部を動かす時の支点となっている ・陰毛発生部の二等辺三角形の半分の高さで水平に引いた径線（クナップ Knapp 線）が大転子を通る
⑥外結合線を測る 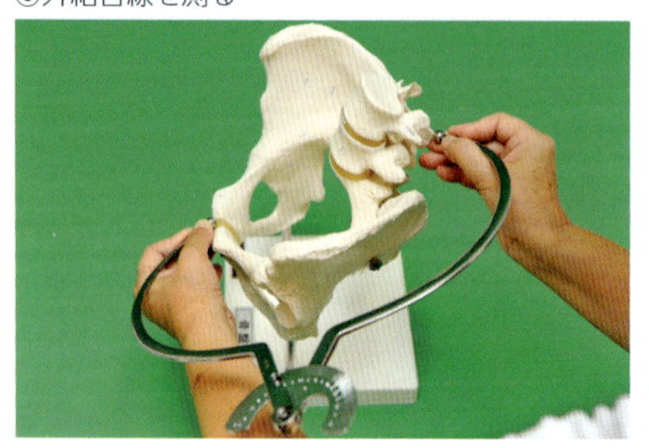	▶ 第 5 腰椎棘突起先端と恥骨結合中央上縁の最短距離を測る（図 2） 根拠 外結合線が産科学的真結合線と同一平面にはないため経腟分娩の可否を正確に判断することはできない．しかし，18 cm 以下の時は，X 線撮影による骨盤計測が必要と考えられる コツ 第 5 腰椎棘突起の見つけ方（図 3） ・腰部後面の仙骨に相当した位置にある菱形の陥没部（ミハエリス Michaelis 菱形）の上角が第 5 腰椎棘突起である ・腸骨稜上縁を結ぶ線をヤコビー Jacoby 線といい，この線と脊柱の交点が第 4 腰椎棘突起に一致する．その下方に第 5 腰椎棘突起を触知す

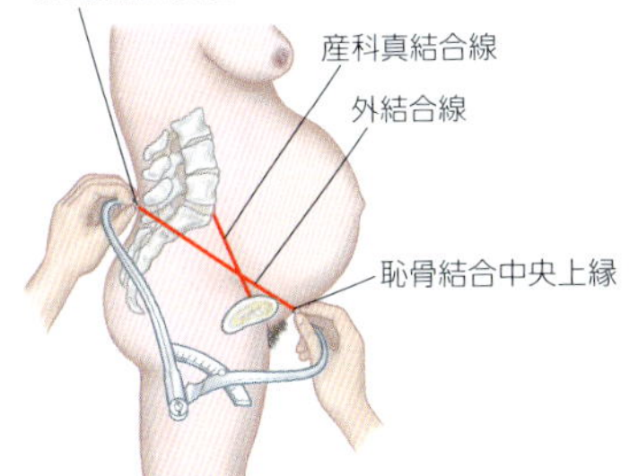

図2　**外結合線の計測法**

第4腰椎棘突起
ヤコビー線
第5腰椎棘突起
ミハエリス菱形

図3　**第5腰椎棘突起の位置**

要点	留意点・根拠
	ることができる ・左右の上後腸骨棘を結んだ線と脊柱の交わる点より上方にある
⑦外斜径を測る 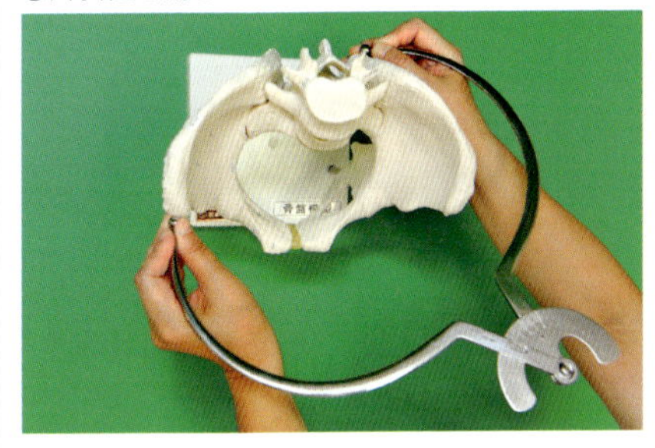	▶一側の上前腸骨棘から他側の上後腸骨棘までの距離を測る **コツ** 上後腸骨棘はミハエリス菱形の両側の陥没部にほぼ一致する ▶左上前腸骨棘から右上後腸骨棘間径を第1斜径といい，逆(右上前腸骨棘から左上後腸骨棘)を第2斜径という
⑧前後径を測る 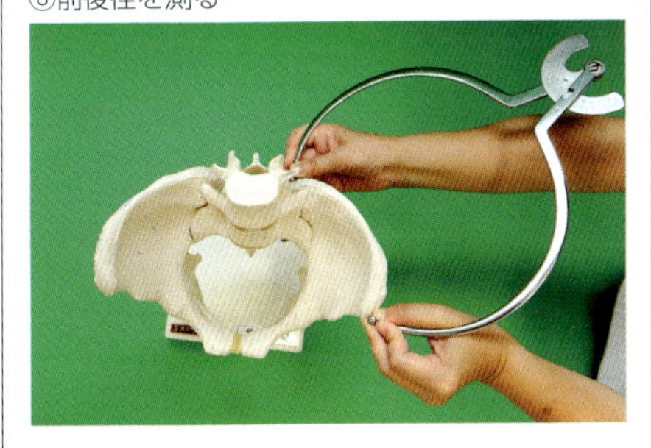	▶一側の上前腸骨棘から同側の上後腸骨棘までの距離を測る

要点	留意点・根拠
5 後始末をする ①妊婦が外診台から起き上がるのを介助する 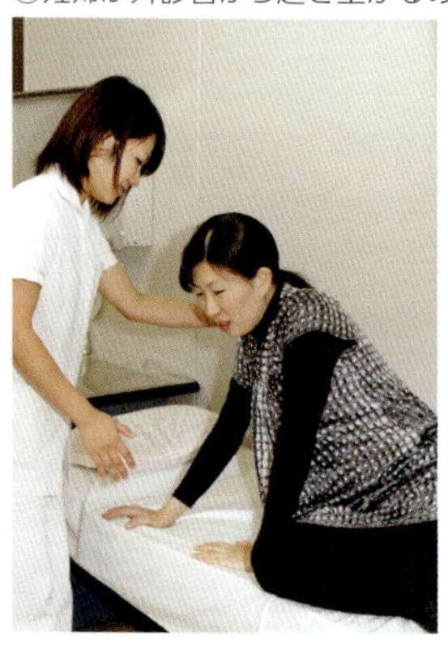	▶外診台から降りるのを介助する 根拠 妊娠後期では増大した腹部で足元が見えないことがある 事故防止のポイント 妊婦が外診台から降りる時は，介助して転倒を防止する
②妊婦に着衣を整えてもらう ③使用物品の後始末をする	▶使用した物品を片づける
6 記録，評価をする ①結果をカルテに記録する ②妊婦に結果を知らせる	▶妊婦に知らせる際は専門用語を避け，わかりやすく説明する

評価

1 各径線の平均値

- 各径線の名称，日本人の平均値は表1に示す通りである．

表1 各径線の平均値

径線の名称	平均値
棘間径	23～24 cm
稜間径	26 cm
大転子間径	28 cm
外結合線	19 cm
外斜径	21 cm
側結合線	15 cm

- 外結合線が18 cm以下の時は狭骨盤を疑い，棘間径と稜間径の差が1～1.5 cm以下の時は扁平骨盤を疑う[1]．その場合はX線撮影による診断が必要である．

2 骨盤外計測の意義

- 現在では狭骨盤や児頭骨盤不均衡の診断はX線撮影による計測法によって行われており，骨盤外計測の臨床的な診断価値は低い．現在では用いられることはほとんどないが，X線被曝など母子への侵襲がなく，簡単に行える点から骨盤の簡便なスクリーニング方法ではある．

●文献

1）荒木勤：最新産科学 正常編 改訂22版，pp.260-263，文光堂，2008

5 計測診

4 ノンストレステスト(NST)

石村 由利子

目的 胎児の健康状態を知る.
チェック項目 胎児心拍数基線，基線細変動の有無，心拍数一過性頻脈・一過性徐脈の有無
適応 妊娠 28 週以降の妊婦，特に 32 週以降が望ましい.
注意 胎児にストレスがかかっていない状態で行う検査なので，子宮収縮が頻繁にある時は実施できない.
禁忌 なし．ただし，胎児機能不全が疑われる妊婦での振動音刺激装置の使用は慎重に行う.
事故防止のポイント 仰臥位低血圧症候群の防止，NST 所見の異常の発見，VAS テストの適応の判断

必要物品 分娩監視装置，記録紙，超音波検査用ゼリー(以下，超音波ゼリー)，固定用ベルト，診察台，綿毛布などの掛け物，振動音刺激装置(アコースティック・スティミュレーター)，ティッシュペーパー，清拭用タオル

分娩監視装置

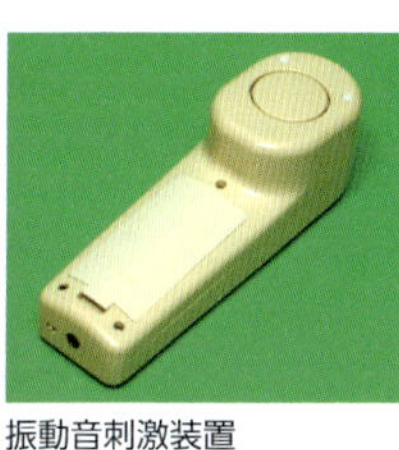

振動音刺激装置

固定用ベルト

超音波ゼリー

手順

要点	留意点・根拠
1 環境を整える ①検査室の環境を整える 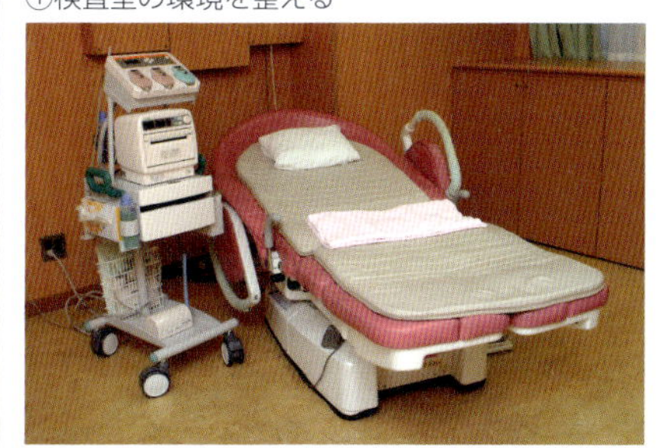 セミファウラー位がとれる診察台	▶妊婦にストレスを与えないよう，静かな部屋を準備する **根拠** 負荷をかけない状態で行うテストであり，母児ともにストレスを避ける必要がある．正確な検査結果を得るために環境を整える ▶室温を 24〜25℃ に設定する **根拠** 臥位の妊婦が快適と感じる室温に調整する．室温が低いと子宮や腹壁の緊張を誘発することがある．寒冷刺激もストレスになる ▶着衣に応じて室温を変えたり，掛け物によって調整したりすることも必要である
②使用する機器の準備をする	▶使用する分娩監視装置を点検する ・電源を入れておく ・必ずアースを接続する ・心拍数計測用，陣痛用のトランスデューサーを

要点	留意点・根拠
	接続する ・時刻合わせができていることを確認する ・記録紙の紙送りスピードを 3 cm/分にする **根拠** 日本産科婦人科学会から判定の際の基本事項として 3 cm/分が推奨されている．記録スピードは 1 cm/分では基線細変動や一過性徐脈の鑑別が正確にできない **コツ** 1 cm/分と 3 cm/分では描かれた心拍数図の印象が大きく異なる．常に同じスピードで記録されたものを見ることが，胎児心拍数図を正しく判読するための訓練になる
③必要物品を整える	▶ 必要物品をそろえる ▶ 検査途中で記録紙がなくならないように十分な長さがあることを確認しておく **根拠** NST は 20〜40 分以上連続して胎児心拍数を監視する．正確な波形が描けていない，胎動がないなど，判定ができない場合はさらに延長することがある．メモリ機能のない機種では，記録紙が途切れないように準備しておく
2 妊婦の準備を整える ①検査の目的，方法，所要時間を説明する ②排尿を済ませておくよう説明する	**根拠** 検査は 20〜40 分以上かかる．妊娠後期には頻尿になる傾向がある
③妊婦を検査に適した体位にする 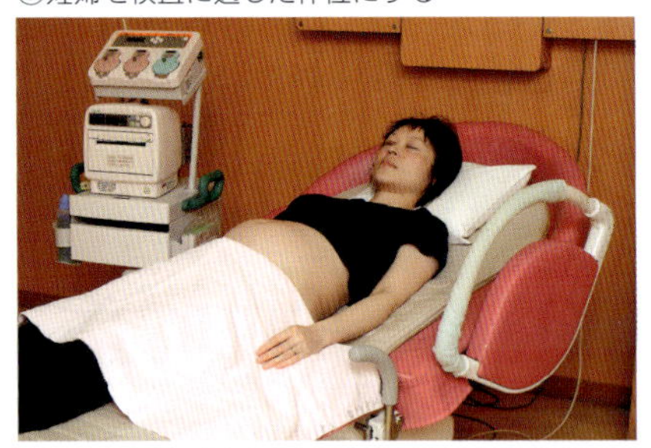 セミファウラー位にして，足にバスタオルをかける	▶ 妊婦をセミファウラー位にする **根拠** 仰臥位は増大した子宮による下大静脈への圧迫により仰臥位低血圧症候群を起こすことがあるので，長時間の検査に適切な体位ではない **コツ** 側臥位では胎児心音が聞きとりづらいので，セミファウラー位のほうがよい **注意** 仰臥位低血圧症候群およびそれによって胎児徐脈を起こすことがある **事故防止のポイント** 下大静脈の圧迫を避ける体位にする **緊急時対応** 血圧低下，生あくび，悪心・嘔吐，発汗，不安感などの症状がみられた時は，直ちに左側臥位をとらせる ▶ 腹部を露出し，掛け物で覆う
3 観察者の準備を整える ①カルテから情報を得る	▶ カルテから妊婦の氏名，妊娠週数，これまでの妊娠経過について情報を得ておく **根拠** 定期健診でのスクリーニング検査か，胎児機能不全を疑う事例の検査か把握しておく
 動画 1-4 **4 検査を行う** ①胎児の位置，心音最良聴取部位を確認する ・妊婦に腹部を露出してもらう ・レオポルド触診法第1段，第2段で胎児の位置，胎児心音の最良聴取部位を見つける	▶ p.62「第1章-1【6】聴診（胎児心音）」参照

要点	留意点・根拠
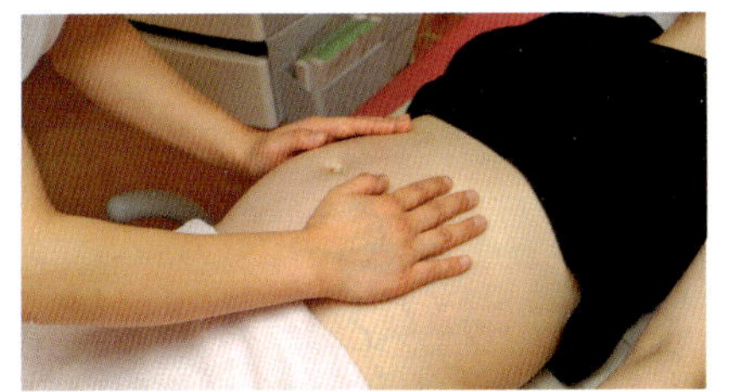 レオポルド触診法で胎児の位置を確認する	
②固定用ベルトを準備する 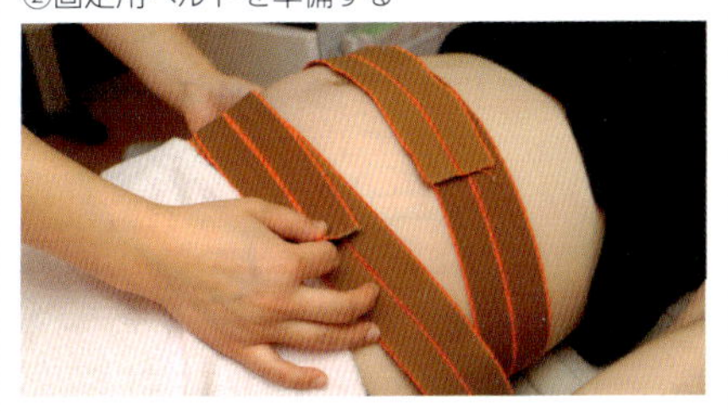	▶トランスデューサーを固定するベルト2本を背中の下を通して準備する コツ ベルト2本は，頭位なら心音用に臍より下に1本，陣痛用に臍より上の子宮底付近に1本を準備する
③胎児心拍数計測用の超音波トランスデューサーを装着する ・ガーゼに超音波ゼリーをとり，超音波トランスデューサーの装着面に塗布する ・胎児心音の最良聴取部位に超音波トランスデューサーを置く 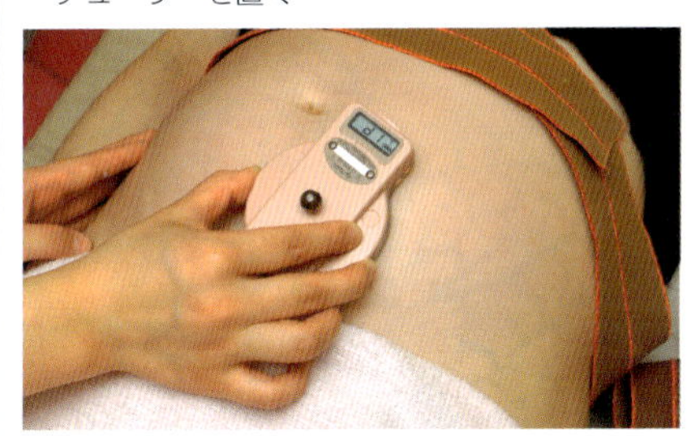 超音波トランスデューサーに超音波ゼリーを塗り腹部に置く	根拠 超音波ゼリーは超音波トランスデューサーと腹壁との間に空気の膜をつくらず，皮膚と密着させるために使う．したがって，この目的を果たすのに十分な量を塗布すればよい
・固定用のベルトで腹壁に固定する 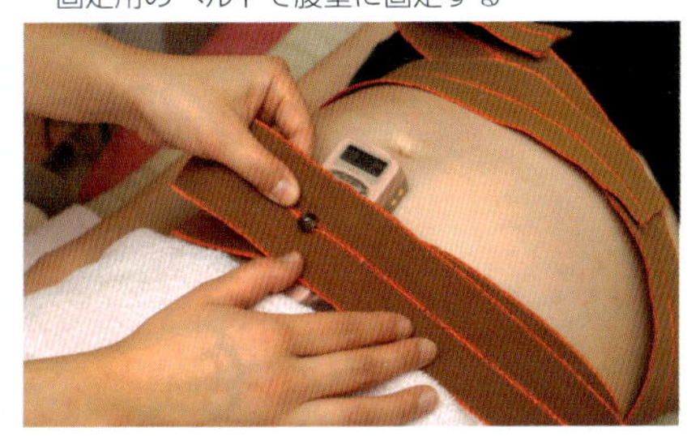 ベルトで固定する	禁忌 ベルトをきつく締めつけすぎない ▶ゆるいとトランスデューサーがずれる．トランスデューサーが腹壁に食い込まず，密着している程度が望ましい コツ 超音波トランスデューサーを先に装着する．陣痛用トランスデューサーを先にすると，胎位によっては心音聴取の妨げとなる

要点	留意点・根拠
④陣痛用トランスデューサーを装着する ・陣痛用トランスデューサーを子宮底より少し下がった平らな部分に置く ・固定用のベルトで腹壁に固定する 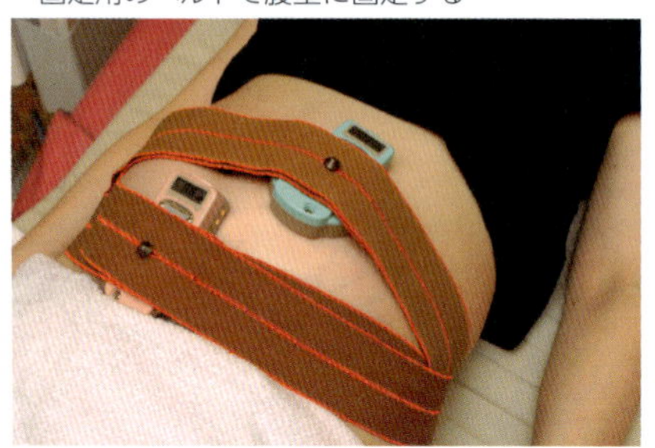	▶ベルトはずれない程度に固定する **根拠** 陣痛は，陣痛計の中央のセンサー部分が腹壁の緊張によって押し上げられることで強さを感知し，デジタル信号化して表示される．強く締めつけると緊張度の変化を感知することができない **禁忌** 陣痛用トランスデューサーに超音波ゼリーは塗らない
⑤レコーダーのスイッチを入れ，基線，音量を調整する 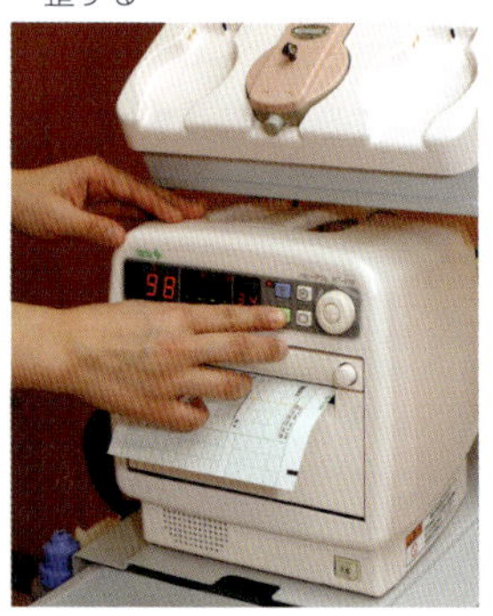 陣痛計のゼロ設定をする	▶腹部の緊張がないことを確認して，陣痛計のゼロセットスイッチを押してペンの位置を 0 点に修正する ▶心音計の音量を調整する
⑥胎動の観察用にイベントマーカーを準備する	▶妊婦にイベントマーカーを渡し，胎動を感知したら押すように説明する **コツ** 自動的に胎動を検知する機種の場合はそのまま検査を進める
⑦記録を開始する 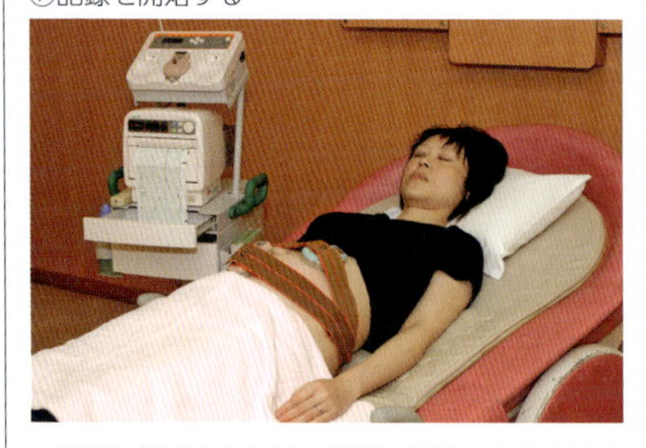 ・腹部に綿毛布をかけ，妊婦にリラックスするよう促す	▶血圧を測定し，異常がないことを確認して記録を開始する ▶母体の脈拍数と胎児心拍数を比較して，確実に胎児心拍数を測定していることを確認する **根拠** 母体の頻脈，胎児の徐脈がある時は鑑別が必要である **コツ** 母体脈拍数をモニター上に表示する機種では近似値になるとアラーム音によって注意喚起される．直接母体の脈拍を測定して胎児心拍と同期していないことを確認する **注意** モニターおよび記録紙に表示される胎児心拍数は瞬時心拍数であり，1 分間の数値ではない ▶気分が悪くなったらすぐ知らせるように伝える ▶測定時間はおよそ 20〜40 分とする **根拠** 胎児はおよそ 20 分ごとに睡眠と覚醒のサイクルを

要点	留意点・根拠
	繰り返しており，睡眠サイクルの時には胎動や細変動は観察されない．NST の判定は一過性頻脈の有無で行い（p.55「2 判定基準」参照），これが観察されない時はリアクティブと判定できない
・およそ 10 分ごとに母子の状態を観察し，記録紙の描図を確認する	事故防止のポイント 判定不能またはノンリアクティブの判定を正しく行う
⑧リアクティブと判定できない時は，下記の対応をとる ・医師に報告する	事故防止のポイント 医師に報告し，指示に従い下記の対応をとる
・検査を延長するか，少し時間をおいて再検査する ・胎児の覚醒を促す操作を行う a. 腹壁上から軽くゆする	▶ 左右の手をレオポルド第 2 段の位置に置き，両側からはさんで交互に軽く押してゆすって覚醒させる
b. 胎児振動音刺激試験（VAS テスト）を行う 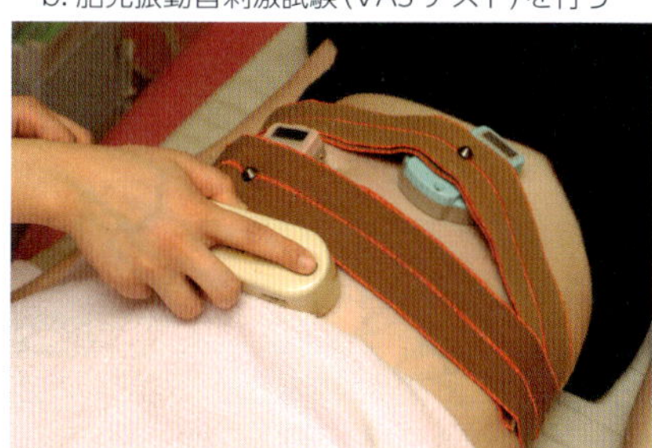	▶ リスクが小さいと予測される時は VAS テストを試みて覚醒させ，胎動を誘発して心拍数の変化を観察する．VAS テストは一過性頻脈が観察されずに 10 分以上を経過した時に行われる．刺激によって一過性頻脈が観察された場合でも判定基準は変わらない コツ VAS テストは妊婦の腹壁上から振動音刺激装置を児頭の真上に当てて振動音を聞かせる 注意 VAS テストによって胎児が動くことで臍帯圧迫を起こすことがある．ノンリアクティブと判定される事例には胎児発育不全（FGR）や胎児機能不全の児が多いので，状態を悪化させることがないようにしなければならない．羊水過少の場合に多くみられるので，羊水が少ないと思われる事例については VAS テストを安易に行わないなどの注意が必要である 事故防止のポイント 一過性徐脈の出現に注意する 緊急時対応 一過性徐脈が出現したら，直ちに振動音刺激を中止し，医師に報告する．変動一過性徐脈の時は体位変換を行い，臍帯圧迫の軽減を図る　根拠 陣痛がない状態で行う検査なので，遅発一過性徐脈を確定することはできない．胎児心拍陣痛図（CTG）上に徐脈が出現した時は，胎児の well-being に問題があることを想定した対応をとることが必要である
⑨記録を終了する ・リアクティブ，またはノンリアクティブであることを確認して，モニターを止める ・妊婦に検査が終了したことを伝える	
5 後始末をする ①分娩監視装置のスイッチを切る ②固定用ベルトを外し，トランスデューサーを外す	

動画 1-5

要点	留意点・根拠
③腹部を清拭し，着衣を整える 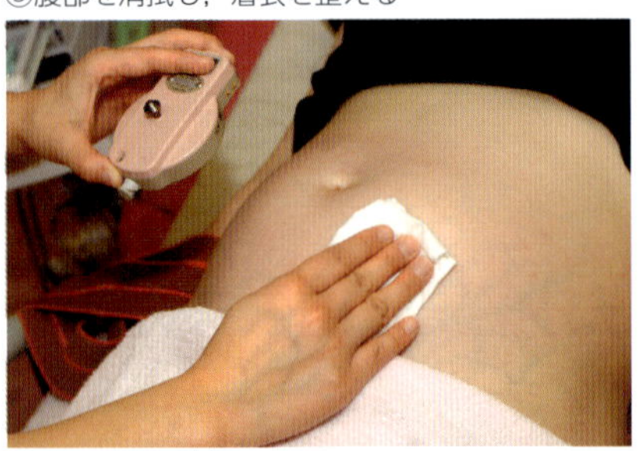 腹部を清拭する	▶腹部の超音波ゼリーをティッシュペーパーで拭き取り，清拭用タオルで清拭する ▶妊婦の着衣を整える
④診察台から降りるのを介助をする ⑤使用機器を片づける  超音波トランスデューサーの超音波ゼリーを拭き取る	事故防止のポイント 転倒を防止する ▶超音波トランスデューサーの超音波ゼリーを拭き取り，所定の位置に収納する ▶消耗品の補充を行い，次回使用時に備える 根拠 分娩監視装置は分娩時，緊急時にも使用する機器である．次回すぐ使えるように準備しておく
6 記録，評価をする ①記録紙を切り取り，妊婦の氏名，検査年月日，判定結果を記入し，所定の方法で保管する	▶所定の台紙に貼る，袋に入れるなど，施設のルールに従って保管し，必要に応じて取り出せるようにしておく
②医師に結果を報告し，判定結果をカルテに記録する ③妊婦に結果を知らせる	▶専門用語を避け，わかりやすく説明する 注意 リアクティブ以外の結果を知らせる時は，医師から今後の管理方針の説明とともに行う．不安を与えない配慮が必要である

評価

1 胎児心拍数モニタリングに使用される用語

- 胎児の一過性頻脈は妊娠20〜26週の間に現れ，妊娠28〜34週では70〜75%に観察される．基線からの振幅は，妊娠30週で平均17 bpm，妊娠35週では25 bpmに達するといわれ，妊娠32週頃からは一過性頻脈が活発に観察される時と静止した時が明瞭になり[1)]，NSTが妊娠30週頃から用いられる根拠となっている．
- NSTの判定は，胎児心拍数基線が110〜160 bpmの範囲にあり，基線細変動が中等度(6〜25 bpm)で，一過性頻脈があり，一過性徐脈がない時，胎児の状態は良好と判定できる．

表1　胎児心拍数モニタリングに使用される用語

名称	内容	備考
A．胎児心拍数基線 FHR-baseline	10分間の区間内でのおおよその平均胎児心拍数で，正常な経過であれば110〜160 bpmの範囲にある 10分の区間内で，基線と読む場所は少なくとも2分以上続かなければならない．そうでなければ不確定とする．この場合は，直前の10分間の心拍数から判定する．110 bpm未満であれば徐脈，160 bpmを超えるときは頻脈とする	5の倍数として示す 152 bpm は 150 bpm，138 bpm は 140 bpm と表記する
B．胎児心拍数基線細変動 FHR-baseline variability	1分間に2サイクル以上の胎児心拍数の変動であり，振幅，周波数とも規則性がないもの 細変動の振幅の大きさによって，①細変動消失（肉眼的に認められない），②細変動減少（5 bpm以下），③細変動中等度（6〜25 bpm），④細変動増加（26 bpm以上）の4段階に分けられる この分類は肉眼的に判読する	サイナソイダルパターンはこれに含まない
C．胎児心拍数一過性変動 periodic or episodic change of FHR		
1）一過性頻脈 acceleration	心拍数が急速に増加し（開始からピークまでが30秒未満），開始から頂点までが15 bpm以上，元に戻るまでの持続が15秒以上2分未満のものをいう	32週未満では10 bpm以上，戻るまでの持続が10秒以上のものとする
・遷延一過性頻脈 prolonged acceleration	頻脈の持続が2分以上，10分未満であるものとする．10分以上持続するものは基線が変化したものとみなす	
2）一過性徐脈 deceleration	一過性徐脈の波形は，心拍数の減少が急速であるか，緩やかであるかにより，肉眼的に区別することを基本とする．その判断が困難な場合は心拍数減少の開始から最下点に至るまでに要する時間を参考とし，両者の境界を30秒とする．対応する子宮収縮がある場合には以下の4つに分類する	対応する子宮収縮がない場合でも変動一過性徐脈と遷延一過性徐脈は判読する
・早発一過性徐脈 early deceleration	子宮収縮に伴い心拍数は緩やかに下降し（減少の開始から最下点まで30秒以上），子宮収縮の消退に伴い元に戻るものをいう．心拍数の最下点は陣痛のピークとほぼ一致している 100 bpm以下に低下することはほとんどない	胎児頭部への圧迫による．低酸素症とは無関係で，良性である
・変動一過性徐脈 variable deceleration	15 bpm以上の心拍数減少が急速に起こり，開始から回復まで15秒以上2分未満の波形をいう．その心拍数減少は直前の心拍数より算出される 子宮収縮に伴って発生する場合は，一定の形を取らず，下降度，持続時間は子宮収縮ごとに変動することが多い	臍帯圧迫により引き起こされる．分娩中最も頻繁にみられるパターンである
・遅発一過性徐脈 late deceleration	子宮収縮に伴い心拍数が緩やかに減少し，緩やかに回復する波形で，一過性徐脈の最下点が子宮収縮の最強点より遅れているものをいう．多くの場合，一過性徐脈の開始・最下点・回復が，おのおの子宮収縮の開始・最強点・終了より遅れる	
・遷延一過性除脈 prolonged deceleration	心拍数減少が15 bpm以上で，開始から回復まで2分以上10分未満の波形をいう．その心拍数減少は直前の心拍数より算出される．10分以上の心拍数減少の持続は基線の変化とみなす	

日本産科婦人科学会／日本産婦人科医会編・監修：産婦人科診療ガイドライン—産科編2017，pp.287-288，2017をもとに著者作成

2 判定基準

- NSTは基本的には一過性頻脈の有無で判定する．NSTの判定は以下のいずれかであり，中間はない．
- リアクティブ（reactive）：20分間に2回以上の一過性頻脈を認める時
- ノンリアクティブ（non-reactive）：一過性頻脈が20分間に1回以下の時

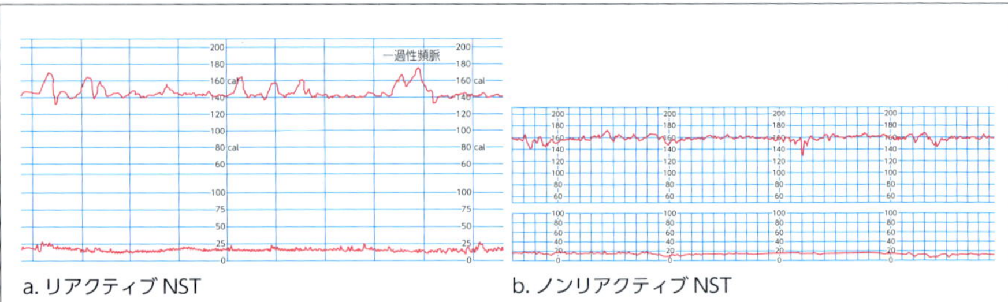

a. リアクティブ NST　　b. ノンリアクティブ NST

図 1　リアクティブ NST(左)とノンリアクティブ NST(右)

3 管理方法

1. NST の施行回数

- ハイリスク群：状態に応じて毎日，朝夕，あるいは連続監視
- ローリスク群：週 1 回あるいは週 2 回行うことを勧奨

2. バックアップテスト

- NST がノンリアクティブの時のバックアップテストとして，コントラクションストレステスト(contraction stress test：CST)やバイオフィジカルプロファイルスコア(biophysical profile-score：BPS)がある
- CST は，表 2 の基準に従って判定する．

表 2　CST の判定基準

子宮収縮が 10 分間に 3 回出現する状態で胎児心拍数パターンを観察する	
negative(陰性)	遅発および変動一過性徐脈を認めない
positive(陽性)	50% 以上の子宮収縮に随伴する遅発一過性徐脈の出現を認める
equivocal-suspicious	50% 以下の子宮収縮に随伴する遅発一過性徐脈，または変動一過性徐脈の出現を認める
equivocal-hyperstimulation	持続時間が 90 秒以上の子宮収縮または周期が 2 分以内の子宮収縮が生じ，それに随伴する変動一過性徐脈を認める
unsatisfactory	適切な子宮収縮を得られない，または良好な胎児心拍数記録が得られない

松岡隆ほか：NST，CST(VAS test 含む)，周産期医学必修知識　第 7 版，周産期医学 41(増刊号)：112-113, 2011

4 reactive，non-reactive と reassuring，non-reassuring[2)]

- reactive，non-reactive が NST の判定基準を示す用語であるのに対し，reassuring，non-reassuring は胎児の総合的な健康状態を判定する語である．
- 胎児が reassuring であれば NST は reactive でなければならないが，reactive であれば必ず reassuring になるとは限らない．

reassuring：胎児が安心できる状態にある
non-reassuring：胎児が安心できる状態ではない

● 文献

1）荒木　勤：最新産科学　正常編　改訂 22 版，p.166，文光堂，2008
2）村田雄二編著：胎児心拍数モニタリングがよくわかる周産期の生理学．pp.175-176，メディカ出版，2015

5 計測診

5 | バイオフィジカルプロファイルスコア(BPS)　佐世 正勝

目的 胎児の健康状態の判定，胎児機能不全の発見
チェック項目 胎児呼吸様運動，胎動，胎児筋緊張，NST(ノンストレステスト)，羊水量
適応 妊娠 26 週以降の妊婦
注意 仰臥位低血圧症候群に注意する．
禁忌 30 分間の超音波検査を施行できない妊婦
事故防止のポイント 長時間の仰臥位の防止

必要物品　超音波診断装置，超音波検査用ゼリー(以下，超音波ゼリー)，ペーパーシート，バスタオル，タオル

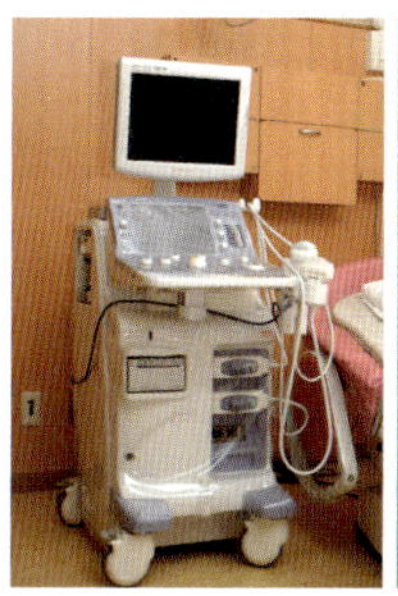
超音波診断装置

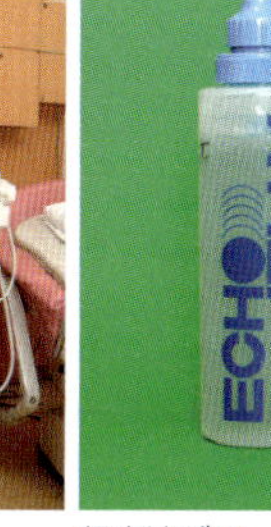

超音波ゼリー

手順

要点	留意点・根拠
1 環境・使用物品の準備を整える ①検査室の環境を整える	▶静かな部屋で，照度を少し落とす **根拠** 仰臥位となった妊婦の目に，強い光が入ることを防ぐとともに超音波診断装置の画面が見やすくなる
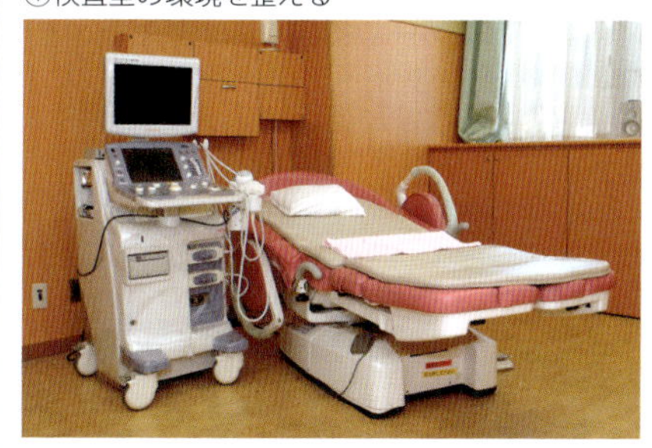	
②必要物品を整える	▶超音波診断装置は妊婦の右側に設置する **根拠** 常に同じ条件で観察を行う
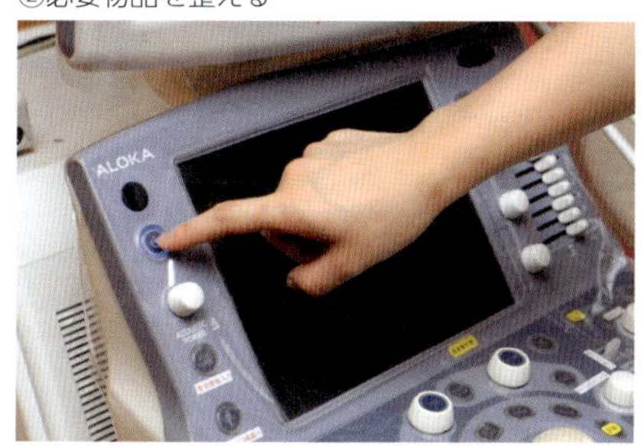 超音波診断装置の電源を入れる	

要点	留意点・根拠
③超音波ゼリーは温めておく 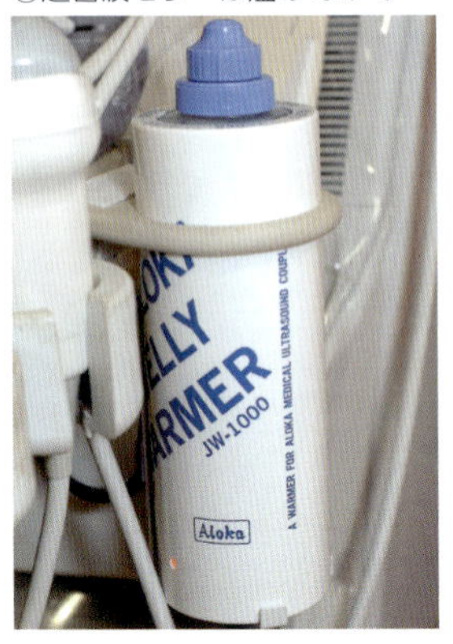 	根拠 妊婦への寒冷刺激を避ける．超音波ゼリーの伸びをよくする
2 妊婦の準備を整える ①検査の目的，方法を説明	▶検査の目的，時間，方法などを説明し，了解を得る 根拠 妊婦の不安を軽減するとともに，検査への協力が得られる
②妊婦をセミファウラー位にし，腹部を露出してもらう ・下大静脈への圧迫が小さい体位をとってもらう ・下着にペーパーシートをはさむ 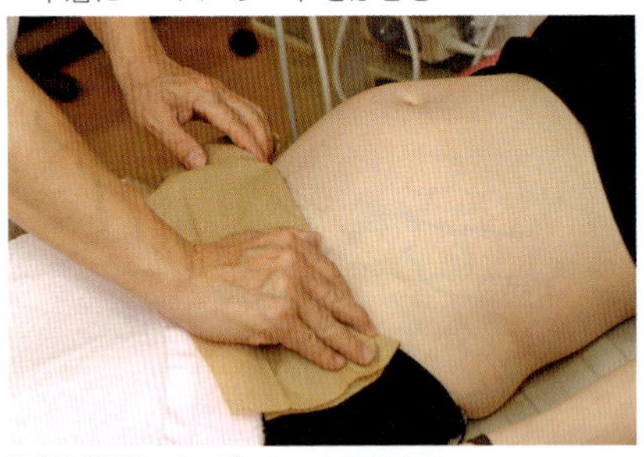 腹部を露出しペーパーシートをはさむ	根拠 仰臥位低血圧症候群を防ぐ 根拠 超音波ゼリーによる下着の汚れを防ぐ コツ 検査中にペーパーシートの端がめくれて，超音波ゼリーのついた腹部に付着するのを防ぐため，ペーパーシートの上にタオルを重ねるとよい
・足をバスタオルで覆う 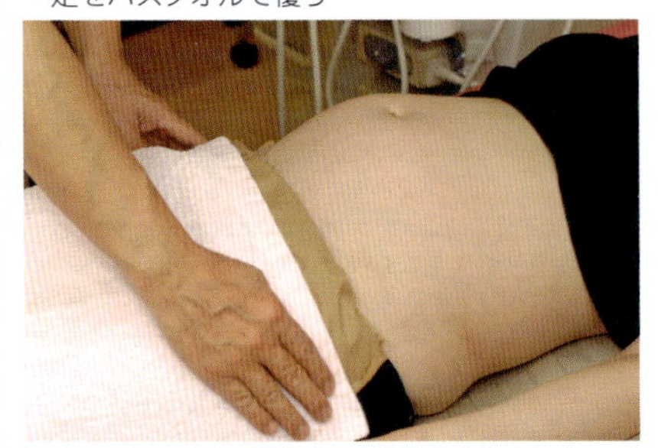 ペーパーシートの上にタオルを重ねる	根拠 不要な露出を避ける

要点	留意点・根拠
3 超音波検査を開始する ①胎児の位置を確認する	▶レオポルド触診法により胎児の位置を確認し，プローブの当て方を決める　根拠 超音波検査時間を短縮することができる
②腹部に超音波ゼリーを塗る 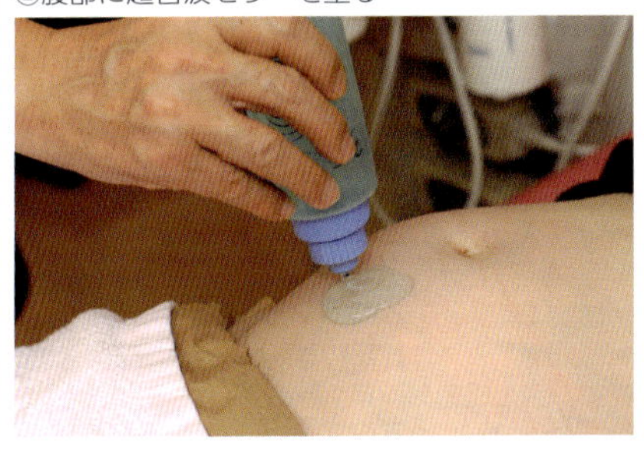	根拠 超音波プローブと腹壁の間の空気を除き，腹部への超音波の到達を可能にする
③超音波プローブを軽く腹部に密着させる 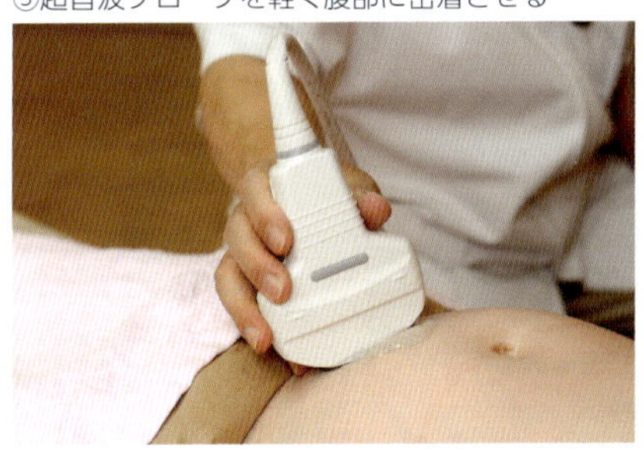	根拠 超音波プローブによる過度の腹部圧迫を避ける
④超音波診断装置で胎児の位置を確認する	▶モニター画面には，妊婦の横断像は尾側（足側）から見た状態に描出される（モニター画面の向かって右には妊婦の左側，左には妊婦の右側） 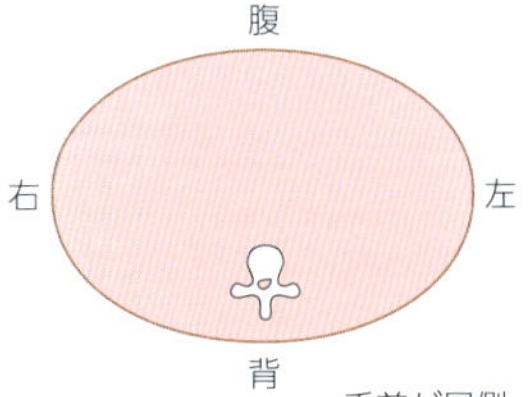 図1　**横断像の描出の仕方** ▶モニター画面には，妊婦の縦断像は右側から見た状態に描出される〔モニター画面の向かって右には妊婦の尾側（足側），左には妊婦の頭側〕

要点	留意点・根拠
	図2 縦断像の描出の仕方
4 観察を行う ①胎児の動きを観察する 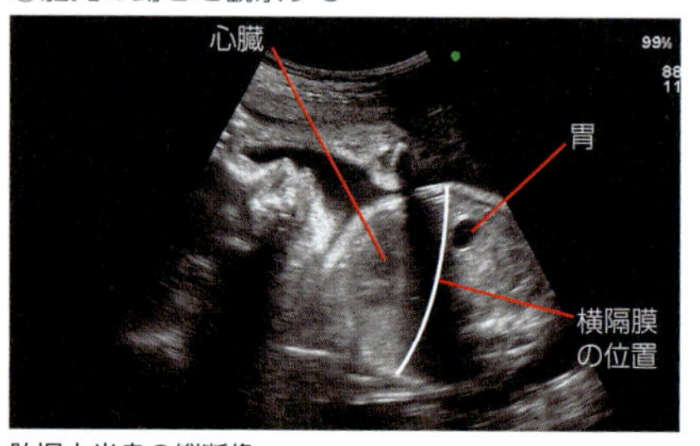 胎児上半身の縦断像 ②羊水の量を観察する(p.151 羊水量の測定 参照) ③仰臥位をとっている間，妊婦に異常はないか観察する	▶胎児呼吸様運動：横隔膜の動きあるいは胸郭の動きを観察する ▶胎動：体幹部あるいは四肢の動きを観察する ▶胎児筋緊張：体幹部あるいは四肢の屈曲・伸展運動，手の開閉を観察する ▶妊娠後期には，増大した子宮による下大静脈の圧迫により仰臥位低血圧症候群を起こすことがある **事故防止のポイント** 不必要に長く仰臥位をとらせない **緊急時対応** 血圧が低下し，悪心・嘔吐，生あくび，めまい，発汗や不安感などの症状がみられた時は，ただちに左側臥位をとらせる **根拠** 下大静脈は背骨の前右側を走行している．左側を向くことで圧迫が解除され，静脈還流障害が改善する
5 記録，評価をし，使用物品の後始末をする ①30分経過するか，胎児呼吸様運動，胎動，胎児筋緊張のすべてが観察された時点で，検査を終了する ②温かいタオルなどで，妊婦の腹部を丁寧に清拭する ③観察した結果を記録し，評価する ④使用した物品の後始末を行う ⑤検査結果を知らせる	▶超音波診断装置の電源を切り，超音波プローブに付着した超音波ゼリーをペーパーシートで丁寧に拭き取る ▶専門用語を避け，わかりやすく説明する

評価

- バイオフィジカルプロファイルスコア(biophysical profile score：BPS)は，胎児の健康状態を無侵襲的検査法によって把握するために提案された点数のことである．超音波診断装置による胎児呼吸様運動，胎動，胎児筋緊張，羊水量および分娩監視装置による NST の 5 項目について，正常を 2 点，異常を 0 点として合計点を算出する(表 1)．
- BPS の点数を基にして胎児管理が行われる(表 2)．

表 1　バイオフィジカルプロファイルスコア(BPS)の評価法

biophysical variable	正常(score＝2)	異常(score＝0)
胎児呼吸様運動(FBM)	30 秒以上の FBM が 30 分間に 1 回以上	FBM が 30 分間出ないか 30 秒未満
胎動(BM)	明瞭な身体か四肢の動きが 30 分間に 3 回以上 (連続運動は 1 回と考える)	胎動が 30 分間に 2 回以下
胎児筋緊張	四肢か体幹の伸展とそれに引き続く屈曲が 30 分間に 1 回以上 手の開閉も正常と考える	弱い伸展と部分屈曲か伸展運動のみ 運動の消失
NST	胎動に伴う FHR acceleration(15 秒以上，15 bpm 以上)が 20 分間に 2 回以上	FHR acceleration が 20 分間で 1 回以下
羊水量	2 つの垂直断面像で 2 cm 以上の羊水ポケットが 1 つ以上	羊水ポケットが 2 cm 以下

※ FHR acceleration：胎児心拍数(FHR)の加速(一過性頻脈)

表 2　バイオフィジカルプロファイルスコアの点数に基づく管理指針

点数	羊水正常		羊水過少	
	胎児死亡率	診療指針	胎児死亡率	診療指針
10/10	<1/1,000	通常	−	−
8/8(NST なし)	<1/1,000	通常	−	−
8/10	<1/1,000	通常	20〜30/1,000	≧37 週：分娩 <37 週：BPS2 回/週
6/10	50/1,000	≧37 週：分娩 <37 週：24 時間以内に再検 6 点以下なら分娩	>50/1,000	≧32 週：分娩 <32 週：毎日 BPS
4/10	115/1,000	≧32 週：分娩 <32 週：毎日 BPS	>115/1,000	≧26 週：分娩
2/10	220/1,000	≧26 週：分娩	>220/1,000	≧26 週：分娩
0/10	−	−	550/1,000	≧26 週：分娩

Manning, F.A. : Fetal Biophysical Profile Scoring. Theoretical considerations and clinical applications. Chapter 6. In : Manning, F.A. (ed) : Fetal Medicine : Principles and Practice. Norwalk CT, Appleton and Lange, pp.221-306, 1995

6 聴診(胎児心音)

石村 由利子

目的 胎児生存の証明，胎児の健康状態の判定，胎児異常の発見
チェック項目 胎児心拍数，リズムの異常の有無
適応 超音波ドップラー法は妊娠 8～9 週以降，トラウベ法は妊娠 18～20 週以降の妊婦
注意 心拍数の異常(徐脈，頻脈)，リズム不整が観察される時は連続監視を行う．母体心拍数との鑑別を行い，誤認がないようにする．

必要物品 ドップラー胎児心音計，超音波検査用ゼリー(以下，超音波ゼリー)，ストップウォッチ，ティッシュペーパー，バスタオルまたは綿毛布，トラウベ型桿状聴診器(トラウベ法の場合)

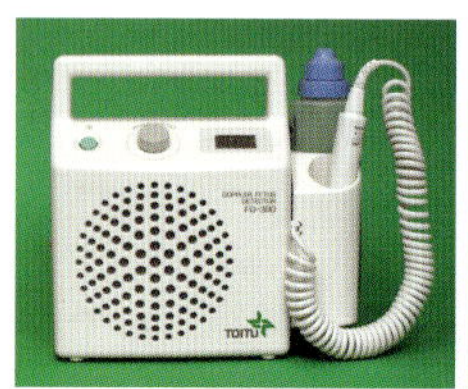

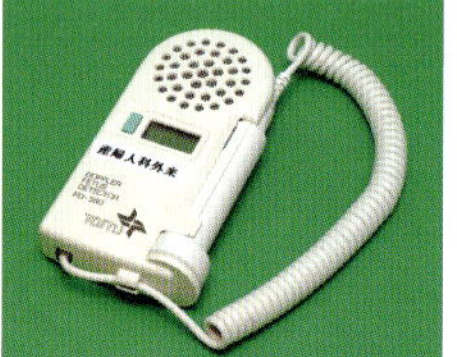

ドップラー胎児心音計(左：ポータブルタイプ，右：ポケットサイズ)

トラウベ型桿状聴診器

手順

要点	留意点・根拠
1 環境・必要物品を整える ①診察室の環境を整える	▶プライバシーが保護される環境を準備する ▶室温を 24～25℃ に調整する **根拠** 胎児心音聴取は，外来では妊婦健診時にレオポルド触診法，腹部計測とともに行われる．入院患者は病室のベッドで測定することが多い ▶不要な露出を避けるため，バスタオルまたは綿毛布を準備する
②必要物品を準備する ・ドップラー胎児心音計を用意し，セッティングを確認する	▶ドップラー胎児心音計のスイッチを入れ，充電できていることを確認する ▶音量調節が可能なことを確認し，音量を下げておく ※現在では超音波ドップラー法を用いる方法が広く普及しており，トラウベ型桿状聴診器は簡便ではあるが，医療機関ではほとんど使われない
2 妊婦の準備を整える ①診察の目的・方法を説明する ②妊婦に診察ができる体位をとってもらう ・妊婦は診察台またはベッド上でセミファウラー位または仰臥位をとり，軽く膝を曲げる ・腹部を露出し，バスタオルや綿毛布で覆う	**注意** ドップラー胎児心音計を用いる時はセミファウラー位でよいが，トラウベ型桿状聴診器を用いる時は仰臥位でないと聞きとりにくい

要点	留意点・根拠

3 観察者の準備を整える

①観察者は手を温めておく

▶冷たい手で腹部に触れることのないよう，指や手掌をよく温めておく 根拠 冷たい手で腹部に触れると子宮収縮を誘発することがある

②観察者は適切な位置に立つ

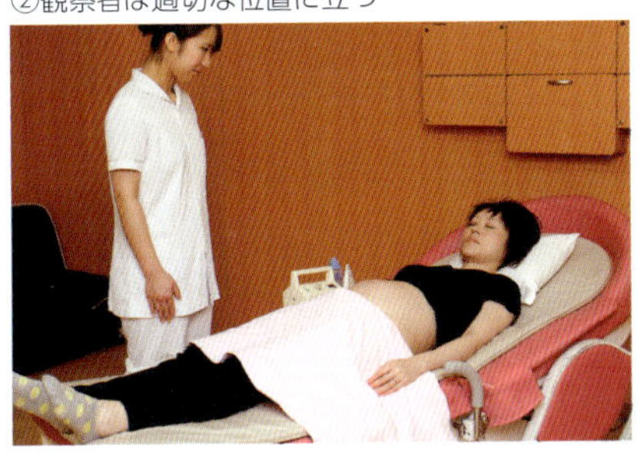

▶観察者は胎児心音の聞きやすい児背側に立つ 根拠 児背側のほうがプローブを操作しやすく，心音を聴取しやすい

▶トラウベ法の時は，必ず児背のある側に立ち，顔を下肢の方向に向けて聴取する

コツ 胎児心音の最良聴取部位を探すためにレオポルド触診法第１段，第２段を用いる時は，利き手が自由に所見をとりやすい側に立つとよい(右利きの場合は妊婦の右側)

4 最良聴取部位を確認する

①胎児心音の最良聴取部位を探す

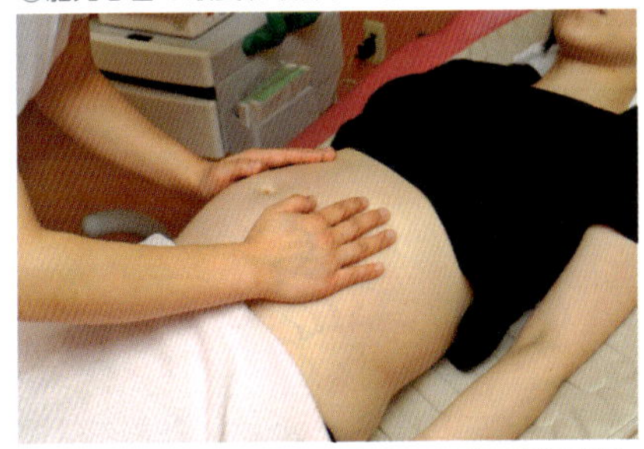

レオポルド触診法第１段，第２段により最良聴取部位を探す

▶レオポルド触診法によって胎位，胎向，胎勢を確認し，聴取部位を予測する 根拠 聴取部位は胎児の発育に伴って移動し，妊娠 23 週頃までは恥骨結合直上の正中線でよく聞こえる．それ以降は児背の位置に左右される

コツ 最も明瞭に聴取できる部位として，胎児の上体が子宮壁に最も接近するところを見つける

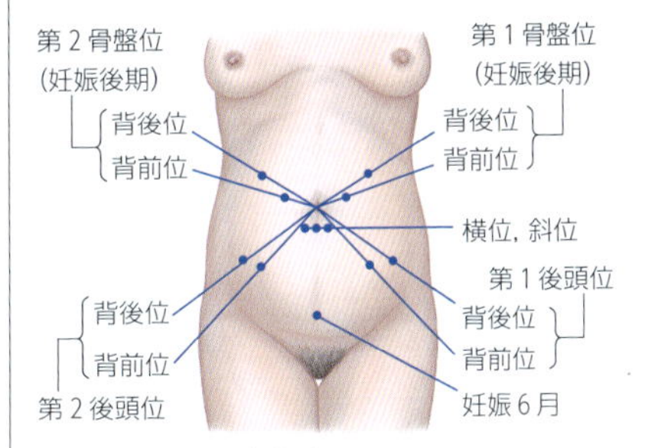

頭位：臍棘線の中央付近
骨盤位：臍部よりやや上方または臍棘線の延長上
反屈位：胎児小部分の側

図１　**最良聴取部位**

要点	留意点・根拠
②心音聴取に適した体位をとってもらう 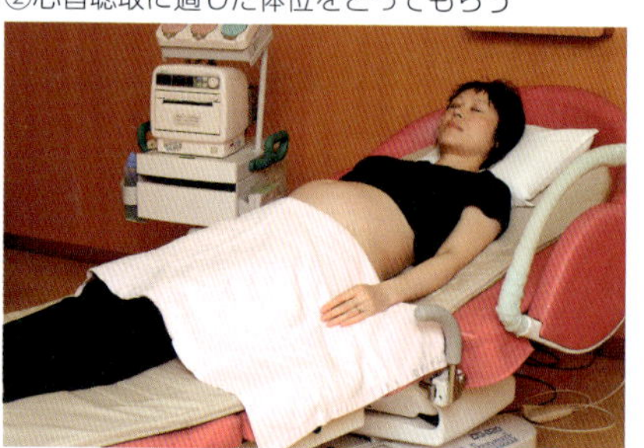 セミファウラー位で両脚を伸ばしてもらう	▶ 妊婦の体位は仰臥位またはセミファウラー位とし，両脚を伸ばしてもらう

要点	留意点・根拠
5 超音波ドップラー法で心音を聴取する ①胎児心音計のプローブの先端に超音波ゼリーを塗布する	▶ 超音波ゼリーをガーゼに取り，胎児心音計のプローブの先端に十分に塗布する **根拠** 超音波ゼリーをつけるのは腹壁とプローブの間に空気の膜を作らないためである **コツ** 胎児心音計の電源を入れてから超音波ゼリーをつけると，その操作で雑音を発する．不要な音を立てないために音量はあとから上げるとよい
②胎児心音計の電源を入れ，音量を調節する 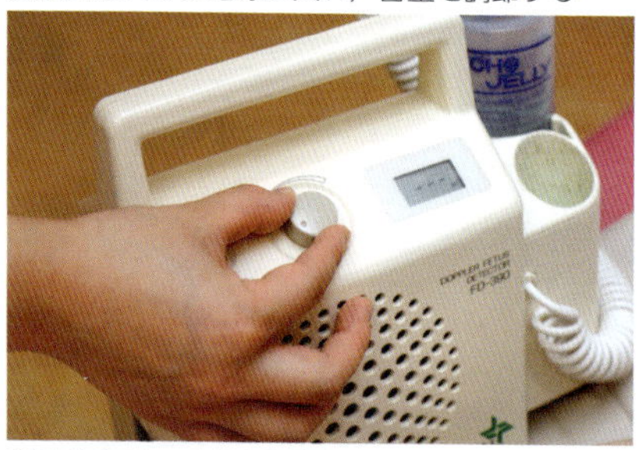 音量ダイアルで音量を調節する	
③プローブを当て胎児心音を探す 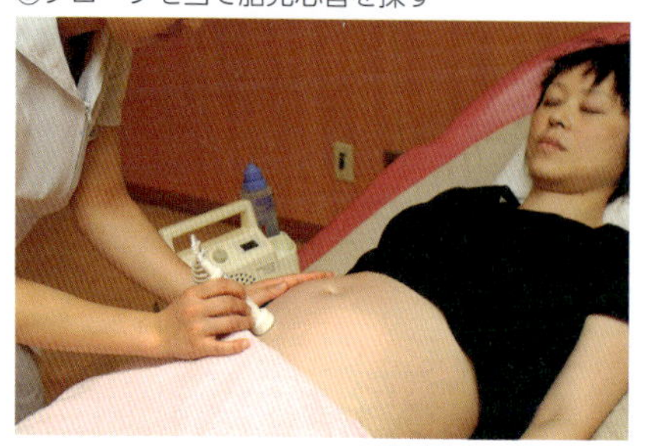 ・プローブの先端を腹壁に当てたまま，円錐状にゆっくり動かして向きを変え，胎児心音を探す	▶ 最良聴取部位と予測した部位にプローブを当てる 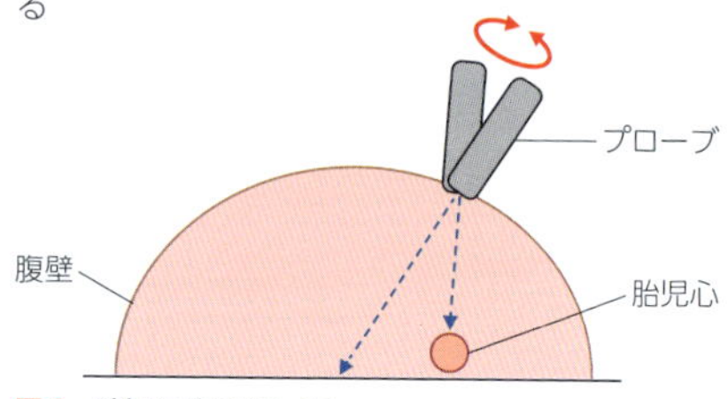 図2　胎児心音の探し方 **根拠** 超音波は生体内を直進するため，方向を少し変えるだけで，広い範囲を探せる．これで検出できない時はプローブの位置を変えて，同様の操

要点	留意点・根拠
④母体心拍数との鑑別を行う 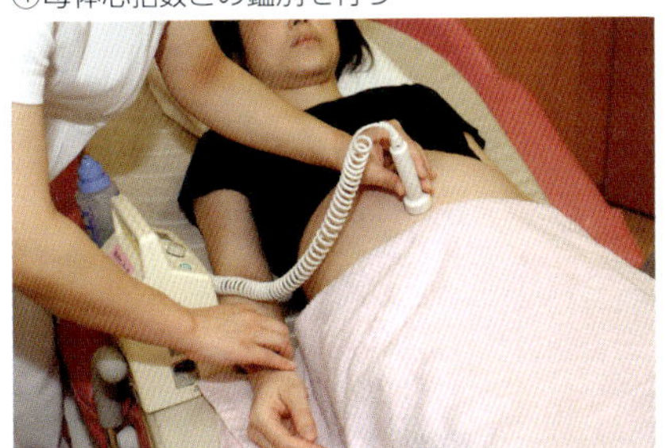 橈骨動脈で脈拍数を数える	作を繰り返す **根拠** 妊婦が緊張して頻脈になっている時，胎児に徐脈がある時は胎児心拍数と母体心拍数とを間違えることがある **コツ** 拍動性の音が聞こえたら，妊婦の橈骨動脈で脈拍数を数え，胎児心拍と同期していないことを確認する **注意** 母体心拍数との違いを確認する
⑤胎児心拍数を数える	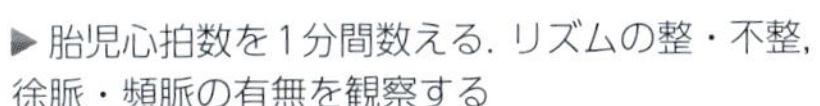 ▶胎児心拍数を1分間数える．リズムの整・不整，徐脈・頻脈の有無を観察する **緊急時対応** 異常所見が観察される場合は医師に報告し，分娩監視装置で連続監視をする **注意** 聴取中に子宮収縮があれば治まるのを待つ．分娩時の心音聴取は原則として間欠時に行う **注意** 胎児心音が確認できない時，妊婦の不安は大きい．異常が予想される場合は慎重に対処方法を選ぶ
 動画 1-7 **6 トラウベ法で聴取する** 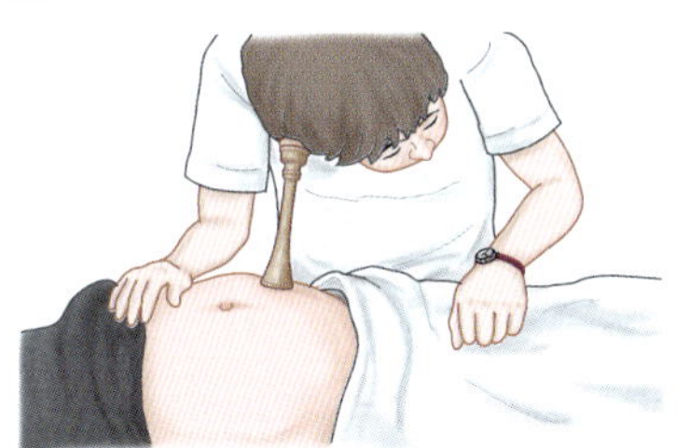	▶現在，トラウベ法で胎児心音を聴取することはほとんど行われない．しかし，ドップラー胎児心音計が使えない状況，あるいはない時（十分な医療機器がそろわない一部の国での活動を含む）には，有用な聴取法である
①腹部の児背側にトラウベ型桿状聴診器を当てる	▶トラウベ型桿状聴診器の一端（音響漏斗）を妊婦の腹部に直角に当て，他方を診察者の耳に当てて，両方を密着させる
②胎児心音を聴取する ・観察者の顔が妊婦の足側に向くよう耳を当てる ・トラウベ型桿状聴診器から手を離して胎児心音を聴取する	**コツ** 手を触れていると雑音が入る．心音はかすかな音なので聴き取りにくくなる **注意** 腹部を強く圧迫しすぎないよう注意する
③胎児心拍数を数える	▶胎児心拍数は基本的に1分間測定する．音の性状，リズム不整の有無を観察する．通常は5秒ずつ連続した3回の数値を記録する **注意** 例えば12-12-13のように表記する．しかし，この数値を1分値に換算することはしない **注意** トラウベ型桿状聴診器を使用する時は，ドップラー法のように広い範囲の音を拾うことは

要点	留意点・根拠
	できない．触診でよく聞こえる部位を探しておく
7 後始末をする ①終了したことを告げ，ドップラー胎児心音計のスイッチを切る 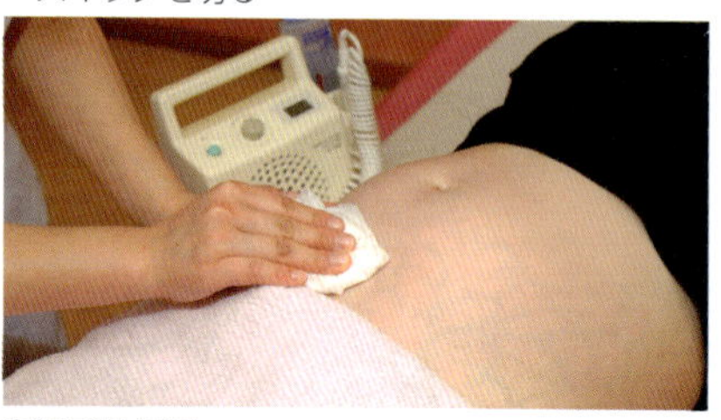 腹部を清拭する ②着衣を整えてもらう ③使用した機器を片づける 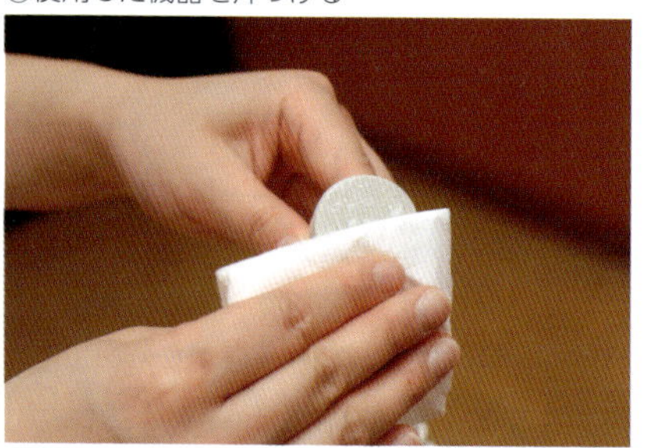 プローブの先端を清拭する	▶ プローブを外し，腹部の超音波ゼリーをティッシュペーパーで拭き取る ▶ トラウベ法の場合はトラウベ型桿状聴診器を外す ▶ プローブの先端の超音波ゼリーを拭き取り，所定の位置に収納する
8 記録，評価をする ①結果をカルテ，母子健康手帳に記録する ②妊婦に結果を知らせる	▶ 専門用語を避け，わかりやすく説明する

評価

1 胎児心拍数の判定

- 胎児心拍数正常値は 110～160 bpm (beats per minute) である．110 bpm 以下を徐脈，160 bpm 以上を頻脈という．
- 数の異常，リズム不整がみられる時は医師に報告し，連続監視を行う．

2 聴診で聞こえる音の種類と鑑別

- 聴診では，胎児由来の胎児心音，臍帯雑音，胎動音と，母体由来の大動脈音，子宮雑音，腸雑音を聴取することができる．表1に音の特徴を示す．

表1　聴診で聞こえる音の特徴

胎児由来	胎児心音	正常な胎児心拍は規則正しい重複音で，第1音は心臓の収縮期に，第2音は大動脈弁閉鎖期に一致する．トントンと澄んだ音として聞こえる．胎児心拍数は様々な影響を受けて変化するが，この変動パターンを解析することによって胎児の健康状態を推測することができる
	臍帯雑音	臍帯巻絡，真結節，圧迫などによって臍帯血行が障害された時に聴取される．風が吹くようなヒューヒューという音で，胎児心拍と同時同数である
	胎動音	胎児が四肢を動かして子宮壁を叩くことによって起こる鈍い音である．短く突発的で，低い太鼓のような音が聞こえる
母体由来	大動脈音	母体の脈拍動音である．下腹部の正中線で明瞭に聞こえる．母体心音と同時同数であり，胎児心拍と混同しないように注意が必要である
	子宮雑音	子宮血管を血液が流れるための雑音で，川の流れのようにザーザーという感じに聞こえる．母体心音と同時同数である
	腸雑音	腸内容が動くことによって起こる一過性の雑音である．特に食後に多い

7 内診(介助)

石村 由利子

目的
- 妊娠初期：妊娠の診断と子宮の大きさから妊娠週数・発育の程度を推定する．
  骨盤内臓器の異常や疾患の有無を早期に発見する．
- 妊娠中期：流早産の予知のために頸管熟化の程度を知る．
- 妊娠後期：分娩の準備状態を判断するために軟産道の状態や胎児下降度などを知る．

チェック項目
- 妊娠前期：妊娠の診断，子宮の大きさ
- 妊娠後期：頸管の開大度，展退度，硬度，児頭の下降度，位置

適応 初診時，妊娠 15 週までの健診時，妊娠 37 週頃と分娩予定日の前後の各健診を受ける妊婦，出血などの異常徴候のある妊婦

注意 感染の機会とならないように十分に配慮する．

禁忌 前置胎盤が疑われる時

事故防止のポイント 内診台からの転落防止，妊婦の取り違え防止，感染防止

必要物品 内診台，超音波診断装置，腟鏡，長鑷子，綿球，ガーゼ，消毒液，洗浄液，滅菌手袋，ティッシュペーパー，バスタオル

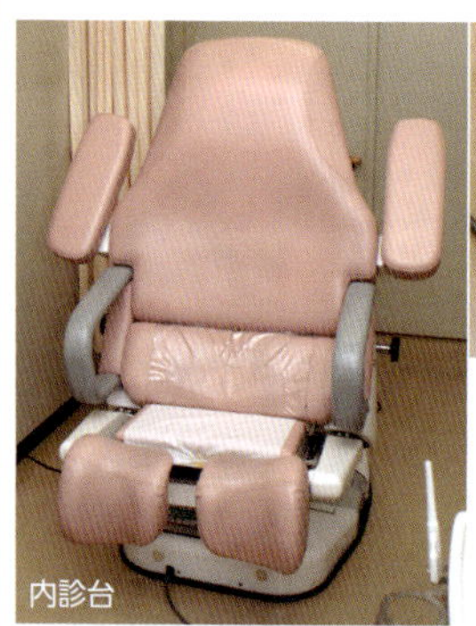
内診台

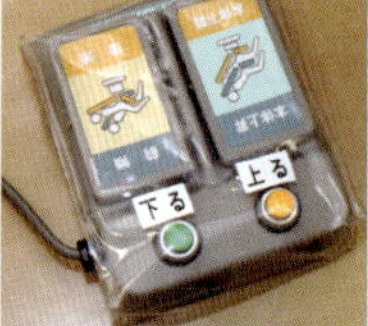

▲内診台フットスイッチ

超音波診断装置

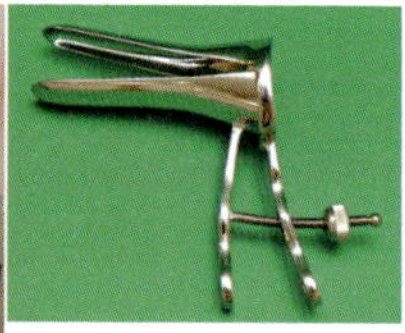
▲腟鏡

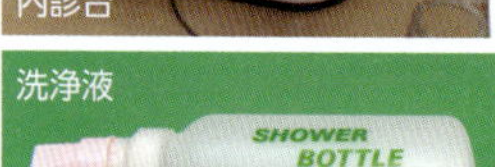

洗浄液

綿球

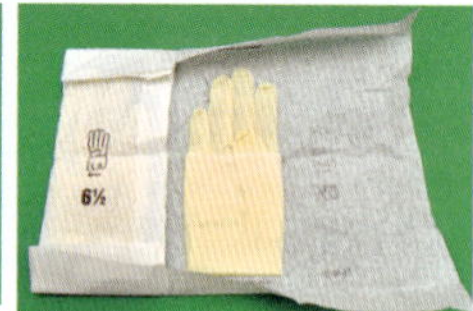

滅菌手袋

手順

要点	留意点・根拠
1 環境を整える ①診察室の環境を整える	▶ プライバシーが保護される環境を準備する **根拠** 内診は産婦人科の診察の中でも特に羞恥心を起こさせるものである．関係者以外の入室を避ける

要点	留意点・根拠
	▶室温を24～25℃に調節する 根拠 室温が低いと腹部の緊張を引き起こす
②内診台を準備する 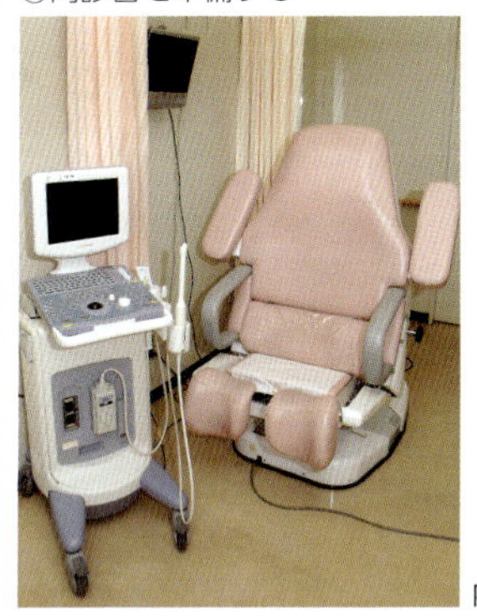 内診室	▶診察は内診台で行う 根拠 診察時の体位を砕石位とするため，内診台を使用する．双合診，腟鏡診，経腟超音波診断が行われる
③必要物品を整える	▶内診を行う時に腟鏡診，経腟超音波診断が行われることがあるので，それらも含めて必要物品をそろえておく ▶診察に使う器具，消毒液，洗浄液を準備する コツ 外陰部を不要に長く露出させることなく，診察を手際よく行うために，必要物品をそろえ，使いやすく配置しておく
2 妊婦の準備を整える ①診察の目的，方法を説明する	根拠 内診は特に羞恥心を伴う診察法なので，十分に理解してもらう．スムーズな診察には妊婦の協力が必要である
②排尿を済ませておくよう説明する	根拠 膀胱充満があると子宮の大きさや位置の所見が正しく得られない．また，双合診で下腹部を圧迫するので妊婦が苦痛を感じる
③腹部緊張感の有無を確認しておく	▶腹部緊張感が強い時はできるだけ不要な刺激を与えない 注意 切迫早産が疑われる時は内診を最小限にする
3 診察者，介助者の準備をする ①診察者は爪を切っておく 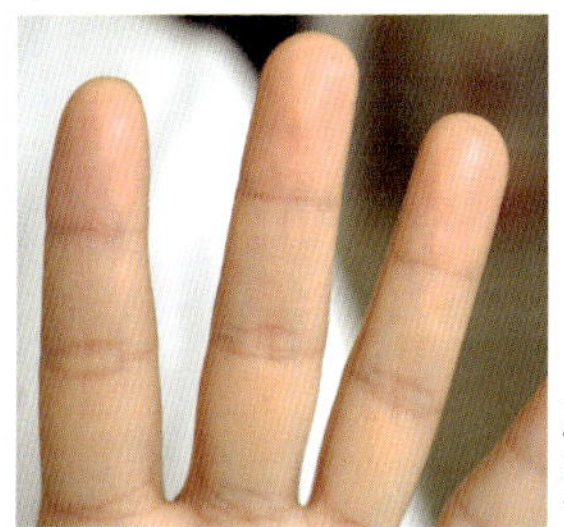 爪は手掌側から見えない長さに切っておく	コツ 妊婦を傷つけないように爪は指頭を超えない長さに切る．手掌側から爪が見えない長さにする

要点	留意点・根拠
②診察者は手を温めておく	▶冷たい手で腹部や外陰部に触れることのないよう，指・手掌を温めておく **根拠** 診察時は手袋を着用するが，手指の温度は伝わる．冷たい手は妊婦の緊張を高める
③診察者は診察台正面に位置する ④介助者は診察者の介助をしやすい位置に立つ 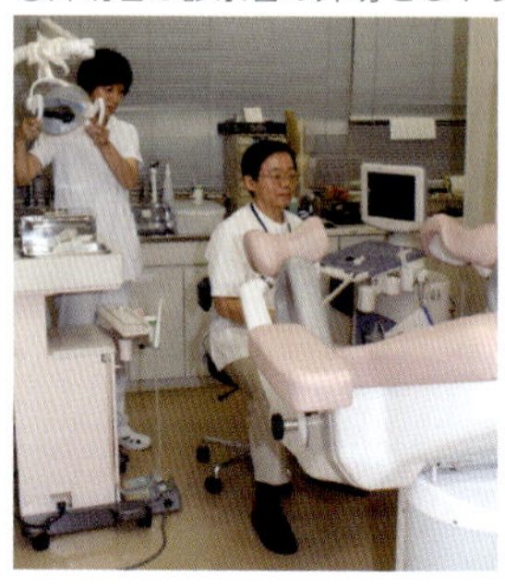	▶介助者は診察者の利き手側に位置する **根拠** 必要な診察用器具の受け渡しがしやすい．一般に，右利きを想定して，診察用ユニットは診察者の右側に器械台がセットされている ▶迅速かつ的確に所見がとれるように心がけ，短い時間で終了できるように準備する **注意** 助産所以外では妊娠期の内診は医師が行い，助産師が行うことは少ない．看護師は介助を行う
4 診察に適した体位にする ①診察を受ける妊婦の氏名を確認する	**根拠** わが国では妊婦の腰の位置にカーテンを引き，診察者と顔を合わせない施設が多い **事故防止のポイント** 妊婦の取り違えを防止する
②妊婦の準備ができたら，内診台にのってもらう 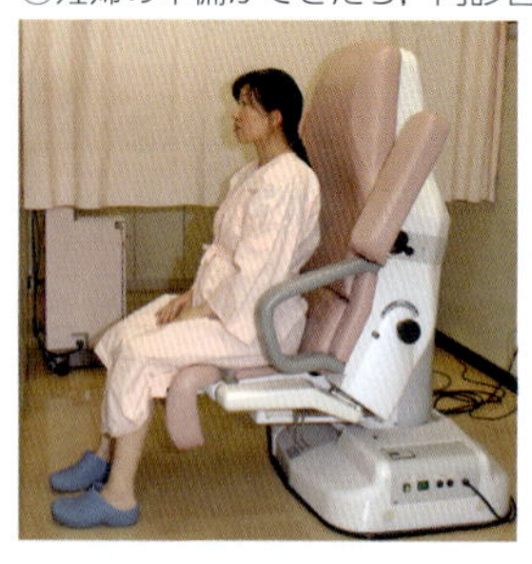	▶下着をとり，診察が受けられる準備をしてもらう ▶内診用シーツを内診台の腰の位置に敷き，妊婦を座らせる ▶足を足台にのせ，背中を背台につけてもらう
③フットスイッチを操作し，内診台を調節する 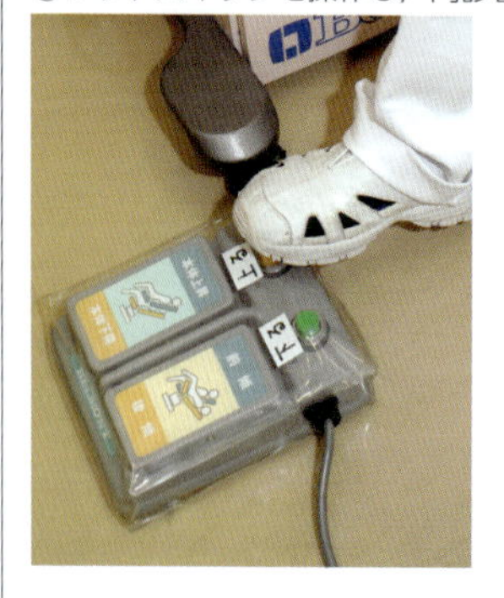	▶台が動くことを知らせ，フットスイッチを操作する **注意** 転落防止のため，妊婦が動きを止めてから操作する **コツ** 自動的に各部分が動いて座位の状態から砕石位に変換する内診台を使用している施設では，妊婦が驚かないように説明しておく **事故防止のポイント** 妊婦の内診台からの転落を防止する

要点	留意点・根拠
④砕石位にする 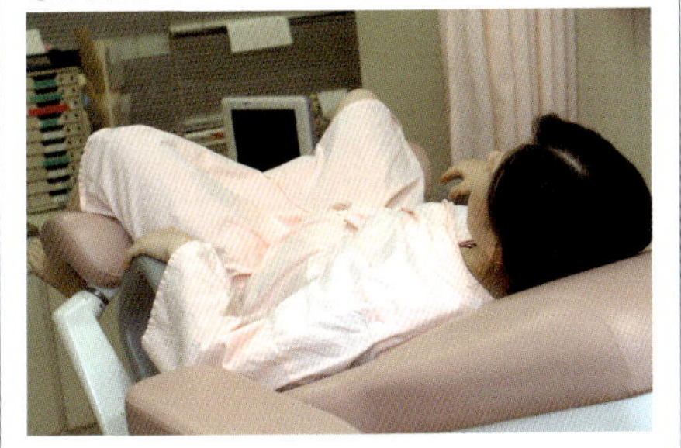	▶診察に適した高さ，足の角度，腰の位置を調節する ▶足，外陰部が不必要に露出しないように，バスタオルで覆う
⑤無影灯の調整をする 	▶無影灯の位置を操作し，外陰部に焦点が当たるよう調節する　根拠 腟鏡診では，腟内をみるために明るさが必要である
5 外陰部の観察を行う ①外陰部の視診，触診を行う ②腟鏡のサイズを決める 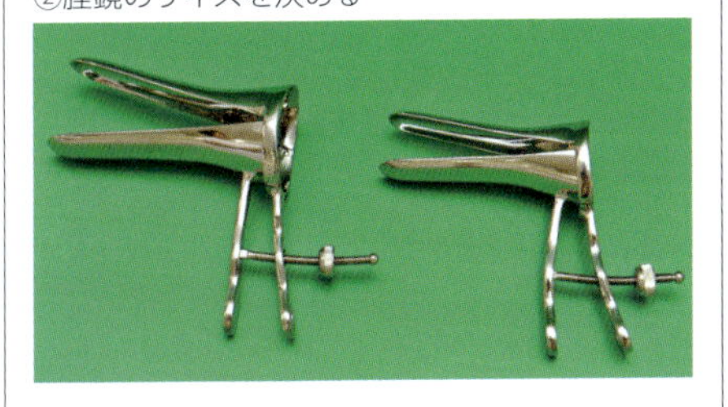	▶外陰部の観察を行う（浮腫の有無，静脈瘤の有無，瘢痕の有無，陰唇の着色の程度） ▶腟入口部を触診し，使用する腟鏡のサイズを決める コツ 成人女性では，一般にクスコ腟鏡「中」を用いる
動画 1-8 **6 腟鏡診の診察・介助を行う** ①外陰部を洗浄する ②腟鏡を挿入する ・診察者は両手に滅菌手袋を装着する	注意 衣服を腰の下にまとめ，ぬらさないようにする 根拠 利き手でない手は診察時に陰唇を開くなどの操作をする．利き手は腟鏡を挿入する操作を行

要点	留意点・根拠
・介助者は診察者に腟鏡を手渡す	う ▶妊婦に不快感を与えないように，腟鏡は温めておく コツ 腟鏡を挿入しやすいように，体温程度に温めた生理食塩液または洗浄液で湿らすか，潤滑剤を塗る．破水の診断をする時は腟鏡を乾燥したまま使用する
・腟鏡を挿入する 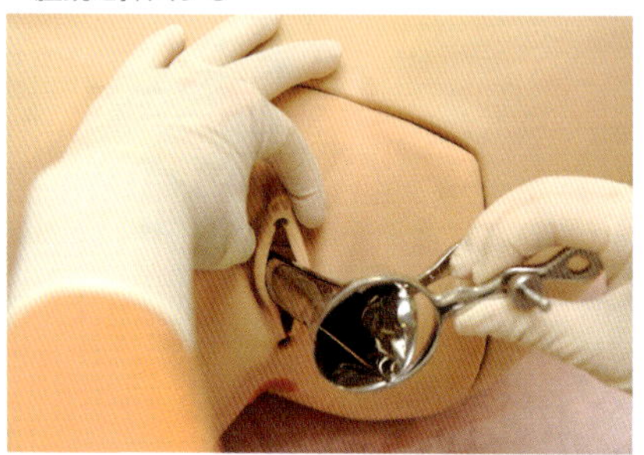 利き手でないほうの手で陰唇を開き，腟鏡の先端を閉じて，持ち手を横，または斜めにして腟口に当てる．持ち手を正中に戻しながらゆっくり腟に挿入する 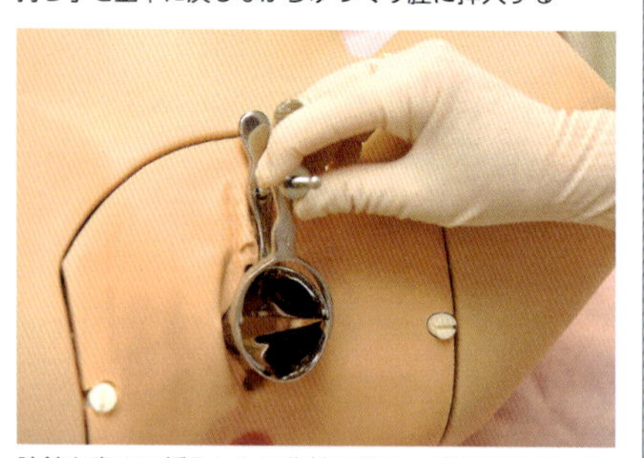 腟鏡を奥まで挿入したら先端を開き，持ち手のロックを固定する	▶腟鏡は先端を閉じた状態で，持ち手の位置を横（または斜め）に構えて腟口に当てて挿入する．持ち手を正中に戻しながら奥まで挿入し，ブレードの先端を開いて，持ち手のロックを固定する
③腟および腟分泌物の観察をする 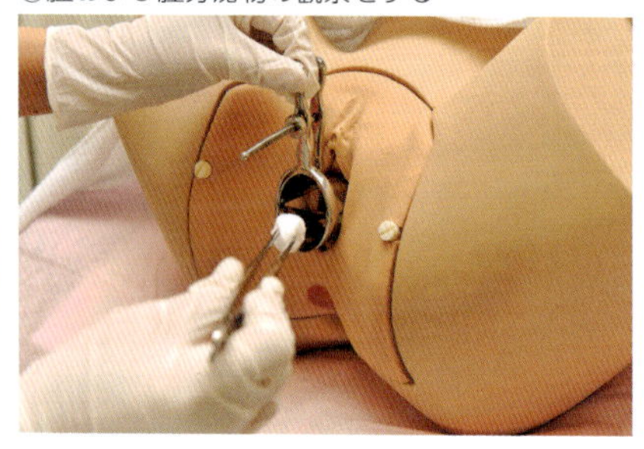	▶診察者の求めに応じて，洗浄液，長鑷子，消毒薬を湿らせた綿球，乾綿球を渡す 注意 細菌やクラミジア感染の検査のために頸管分泌液を採取する時は検査後に消毒する ▶介助者は妊婦のそばに付き添い，言葉かけをする 根拠 カーテンが引かれていて，診察者が見えないことによる不安を軽減する ■観察項目 腟：腟粘膜の着色の程度，分泌物の量，性状 子宮：子宮腟部の着色，破水の有無
④診察が終了したら，腟鏡をゆっくり引き抜く	▶診察者は腟鏡のロックの固定を解除してブレードの先端を閉じ，持ち手の位置を横（または斜め）に戻してからゆっくり引き抜く

要点 / **留意点・根拠**

コツ 腟鏡の抜去時は，挿入時とは逆に，ブレードの幅が縦に向くように持ち手の位置を3時方向（右利きの場合）に回しながら外す **根拠** 腟入口は横よりも縦方向に伸展性があるので，妊婦に不要な苦痛を与えず，スムーズに外せる

7 双合診の診察・介助を行う

①妊婦がリラックスできるよう指導する

▶ 介助者は，妊婦にゆっくり深呼吸をして腹部の力を抜くよう指導する．股関節が十分開くよう，下肢の力を抜いてもらう

②双合診を行う

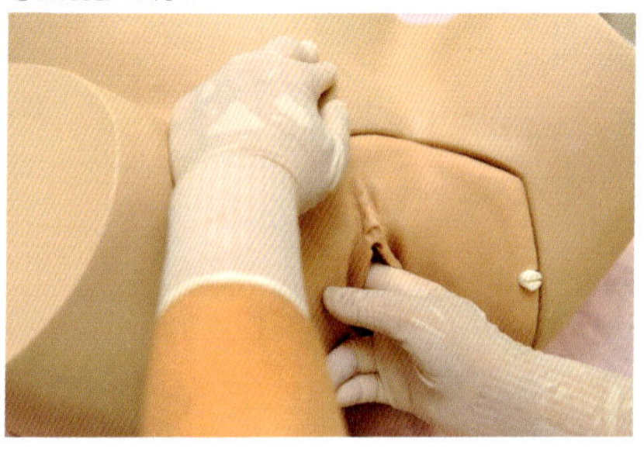

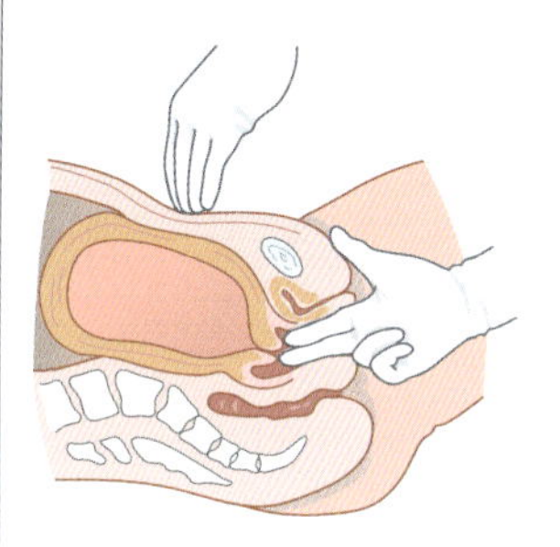

▶ 診察者は双合診を行う
- 利き手の示指，中指を腟入口から静かに挿入する．診察者は挿入する指が滑りやすくなるように潤滑剤をつけるとよい
- 他方の手を腹壁上の臍と恥骨結合上縁の中間あたりに置く．内診指と呼応させながら診察をする
- 終了後，内診指を静かに引き抜く

妊婦の内診法（双合診）における観察項目

外陰部	会陰の伸展性の良否
腟	腟腔の広狭，腟壁の伸展性 腟中隔などの奇形の有無
子宮	子宮頸部の形状，硬度，長さ 子宮口の形，辺縁部の性状，開大の有無 子宮体の位置，大きさ，硬度，形状 下向部の種類，高さ
骨産道	仙骨前壁の形（彎曲しているか，平坦か） 尾骨の可動性の有無，恥骨結合後縁の形 坐骨棘の触知，両坐骨棘間の距離は正常か
その他	付属器の異常，腫瘤，圧痛の有無 骨盤底筋の強靭性，伸縮性 その他異常の有無

8 後始末をする

①妊婦に診察が終了したことを告げる

▶ 外陰部，殿部の汚れ，水分をガーゼまたはティッシュペーパーで拭き取る

▶ 内診台を元の高さに下げることを伝え，フットスイッチを操作する

②妊婦が内診台から降りる介助をする

根拠 増大した腹部で足元が見えないことがある

事故防止のポイント 妊婦が内診台から降りる時は介助して転倒・転落を防止する

③着衣を整えるように促す

④使用した器具，物品を片づける

9 記録，評価をする

①結果をカルテに記録する

②妊婦に結果を知らせる

▶ 専門用語を避け，わかりやすく説明する

評価

1 内診による観察項目

- 表1に示す項目を観察する．妊娠週数に応じた変化をとっているか判断する．

表1　内診による観察項目

部位	腟鏡診	双合診
外陰部		会陰の伸展性の良否
腟	腟粘膜の着色の程度 分泌物の量，性状	腟腔の広狭，腟壁の伸展性 腟中隔などの奇形の有無
子宮	子宮腟部の着色 破水の有無	子宮頸部の形状，硬度，長さ 子宮口の形，辺縁部の性状，開大の有無 子宮体の位置，大きさ，硬度，形状 下向部の種類，高さ
骨産道		仙骨前壁の形（彎曲しているか，平坦か） 尾骨の可動性の有無 恥骨結合後縁の形 坐骨棘の触知，両坐骨棘間の距離は正常か
その他		付属器の異常，腫瘤，圧痛の有無 骨盤底筋の強靭性，伸縮性 その他異常の有無

2 破水の診断

- 破水が疑われる時は医師に報告する．
- 破水は，腟鏡診により羊水の流出を確認する，BTB試験紙が青色に変わる，内診により胎児部分を直接触れるなどの所見があれば，診断できる．

3 分娩準備状態の観察

- 妊娠後期には分娩準備状態を把握するために内診を行う．ビショップスコア9点以上を成熟と判断し，分娩開始が近いことが予測される（p.171「第2章-1【6】内診（介助）」表2参照）．

2

妊婦の生活援助技術

1 食生活

石村 由利子

目的

・食生活について妊娠の時期に応じたセルフケア行動をとるための基本的な知識を提供する.
・妊娠期に必要な栄養素とその摂取について，必要な情報を提供する.
・妊娠合併症のある妊婦に，栄養摂取が病状や治療効果に与える影響について情報を提供し，指示量を順守できるよう促す.

チェック項目 氏名・年齢などの個人情報，妊娠経過，身体的情報，食事指導の受講の有無，日常生活に関する情報，食生活に対する思いや反応

適応 すべての妊婦

注意

・妊婦の食生活習慣や嗜好を考慮し，ライフスタイルに合わせた実行性のある情報を提供する.
・妊婦の関心と理解力に合わせた説明を心がける.
・妊婦の疲労に配慮し，一定の時間内に終了する.
・個人情報の管理について十分な配慮をする.

事故防止のポイント 妊婦の取り違え防止，個人情報の保護に関するルールの遵守

必要物品 外来診療録，看護記録，母子健康手帳，指導用教材(パンフレット，リーフレット，フードモデルなど)，メモ用紙，筆記用具

手順

要点	留意点・根拠
1 環境を整える ①保健指導を行う場の環境を整える	▶ プライバシーが保護される環境を準備する **根拠** 保健指導のために妊娠経過や妊婦自身および家族の情報を話題にするので，他の人に聞こえない場所を設定する **注意** 個人情報の保護に対する配慮が必要である **事故防止のポイント** プライバシーの保護を考慮した場が準備されている
②妊婦と保健指導担当者の座る位置を決める 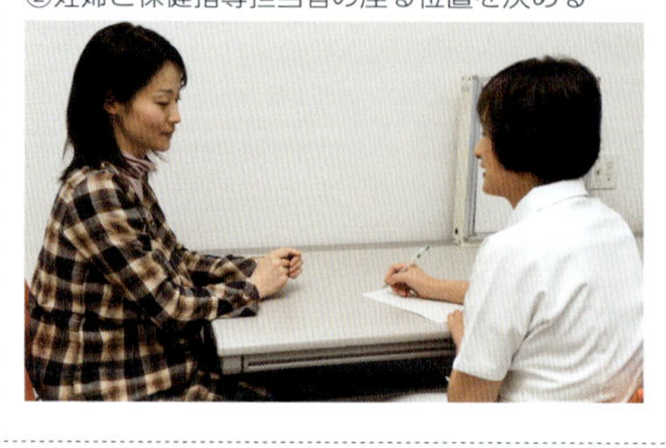	▶ L 字型の位置に座るのが望ましい **根拠** 保健指導担当者と妊婦が向き合う形で座るより，L 字型の位置に座るほうが，妊婦にとって圧迫感は少ない
2 保健指導担当者の準備を整える ①服装を整え，落ち着いた態度を心がける	▶ 清潔感を与える服装を心がける ▶ 専門家として信頼を得られるよう，落ち着いた態度で接する

要点	留意点・根拠
②妊婦が安心して話を聞いたり，質問したりしやすい雰囲気を作る	▶丁寧な言葉づかいで接する ▶できるだけ専門用語を避ける ▶共感的態度で接する 根拠 一方的に説明するのではなく，話を聞こうとしている姿勢を示すことが大切である
③個人情報の取り扱いについて施設のルールを理解している	▶食事指導には必要としない個人情報に踏み込まない 注意 個人情報の取り扱いについて施設のルールをきめておくとよい 事故防止のポイント プライバシーの保護に努める
3 妊婦の情報を収集し，指導内容を準備する ①妊婦の全体像を把握するために必要な情報を収集する 	▶外来診療録や看護記録から食事指導に必要な情報を収集する
・妊婦の氏名，生年月日を確認する	注意 妊婦の取り違えを起こさないように十分注意する
・年齢を確認する	▶ 18～29 歳と 30～49 歳では食事摂取基準が異なるので，年齢を確認しておく
・妊娠週数を確認する	▶妊娠の時期に適した指導になるよう，現在の妊娠週数を確認する
・妊娠経過を確認する a）既往歴，既往妊娠歴・分娩歴 b）今回の妊娠経過 c）母児の健康状態 d）妊娠・分娩経過に影響を及ぼす合併症の有無 e）血液所見：妊娠貧血の有無など	▶妊娠経過の異常の有無を確認し，異常があれば医師の治療方針を把握しておく 根拠 疾病治療には安静，薬物療法，手術とともに食事療法が重要な役割をもつ．特に食事療法はセルフケア能力の獲得が必要である ▶臨床検査所見から栄養状態を知ることもできるので，検査所見を把握しておく 根拠 妊娠貧血は比較的多くの妊婦にみられる．軽度の場合は食事内容の改善を図ることで軽快することが多い コツ 症状の程度に沿った指導内容を準備する ▶食事療法が必要な疾患や異常があれば，医師の治療方針を確認する 根拠 摂取カロリーの制限，減塩の程度，特定の食品の制限などは個人に合わせた指導が必要である
・身体的情報を確認する a）非妊時の体重と現在までの増加量 b）身長	▶非妊時の体重からの増加量を把握し，肥満，やせの状態にあるかどうか判断する 注意 非妊時の BMI からやせ，ふつう，肥満に分け，それぞれに適した食事指導を企画する (p.38「第 1 章 -1【5】計測診①身長・体重」表 1 参照)

要点	留意点・根拠
②妊娠期間中の食事指導の受講歴を確認する	
・個別指導を受けた回数と時期を確認する	▶個別指導の内容を食事指導記録から把握しておく
・母親（両親）学級の受講歴を確認する	**根拠** 集団指導は妊娠中の栄養摂取について基本的な知識を提供している **コツ** すでに食事指導を受講している妊婦には，講義内容を指導に反映させる工夫をして，同じ内容を反復しているといった印象をもたせないようにする
③情報をアセスメントし，食事指導計画を立案する	
・今回の食事指導の目的を明確にする	▶妊娠時期に応じた栄養指導なのか，治療食の指導なのか目的を設定する
・指導内容を整理する	▶食事指導内容を整理し，妊婦が実行できる内容を提示する準備をする **注意** カルテから得られる情報だけでは十分とはいえない．食事指導を行いながら臨機応変に内容を加除修正する必要がある．そのためには幅広い知識をもっていることが望まれる
・説明用の資料を準備する	▶理解を促すために役立つ教材，媒体を準備する **コツ** パンフレットやリーフレット，フードモデルなどの視覚教材を準備するとよい
4 本人の確認と予定を説明する	
①挨拶と自己紹介をする	▶氏名を名乗り，看護師（助産師）であることを告げる
②妊婦の氏名，読み方を確認する 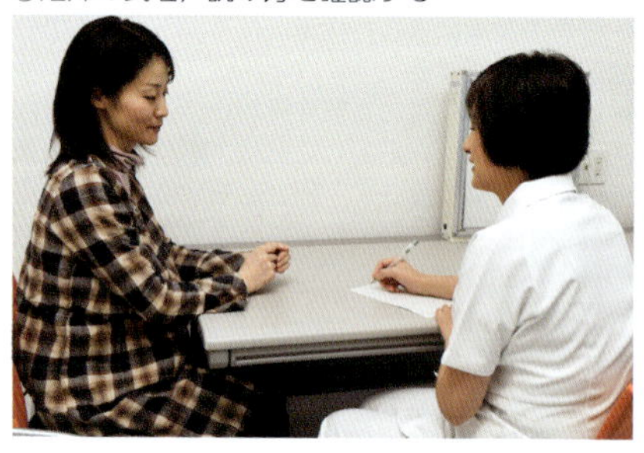	▶妊婦のフルネームを確認する **注意** 妊婦の取り違えが起こらないよう，妊婦からも確認する．同姓同名の妊婦がいる場合は，診察券番号，生年月日など，他の識別できる事項で確認する **事故防止のポイント** 同姓同名の妊婦を識別する方法を決めておく
③予定時間を説明する	**根拠** 短時間で必要な情報を提供できるようにする．妊婦に不要な疲労感を与えないためには30分程度が望ましい
④食生活に関する質問を受ける	▶妊婦に必要な知識を獲得してもらうことが目的である．疑問を解決する場となるように，最初に知りたいことを尋ねる
5 追加情報を収集する	
①食生活に関する質問をすることを告げ，目的を説明する	▶食生活に関連する日常生活の状況，家族の状況について必要な情報を聴取する **コツ** 半構成的面接の技法を活用し，妊婦自身の言葉で語ってもらえるように進めるとよい

要点	留意点・根拠
②日常生活の状況を聴取する a）日常生活行動の概要 b）就業状況：有職か専業主婦か，有職であれば業務内容，勤務形態，通勤時間を含む拘束時間 c）産婦および家族の生活習慣，食生活習慣 d）セルフケア行動の状況 e）調理技術の習熟度 f）家族（パートナー）のサポート状況 g）外国人の場合：サポート資源はあるか．母国の文化との違いによる困難の有無など	▶質問項目を整理して優先度の高いものから聴取する コツ 指導しながら必要に応じて情報を追加すればいいので，初めに情報をすべて得ようとしない ▶基本的な生活習慣を知り，適切なセルフケア行動がとれているか，適切なサポート資源があるかを確認する ▶外食や調理済み食品の購入の頻度などを聞く 根拠 適度な利用を妨げるものではないが，栄養のバランス，味つけ，食品の種類と量などに注意が必要である ▶個人的背景にハイリスク因子があれば食生活への影響を検討する 根拠 不規則な就労時間，身体的負担の大きい業務は家事労働に影響を及ぼしやすい
③食生活に対する思いや反応を聴取する a）妊娠期の食生活に必要な知識をどの程度もっているか b）食生活に関する思い c）栄養の摂取状況，嗜好品の傾向 d）ボディイメージの変化の受容	▶妊婦としての自己を受け入れ，適切な栄養摂取ができているか確認する ▶胎児に影響する可能性のある食材や嗜好品を避ける行動の実施状況を確認する 根拠 妊娠期は妊婦自身の健康管理に任される期間が長い．食生活に関してセルフケア行動がとれることは大切である コツ できていることをほめて自信をもたせる．自己肯定感を高めることは今後のセルフケア行動によい影響を与える
④妊娠期の食生活の管理に必要な知識をもっているか，学習意欲はあるか，適切な社会資源の活用が図れる環境にあるか確認する	▶妊婦との会話から食生活への関心，知識，セルフケア行動の内容を聞き取り，アセスメントする ▶学歴や専門教育の内容は，保健指導の理解度を判断するときに根拠の1つとなる 注意 保健指導の理解度は，妊婦との応答によっても判断できる．学歴や専門教育について聞かれると不快に感じることもあるので，無理に聞くことはしない．外来診療録や看護記録にある記載を参考にする
6 栄養状態を評価する	▶栄養状態の評価は，これまでの栄養の摂取状態と現在の状況の2つの視点から評価する
①これまでの栄養の摂取状態を評価する（p.38「評価」参照）	▶体格はそれまでの栄養の摂取状態を反映する ▶非妊時の体重と身長から体格指数（BMI：body mass index）を算出し，いずれの区分に該当するか判断する 根拠 体格区分によって妊娠期間中の推奨体重増加量が異なる（p.86「⑥体重管理について説明する」参照）
②現在の栄養の摂取状況を評価する	▶エネルギーや栄養素の摂取量が適切かを評価するために，妊婦の食事の傾向を把握する 根拠 特定の日の食事内容を聞き取る方法では，調査日の食事が日常の食行動の傾向を代表しているかが問題となる．食事内容の違いによって各栄養素の充足率の「日間変動」が生じる．また，申告された内容が正確であるか，摂取量の表現に伴う誤差，

要点	留意点・根拠
	調理法によって生じる誤差などが正確な判断を妨げる．食事内容と摂取量の傾向を把握することで指導内容の根拠にする 注意 食事調査の特徴と限界（測定誤差）を理解しておく コツ 栄養状態には，長期にわたって摂取した量の平均的なものが反映される[1]ことを念頭におく．一定期間の食生活の傾向を把握できればよい
③適切でない食行動があれば，その原因を探す	▶適切でない食行動があるときは，その原因がどこにあるか探す．嗜好の偏り，知識や技術の不足，他の生活行動による時間的拘束の影響，パートナーおよび家族の協力の不足・欠如，これまでの食生活習慣などに問題がないか見直し，改善策を考える機会となるように進める コツ 妊婦自身が問題点と改善の必要性を気づくように相談を進める
7 保健指導を行う 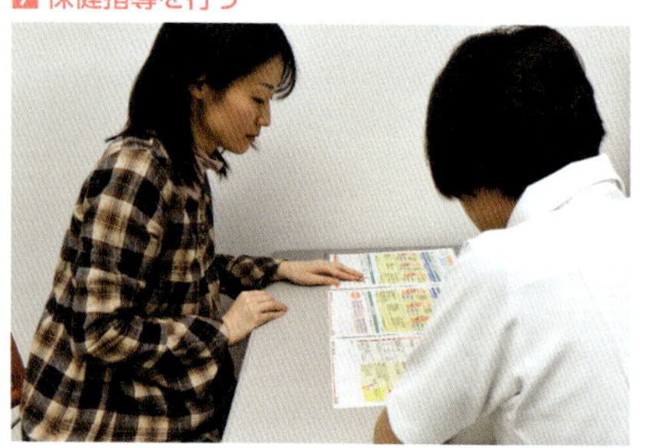	▶妊婦の考えや食生活習慣を尊重しながら，適切な栄養摂取ができるように情報を提供する 注意 専門用語を避け，わかりやすく説明する コツ 一方的な説明にならないように，妊婦と会話しながら進め，質問や相談しやすい雰囲気を作る ▶生活習慣の変容を図ることは難しく，修正や制限を課すこともある．妊婦ができることとできないことを見極めながら指導する 根拠 妊婦にはこれまでの生活の中で培われてきた考えや食生活習慣がある．それらを尊重することもよい関係を築くうえで大切である コツ 食事は日々の楽しみの1つである．制限ばかりにならないように心がける 注意 批判的な言葉で指摘したり，誤解を招いたりすることがないよう気をつける コツ 妊婦が納得して実行しようとする意欲を喚起することが大切である．望ましい行動様式は，指示や制限ではなく，提案する形で示すとよい
①食生活習慣を整える ・食事の回数など	▶1日3回規則正しく食事することを心がける 注意 消化器症状が強いときは少量ずつ回数を増やし，栄養不足にならないように食べることも必要である
・バランスのとれた献立	▶主食・主菜・副菜を基本にして，バランスよく摂取できる献立を立てられているか，会話の中から判断する
・手洗いの励行	▶調理を始める時，調理中に生ものに触れた時，および食事前に石けんと流水でよく手を洗う 根拠 妊婦は免疫能が低下しているので，食中毒を防ぐために手洗いを確実に行うように指導する
②妊娠の時期による食事摂取の注意点を説明する ・妊娠初期	▶つわりの頃は食べたいものを食べる，空腹を避

要点	留意点・根拠
	ける，数回に分けて食べる，食事内容を工夫し，冷たいものやすぐ食べられるものを準備する，香辛料や酸味を利用するなどを指導する ▶香辛料には食欲を高める作用があるが，過剰摂取は避ける コツ 無理に食べなくてよいことを伝え，妊婦を安心させる ▶無理に食べて吐くことを避ける 根拠 吐くことで胃液が失われ，電解質バランスが崩れる危険性がある
・妊娠中期	▶母体が安定する時期で，食欲も増す．過食にならないことと，特に間食が増えすぎないように注意する
・妊娠後期	▶胃が圧迫されて一度に食べられない時期は食事回数を増やして，必要な栄養が摂れるよう指導する 根拠 この時期には胸やけなどの不快症状を訴えることがある ▶分娩が近づくと子宮底が下がって，胃の圧迫が軽減するので，食事を摂りやすくなる．過食に注意するように指導する
③食材の選び方を説明する ・食材の種類を多くする	▶食材の種類を多くすることで栄養素の偏りが少なくなる ▶妊娠中に絶対に食べてはいけない食品はない 注意 食べてはいけないものは，国や地域の食習慣や保存技術，衛生環境によって異なる．生魚を食べる習慣のある日本では禁止はしないが，保存状態がよいことが条件である
・食中毒の予防	▶加熱調理された食品を選ぶように指導する 根拠 妊婦は免疫能が低下しているため，食品から感染を起こしやすい ▶加熱処理していないナチュラルチーズ，肉や魚のパテ，生ハム，スモークサーモンは避けたほうがよいことや，保存食品は食べる前に十分加熱する，期限内に使い切る[2]などの注意が必要である 根拠 リステリア食中毒の原因となる主な食品である ▶調理した日，賞味期限に注意を払うよう指導する
・内分泌かく乱物質*の摂取を減らす工夫をする *「内分泌系に変化を与え，無処置の生物もしくはその後世代に，障害性の健康影響を与える外来性物質もしくはその混合物」(WHO)であり，環境ホルモンと同義語	▶内分泌かく乱物質が胎盤を通過することで，胎生期の催奇形性と将来の発がん性が問題とされる 注意 児への影響が疑われるものには出生時に発見できるものだけでなく，思春期，成熟期にかけて現れるもの，IQ の低下，知能・精神発達の遅れなどがある．妊婦を不安にしないよう，説明には気をつける
・食物汚染について知識を提供する	▶化学物質への曝露量を減らすためには，同種類の食品ばかりを食べない，調理の手間をかける，食物繊維を摂る，保存食を減らす，人工添加物を避けるなどが有効であることを指導する 根拠

表1 **年齢別，妊娠の時期別の推定エネルギー必要量(kcal/日)** 厚生労働省 2020年版

		身体活動レベル		
		Ⅰ(低い)	Ⅱ(ふつう)	Ⅲ(高い)
女性	18〜29歳 30〜49歳	1,700 kcal 1,750 kcal	2,000 kcal 2,050 kcal	2,300 kcal 2,350 kcal
妊婦	初期(16週未満) 中期(16〜28週未満) 後期(28週以降)		+50 kcal +250 kcal +450 kcal	

要点	留意点・根拠
	特定の食品ばかり食べると，特定の化学物質の摂取量が多くなり，体内に取り込まれた化学物質は自然に排出されるまで長い時間がかかる．取り込まない工夫が必要である **コツ** 加工食品の利用が多い妊婦には，曝露量を減らす方法について食生活を振り返りながらともに考える
④妊娠期の栄養必要量を示す ・栄養必要量と付加量の説明をする	▶年齢，妊娠の時期，身体活動量をもとに，該当するエネルギー必要量，栄養必要量を説明する(表1)
・「日本人の食事摂取基準(2020年版)」(表2)でのエネルギー摂取量の読み方を説明する[3]	▶蛋白質，脂質，炭水化物の目標量は，それぞれの栄養素由来のエネルギー量が総エネルギーに占める割合(%エネルギー)として表現されている **コツ** 具体的な食品を例示し，摂取量を重量・容積で示して理解を促す．パンフレットやフードモデルを利用するとよい **注意** 目標値に示された範囲は「おおむねの値を示したものであり，弾力的に運用する」とされている[3]
・蛋白質の供給源となる食材をバランスよく取り入れるように説明する	▶母体の維持量に胎児の新生組織蓄積分が必要となる ▶蛋白質の供給源となる副菜には，肉類，魚類，卵，大豆料理などをバランスよく取り入れて，適量を摂取できるように指導する **注意** 魚介類は種類と量が偏らないように注意する．海洋汚染の影響を心配する妊婦には，近海魚と遠海魚を組み合わせるとよいことを伝える
・脂質の%エネルギーは非妊婦と同じでよい	▶妊婦のエネルギー付加量を脂質の増量で賄うことがないように指導する
・炭水化物は「主食」を中心にエネルギーをしっかり摂るように説明する	▶妊娠期にはエネルギーの必要量が増すので，主食をしっかり摂り，食事バランスに気をつけるよう指導する ▶精製度の高い穀類，甘味料や甘味飲料，酒類の過度な摂取に傾く食事にならないよう注意する **根拠** これらはミネラル類，ビタミン類の含有量が少ないので，摂取不足になる可能性がある
・野菜を積極的に摂取するようすすめる ・野菜を献立に取り入れるようにすすめる	▶20〜30代の女性の野菜の摂取目標は350 g/日だが，平均摂取量は240 g程度に過ぎない．特に，緑黄色野菜の摂取量が少ない

表 2　妊婦の食事摂取基準

栄養素				推定平均必要量	推奨量	目安量	目標量
蛋白質(g/日)			非妊時	40	50		
			初期	+0	+0		
			中期	+5	+5		
			後期	+20	+25		
(% エネルギー)			非妊時				13〜20
			初期				13〜20
			中期				13〜20
			後期				15〜20
脂質		脂質	% エネルギー				20〜30
炭水化物		炭水化物	% エネルギー				50〜65
		食物繊維	g/日				18 以上
ビタミン	脂溶性	ビタミン A (μgRAE/日)	非妊時 [1]	450/500	650/700		
			初期・中期	+0	+0		
			後期	+60	+80		
		ビタミン D	μg/日 [2]			8.5	
		ビタミン E	mg/日 [2]			6.5	
		ビタミン K	μg/日 [2]			150	
	水溶性	ビタミン B_1 (mg/日)	非妊時	0.9	1.1		
			妊娠時	+0.2	+0.2		
		ビタミン B_2 (mg/日)	非妊時	1.0	1.2		
			妊娠時	+0.2	+0.3		
		ビタミン B_6 (mg/日)	非妊時	1.0	1.1		
			妊娠時	+0.2	+0.2		
		ビタミン B_{12} (mg/日)	非妊時	2.0	2.4		
			妊娠時	+0.3	+0.4		
		葉酸　(μg/日)	非妊時	200	240		
			初期 [3]				
			中期・後期	+200	+240		
		ビタミン C (mg/日)	非妊時	85	100		
			妊娠時	+10	+10		
ミネラル		ナトリウム	mg/日 [2]	600			
		食塩相当量	g/日	1.5			6.5 未満
		カリウム	mg/日 [2]			2,000	2,600 以上
		カルシウム	mg/日 [2]	550	650		
		マグネシウム (mg/日)	非妊時 [1]	230/240	270/290		
			妊娠時	+30	+40		
		鉄　(mg/日)	非妊時月経あり	8.5/9.0	10.5		
			初期	+2.0	+2.5		
			中期・後期	+8.0	+9.5		

1）非妊時欄に 2 つの記載があるのは 18〜29 歳/30〜49 歳の量を表す
2）非妊時と妊娠期の摂取基準量が同じで，付加量がない
3）妊娠を計画している女性，妊娠の可能性がある女性及び妊娠初期の妊婦は，胎児の神経管閉鎖障害のリスク低減のために，通常の食品以外の食品に含まれる葉酸(狭義の葉酸)を 400 μg/日摂取することが望まれる

厚生労働省：「日本人の食事摂取基準(2020 年版)」策定委員会報告書より抜粋し作成

要点	留意点・根拠
・野菜ジュース利用時の注意点を伝える	▶野菜不足は野菜ジュースで代用できないことを伝える **根拠** 野菜ジュースは汁を絞った段階で不溶性食物繊維や一部のビタミン，ミネラルが廃棄されてしまう ▶市販の野菜ジュースには糖分を加えていることが多いので，エネルギー摂取量が過剰になる可能性がある
・ビタミン類の摂り方を説明する	
・妊娠初期にビタミンAによる催奇形性の可能性に関する知識を提供する	▶妊娠12週未満の妊婦はビタミンAの過剰摂取による胎児の催奇形性の可能性がある．妊娠初期の妊婦に指導する時は避けてほしい食品を示して注意を促す
・ビタミンDは経口摂取だけでなく，日光への曝露によって産生されることを伝える	▶一般に妊婦は日光を浴びる機会が少なく，日常の可能な範囲内で，適度な日光浴を心がけてもらう **注意** 居住地の日照時間，曝露時間など，一律に効果を測定できるものではないことを承知しておく．日焼け止めクリームを使用するとビタミンDの産生は期待できない
・葉酸の神経管閉鎖障害のリスクを低減する効果について説明する	▶妊娠初期だけでなく，妊娠を計画している女性，妊娠の可能性がある女性は葉酸のサプリメントや食品中に強化される葉酸（狭義の葉酸）を400 μg/日摂取することがすすめられている **根拠** 受胎前後に葉酸を摂取することで胎児の神経管閉鎖障害発症のリスクが低減する **注意** 食事指導を受ける妊婦のほとんどは神経管の形成に重要な時期を過ぎている．摂取しなかったことで不安に思うことがないよう注意する
・塩分の摂取を控えるよう指導する	▶一般に日本人の食塩摂取量は目標の6.5 gより多い
・妊婦個人の減塩に対する主観的意識と実際を評価する	▶減塩の主観的意識と実際の食塩摂取量について評価する **根拠** 減塩の主観的意識は食塩摂取量の低下に必ずしも一致していないことがある **注意** 食塩摂取量の評価法に信頼性と簡便性を併せもつものはない．いくつかの方法の中から負担と精度を考慮して必要性な情報が得られるものを利用する[1, 4]
・妊婦の食生活習慣に合わせた減塩の方法を提案する	▶「なぜ減塩が必要なのか」について気づかせ，「減塩食の効果」について理解を促し，妊婦の食生活習慣に合わせた方法を提案する **根拠** 理由が納得できなければ食生活習慣を変えるのは難しい **注意** 日々の食事内容を修正することは妊婦のライフスタイルに即した実践的な内容でなければ継続は難しい **コツ** 「うす味でおいしく食べるための10の工夫」など，広く普及している教材を利用する．減塩食に関する工夫や献立例の情報は多く，見つけやすい
・治療食の指導には医師の指示を確認する	▶減塩治療が必要な妊婦には医師の指示を確認する

要点	留意点・根拠
・カルシウムは推奨量に満たない分を摂取し，過剰な摂取は避けるように説明する	▶推奨量以上の摂取は必要ない ▶牛乳 200 mL 程度の摂取を心がけるよう指導する **根拠** カルシウムは 1 日当たり 600～700 mg を摂取するようすすめられているが，一般に女性のカルシウム摂取量は 450 mg 程度である．牛乳 200 mL で 200～300 mg のカルシウムを摂取できる **根拠** カルシウムの過剰摂取は，尿管結石のリスクを高める．妊娠中は結石を防止する生理的な作用が働いているが，この防御反応を上回るカルシウムが尿中に排泄されると尿管結石が起こる可能性が高まる．正常な妊娠でその頻度は 1,000 例に 1 例と報告されている
・鉄分の摂り方を説明する	
・妊娠中に鉄の摂取が必要な理由を説明する	▶妊婦の付加量は，胎児の成長に伴う鉄貯蔵，臍帯・胎盤中への鉄貯蔵，循環血液量の増加に伴う赤血球量の増加による鉄需要の増加と吸収率をもとに算定されている．妊娠の時期に応じた付加量を説明する
・鉄の吸収促進作用のある食品を紹介する	▶鉄の吸収促進作用をもつ食物成分について知識を提供する **根拠** 食事から摂取できる鉄分にはヘム鉄と非ヘム鉄がある．ヘム鉄の吸収率は 20～30% であるのに対し，非ヘム鉄は 5% 程度にとどまり，特にビタミン C と一緒に摂取しないと吸収が悪くなる．魚介類，肉類，牛乳，乳製品などと組み合わせて摂取することが，鉄の吸収率を高めるために必要である
・鉄の吸収阻害作用をもつ食品を紹介する	▶鉄の阻害作用をもつ食品について知識を提供する **根拠** 食物繊維，カルシウム，ポリフェノール類は鉄の吸収阻害作用がある
・献立作成時の注意	▶鉄分をレバーだけで補おうとするのは無理がある．効率よく鉄分摂取できる食品を知っておく **注意** **鉄の摂取を優先し，肉類などで十分に摂ろうとするとエネルギー量が過剰になる．含有量の多い食品を選ぶことが大切である**
⑤嗜好品の摂取は胎児への影響の有無を重視して考える	▶胎児への影響を避けることを第一に考える
・緑茶，ウーロン茶によるカフェインの過剰摂取を避けるように指導する	▶カフェインは容易に胎盤を通過するので，過剰摂取を避けるように指導する **根拠** 緑茶，ウーロン茶の胎児の健康への影響については明確なエビデンスはないが，胎児に影響するという報告もある ▶茶を飲むことにはストレスを和らげる効用があるので，妊婦の生活習慣や嗜好を聞いて制限の程度を判断する **根拠** 緑茶，ウーロン茶に含まれるカフェイン量は，200 mL 中 40 mg で，紅茶 60 mg，レギュラーコーヒー 120 mg に比べると少ない[5]．抽出法によってカフェインの含有量が変わる．緑茶，ウーロン茶は熱湯を用いるより水で抽出したほうが含有量は少ない

要点	留意点・根拠
・コーヒー，紅茶の過剰摂取を避けるように指導する	▶コーヒー，紅茶の摂取量の安全域に関して明確なエビデンスは示されていないが，一部に胎児への影響を認めた報告もある 根拠 カフェイン量として200 mg/日未満（コーヒー約2杯，紅茶4~5杯）程度なら影響はない[6]と考えられている ▶コーヒー，紅茶の摂取を避けることがストレスにつながるようなら，種類，量，抽出方法を検討し，妊婦にとっての適量をともに考えることも必要である
・胎児性アルコール・スペクトラム障害の発症を回避するため，アルコール摂取はすべての期間で控えるように指導する	▶妊娠前の飲酒歴，妊娠中の飲酒経験を聴取する ▶飲酒習慣のある妊婦には，飲酒によって胎児の先天異常と胎児発育不全の危険があるが，禁酒によって回避できる可能性があることを説明する[7] ▶飲酒の量，妊娠の時期，酒の種類について，安全な用量や時期というものはないとされている[7]ことを伝え，禁酒を指導する ▶ノンアルコール飲料は大量摂取でなければ問題ないとされているが，できれば控えたほうがよいことを指導する 根拠 ノンアルコール飲料とは，アルコール度数が1%未満のものを指す．全くアルコールが含まれないものではないので，胎児性アルコール症候群発症の予備軍になることに変わりない
・禁煙を指導する	▶喫煙は低出生体重児の原因となる．受動喫煙も避けることを含めて指導する 根拠 ニコチンの依存性の高さと強い習慣性は禁煙を難しくしており，成功率が低い．本数を徐々に減らす方法では成功しにくい．禁煙を指導する コツ 動機づけになる話題を提供する方法が禁煙の成功率を高くする ▶禁煙のためにキシリトールガムを利用することがあるが，胎児への影響は未確定であるので，過剰摂取を避けるよう説明する
・受動喫煙を避けるために，家族や職場の理解を求めるよう指導する	
⑥体重管理について説明する	
・妊娠期の推奨体重増加量について説明する（p.38「第1章-1【5】計測診①身長・体重」表1参照）	▶妊娠期の体重増加量は，胎児とその胎児付属物の重量，母体の貯蔵脂肪，血液・組織液，子宮・乳房の増大分の総和である．非妊時の体格区分に従って，妊娠期間を通した推奨体重増加量について説明する ▶近年の若い女性のやせ志向は低カロリー食，蛋白質の不足を招いている．妊娠期の栄養管理は胎児への影響だけでなく，妊婦自身の一生の健康につながることを説明する
・保健指導時までの体重増加量を評価する	▶指導時までに増加した量を確認し，今後の体重管理について説明する 根拠 胎児の発育に伴い，妊娠後期になるほど母体の体重増加は大きくなる．妊娠週数の早い時期の増加量が大きいことは，後期の体重コントロールを困難にする

要点	留意点・根拠
・過剰，不足それぞれについて胎児のリスクを説明し，適切な栄養摂取を心がけるよう指導する	▶非妊時肥満，過剰な体重増加が予想される場合は生活習慣を含め，個人に適した増加量や管理方法について，妊婦が実行できる方法を話し合うことが必要である ▶非妊時やせ，体重増加量の少ない妊婦では適正な栄養摂取を心がけるように指導する **根拠** 妊娠期に低栄養状態に曝露された児について，胎児期の発育遅延や子どもの将来の生活習慣病発症が知られている ▶妊娠中の体重増加量より，非妊時の体格が児の出生体重に与える影響が大きい **根拠** 非妊時からやせに分類される妊婦が増えたことにより，低出生体重児の出生率が高くなっている
・食事摂取量と運動量のバランスを考えられるように知識を提供する	▶体重は食事摂取量と運動量のバランスによって調整される．妊娠期の運動，活動量の生活指導とともに適切なセルフケア能力を獲得できるようにする **コツ** 妊婦とその家族にとって妊娠期は将来の新しい生活への期待に満ちた期間である．食事は日々の楽しみでもあり，厳しすぎる体重コントロールや食事制限は適切ではない．緩やかな指導を心がける
⑦水分摂取について説明する	
・のどの渇きを感じやすいので，こまめな水分摂取をするよう説明する	▶妊婦は気温上昇や運動による発汗量の増加がなくてものどの渇きを感じやすく，飲水量は増加する ▶特に夏や運動時の発汗が多い時，悪阻症状のある時などはこまめに水分を摂取することをすすめる **注意** 体内の水分量の 2% を失うとのどの渇きを感じ，軽い脱水症状を示す．それ以上に水分喪失が多くなると脱水症状がさらに強くなるので，適切な水分摂取を促すことは大切である
・スポーツドリンクを水代わりに摂取しないように説明する	**根拠** スポーツドリンク 500 mL に含まれる糖質は 20〜40 g，カロリーは 100〜150 kcal である．糖質の過剰摂取につながることがある
・ミネラルウォーターは軟水，硬水のどちらがよいとはいえないことを説明する	▶軟水・硬水どちらが妊婦に適しているかは一概にいえない ▶硬水はミネラルを摂取できるが，血圧が高めの妊婦や腎疾患のある妊婦には適さない **根拠** ミネラル分が多いと腎臓に負担がかかる
⑧食事指導のまとめをする	
・要点を整理する ・期待される行動をとることの理由を理解できたか判断する	▶日常生活に深くかかわることは，なぜそのようにするのがよいのか理由を理解しないと行動につながらない．どの程度理解できているか，保健指導担当者は判断する
・妊婦が実行しようとする気持ちをもてたか判断する	**根拠** 妊婦に「できそう」「実行してみよう」という気持ちをもたせることが大切である
・質問はないか尋ね，回答する	**コツ** 説明の途中で確認しながら進めるとよい
・必要があれば次回の食事指導計画を立てる	▶必要があれば次回の面談予定を計画する

要点	留意点・根拠
8 記録，評価をする	
①結果を外来診療録や看護記録，母子健康手帳に記録する	▶聴取した情報を整理し，知識の程度，セルフケア行動，食生活に対する考えや思い，家族の嗜好や協力の状態を記録する **根拠** 次回の指導に備え，食事指導に有用な情報は共有できるように整理しておく
②メモ類を完全廃棄する	▶不要となったメモを捨てる時，安易にくずかごなどに捨てない．個人情報の管理を徹底する **注意** シュレッダーで細断するなどして，確実に廃棄する
③評価を行う	▶指導内容について振り返りを行う
9 後片づけをする	
①使用した物品を片づける	▶使用した物品を元の位置に戻し，パンフレットなどに不足があれば補充する

食事摂取量と栄養摂取の適否を判断する代表的な評価法

- 食物摂取頻度法，食事歴法は比較的長期間の食習慣がわかる．ほかの方法に比べてアセスメントとデータ処理が容易である．
- 陰膳法と生体指標以外は対象者からの申告に基づくため，「申告誤差」が生じる．一般に過少申告の発生頻度が高い．日間変動と申告誤差があることを理解して，結果を判断する．

表3　主な食事摂取量の評価法

評価法	内　容
● 24時間食事思い出し法	● 前日または過去24時間に摂取した食品や料理を，調査員がすべて聞き取り，食品成分表を用いて算出する．調査員に特別の技術が必要である
● 食事記録法	● 実際に摂取する食品の重量，容積を測定し記載する．または容器に記載されている値を記録し，食品成分表を用いて算出する
● 食物摂取頻度法	● 一定期間に食べた食品の頻度を思い出す．通常は正確な記憶ではなく，漠然とした習慣に頼る．思い出すべき食品は，あらかじめ限定されている
● 食事歴法	● 食物摂取頻度法に加えて，食行動に関連した習慣に関しても情報を収集する
● 陰膳法	● 1人分余計に準備し，成分を化学的に分析する
● 生体指標	● 血液，尿などの生体試料から得る．特定の栄養素や食品の摂取量を反映する物質を測定する．生体指標が存在する栄養素が限られていることと，特殊技術が必要となる

● 文献

1）佐々木敏：女性の妊娠中の栄養評価．周産期医学，42(増刊号)：268-271，2012
2）厚生労働省：これからママになるあなたへ　食べ物について知っておいてほしいこと．https://www.mhlw.go.jp/topics/syokuchu/dl/ninpu.pdf(2020年5月アクセス)
3）厚生労働省：「日本人の食事摂取基準(2020年版)」策定委員会報告書，2020
4）日本高血圧学会減塩委員会：理論から実践まで　減塩のすべて．pp.23-35，南江堂，2019
5）仲村将光，他：緑茶，ウーロン茶などはいくら飲んでも大丈夫ですか？　周産期医学，42(増刊号)：27-28，2012
6）山下洋：コーヒー，紅茶は赤ちゃんに対して問題はないですか？　周産期医学，42(増刊号)：35-36，2012
7）日本産科婦人科学会／日本産婦人科医会編・監修：産婦人科診療ガイドライン産科編2020，pp.105-107，2020

2 排泄

大林 陽子

目的
・妊婦が状態に応じた排泄行動をとれているか確認し，セルフケア行動を評価する．
・保健相談により，妊婦が望ましい排泄行動がとれるようにする．

チェック項目 妊娠時期に応じた排泄に関する知識レベル，理解度，行動(セルフケア)状況，保健相談中の反応や様子，母親(両親)学級の受講状況，保健相談の状況，妊娠リスク自己評価表(初期，後半期)の評価

適応 すべての妊婦

注意 妊婦の羞恥心に配慮する．

事故防止のポイント 妊婦の取り違え防止

必要物品 外来診療録，妊娠リスク自己評価表(初期，後半期)，母子健康手帳，パンフレット類(施設ごとに作成され，妊婦に配付されているものなど)

手順

要点	留意点・根拠
1 保健相談の場の環境を調整する ①妊娠期に必要な保健相談の場の環境を調整しておく	▶あらかじめ外来に保健相談用の部屋(個室)を準備し，いつでも相談できる場として調整しておく ▶相談用の部屋として，落ち着いた雰囲気で，リラックスして話ができる，プライバシーが保持できる空間を確保する ▶妊婦に確認しながら室温を調整し，妊婦が不快にならないように配慮する **根拠** 妊婦の好みや体調により快適と感じる温度は異なるため．また季節に応じた室温・湿度の調整も必要である ▶室内は清掃して，清潔に整える **コツ** 絵や植物などを置き，快適な空間に整える
2 保健相談の準備をする	▶妊婦が妊娠中の排泄状態に応じたセルフケア行動がとれるよう保健相談の準備をする
①外来診療録，母子健康手帳から排泄に関する情報を収集する	▶妊娠週数，母児の状態(経過中の異常の有無・内容など)，特に尿検査(尿蛋白，尿糖)，母親(両親)学級受講状況の情報を得る **根拠** あらかじめ必要な情報を得ておく
②外来の待合室で妊婦に挨拶し，氏名，生年月日を確認し，外来診療録の氏名，生年月日と照合する．続いて，自己紹介をする	**根拠** 保健相談の導入とする．妊婦を緊張させないよう配慮する **事故防止のポイント** 妊婦の取り違え防止
③診察前の待ち時間に妊婦とコンタクトを取り，妊娠中の排泄に関する保健相談の必要性や内容，相談時間(全体で30分以内が望ましい)について説明し，承諾を得る	**根拠** 待ち時間および診察後の予定を確認し，妊婦のスケジュールに配慮する．また，妊婦の希望にも応じる **コツ** 診察予定時間とのタイミングをはかり，診察前後のいつにするか妊婦と相談する **注意** 家族が付き添う場合，家族に配慮する
※妊婦の都合がつかない場合，次回の健診時に予定してもらうか，妊娠週数に応じた母親(両親)	**根拠** 個別，集団のいずれかで排泄に関する知識を得られるように調整する

要点	留意点・根拠
学級への参加を促す ④妊婦を保健相談室に案内する	▶保健相談室に案内する際，排泄を済ませてもらう 根拠 妊娠中は頻尿のことが多い
3 保健相談を進める ①妊娠中の排尿に関する知識や習慣，セルフケア行動を確認，評価しながら，必要な保健指導を行う 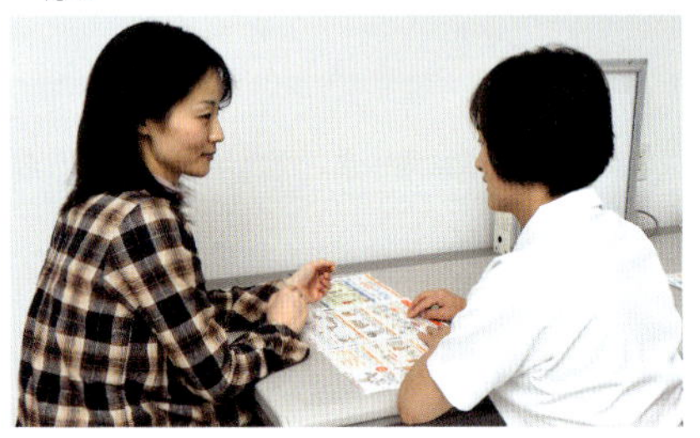	▶妊婦が状態に応じた排尿のセルフケア行動をとれているか確認・評価しながら，必要な保健相談を行う
・排尿状態を確認する ・妊娠初期は子宮が骨盤腔内にあり頻尿になりやすいこと，妊娠後期は増大した子宮に膀胱が圧迫され，膀胱容量が減少して頻尿になりやすく，分娩が近づいて児頭が下降するとさらに頻尿になりやすいことを説明する (図1)	▶1日の排尿回数，1回の尿量，尿の色調，尿意や残尿感，排尿時痛の有無，水分摂取量や発汗の程度について問診する．妊娠前の排尿習慣や妊婦自身が気をつけていることなどを確認する 根拠 排尿状態を把握し，相談内容の必要性を判断する 注意 排尿に関する内容のため，妊婦の羞恥心に配慮する コツ セルフケアできていることは認め，継続を促す コツ 妊婦の反応から知識の程度を判断し，必要な知識を提供する

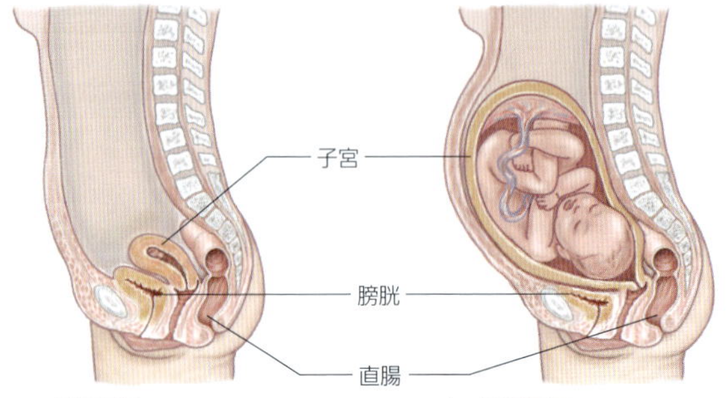

図1 妊娠初期・後期の子宮，膀胱，直腸の位置

要点	留意点・根拠
・頻尿の場合，尿意を我慢すると膀胱炎になりやすいので，尿意を感じたらトイレに行くこと，外陰部を温水洗浄便座で洗浄して清潔にすること，水分は制限しないように伝える．夜間の頻尿は睡眠を妨げるので，就寝前の排尿を勧める	根拠 妊娠期はプロゲステロンの影響や増大した子宮により尿管が拡張・伸展し，膀胱が圧迫されて尿が貯留しやすく膀胱炎になりやすい．さらに，逆流して腎盂腎炎になりやすい．また，水分制限は症状を悪化させる コツ 頻尿の原因を理解したセルフケア行動の程度を判断し，必要な対策を伝える．セルフケアできていることは認め，継続を促す
・尿検査の結果，尿蛋白や尿糖に異常が認められた場合，今までの健診結果とあわせて，血圧，体重，浮腫などを確認すると同時に，妊婦の食事摂取状況(内容，量)について問診し，状態をアセスメントした上で必要な相談を行う	根拠 前日および当日の食事摂取状況により一時的に尿蛋白や尿糖が認められることもある コツ 医師の診察結果とあわせて総合的に判断する．妊婦に状態を説明し，不安を軽減する
②妊娠中の排便に関する知識や習慣，セルフケア行動を確認，評価しながら，必要な保健指導を行う	
・排便状態を確認する	▶妊娠前の排便習慣(1日の排便回数，便の性状，便意・残便感の有無，便秘の場合の生活上の工夫や常用薬)を問診し，妊娠後の変化(内容，程度)をあわせて確認する．食事・水分摂取状況(内容，量)，活動状況，妊婦が気をつけていることなどを確認する 根拠 排便状態を把握し，相談内容の必要性を判断する 注意 排便に関する内容のため，妊婦の羞恥心に配慮する コツ セルフケアできていることは認め，継続を促す
・妊娠初期はプロゲステロンの増加により胃腸の平滑筋が弛緩し，腸蠕動が低下して弛緩性便秘になりやすいこと，つわりによる一時的な食事・水分摂取量の低下も便秘を悪化させることを説明する	コツ 妊婦の反応から知識の程度を判断し，必要な知識を提供する
・妊娠中期から後期にかけては増大した子宮が直腸を圧迫し，腸蠕動が低下して便秘になりやすいことを説明する	コツ 妊婦の反応から知識の程度を判断し，必要な知識を提供する
・便秘を予防，緩和するための工夫を生活に取り入れるよう勧める	▶以下のような工夫がある ・食物繊維を多く含む食品を摂る ・水分を多めに摂る ・適度な運動を取り入れる(散歩や妊婦体操など) ・朝起きてすぐに，コップ1杯の冷たい水や牛乳を飲む ・朝，便意がなくてもトイレに座ってみる ・症状に応じて，医師と相談し，緩下剤を取り入れる コツ 便秘の原因を理解したセルフケア行動の程度を判断し，必要な工夫を伝える．セルフケアできていることは認め，継続を促す
・妊婦が「できそう」「やってみよう」と思えることや工夫できることを自ら選んで生活に取り入れるよう勧める	根拠 妊婦が自らの意思で取り組めるようにする

要点	留意点・根拠
・便秘が続いたり，肛門部に違和感や疼痛がある時は相談するよう勧める	▶便秘が続くと，痔核や脱肛になりやすい．痔核や脱肛がある場合，肛門とその周囲を清潔に保つため排便後は温水洗浄便座で洗浄すること，脱肛は排便後，還納するよう説明する 根拠 痔核や脱肛は増大した子宮の圧迫による骨盤内の血管のうっ滞で生じる．排便時痛があり，便秘を悪化させるため排便コントロールに努める コツ 脱肛の大きさや痛みに応じたセルフケアを紹介する
・下痢の場合，体内の水分喪失により体力が消耗するため，できるだけ水分を摂るように説明する	▶排便時に腹圧がかかると妊娠時期によっては切迫早産の誘因となり得るため，腹部緊満感が続くようなら受診するよう勧める 注意 不安がある場合は，いつでも外来に連絡するよう伝える
③妊婦に質問や伝えたいことがないか確認し，相談を終了する	▶質問があれば対応し，なければ終了する．また，いつでも気軽に声をかけるよう，妊婦や家族に伝える
4 記録，評価をし，使用物品を片づける	
①保健相談の内容，観察した結果を外来診療録および相談用紙に記録する	▶妊娠中の排泄に関する知識の内容と程度，清潔習慣，セルフケア行動，排泄に対する考えや思いについて記録する 根拠 妊娠時期に応じて必要な内容を端的に記す ▶相談内容および相談中の妊婦の反応について記録する．次回または今後の健診時に確認，相談すべきことを明記する 根拠 継続した相談に努める
②外来診療記録や使用した物品を元に戻し，後片づけをする	▶次の保健相談に備える

● 文献

1）佐世正勝ほか編：ウエルネスからみた母性看護過程＋病態関連図 第3版，p.46，医学書院，2016
2）我部山キヨ子，武谷雄二編：助産学講座6 助産診断・技術学Ⅱ［1］妊娠期 第5版，p.238，医学書院，2013

3 清潔

大林 陽子

目的
・妊婦が状態に応じた清潔行動をとれているか確認し，セルフケア行動を評価する．
・保健相談により，妊婦が望ましい清潔行動がとれるようにする．

チェック項目 妊娠時期の状態に応じた清潔に関する知識レベル，理解度，行動(セルフケア)状況，保健相談中の反応や様子，母親(両親)学級の受講状況，保健相談の状況，妊娠リスク自己評価表(初期，後半期)の評価

適応 すべての妊婦

注意 妊婦の羞恥心に配慮する．

事故防止のポイント 妊婦の取り違え防止

必要物品　外来診療録，妊娠リスク自己評価表(初期，後半期)，母子健康手帳，パンフレット類(施設ごとに作成され，妊婦に配付されているものなど)

手順

要点	留意点・根拠
1 保健相談の場の環境を調整する ①妊娠期に必要な保健相談の場の環境を調整しておく	▶ p.89「第1章-2【2】排泄」参照
2 保健相談の準備をする	▶ 妊婦が妊娠中の状態に応じた清潔のセルフケア行動がとれるよう保健相談の準備をする
①外来診療録および母子健康手帳から清潔に関する情報を収集する	▶ 妊娠週数，母児の状態(経過中の異常の有無・内容など)，母親(両親)学級の受講の有無，保健相談の有無(あれば，清潔習慣)などの情報を得る **根拠** あらかじめ必要な情報を得ておく
②外来の待合室で妊婦に挨拶し，氏名，生年月日を確認し，外来診療録の氏名，生年月日と照合する．続いて，自己紹介をする	**根拠** 保健相談の導入とする．妊婦に緊張させないよう配慮する **事故防止のポイント** 妊婦の取り違えを防止する
③診察前の待ち時間に妊婦とコンタクトを取り，妊娠中の清潔に関する保健相談の必要性や相談内容，相談時間(全体で30分以内が望ましい)について説明し承諾を得る	**根拠** 待ち時間および診察後の予定を確認し妊婦のスケジュールに配慮する．また，妊婦の希望にも応じる **コツ** 診察予定時間とのタイミングをはかり，診察前後のいつにするか妊婦と相談する **注意** 家族が付き添う場合，家族に配慮する
※妊婦の都合がつかない場合，次回の健診時に予定してもらうか，妊娠週数に応じた母親(両親)学級への参加を促す	**根拠** 個別，集団のいずれかで全身の清潔に関する知識を得られるように調整する
④妊婦を保健相談室に案内する	▶ 保健相談室に案内する際，排泄を済ませてもらう　**根拠** 妊娠中は頻尿のことが多い

要点	留意点・根拠
3 保健相談を進める	▶妊婦が自身の状態に応じた清潔のセルフケア行動をとれているか確認・評価しながら，必要な保健相談を行う
①妊娠による変化とそれに応じた清潔に関する知識を確認，評価する 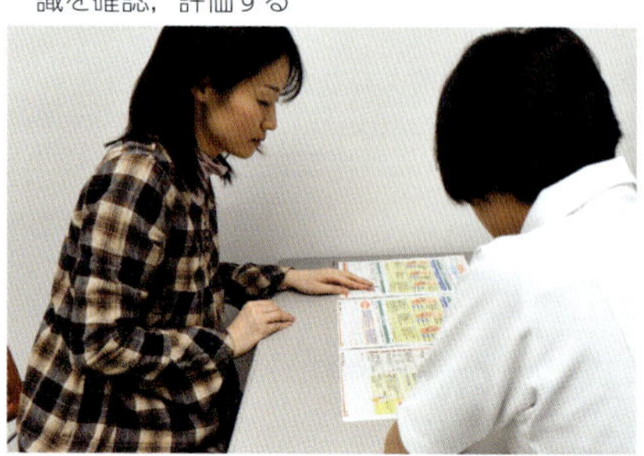	▶妊娠中の全身の変化の内容や程度，その原因や状態に応じた清潔のセルフケア行動(入浴，シャワー浴，洗髪の回数，更衣，衣類の洗濯頻度など)を問診する．また，妊娠前の清潔習慣や生活上の工夫や気をつけていることを確認する **根拠** 清潔状態を把握し，相談内容の必要性を判断する **注意** 腟分泌物などに関する内容もあるため，妊婦の羞恥心に配慮する **コツ** セルフケアできていることは認め，継続を促す
②妊娠中の全身の皮膚の変化とそれに応じた清潔に関する保健相談を行う 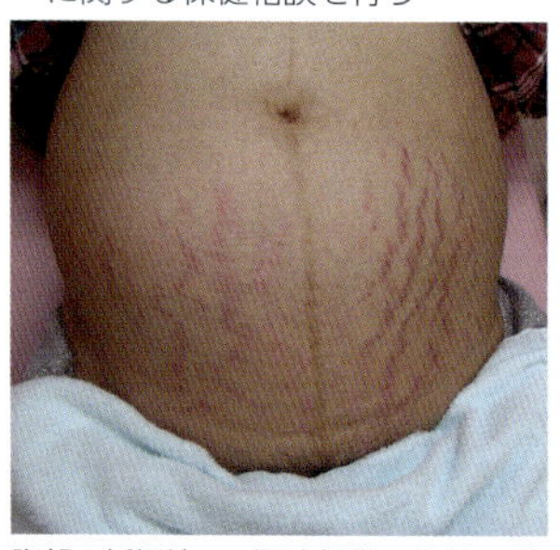 腹部の妊娠線　〔写真提供：佐世正勝〕	
・妊娠中は新陳代謝が活発になり，妊娠前より発汗や腟分泌物などが増加することを説明する	**コツ** 妊婦の反応から知識の程度を判断し，必要な知識を提供する
・皮膚を清潔にし，吸湿性，通気性のある下着・衣類を着けるよう勧める．また，症状に応じて医師に相談し，薬剤の併用を考慮する	**根拠** 妊娠中は皮膚が敏感になり，湿疹や瘙痒感(腹部など)が生じやすい
・1日1回の入浴，シャワー浴と更衣を勧める	**根拠** 妊娠中は発汗や腟分泌物が増加する **コツ** 妊婦の状態(皮膚の汚染の程度)や妊娠前の清潔習慣に応じた清潔行動の回数，頻度を妊婦が選択するよう促す．適宜，おりものシートの利用を勧める
③妊娠中の口腔内の変化とそれに応じた清潔に関する保健相談を行う	
・口腔内の清潔習慣と気をつけていることを確認し，毎食後の歯磨きを勧める．含嗽だけでもするよう勧める	**根拠** 妊娠中はエストロゲン，プロゲステロンの増加により歯肉炎になりやすく，つわりの症状により歯磨きの回数が減ったり，間食回数が増えるなど，口腔内の清潔が保たれにくい．また，唾液の酸性化と粘稠度の増加により，う歯や歯周疾患になりやすい **コツ** セルフケアできていることは認め，継続を促す

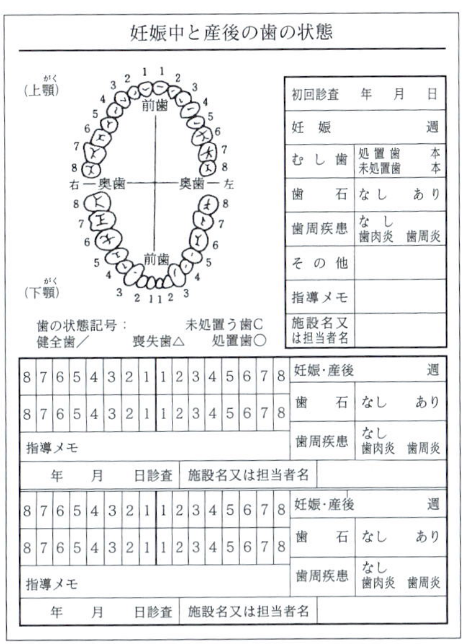

妊娠中と産後の歯の状態

初回診査	年 月 日
妊娠	週
むし歯	処置歯 本 未処置歯 本
歯石	なし あり
歯周疾患	なし 歯肉炎 歯周炎
その他	
指導メモ	
施設名又は担当者名	

歯の状態記号： 未処置う歯C
健全歯／ 喪失歯△ 処置歯○

8	7	6	5	4	3	2	1	1	2	3	4	5	6	7	8	妊娠・産後 週
8	7	6	5	4	3	2	1	1	2	3	4	5	6	7	8	歯石 なし あり
指導メモ																歯周疾患 なし 歯肉炎 歯周炎
年 月 日診査								施設名又は担当者名								

8	7	6	5	4	3	2	1	1	2	3	4	5	6	7	8	妊娠・産後 週
8	7	6	5	4	3	2	1	1	2	3	4	5	6	7	8	歯石 なし あり
指導メモ																歯周疾患 なし 歯肉炎 歯周炎
年 月 日診査								施設名又は担当者名								

図1 母子健康手帳の「妊娠中と産後の歯の状態」のページ

要点	留意点・根拠
・妊娠中期に歯科を受診して健診を受け，母子健康手帳の「妊娠中と産後の歯の状態」のページ（図1）に結果を歯科医師より記載してもらうこと，う歯があれば中期に治療を済ませるよう伝える．受診時は必ず妊娠中であると伝えるよう勧める	根拠 中期はつわりが治まり，安定期である．後期になると腹部が増大し，長時間の同一体位は身体に負担がかかる コツ 自治体によるが，母子健康手帳交付時に歯科健診の無料券が渡される．あれば，使用の有無を確認し，未使用なら使用を勧める．妊娠後期に未使用の場合，産後1年間は使用できるので産後落ち着いてからの受診を勧める
④妊婦に質問や伝えたいことがないか確認し，相談を終了する	▶質問があれば対応し，なければ終了する．また，いつでも気軽に声をかけるよう，妊婦や家族に伝える
4 記録，評価をし，使用物品を片づける ①保健相談の内容，観察した結果を外来診療録および相談用紙に記録する	▶妊娠中の全身の変化に関する知識の内容と程度，清潔習慣，セルフケア行動，清潔に対する考えや思いについて記録する 根拠 妊娠時期に応じて必要な内容を端的に記す ▶相談内容および相談中の妊婦の反応について記録する．次回または今後の健診時に確認，相談すべきことを明記する 根拠 継続した相談に努める
②外来診療録や使用した物品を元に戻し，後片づけをする	▶次の保健相談に備える

●文献

1）佐世正勝ほか編：ウエルネスからみた母性看護過程＋病態関連図 第3版，p.47，医学書院，2016

2）我部山キヨ子，武谷雄二編：助産学講座6 助産診断・技術学Ⅱ［1］妊娠期 第5版，pp.238-241，医学書院，2013

4 運動

大林 陽子

目的
・妊婦が状態に応じた適切な運動を取り入れているか確認し，セルフケア行動を評価する．
・保健相談により，妊婦が望ましい運動を取り入れ，ニーズが充足できるようにする．

チェック項目 妊娠時期や生活の状況に応じた運動に関する知識レベル，理解度，行動（セルフケア）状況，保健相談中の反応や様子，母親（両親）学級の受講状況，保健相談の状況，妊娠リスク自己評価表（初期，後半期）の評価

適応 妊娠12週以降で妊娠経過に異常がない妊婦（単胎）

注意 切迫流早産，その他合併症の有無を確認する．妊娠の時期，妊婦の状態に応じた運動を勧める．

禁忌 切迫流早産の症状のある妊婦，既往妊娠に流早産のある妊婦，前置胎盤の妊婦，切迫流早産や妊娠高血圧症候群などで安静が必要な妊婦，多胎妊婦，胎児発育不全のある妊婦（状態に応じて，慎重に取り入れることもある）

事故防止のポイント 妊婦の取り違え防止，転倒防止，脱水や熱中症予防，運動による流早産防止

必要物品 外来診療録，妊娠リスク自己評価表（初期，後半期），母子健康手帳，パンフレット類（施設ごとに作成され，妊婦に配付されているものなど）

手順

要点	留意点・根拠
1 保健相談の場の環境を調整する ①妊娠期に必要な保健相談の場の環境を調整しておく	▶ p.89「第1章-2【2】排泄」参照
2 保健相談の準備をする	▶妊婦が妊娠中の状態や生活に応じた適切な運動を取り入れ，セルフケア行動がとれるよう保健相談の準備をする
①外来診療録，母子健康手帳から運動に関係する情報を収集する	▶外来診療録および妊娠リスク自己評価表から妊娠週数，経過中の母児の状態に異常がないこと，切迫流早産の既往や症状の有無と程度（下腹部痛，腹部緊満感，性器出血の有無と程度，超音波検査による子宮頸管長など），合併症に関する情報を得る ▶母子健康手帳の「妊婦の職業と環境」のページの通勤状況，「妊娠中の経過」のページの体重の推移を確認し，活動状況もあわせて把握する．その他，「母親（両親）学級受講記録」のページを確認する **根拠** あらかじめ必要な情報を得ておく
②外来の待合室で妊婦に挨拶し，氏名，生年月日を確認し，外来診療録の氏名，生年月日と照合する．続いて，自己紹介をする	**根拠** 保健相談の導入とする．妊婦に緊張させないよう配慮する **事故防止のポイント** 妊婦の取り違えを防止する
③診察前の待ち時間に妊婦とコンタクトを取り，妊娠中の運動に関する保健相談の必要性や内容，相談時間（全体で30分以内が望ましい）について説明し，承諾を得る	**根拠** 待ち時間および診察後の予定を確認し，妊婦のスケジュールに配慮する．また，妊婦の希望にも応じる **コツ** 診察予定時間とのタイミングをはかり，診察前後のいつにするか妊婦と相談する

要点	留意点・根拠
※妊婦の都合がつかない場合，次回の健診時に予定してもらうか，妊娠週数に応じた母親(両親)学級への参加を促す ④妊婦を保健相談室に案内する	注意 家族が付き添う場合，家族に配慮する 根拠 個別，集団のいずれかで運動に関する知識を得られるように調整する ▶保健相談室に案内する際，排泄を済ませてもらう 根拠 妊娠中は頻尿のことが多い
3 保健相談を進める	▶妊婦が自身の状態や生活に応じた運動を取り入れ，セルフケア行動をとれているかを確認・評価しながら，必要な保健相談を行う
①妊娠時期，状態や生活に応じた運動に関する知識を確認し，評価する	▶妊娠中の運動の方法や必要性に関する知識の内容や程度，運動のセルフケア状況(運動の種類，内容，程度)，妊婦が取り入れたり気をつけていることを問診する 根拠 運動の状況を把握し，相談内容の必要性を判断する コツ セルフケアできていることは認め，継続を促す
②妊娠中の運動の目的と効果に関する知識を確認しながら，必要に応じて相談する 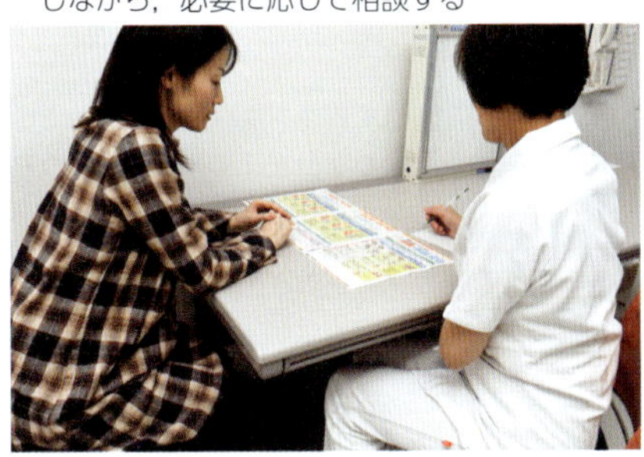	▶妊娠中の運動は全期間を通じて体重コントロールや肥満予防，運動不足解消，体力や持久力の維持，気分転換の効果があり，妊婦の健康増進や高血圧・糖尿病予防に有効で，分娩への体力維持につながることを伝える．また，妊婦に適宜質問し，理解できていることを確かめながら相談を進める
③運動を始める時期について説明する	▶運動を始める時期は，妊娠12週頃に軽い運動から徐々に始め，妊娠16週以降は毎日，無理なく習慣的に行うよう伝える コツ すでに実施している場合，それを認め，継続を促す
④運動の種類，内容，方法，留意点について，現在の運動の状況を確認しながら，必要に応じて説明する ・運動は，10分以上継続して習慣的に行えるものを生活に取り入れ，また妊婦が自ら選択して決定できるよう相談を進める	根拠 継続するためには自らの動機づけや意思決定が重要で，生活に簡単に取り入れられ，効果を実感できるものが望ましい．また，運動は10分以上継続した時に効果が得られる
・運動は，歩く，走る，自転車をこぐ，スイミング，エアロビクスなどの有酸素運動を勧める	根拠 定期的な有酸素運動は交感神経，副交感神経に働きかけ，神経伝達物質やホルモンの分泌により血圧を下げたり，身体のインスリンに対する抵抗性を和らげる
《歩く運動(ウォーキング)》(図1) ・歩く運動(ウォーキング)は，腕を活発に振り，1日30分間，1週間に3〜5日行うと健康が増進されることを伝える	コツ 一度に歩く方法と10分ずつ3回に分けて歩く方法のうち，妊婦が生活に取り入れやすい方法を選択するよう勧める．買物や通勤時の道のり

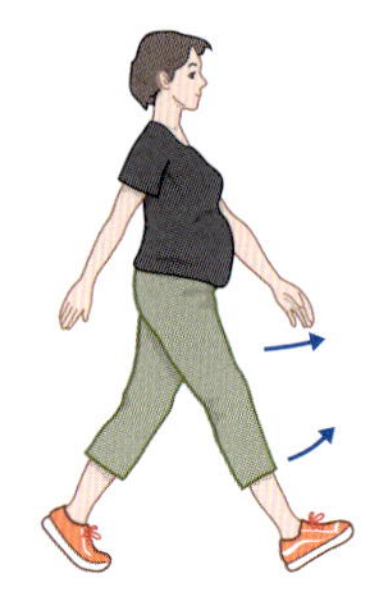

図1　ウォーキングのポイント
我部山キヨ子，武谷雄二編：助産学講座6　助産診断・技術学Ⅱ [1] 妊娠期　第5版，p.230，医学書院，2013を改変

肩回しの運動

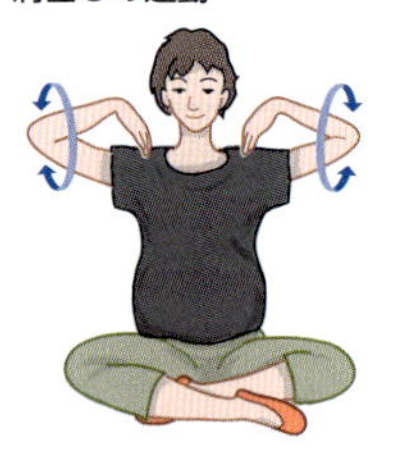

両腕を肩の高さに上げ，指先を肩につける．肘で円を描くように大きく回し，肩を前と後ろから十分に回す

背中・腕のストレッチ（脊柱起立筋，肩甲骨周囲筋，腕の筋肉の運動）

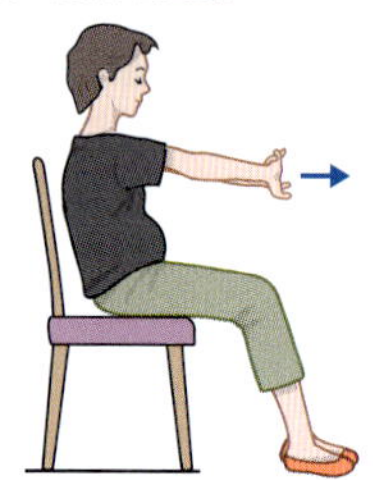

椅子に座って，背中を丸めて腹部を引き締める．手は組んで前方水平方向に，背中は後ろに引っ張る

図2　妊婦体操の例
我部山キヨ子，武谷雄二編：助産学講座6　助産診断・技術学Ⅱ [1] 妊娠期　第5版，p.232，医学書院，2013を改変

要点	留意点・根拠
	の中で意図的に取り入れると習慣的に行える．また，ウォーキング中も水分をこまめに摂るよう勧める **注意** 夏季は日中を避けて朝や夕方に歩くこと，履き物はかかとが広く，高さのないもので，靴底に滑り止めのついたものを勧める **事故防止のポイント** 脱水や熱中症，転倒を防止する
・ウォーキングなどの運動は，休日はパートナーとともに行うよう勧める	**根拠** パートナーのサポートは妊婦の運動継続の力となる上，パートナーは役割を遂行でき，妊娠・分娩の共有につながる **コツ** パートナーの健康増進にもなると伝える
《妊婦体操》（図2） ・妊婦体操は妊娠による身体の機能低下の予防，妊娠中のマイナートラブル（便秘，腰痛など）の予防，軽減に加え，分娩に必要な体力の維持・増進につながることを伝える	▶体操はテレビを見ながらでもよいので自分の生活に合ったタイミングで行うよう勧める **根拠** 自然に生活に取り入れられると継続しやすい **コツ** 体操の際は，身体に負担のない姿勢（椅子に座る，あぐらをかく，横になるなど）をとる．腹式呼吸を取り入れ，呼吸のリズムに合わせて行うとよいため，腹式呼吸をその場で確認し，正しい呼吸法を促す．呼吸は息をしっかり吐いた後，鼻からゆっくりお腹を膨らませるように息を吸い（5秒），口からゆっくり吐く（5秒）ようにする
・運動中に下腹部痛や腹部緊満感が出現した時は運動を中断して横になり休むこと，症状が治まれば再開するが，症状が続くようなら中止するよう説明する	▶休息しても症状が続くようなら受診を勧める **事故防止のポイント** 運動による流早産を防止する **コツ** 正期産の妊娠37週以降になったら運動を再開し，分娩に備えるよう伝える
・運動は休息・睡眠とのバランスを考慮し，食事摂取および体重増加状況もあわせて内容，程度を決めて実施するよう勧める	▶勤労妊婦の場合，勤労および通勤中の動作，活動とのバランスも考慮する **コツ** 活動と休息のバランスを確認しながら相談

要点	留意点・根拠
⑤妊婦に質問や伝えたいことがないか確認し，相談を終了する	を進める ▶質問があれば対応し，なければ終了する．また，いつでも気軽に声をかけるよう，妊婦や家族に伝える
4 記録，評価をし，使用物品を片づける ①保健相談の内容，観察した結果を外来診療録および相談用紙に記録する	▶妊婦の妊娠中の運動に関する知識の内容と程度，セルフケア行動，運動に対する考えや思いについて記録する 根拠 妊娠時期に応じて必要な内容を端的に記す ▶相談内容および相談中の妊婦の反応について記録する．次回または今後の健診時に確認，相談すべきことを明記する 根拠 継続した相談に努める
②外来診療録や使用した物品を元に戻し，後片づけをする	▶次の保健相談に備える

文献
1）佐世正勝ほか編：ウエルネスからみた母性看護過程＋病態関連図　第3版，p.46，医学書院，2016
2）我部山キヨ子，武谷雄二編：助産学講座6　助産診断・技術学Ⅱ[1]妊娠期　第5版，pp.227-233，医学書院，2013

5 姿勢・日常生活動作

大林 陽子

目的
・妊婦が状態に応じた適切な姿勢・動作を取り入れられているか確認し，セルフケア行動を評価する．
・保健相談により，妊婦が望ましい姿勢や日常生活動作を取り入れ，ニーズが充足できるようにする．

チェック項目 妊娠時期や生活状況に応じた姿勢や日常生活動作に関する知識レベル，理解度，行動(セルフケア)状況，保健相談中の反応や様子，母親(両親)学級の受講状況，保健相談の状況，妊娠リスク自己評価表(初期，後半期)の評価

適応 すべての妊婦

注意 妊婦の姿勢，動作を視診により観察しておく．

事故防止のポイント 妊婦の取り違え防止，無理な姿勢・日常生活動作による転倒や流早産防止

必要物品 外来診療録，妊娠リスク自己評価表(初期，後半期)，母子健康手帳，パンフレット類(施設ごとに作成され，妊婦に配付されているものなど)

手順

要点	留意点・根拠
1 保健相談の場の環境を調整する ①妊娠期に必要な保健相談の場の環境を調整しておく	▶ p.89「第1章-2【2】排泄」参照
2 保健相談の準備をする	▶ 妊婦が妊娠中の状態や生活に応じた適切な姿勢や日常生活動作を取り入れ，セルフケアできるよう保健相談の準備をする
①外来診療録，母子健康手帳から姿勢や日常生活動作に関する情報を収集する	▶ 妊娠週数，経過中の母児の状態の異常の有無・程度，母親(両親)学級の受講状況などの情報を得る **根拠** あらかじめ必要な情報を得ておく **注意** 保健指導の前に妊婦の自然な状態での姿勢や動作を観察しておく
②外来の待合室で妊婦に挨拶し，氏名，生年月日を確認し，外来診療録の氏名，生年月日と照合する．続いて自己紹介をする	**根拠** 保健相談の導入とする．妊婦を緊張させないよう配慮する **事故防止のポイント** 妊婦の取り違えを防止する
③診察前の待ち時間に妊婦とコンタクトを取り，妊娠中の姿勢や日常生活動作に関する保健相談の必要性や内容，相談時間(全体で30分以内が望ましい)について説明し，承諾を得る 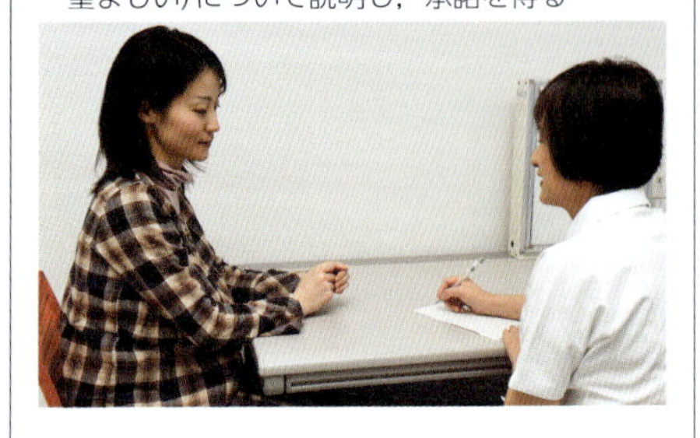	**根拠** 待ち時間および診察後の予定を確認し，妊婦のスケジュールに配慮する．また，妊婦の希望にも応じる **コツ** 診察予定時間とのタイミングをはかり，診察前後のいつにするか妊婦と相談する **注意** 家族が付き添う場合，家族に配慮する

要点	留意点・根拠
※妊婦の都合がつかない場合，次回の健診時に予定してもらうか，妊娠週数に応じた母親(両親)学級への参加を促す ④妊婦を保健相談室に案内する	根拠 個別，集団のいずれかで姿勢や日常生活動作に関する知識を得られるように調整する ▶保健相談室に案内する際，排泄を済ませてもらう 根拠 妊娠中は頻尿のことが多い
3 保健相談を進める ①妊娠経過に応じた姿勢に関する知識を確認，評価しながら，必要な保健相談を行う ・妊娠中の姿勢に関する知識の内容や程度，セルフケア状況(内容，程度)，妊婦が取り入れたり気をつけていることを問診する ・妊娠中の姿勢の変化として，頸椎や腰椎の生理的前彎(わん)が増大すること，また，不安定な姿勢を保つのに膝関節を屈曲し，大腿二頭筋などを短縮した状態に加え，子宮の増大や腹直筋の過伸展により腹筋や骨盤底筋の筋力が低下することを説明する ・正しい姿勢のポイントを伝え，実際にその姿勢をとってもらい，正しい姿勢を実感してもらう	▶妊婦が自身の状態や生活に応じた姿勢や日常生活動作のセルフケア行動をとれているか確認・評価しながら，必要な保健相談を行う 根拠 姿勢に関する知識やセルフケア行動を把握し，相談内容の必要性を判断する コツ セルフケアできていることは認め，継続を促す ▶これらにより，腰背部痛や膝痛を生じやすいので，正しい姿勢をとる必要があると伝える 根拠 腹部が前方に突き出し，増大した子宮の重みで骨盤が前傾し，反り身になりやすい コツ 妊婦の知識の程度に応じて必要な情報を提供する **《正しい姿勢のポイント》**(図 1) ・脚を軽く開き，体重を足底全体にかけて真っ直ぐに立つ ・軽く胸を張り，肩の力を抜いて，真っ直ぐ前を見る ・膝は軽く後方に押し，殿部や大腿を引き締める ・側面から見ると，背筋が真っ直ぐで，足首，腰，肩，耳が一直線になる コツ 普段の姿勢との違いがないか聞き，意識して正しい姿勢をとるよう勧める

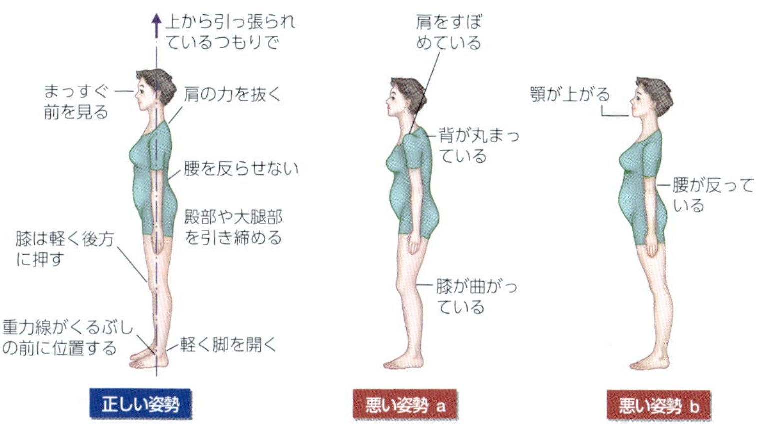

図 1 **正しい姿勢と悪い姿勢**
笠原トキ子，鈴木愉：イラスト女性の運動―ナースのためのケアとカウンセリングのテクニック，p.42，文光堂，1991

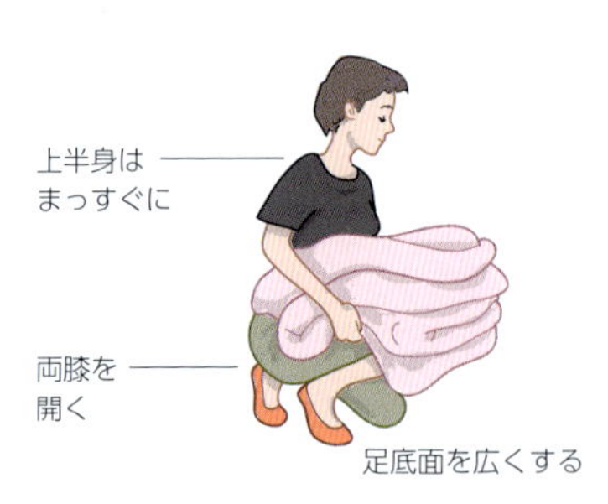

a. 物を持ち上げる

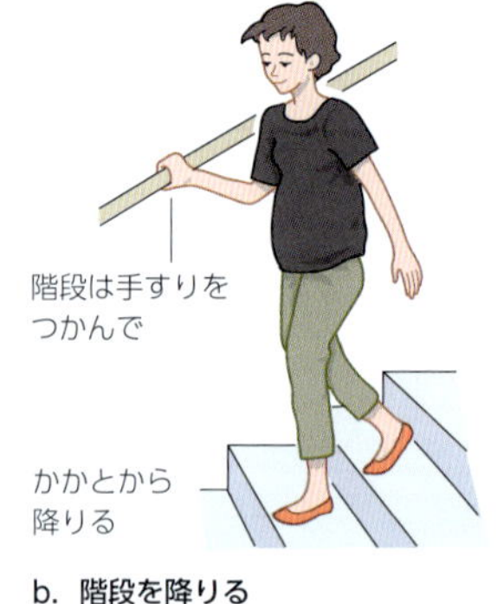

b. 階段を降りる

図2 日常生活動作のポイント(例)
我部山キヨ子，武谷雄二編：助産学講座6 助産診断・技術学Ⅱ [1]妊娠期 第5版，p.226，医学書院，2013より一部抜粋

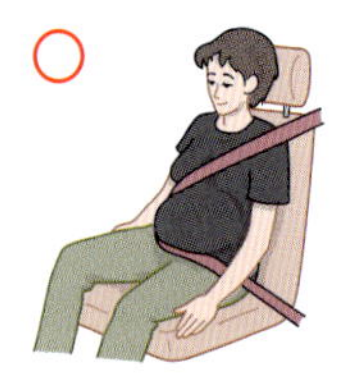

a. 正しい装着法

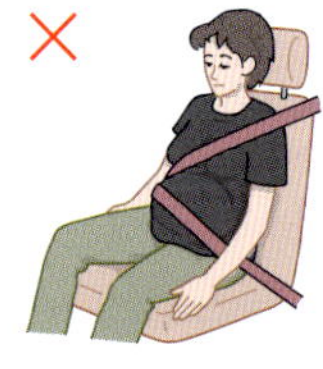

b. 誤った装着法

腹部の膨らみにシートベルトがかからないようにするために，肩ベルトは左右の乳房の間を通って脇に通し，腰ベルトは腰骨の最も低いところを通すようにする

図3 妊婦のシートベルト装着方法
我部山キヨ子，武谷雄二編：助産学講座6 助産診断・技術学Ⅱ [1]妊娠期 第5版，p.234，医学書院，2013を改変

要点	留意点・根拠
②妊娠経過に応じた日常生活動作に関する知識を確認，評価しながら，必要な保健相談を行う	
・妊娠中の日常生活動作に関する知識の内容や程度，セルフケア状況(内容，程度)，妊婦が取り入れたり気をつけていることを問診する	根拠 日常生活動作に関する知識やセルフケア行動を把握し，相談内容の必要性を判断する コツ セルフケアできていることは認め，継続を促す
・日常生活動作のポイントについて説明する	▶重い物を持ち上げたり，長時間同一体位を続ける動作は腹部や腰部に負担をかけ，流早産や腰背部痛の原因となるので避けるよう伝える コツ 図や絵を提示し，妊婦が一目ですぐに理解でき，ポイントがわかるようにする(図2)．適切な日常生活動作は出産後も継続することで身体への負担が軽減し，腰部痛などが予防できることを伝える 事故防止のポイント 転倒防止に努める．腹圧をかける動作を避け，流早産を予防する
・障害物でつまずかないよう普段から室内の環境を整理するよう勧める	▶妊娠後期は腹部の増大により姿勢が不安定になりやすく，足元が見えにくくなる 事故防止のポイント 転倒防止に努める
・重い物や高い所にある物をとる動作は避け，夫	根拠 パートナーは役割を遂行でき，妊娠生活の

要点	留意点・根拠
(パートナー)の協力を得るよう勧める	共有にもつながる
③外出時の留意点や工夫に関する知識を確認しながら，必要な保健相談を行う	
・乗り物はできるだけ振動の少ないものとし，長時間の同一体位を避けるよう伝える	▶自身による運転は経過が順調なら短時間はよいが，シートベルトは腹部の膨らみを避けてベルトを着用する(図3) 根拠 長時間の同一体位は身体に負担がかかり，流早産や気分不快などの誘因となる 注意 シートベルトで腹部を締めつけない コツ できるだけパートナーや他の人に運転してもらうよう伝える ▶飛行機の搭乗は，正期産(妊娠37週)以降は医師の診断書や誓約書提出などの条件がある コツ 航空会社により取り扱いが異なるため問い合わせるよう伝える
・旅行は事前に医師や助産師に相談し，異常がないことを確認するよう説明する	▶同行者が必ずいて，体調に合わせてスケジュールが変更できるようにすること，母子健康手帳と健康保険証を必ず携帯するよう伝える 根拠 緊急時の対応ができるよう整えておく
④妊婦に質問や伝えたいことがないか確認し，相談を終了する	▶質問があれば対応し，なければ終了する．また，いつでも気軽に声をかけるよう，妊婦や家族に伝える
4 記録，評価をし，使用物品を片づける	
①保健相談の内容，観察した結果を外来診療録および相談用紙に記録する	▶妊婦の妊娠中の姿勢や日常生活動作に関する知識の内容と程度，セルフケア行動，姿勢や日常生活動作に対する考えや思いについて記録する 根拠 妊娠時期に応じて必要な内容を端的に記す ▶相談内容および相談中の妊婦の反応について記録する．次回または今後の健診時に確認，相談すべきことを明記する 根拠 継続した相談に努める
②外来診療録や使用した物品を元に戻し，後片づけをする	▶次の保健相談に備える

●文献

1）我部山キヨ子，武谷雄二編：助産学講座6　助産診断・技術学Ⅱ[1]妊娠期　第5版，pp.224-227，233-235，医学書院，2013

6 休息・睡眠

大林 陽子

目的
・妊婦が状態に応じた適切な休息・睡眠を取り入れられているか確認し，セルフケア行動を評価する．
・保健相談により，妊婦が望ましい休息・睡眠を取り入れ，ニーズが充足できるようにする．

チェック項目 妊娠時期や生活状況に応じた休息や睡眠に関する知識レベル，理解度，行動(セルフケア)状況，保健相談中の反応や様子，母親(両親)学級の受講状況，保健相談の状況，妊娠リスク自己評価表(初期，後半期)の評価

適応 すべての妊婦

注意 勤労妊婦には労働基準法などの規定を紹介する．

事故防止のポイント 妊婦の取り違え防止，転倒防止，過労による流早産・低出生体重児の予防

必要物品 外来診療録，妊娠リスク自己評価表(初期，後半期)，母子健康手帳，パンフレット類(施設ごとに作成され，妊婦に配付されているものなど)

手順

要点	留意点・根拠
1 保健相談の場の環境を調整する ①妊娠期に必要な保健相談の場の環境を調整しておく	▶ p.89「第1章-2【2】排泄」参照
2 保健相談の準備をする	▶ 妊婦が妊娠中の状態や生活に応じた適切な休息・睡眠を取り入れ，セルフケアできるよう保健相談の準備をする
①外来診療録，母子健康手帳から休息・睡眠に関する情報を収集する	▶ 外来診療録から妊娠週数，経過中の母児の状態の異常の有無・程度，勤労状況などの情報を得る．母子健康手帳の「妊婦の職業と環境」のページから職業と通勤状況を確認する **根拠** あらかじめ必要な情報を得ておく
②外来の待合室で妊婦に挨拶し，氏名，生年月日を確認し，外来診療録の氏名，生年月日と照合する．続いて，自己紹介をする	**根拠** 保健相談の導入とする．妊婦を緊張させないよう配慮する **事故防止のポイント** 妊婦の取り違えを防止する
③診察前の待ち時間に妊婦とコンタクトを取り，妊娠中の休息・睡眠に関する保健相談の必要性や内容，相談時間(全体で30分以内が望ましい)について説明し承諾を得る 	**根拠** 待ち時間および診察後の予定を確認し妊婦のスケジュールに配慮する．また，妊婦の希望にも応じる **コツ** 診察予定時間とのタイミングをはかり，診察前後のいつにするか妊婦と相談する **注意** 家族が付き添う場合，家族に配慮する

要点	留意点・根拠
※妊婦の都合がつかない場合，次回の健診時に予定してもらうか，妊娠週数に応じた母親(両親)学級への参加を促す ④妊婦を保健相談室に案内する	根拠 個別，集団のいずれかで休息・睡眠に関する知識を得られるように調整する ▶保健相談室に案内する際，排泄を済ませてもらう 根拠 妊娠中は頻尿のことが多い
3 保健相談を進める	▶妊婦が自身の状態や生活に応じた休息・睡眠のセルフケア行動をとれているか確認・評価しながら，必要な保健相談を行う
①妊娠経過に応じた休息に関する知識を確認，評価しながら，必要な保健相談を行う	
・妊娠中の休息に関する知識の内容や程度，セルフケア状況(内容，程度)，妊婦が生活に取り入れたり気をつけていることを問診する	根拠 休息に関する知識やセルフケア行動を把握し，相談内容の必要性を判断する コツ セルフケアできていることは認め，継続を促す
・休息を多めにとるよう勧める	▶妊娠中は身体の生理的変化により，非妊時より疲れやすく，回復に時間がかかる 根拠 疲労の蓄積は妊娠経過中の異常の誘因となることがある コツ セルフケアできていることは認め，継続を促す
・できれば午前・午後に 30 分程度の休息を勧める	▶眠れなくても横になって目を閉じたり，横になれない時でも長座位で下肢を伸ばして座り，ゆっくり呼吸するだけでも休息の効果があると伝える コツ 妊婦の生活リズムに応じた休息のタイミングを妊婦自身が決められるよう促していく．勤労妊婦の場合，休憩時間に短時間でも休息し，リラックスするよう勧める
・生活の中に取り入れられるリラックスの方法を説明する	
《深呼吸》 ・息をしっかり吐いた後，鼻からゆっくりお腹を膨らませるように息を吸い(5 秒)，口からゆっくり吐く(5 秒)．同時に身体(特に肩)の力を抜いて全身のリラックスをする	▶夫(パートナー)と一緒に行い，胸郭が動かず，腹部が膨らんでいるのを確認してもらう 根拠 分娩準備になるとともに，妊娠生活を共有できる コツ 息の吸いすぎによる過換気にならないように息を吐くことを意識するよう伝える
《マッサージ(圧迫法，軽擦法)》(図 1) ・指圧したり，もみほぐしたり，さすったりする方法がある	▶自分で手足や腹部，腰部をマッサージしたり，パートナーに腰背部，腹部をマッサージしてもらうことを勧める 根拠 パートナーの役割遂行につながるとともに，分娩準備になり，妊娠生活を共有できる
《入浴・足浴》 ・心身のストレス解消を目的に，38〜40℃ のややぬるめの湯に 10 分以内で入浴することや，好みに応じて入浴剤を入れてリラックスすることを勧める．また，椅子に座り，38〜40℃ の湯を入れた洗面器に足をつけ，5〜10 分程度温める足浴を勧める	根拠 長湯は疲労につながる．身体を温めることは良好な入眠に誘う．足浴は湯が少なすぎるとすぐに冷めるので，ある程度の量を準備するよう説明する 事故防止のポイント 腹部の増大により足元が見えにくく，姿勢が不安定になりやすいので転倒防止に努める

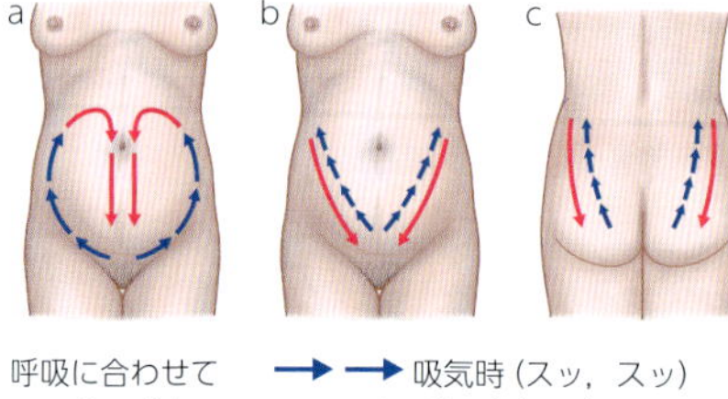

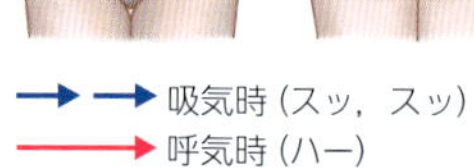

パートナーによる
腹部のマッサージ

図1　腹部，腰部のマッサージ
我部山キヨ子，武谷雄二編：助産学講座6　助産診断・技術学Ⅱ［1］妊娠期　第5版，p.269，医学書院，2013を改変

要点	留意点・根拠
《アロマセラピー》 ・入浴や足浴，温湿布の際，湯の中に好みのアロマオイルを1～3滴入れて，リラックス効果が得られるような工夫を紹介する	▶妊婦が好みに応じて選択する コツ セルフケアできていることは認め，継続を促す
②勤労妊婦の状態や状況に応じた法的保護の活用に関する知識を確認，評価しながら，必要な休息がとれるよう保健相談を行う	
・妊婦に勤労・通勤状況と休息状況，自ら活用している社会資源や生活の中で気をつけていることを問診する  図2　マタニティマーク	▶勤労妊婦に重労働や深夜業務，通勤状況（ラッシュアワーの混雑），仕事と家事の二重負担が流早産や低出生体重児のリスクになることを説明する コツ 社会資源の活用，セルフケアできていることは認め，継続を促す．電車やバスなどの公共交通機関で通勤する場合，駅，役所，保健センターなどで配布している「マタニティマーク（おなかに赤ちゃんがいます）」（図2）を利用するとよいと伝える 事故防止のポイント 過労による流早産や低出生体重児の予防に努める
・妊婦の法的保護に関する知識や活用状況に応じて必要な知識を提供する	▶母子健康手帳の「働く女性・男性のための出産，育児に関する制度」「母性健康管理指導事項連絡カード」（図3）のページを紹介し，利用方法を説明する．特に医師などから妊娠中の通勤緩和，就労時間の短縮，休憩に関する措置などの指導を受けた場合には，職場に申請し，適切な調整をしてもらうよう伝える．妊婦に関して労働基準法，男女雇用機会均等法では次頁のように定められている **《労働基準法》** 産前（6週間，多胎妊娠の場合14週間）・産後（8週間，本人の請求により6週間）の休業，妊産婦に関わる危険有害業務の就業制限，時間外労働の禁止

（表）

母性健康管理指導事項連絡カード

平成　　年　　月　　日

事 業 主 殿

医療機関等名……………………

医師等氏名……………………印

下記の1の者は、健康診査及び保健指導の結果、下記2～4の措置を講ずることが必要であると認めます。

記

1 氏名等

氏 名		妊娠週数	週	分娩予定日	年　月　日

2 指導事項（該当する指導項目に○を付けてください。）

症状等			指導項目	標準措置
つわり	症状が著しい場合			勤務時間の短縮
妊娠悪阻				休業（入院加療）
妊婦貧血	Hb9g/dl以上11g/dl未満			負担の大きい作業の制限又は勤務時間の短縮
	Hb9g/dl未満			休業（自宅療養）
子宮内胎児発育遅延		軽症		負担の大きい作業の制限又は勤務時間の短縮
		重症		休業（自宅療養又は入院加療）
切迫流産（妊娠22週未満）				休業（自宅療養又は入院加療）
切迫早産（妊娠22週以後）				休業（自宅療養又は入院加療）
妊娠浮腫		軽症		負担の大きい作業、長時間の立作業、同一姿勢を強制される作業の制限又は勤務時間の短縮
		重症		休業（入院加療）
妊娠蛋白尿		軽症		負担の大きい作業、ストレス・緊張を多く感じる作業の制限又は勤務時間の短縮
		重症		休業（入院加療）
妊娠高血圧症候群（妊娠中毒症）	高血圧が見られる場合	軽症		負担の大きい作業、ストレス・緊張を多く感じる作業の制限又は勤務時間の短縮
		重症		休業（入院加療）
	高血圧に蛋白尿を伴う場合	軽症		負担の大きい作業、ストレス・緊張を多く感じる作業の制限又は勤務時間の短縮
		重症		休業（入院加療）
妊娠前から持っている病気（妊娠により症状の悪化が見られる場合）		軽症		負担の大きい作業の制限又は勤務時間の短縮
		重症		休業（自宅療養又は入院加療）

（裏）

症状等			指導項目	標準措置
妊娠中にかかりやすい病気	静脈瘤	症状が著しい場合		長時間の立作業、同一姿勢を強制される作業の制限又は横になっての休憩
	痔	症状が著しい場合		
	腰痛症	症状が著しい場合		長時間の立作業、腰に負担のかかる作業、同一姿勢を強制される作業の制限
	膀胱炎	軽症		負担の大きい作業、長時間作業場所を離れることのできない作業、寒い場所での作業の制限
		重症		休業（入院加療）
多胎妊娠（　　胎）				必要に応じ、負担の大きい作業の制限又は勤務時間の短縮 多胎で特殊な例又は三胎以上の場合、特に慎重な管理が必要
産後の回復不全		軽症		負担の大きい作業の制限又は勤務時間の短縮
		重症		休業（自宅療養）

標準措置と異なる措置が必要である等の特記事項があれば記入してください。

3 上記2の措置が必要な期間（当面の予定期間に○を付けてください。）

期間	
1週間（　月　日～　月　日）	
2週間（　月　日～　月　日）	
4週間（　月　日～　月　日）	
その他（　　　　）	

4 その他の指導事項（措置が必要である場合は○を付けてください。）

指導事項	
妊娠中の通勤緩和の措置	
妊娠中の休憩に関する措置	

〔記入上の注意〕

(1)「4　その他の指導事項」の「妊娠中の通勤緩和の措置」欄には、交通機関の混雑状況及び妊娠経過の状況にかんがみ、措置が必要な場合、○印をご記入ください。

(2)「4　その他の指導事項」の「妊娠中の休憩に関する措置」欄には、作業の状況及び妊娠経過の状況にかんがみ、休憩に関する措置が必要な場合、○印をご記入ください。

指導事項を守るための措置申請書

上記のとおり、医師等の指導事項に基づく措置を申請します。

平成　　年　　月　　日

所属……………………

氏名……………………印

事 業 主 殿

この様式の「母性健康管理指導事項連絡カード」の欄には医師等が、また、「指導事項を守るための措置申請書」の欄には女性労働者が記入してください。

図3　母性健康管理指導事項連絡カード

要点	留意点・根拠
	《男女雇用機会均等法》 健康診査や保健指導を受ける時間の確保，指導事項が遵守できるための措置（通勤緩和，休憩および休業など） **コツ** 職場の事情により取得しにくい，申し出にくい場合もあるが，自己申告によるため，まずは上司に相談することを勧め，可能な範囲で妊婦の状態や状況に応じた活用を促す
③妊娠経過に応じた睡眠に関する知識を確認，評価しながら，必要な保健相談を行う ・妊娠中の睡眠に関する知識の内容や程度，セルフケア状況（内容，程度），睡眠障害（入眠障害，中途覚醒，早朝覚醒）の有無，妊婦が生活に取り入れたり気をつけていることを問診する ・妊娠中は頻尿のため夜間の睡眠を中断してトイレに起きたり，胎動や息苦しさにより中途覚醒したり，入眠障害があるなど，十分な睡眠がとりにくいことを伝える ・寝室の環境を整え，室温を調整したり，抱き枕やクッションなどの寝具を使い，楽な体位を整えるなどの工夫を勧める	**根拠** 睡眠に関する知識やセルフケア行動，睡眠状況を把握し，相談内容の必要性を判断する **コツ** 妊婦の睡眠障害を受けとめながら，セルフケアできていることは認め，継続を促す ▶このため，8時間程度の睡眠時間を勧め，熟睡感がない時は昼間の休息（睡眠）で補うよう伝える **コツ** 妊婦の生活リズムを確認し，生活に取り入れられる方法を見いだせるよう相談にのる ▶シムス位で枕を頭に当てて，うつ伏せ気味に横になり，膝関節を軽く曲げて片方の下肢をクッションの上にのせた体位を勧める **コツ** いろいろな体位をとってみて，自分が楽に感じる体位を見いだすよう伝える

要点	留意点・根拠
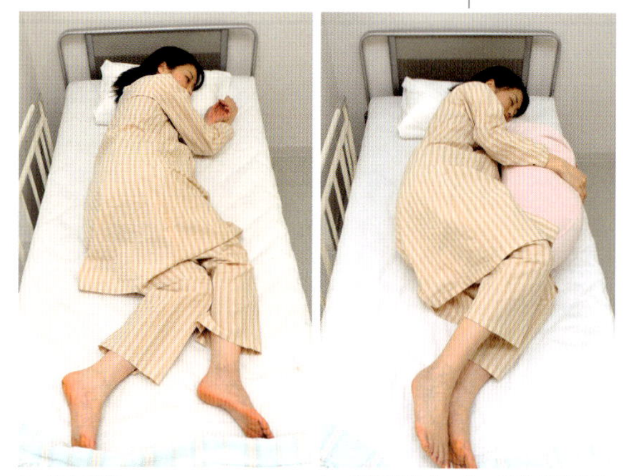 a. シムス位　　b. 抱き枕やクッションなどを使う 自分が楽な体位で眠ることを勧める	
④妊婦に質問や伝えたいことがないか確認し，相談を終了する	▶質問があれば対応し，なければ終了する．また，いつでも気軽に声をかけるよう，妊婦や家族に伝える
4 記録，評価をし，使用物品を片づける	
①保健相談の内容，観察した結果を外来診療録および相談用紙に記録する	▶妊婦の妊娠中の休息・睡眠に関する知識の内容と程度，セルフケア行動，休息・睡眠に対する考えや思いについて記録する **根拠** 妊娠時期に応じて必要な内容を端的に記す ▶相談内容および相談中の妊婦の反応について記録する．次回または今後の健診時に確認，相談すべきことを明記する **根拠** 継続した相談に努める
②外来診療録や使用した物品を元に戻し，後片づけをする	▶次の保健相談に備える

文献

1）我部山キヨ子，武谷雄二編：助産学講座6　助産診断・技術学Ⅱ[1]妊娠期　第5版，pp.236-237，269-270，医学書院，2013

7 衣生活(更衣)

大林 陽子

目的
・妊婦が状態に応じた適切な衣生活(衣類の選択,更衣など)をできているか確認し,セルフケア行動を評価する.
・保健相談により,妊婦が望ましい衣類を選択し,ニーズが充足できるようにする.

チェック項目 妊娠時期の状態に応じた衣生活に関する知識レベル,理解度,行動(セルフケア)状況,保健相談中の反応や様子,母親(両親)学級の受講状況,保健相談の状況,妊娠リスク自己評価表(初期,後半期)の評価

適応 すべての妊婦

注意 妊娠の時期に応じたデザイン,素材のものを紹介する.

事故防止のポイント 妊婦の取り違え防止,転倒防止

必要物品 外来診療録,妊娠リスク自己評価表(初期,後半期),母子健康手帳,パンフレット類(施設ごとに作成され,妊婦に配付されているものなど)

手順

要点	留意点・根拠
1 保健相談の場の環境を調整する ①妊娠期に必要な保健相談の場の環境を調整しておく	▶ p.89「第1章-2【2】排泄」参照
2 保健相談の準備をする	▶妊婦が妊娠中の状態に応じて衣類を選択し,セルフケア行動がとれるように,保健相談の準備をする
①外来診療録,母子健康手帳から情報を収集する	▶妊娠週数,母児の状態(経過中の異常の有無,内容など),母親(両親)学級受講状況などの情報を得る **根拠** あらかじめ必要な情報を得ておく
②外来の待合室で妊婦に挨拶し,氏名,生年月日を確認し,外来診療録の氏名,生年月日と照合する.続いて自己紹介をする	**根拠** 保健相談の導入とする.妊婦を緊張させないよう配慮する **事故防止のポイント** 妊婦の取り違えを防止する
③診察前の待ち時間に妊婦とコンタクトを取り,妊娠中の衣生活に関する保健相談の必要性や内容,相談時間(全体で30分以内が望ましい)について説明し,承諾を得る	**根拠** 待ち時間および診察後の予定を確認し,妊婦のスケジュールに配慮する.また,妊婦の希望にも応じる **コツ** 診察予定時間とのタイミングをはかり,診察前後のいつにするか妊婦と相談する **注意** 家族が付き添う場合,家族に配慮する
※妊婦の都合がつかない場合,次回の健診時に予定してもらうか,妊娠週数に応じた母親(両親)学級への参加を促す	**根拠** 個別,集団のいずれかで衣生活に関する知識を得られるように調整する
④妊婦を保健相談室に案内する	▶保健相談室に案内する際,排泄を済ませてもらう **根拠** 妊娠中は頻尿のことが多い
3 保健相談を進める	▶妊婦が自身の状態に応じた衣生活のセルフケア行動をとれているかを確認・評価しながら,必要な保健相談を行う

要点	留意点・根拠
①妊娠による身体の変化とそれに応じた衣生活に関する知識を確認，評価する	▶妊娠による身体の変化や程度とそれに応じた衣生活のセルフケア行動(衣類の選択，更衣，衣類の洗濯頻度など)，妊婦が工夫していることを問診する **根拠** 衣生活の状況を把握し，相談内容の必要性を判断する **コツ** セルフケアできていることは認め，継続を促す
②妊娠中の全身の体型の変化とそれに応じた衣生活に関する保健相談を行う ・体型の変化に応じたデザイン，素材，経済性をふまえて衣類を選択するよう伝える 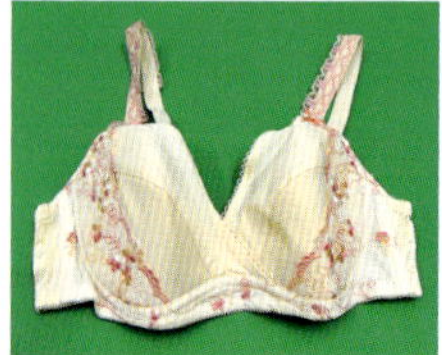 ブラジャー 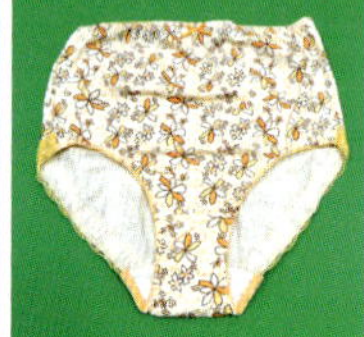 ショーツ 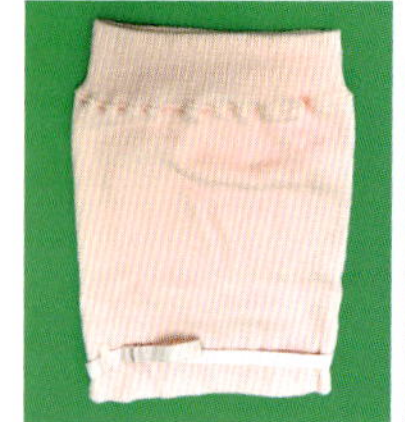 腹巻タイプ 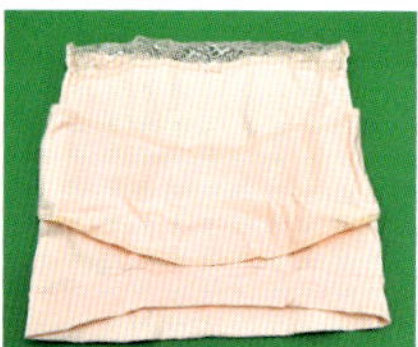 コルセットタイプ 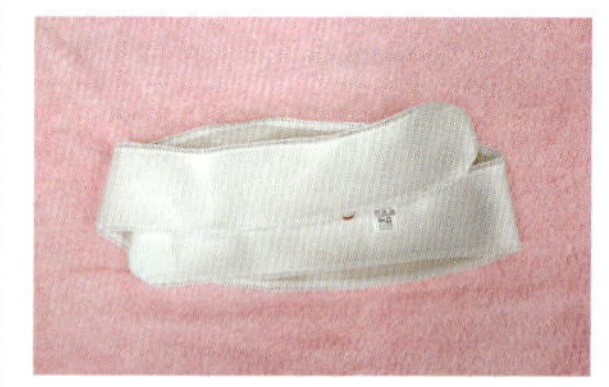 ベルトタイプ 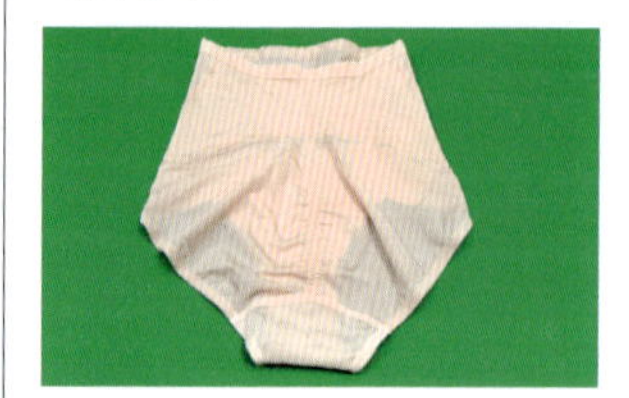 ガードルタイプ	▶デザインは体型や寒暖に応じて調節でき，楽に着脱できるもので，腹部を締めつけないものを勧める．素材は洗濯や手入れがしやすく，皮膚への刺激が少ないもので，夏季は吸湿性，通気性に富む綿，冬季は保温性に富んだものがよい．経済性をふまえて妊婦服と授乳服を兼ねたもの，チュニックのような非妊時にも着用できるものを利用する **コツ** ボディイメージの変化を受け入れ，妊婦としての自己受容にもつながるため，満足感も得られるよう妊婦が衣服を選択，工夫できるようにする．妊婦の知識の程度に応じて必要な情報を提供する ▶下着(ブラジャー，ショーツ)は発汗や腟分泌物の増加に対応した通気性，吸湿性に富む綿を勧める．ブラジャーは，妊娠12週頃から乳房が大きくなり始めるのに応じて締めつけない，ゆったりとしたもの．また，経済面をふまえて授乳用のソフトブラジャーを勧める **コツ** 乳房の変化には個人差があること，乳房が大きい場合はブラジャーで支えると肩こりが軽減することを伝える ▶腹帯，妊婦用ガードルは増大した腹部を支えて保護し，正しい姿勢を保つこと，冬季は保温などの身体的効用もあるが，それ以上に妊婦としての自覚が高まることや周囲の人からの祝福やいたわりを得る精神的効用がより大きいことを伝える **コツ** 腹巻タイプは腹部の支持性に欠けるが，容易に着けられ保温性が高く，比較的安価である．ガードルタイプやコルセットタイプ，ベルトタイプは伸縮性があるので腹部の増大に応じて調節でき，支持性があるが，やや高価である．妊婦が自分に合った腹帯を選択できるよう情報を提供する

要点	留意点・根拠
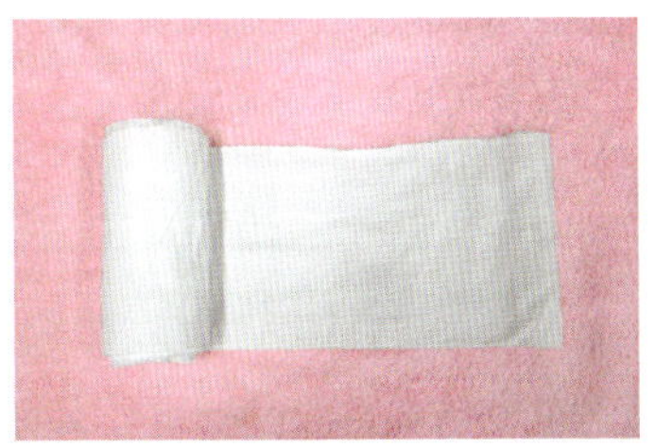 さらし木綿(岩田帯)	▶岩田帯(妊婦が腹部に巻く白布の帯)はさらしのため吸湿性，保温性に富み，腹部の増大に応じて調節できるが，巻くのに時間がかかり着崩れしやすい．周囲の祝福を受けた岩田帯を持参する妊婦もいるため，巻き方を説明したり，実際に巻いて，妊婦が自分で巻けるようにする 根拠 妊娠5か月の戌(いぬ)の日に巻いて安産を願う「帯祝」という日本独特の風習であるため，精神的効用が大きい．妊婦の希望に応じる
③妊娠中の全身の体型の変化とそれに応じた履き物(靴)に関する保健相談を行う	▶妊娠中は腹部の増大に伴い，身体の重心が前方に移動するため足元が見えにくく，バランスが崩れて転倒しやすい．履き物はかかとが十分広く，高さのないもので，靴底に滑り止めの付いたものを勧める 事故防止のポイント 後期は特に転倒防止に注意を払う コツ 下肢に浮腫がみられると履き物がきつくなるので，紐などで調節できるものを勧める コツ セルフケアできていることは認め，継続を促す
④妊婦に質問や伝えたいことがないか確認し，相談を終了する	▶質問があれば対応し，なければ終了する．また，いつでも気軽に声をかけるよう，妊婦や家族に伝える
4 記録，評価をし，使用物品を片づける ①保健相談の内容，観察した結果を外来診療録および相談用紙に記録する	▶妊婦の妊娠中の体型の変化と衣生活に関する知識の内容と程度，セルフケア行動，衣生活に対する考えや思いについて記録する 根拠 妊娠時期に応じて必要な内容を端的に記す ▶相談内容および相談中の妊婦の反応について記録する．次回または今後の健診時に確認，相談すべきことを明記する 根拠 継続した相談に努める
②外来診療録や使用した物品を元に戻し，後片づけをする	▶次の保健相談に備える

●文献

1）我部山キヨ子，武谷雄二編：助産学講座6　助産診断・技術学Ⅱ[1]妊娠期　第5版，pp.240-243，医学書院，2013

2）森恵美：系統看護学講座　専門分野Ⅱ　母性看護学2　第13版，pp.147-151，医学書院，2019

8 出産準備

大林 陽子

目的
・妊婦と夫(パートナー)が妊娠を受容し，胎児を受容して良好な関係がとれているか確認し，評価する.
・母親・父親役割の受けとめ方を確認し，役割を遂行するための準備状況を確認，評価する.
・保健相談により，妊婦とパートナーが妊娠や胎児を受容し，母親・父親役割を自覚し，役割を遂行するための準備ができるようにする.
・妊婦健診の受診行動がとれ，出産に向けた身体的・心理社会的準備状況を確認，評価する.
・保健相談により，出産に向けて自ら身体的・心理社会的準備に取り組み，整えられるようにする.

チェック項目 妊娠の受容状況，胎児との関係，母親・父親役割に関する知識レベルや取り組み状況，受診行動の状況，出産準備状況，母親(両親)学級の受講状況，保健相談の状況，保健相談中の反応や様子，妊娠リスク自己評価表(初期，後半期)の評価

適応 すべての妊婦

注意 パートナーが同席する時は話題に加われるよう配慮し，役割遂行意識を高める機会とする．妊婦が行動できるよう具体的な指示と情報を提供する.

事故防止のポイント 妊婦の取り違え防止

必要物品 外来診療録，妊娠リスク自己評価表(初期，後半期)，母子健康手帳，パンフレット類(施設ごとに作成され，妊婦に配付されているものなど)

手順

要点	留意点・根拠
1 保健相談の場の環境を調整する ①妊娠期に必要な保健相談の場の環境を調整しておく	▶ p.89「第1章-2【2】排泄」参照
2 保健相談の準備をする	▶ 妊婦が自分なりの出産準備ができるよう保健相談の準備をする
①外来診療録，母子健康手帳から妊娠の受容や出産準備に関する情報を収集する	▶ 外来診療録および妊娠リスク自己評価表から妊娠週数，経過中の母児の状態の異常の有無・程度，初診日，妊婦定期健康診査の受診状況，母子健康手帳の「子の保護者」「妊婦の健康状態等」のページから婚姻の有無と時期(年齢)，「母親(両親)学級受講記録」のページから受講状況を確認し，保健相談記録からバースプランなどの情報を得る **根拠** あらかじめ必要な情報を得ておく
②外来の待合室で妊婦に挨拶し，氏名，生年月日を確認し，外来診療録の氏名，生年月日と照合する．続いて自己紹介をする	**根拠** 保健相談の導入とする．妊婦を緊張させないよう配慮する **事故防止のポイント** 妊婦の取り違えを防止する

要点	留意点・根拠
③診察前の待ち時間に妊婦とコンタクトを取り，出産準備に関する保健相談の必要性や内容，相談時間（全体で 30 分以内が望ましい）について説明し，承諾を得る  保健相談（出産準備）の必要性を説明する	**根拠** 待ち時間および診察後の予定を確認し，妊婦のスケジュールに配慮する．また，妊婦や家族の希望に応じる **コツ** 診察予定時間とのタイミングを図り，診察前後のいつにするか妊婦と相談する **注意** 家族が付き添う場合，家族に配慮する．特にパートナーは一緒に参加するよう勧める
※妊婦の都合がつかない場合，次回の健診時に予定してもらう．また，妊娠 28 週以降は出産準備の母親（両親）学級に，可能な範囲でパートナーとともに参加するよう説明する	**根拠** 個別相談に加え，母親（両親）学級への参加は，妊婦同士が不安や悩みを共有したり解決し合い，妊婦同士の仲間づくりの場になる．また，出産の身体的・心理社会的な準備をパートナーとともに行うことで，絆が深まるだけでなく，パートナーの役割遂行と自己効力感につながる **コツ** 両親学級がある場合，その意義を伝え，出産準備（妊娠後期）の学級にはできるだけパートナーとの参加を勧める
④妊婦を保健相談室に案内する	▶ 保健相談室に案内する際，排泄を済ませてもらう　**根拠** 妊娠中は頻尿のことが多い
3 妊娠の受容，胎児・家族との関係について保健相談を進める	▶ 妊婦が妊娠を受容し，胎児との良好な関係がとれているか確認・評価しながら，必要な保健相談を行う
①初診日と婚姻の時期，妊娠がわかった時の気持ち，家族の反応について問診する．また，自分の妊娠経過や健康状態，ボディイメージ，パートナーを含む家族のサポート状況を確認する	**根拠** 初診日と婚姻の時期は計画した妊娠かどうかの目安となる **コツ** 出産準備に関する保健相談の時期は妊娠後期であるため，これまでに妊娠の受容やボディイメージの受容に至っていると考えられる．一方，受容していない場合，その理由を聞きながら，肯定的受容につながるよう妊婦を認め，支持する
②胎児に対する気持ちや思い，イメージ，コミュニケーションのとり方について問診しながら，妊婦が腹部を触ったり，胎児に話しかけたりする様子を観察し，胎児との関係や受容の程度を確認する	**根拠** 胎児の話を嬉しそうにする，コミュニケーションをとるなどの行動は胎児を受容し，関係が深まっていることを表す **コツ** 妊婦の胎児との関係の程度に応じて，積極的なコミュニケーションを勧める
③母親となる自分を想像したり，母親役割をどのように意識しているか，出産，育児に対して自分なりに準備していることを問診する	**根拠** 自分の姉妹や友人が出産・育児を経験していると，母親としてのイメージができやすい．過去の育児経験も母親役割の獲得をスムーズにする **コツ** 妊婦が自分なりに意識して準備したり，情報を得ている場合，それを認め，継続を促す
④パートナーの妊娠・出産の受容状況や父親としての意識，サポート状況（妊婦健診や母親・両	**根拠** パートナーが健診や両親学級に同行することは，父性意識の発達や父親役割の獲得が順調と

要点	留意点・根拠
親学級の同行の有無）について問診する．自宅でパートナーが妊婦の腹部を触る，胎児に話しかけるなどの行動がみられるか確認する	考えられ，妊婦にとり心強い存在となる コツ パートナーの状況に応じて，妊婦や胎児とのコミュニケーションを勧め，父性意識の発達や父親役割の獲得を促すよう勧める
⑤上の子どもがいる場合，子どもが急に甘える，反抗的になる，できていた生活行動ができなくなるなどの退行現象があるか確認する．妊婦健診に上の子どもが同行している場合，胎児に話しかけたり妊婦の腹部を触るなどを行って，上の子どもの様子や反応を確認する．また，その際の妊婦の，上の子どもの反応に対する捉え方を観察する	根拠 上の子どもの発達段階（年齢）により様々な反応がみられる．妊婦が子どもの反応を否定的に捉えている場合，ストレスになる コツ 妊婦と上の子どもの状況に応じて，子どもの反応はきょうだいの受容過程でみられる通常の反応であると伝える．また，時には上の子どもを抱きしめて甘えさせたり，上の子どもが新生児だった頃の話をしたり，胎児のことを「○○ちゃん（上の子どもの名前）とママの赤ちゃん」と話すよう勧める．それにより，退行現象も徐々にやわらぐことを伝える．また，上の子どもの機嫌がよい時に妊婦のお腹を触らせる，一緒に胎児に話しかけるなど，きょうだいを徐々に受容できる方法を伝える 注意 退行現象がみられない場合でも，子どもが我慢してストレスになっていることがあるので注意が必要であると伝える
⑥出産準備として，妊婦である自己を受容して母親役割の獲得を徐々に進めること，同様にパートナーの父親役割の獲得も進めていくのが望ましいと伝える	コツ できていることは認め，継続を促す
4 出産準備状況について保健相談を進める	▶妊婦が望ましい出産育児行動がとれるよう，出産準備状況を確認・評価しながら，必要な保健相談を行う
①妊婦健診の受診行動を確認，評価しながら，必要な保健相談を行う 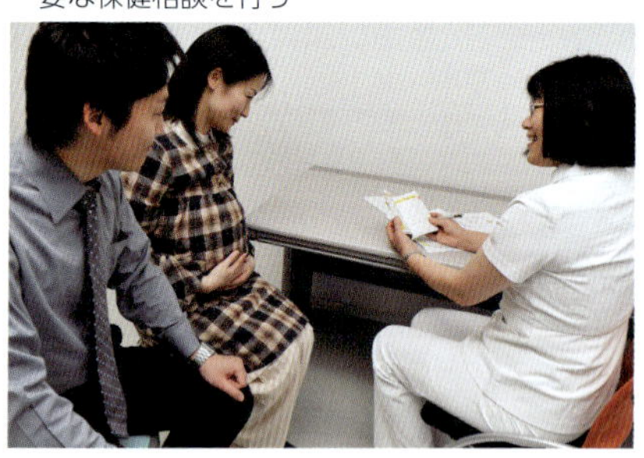	
・妊婦が妊婦健診の必要性を理解し，定期的に受診しているか確認する	根拠 適切な受診行動は妊婦が自身や胎児の健康に気をつけて，妊娠，出産，育児に主体的に取り組んでいる目安となる コツ 妊婦健診の必要性の理解や受診行動に応じて，できていることを認め，継続を促す
・母子健康手帳の活用・記入状況を確認し，自身の妊娠中から出産後，子どもの小学校就学までの健康の記録として活用することを勧める	根拠 母子双方の健康管理の意識の高揚，健康増進につながる

要点	留意点・根拠
②出産への身体的準備の状況を確認・評価しながら，必要な保健相談を行う 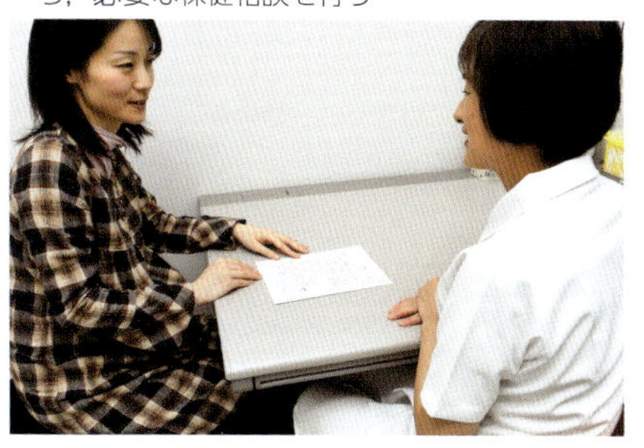	
・分娩が近づいた徴候，入院時期と対処方法，分娩経過と過ごし方に関する知識を確認し，その程度に応じた知識を提供する	**《分娩が近づいた徴候》** 不規則な陣痛，産徴（おしるし），児頭が骨盤腔内に下降することによる胎児の下降感，胃がすっきりして食欲が増す，頻尿になる，大腿の付け根が痛くなるなどを自覚すると伝える 注意 胎動は減少してもなくならないことを強調し，胎動がない時は速やかに病院に連絡して受診するよう伝える コツ 妊婦の知識の程度を確認しながら，必要な情報を提供する．理解できていたらそれを認める **《入院の時期》** ・陣痛の間欠が 10 分以内になった時（経産婦では 15 分程度でも腰痛や下腹部痛が強い時） ・破水した時（対応：パッドを当てておく．留意点：羊水の量は人により様々で，尿は意識して止めることができるが，羊水は止まらないこと，アンモニア臭がしないことで識別する） ・出血が多量の時 以上の症状がある時は病院に連絡するよう伝える．また，判断に迷った時も病院に連絡するよう説明する コツ 事前に母親（両親）学級の受講状況を確認し，妊婦の知識の程度を確認しながら相談を進める．十分な知識がある場合，それを認め，行動できるよう促す **《分娩経過と過ごし方》** 分娩経過について説明し，産痛緩和のためのタッチング，マッサージ法，圧迫法，自律訓練法，漸進的リラクセーション法，体位の工夫，イメジェリーを妊娠中からパートナーとともに練習することを勧める 根拠 妊婦と家族の主体的な出産への心身の準備，出産の共有につながる コツ 妊婦の知識の程度に応じて，実際に行う ▶ 過ごし方の工夫は p.248「第 2 章-3【4】産痛緩和」参照
・分娩時の補助動作の種類・方法の知識の程度，学習・練習状況を確認する	根拠 練習しているのは主体的に出産に臨もうとする姿勢の表れである

要点	留意点・根拠
	コツ できていることは認め，継続を促す
③入院する病院の入口や入院手続きの方法(窓口，必要書類)について確認し，必要に応じて情報を提供する	根拠 平日時間内は通常の入口・窓口であるが，平日時間外や休日は入口・窓口が異なることが多い コツ 事前に確認するよう勧める

通常の病院正面玄関

時間外玄関

要点	留意点・根拠
④出産・育児に必要な物品の準備状況を確認，評価しながら，必要な保健相談を行う	▶出産・育児に必要な物品の準備状況を確認し，妊娠 20 週頃から少しずつ準備を始め，32 週頃までに済ませるよう説明する．入院時に必要な物品はバッグに入れて，いつでもすぐに持って行けるようにしておくことを伝える 根拠 余裕をもって準備する．必要物品を整えることは，出産への心身の準備，親意識の高揚につながり，胎児への愛着が強まる コツ パートナーとともに準備することを勧める．準備できていることは認め，継続を促す

必要物品一式をバッグに入れて準備しておく

要点	留意点・根拠
⑤バースプランをはじめとする具体的な出産の準備状況を確認・評価しながら，必要な保健相談を行う	▶バースプランの内容や妊婦・家族の思いを聞く(図 1)．出産体位・方法，陣痛室や分娩室での過ごし方(部屋や照明などの環境，音楽，活動，飲食など)，付き添いや出産の立会いの希望(誰に，いつ，何をしてほしいか)，処置に関する希望(会陰切開，臍帯切断など)，出産直後の児との接触や授乳，家族との過ごし方の希望を確認する．また，母乳育児，入院中・退院後の生活や育児の希望も確認する 根拠 妊婦・家族の主体的な出産への心身の準備，出産の共有につながる コツ 知識を提供しながら，妊婦が自ら選択できるようにする．十分な情報を得て家族と相談すること，出産までは希望を変更できると伝える
⑥出産・育児の学習行動の状況を確認，評価しながら，必要な保健相談を行う	▶母親(両親)学級の受講状況，妊娠・出産に関する情報の入手方法(テレビ，雑誌，友人，家族など)と内容，および情報の正確さ，パートナーの協力状況を確認し，妊婦自ら情報を得て選択することを勧める 根拠 積極的な学習行動が主体的な出産につながる

バースプラン用紙

お名前 ○○ ○○　（記入日 ○年 3月10日）
出産予定日 ○年 5月10日
電話番号 078－233－○○○○

出産や育児についての希望をご自由にお書きください。
安全を最優先した上で，できるだけご希望に沿えるようにいたします。

【どのようなお産を希望されていますか？】

○陣痛があるときの過ごし方、希望するお産
- なるべく痛みをのがせるように、いろいろな姿勢をとりたい
- 好きな音楽（CD）を聞いて過ごしたい。
- 自分とダンナさんが一緒に出産したという感じの出産をしたい。

○立ち会う人（家族、医師・助産師など）とその人にして欲しいこと
- ダンナさんにそばにいて欲しい
- できるだけ楽にいられるように助産師さんや医師には呼吸法を教えてもらったり、どうすればいいか提案して欲しい。励まして欲しい。

○気になっていることやして欲しくないこと
- できるだけ痛いことはして欲しくない。
- 出産までどのくらいかかるのか、教えて欲しい。

○赤ちゃんが生まれたらしたいこと
- すぐに抱っこしたい（カンガルーケア）
- 母乳を飲ませてあげたい。

○その他
- できれば陣痛促進剤を使わず、自然に産みたい。
- わからないことばかりなので、いろいろ教えて欲しい。

【産後はどのようなことを希望されていますか？】

○授乳について
- できるだけ母乳で育てたいけど、そんなにこだわってはいません。
- 夜、眠れない時や疲れた時は助けて欲しい。

○入院生活や食事について
- できるだけ赤ちゃんと一緒に過ごす時間を多くしたいけど、眠れない時は助けて欲しい。
- ダンナさんや家族が面会に来た時も赤ちゃんに会えるようにしたい。

○その他

図1　バースプラン用紙の例

要点	留意点・根拠
	注意 雑誌の情報や出産経験者の体験談は妊婦の不安を増強することもあるので，内容を確認し，情報を適切に理解できるようにする **コツ** 妊婦の不安や疑問を表出できる雰囲気や環境を整え，妊婦の気持ちや思いに寄り添いながら話を進める
⑦妊婦に質問や伝えたいことがないか確認し，相談を終了する	▶質問があれば対応し，なければ終了する．また，いつでも気軽に声をかけるよう，妊婦や家族に伝える
5 記録，評価をし，使用物品を片づける ①保健相談の内容，観察した結果を外来診療録および相談用紙に記録する	▶妊婦の出産準備に関する知識の内容と程度，セルフケア行動，出産や出産準備に対する考えや思いについて記録する **根拠** 妊娠時期に応じて必要な内容を端的に記す ▶相談内容および相談中の妊婦の反応について記録する．次回または今後の健診時に確認，相談すべきことを明記する **根拠** 継続した相談に努める
②外来診療録や使用した物品を元に戻し，後片づけをする	▶次の保健相談に備える

●文献

1）我部山キヨ子，武谷雄二編：助産学講座6　助産診断・技術学Ⅱ［1］妊娠期　第5版，pp.258-275，医学書院，2013

第2章
産婦のケア

1
産婦のアセスメント

1 インタビュー(問診)

石村 由利子

目的
・分娩経過の診断に必要な主観的情報を得る．
・産婦の身体的・心理的状態を知り，分娩管理に必要な情報を得る．
・ハイリスク因子をスクリーニングする．

チェック項目 主訴，身体的情報，心理的情報，家族の情報，日常生活に関する情報

適応 すべての産婦

注意 個人情報の管理について十分な配慮をする．産婦の疲労に配慮し，一定の時間内に終了する．分娩進行の時期によっては十分な情報収集より処置を急ぐ場合がある．状況を的確に判断する．応答できない産婦ではカルテからの情報，他の診察法によって情報収集を行う．

禁忌 胎児娩出が切迫している産婦，陣痛が強度で応答できない状態の産婦には行わない．

事故防止のポイント プライバシーの保護，産婦の取り違え防止

必要物品 外来診療録，看護記録，チェックリスト，メモ用紙，筆記用具など

手順

要点	留意点・根拠
1 環境を整える ①診察室の環境を整える	▶プライバシーが保護される環境を準備する **根拠** 産婦人科の問診には対象のプライバシーに関わることや羞恥心を喚起する内容のものが多い．産婦に質問する場は診察室とは限らない．質問内容は場に応じたものに限定する **注意** 個人情報の保護に対する配慮が必要である **事故防止のポイント** プライバシーの保護に努める
②観察者と産婦の位置に注意を払う 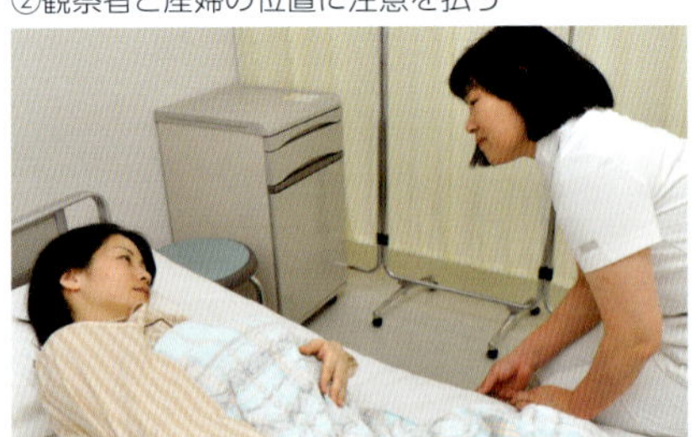 ベッド上の産婦に対する位置に注意を払う	**根拠** 妊娠期の定期健診と異なり，入院中の産婦へのインタビューでは，ベッド上にいる対象に対して話しかけることが多い．見下ろす形で話しかけることは，産婦に圧迫感を与えることを承知しておく
2 産婦の準備を整える ①定期的な観察時のみならず，いつでも話を聞く準備があることを知っておいてもらう	▶いつでも訴えを聞く準備があることを知らせておく **根拠** 入院中の産婦との会話は，すべて問診の場になりうる．入院中のさまざまな場での会話の中からも，有用な情報は得られる ▶産婦自身が伝えたいことを話せるよう準備する **コツ** 話しかけやすい雰囲気をつくる

要点	留意点・根拠
3 観察者の準備を整える ①産婦が安心して答えられる雰囲気をつくる 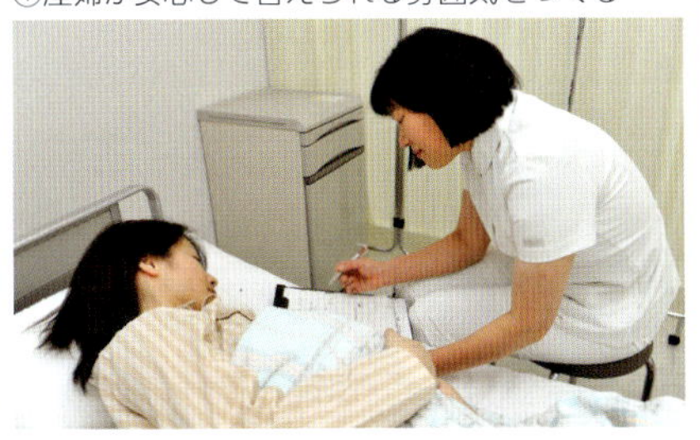	▶ p.4「第1章-1【1】インタビュー(問診)」参照 ▶ 分娩期は専門職のケアが最も必要な時期である. 信頼を得られるよう, 落ち着いた態度で接する ▶ 産婦は産痛による苦痛があり, 通常より応答に時間がかかることを理解して接する **コツ** 丁寧な言葉づかいで接し, 応答を急がせない. 一方的に質問するのではなく, 話を聴こうとしている姿勢を示すことが大切である **コツ** 質問内容, 産婦の状態によっては, 質問項目をあらかじめ決めておき, 産婦が「はい」「いいえ」などで答えられる構成的面接の手法を多く用いるとよい
②カルテなどの情報を活用する 	▶ 外来カルテや母子健康手帳の情報を最大限に活用し, 必要事項を要領よく聴取できるよう準備する **根拠** 陣痛のある産婦には既往歴などの事項をこまごまと問うことは苦痛となる **コツ** 質問はできるだけ専門用語を避け, 内容を簡潔に, 系統的に整理して尋ねる. 不足している事項は分娩経過中に必要に応じて追加する
4 電話による問診を行う ①産婦の氏名を確認する	**注意** 産婦の取り違えが起きないように注意する. 同姓同名の産婦がいる場合は特に注意する **事故防止のポイント** 顔が見えないことによる産婦の取り違えを防止するため, 同姓同名の産婦を識別する方法をあらかじめ決めておく
②自己紹介をする	▶ 氏名を名乗り看護師であることを告げる
③産婦の状況を聴取する	▶ 産婦から直接情報を得ることが望ましい. 苦痛の程度に応じて優先度の高い項目を選んで質問し, 簡潔な応答で情報が得られるよう心がける
・主訴を確認する ・問診の目的を説明する ・産婦と直接話し, 状態を聴取する	**根拠** 電話の目的を確認し, 緊急性を判断する ▶ 本人以外が電話に出ていると思われる時は通話の相手を確認する **コツ** できるだけ介在する人を少なくするほうが正確な情報が得られる. また, 産婦の応答の様子から陣痛の発作や間欠時間, 苦痛の程度が推測できる
④入院時期の判断をする 	▶ 後出の表1(p.126)に沿って, 入院の時期を判断するために必要な情報を聴取する **コツ** 専門用語を避け, わかりやすい言葉で質問する. 質問用リストを作成しておくとよい

要点	留意点・根拠
⑤受診の必要について産婦に指示を与える	▶受診かあるいは自宅待機かを判断し，産婦に指示を与える **注意** 電話による問い合わせは，夜間の場合もある．居住地からの交通手段と所要時間を確認し，適切な判断を心がける
5 入院時の問診を行う	
①診察室に招き入れる	▶診察室に入室してもらう
②自己紹介をする	▶氏名を名乗り，看護師・助産師であることを告げる
③事前の情報を確認する	▶カルテや電話による問診で得ている情報を確認する **根拠** 分娩の進行状態によって診察の優先順位を考え，適切に情報が得られるようにすることと，産婦の負担を最小にする
④主訴を確認する 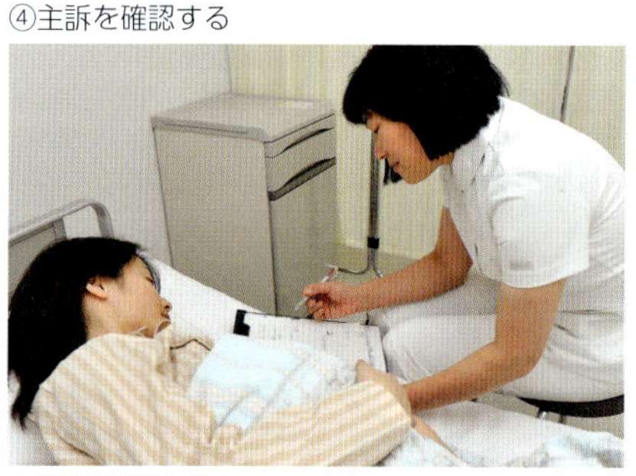 入院時の問診をする	▶入院時の主訴は陣痛発来だけではない．症状の具体的な内容，出現時刻を聴取する ・陣痛発来：陣痛開始の時刻，陣痛発作・間欠時間，緊張度 ・破水，破水感：破水の時刻，羊水の流出量・色 ・性器出血：出血の有無と量，産徴と異常出血の鑑別，陣痛との関係 ・その他の自覚症状：症状の具体的な内容，自覚症状の出現時期 **注意** 陣痛開始時刻は産婦の申告が重要な情報となる．子宮収縮が1周期10分以内あるいは1時間6回以上の頻度になった時点はいつか，情報を正しく引き出す
⑤現在の状態を判断する情報を聴取する	▶現在の状態を聴取する．陣痛発作・間欠時間，強さ，努責感の有無，分泌物の有無，産痛の状態，胎動の有無を聴取する **注意** これらの主観的情報と触診，内診，聴診の所見をあわせて判断する **コツ** 既往歴，家族歴，心理・社会的情報などのうち，産婦からの聴取を急がなくてよいものはあとにする（「6 入院中の問診を行う」参照）
6 入院中の問診を行う	
①身体的情報を聴取する ・分娩経過中の自覚症状を確認する	▶異常が疑われれば詳しく聴取する **根拠** 分娩時は産婦自身のセルフモニタリング機能が役に立つ．産婦が破水感や努責感，その他異常徴候を察知した時は知らせてもらい，必要な診察を行う **注意** 妊娠・分娩経過に影響を及ぼすことが予測される合併症があれば，主治医と連絡が取れるようにしておく
・陣痛発作・間欠時間の訴えを聴取する ・努責感の有無を聴取する	**根拠** 努責感は分娩第1期の終わりから第2期にみられる．胎児が下降していることを示す徴候であり，分娩が近いことが予測される **注意** 分娩が切迫している状況では問診を中止す

要点	留意点・根拠
	る
②産痛に対する反応を聴取する ・産痛に対する産婦の反応を観察する ・産痛に対する対処行動がとれているか尋ねる 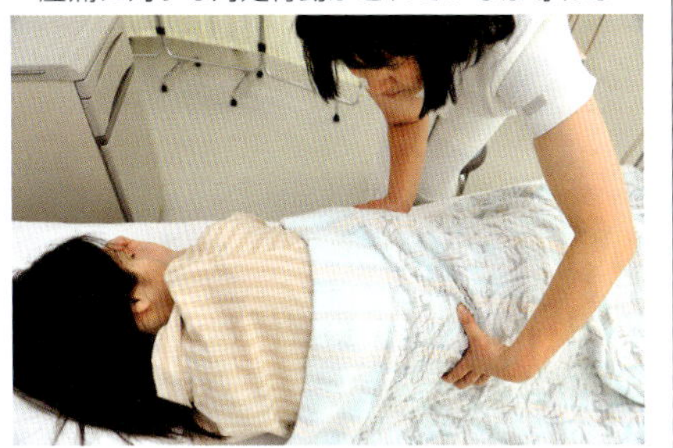 疼痛部位をさすりながら観察する	▶産痛の強度の表現は産婦自身の主観に基づくものであり，必ずしも痛みの強度を反映するものではない．産婦が感じたままを自由に表現できる環境を心がける **根拠** 痛みを我慢することで筋緊張が高まり，陣痛が弱くなったり，胎児の下降が妨げられたりすることがある **コツ** 適切な産痛緩和方法を用いて苦痛が軽減していることを，産婦の言動を観察しながら確認する
③心理的情報を聴取する ・分娩を受容できているか観察する	▶分娩に対する産婦自身の気持ちを表出できているか観察する **根拠** 母子の健康状態や分娩進行に対する不安，あせり，疲労感など，分娩経過中には産婦に否定的感情を惹起させる要素が多くある **コツ** 産婦の感情表出を助け，ありのままを受け止められるよう支持的態度で接する
・児への愛着形成が進んでいるか観察する	**注意** 分娩経過中は苦痛のため児に対して否定的な言葉が聞かれることがあるが，一場面だけで評価することなく，産婦の状況に共感的理解を示すことが必要である
④日常生活行動の状況を聴取する ・栄養摂取，排泄などに適切なセルフケア行動がとれているか確認する	**根拠** 適切なセルフケア行動ができていない時は看護者の介入が必要となる．また適切な看護計画を立案する根拠となる(p.173「第2章-2　産婦の生活援助技術」参照)
・分娩期の健康管理に必要な知識をもっているか確認する	
⑤家族の状況を聴取する	▶夫(パートナー)に関する情報を得る ▶産婦が望む支援ができているか，疎外感をもっていないか観察する **根拠** パートナーは自分自身の身体的変化を伴わないため，分娩経過中の役割は受動的になりがちである ▶パートナーが付き添わなくても適宜パートナーに情報を提供することが必要である．連絡方法を確認しておく
⑥立会い分娩を希望するカップルの準備状況を確認する	▶立会い分娩でのパートナーの認識を確認する **根拠** パートナーに期待される役割行動がとれるか判断するため **注意** パートナーの緊張感が強く，自発的に行動することが難しい時は，役割行動がとれるように誘導することも必要である

要点	留意点・根拠
7 記録，評価をする ①結果をカルテに記録する ②産婦に結果を説明する	▶視診，触診，内診の結果と併せて評価する ▶分娩進行状態について，必要な内容を，専門用語を避けてわかりやすく説明する

評価

1 分娩開始の判断

- 日本産科婦人科学会用語問題委員会では，「分娩開始とは，規則正しく胎児娩出まで続く子宮収縮が，周期が 10 分以内あるいは 1 時間に 6 回の頻度となったときをいう」と規定している．陣痛（子宮収縮）の状態が分娩開始の診断の根拠となる．

2 分娩進行状態の判断

- 問診によって，分娩が開始しているか，入院管理が必要な状態であるか否かを判断する．次いで妊娠週数を確認し，早産，過期産の場合はリスクに応じた対応ができるように準備する．
- 電話での問診は表 1 の内容を聴取する．入院管理が必要と判断したら受診を指示し，来院時，入院時は表 2 の内容を聴取する．ただし，カルテからの情報を有効に活用する．
- 正常な経過を逸脱していると思われる時は，医師に報告する．

表 1　**産婦の入院時期の判断（電話での問診）**

問診項目
1. 産婦の氏名
2. 分娩予定日
3. 主訴は何か？
①陣痛発来：陣痛開始の時刻，陣痛発作・間欠時間，緊張度
②破水，破水感：破水の時刻，羊水の流出量・色
③性器出血：出血の有無と量，産徴と異常出血の鑑別，陣痛との関係
④その他の自覚症状：症状の内容，出現時期
4. 分娩回数，経産婦であれば前回の分娩所要時間，異常の有無
5. 今回の妊娠経過，異常があればその内容と医師の指示事項
6. 居住地からの交通手段と所要時間

表 2　**入院時の問診項目**

問診項目	
背景	産婦の氏名，年齢，非妊時の体重，身長，体格，血液型，最終月経，家族構成および家族歴
現妊歴	分娩予定日（妊娠週数），今回の妊娠経過，妊娠経過の異常の有無：治療の内容，医師の指示，合併症，体重増加量
既往歴	妊娠・分娩回数，月経歴，既往歴
現在の状況	陣痛の有無：陣痛発作・間欠時間，強さ 努責感の有無，分泌物の有無，産痛の状態，胎動の有無 破水の有無：破水の時刻，量，性状，流出状況

3 分娩経過中の診断と評価

- 視診，触診，内診の結果と併せて総合的に判断し，分娩進行の予測を立て，分娩の時期の判断をする
- 分娩進行状態や社会的状況を加味して入院の必要性を判断する．早過ぎる入院は分娩終了までの時間が長くなり，産婦にあせりを生じさせることがあるので，慎重に判断する．
- 分娩経過に影響する異常徴候がみられる時は医師に報告する．
- 産婦の身体的・心理的状態や生活環境から分娩管理に必要な情報を選別し，ハイリスク因子があれば医師に報告するとともに保健指導の計画を立てる．

2 バイタルサイン

石村 由利子

目的
・産婦の生理的・機能的変化を把握する.
・産婦の異常徴候やリスクを早期発見する.

チェック項目 体温，脈拍数，呼吸数，血圧

適応 すべての産婦

注意 原則として陣痛間欠時に測定する.

禁忌 なし

必要物品 体温計，血圧計，聴診器，ストップウォッチ，アルコール綿，血圧監視装置，ベッドサイドモニター

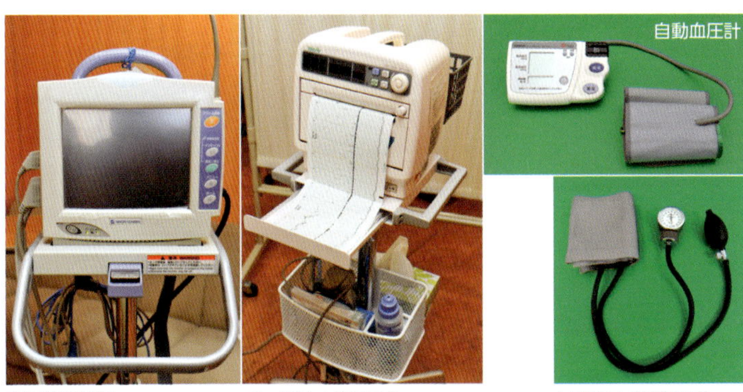

血圧監視装置

ベッドサイドモニター（分娩監視装置）

▲アネロイド血圧計

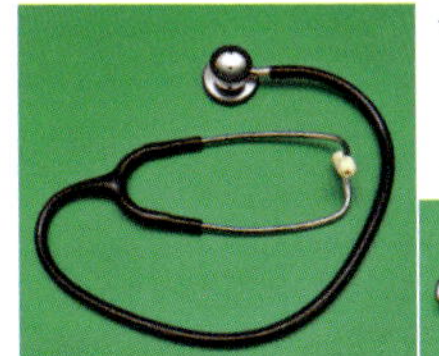

◀聴診器

▼体温計

ストップウォッチ

アルコール綿

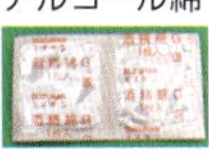

手順

要点	留意点・根拠
1 環境・必要物品を整える ①診察環境を整える	▶入院時，定期検温時のバイタルサイン測定は妊娠期に準ずる（p.8「第1章-1【2】バイタルサイン」参照）
②体温計，血圧計を準備する	▶体温計・血圧計を準備し，点検する（p.8「第1章-1【2】バイタルサイン」参照）
③モニター機器を準備する	▶必要に応じて血圧監視装置またはベッドサイド

要点	留意点・根拠
	モニターを準備する．電源を入れて正常に作動することを確認する
2 産婦・観察者の準備を整える ①測定の目的，方法を説明する ②正確に測定できるよう準備を整える 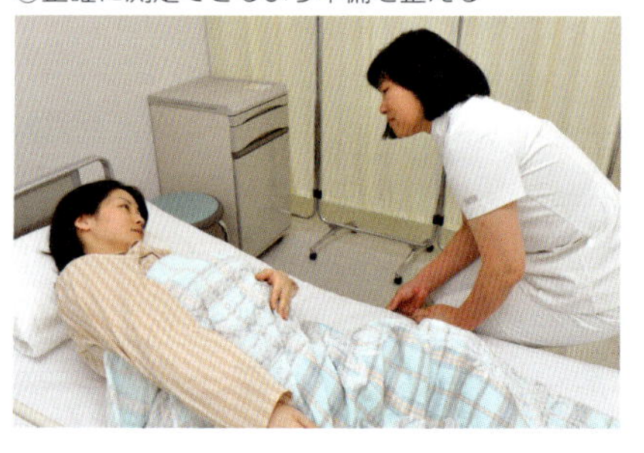	▶ 産婦に測定の目的，方法を説明する ▶ なるべく陣痛間欠時に測定する 根拠 血圧，脈拍ともに陣痛・産痛の影響を受ける 注意 呼吸数は補助動作や努責などで意図的に操作されることがあるので，測定の目的に応じて産婦の状態を整える
3 血圧測定を行う ①血圧を測定する ・測定できる体位をとってもらう	注意 分娩期の血圧は臥位で測定することが多い．特に仰臥位は増大した子宮の圧迫による影響を受けやすい．下大静脈の圧迫が生じないよう，体位に注意する
・上腕にマンシェットを巻き，上腕動脈の上に聴診器を当てて，血圧を測定する 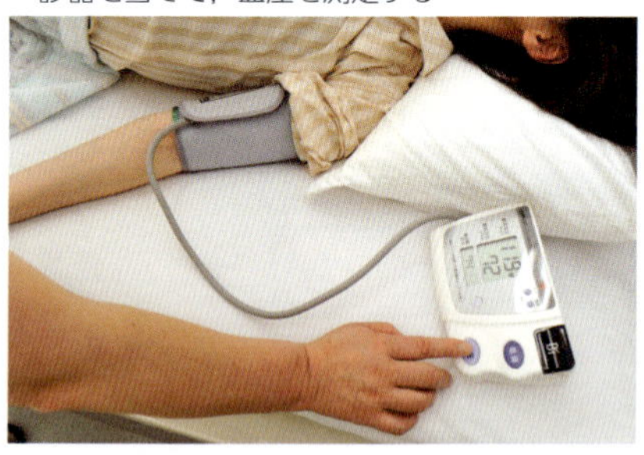	▶ p.8「第 1 章-1【2】バイタルサイン」参照 注意 マンシェットを巻く上腕の位置は心臓の高さと同じになるよう，血圧計の高さを調節する ▶ 血圧は産婦の状態によって測定間隔を決める 根拠 正常な産婦では収縮期圧が 150 mmHg を超えることは少ない[1)] 注意 点滴をしている場合，点滴刺入部側では測定しない．血液が逆流することがある
②モニター機器を使用して血圧を測定する 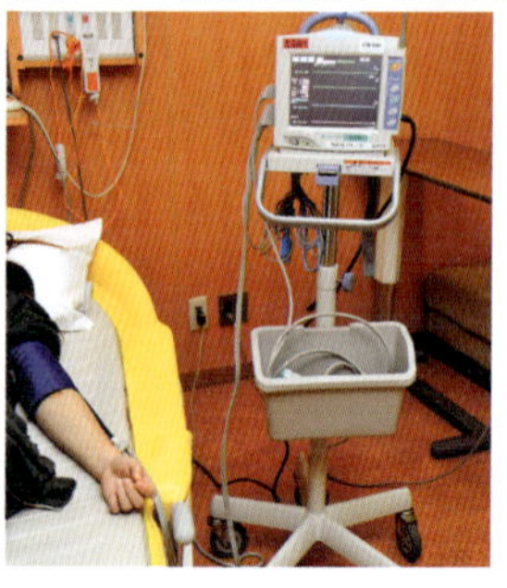	▶ 頻回に測定する必要がある時は血圧監視装置あるいはベッドサイドモニターを使用する 根拠 妊娠高血圧症候群などの血圧が変動しやすい疾患をもつ場合や大量出血がみられる時は血圧管理が重要となる．短い間隔で測定する時はモニター類を使用するほうがよい ▶ マンシェットを巻き，測定間隔を入力して，スタートする 注意 測定間隔は医師の指示による

要点	留意点・根拠
4 体温，脈拍，呼吸数の測定を行う ①体温，脈拍を測定する 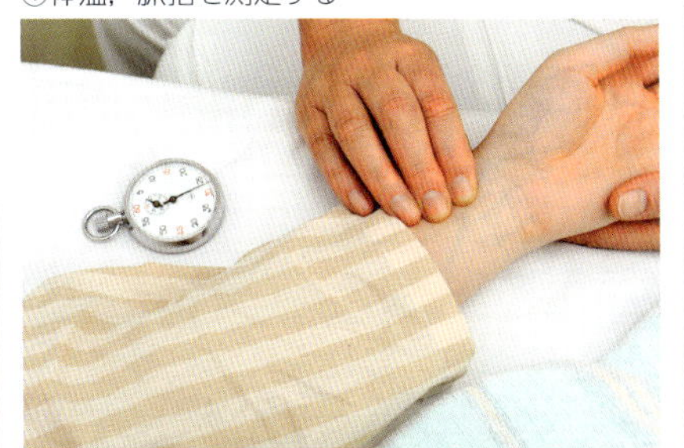	▶ 体温，脈拍は 2〜3 時間ごとに測定する ・測定方法は妊娠期に準ずる（p.8「第 1 章-1【2】バイタルサイン」参照）
②呼吸数を測定する 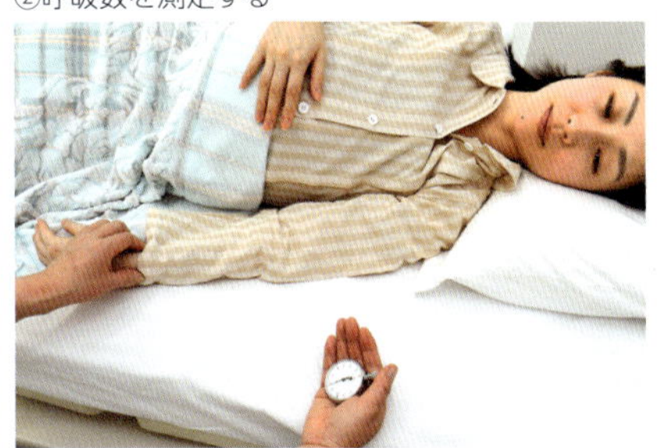	▶ 呼吸数を測定する時は補助動作や，努責をやめ，平常の呼吸をするように伝える **根拠** 分娩第 1 期後半〜第 2 期には産痛や努責感があり，平静な呼吸状態を一定時間確保するのは難しい **注意** 産婦は子宮収縮による痛みや不安のために過呼吸になることがある **コツ** 過換気症候群（呼吸性アルカローシスやそれに付随する臨床症状）が疑われる時やショック時には，1 分間測定しなくても多呼吸は観察できる．呼吸数を測る目的に合わせて測定時間を考える ▶ 喘息などの呼吸器系合併症をもつ産婦では，呼吸数のほか，呼吸の大きさ，リズムの観察も行う ・測定方法は妊娠期に準ずる（p.8「第 1 章-1【2】バイタルサイン」参照）
5 後始末をする ①使用した物品や器材を片づける ・体温計をアルコール綿で清拭して，ケースに収める 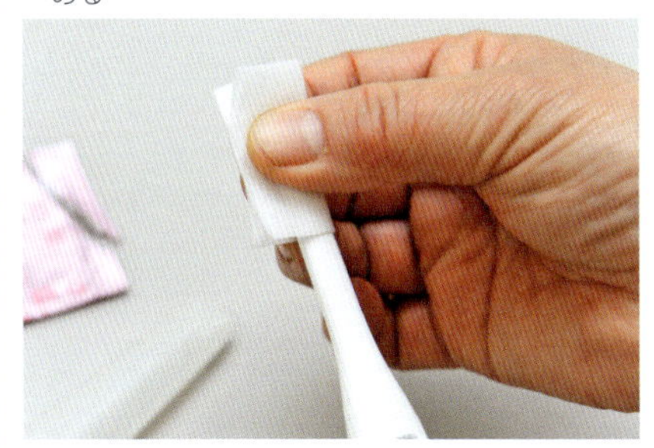 体温計をアルコール綿で清拭する	
・血圧計を片づける	▶ マンシェットを血圧計から外してたたむ ▶ モニター機器を使用した場合：スイッチを切り，記録紙を切り取る
・聴診器のチェストピースとイヤーピースをアル	

要点	留意点・根拠
コール綿で清拭する	
6 記録，評価をする ①結果をカルテに記録する ②モニターを使用した時は記録紙をカルテなどの所定の位置に添付し，保存する ③産婦が落ち着いた状態にあれば結果を知らせる	▶ 数値に異常がみられた時は随伴症状を記録する ▶ 正常からの逸脱が観察される時は，医師に報告する

評価

1 体温

- 分娩中の体温の上昇はほとんど観察されず，0.1～0.2℃ に過ぎない．0.3℃ 以上の上昇をみる時は感染などを疑い，他の所見とあわせて異常の有無を判断する[1]．

2 脈拍数

- 分娩第 1 期では，陣痛発作時にわずかに増加するが，間欠時に平常に戻る[1]．

3 呼吸数

- 分娩中の呼吸数は，分娩第 2 期に増加する．しかし，この時期の産婦では，児の下降を促すために陣痛発作時に呼吸を止めて努責をさせたり，あるいは児娩出時に短息呼吸をさせたりするなど，意図的に呼吸数が操作されていることを考慮して判断する．
- 正常な呼吸回数は 12～20 回/分であるが，分娩第 2 期末期の平均呼吸数は約 24 回/分といわれる[1]．

4 血圧

- 血圧は，分娩の進行とともに上昇し，分娩第 1 期後半に最も高値になり，分娩第 2 期の陣痛発作時には，収縮期・拡張期圧とも間欠時の 15～20% 程度増加するが[2]，正常な産婦では収縮期血圧が 150 mmHg を超えることはない[1]．
- 分娩第 1 期に血圧が上昇するのは，分娩時の子宮収縮に伴う子宮胎盤血流量の自己血輸血による循環血液量の増加，産痛，収縮した子宮による腹部大動脈の圧迫などによる[3]．

文献

1）荒木勤：最新産科学　正常編　改訂 22 版，pp.253-254，文光堂，2008
2）野田芳人ほか：分娩中の産婦の血圧の変動と分娩中の循環動態，周産期医学 33(10)：1267-1271，2003
3）日高敦夫ほか：周産期　妊婦血圧測定に関する諸問題，産婦人科治療 86：97-102，2003

3 視診

石村 由利子

目的
・産婦の健康状態を観察する．
・産婦自身の体格，形態学的特徴を観察し，分娩進行を阻害する因子はないか診断する．

チェック項目 視診による観察項目(p.135，表1参照)

適応 すべての産婦

注意 視診によって正常を逸脱していると思われる所見があれば，問診，触診，計測診，聴診，臨床検査でさらに詳しく情報を得る．分娩進行の時期によっては，十分な情報収集より処置を急ぐ場合がある．状況を的確に判断する．

禁忌 なし

必要物品　外診台またはベッド，バスタオルまたは綿毛布

手順

要点	留意点・根拠
1 環境を整える ①診察の環境を整える 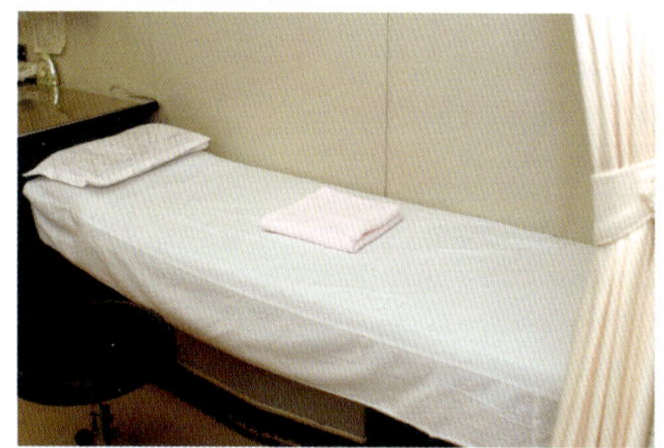 外診台 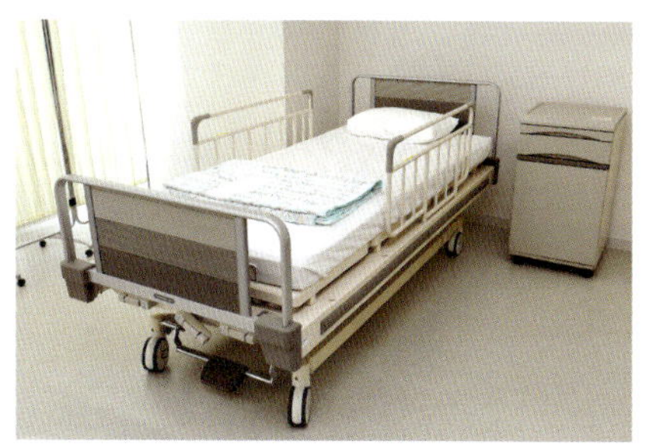 病室のベッド	▶ プライバシーが保護される環境を準備する ▶ 入院時の診察は妊娠期と同様の環境を準備する(p.13「第1章-1【3】視診」参照) ▶ 分娩経過中は常に注意深く産婦を観察する 根拠 視診は問診，触診，内診と同時に行われるだけでなく，日ごろから産婦の状態に関心を払い，変化を見落とさないようにすることが大切である コツ 外診台，分娩台，病室のベッド上など，観察する部位に応じて適切な診察台を使う
2 産婦の準備を整える ①診察の目的を説明する	▶ 産婦に診察の目的を説明する ▶ 診察の手順は妊娠期に準ずる(p.13「第1章-1

要点	留意点・根拠
	【3】視診」参照)
3 観察者の準備を整える ①視診の特徴を理解しておく	▶ 診察室だけが視診の場ではない．入院中のさまざまな場で産婦の行動を観察し，異常の早期発見に努める 根拠 観察者の視覚から入る情報量は多く，視診は他の診察法に先だって産婦の健康状態の概要を捉えることができる
②カルテから情報を得て準備する	▶ 産婦の氏名を確認し，カルテなどから妊娠期およびそれまでの分娩経過の情報を得ておく ▶ 収集する情報の優先順位を考えておく 根拠 分娩時は系統的に情報を収集することが難しい．分娩の時期，産婦の状態によって優先的に観察すべきことを判断しながら進めることが必要である
③必要に応じて触診などが行えるように準備する	▶ 観察所見によっては触診その他の技術が必要である．必要物品を整えておく
4 入院時の診察 ①主訴を確認する	▶ 主訴を確認し，視診で観察できることを見落とさない 根拠 産婦の入院は，陣痛発来だけでなく，破水，破水感，性器出血，その他の異常症状を主訴とすることも多い ▶ 破水を主訴とする時は，羊水流出状況や羊水の色の確認する ▶ 性器出血を主訴とする時は，出血量や性状を確認する 根拠 必要な処置の選択，安静度に関係する
②問診，触診，計測診と同時に診察を進める	コツ 産婦の表情，訴え方に注意する．診察方法は妊娠期に準ずるが，問診で得た情報に沿って優先順位を判断しながら診察を進める
5 全身の観察を行う ①姿勢，歩き方，動作を観察する ・姿勢，歩き方を観察する 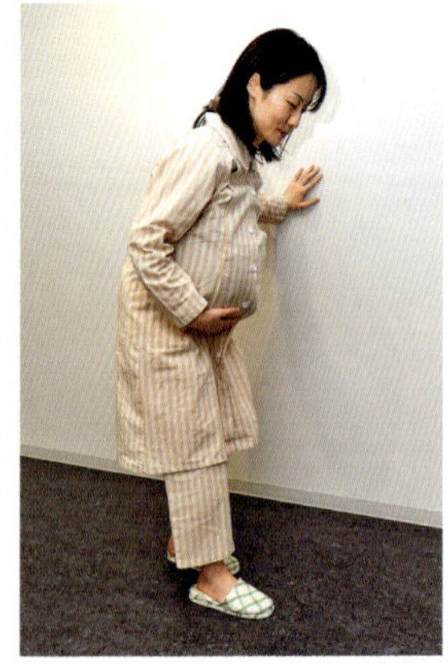	根拠 分娩進行に伴い，陣痛の強さが増している時，歩行の様子，動作を観察することは，陣痛の強さ，産婦の苦痛を推測する手がかりとなる

要点	留意点・根拠
・日常生活動作が自立できているかを観察する	**根拠** 陣痛間隔が短くなるとセルフケア行動がとれない，あるいは時間がかかるなど，基本的生活行動の自立が難しくなる．産婦の苦痛を知る手がかりである
②体格を観察し，分娩経過への影響を推測する	**根拠** 産婦の形態的特徴は妊娠経過や分娩の難易度に影響する．低身長は産道の通過障害，肥満は微弱陣痛や巨大児による肩甲難産などを招きやすいので要注意である **コツ** 体格をみる時は立位のほうがわかりやすい **注意** 身長，体重は産婦自身の申告によらず，必ず計測した数値で判断する
・栄養状態を推測する	**観察項目** 体格，姿勢，栄養状態，貧血状態，意識状態，日常生活動作，運動障害の有無
6 顔の観察を行う ①顔色，表情をみる ・表情を観察し，苦痛の有無を確認する	**根拠** 苦痛様表情は産婦が産痛の強さを表現するサインの１つである．疼痛の有無・程度を推測することができる
・産婦の表情，顔色を観察し，疲労および疲労感，不安の有無を判断する	**根拠** 分娩経過が長くなると，体力の消耗に加え，あせりが生じて，心理的にも負担が増す **観察項目** 表情，血色，眼瞼結膜の色，浮腫の有無
7 腹部の観察を行う ①産婦にベッドまたは分娩台で仰臥位をとってもらう ・妊婦は仰臥位をとり，軽く膝を曲げる	▶ 分娩経過中は腹部の視診だけを行うことは少ない．触診，胎児心音の聴取などの機会に行う **注意** 産痛による苦痛，仰臥位低血圧症候群を発症するリスクがあるので，短時間で観察できるように心がける

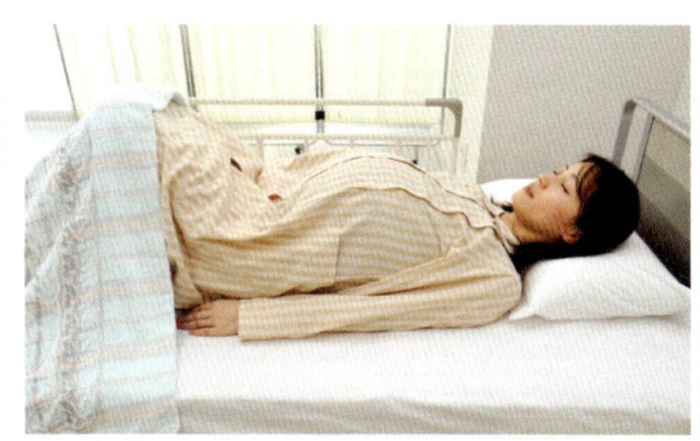
膝を曲げる

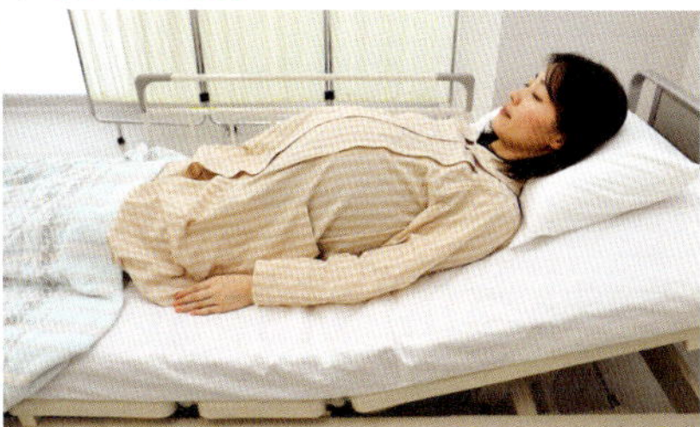
ギャッチアップする

要点	留意点・根拠
・腹部をバスタオルまたは綿毛布で覆う	▶ 診察に必要な部位の着衣を広げ，観察ができる準備をする ▶ バスタオルや綿毛布などを用いて，不必要な露出を避ける

要点	留意点・根拠
②腹部の形，膨隆の有無を観察する ・腹部の形を観察する ・胎動に伴う腹壁の動きをみる	根拠 産婦の腹部は基本的に左右対称で，不自然な凹凸がない．縦位であれば縦長の楕円形である ▶腹壁上から胎動を観察できることもある **観察項目** 大きさ，形，胎動の状態，手術創，皮膚の状態
8 外陰部の観察を行う ①診察に適した体位をとってもらう	▶外陰部の視診，触診は，内診時に行うことが多い（p.163「第2章-1【6】内診（介助）」参照） ▶診察する項目によって適した体位を選ぶ コツ 腟分泌物は，仰臥位で膝を立てて開脚してもらうだけで観察できる．また，胎児の下降に伴う会陰部の膨隆をみる時は側臥位にするなど，必ずしも砕石位でなくてもよい．体位変換による産婦の苦痛を最小にすることが大事である
②分泌物の観察をする	▶産徴・分泌物の量と性状を観察する 根拠 血性分泌物は，分娩第1期の終わり頃には量が増え，粘稠度も増す．分娩が進行していることをうかがわせる徴候の1つと考えてよい ▶出血を認めた時は，出血の部位，量，色（鮮紅色，暗赤色），出血の開始時期，陣痛と出血の関係（持続性，断続性），血塊の有無を観察する 根拠 動脈血か静脈血か，陣痛と関係があるかは原因疾患を鑑別する重要な情報である ▶水様性の分泌物がある時は破水を疑う．破水の時刻を問診で確認し，量，色を観察する 根拠 羊水混濁の有無で胎児・新生児血pHに差が生じることはないと報告されているが，胎児心拍数パターンの異常を合併した事例ではアシドーシスや蘇生の必要が増している[1]ことから，破水後は羊水混濁の有無の観察は必須である
③外陰部の観察を行う ・会陰部の膨隆，腟口・肛門の哆開（しかい）の有無を観察する ・会陰部の浮腫，静脈瘤，瘢痕の有無を観察する ④脱肛の有無を観察する	根拠 分娩第2期末に会陰部が膨隆し，腟口・肛門の哆開が観察される時は，胎児が下降して，娩出が近い徴候である 根拠 これらは今回の分娩時に，会陰の伸展性を妨げることがある 根拠 脱肛があれば分娩介助時に肛門保護を的確に行い，悪化を防ぐことが必要となる **観察項目** 産徴・分泌物の量と性状，羊水流出の有無，羊水混濁の有無 会陰部の膨隆の有無，腟口・肛門哆開の程度，浮腫・静脈瘤・脱肛の有無，会陰部の瘢痕の有無
9 乳房・乳頭，上肢，下肢の観察を行う ①必要があれば，乳房・乳頭，上肢，下肢の観察	▶分娩の経過中は意図的にこれらの部位の視診を

要点	留意点・根拠
を行う	行うことは少ない．産婦の訴えに耳を傾け，必要があると判断される時に診察を行う．特に上肢，下肢は日頃から産婦の行動を注視し，触診その他の診察法を用いて観察する必要があるか判断する
10 記録，評価をする ①結果をカルテに記録する	▶ 計測診，聴診などの他の診察法によって得られる結果を総合して評価を行う
②産婦に結果を知らせる	▶ 専門用語を避け，わかりやすく説明する

評価

- 視診による情報には，さらに触診，計測診によって詳細に確認しなければならないものも多い．
- 視診による観察項目は，妊娠期と同様の手順で進めればよいものが多い(p.13「第1章-1【3】視診」参照)．

表1　**視診による観察項目**

部位	項目
全身	体格，姿勢，栄養状態，貧血状態，意識状態，動作，運動障害の有無
顔	表情，血色，眼瞼結膜の色，浮腫の有無
腹部	大きさ，形，胎動の状態，手術創，皮膚の状態
下肢	浮腫の有無，静脈瘤の有無
外陰部	産徴・分泌物の量と性状，羊水流出の有無，羊水混濁の有無 会陰部の膨隆の有無，腟口・肛門哆開の程度，浮腫・静脈瘤・脱肛の有無，会陰部の瘢痕の有無

●文献

1）日本産科婦人科学会／日本産婦人科医会編：産婦人科診療ガイドライン―産科編 2020，p.214，2020

4 触診

石村 由利子

目的
・観察者の手を用いて産婦の形態学的特徴，生理的変化を観察する．
・腹壁上から子宮収縮状態，胎児の位置を把握し，分娩進行状態を知る．

チェック項目 触診による観察項目（p.142，表 1 参照）

適応 すべての産婦

注意 触診によって正常を逸脱すると思われる所見があれば，問診，計測診，聴診，臨床検査でさらに詳しい情報を得る．腹部の診察は，強い子宮収縮がある時は慎重に行う．

禁忌 強い子宮収縮がある時，乳房・乳頭の観察は行わない．

事故防止のポイント 収縮輪の異常な上昇の発見，転倒・転落の防止

必要物品 外診台，分娩台，ベッド，椅子，バスタオルまたは綿毛布，ストップウォッチ，ディスポーザブル手袋，ガーゼ適宜

手順

要点	留意点・根拠
1 環境を整える ①診察室の環境を整える	▶ プライバシーが保護される環境を準備する ▶ 入院時の診察は妊娠期と同様の環境を準備する（p.22「第 1 章-1【4】触診①顔・上肢・乳房・乳頭・腹部・下肢」参照） **コツ** 外診台，分娩台，病室のベッド上など，観察する部位に応じて適切な診察台を使う
2 産婦の準備を整える ①診察の目的と方法を説明する ②最終排尿時刻を確認する	▶ 産婦に診察の目的を説明する ▶ 触診は，視診と同時あるいは引き続いて行う ▶ 膀胱充満の程度を確認する．腹部の診察に支障があるなら排尿を促す
3 観察者の準備を整える ①触診が必要な状態を確認する ②必要物品を整える	▶ 触診が必要な時：p.22「第 1 章-1【4】触診①顔・上肢・乳房・乳頭・腹部・下肢」参照 ▶ 診察部位に応じて，必要物品を整える
4 顔・上肢・乳房・下肢の診察を行う ①必要に応じて触診を行う	▶ p.22「第 1 章-1【4】触診①顔・上肢・乳房・乳頭・腹部・下肢」参照 ▶ 入院時の診察では，妊娠経過中の所見を参考にしながら，各部位の状態を確認する ▶ 分娩経過中の触診は，腹部以外の部位を診察することは少ない．問診，視診とあわせて，触診の必要性を判断する

動画 2-1

要点	留意点・根拠
5 腹部の診察を行う	
①外診台，分娩台またはベッド上で仰臥位をとってもらう ・恥骨結合上縁から子宮底までの着衣をとり，腹部が観察できる準備をする	▶仰臥位で膝を120度程度に曲げてもらう **根拠** 腹壁が最もよく弛緩し，緊張がとれる ▶恥骨結合上縁から足をバスタオルなどで覆い，不要な露出を避ける
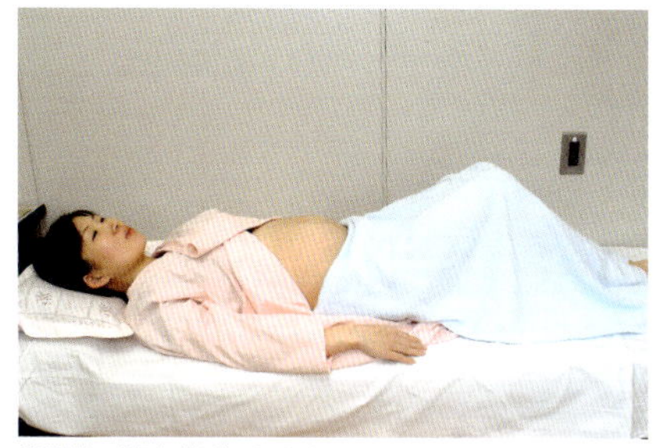 仰臥位で膝を曲げてもらう	**観察項目** ・胎児の数 ・胎児各部の所在と位置（胎位，胎向，胎勢） ・胎児下向部の位置 ・胎児先進部と骨盤の関係 ・子宮収縮の状態 ・子宮底の位置・高さ，形 ・腹壁の厚さ，緊張度 ・収縮輪の高さ ・羊水量の多寡 ・胎動 ・膀胱充満の有無
②膀胱充満の有無を確認する 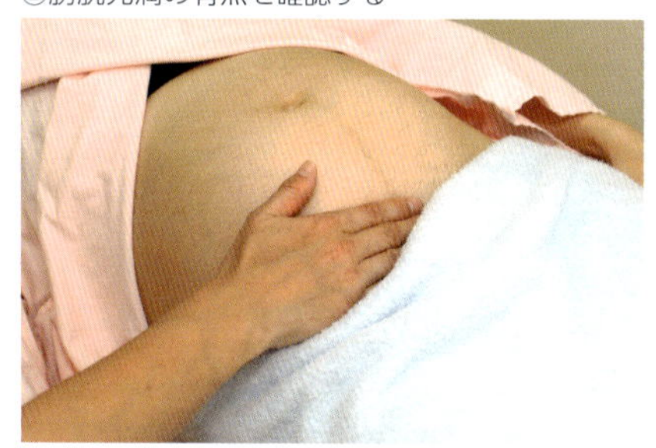 恥骨結合上縁付近を軽く押して膀胱充満を確認する	▶恥骨結合上縁付近を軽く押して，膀胱充満の有無を確認する．膀胱充満があれば排尿を促す **根拠** 膀胱充満は胎児の下降を阻害する．また，診察時には恥骨結合上縁付近の胎児部分が触知できないことや，腹部を圧迫するので産婦は苦痛を感じるなどの弊害がある
③胎児各部の所在と位置を観察する 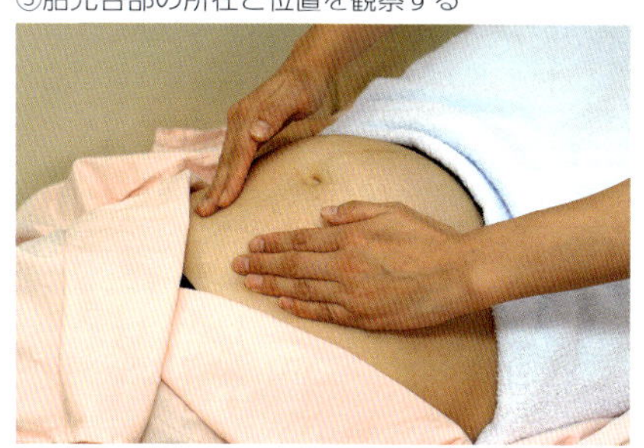 レオポルド触診法第1段で観察する	▶胎児の胎位，胎向，胎勢を確認する **コツ** レオポルド触診法第1段，第2段によって胎児各部の所在を触知できる．胎児各部の触診上の特徴は，p.29「第1章-1【4】触診②レオポルド触診法」参照 **根拠** どのような胎位，胎勢で骨盤腔に進入するかは，分娩の予後に大きく影響する．胎向は第1段，第2段のいずれであっても分娩予後に影響しない

要点	留意点・根拠
④下向部の種類，位置を確認する 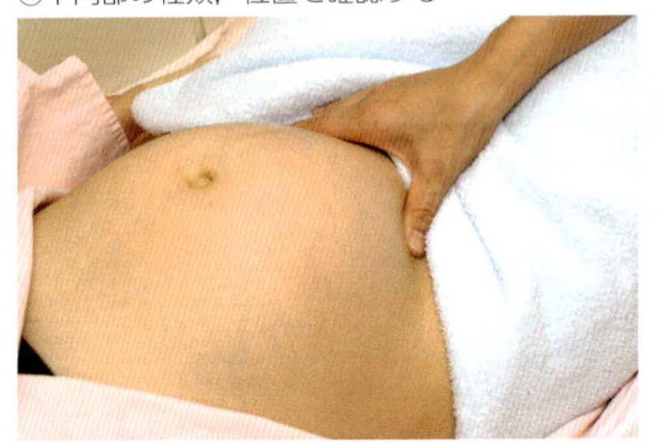 レオポルド触診法第3段で観察する 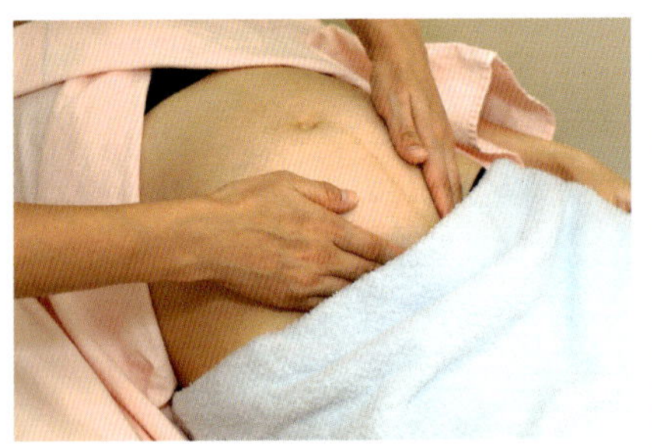 レオポルド触診法第4段で観察する	▶下向部とは胎児の身体の骨盤出口部(しゅっこうぶ)に近い部分をいい，頭位では児頭全体，骨盤位では骨盤部全体をいう．先進部とは下向部のうち，最も先進する部分をいう．頭位では後頭・頭頂・前頭・額・顔，骨盤位であれば，殿部・足・膝をいう．内診によってこれらを判断する ▶下向部の骨盤腔内への嵌入の程度を確認する．下向部の全部またはほとんどが骨盤入口部(にゅうこうぶ)より上にあって，可動性がある時はレオポルド触診法第3段を行う．小骨盤腔への嵌入の程度が深い時は，第4段の適応範囲が広くなる
⑤骨盤入口部での児頭骨盤不均衡(cephalopelvic disproportion：CPD)を疑う所見の有無を確認する	▶母体の身長，胎児の推定体重・児頭大横径，分娩進行状態など，CPDに関係する情報を得ておく ▶頭位であることを確認し，陣痛の状態，胎児の位置に関する内診所見を収集しておく **根拠** 屈位の時，児頭先進部がデリDe Leeのステーション−2またはホッジHodgeの平行平面でⅡ+2cmにあれば，児頭の通過はまず可能と判断できる．したがって，ザイツ法を行う必要はない
・CPDを疑う所見がある時，ザイツ法(p.143)でCPDを診断する	▶児頭前面と恥骨結合前面の高さを比較する **根拠** ザイツ法は頭位の時だけに使える方法である．骨盤入口部の児頭骨盤不均衡の判断のみに用いられる方法であり，骨盤濶部・峡部での判断はできない

要点	留意点・根拠
⑥子宮収縮の強さを観察する 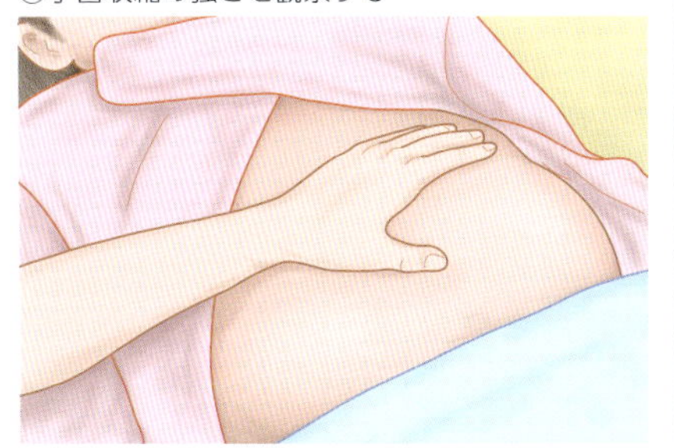 腹部に手を当てて陣痛を観察する	▶腹壁の子宮底に近い部位に手を当てて，緊張の程度を観察する コツ 陣痛発作とともに子宮底が上昇し，同時に子宮が前方に隆起する様子が触知できる．産婦の自覚的所見とは一致しないので，必ず触診で確認する　根拠 診察時の産婦の体位は特に制限しないが，子宮収縮の強さは産婦の体位に影響を受ける．仰臥位では側臥位や座位より収縮回数は増加するが，収縮力は減少する ▶子宮壁が板状に固く，弛緩した状態が不明瞭な時は常位胎盤早期剝離を疑う 緊急時対応 常位胎盤早期剝離が疑われる時は，直ちに医師に報告する
⑦陣痛の発作・間欠時間を測定する	▶触診に併用して陣痛の発作・間欠時間を測定する．腹壁に観察者の手を当てて，腹壁が緊張・弛緩を繰り返す時間を測定する　根拠 客観的な測定法として，分娩監視装置を装着して陣痛曲線を描き，図上から時間を読み取る方法がある．しかし，診断機器だけに頼ることなく，観察者自身の触診による観察が大切である 注意 陣痛発作時間は測定方法によって異なるため（図1），陣痛発作の開始から次の陣痛発作開始までを測定して周期として表現する方法もある（図2）
⑧病的収縮輪の有無を観察する	▶腹壁上から子宮のゆがみがないか観察する ▶子宮壁に輪状の溝が観察される時，生理的範囲を超えていないか判断する 根拠 生理的収縮輪は解剖学的内子宮口に一致する部分にでき，恥骨結合上2～4横指に輪状の溝として触れる．子宮口全開大の時，およそ恥骨結合上4横指上（約6 cm）にある．収縮輪の異常な上昇を病的収縮輪（バンドルの病的収縮輪）といい，切迫子宮破裂を疑う重要な臨床所見である（図3, 4） 注意 生理的収縮輪は触知が難しいため，通常の触診では診察項目とはしない 事故防止のポイント 切迫子宮破裂の徴候である収縮輪の異常な上昇を見逃さない 緊急時対応 病的収縮輪を観察したらただちに医師に報告する．帝王切開の適応である

要点	留意点・根拠
⑨羊水量の多寡を観察する 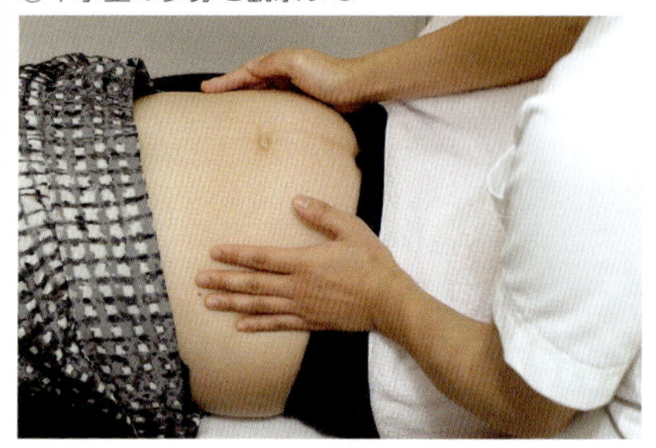	▶ レオポルド触診法第 2 段を用いて，羊水量の多寡を観察する コツ 両手掌を腹部に当てて一側の手を軽く押し，他側で胎児部分の触知が容易であるか否かを観察する．羊水量が多ければ胎児を触れにくく，少なければ腹壁近くに胎児を触れるように感じる 根拠 羊水量が少ない時は，臍帯圧迫が生じやすい．胎児低酸素症を招くリスクの 1 つとして注意を払う必要があり，重要な観察項目である 注意 羊水量が少ない時は胎児心音の連続監視を行い，一過性徐脈を見落とさない
6 後始末をする ①診察が終了したことを告げる	
②産婦の介助を行う	▶ 着衣を整える ▶ 産婦が診察台から降りる介助をする 根拠 増大した腹部で足元が見えないことがある 事故防止のポイント 転倒・転落を防止するため，産婦が診察台から降りる際は，必ず介助する
③使用した物品の後始末をする	▶ 使用した物品を片づける
7 記録，評価をする ①結果をカルテ，パルトグラム（分娩経過図）に記録する	注意 パルトグラム*の時間軸の幅を変えることはしない．分娩進行状態に関わらず常に一定にする ＊パルトグラム（分娩経過図）：陣痛発作・間欠時間，胎児心拍数，子宮頸管開大度・展退度・先進部下降度，先進部の回旋状況などを記載する図である．分娩進行状態を判断する情報を時系列に図示して記録することで，経過の良否，分娩進行の予測を立てることに役立つ
②分娩進行状態，全身状態を評価をする	▶ 触診と他の診察法によって得られる結果を総合して評価を行う
③産婦に結果を知らせる	▶ 専門用語を避け，わかりやすく説明する

A
A'
B
B'
C
C'
D
D'

A-A'：産婦が痛みを感ずる収縮時間
B-B'：触診できた収縮時間
C-C'：産婦の自覚による収縮時間
D-D'：羊水内圧測定による収縮時間

図 1　**測定法による陣痛発作時間の相違**
中林正雄(我部山キヨ子ほか編)：助産学講座 7　助産診断・技術学Ⅱ　[2] 分娩期・産褥期　第 5 版，p.25，図 1-26，医学書院，2013

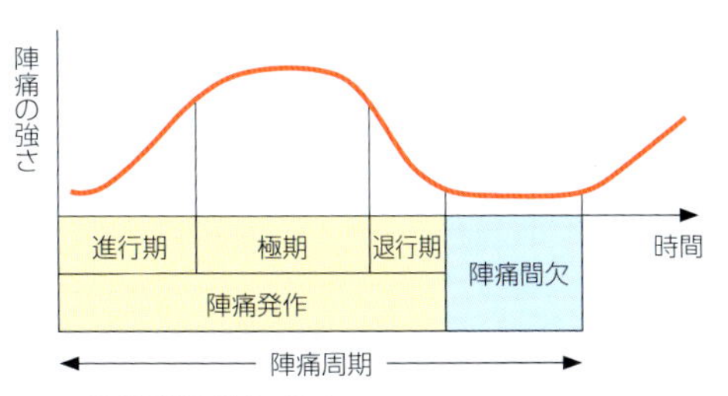

図 2　**陣痛周期と陣痛の強さ**

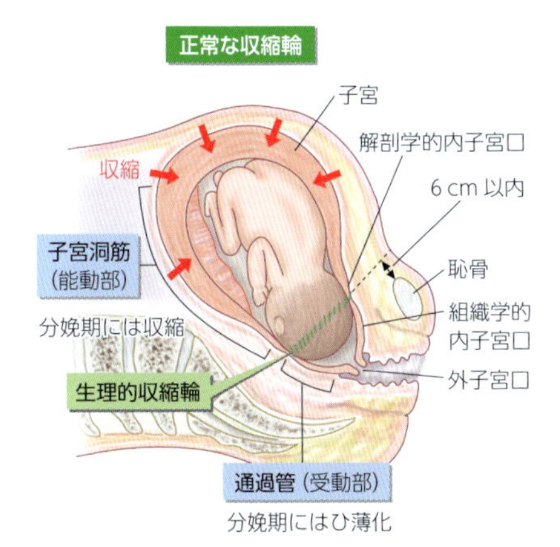

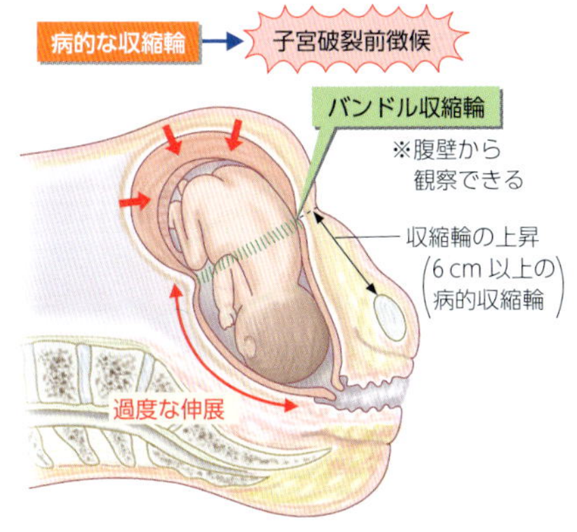

子宮下部が過度に伸展し，子宮体部は著しく収縮するため境界が明瞭となって腹壁上から触れる．

図 3　**子宮破裂の前徴候(バンドル Bandl 収縮輪の上昇)**

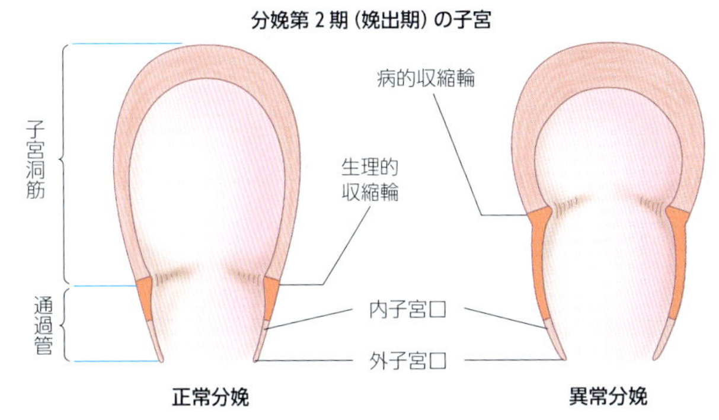

図 4　**収縮輪**
荒木勤：最新産科学　正常編　改訂第 22 版，p.238，文光堂，2008

評価

1 観察項目

表1 触診による観察項目

部位	項目
顔	浮腫の有無・程度(p.22「第1章-1【4】触診①顔・上肢・乳房・乳頭・腹部・下肢」参照)
乳房	乳房の大きさ・形・緊張，乳頭の大きさ・形，乳腺の発育状態，初乳圧出の有無(p.22「第1章-1【4】触診①顔・上肢・乳房・乳頭・腹部・下肢」参照)
腹部	胎児の数，胎児各部の所在と位置(胎位，胎向，胎勢)，胎児下向部の位置，胎児先進部と骨盤の関係，子宮収縮の状態，子宮底の位置(高さ)・形，腹壁の厚さ・緊張度，収縮輪の高さ，羊水量の多寡，胎動，膀胱充満の有無
下肢	浮腫，静脈瘤の有無・程度(p.22「第1章-1【4】触診①顔・上肢・乳房・乳頭・腹部・下肢」参照)
外陰部	会陰の伸縮性，柔軟性，腫脹の有無，静脈瘤の有無・程度(p.68「第1章-1【7】内診(介助)」参照)

2 胎児の位置の評価

表2 児頭の骨盤腔への進入に関する用語

用語	説明
浮動(floating)	児頭大横径が骨盤入口部より高い位置にあり，嵌入が起こる前の状態．浮遊ともいう
固定(fixation)	児頭最大横径が骨盤入口部に近づいて，移動性を失った状態．この時，児頭の最大通過面はまだ骨盤入口部を越えていない
嵌入(engagement)	児頭最大周囲径が骨盤入口部を越えて下降すること
下降(descent)	分娩進行中は続けてみられる動きで，同時に嵌入，屈曲，内回旋，伸展などの一連の動きを伴う

3 陣痛の評価

表3 陣痛の評価(産科婦人科用語問題委員会陣痛の強さの表現法小委員会報告)

1)子宮内圧

子宮口	4～6 cm	7～8 cm	9 cm～第2期
平均	40 mmHg	45 mmHg	50 mmHg
過強	70 mmHg 以上	80 mmHg 以上	55 mmHg 以上
微弱	10 mmHg 以下	10 mmHg 以下	40 mmHg 以下

※子宮口開大9 cm～第2期では過強，微弱の幅が狭くなっているが，この項は，子宮内圧(腹圧を除く)の値はバラツキが少なくなりこの値をとった．

2)陣痛周期

子宮口	4～6 cm	7～8 cm	9～10 cm	第2期
平均	3分	2分30秒	2分	2分
過強	1分30秒以内	1分以内	1分以内	1分以内
微弱	6分30秒以上	6分以上	4分以上	初産4分以上，経産3分30秒以上

3)陣痛持続時間

a)内測法10 mmHg点　子宮口の開大とは関係なく，平均50秒，過強1分30秒以上，微弱30秒以内

b)外測法ピーク　1/5点

子宮口	4～8 cm	9 cm～第2期
平均	70秒	60秒
過強	2分以上	1分30秒以上
微弱	40秒以内	30秒以内

外測法では左図のとおり，1/5点の振幅を測定する．助産師の触診による測定ではこれより短い．

ザイツ法

手順

要点	留意点・根拠
①産婦の下肢を伸展させる	コツ 恥骨結合上縁側に置く手が利き手であるほうが診察しやすい．観察者が右利きの場合は産婦の右側に立つとよい(以下，右利きの場合)
②児頭前面の位置を確認する ③恥骨結合上縁の位置を確認する	▶ 左手掌を児頭に添える ▶ 右手指を恥骨結合上縁に沿って置く
④児頭前面と恥骨結合の高さの関係を判断する ・左手掌全体を使って，児頭を下後方に押す	▶ 骨盤傾斜に対して直角に進入させる方向をイメージして慎重に圧をかける
・右手の指を恥骨結合上から児頭に沿って上方に移動させ，児頭前面と恥骨結合の高さの関係をみる	▶ 児頭が恥骨結合より低く触れる(−)，恥骨と同じ高さ(±)，恥骨より高く触れる(+)のいずれかを判断する
⑤骨盤入口部での通過の可否を推測する	注意 ザイツ法(±)(+)の時は，骨盤入口部の嵌入障害を疑う．X線骨盤計測が必要であり，医師に報告する 緊急時対応 児頭骨盤不均衡と診断されれば，帝王切開の適応である

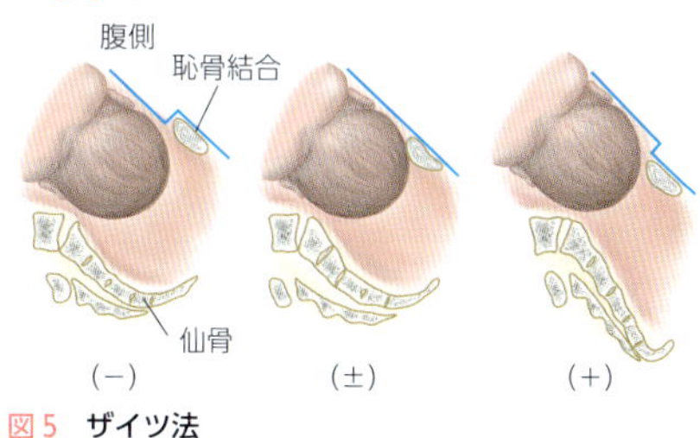

図5 ザイツ法

5 計測診

1 超音波診断

佐世 正勝

児頭大横径の計測

目的 胎児の発育評価，子宮内胎児発育不全の発見
チェック項目 児頭大横径の計測
適応 妊娠16週以降の妊婦
注意 仰臥位低血圧症候群
禁忌 仰臥位あるいは側臥位になれない産婦
事故防止のポイント 長時間の仰臥位の防止

必要物品 超音波診断装置，超音波検査用ゼリー（以下，超音波ゼリー），ペーパーシート，バスタオル，タオル

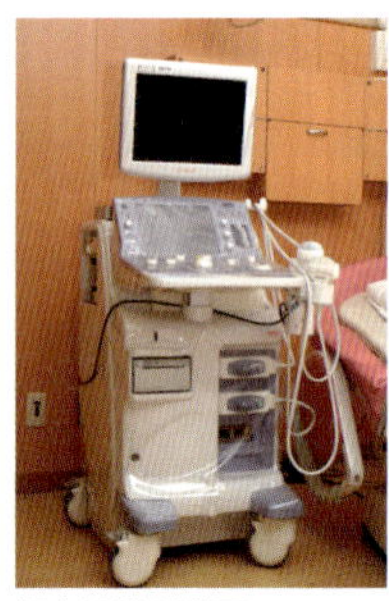
超音波診断装置

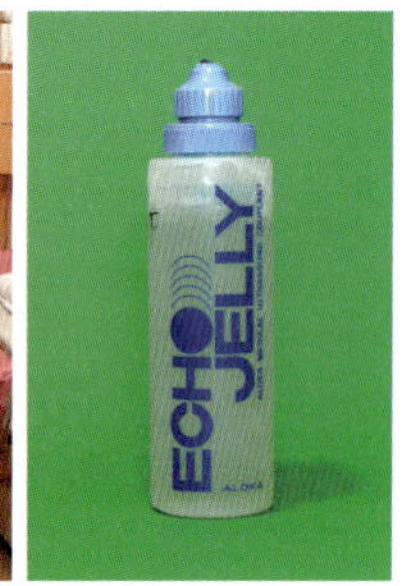

超音波ゼリー

手順

要点	留意点・根拠
1 環境・使用物品の準備を整える ①検査室の環境を整える 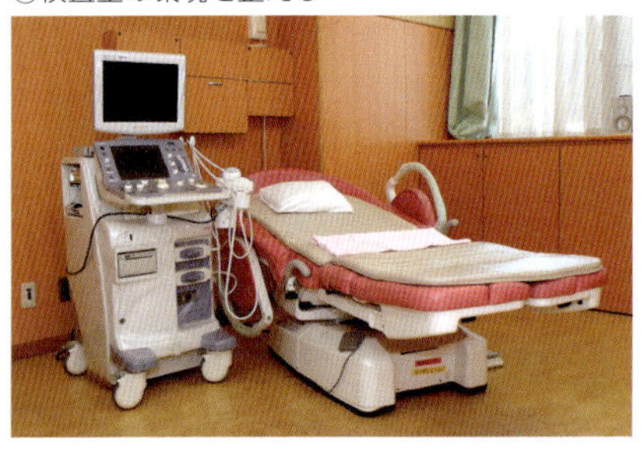	▶静かな部屋で，照度を少し落とす **根拠** 仰臥位となった妊婦の目に，強い光が入ることを防ぐ．超音波診断装置の画面が見やすくなる
②必要物品を整える 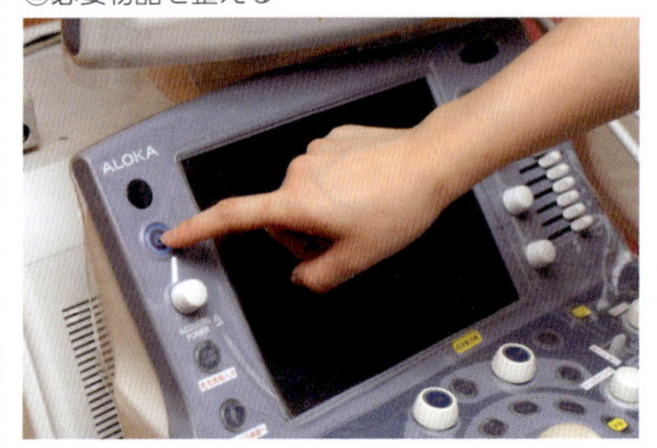 超音波診断装置の電源を入れる	▶超音波診断装置は妊婦の右側に設置する **根拠** いつも同じ条件で観察を行う

要点	留意点・根拠
③超音波ゼリーは温めておく 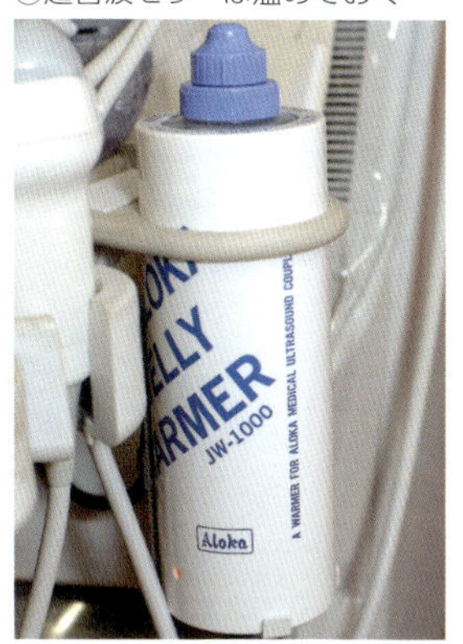 	根拠 妊婦への寒冷刺激を避ける．超音波ゼリーの伸びをよくする
2 産婦の準備を整える ①事前に検査の説明を行う	▶ 検査の目的，時間，方法などを説明し，了解を得る　根拠 産婦の不安を軽減するとともに，検査への協力が得られる
②産婦をセミファウラー位にし，腹部を露出してもらう ・下大静脈への圧迫が小さい体位をとる ・下着にペーパーシートをはさむ 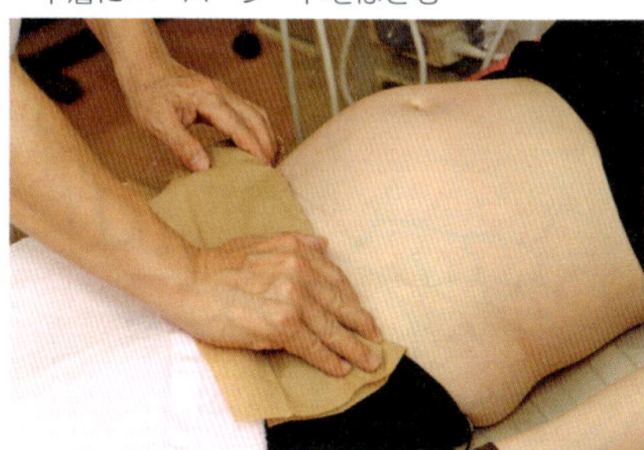 腹部を露出しペーパーシートをはさむ	根拠 仰臥位低血圧症候群を防ぐ 根拠 超音波ゼリーによる下着の汚れを防ぐ コツ 検査中にペーパーシートの端がめくれて，超音波ゼリーのついた腹部に付着するのを防ぐため，ペーパーシートの上にタオルを重ねるとよい
・足をバスタオルで覆う 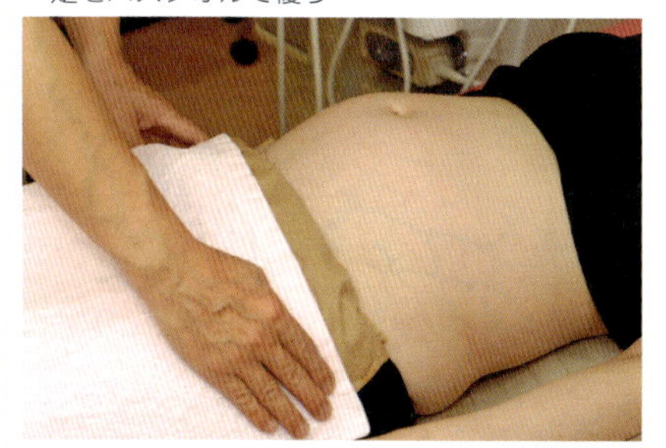 ペーパーシートの上にタオルを重ねる	根拠 不要な露出を避ける

要点	留意点・根拠
3 超音波検査を開始する ①胎児の位置を確認する	▶レオポルド触診法により胎児の位置を確認し，プローブの当て方を決める **根拠** 超音波検査時間を短縮することができる
②腹部に超音波ゼリーを塗る 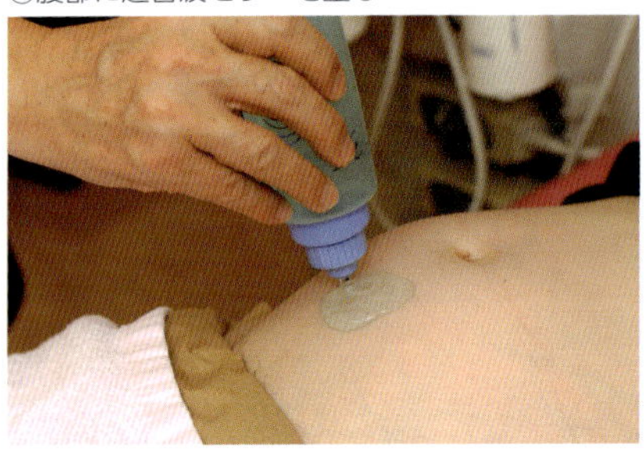	**根拠** 超音波プローブと腹壁の間の空気を除き，腹部への超音波の到達を可能にする
③超音波プローブを軽く腹部に密着させる 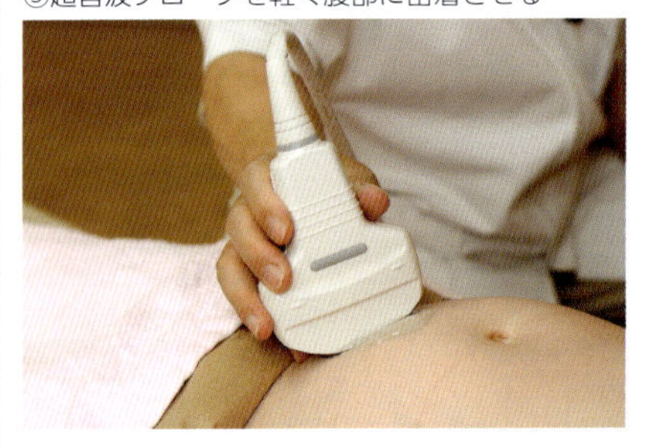	**根拠** 超音波プローブによる過度の腹部圧迫を避ける
④超音波診断装置で胎児の位置を確認する	▶モニター画面には，妊婦の横断像は尾側（足側）から見た状態に描出される（図1，モニター画面の向かって右には妊婦の左側，左には妊婦の右側） ▶モニター画面には，妊婦の縦断像は右側から見た状態に描出される〔図2，モニター画面の向かって右には妊婦の尾側（足側），左には妊婦の頭側〕

腹
右
左
背
手前が尾側

図1　横断像の描出の仕方

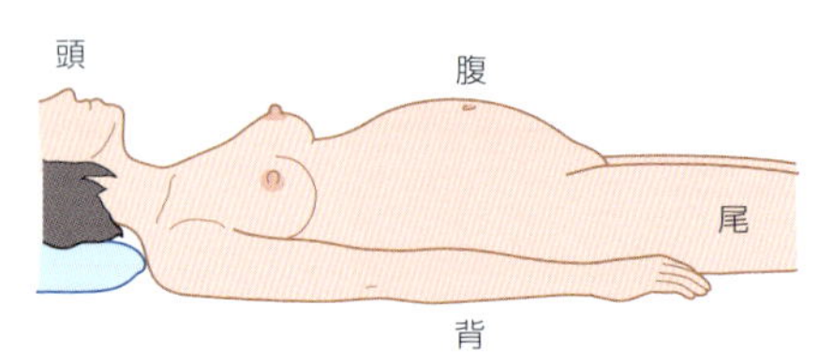

図2　縦断像の描出の仕方

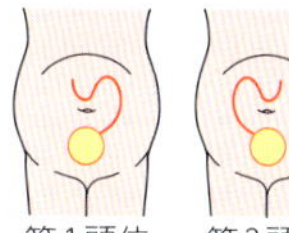

第1骨盤位　第2骨盤位

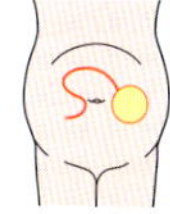

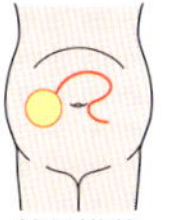

図3　児頭の位置

要点	留意点・根拠
4 観察・記録する	
①児頭を描出する	▶高エコー(白く描出)を呈する骨に囲まれた楕円状の球体が描出される ▶児頭は，頭位であれば恥骨上，骨盤位であれば剣状突起下，横位であれば左あるいは右側腹部に存在する(図3)
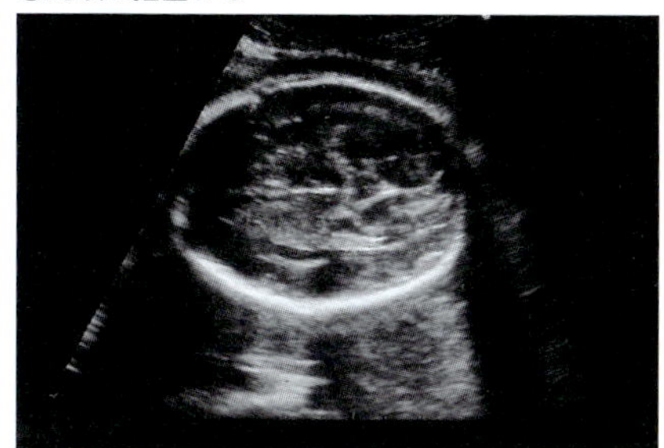 児頭(楕円状の球体)	
②脊柱を描出する	▶プローブを90度回転させると高エコーの脊柱が描出される(胎位・胎向がわかる)
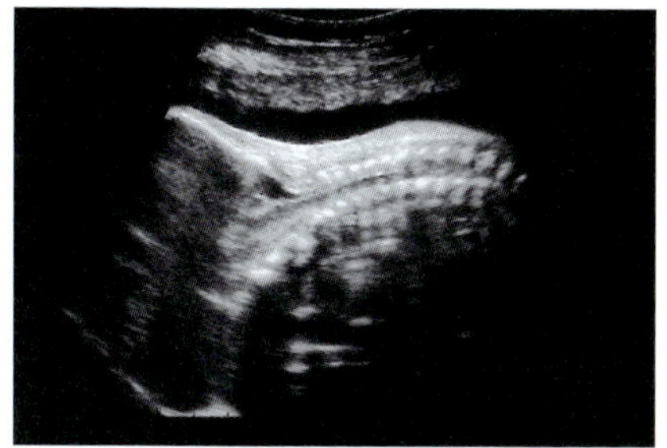 脊柱	
③眼球を描出する	▶児頭が描出された断面を尾側(足のある方)に移動させると，楕円状の球体の端の部分に2つの低エコー(黒く描出)を呈する眼球を認める(回旋がわかる)
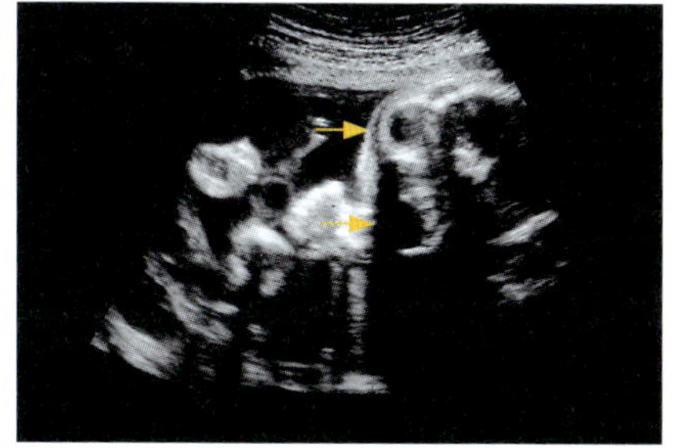 眼球(→)	

要点	留意点・根拠
④大横径（BPD）を計測する ・児頭の横断像をモニター画面上に描出する	▶ 児頭は側頭部から超音波が入射するように描出する（胎児の顔面が横方向に向く位置）(a) **注意** 前頭部（b）あるいは後頭部（c）から超音波が入射した場合には，側頭部における超音波反射が乏しくなるため計測部位の画像が不鮮明（→の部分）になり，児頭大横径の計測が困難になる

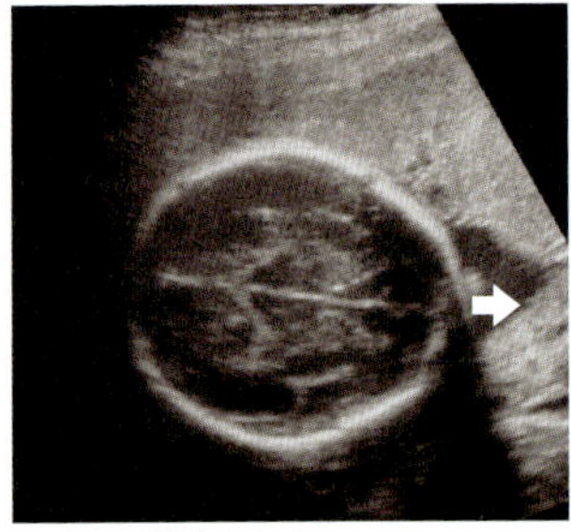

a．顔面が横向き（⇨）

b．顔面が上向き（⇧）

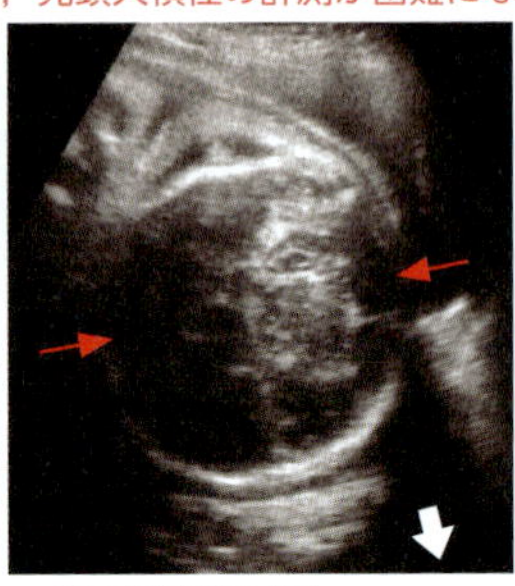

c．顔面が下向き（⇩）

要点	留意点・根拠
・児頭の正中線エコーを中央に描出する	▶ 正中線エコー（大脳鎌）により児頭が二等分されるように描出する（d）

d．正中線エコーで二等分

要点	留意点・根拠
・透明中隔と四丘体槽が描出される高さで児頭横断面を描出する（e）	▶ 体表面に近い頭蓋骨の上縁から遠い頭蓋骨の上縁までの距離を内蔵されたキャリパーを用いて計測する（e）

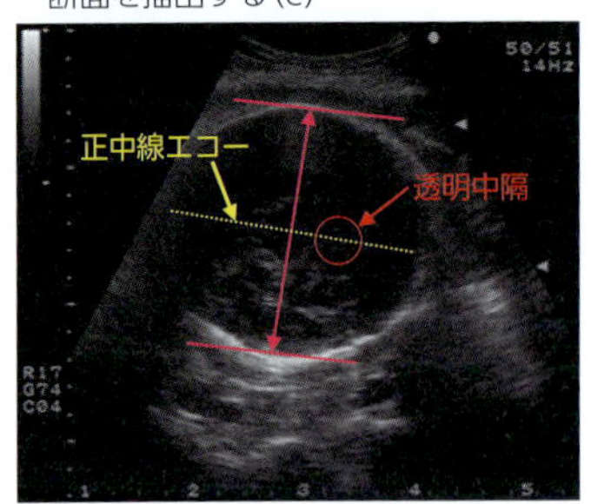

e．BPD の計測

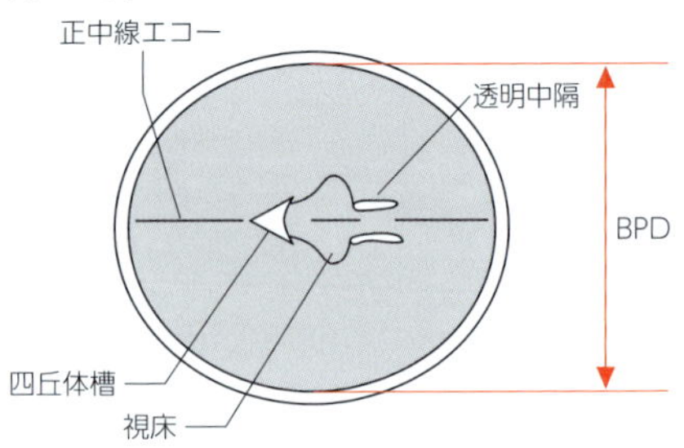

透明中隔と四丘体槽を描出できる断面で計測する

図 4　BPD の計測

要点	留意点・根拠
⑤仰臥位をとっている間，妊婦に異常はないか観察する	▶妊娠後期には，増大した子宮による下大静脈の圧迫のため仰臥位低血圧症候群を起こすことがある 事故防止のポイント 不必要に長く仰臥位をとらせない 緊急時対応 血圧が低下し，悪心・嘔吐，生あくび，めまい，発汗や不安感などの症状がみられた時は，ただちに左側臥位をとらせる 根拠 下大静脈は背骨の前右側を走行している．左側を向くことで圧迫が解除され，静脈還流障害が改善する
《内蔵キャリパーの使い方》 ①画像を固定する ②計測ボタンを押す ③トラックボールでキャリパーを動かす ④セットスイッチを押し，キャリパーの位置を固定する	▶内蔵されたキャリパーを使用するためには，操作パネル上の＋印を押す，あるいは計測(measure)印を押す．左記の③と④を繰り返すことにより計測を行う

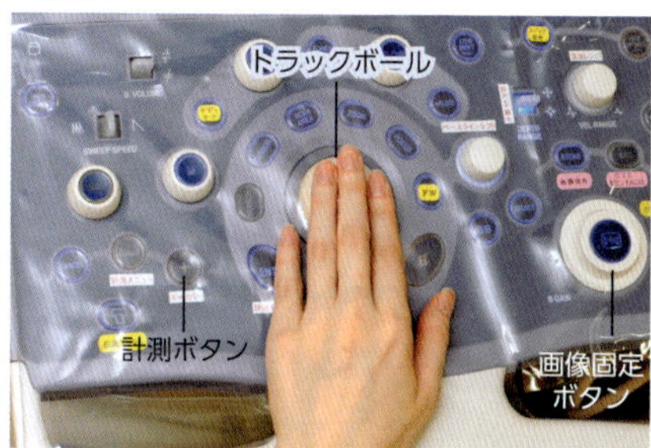

トラックボールでキャリパーを動かす

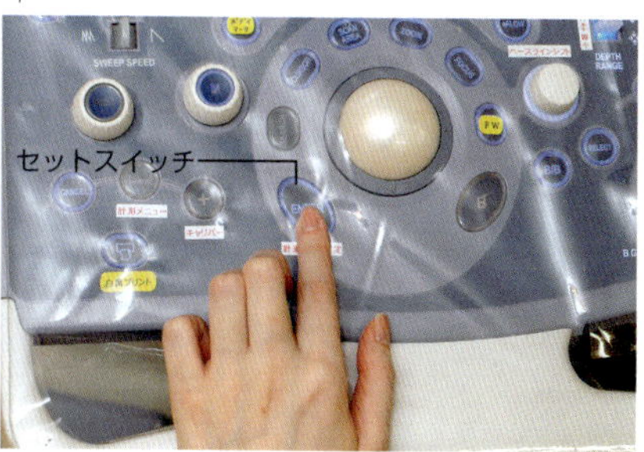

セットスイッチを押す

要点	留意点・根拠
5 記録，評価をし，使用物品の後始末をする ①児頭大横径の計測が終了した時点で検査を終了する ②温かいタオルなどで妊婦の腹部を丁寧に清拭する ③観察した結果を記録し，評価する ④使用した物品の後始末を行う	▶超音波診断装置の電源を切り，超音波プローブに付着したゼリーをペーパーシートで丁寧に拭き取る
⑤検査の結果を知らせる	▶専門用語を避け，わかりやすく説明する

児頭大横径の評価

- 図5に，児頭大横径（BPD）と妊娠週数との相関を示す．妊娠週数に比してBPDが大きすぎる時は，週数設定の誤りや，胎児水頭症などの先天異常も考えられる．小さすぎる時は，週数設定の誤りのほか18トリソミーなどの先天異常に起因することもある．

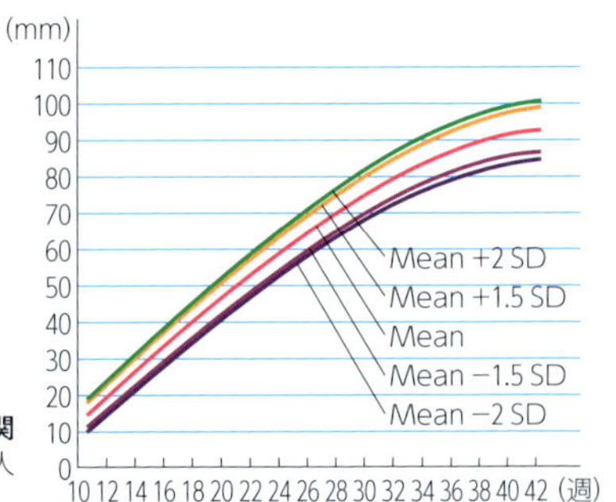

図5　BPD値の妊娠週数との相関
日本超音波医学会：超音波胎児計測の標準化と日本人の基準値，超音波医学30(3)，J 424，2003より作成

3次元超音波検査（3Dエコー）

- 超音波像を3次元的に再構成し，立体像を得る3次元超音波検査は，最近では臨床で頻用されるようになってきている．検査には専用の3Dプローブを用いる．

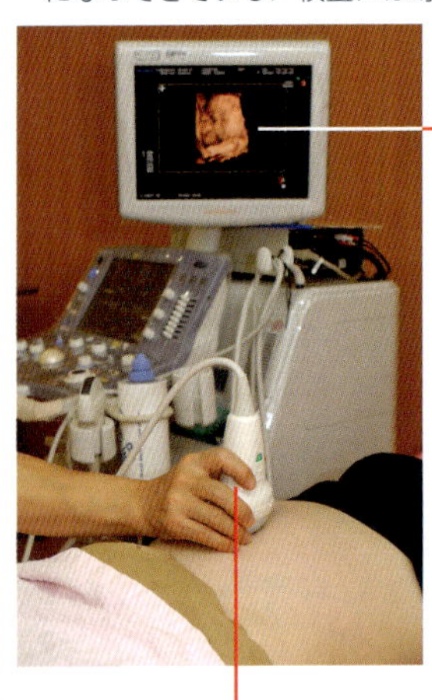

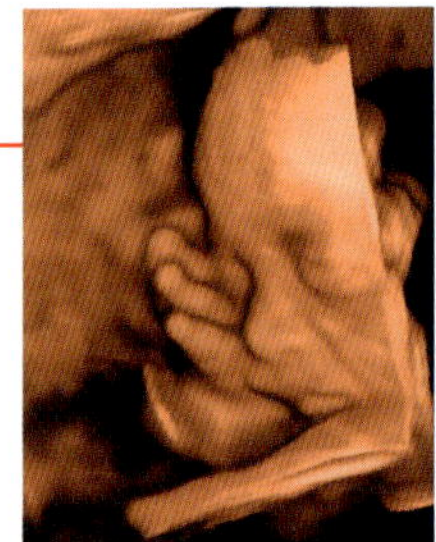

3次元超音波画像でみる胎児（妊娠30週）

3次元超音波検査用プローブ（3Dプローブ）

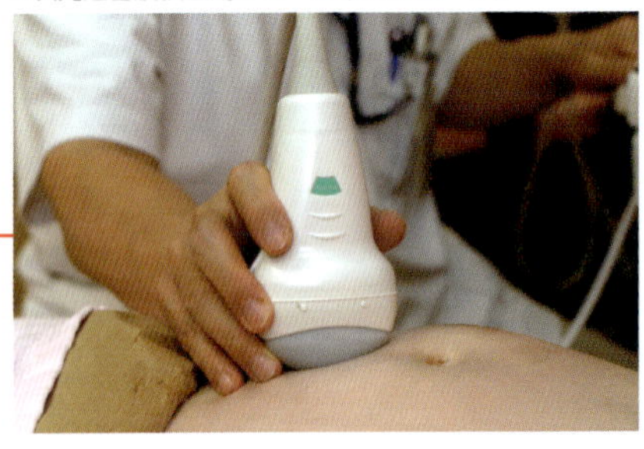

羊水量の測定

目的 胎児の健康状態の判定，胎児機能不全の発見，胎児腎機能の評価，胎児先天異常の発見，妊娠糖尿病の発見
チェック項目 羊水量の測定
適応 妊娠 20 週以降の妊婦
注意 仰臥位低血圧症候群
禁忌 仰臥位あるいは側臥位になれない産婦
事故防止のポイント 長時間の仰臥位の防止

必要物品　超音波診断装置，超音波検査用ゼリー(以下，超音波ゼリー)，ペーパーシート，バスタオル，タオル

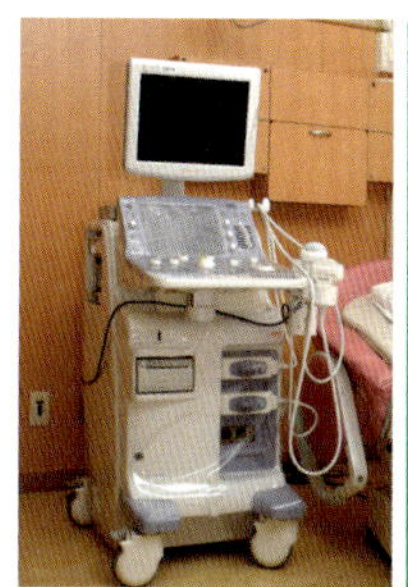
超音波診断装置

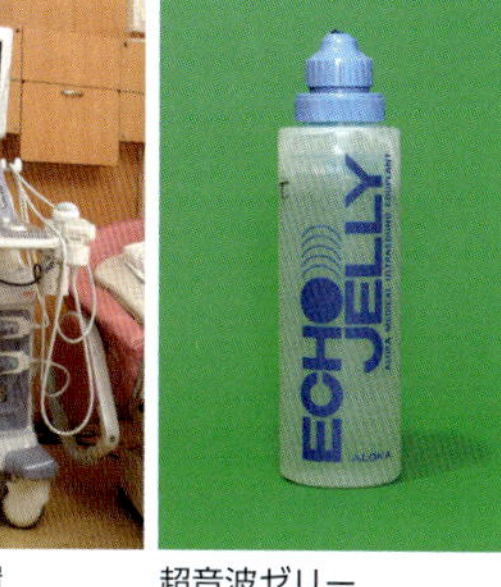

超音波ゼリー

手順

要点	留意点・根拠
1 環境・使用物品の準備を整える	▶ p.144 児頭大横径の計測 参照
2 産婦の準備を整える	▶ p.144 児頭大横径の計測 参照
3 超音波検査を開始する	▶ p.144 児頭大横径の計測 参照
4 観察をする ①羊水腔を描出する ・腹部全体を観察する ・低エコー(黒く描出される)となる羊水部分を探す	▶胎児小部分(手足のある側)にあることが多い(図 1) ▶臍帯も通常，やや低エコーとなるため，エコー輝度(ゲイン)が低いと羊水腔と判別が難しい場合がある(a) **コツ** エコー輝度(ゲイン)を高めにする(b)か，カラーフローモードを追加する(c)と臍帯の鑑別が容易になる

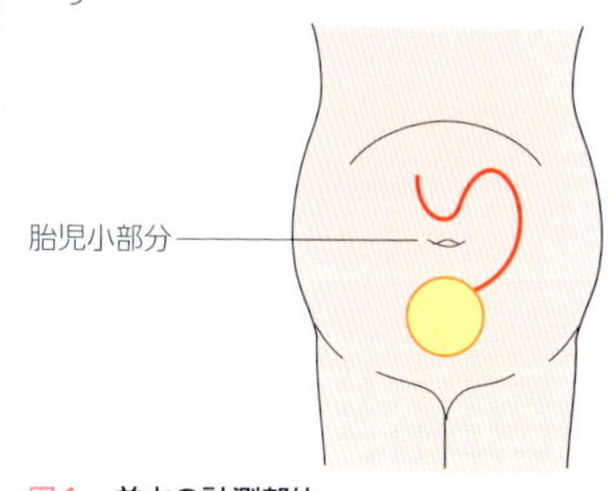

図 1　羊水の計測部位

要点	留意点・根拠

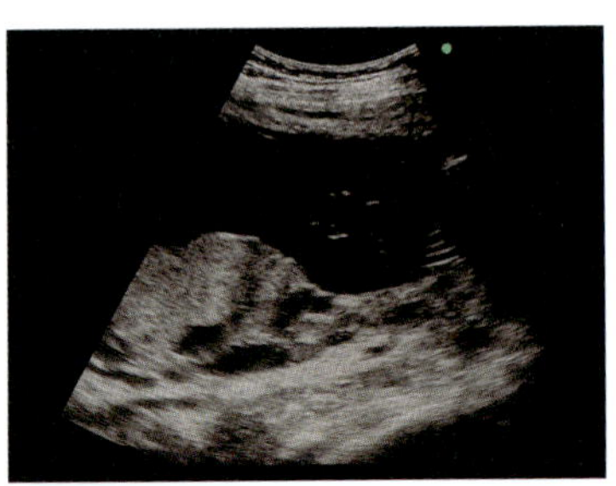

a. ゲインを低くした超音波像

臍帯

b. ゲインを高くした超音波像

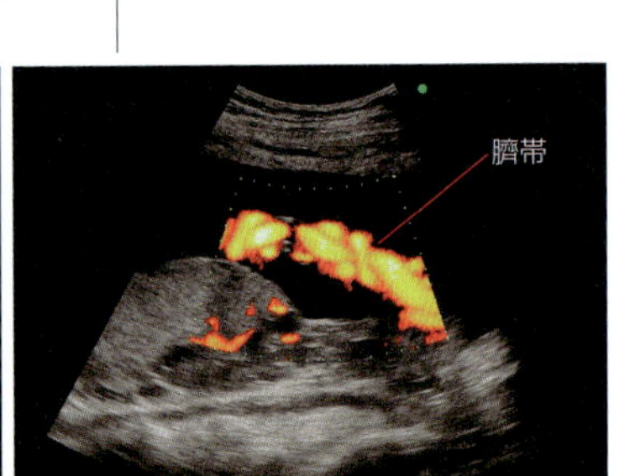

c. 血流をカラー表示した超音波像

②羊水の深さを計測する

・羊水腔を観察する際には，母体背側あるいは腹壁に対して垂直にプローブを置く．プローブを傾けないようにする(図 2)

・最も広く(深く)描出される部分を計測に用いる

・低エコー領域を内蔵されたキャリパーを用いて直線的に計測する(d)

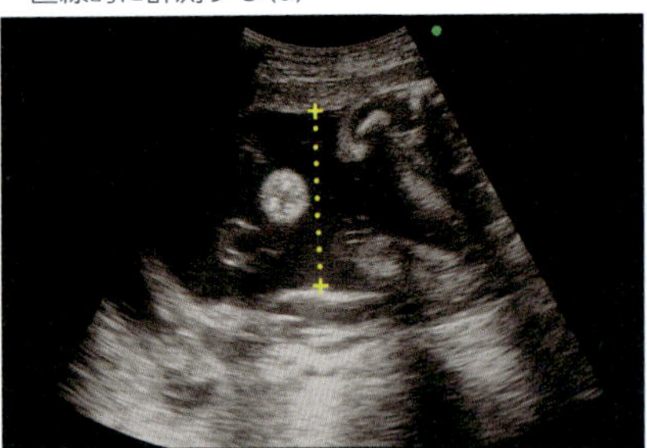

d. 羊水深度の計測

・一般に，羊水深度あるいは羊水ポケットといわれる MVP(maximum vertical pocket：最大垂直羊水ポケット)法では，最も深い部位を 1 か所計測する

・計測する部分には，臍帯や胎児四肢がない箇所を選ぶ

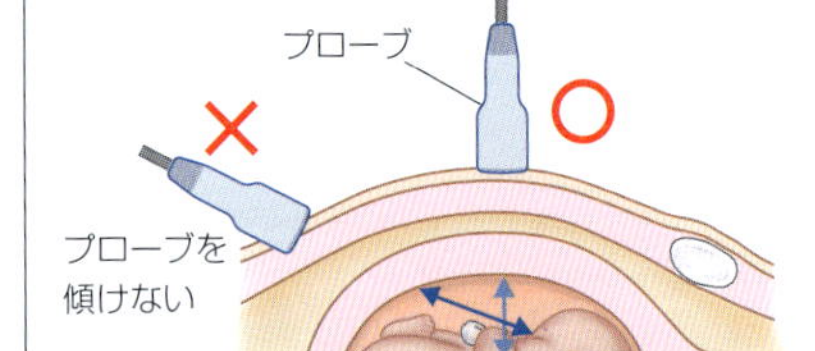

図 2　超音波プローブの当て方

要点	留意点・根拠
③AFI(amniotic fluid index：羊水指数)法で羊水量を測定する	▶AFI 法では，子宮を 4 分割し，それぞれの部位の最大羊水深度を計測し，総和を求める 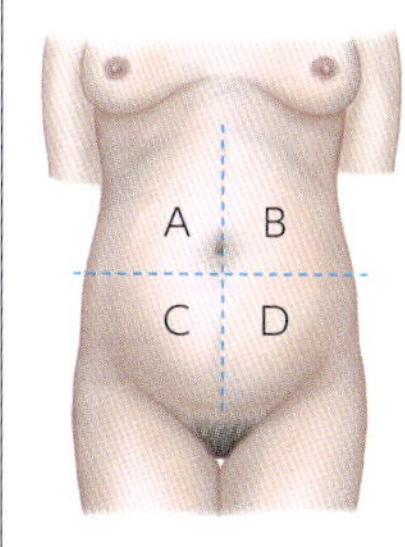 A 部分での最大垂直深度 ＋ B 部分での最大垂直深度 ＋ C 部分での最大垂直深度 ＋ D 部分での最大垂直深度 ＝ **羊水指数** 24 cm 以上は羊水過多 図 3　**羊水指数の求め方** 佐世正勝ほか編：ウエルネスからみた母性看護過程＋病態関連図　第 2 版，p.248，医学書院，2012 より
④仰臥位をとっている間，妊婦に異常はないか観察する	▶妊娠後期には，増大した子宮による下大静脈の圧迫により仰臥位低血圧症候群を起こすことがある **事故防止のポイント** 不必要に長く仰臥位をとらせない **緊急時対応** 血圧が低下し，悪心・嘔吐，生あくび，めまい，発汗や不安感などの症状がみられた時は，ただちに左側臥位をとらせる　**根拠** 下大静脈は背骨の前右側を走行している．左側を向くことで圧迫が解除され，静脈還流障害が改善する
5 記録，評価をし，使用物品の後始末をする ①羊水の深さの計測が終了した時点で検査を終了する ②タオルなどで妊婦の腹部を丁寧に清拭する ③観察した結果を記録し，評価する ④使用した物品の後始末を行う	▶超音波診断装置の電源を切り，超音波プローブに付着したゼリーをペーパーシートで丁寧に拭き取る
⑤検査の結果を知らせる	▶専門用語を避け，わかりやすく説明する

羊水量の判定

《基準値》

- MVP：2～8 cm
- AFI：5～24 cm

5 計測診

2 | 胎児心拍数陣痛図(CTG)

石村 由利子

目的 胎児の健康状態を知る.

チェック項目 胎児心拍数基線, 基線細変動の有無, 周期性・非周期性変動の有無, 陣痛周期と陣痛発作持続時間と強さ

適応 すべての産婦

注意 CTG (cardiotocogram) は胎児心拍数の変動を陣痛との関係とあわせて評価する方法である. 分娩期の胎児心拍数の観察方法には, 分娩監視装置を用いた連続監視法と, 超音波ドップラー装置やトラウベ型桿状聴診器による間欠的聴診法がある. 連続監視か, 間欠的な聴取にするかは, 状況によって決める.

禁忌 なし

事故防止のポイント 下大静脈の圧迫防止, CTG 所見の異常の発見 (胎児心拍数基線の異常, 変動一過性徐脈・遅発一過性徐脈, 基線細変動の減少／消失)

必要物品 分娩監視装置, 記録紙, 超音波検査用ゼリー (以下, 超音波ゼリー), 固定用ベルト, 綿毛布またはバスタオルなどの掛け物, ティッシュペーパー, 清拭用タオル

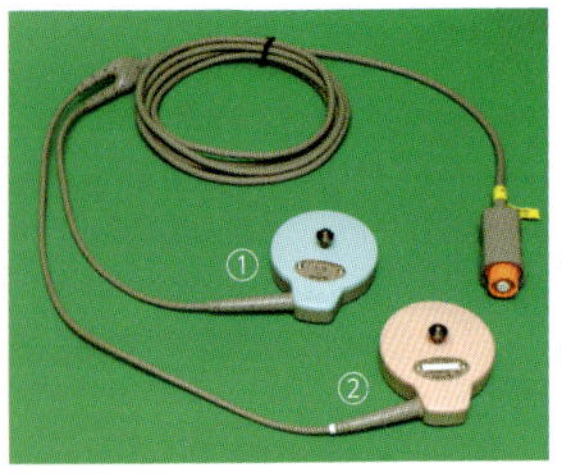

①陣痛用トランスデューサー
②胎児心拍数計測用の超音波トランスデューサー

ベルト

超音波ゼリー

分娩監視装置

手順

要点	留意点・根拠
1 環境を整える ①陣痛室あるいは分娩室の環境を整える	▶ 室温を 24〜25℃ に設定する **根拠** 産婦は体温がやや高い. 陣痛のため発汗も多いので, 産婦が過ごしやすい温度にする. ただし, 胎児娩出が近い時は, 新生児の体温低下を防ぐために, 分娩室の室温は高めにする
②使用する機器の準備をする ・使用する分娩監視装置を点検する	▶ 以下の事項を確認する ・電源を入れておく ・必ずアースを接続する ・心拍数計測用, 陣痛用トランスデューサーを接続する ・時刻合わせができていることを確認する ・記録紙の紙送りスピードを 3 cm/分にする
・モニターの記録紙に, 産婦の氏名, 妊娠週数, 装着年月日を書き入れる	

要点	留意点・根拠
③必要物品を整える	▶検査中に記録紙がなくならないように予備の記録紙を準備する(p.49「第1章-1【5】計測診④ノンストレステスト(NST)」参照)
2 産婦の準備を整える ①診察の目的と方法を説明する ②環境を整える	▶産婦に診察の目的，方法を説明する ▶ベッドあるいは分娩台近くに，産婦の生活に必要な物品を使いやすいように準備する **根拠** 分娩監視装置を装着後は行動が制限される．身体拘束時間が長くなるため，日常生活への援助が必要である
③産婦をトランスデューサーの装着しやすい体位にする 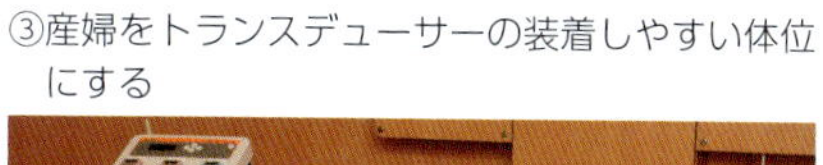 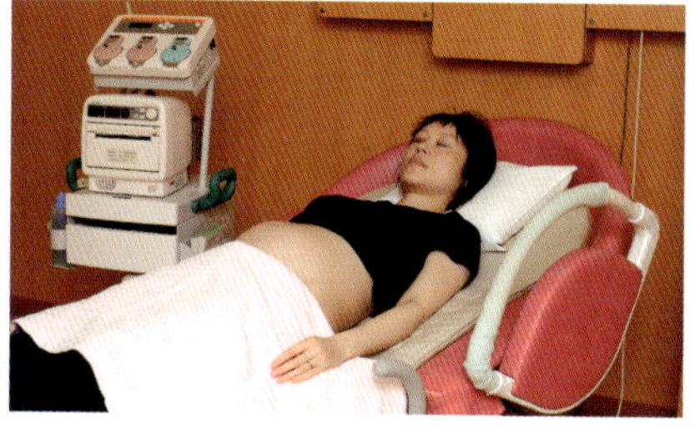	▶産婦を仰臥位またはセミファウラー位にする ▶腹部を露出し，足を掛け物で覆う
3 観察者の準備を整える ①カルテ，パルトグラムなどから情報を得る	▶カルテ，パルトグラムから産婦の氏名，妊娠週数，これまでの妊娠・分娩経過について情報を得ておく
 動画 2-3 **4 検査を行う** ①胎児心音の最良聴取部位を探す 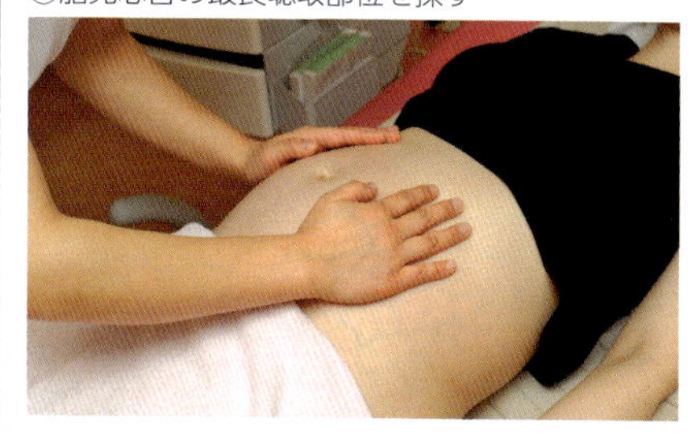	▶レオポルド触診法を用いて胎児心音の最良聴取部位を探す ▶腹部の聴診で観察できる音は，胎児由来の胎児心音，臍帯雑音，胎動音と，母体由来の大動脈音，子宮雑音，腸雑音がある **コツ** 胎児心音は規則正しい重複音で，トントンと澄んだ音として聴こえる
②固定用ベルトを準備する	▶トランスデューサーを固定するベルト2本を背中の下を通して準備する **コツ** ベルト2本は，頭位なら心音用に臍より下に1本，陣痛用に臍より上の子宮底付近に1本を準備する
③胎児心拍数計測用の超音波トランスデューサーを装着する ・ガーゼに超音波ゼリーをとり，超音波トランスデューサーの装着面に塗布する	**根拠** 超音波ゼリーはトランスデューサーと腹壁との間に空気の膜を作らず，皮膚と密着させるた

要点	留意点・根拠
	めに使う．したがって，この目的を果たすのに十分な量を塗布すればよい
・胎児心音の最良聴取部位に超音波トランスデューサーを置く	根拠 最良聴取部位は分娩進行や母体の体位によってその位置が変わるので，適宜トランスデューサーの位置を調整する
・固定用のベルトで腹壁に固定する 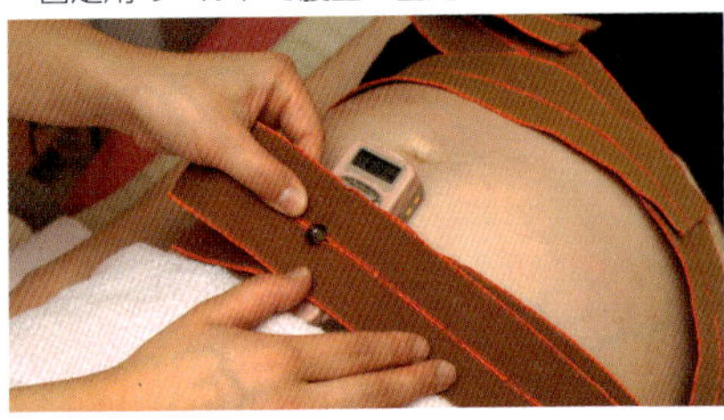	コツ 頭位なら最良聴取部位が臍より下にある．腹壁に沿ってトランスデューサーがずれやすいが，ベルトをきつく締めすぎない 注意 直接胎児に頭皮電極を装着して，心拍数の測定を行うこともあるが，破水していなければ使用できない
④陣痛用トランスデューサーを装着する ・陣痛用トランスデューサーを子宮底より少し下がった平らな部分に置く	根拠 有効な陣痛は子宮各所の収縮が左右対称で同時性であり，子宮底部の収縮が最も強く，下方に行くほど収縮が弱くなる．陣痛の強さ，持続時間を測定する時は子宮底に近い平らな部分が最も観察に適している
・固定用のベルトで腹壁に固定する 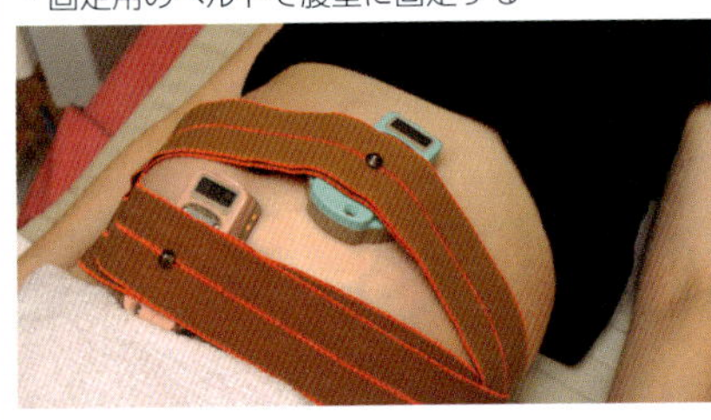	根拠 外測法は産婦の腹部に圧トランスデューサーを装着し，子宮収縮に伴う腹部の隆起による圧センサーの変位を電気的変化として取り出し，連続的に記録するものである．非侵襲的で，簡便であり，陣痛の持続と頻度は比較的正しくモニターできる コツ 強く締め付けるとセンサーが緊張度の変化を感知することができない．ベルトが外れない程度に固定する ▶ 子宮収縮に伴う子宮内圧を定量的に測定する時は内測法を用いる 根拠 日本産科婦人科用語問題委員会による陣痛の強さの表現は内測法によるものである．子宮腔内にオープンエンドカテーテルを挿入して圧センサーにつなぎ，測定値は mmHg で表示し，客観的な強さとして表現される．ただし，破水していなければ使用できない
⑤産婦を安楽な体位にする 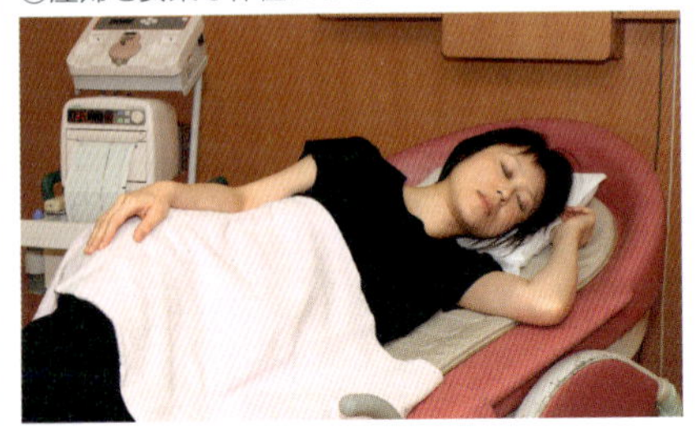	▶ 産婦の安楽を考え，装着後は最も安楽な体位をとってよいことを知らせる ▶ 側臥位では胎児心音が聞きとりづらいが，仰臥位より産婦の安楽を確保しやすい ▶ 体位を変えた時には波形が正しく描写できているか確認する 根拠 体位を変えると胎児心音の最良聴取部位が移動するので，良好に聴取できているか確認が必要である．仰臥位は側臥位や座位，立位より収縮回数は増加するが，収縮力が減少する ▶ 仰臥位は痛みを感じている割には分娩進行にはつながらない．分娩進行のためには仰臥位より側臥位，座位の方が有効であり，装着時の姿勢を維

要点	留意点・根拠
	持する必要はないことを伝えておく **事故防止のポイント** 下大静脈の圧迫を避ける体位にする
⑥分娩監視装置のスイッチを入れ，基線，音量を調整する 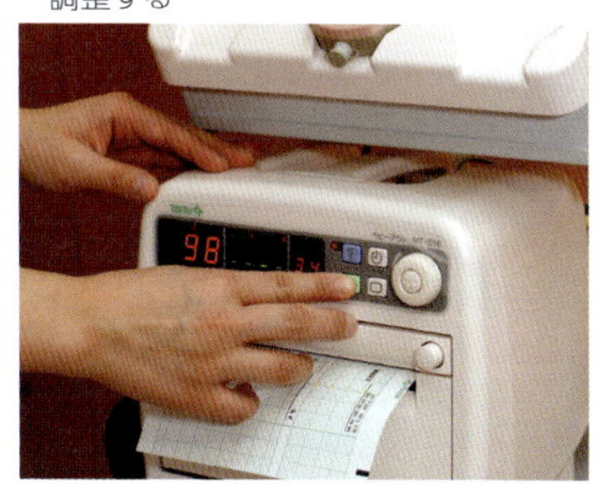	▶腹部の緊張がないことを確認して，陣痛計のゼロセットスイッチを押してペンの位置を0点に合わせる **注意** 産婦の訴えに頼らず，触診を併用する ▶心音計の音量を調整する
⑦記録を開始する ・記録紙に開始時刻を記入する	▶記録紙の産婦の氏名を確認し，開始時刻を書き入れて，記録を開始する
・経過中の出来事を記録紙に適宜記入する 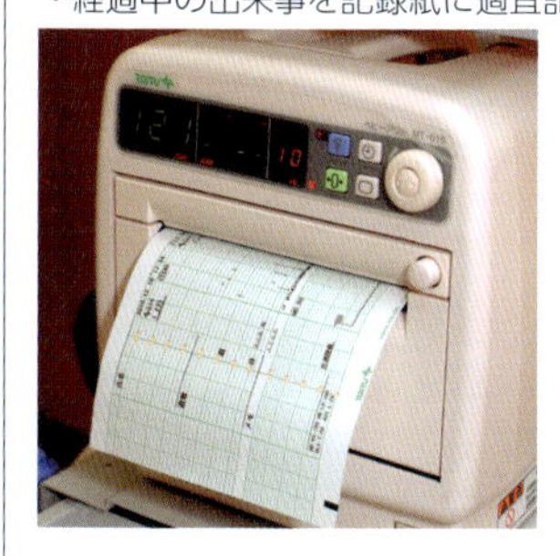	▶記入事項は，バイタルサイン，内診所見，体位変換，投与薬剤とその量，酸素投与の有無，投与しているなら流量など，それぞれの時刻に合わせて記入しておく
5 判読，評価をする ①判読可能な記録がとれていることを確認する	▶陣痛発作，間欠が正しく記録されていることを確認する **コツ** 腹部の状態を触診で観察し，所見が一致していることを確認する．適切に記録されていない時は，陣痛用トランスデューサーの装着位置を確認し，固定用ベルトを調節する ▶判読できる胎児心拍数の描画が得られていることを確認する **根拠** 分娩監視装置のモニターに表示される心拍数は瞬時心拍数であり，拍ごとの時間間隔から1分間の心拍数に換算して示されている．超音波トランスデューサーの装着が適切でないと，正しい胎児心拍数および連続した描画が得られず，周期性変化を判断することはできない ▶徐脈がある時，母体脈拍と同期していないことを観察して，母体心拍を記録していないことを確認する

要点	留意点・根拠
② CTG所見を判読し，分娩経過の異常の有無を評価する 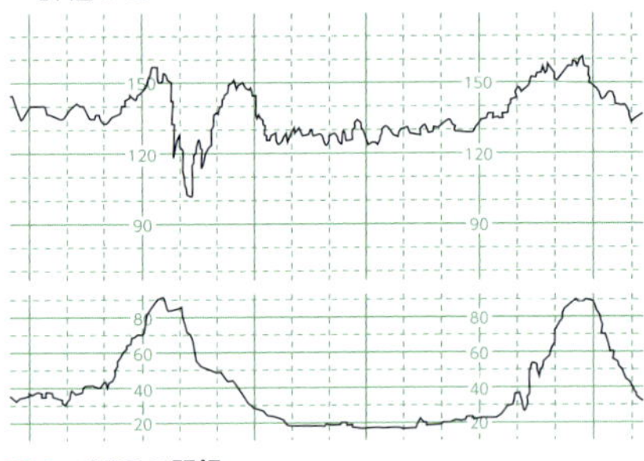 図1 CTGの記録	▶定期的にCTG所見を判読し，評価を行う．分娩第1期には，胎児心拍数波形レベル1なら15〜90分ごとに間欠的胎児心拍聴取あるいは連続モニタリング，分娩第2期にはすべての産婦で連続モニタリングを行うことがすすめられている[1)] ▶胎児心拍のパターンの異常所見の特徴と対応を把握しておく コツ 一過性徐脈を分類する時は，まず徐脈の形を観察し，毎回の形がそろっているか，異なるかをみて，次いで陣痛のピークとのズレの有無を判読するとわかりやすい 事故防止のポイント 胎児心拍数基線の異常，変動一過性徐脈・遅発一過性徐脈の出現，基線細変動の減少／消失を見落とさない 緊急時対応 変動一過性徐脈が出現した時は母体の体位変換を行う 根拠 児背のある側が上になる方向に母体の体位を変換することで，臍帯圧迫が解除され，心拍数が正常に復することが期待できる．改善しない時は反対側に体位変換してみることもよい 緊急時対応 異常所見が観察された時は，ただちに医師に報告する．指示により酸素投与，急遂分娩の準備などの対応をとる．p.162，表5参照 注意 CTGの判読では，一過性徐脈の判別，基線細変動の減少と消失の区別など，判読の難しい所見がある．児の予後に大きな影響を与えるので，あいまいなままにせず，医師に報告する
6 後始末をする ①分娩監視装置のスイッチを切る ②固定用ベルトを外し，トランスデューサーを外す ③腹部を清拭し，着衣を整える 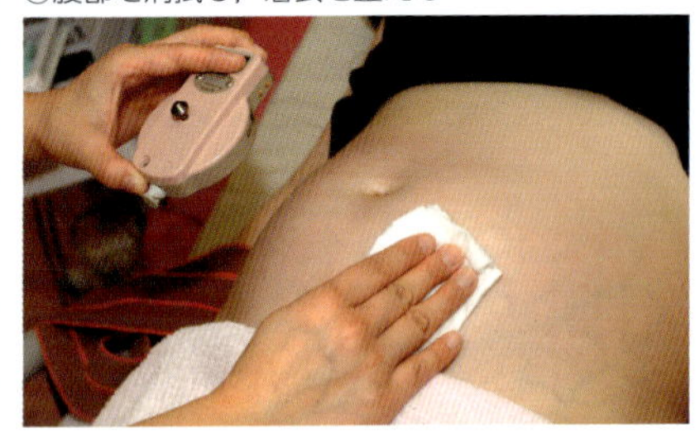	▶腹部の超音波ゼリーをティッシュペーパーで拭き取り，清拭用タオルで清拭する ▶産婦の着衣を整える

要点	留意点・根拠
④使用機器を片づける 	▶超音波トランスデューサーの超音波ゼリーを拭き取り，所定の位置に収納する ▶消耗品の補充を行い，次回使用時に備える 根拠 分娩監視装置は分娩時，緊急時にも使用する機器である．次回すぐ使えるように準備しておく
7 記録，評価をする ①記録紙に必要事項を記入する	▶分娩経過中に間欠的胎児心拍聴取に切り替える時は医師に報告する 根拠 産婦のリスクおよび分娩進行状態から連続監視の必要性を判断する ▶記録紙に産婦の氏名，中断の日時分，所見を記入する ▶分娩が終了した時は産婦の氏名，分娩した年月日時分，分娩様式，児の性別，児体重，アプガースコア，臍帯血ガス分析結果などを記入する
②産婦に結果を知らせる	▶専門用語を避け，わかりやすく説明する
③記録紙を切り取り，所定の台紙に貼る，袋に入れるなど，施設のルールに従って保管する	▶必要に応じて取り出せるようにしておく 根拠 カルテ，助産録は，保健師助産師看護師法により5年間の保存義務がある．CTG 記録紙は分娩経過の資料として一緒に保存する

評価

1 胎児心拍数モニタリングに使用される用語

表 1　胎児心拍数モニタリングに使用される用語

名称	内容	備考
A．胎児心拍数基線 FHR-baseline	10 分間の区間内でのおおよその平均胎児心拍数で，正常な経過であれば 110～160 bpm の範囲にある 10 分の区画内で，基線と読む場所は少なくとも 2 分以上続かなければならない．そうでなければ不確定とする．この場合は，直前の 10 分間の心拍数から判定する．110 bpm 未満であれば徐脈，160 bpm を超えるときは頻脈とする	5 の倍数として示す 152 bpm は 150 bpm，138 bpm は 140 bpm と表記する
B．胎児心拍数基線細変動 FHR-baseline variability	1 分間に 2 サイクル以上の胎児心拍数の変動であり，振幅，周波数とも規則性がないもの 細変動の振幅の大きさによって，①細変動消失(肉眼的に認められない)，②細変動減少(5 bpm 以下)，③細変動中等度(6～25 bpm)，④細変動増加(26 bpm 以上)の 4 段階に分けられる この分類は肉眼的に判読する	サイナソイダルパターンはこれに含まない
C．胎児心拍数一過性変動 periodic or episodic change of FHR		
1) 一過性頻脈 acceleration	心拍数が急速に増加し(開始からピークまでが 30 秒未満)，開始から頂点までが 15 bpm 以上，元に戻るまでの持続が 15 秒以上 2 分未満のものをいう	32 週未満では 10 bpm 以上，戻るまでの持続が 10 秒以上のものとする
・遷延一過性頻脈 prolonged acceleration	頻脈の持続が 2 分以上，10 分未満であるものとする．10 分以上持続するものは基線が変化したものとみなす	
2) 一過性徐脈 deceleration	一過性徐脈の波形は，心拍数の減少が急速であるか，緩やかであるかにより，肉眼的に区別することを基本とする．その判断が困難な場合は心拍数減少の開始から最下点に至るまでに要する時間を参考とし，両者の境界を 30 秒とする．対応する子宮収縮がある場合には以下の 4 つに分類する	対応する子宮収縮がない場合でも変動一過性徐脈と遷延一過性徐脈は判読する
・早発一過性徐脈 early deceleration	子宮収縮に伴い心拍数は緩やかに下降し(減少の開始から最下点まで 30 秒以上)，子宮収縮の消退に伴い元に戻るものをいう．心拍数の最下点は陣痛のピークとほぼ一致している 100 bpm 以下に低下することはほとんどない	胎児頭部への圧迫による．低酸素症とは無関係で，良性である
・変動一過性徐脈 variable deceleration	15 bpm 以上の心拍数減少が急速に起こり，開始から回復まで 15 秒以上 2 分未満の波形をいう．その心拍数減少は直前の心拍数より算出される 子宮収縮に伴って発生する場合は，一定の形を取らず，下降度，持続時間は子宮収縮ごとに変動することが多い	臍帯圧迫により引き起こされる．分娩中最も頻繁にみられるパターンである
・遅発一過性徐脈 late deceleration	子宮収縮に伴い心拍数が緩やかに減少し，緩やかに回復する波形で，一過性徐脈の最下点が子宮収縮の最強点より遅れているものをいう．多くの場合，一過性徐脈の開始・最下点・回復が，各々子宮収縮の開始・最強点・終了より遅れる	
・遷延一過性徐脈 prolonged deceleration	心拍数減少が 15 bpm 以上で，開始から回復まで 2 分以上 10 分未満の波形をいう．その心拍数減少は直前の心拍数より算出される．10 分以上の心拍数減少の持続は基線の変化とみなす	

日本産科婦人科学会／日本産婦人科医会編・監修：産婦人科診療ガイドライン―産科編 2017，pp.287-288，2017 をもとに著者作成

表 2 一過性徐脈の軽度と高度についての分類基準

種類	軽度	高度
変動一過性徐脈	最下点が 70 bpm 未満で持続時間が 30 秒未満または最下点が 80 bpm 以下にならないもの，または，最下点が 70 bpm 以上 80 bpm 未満で持続時間が 60 秒未満	最下点が 70 bpm 未満で持続時間が 30 秒以上または，最下点が 70 bpm 以上 80 bpm 未満で持続時間が 60 秒以上
遅発一過性徐脈	基線～最下点までの心拍数低下が 15 bpm 未満	基線～最下点までの心拍数低下が 15 bpm 以上
遷延一過性徐脈	最下点が 80 bpm 以上	最下点が 80 bpm 未満

日本産科婦人科学会／日本産婦人科医会編・監修：産婦人科診療ガイドライン―産科編 2020，p.231，2020

2 判定基準

1. 判定時の基本事項

- 日本産科婦人科学会周産期委員会による判読時の基本事項[2)]を以下に示す.

(1) 胎児心拍数図を肉眼的に見て判断されるものであるが，将来のコンピュータによる自動判定にも適応されるものとする.
(2) 記録用紙，モニターディスプレイ画面の横軸の記録速度は 1 分間に 3 cm，縦軸は記録紙 1 cm あたり心拍数 30 bpm を標準とする.
(3) 胎児心電図からの直接誘導による心拍数計測あるいは超音波ドプラ法による自己相関心拍数計測のどちらにも適応される.
(4) 用語は主に分娩時の胎児心拍数図に対するものであるが，妊娠中においてもその読み方は同じとする.
(5) 心拍数波形は心拍数基線，細変動の程度，心拍数一過性変動をそれぞれ別個に判断するものとする.
(6) 子宮収縮に伴う変化は周期性変動，伴わない変化は偶発的変動とする.
(7) 妊娠週数，子宮収縮の状態，母体，胎児の状態，薬物投与など，胎児心拍数に影響を与えると考えられる事項を記載する.

2. 胎児心拍数波形の分類

- 胎児心拍数パターンからわかるのは，胎児の健康状態が良好であるか，あるいは何らかの健康問題が発生している可能性とその重症度である.
- 心拍数基線，基線細変動，一過性徐脈の組み合わせから，胎児の低酸素症へのリスクの程度を推測するために，胎児心拍数波形をレベル 1～5 に分類する.

表 3 胎児心拍数波形の分類判定

	一過性徐脈 ＼ 心拍数基線	なし	早発一過性徐脈	変動一過性徐脈		遅発一過性徐脈		遷延一過性徐脈	
				軽度	高度	軽度	高度	軽度	高度
基線細変動正常	正常波	1	2	2	3	3	3	3	4
	頻脈	2	2	3	3	3	4	3	4
	徐脈	3	3	3	4	4	4	4	4
	徐脈(<80)	4	4		4	4	4		
基線細変動減少	正常波	2	3	3	4	3	4	4	5
	頻脈	3	3	4	4	4	5	4	5
	徐脈	4	4	4	5	5	5	5	5
	徐脈(<80)	5	5		5	5	5		
基線細変動消失	心拍数基線にかかわらず	4	5	5	5	5	5	5	5
基線細変動増加		2	2	3	3	3	4	3	4
サイナソイダルパターン		4	4	4	4	5	5	5	5

日本産科婦人科学会／日本産婦人科医会編・監修：産婦人科診療ガイドライン―産科編 2020，pp.229-230，2020

表4 波形レベル

波形レベル	分類	
1	正常波形	胎児健常性が保たれている
2	亜正常波形	
3	異常波形(軽度)	胎児機能不全
4	異常波形(中等度)	
5	異常波形(高度)	

日本産科婦人科学会／日本産婦人科医会編・監修：産婦人科診療ガイドライン―産科編 2020, pp.228-229, 2020 より抜粋

3 管理方法

《分娩中の胎児 well-being および陣痛の評価者》

- 評価は医師あるいは助産師が行う．看護師も医師の監督のもとに行うことができる

《胎児心拍数波形の管理指針》

- 胎児心拍数波形の分類判定を基にした対応と処置を表5に示す．心拍数基線，基線細変動，一過性変動に異常所見がなければ，経過を見守ればよい．低酸素症では遅発一過性徐脈の出現頻度が増える．経時的変化を観察し，介入が必要となる異常を見落とさない．

表5 胎児心拍数波形分類に基づく対応と処置(主に32週以降の症候に関して)

波形レベル	対応と処置	
	医師	助産師*
1	A：経過観察	A：経過観察
2	A：経過観察 または B：監視の強化，保存的処置の施行および原因検索	B：連続監視，医師に報告する．
3	B：監視の強化，保存的処置の施行および原因検索 または C：保存的処置の施行および原因検索，急速遂娩の準備	B：連続監視，医師に報告する． または C：連続監視，医師の立ち会いを要請，急速遂娩の準備
4	C：保存的処置の施行および原因検索，急速遂娩の準備 または D：急速遂娩の実行，新生児蘇生の準備	C：連続監視，医師の立ち会いを要請，急速遂娩の準備 または D：急速遂娩の実行，新生児蘇生の準備
5	D：急速遂娩の実行，新生児蘇生の準備	D：急速遂娩の実行，新生児蘇生の準備

保存的処置の内容
一般的処置：体位変換，酸素投与，輸液，陣痛促進薬注入速度の調節・停止など
場合による処置：人工羊水注入，刺激による一過性頻脈の誘発，子宮収縮促進薬の投与など
＊医療機関における助産師の対応と処置を示し，助産所におけるものではない
日本産科婦人科学会／日本産婦人科医会編・監修：産婦人科診療ガイドライン―産科編 2020, p.231, 2020

●文献

1）日本産科婦人科学会／日本産婦人科医会編・監修：産婦人科診療ガイドライン―産科編 2020, pp.223-227, 2020
2）日本産科婦人科学会周産期委員会：胎児心拍数図の用語および定義検討小委員会報告，日産婦誌，55(8)：1205-1216, 2003

6 内診(介助)

石村 由利子

目的
・子宮口の開大や頸管の状態，胎児の回旋や下降度を観察し，分娩の時期の診断と経過の予測を行う．
・骨産道，軟産道の形態を観察し，リスク因子を発見する．

チェック項目 子宮口の開大や頸管の状態，胎児の回旋や下降度，骨産道の形態

適応 前置胎盤を除くすべての産婦

注意 内診は産婦人科の診察の中でも特に羞恥心を起こさせるものであり，また，感染の機会となりやすい．必要な時期を選び，短時間で正確に診断できる技術の習得が必要である．

禁忌 前置胎盤が疑われる時は行わない．

事故防止のポイント 産婦の取り違え防止，内診指による卵膜の破綻防止，感染防止，転倒・転落の防止

必要物品 内診台または分娩台，滅菌手袋，膿盆(ベッド上で行う場合)，内診用シーツ，消毒液，綿球，鑷子(せっし)，ガーゼ，ティッシュペーパー，バスタオル

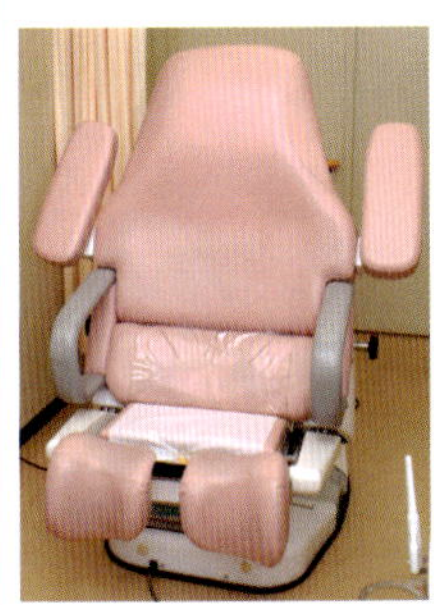
内診台

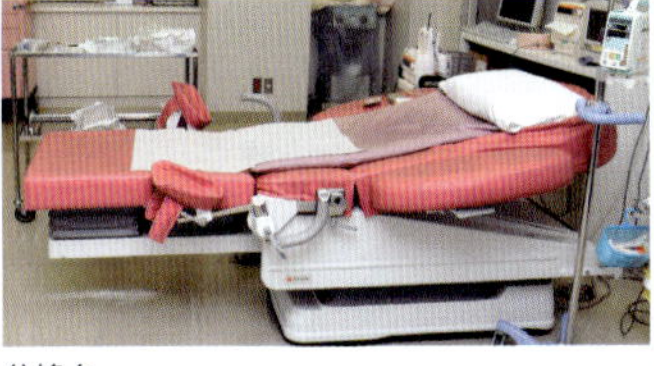
分娩台

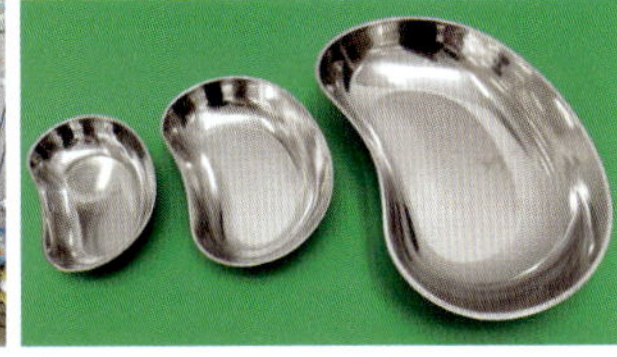
膿盆

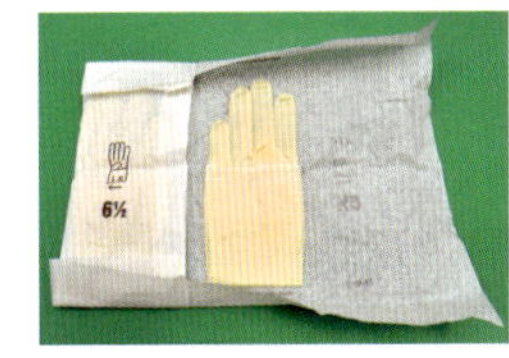

滅菌手袋

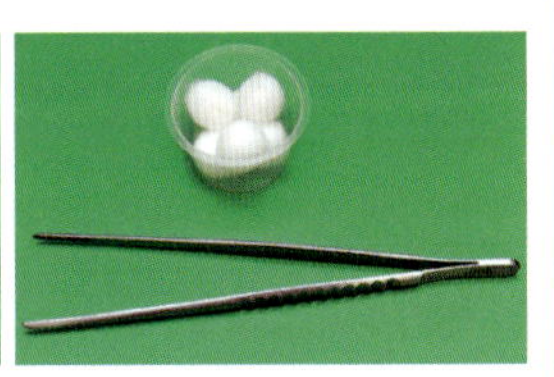
上：綿球，下：鑷子

手順

要点	留意点・根拠
1 環境を整える ①診察室の環境を整える	▶プライバシーが保護される環境を準備する **根拠** 内診は産婦人科の診察の中でも特に羞恥心を起こさせるものである．関係者以外の入室を避ける
②診察台を準備する	▶分娩台または内診台を準備する **根拠** 診察時の体位を砕石位とするため分娩台または内診台で行う．ただし，ベッド上で行うこともある **注意** 内診は医師，助産師のみが行える診断技術である．看護師は所見から状態を判断し，経過の予測に役立てる
③必要物品を整える	▶診察に使う消毒液，綿球，膿盆などを準備する **コツ** 外陰部を不要に長く露出させることなく，

要点	留意点・根拠
	診察を手際よく行うために，必要物品をそろえ，使いやすく配置しておくとよい
2 産婦の準備を整える ①診察の目的，方法を説明する ②最終の排尿時刻を確認する	▶膀胱充満の程度を確認する．膀胱充満があれば，排尿を促す．トイレへの歩行が難しい時は床上排泄を介助あるいは導尿を行うこともある 根拠 膀胱充満があると胎児の下降を妨げる．また，内診指で圧迫され，産婦が苦痛を感じる
③陣痛の状態を確認する	根拠 産婦の苦痛を考え，内診は原則として陣痛間欠時に行う
④産婦を砕石位にする ・産婦用ショーツを外し，パッドを取る	注意 分娩経過中は血性分泌物がみられることが多い．血液で汚染したパッドの扱いは手袋を装着して行う
・産婦の腰の下に内診用シーツを敷き，砕石位をとってもらう	コツ ベッド上で診察する時，産科用の大きいパッドを当てていれば，血液や分泌物を受けることができるので，内診用シーツを敷かないこともある
・診察に適した高さ，足の角度，腰の位置を調節する	▶足，外陰部が不必要に露出しないようにバスタオルで覆う
3 診察者の準備をする ①産婦の分娩経過に関する情報を得る	▶産婦の氏名を確認し，分娩経過に関する情報を得る 根拠 内診が必要な時期であるかを判断し，観察項目を決めてから診察に臨む 事故防止のポイント 産婦の取り違えを防ぐ
②診察者は爪を切っておく	▶産婦を傷つけないように爪を切っておく 事故防止のポイント 爪による卵膜の破綻を防ぐ
③滅菌手袋をする	▶診察者の手に合った手袋を準備する 注意 手袋は診察者の手に合ったサイズを選ぶ 根拠 指先にゆるみがあると所見を誤ることがある．特に卵膜所見の間違いを招く ▶診察者は手指消毒をして，滅菌手袋を装着する 事故防止のポイント 感染の危険性を最小にするため，無菌的に行う

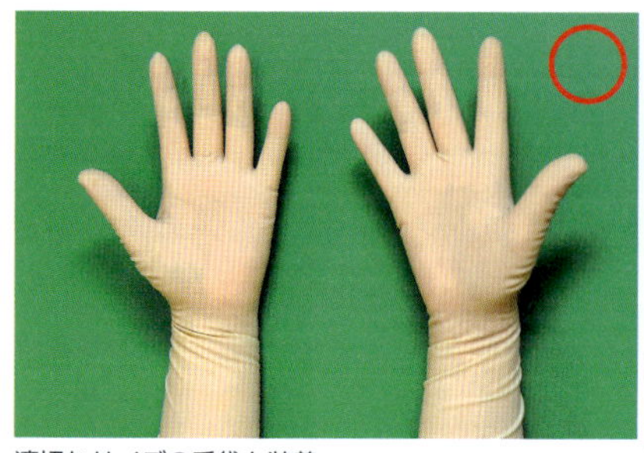
適切なサイズの手袋を装着

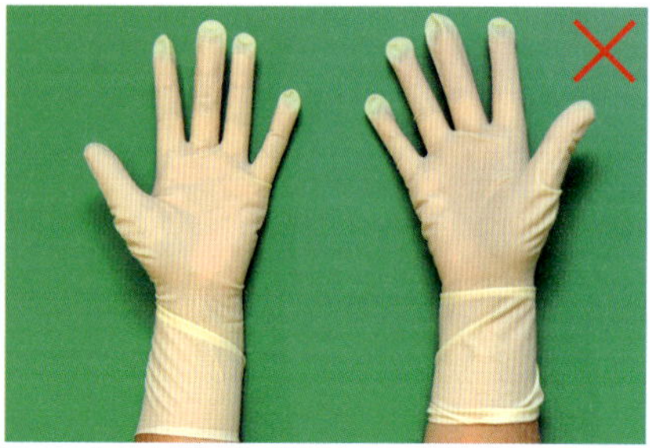
不適切なサイズの手袋を装着

要点	留意点・根拠
④診察者は適切な位置に立つ 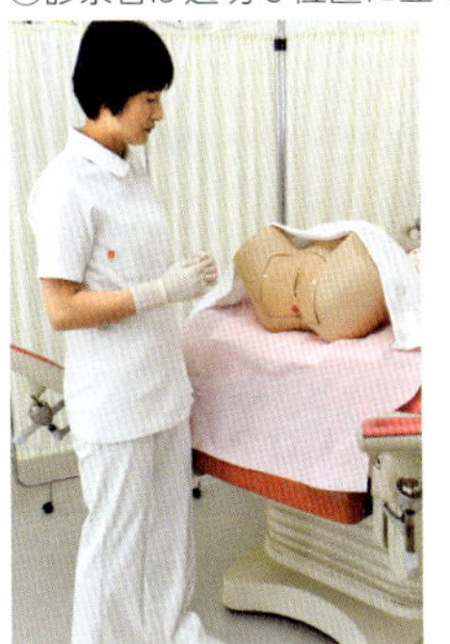	▶ 診察者は産婦の足方から対面する向きに立ち，利き手が使いやすいように位置する ▶ 迅速かつ的確に所見がとれるように心がけ，短い時間で終了できるよう，必要物品を準備する コツ 診察者は必ず産婦の足側から向き合う位置をとり胎位，胎向，回旋の状態を観察する．診察者の側から見て，児背が右にあれば第1胎向である．回旋の状態も診察者の位置から時計の文字盤を想定して先進部の位置や矢状縫合の向きを表現する．診察者の位置を基準に考える習慣をつけると胎位，胎向，回旋の診断はわかりやすくなる
⑤介助者は診察者の介助をしやすい位置に立つ	▶ 消毒用綿球を渡すなど，診察者の介助を行うが，必ずしも診察者の利き手側でなくても対応できる．診察時に産婦を励まし，呼吸を整える指導を行うことや寝衣や下着の着脱を手伝うなど，産婦の近くに立ったほうがよいこともある
 **4 外陰部の観察を行う** ①外陰部の視診，触診を行う ・外陰部を観察し，会陰の伸展性を妨げる因子はないか確認する ・会陰部の伸展，膨隆の有無を確認する 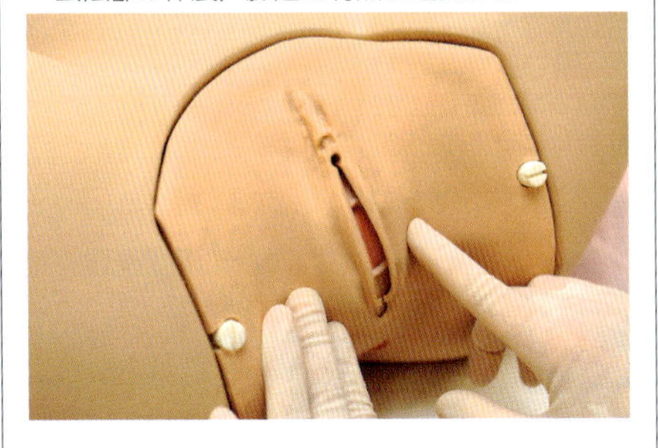	▶ p.131，p.136「第2章-1【3】視診，【4】触診」参照 根拠 前回分娩時の会陰切開創が瘢痕化している時，静脈瘤がある時は伸展性が悪い 根拠 分娩第2期では胎児の下降に伴って次第に会陰部が膨隆し，腟口が哆開(しかい)してくる．児娩出が近い徴候である **観察項目** 外陰：会陰の伸展性の良否，腫脹の有無，浮腫の有無，静脈瘤の有無，あれば程度，前回分娩時の会陰切開創の瘢痕の有無と程度
5 産道の観察を行う ①外陰部を清拭する 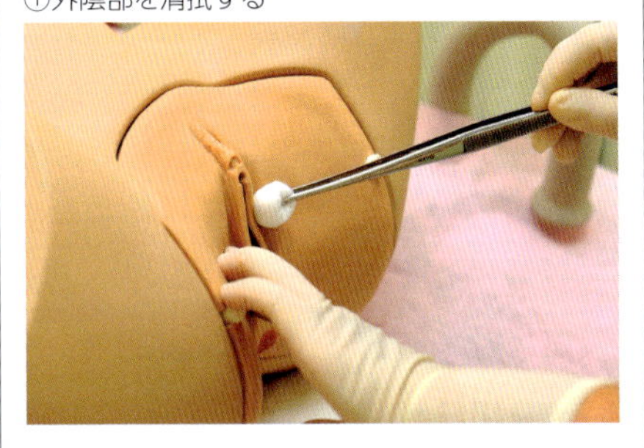	▶ 消毒綿または消毒液を浸した綿球で外陰部を清拭する 根拠 内診は子宮内感染の機会となりやすい．破水後は特に感染防止に注意を払う 事故防止のポイント 消毒，無菌操作を徹底して，感染を防止する

要点	留意点・根拠

②内診指を挿入する

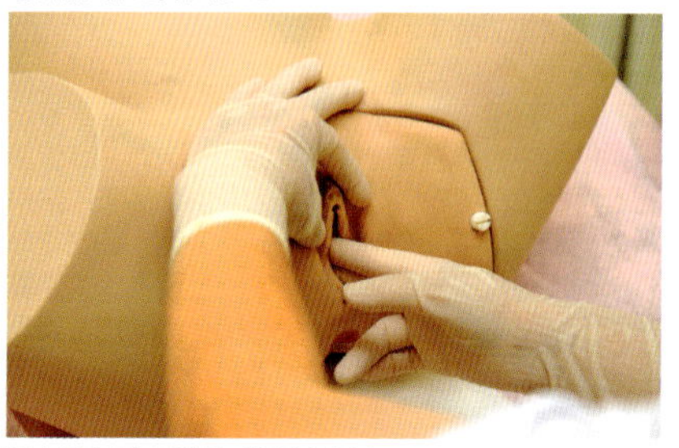
利き手と逆の手指で陰唇を開く

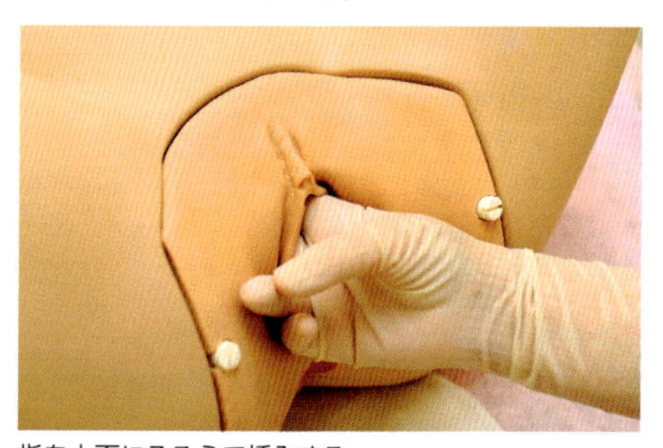
指を上下にそろえて挿入する

▶ 産婦にゆっくり深呼吸をして腹部の力を抜くよう指導する．股関節が十分開くよう，下肢の力を抜いてもらう

▶ 内診する手と反対の手の指で陰唇を開き，内診する側の手の示指・中指を腟入口から静かに挿入する

コツ 手袋を消毒薬などで濡らしておくと指が滑りやすくなって，挿入が容易になる．分娩が進行していれば，腟分泌物で滑りやすくなっている

コツ 腟入口は縦長である．2本の指は上下にそろえて挿入する(手掌が診察者側に向く)．内診指を挿入したら手の向きを回転させて，手掌を上または下に向ける．所見をとる部位に応じて手の向きを変える

コツ 診察は利き手を使うほうが正確な所見がとれる

③骨産道の形，大きさを観察する

▶ 骨盤の骨の形，両坐骨棘間の距離，恥骨結合後面の形と触知可能範囲，尾骨の可動性を観察する

根拠 坐骨棘間の距離や恥骨弓角が狭いと，分娩の難易度が高くなる．扁平仙骨で適度な彎曲がない時は第2回旋が障害されやすい

注意 内診指で仙骨岬が触れることはない．もし触れるなら狭骨盤を疑う

④軟産道を観察する

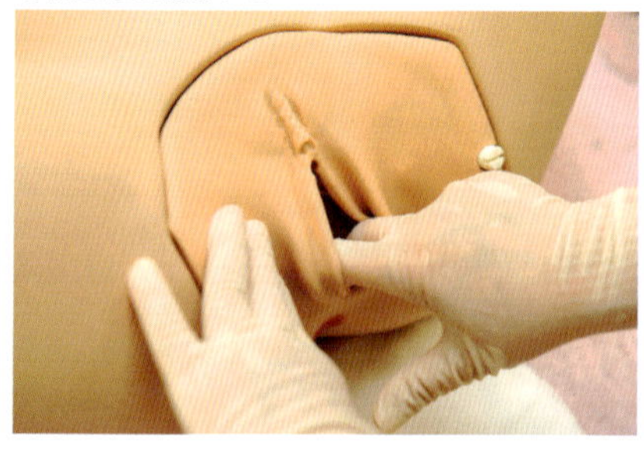

▶ 腟腔の広さ，伸展性を判断する 根拠 腟腔が狭く，伸展性が悪いと判断される時は，分娩第2期が遷延する可能性がある．経産婦では，腟腔内での抵抗はほとんどなく胎児は下降することが多い

■観察項目

骨産道	仙骨前壁の形(彎曲しているか，平坦か)，尾骨の可動性の有無，恥骨結合後面の形，触知可能範囲，坐骨棘の触知，両坐骨棘間の距離
腟	腟腔の広さ，腟壁の伸展性，腟中隔などの奇形の有無

6 分娩進行状態の観察を行う

根拠 産婦の苦痛を考え，内診は原則として陣痛間欠時に行うが，陣痛発作時には間欠時と差がみられることがある．陣痛発作時の所見も確認しておくとよい

①子宮口の開大度を観察する

▶ 開大度は子宮頸管内の最狭部の直径を cm で表

要点	留意点・根拠
	す．閉じていれば0cm，全開大は10cmとする コツ 内診指1本挿入可能なら1.5cm，2本挿入可能なら3cmに相当することが目安になる 注意 子宮頸管の軟化が進んでいても内診指で広げたりせず，自然の状態での開大度をみる
②子宮頸部の展退度を観察する	▶子宮頸管の短縮消失の程度を％で表す．3cm程度なら0%，1.5cm程度なら50%，頸管を触知できなくなった状態を100%とする 根拠 正常な子宮頸管の長さは2.5〜3cmで，子宮壁の厚さはおよそ1cmである．多くの産婦では，分娩開始前にすでに頸管長の短縮が起こっている
③子宮頸部の硬さ，向きを観察する	▶子宮頸部の硬度の判定は子宮口唇で行い，硬・中・軟の3つに分ける．「硬」は鼻翼状，「中」は弛緩した唇状，「軟」はマシュマロ状を目安とする ▶子宮口の向きは，後方，中央，前方の3種類で表現する
④下向部の種類を確認する	▶下向部を観察し，胎位を確認する 根拠 胎位の診断は触診，超音波診断などによって妊娠期に行われている．満期産では胎位が変わることはほとんどないが，腹部触診の所見と照合し，確認する コツ 直近の診断を確認しておく コツ 下向部の特徴を理解しておく(p.171，表3参照)
⑤先進部の種類を確認する	根拠 先進部とは，下向部のうち最も先進している部分をいう(p.137「5 腹部の診察を行う」参照) ▶胎位，胎向を確認する 根拠 先進部の種類と骨盤腔での位置を知ることによって診断できる 注意 胎向の診断は腹部の触診でも行う．第1胎向，第2胎向のいずれでも，分娩経過に影響はない ▶胎勢を確認する 根拠 胎勢は第1回旋によって決まる．頭位の場合，オトガイ(頤)を胸部に近づけて後頭(小泉門)が先進する屈位が正常，逆に後頭以外が先進する反屈位は回旋異常である
⑥先進部の骨盤内への進入の程度を観察する ・先進部の下降度を観察する	▶骨盤腔への進入の程度を確認する 根拠 胎児の下降度は触診，心音聴取部位の移動，自覚症状などによっても推測することができるが，正確に判断するためには内診が必要である ▶下降度を先進部と骨盤腔の相対的な位置関係で表す 根拠 通常，坐骨棘との位置関係で診断する．デリDe Leeのステーションによる表記方法が多く使われている

要点	留意点・根拠
・胎児の回旋の状態を観察する(図1) 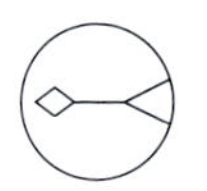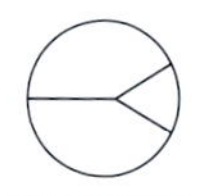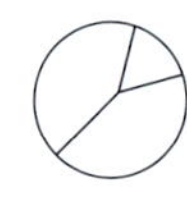 図1 **内診所見の表記法(第1前方後頭位)**	▶第2回旋が正しく行われているか判断する 根拠 骨盤入口部(にゅうこうぶ)は横径が長く，出口部(しゅっこうぶ)は縦径が長い．骨盤腔に合わせて胎児長軸を回旋させる 根拠 先進部の種類に関わらず，第2回旋は先進部が母体恥骨側へ回るのが正常であり，母体仙骨側へ回るのは回旋異常である ▶骨縫合，泉門を触知することで，胎向および回旋の方向を知る コツ 骨縫合や泉門は，出生直後の児の頭部を触れてみるとその特徴や鑑別方法がよくわかる コツ 頭位なら矢状縫合の向きで回旋の状態を知ることができる．時計の文字盤を想定し，先進部が何時の方向にあるかを示すとわかりやすい
・骨重積の有無を観察する	▶矢状縫合を確認する　根拠 正常な分娩機転では，前在頭頂骨の下に後在頭頂骨が進入し，さらにその下に後頭骨，前頭骨が入る順で重なる コツ 骨重積を観察することで，触知している縫合の名前がわかる．児頭の回旋を診断する時，最も重要な矢状縫合を探すことができる ▶骨重積の強さから産道通過の難易を推測する 根拠 児頭は骨重責を形成して周囲径を小さくして産道を通過しようとする．骨重積が強いほど児頭に対して産道が狭いことを示している
・正軸進入であるか確認する(図2)	▶左右頭頂骨が同じ高さで骨盤腔に進入し，矢状縫合がほぼ正しく骨盤軸上を下降(正軸進入)していることを確認する　根拠 不正軸進入のうち，矢状縫合が母体仙骨側に偏位するものを前不正軸進入，恥骨側に偏位するものを後不正軸進入という．不正軸進入は分娩進行に影響する 注意 **後不正軸進入は前在頭頂骨の下降が困難であり，経腟分娩は難しい．医師に報告する** ▶頭頂骨の骨重積を観察する　根拠 骨重積は先進する骨が上になるように重なる．後不正軸進入では母体仙骨側の後在頭頂骨が先進し，前在頭頂骨の上になる

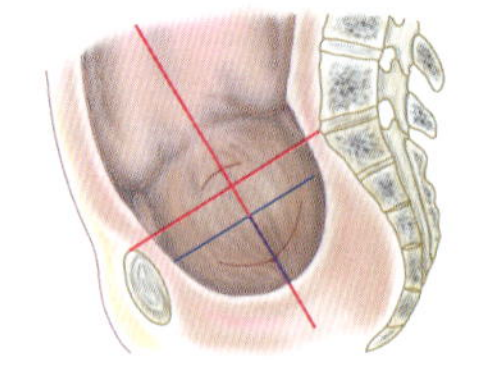
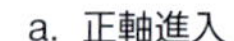

a. 正軸進入

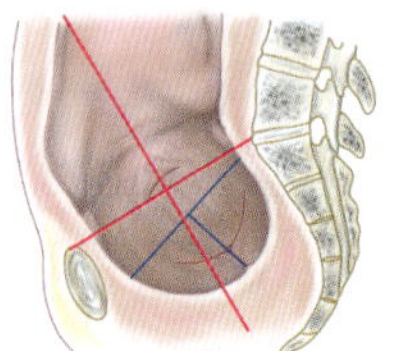

b. 前不正軸進入
（前頭頂骨進入）

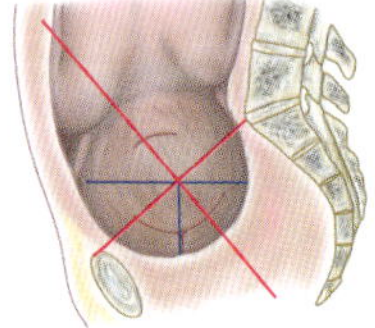

c. 後不正軸進入
（後頭頂骨進入）

図2 **骨盤腔への進入様式**
可世木久幸・石原楷輔：Ⅳ　胎児の異常　C．進入異常，武谷雄二総編：異常分娩，新女性医学大系 26，pp.124-125，中山書店，1999 より一部改変

要点	留意点・根拠
	注意 母体恥骨側の前在頭頂骨が先進する前不正軸進入は，後在頭頂骨が甲角を超えると正常に経過することが多い．経過観察する
⑦卵膜の有無，胎胞形成の有無を観察する	▶ 破水の有無を確認する ▶ 胎胞形成の有無と陣痛との関係を観察する 根拠 子宮頸管内に胞状に進入した卵膜の部分を胎胞といい，この中の羊水を前羊水，子宮体側の羊水を後羊水という．児頭が骨盤腔に固定していない時は，前羊水と後羊水が交通して，胎胞が陣痛発作時に緊張し，間欠時に弛緩する．児頭が骨盤腔内に嵌入すると，胎胞は絶えず緊張するようになる．これによって児頭の進入の程度がわかる 注意 卵膜が触れても高位破水のことがある．産道からの分泌物の観察をあわせて行う 事故防止のポイント 内診指による卵膜の破綻を防止する
⑧臍帯あるいは上肢の下垂・脱出がないことを確認する	▶ 破水前に胎児先進部を越えて臍帯あるいは上肢が下降する場合を下垂といい，破水後であれば脱出という コツ 胎胞内あるいは直接，拍動性のある索状物を触知した時は臍帯下垂・脱出と診断できる 注意 破水した時は必ず内診をして，臍帯脱出のないことを確認する 事故防止のポイント 臍帯下垂・脱出が疑われる時は骨盤高位にして，胎児下向部と骨盤による臍帯圧迫を防ぐ 緊急時対応 臍帯あるいは上肢の下垂・脱出が疑われる時は，直ちに医師に報告する．緊急帝王切開の適応となる
⑨内診指を抜く 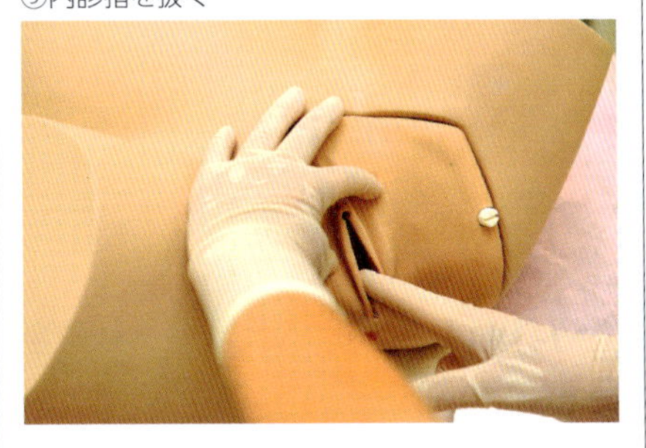	▶ 内診指を静かに引き抜く
7 後始末をする ①診察が終了したことを告げる ②産婦の介助を行う	▶ 外陰部の汚れ，水分をガーゼまたはティッシュペーパーで拭き取る ▶ 新しいパッドに交換し，産婦用ショーツを当てる ▶ 着衣を整える ▶ 産婦が内診台から降りる介助をする　根拠 増

要点	留意点・根拠
③使用物品の後始末をする	大した腹部で足元が見えないことがある 事故防止のポイント 転倒・転落を防止する ▶使用した物品を片づける ▶不潔なパッドを処理する コツ 分娩期に使用するパッドはサイズが大きい．周囲のものを汚染しないよう，十分な大きさの膿盆を用意する
8 記録，評価をする ①結果をカルテ，パルトグラムに記録する	▶パルトグラムの時間軸の幅を変えることはしない．分娩進行状態に関わらず常に一定にすることで，分娩経過を俯瞰し，進行の緩急を図上から判断できる
②分娩進行状態，全身状態を評価する	▶内診と他の診察法によって得られる結果を総合して評価を行う
③産婦に結果を知らせる	▶専門用語を避け，わかりやすく説明する 注意 不安や緊張を和らげるよう配慮する．特に内診所見の変化が緩徐な時は産婦に焦りが生じることがあるので，説明の仕方に気をつける

評価

1 観察項目

- 表1に示す項目を内診で観察する．分娩経過中に反復して観察する項目は要領よく所見がとれるように，項目を整理して臨む．進行を妨げると思われる時や異常と思われる時は医師に報告する．

表1 内診による観察項目

診察部位	内診による観察項目
外陰	会陰の伸展性の良否，腫脹の有無，浮腫の有無 静脈瘤の有無，あれば程度，前回分娩時の会陰切開創の瘢痕の有無と程度
腟	腟腔の広さ，腟壁の伸展性，腟中隔などの奇形の有無
子宮	子宮：子宮口開大度，子宮頸部の形状，展退度，硬度，向き 胎児および付属物：下向部の種類，先進部の種類，高さ（骨産道での位置関係），卵膜の有無，胎胞の有無，あれば緊満度，陣痛発作との関係，臍帯・四肢の下垂・脱出の有無，胎盤の触知[注1]
骨産道	仙骨前壁の形（彎曲しているか，平坦か），尾骨の可動性の有無，恥骨結合後面の形，触知可能範囲，坐骨棘の触知，両坐骨棘間の距離は正常か
その他	付属器の異常・腫瘤・圧痛の有無，骨盤底筋の強靭性，伸縮性，その他異常の有無

注1：前置胎盤は妊娠中に超音波検査で診断する．出血がある時に内診は行わない．したがって，内診で胎盤を触知することは通常はない．

2 分娩準備状態の観察

- 妊娠後期には分娩準備状態を把握するために内診を行う．ビショップスコア9点以上を成熟と判断し，分娩開始が近いことが予測される．

表2 ビショップスコア(Bishop score)

因子	点数 0	1	2	3
子宮頸管開大度(cm)	0	1～2	3～4	5～6
子宮頸管展退度(%)	0～30	40～50	60～70	80～
胎児下降度(station)	−3	−2	−1～0	+1～
子宮腟部硬度	硬	中	軟	
子宮口位置	後方	中央	前方	

- 展退は子宮頸管の短縮消失の程度を % で表す．3 cm 程度なら 0%，1.5 cm 程度なら 50%，頸管を触知できなくなった状態を 100% とする．子宮頸部が消失しても子宮口唇に厚みがあれば，その分を頸管長と同様に表現する．
- 子宮腟部の硬さの判定で，「硬」は鼻翼状，「中」は弛緩した唇状，「軟」はマシュマロ状を目安とする．

3 骨盤腔内での胎児の位置

- デリ De Lee のステーションの表記が最もよく使われる．

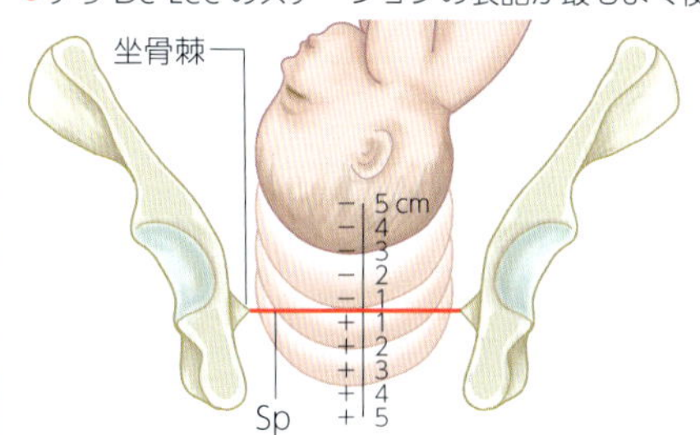

両坐骨棘を結んだ線を仮定し，その線から下向部までの最短距離で表す．この線に達していない時はマイナス(−)，すでに下降している時はプラス(+)で表現する．骨盤入口部から坐骨棘まで通常 5 cm，児頭大横径の面から後頭部まで 3～4 cm である．Sp −5 なら骨盤入口部の高さにあると考えてよい．

4 胎児部分の鑑別

- 外診によって下向部の診断は容易であるが，胎児先進部の種類や下降度の診断は内診によるところが大きい．特に回旋の状態は内診によらなければ正確な把握が難しい．胎児の各部の所見の特徴を理解しておくと役に立つ．

表3 胎児各部の鑑別方法

部位	特徴・鑑別方法
骨縫合	2 枚の骨の接合する部分を縫合という．矢状縫合と他の骨縫合との鑑別が必要である． 矢状縫合は，内診指で児頭の表面をなぞると中央付近に溝状の線を触れることでみつけられる． 正常な分娩機転では，前在頭頂骨の下に後在頭頂骨が進入し，さらにその下に後頭骨，前頭骨が入る順に重なる．
泉門	3 つ以上の縫合の交わった部分を泉門といい，小泉門(矢状縫合と人字縫合)と大泉門(矢状縫合と冠状縫合と前頭縫合)がある．両者の鑑別は回旋異常の診断では重要である． 矢状縫合に沿って指を進めて泉門を触れ，これを越えた先に縫合がなければ小泉門である．一方，矢状縫合の延長上に前頭縫合があれば大泉門と診断できる． 小泉門と大泉門のどちらが先進しているか，その泉門が母体の恥骨側，仙骨側のいずれの方向に向かっているか診断する．
殿部	殿部は全体に柔らかく，児頭骨のような均等な硬さがない． 骨縫合，泉門がなく，児背の側に尾骨，仙骨を触れる．下降してくれば，殿裂，肛門を触れる．
手と足	足の最も大きな特徴は踵があることである．足底から下腿への移行部に突出した踵の部分を触れる．手にはこの突起がない．また，足趾は手指に比べて短く，5 本の趾がほぼ同じ長さで並ぶ． 骨盤位では，足底から足趾を触れて内診指と同じ向きの配列にあれば異名の足である(内診指が右なら胎児の足は左)．

2

産婦の生活援助技術

1 食生活

永見 桂子

目的
・産婦が分娩経過に応じた栄養・水分を摂取できるよう援助する.
・産婦の食生活のニードを充足する.

チェック項目 栄養・水分を摂取する必要性の理解度，食事の摂取状況，水分の摂取状況，病院食以外の食べ物の摂取状況，食欲の有無と程度，口渇の有無と程度，悪心・嘔吐の有無と程度，味覚の変化の有無，発汗・排泄状況，分娩の進行状態

適応 分娩第 1～4 期にある産婦

注意
・産婦の分娩経過に適した食べ物や飲み物を選び，調理形態や食器を工夫して飲食しやすくする.
・食事や水分を摂取できない状態が続いていたり，経口摂取が禁止されていたりする産婦は，低血糖や脱水症状を起こす可能性があるので，これらを防ぐ介入も必要である.
・妊娠糖尿病，糖尿病合併妊娠など糖代謝異常が認められる場合には，血糖コントロールを良好に保てるよう対応する.

禁忌 帝王切開分娩の可能性があり，医師の指示により食事および水分の摂取が禁止されている産婦

事故防止のポイント 食膳の取り違え防止

必要物品 吸い飲み，ストロー，スプーン，フォーク，ガーグルベースン，産婦の好きな飲食物(持参してもらう)

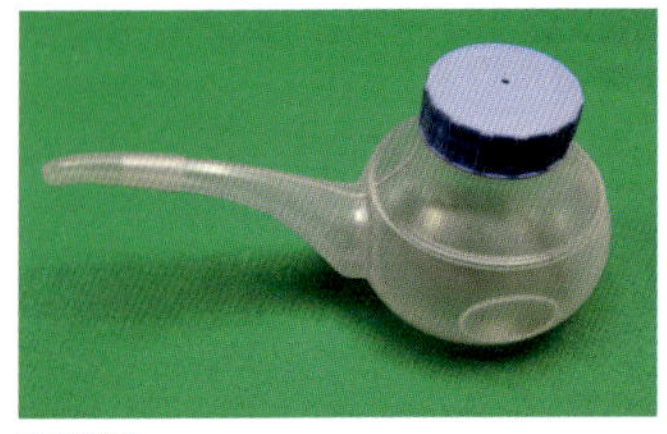
吸い飲み

ガーグルベースン

手順

要点	留意点・根拠
1 食事・水分摂取の援助の必要性を判断する	
①分娩の進行状態を観察し，食事・水分摂取の状況を把握する	▶ 分娩の進行状態から，産婦の体力消耗の程度，脱水の有無を把握する **根拠** 分娩(陣痛)による体力の消耗に応じて必要な栄養や水分の摂取量を判断するため
②これまでの食事・水分の摂取状況を観察する ・食事：内容，量，時刻 ・食欲：有無，程度 ・病院食以外の食べ物：内容，量，時刻 ・水分：内容，量，時刻 ・口渇：有無，程度 ・悪心・嘔吐：有無，吐物の内容・量・回数・時刻 ・排泄状態：排尿回数・量・時刻，排便回数・	**根拠** 陣痛の強さや緊張，疲労，不安などにより，空腹感や食欲を感じにくく，必要十分な飲食ができていないことがある．摂取状況から必要に応じた食事のケアを行う

要点	留意点・根拠
量・時刻 ③産婦の食事・水分の摂取状況についての考えや意向を確認する ④セルフケアの状況を確認する	▶十分な栄養や水分が摂れていない場合には，食べたいものや飲みたいもの，口にできそうなものが何か確認する 根拠 産婦の好みを尊重しながら，エネルギー補給・脱水予防につながる食べ物や飲み物を摂取できるように工夫し，ニードの充足につなげていく ▶産婦の意向に応じたケアに努める 根拠 食事・水分摂取に関するセルフケアを把握し，産婦自らの主体的な食事行動につなげていく
2 分娩第1期：食事・水分摂取を援助する ①産婦の状態に合わせ飲食に適した環境を整える ・室温・湿度などを調整する 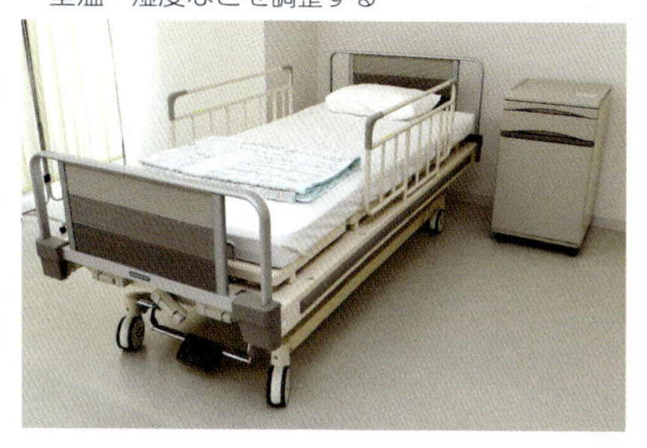	▶陣痛室などの産婦が過ごす部屋は，室温20～24℃，湿度40～60％を目安とし，空調設備の風量・風向も調整する ▶部屋に臭いがある場合は換気をして取り除く 根拠 不快な環境は食欲を低下させる．臭いにより悪心・嘔吐が誘発される場合もある 注意 室内の環境は産婦の状態や好みも考慮し，産婦に確認しながら調整するとよい
・ベッド周囲を整え，汚れを取り除くなど清潔な環境を提供する ②産婦の状態や要望に沿った飲食物と物品を準備する ・十分な栄養と水分を摂取できる飲食物を準備する ・自由な姿勢で飲水できるよう，吸い飲み，ストロー，ストロー付きペットボトルなどを用意する	▶オーバーベッドテーブルや床頭台の上を整え，きれいに拭く 根拠 快適な環境は身体的・心理的にリラックスでき，食行動につながる ▶産婦が要望するものや口にできそうなものがない場合，それらを持参しているかを確認する．なければ家族に持ってきてもらう 根拠 分娩中は消化管の機能が抑制され，痛みや緊張のため食欲が低下する．そこで，口にしたいもの，飲食できそうなものを摂取してもらうことで体力の消耗を軽減する ▶消化吸収がよく，血糖値が短時間で上昇し，エネルギーと水分の補給を期待できる食品（スープ，ココア，ミルクティーなど）や，陣痛間欠時に産婦が片手で口に運べるもの（おにぎり，サンドイッチなど）をすすめる 根拠 スープやココアなどは低血糖と脱水防止を同時に期待でき，産婦自身の主体的な食事行動につながる ▶陣痛の間隔が短くなると，固形物を摂りにくくなるため，少量ずつ摂取でき，喉ごしのよい半流動食（アイスクリーム，シャーベット，ゼリー，プリンなど）をすすめる コツ 分娩の進行にともない体温が上昇し，口渇を感じるようになる．飲み物を持つことも難しくなる時期なので，小さな氷片を用意するとよい．水分摂取になるとともに，口渇感が緩和される

要点	留意点・根拠
	注意 柑橘類や炭酸飲料は悪心を誘発することがあり，避けたほうがよい．ただし，悪心や嘔吐の訴えがなければ，産婦の好みに応じて提供する
・陣痛発作時や悪心・嘔吐が増強した場合は無理に飲食しなくてもよいことを説明する	▶陣痛発作時は過度の摂取は控え，間欠時に少しずつ摂るよう説明する ▶悪心・嘔吐は分娩第1期の活動期(極期)によくみられる症状で，分娩が順調に進行していることを示す．プロスタグランジンの作用，子宮収縮による腸管の圧迫などによるものなので，落ち着くまで待つよう伝える
・悪心・嘔吐がある場合は，ガーグルベースン，吸い飲みをベッドサイドに準備する	▶汚れたガーグルベースンは速やかに取り除き，新しいものを用意する．吸い飲みには必要に応じて含嗽できるよう水を入れておく 注意 この時期の悪心・嘔吐はプロスタグランジンの作用や，子宮収縮による腸管の圧迫などによるものであることを伝え，産婦や家族が嘔吐を否定的にとらえないよう配慮する
②食札と産婦の氏名をフルネームで確認し，配膳する	事故防止のポイント 食札と氏名を確認し，食膳の取り違えを防ぐ
・起き上がり，自分で食事ができる産婦には，箸や飲み物をカップに準備する	根拠 できるだけ産婦のセルフケアを尊重し，主体的な食事行動を支援する
・起き上がれなくても自ら食事ができる産婦には，取りやすい位置に食器を配置したり，食べやすい形態にしたりなど，食事の提供を工夫する	▶ご飯を一口サイズのおにぎりにする．主菜・副菜などをフォークやスプーンで食べられる大きさ・形にする．飲み物は吸い飲みやストロー付きペットボトルに用意しておくとよい 根拠 できるだけ産婦のセルフケアを尊重し，食事行動を支援する ▶食事行動そのものが活動につながり，気分転換を図り陣痛を強めるのに役立つ．少量でも摂取を促し，脱水を予防し，体力を温存する 注意 飲み物はこぼれないよう工夫して，産婦がいつでも摂れるようそばに置く
・自分で食事ができない産婦には，陣痛間欠時に食事の介助をする	▶間欠時に声をかけ，好みの食べ物や飲み物を口元に運ぶなどして，少しでも栄養・水分を摂取してもらう
・食事が全く摂れなかった産婦には，水分だけでも摂れるよう援助する	▶産婦だけでなく家族にも水分摂取の必要性を丁寧に伝え，飲水を促す．飲み物を口元に運ぶとともに，飲水の介助のモデルを示し，少しずつでも水分を摂れるように，家族とともに援助する 根拠 脱水傾向になると血液が濃縮され，微小血管障害など産婦の全身状態の悪化をきたす．循環血液量の減少は胎児への酸素供給低下につながる．また，家族が分娩の場に参加できる機会にもなる 緊急時対応 冷汗，胸部不快感，顔色不良，意識消失，発熱などは，脱水や低血糖を疑う症状である．これらがみられたら，速やかに医師に報告・相談する
③産婦に付き添う家族が食事を摂れるよう支援する	▶家族に食事・水分を適宜摂るようすすめる ▶落ち着いて食事ができるようしばらくの間，産

要点	留意点・根拠
	婦と離れてもよいことや，逆に産婦の状態や希望に応じて一緒に食事ができることなどを伝える 注意 産婦・家族の希望を尊重しながら，家族の役割を調整・支持する
④食事が終了したら下膳し，摂取できたことを認め，産婦をねぎらう	▶食事が終了したことを確認し，産婦の承諾を得て下膳する ▶食事・水分摂取がエネルギー補給・脱水予防につながり，分娩に向けて体力保持・回復を助けることをあらためて伝える 根拠 食事・水分摂取へのニードを充足するとともに，産婦のがんばりを支えることにより，分娩への意欲が持続する 注意 配膳後2時間以上経過したものは，食中毒防止の観点から下膳する
⑤環境を整える	▶オーバーベッドテーブルなどを元に戻し，産婦が安全に過ごせるように環境を整える
3 分娩第2期：水分摂取を援助する ①陣痛間欠時に水分摂取できるよう援助する ・口渇がないか観察し，水分摂取の要望を確認する	▶口渇の程度や産婦の要望に合わせて，飲み物を提供する 根拠 分娩に集中する時期であり，体温が上昇し，口腔内や喉が渇きやすくなる ▶仰臥位や側臥位など産婦の行動が制限されている場合は，水分を摂取しやすいよう吸い飲み，ストロー付きペットボトルなどを準備し，求められたらすぐに提供できるようにする コツ ストロー付きペットボトルはあらかじめ持参してもらう
・分娩が順調であれば特に水分摂取を制限しないこと，いつでも飲水できることを説明する	▶付き添う家族に，産婦の飲水を介助してもよいことも説明する 根拠 家族の役割を調整し，分娩の場を家族も共有できるようにする
4 分娩第3期：水分摂取を援助する ①産婦の状態に応じて環境を整える ②口渇がないか観察し，水分摂取の要望を確認する	▶胎児を娩出し，幸福感を抱き，安心している時期である．口渇を自覚する産婦もいるため，口渇の有無や水分摂取の要望を確認する
③求められればすぐに飲み物を提供できるように，吸い飲みなどを準備する	▶まだ産婦の行動が制限されていることが多いので，仰臥位や側臥位でも水分を摂取できるように吸い飲みやストロー付きペットボトルを準備する
5 分娩第4期：食事・水分摂取を援助する ①産婦の状態に応じて環境を整える ②産婦の状態を観察し，異常がないか判断する	▶産婦の状態が安定していることを確認し，正常からの逸脱，緊急事態の可能性がないと判断できた場合，水分以外の食べ物を食べやすい大きさ，形状にして提供する 根拠 経過観察のため，仰臥位や側臥位など産婦の行動が制限されていることが多い 注意 大出血などの分娩異常が起こりうる時期であり，その場合は緊急処置が行われる．異常が起こらないと判断できるまでは水分摂取にとどめる

要点	留意点・根拠
③産婦に口渇および空腹感の有無を確認し，飲食の意向を確認する ④求めに応じてすぐに水分や食事を提供できるよう準備する ⑤産婦に付き添う家族が食事を摂れるよう支援する	▶産婦が水分を摂取しやすいよう吸い飲みやストロー付きペットボトルを準備する ▶食事・水分を適宜摂るようすすめる ▶落ち着いて食事ができるようしばらくの間，産婦と離れてもよいこと，逆に産婦の状態や希望に応じて一緒に食事ができることなどを伝える 注意 産婦・家族の希望を尊重しながら，家族の役割を調整・支持する
6 記録をする ①食事と水分の摂取状況を記録する ・食事：内容，量，時刻 ・食欲：有無，程度 ・病院食以外の食べ物：内容，量，時刻 ・水分：内容，量，時刻 ・口渇：有無，程度 ・悪心・嘔吐：有無，吐物の内容・量・回数・時刻 ・排泄状態：排尿回数・量・時刻，排便回数・量・時刻	▶一時点での評価でなく，前後の状態も合わせて栄養状態，水分出納を評価する

文献
1）我部山キヨ子，武谷雄二編：助産学講座7　助産診断・技術学Ⅱ[2]分娩期・産褥期　第5版，pp.148-149，医学書院，2013

2 排泄

永見 桂子

目的 分娩経過に応じた排泄行動をできるよう援助することで，産婦の排泄のニードを充足する．

チェック項目 分娩の進行状態，排泄習慣，排泄のセルフケア，栄養・水分の摂取状況，分娩時の排泄の必要性についての知識

適応 分娩第1～4期にある産婦

注意

・分娩の進行状態および体力に応じた排泄方法を選択し，援助する．

・分娩第1期における陣痛促進を目的とした浣腸は推奨されない[1]．

禁忌 分娩第1期の極期（最大傾斜期）に入り，墜落産のリスクがある産婦

事故防止のポイント 歩行時の転倒防止，墜落産の防止，感染防止，導尿による尿道損傷の防止，浣腸による直腸損傷および血圧低下の防止

必要物品

導尿：「第2章-3【2】分娩介助」の「4 導尿を行う」(p.208)参照

浣腸：浣腸液（①），潤滑剤（②），ペアン（③），膿盆（④），バスタオル，ガーゼ（⑤），トイレットペーパー，ディスポーザブル手袋，温湯（40℃前後）入り容器（⑥）

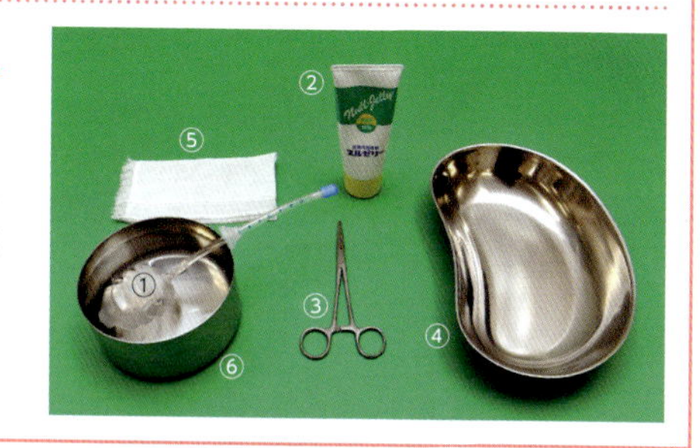

手順

要点	留意点・根拠
1 環境を整える ①産婦の状態に応じて排泄行動を妨げない環境を整える	▶ベッド周囲およびトイレまでの室内や廊下の環境を整える **事故防止のポイント** 産婦の歩行を妨げたり，転倒したりしないよう，安全を確保する
2 分娩第1期：排泄を援助する 《一人でトイレに行ける産婦》 ①産婦のタイミングで動ける時にトイレに行ってもらう ・排尿の場合は3時間ごとに排尿を促す ・産婦の状態・要望に合わせた排泄行動ができるように援助する	▶産婦の状態・要望に応じた排泄行動ができるように援助する ▶陣痛間欠時を見計らってトイレへの歩行を促す **根拠** 陣痛発作時は痛みにより移動が困難となる ▶この時期は積極的に排尿を促す **根拠** 分娩開始後は，児の先進部による圧迫で膀胱の変形，尿道の伸展が生じ，排尿困難をきたしやすい．また，膀胱充満は骨盤内への児頭の下降を妨げる **注意** 陣痛発作時は一度休むよう促す **事故防止のポイント** 転倒のおそれがある場合は必ず付き添う．陣痛の痛みや緊張，疲労，不安が強い場合など，産婦の状態を考慮して随時介助する
②排泄時刻，排尿の有無，尿量，残尿感の有無，便の状態，残便感などを尋ね，排泄状態を把握する	▶つらい時期に1人でトイレまで歩行し，セルフケアできたことに対し，ねぎらいの言葉をかける

要点	留意点・根拠

《介助が必要な産婦》

①陣痛間欠時にトイレまで付き添う

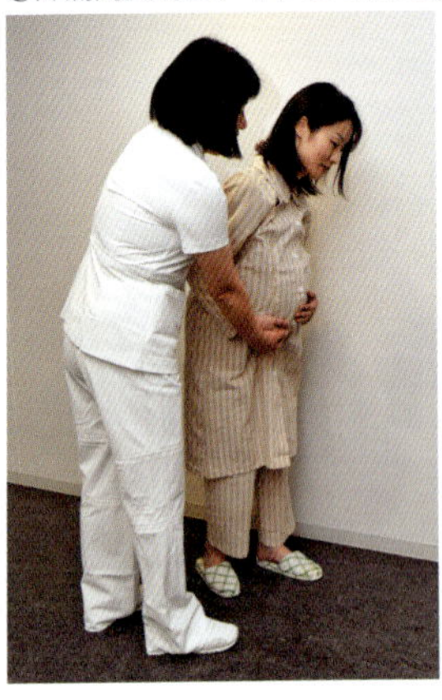

産婦に付き添ってトイレに行く

▶歩行が困難である，自分で下着を外せないなど，産婦のセルフケアに困難がある時は介助する **根拠** 分娩の進行状態により産婦のセルフケアの能力は変化する．能力に応じて必要な介助を行うが，できるだけセルフケアを尊重する

注意 セルフケアを十分に行えない時は，予想以上に分娩が進行している可能性があるので，歩行の適否について慎重に判断する

②便座に座ったことを確認して扉を閉め，排泄を促す

▶扉の前で待機していること，終了後声をかけてもらうかナースコールを押すこと，扉の鍵をかけないことを伝えて，外に出る **根拠** 鍵をかけないことにより，緊急事態にいち早く対応できる

③終了後，排泄時間を確認し，排泄状態を尋ねながら，パッドを交換し下着をつけてもらう

▶必要時介助する

④衣服を整えてもらい，ベッドに戻るまで付き添う

▶つらい時期にトイレまで行き排泄できたことに対し，ねぎらいの言葉をかける **根拠** 排泄のニードが満たされるだけでなく，産婦のがんばりを認めることにより，分娩への意欲が持続する

▶排尿や歩行などによる体動が児の下降を助け，分娩の進行に役立つことを伝える **根拠** トイレへの歩行は活動の機会にもなり，身体を起こして自由に動くことは，第1期の分娩時間短縮につながる

・付き添っている家族にも産婦の排尿の必要性を説明し，家族の役割を調整する

▶できる範囲で歩行に付き添ってもらう **根拠** 分娩の場を家族も共有できる

《尿意がない場合》

①3時間ごとにトイレでの排尿を促す

▶膀胱が充満していても尿意を感じにくいことがある **根拠** 児頭による圧迫で膀胱が変形し，尿道が延長するため．また知覚神経麻痺により，尿意の減弱や一過性の尿閉が生じることがあるため

▶尿意がなくてもトイレまで歩行し，自然排尿を試みてもらう **根拠** 膀胱充満は児頭の下降を妨げる(図1)

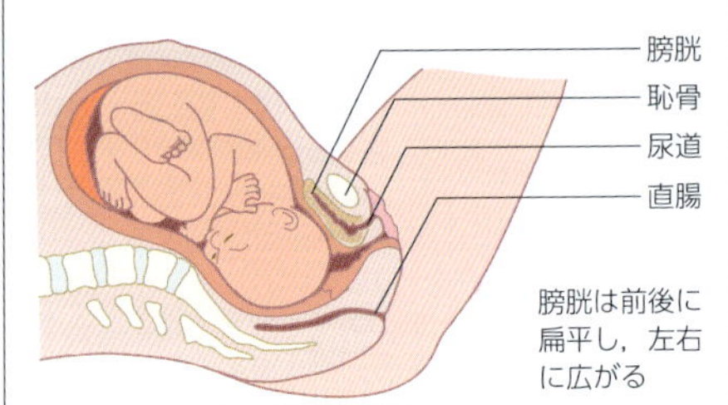

図1 胎児の位置と膀胱の変形

②排尿がない，尿量が少ない，残尿感があるといった場合は必ず看護師に伝えるよう説明する

要点	留意点・根拠
《自然排尿がない場合》	
①水分の摂取状況を確認する	▶水分摂取が不足していれば，積極的に水分を摂るよう促す　根拠 分娩進行に伴い発汗や水分摂取の減少，臥位で過ごす影響による心拍出量の低下などに伴い，尿意は減少する
②膀胱充満の有無を確認する ・下腹部を観察する必要性を伝える ・掛け物で腹部を覆って衣服を取り除く ・恥骨結合上縁より少し上の下腹部を観察する	▶視診，触診により下腹部の膨隆と波動の有無を確認する．膀胱に尿がたまっている場合は，導尿が必要になる
③自然排尿がなく，膀胱充満がある場合は，分娩の進行状態を把握したうえで，導尿を実施する ・陣痛間欠時に，カテーテルの挿入から抜去まで終了できるタイミングを見計らって，導尿を行う	▶産婦に導尿の必要性を説明し，実施する(導尿の方法は「第2章-3【2】分娩介助」p.208「4 導尿を行う」参照) 根拠 児頭が骨盤内に深く進入すると尿道が圧迫され，自然排尿が難しくなることがある 注意 **児頭の下降度によっては，分娩がかなり進行していることもある．分娩の進行状態を確認し，導尿の適否と実施時期を判断する** 事故防止のポイント 途中で陣痛発作が始まったら，カテーテルによる尿道の損傷を防ぐため，挿入を一時中断する
《排便が1日以上ない，便意・残便感がある場合》	
①自然排便を促す ・水分を積極的に摂ること，便意がなくても陣痛間欠時にトイレに座ること，繊維を多く含む食べ物を摂ることを勧める	根拠 直腸の充満は児頭の下降を妨げ，分娩の進行を遅らせる原因となる ▶排便がなくても児頭の下降を認める程度に分娩が進行すると，便意や努責感が出現するため，分娩の進行状態を把握し，トイレまでの歩行およびトイレでの排便の適否を判断する　根拠 児頭の下降により直腸が圧迫され，排便反射が起こる．この場合は，安全を考慮して床上排泄を選択する 注意 **便意の出現から急激に分娩が進行することもあるため，トイレで努責しないように伝える．特に経産婦の場合，児の娩出が近いと考えられ，分娩の準備をする** 事故防止のポイント トイレでの墜落産を防ぐため，トイレの歩行は避け，児の下降状態を確認する ▶分娩第2期に排便がみられることは珍しくないことを産婦に伝え，羞恥心に配慮する
《浣腸の必要性がある場合》	
①分娩の進行状態を観察し，浣腸の必要性と時期を判断する	▶できるだけ自然排便を促すが，必要時は陣痛間欠時に実施する ▶妊娠中から便秘があり，1日以上排便がないなど，入院までの排便状況と，分娩の進行状態から浣腸の必要性を判断したうえで実施する．産婦が浣腸を希望していても，実施できないこともある 禁忌 **分娩が間近で墜落産の可能性があると判断される時は行わない**

要点	留意点・根拠
②衛生学的手洗いをして，必要物品を準備する  ディスポーザブル浣腸器	▶浣腸器内の空気を抜き，ペアンでとめる(逆流防止弁付きの浣腸器ではこの手順は不要) ▶浣腸液は 40℃ 程度に温めておく 根拠 直腸温より高いと腸粘膜損傷の危険があり，低すぎると悪寒を生じる可能性がある
③トイレが使用中でないことを確認し，産婦にトイレの場所を説明する ④ベッドサイドのカーテンを閉め，産婦に浣腸の方法を説明する	▶左側臥位で実施すること，浣腸液を注入後すぐに便意をもよおすが，便座に座ってから 5 分程度，排便を我慢すること，どうしても我慢できなければ排便してもかまわないこと，何かあればすぐにナースコールで知らせることを伝える
⑤腰から殿部をバスタオルで覆ったら肛門部を出した状態で，左側臥位をとってもらう	根拠 不必要な露出を避け，産婦の羞恥心に配慮するとともに保温に努める
⑥陣痛間欠時にゆっくり口呼吸をしてもらい，潤滑剤を塗ったカテーテルを肛門から腸の走行に沿って 6～10 cm 程度挿入する	▶カテーテルの挿入は，必ず産婦に声をかけてから実施する ▶途中で抵抗を感じたら，カテーテルを無理に進めない 根拠 無理な挿入は直腸穿孔のリスクがある
⑦ペアンを外して，浣腸液をゆっくり注入する	▶ 60 mL を 15 秒以上かける ▶注入中は顔色や冷や汗，気分が悪くないかなど，血圧低下の症状が出現していないか確認する 根拠 浣腸液の注入が迷走神経を刺激し，血圧を低下させることがある
⑧注入後，カテーテルをゆっくり抜去し，直ちにトイレットペーパーを肛門部に当てる	▶抜去する前に，産婦にカテーテルを抜くことを伝える

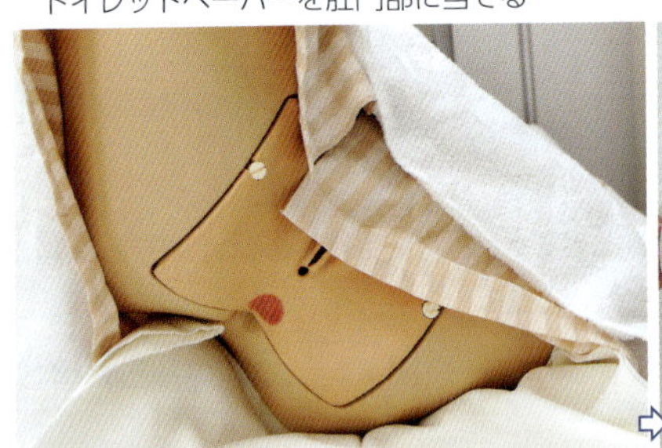
左側臥位でバスタオルをかけ，肛門部を露出する

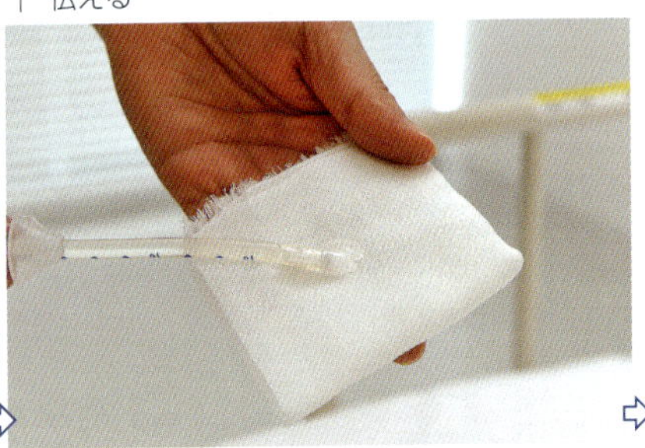
カテーテルに潤滑剤を塗る

要点	留意点・根拠
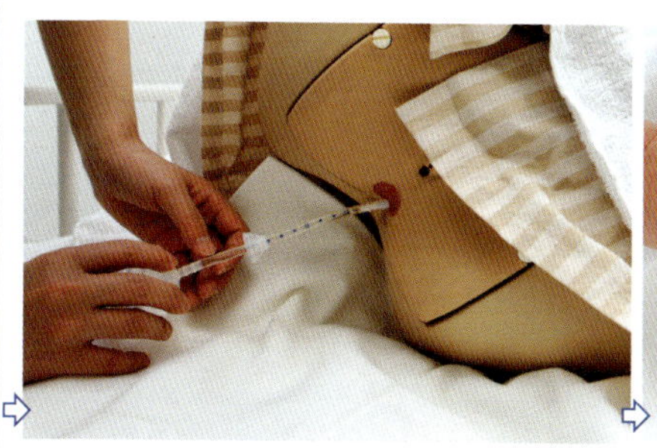 カテーテルを肛門から6～10 cm挿入し，薬液を注入する	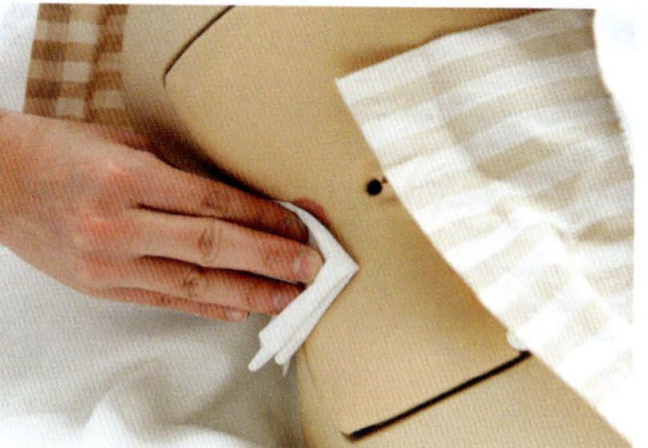 カテーテルをゆっくり抜き，すぐにトイレットペーパーを肛門部に当てる
⑨下着をつけ，衣服を整えた後，トイレに行ってもらう	
⑩長時間，腹圧をかけ続けないこと，排便時は短息呼吸を繰り返すことを説明する	根拠 陣痛発作時に排便することを避けるため，短息呼吸を繰り返す ▶反応便（浣腸や下剤によって人工的に排泄された便）の有無，量，性状，残便感や腹部症状がないか産婦に確認する．さらに児心音を聴取する
⑪トイレから戻ったら，母子に異常がないか確認する	根拠 排便によって直腸が空になると，児頭が急激に下降して分娩が進行し，一時的に児心音が低下することがある 注意 カテーテルによる粘膜損傷の兆候として，下血・出血，肛門部・会陰部の疼痛などに留意する 緊急時対応 母子になんらかの異常がみられた場合，直ちに医師に報告・相談する
⑫家族に産婦の状態およびケアの必要性について説明する	▶産婦の状態に応じて援助する内容や方法を家族に説明する ▶トイレへの付き添いなど，可能な範囲で家族がケアに参加できるよう調整する 根拠 分娩期をともに過ごし，分娩に向かう家族を支援する
3 分娩第2期：排泄を援助する	注意 児の娩出に備えて万全を期す分娩第2期では，トイレでの排泄はほとんどない
①排尿を援助する ・下腹部を視診，触診し，膀胱の状態を確認する	▶恥骨結合上縁より少し上の下腹部に膨隆があれば，触診で波動を観察する．膀胱充満があれば導尿する 根拠 膀胱充満は児頭の下降を妨げ，分娩の進行を遅らせる（導尿の方法は「第2章-3【2】分娩介助」p.208「4 導尿を行う」参照）
②排便を援助する ・便意がある場合は我慢しないよう伝え，自然排便を促す	▶便意や排便がみられるのは，分娩の進行に伴う自然な経過であることを説明する．また，便が出ても心配ないことを伝える 根拠 児頭の先進部が直腸を圧迫して，排便反射が引き起こされ，産婦は努責感や便意を感じている

要点	留意点・根拠
4 分娩第3期：排泄を援助する ①排尿を援助する ・尿意がない場合，胎盤剥離徴候が確認され次第，胎盤を娩出する ・尿意があれば，胎盤娩出を優先する必要性を伝え，胎盤娩出後に導尿を行う ②排便を援助する ・この時期に排便はほとんどみられないが，あれば綿花などで便を拭き取る	根拠 出血を最小限に抑えるため，胎盤をできるだけ早期に娩出することが優先される 注意 感染防止のため，会陰部の損傷に注意しながら拭き取る ▶この時期に感じる便意は胎盤の通過によるものであり，排便はほとんどなく，リラックスして過ごすよう伝える
5 分娩第4期（分娩後2時間）：排泄を援助する ①排尿の必要性を判断する ・尿意の有無および膀胱充満の有無を確認するため，下腹部を観察する必要性を説明する ・掛け物で下腹部を覆って衣服を取り除く ・下腹部を視診，触診し，膀胱の状態を確認する 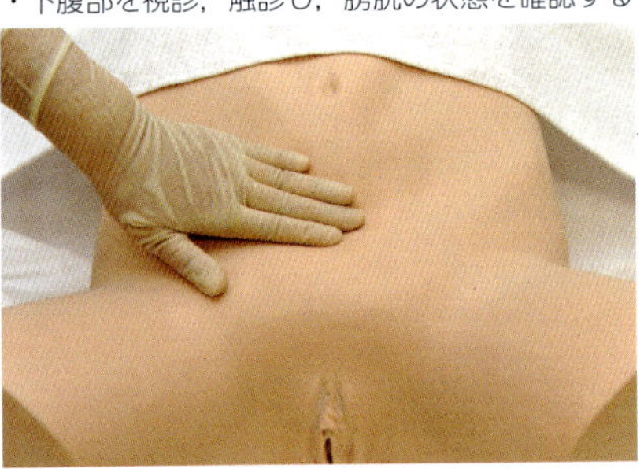 恥骨結合上縁より少し上の下腹部を視診・触診する	注意 分娩時の児頭による末梢神経の圧迫で，尿意があっても一時的に自然排尿がみられないことがある 根拠 膀胱の充満状態は子宮収縮を妨げ，出血量が増加する
②体位を変えて，状態の変化をみる	▶体位を側臥位，ファウラー位，長座位，端座位，立位の順にゆっくりと変えた時に，状態に異常がないことを確認する 根拠 分娩後2時間は出血が多く，異常が起こりやすい
③異常がなければ，トイレまで付き添い，排尿を援助する ④移動が困難な場合は，床上（分娩台など）での排尿を援助する	注意 状態によっては無理に移動させない

要点	留意点・根拠
・尿意があり，自然排尿ができるようであれば，床上排泄を援助する 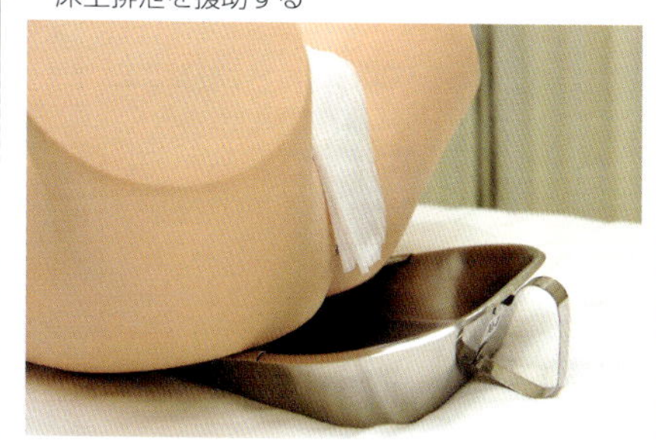	根拠 導尿は羞恥心を伴い，産婦にとって苦痛を伴う処置であるため，できる限り自然排尿を促す 注意 会陰部に損傷がある場合，尿器を当てることで感染のリスクや創部の疼痛を増強させるため，無理に実施しない
・膀胱は充満しているが，尿意がなく自然排尿もない場合は導尿する	根拠 膀胱を空にして子宮収縮を促す（導尿の方法は「第 2 章-3【2】分娩介助」p.208「4 導尿を行う」参照）
⑤排尿が終わったら，外陰部を清潔に保ち，パッドを当てる ⑥家族に産婦の状態およびケアの必要性について説明する	▶ 産婦の状態に応じて援助する内容や方法も家族に説明する ▶ 可能な範囲で家族がケアに参加できるよう調整する　根拠 家族が分娩の場に参加でき，産婦に適切な排泄行動を促すことができる
6 記録をする ①排泄状態を観察し，記録する	▶ 一時点ではなく，前後の状態も合わせて排泄の状態を判断する

●文献

1）日本助産学会ガイドライン委員会編：エビデンスに基づく助産ガイドライン—妊娠期・分娩期・産褥期 2020．日本助産学会，2020

2）我部山キヨ子，武谷雄二編：助産学講座 7　助産診断・技術学Ⅱ［2］分娩期・産褥期　第 5 版，pp.149-150，医学書院，2013

3 清潔

永見 桂子

目的 分娩経過に応じた清潔行動をできるよう援助することで，産婦の清潔のニードを充足する．

チェック項目 分娩の進行状態，入院前の清潔習慣，清潔のセルフケア(外陰部，口腔内を含めた全身)，最終の入浴(シャワー浴，全身清拭，足浴，洗髪など)の日時と方法，発汗や破水の状況，疲労感，分泌物・排泄物などによる汚染の有無と程度，清潔の必要性についての知識

適応 分娩第1～4期にある産婦

注意

- 分娩の進行状態および体力に応じた清潔のケアを選択し，援助する．
- 清潔のセルフケアは陣痛間欠時を見計らって実施できるよう，産婦に希望する時間を確認しながら準備を進める．
- 産婦の安全の確保，快適性の維持，感染防止に努める．

禁忌 破水している産婦は入浴を禁止する

事故防止のポイント 感染防止，浴室内や浴室への移動時の転倒防止，分娩台からの転落防止

必要物品

全身清拭：温めたタオル3～4本，着替え，産褥パッド
足浴：足浴槽，40℃前後の湯，石けん，ウォッシュクロス，ビニールシート
口腔ケア：吸い飲み，ガーグルベースン

手順

要点	留意点・根拠
1 分娩第1期：清潔行動ができるよう援助する ①入浴を援助する ・入浴を希望する場合，入浴の適否を判断する  浴室・脱衣室内の環境を整える	▶ 産婦の状態や要望に応じた清潔行動を支援する ▶ 入浴は温熱によるリラックスや産痛緩和，気分転換などの効果も期待できる **注意** 破水している場合は，腟からの上行性感染を防止するため入浴を禁止する．また，入浴が体力消耗を招き，陣痛を弱め，分娩の進行を妨げると考えられる場合も入浴は認められない

要点	留意点・根拠
・入浴ができる場合，安全に入浴できるよう浴室・脱衣室の環境を整える	▶ 産婦が安全に座位になれるように，滑り止め付きのシャワー椅子などを浴室内に準備し，不必要な物品は片づる 事故防止のポイント 浴室内や脱衣室での転倒を防止する ▶ 浴室・脱衣室は産婦が寒さを感じない温度(26℃ 程度)とし，湯温は 40℃ 前後に調整する ▶ 産婦の状態や好みに応じて温度を調整し，産婦に温度を確認してもらう 注意 脱衣室と浴室の温度差は血圧変動をもたらし，熱すぎる湯は疲労と血圧変動の原因になるので注意する
・産婦に必要物品を準備してもらい，一緒に浴室に移動する	
・入浴は疲労しない程度とし，気分がすぐれないなどの変わったことがあれば，すぐにナースコールするよう説明する	根拠 長時間の入浴は疲労や血圧の上昇を招く 注意 陣痛発作が起きたら，あわてず呼吸法やリラックス法で休息し，間欠時に行動するよう伝える 根拠 陣痛発作時の行動は，疲労や体力の消耗を招いて陣痛を微弱にし，分娩の進行を妨げる可能性がある 注意 産婦の入浴中は，ナースコールにすぐに対応できるよう待機する
・入浴後の母児の状態を確認する	▶ 血圧，脈拍を観察し，気分や疲労感について確認する．さらに児心音を聴取し，異常がないか確認する
・浴室・脱衣室の片づけをする	▶ 浴室・脱衣室の環境を元に戻し，室内灯やヒーターの電源をオフにする
②シャワー浴を援助する ・シャワー浴を希望する場合，シャワー浴の適否を判断する	▶ シャワー浴は，陣痛を増強させ分娩を進行させる．さらに温熱によるリラックスや産痛緩和，気分転換などの効果も期待できる 注意 破水している場合は，腟からの上行性感染を防止するため，シャワー浴を禁止する
・シャワー浴ができる場合，安全にシャワー浴できるようシャワー室・脱衣室の環境を整える 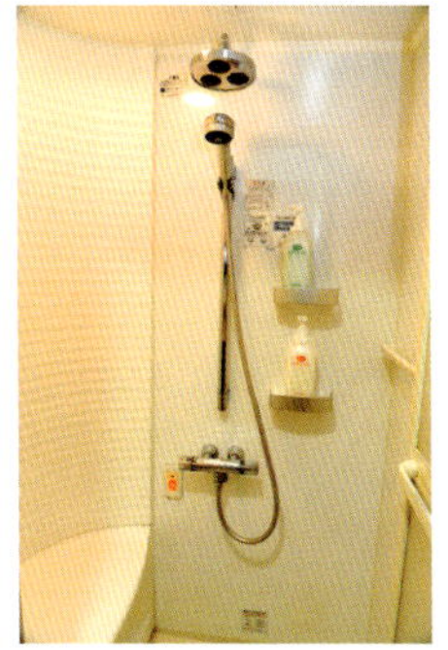 シャワー室内の環境を整える	▶ シャワー室・脱衣室の環境の整備は前述の「①入浴を援助する」を参照
・産婦に必要物品を準備してもらい，一緒にシャワー室に移動する	

要点	留意点・根拠
・シャワー浴は疲労しない程度とし，気分がすぐれないなどの変わったことがあれば，すぐにナースコールするよう説明する	▶ 長時間のシャワー浴は疲労や体力の消耗につながることを説明する 根拠 疲労や体力の消耗は陣痛の減弱を招き，分娩の進行を妨げる可能性がある ▶ 陣痛発作が起きた場合の対応は，前述の「①入浴を援助する」を参照
・シャワー浴後の母児の状態を確認する	▶ 血圧，脈拍を観察し，気分や疲労感について確認する．さらに児心音を聴取し，異常がないか確認する
・シャワー室・脱衣室の片づけをする	▶ シャワー室・脱衣室の環境を元どおりにし，室内灯やヒーターの電源をオフにする
③清拭を援助する **《自分で清拭できる産婦》** ・環境を整える	▶ 室温を産婦が清拭時に寒さを感じない温度(26℃ 程度)に調整する ▶ 羞恥心に配慮し，カーテンを閉める
・温めたタオルを渡し，陣痛間欠時に拭くよう伝える	▶ 適温に温めたタオルを 3～4 本を渡す ▶ 産婦が自分でできない部位があれば，介助する
《自分で清拭ができない産婦》 ・環境を整える(前述を参照) ・産婦ができない部位を清拭する ・顔や首は陣痛間欠時に自分で拭くようにすすめる	根拠 清拭ができない状態であっても，主体的な清潔行動を引き出し，清潔行動による気分転換を図り，ニードの充足につなげていく必要がある 注意 産婦の状態に配慮しながら，セルフケアを進めるが，決して無理強いしない
《産婦が状態により清拭を望まない場合》 ・産婦の状態を見計らって，陣痛間欠時に清拭を援助する 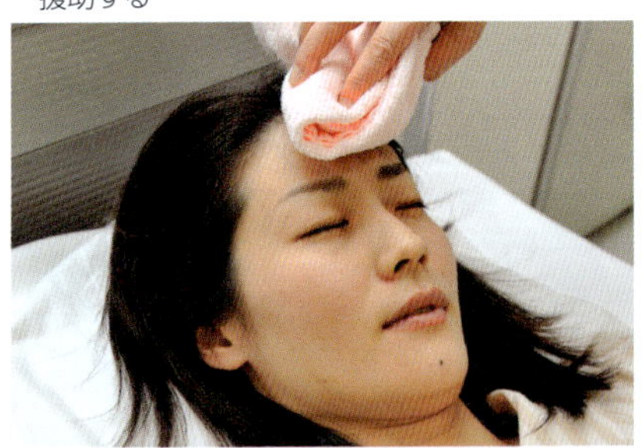 家族が顔や首を清拭する	根拠 分娩が進行し，陣痛が増強するとともに産婦は動きたくなくなる．清潔を保ち，少しでも爽快感が得られるよう援助する ▶ 付き添う家族に清拭の必要性と方法を説明し，家族がケアに参加できるよう調整する
④足浴を援助する ・必要物品を準備する	▶ 40℃ 前後の湯を入れた足浴槽，50℃ 程度の湯と水をそれぞれ入れたピッチャー，石けん，タオル，ウォッシュクロスを準備する ▶ 産婦の好みに合わせて湯温を調整する
・床をぬらさないよう，ビニールシートを敷く ・安楽な体位を工夫して，湯に足をつけてもらう	▶ 座位が過ごしやすく，介助もしやすい．足浴は 15 分くらいがよい コツ アクティブチェアに座る，ベッドサイドに腰かけるなどしてもらうとよい

要点	留意点・根拠
・足が温まったら，足趾や足底をマッサージしながら，石けんとウォッシュクロスで洗う	根拠 温熱やマッサージによるリラックス，気分転換などの効果も得られる
・石けん分を湯で流し，タオルで水分を拭き取る ・物品を片づけて，環境を整える	▶床に水分が残っていないか確認し，あれば拭き取る 事故防止のポイント 床などの水分をしっかり拭き取り，転倒を防止する
⑤外陰部の清潔を保てるよう援助する ・産婦がセルフケアできるよう支援する	▶セルフケアの状況を把握し，できるだけトイレに行くようすすめ，産婦自身の清潔行動を支援する
・定期的に外陰部を清潔に保つ理由と方法を説明する	▶分娩の進行に伴い，外陰部は腟分泌物，血性分泌物で汚染されやすくなること，よって3時間ごとにトイレに行き，温水洗浄便座で外陰部を洗浄し，新しいパッドに交換する必要があることを説明する
・血液や羊水の漏出状況に応じてパッドを交換し，外陰部を清潔に洗浄してもらう	注意 破水している場合は，腟からの上行性感染を防止するため，温水洗浄便座による洗浄は中止してもらう ▶セルフケアができていない場合はトイレに付き添い，外陰部洗浄およびパッド交換を介助する
・分娩が進行し，産婦がトイレまで歩けなくなった場合はベッド上でパッドを交換し，必要に応じて外陰部を洗浄する	▶実施時は，ディスポーザブル手袋を着用し，洗浄用ポットに38℃程度の湯を準備して行う
⑥口腔内の清潔を保てるよう援助する ・自分でできる産婦はセルフケアとする	根拠 可能な限り産婦のセルフケアを尊重し，清潔行動を支援する．爽快感が得られ，気分転換にもなる
・自分でできない場合，陣痛間欠時にいつでも含嗽や歯磨きができるよう用意しておく	▶水の入った吸い飲みとガーグルベースンをベッドサイドに置いておく
⑦身だしなみを整える ・化粧やマニキュアは落としてもらう	根拠 顔色や爪床色を観察するため 注意 妊娠期から，入院時には化粧やマニキュアをしないことを説明する
・髪は必要時，結髪する	▶分娩進行に伴い，産婦は整容に配慮できなくなる．髪の乱れなどを確認する
⑧衣類やシーツの交換を行う	▶分娩が進行し，発汗や破水などで衣類やシーツに湿潤・汚染がみられたら，これらを交換する 根拠 清潔感・爽快感を得るとともに感染予防にもつながる．ぬれた衣類は冷たく不快であり，体温を低下させることもある
2 分娩第2期：清潔を保てるよう援助する ①顔や首の発汗を温かいタオルで適宜拭く	▶強い陣痛や努責に伴い体力を消耗し，発汗が多い時期である．汗を拭くだけでなく，うちわなどであおぐことにより発汗に伴う不快感を最小限にする コツ 産婦の好みにより冷たいタオルや冷却枕，乾いたタオルを準備する
②付き添っている家族に，状況に応じて汗を拭く，	根拠 家族がケアに参加できることで，分娩の場

要点	留意点・根拠
うちわであおぐことなどをすすめる ③外陰部の清潔を保てるよう援助する	を共有できる ▶ 外陰部の清潔については，「第 2 章-3【2】分娩介助」の「6 清潔野を作成する」(p.212) 参照
3 分娩第 3 期：清潔を保てるよう援助する ①顔や首の発汗を温かいタオルで適宜拭く	▶ 胎児を娩出して幸福感を抱くとともに，安心している時期である．発汗やそれに伴う不快感がなければ，介入せず様子をみる
4 分娩第 4 期：必要物品を準備し，環境を整える ①産婦の状態を観察する	▶ 異常がないか観察し，清拭や更衣が可能かを判断する
②清拭するために必要物品と着替え用の寝衣を準備する	▶ 温かいタオル 3～4 本，産褥ショーツ，分娩直後用の産褥パッド，消毒液，綿花またはガーゼ，着替え用の寝衣，ディスポーザブル手袋，擦式手指消毒薬を準備する 根拠 分娩第 1 期から第 2 期にかけて，発汗や分泌物が特に増加しており，分娩後には感染防止のためにも全身の清潔と外陰部の清潔を保つことが必要となる
③環境を整える	▶ 清拭時に寒さを感じない室温 (26℃ 程度)，湿度に調整する ▶ カーテンを閉めて羞恥心に配慮する
5 分娩第 4 期：清拭を援助する ①産婦に清拭・更衣の必要性と方法を説明し，協力を得る	▶ 産婦のセルフケアを尊重し，清潔行動を援助する
②手指消毒後，ディスポーザブル手袋，エプロンなどを着用する	事故防止のポイント 産婦の身体や寝衣には，羊水や血液などが付着しているので，感染防止のため，手袋やエプロンを着用する
③外陰部，大腿内側，殿部の血液を拭き取る 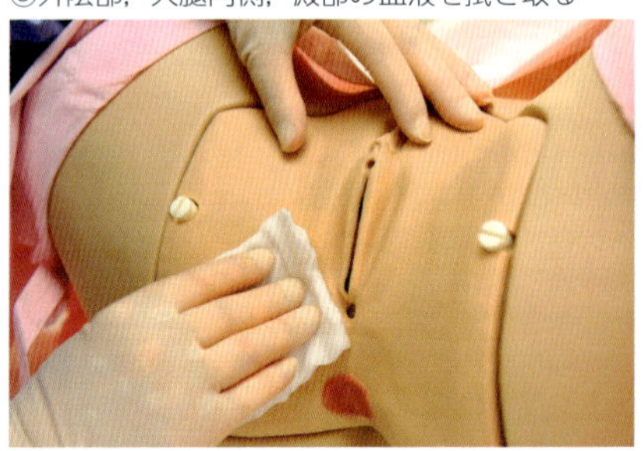 外陰部，大腿内側，殿部を清潔にする	▶ 方法は「第 2 章-3【2】分娩介助」の「12 分娩後の産婦のケアを行う」(p.234) を参照
④分娩直後用の産褥パッドを外陰部に当てる	▶ 方法は「第 2 章-3【2】分娩介助」の「12 分娩後の産婦のケアを行う」(p.234) を参照

要点	留意点・根拠
⑤自分でできる顔や首は産婦に拭いてもらい，残りを清拭する 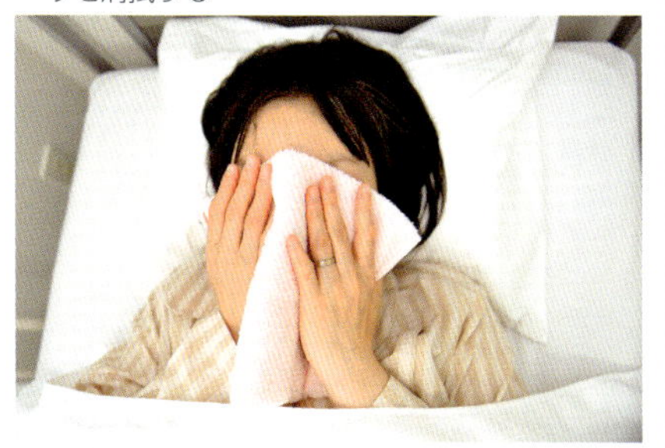 顔や首は自分で拭いてもらう	根拠 出血に注意が必要な時期であり，分娩台の上で仰臥位や側臥位で，静かに過ごしてもらう必要がある ▶産婦の状態や意向によりファウラー位をとり，顔から前胸部，腹部まで自分で拭けることもあるが，決して無理強いしない 事故防止のポイント 分娩台は狭いので，ベッド柵をして転落を防止する
6 分娩第4期：更衣を援助する ①身体を拭きながら，適宜汚れた寝衣を取り除く	▶産婦の体動を最小限にして負担をかけないよう行う
②新しい寝衣に交換する	▶新しい寝衣を汚染しないように注意する
③寝衣にしわがないことを確認し，掛け物をかける	▶寒さを感じないように，掛け物で保温する
④終了したことを伝え，リラックスして休んでもらう	
7 記録をする ①使用した物品や汚れた寝衣などを片づける	▶血液などで汚染されたものは，医療廃棄物として決められた方法で廃棄する
②ディスポーザブル手袋，エプロンを外し，手指消毒をする	
③全身の清潔の状態を観察し，記録する	▶一時点ではなく，前後の状態も合わせて清潔の状態を判断する

4 活動・姿勢

永見 桂子

目的 産婦が分娩経過に応じた活動・姿勢をとれるよう援助することで，産婦の活動・姿勢のニードを充足する．

チェック項目 分娩の進行状態，活動状況と意欲，姿勢，休息・睡眠の状況，疲労感，適切な活動・姿勢をとる必要性についての知識

適応 分娩第1～4期にある産婦

注意
- 分娩の進行状態，産婦の苦痛，体力の消耗状態などに配慮して，活動や休息の程度を判断する．
- 産婦の主体的な活動・姿勢の工夫や対処行動につなげていく

禁忌 妊娠高血圧症候群などの合併症により安静が必要な産婦

事故防止のポイント 歩行・階段昇降時の転倒防止，早期母子接触中の転落防止

必要物品 アクティブチェア，クッション，枕など

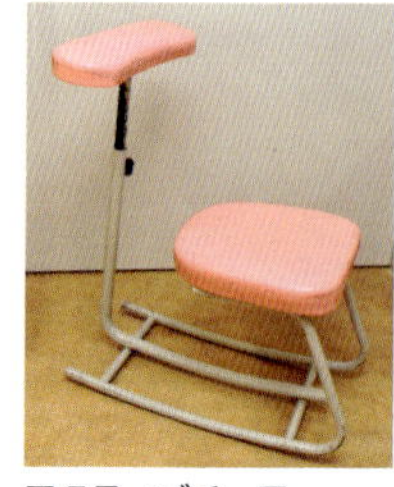

アクティブチェア

手順

要点	留意点・根拠
1 分娩第1期：安楽な姿勢や体位をとれるよう援助する	
①産婦が安楽と感じる姿勢や体位を複数提示し，一緒に実施する	▶立位，座位，側臥位，シムス位，四つんばい，蹲踞(そんきょ)位(しゃがみこむ姿勢)など，それぞれの利点やデメリットを説明し，試してもらいながら自分に合った姿勢や体位を取り入れられるよう援助する
②背部や腰部にクッションを入れ，半座位や側臥位，シムス位などを工夫するよう促す	▶自分なりに行った姿勢や体位の工夫・対処行動が適切だと実感できるよう支援する **根拠** 産婦が主体的に分娩に取り組むことにつながる
③姿勢や体位を工夫することで分娩の進行が促されることを説明する ・アクティブチェアやバースボールに座り，下肢を広げた姿勢をとるようにすすめる  アクティブチェアに座る	**根拠** 下肢を広げた姿勢をとると恥骨結合・仙腸関節が広がり，児頭の下降を促し，分娩の進行を促進する **注意** 分娩時間が長く，産婦が疲労し体力を消耗していると判断できる時は，休息や睡眠を優先する ▶姿勢や体位の工夫は産婦の動機づけや意欲に左右されるため，それぞれの利点だけでなく，どんな負担があるかなどについてもわかりやすく説明する **注意** 望ましい姿勢や体位をすすめるが，産婦の希望も取り入れる

要点	留意点・根拠
④陣痛発作時は側臥位をとるよう説明する	▶腹壁が弛緩する側臥位は，産痛緩和の効果が得られることを説明し，セルフケアできるようにする
⑤分娩の進行状態に応じた体位変換をすすめる	▶分娩第1期の極期頃になると，産婦は臥床しがちになるので，適宜体位を変えることをすすめる 根拠 体位を変えることは分娩の進行を促すとともに，気分転換にもなる
2 分娩第1期：産婦の状態・希望に応じた活動ができるよう援助する	
①産婦のどのような活動が分娩の進行に影響を与えるか説明する	▶安静にしていると陣痛を弱めて分娩の進行を遅らせること，一方，歩行や階段の昇降は陣痛を強めて児頭の下降を促し，分娩の進行を順調にすることを説明する 根拠 産婦が意欲をもって活動できるようにする
②陣痛間欠時に歩行や階段の昇降を実施し，発作時は休息してもらう ③産婦の意思を確認し，必要時，歩行や階段昇降をする産婦に付き添う 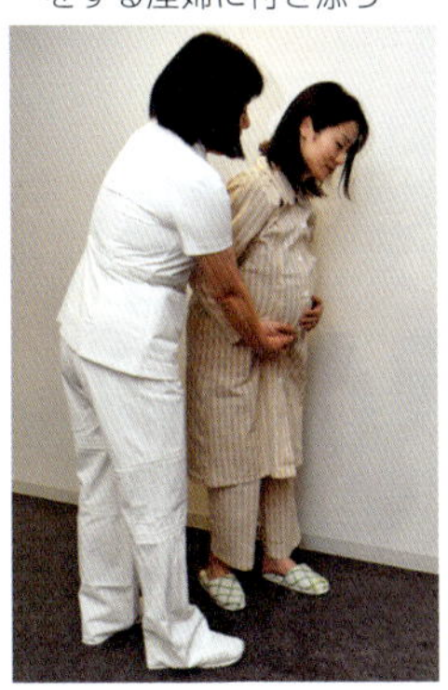 付き添って廊下を歩行する	▶活動の範囲や程度については分娩の進行状態から判断するが，産婦自身の意思で適度に活動できるようにする 注意 歩行や階段の昇降は，分娩の進行状態に応じて病室内，病棟内，病院内の範囲とし，必要時付き添う．分娩が迫っている場合は，看護師の目の届く範囲とする 事故防止のポイント 特に階段の昇降は，バランスを崩しやすいので手すりにつかまってゆっくり移動すること，体重を支える足はしっかり床につけること，かかとから着地すること，足先はやや外転気味にすることなどを説明し，転倒防止に努める 注意 産婦の歩行が不安定な時は，階段の昇降をしないように伝え，歩行に付き添う
④付き添う家族にも，分娩の進行状態と活動の効果を説明する	▶産婦と家族の希望を確認し，可能な範囲で産婦の歩行や階段の昇降に付き添ってもらう 根拠 家族がケアに参加することで，分娩の場を共有できる
⑤活動後は十分に休息するよう促す 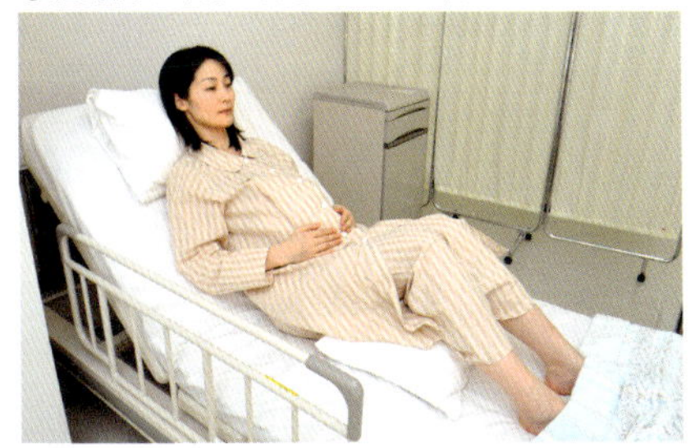 ファウラー位：枕やクッションを使って姿勢を工夫し，休息する	▶活動と休息をバランスよく行うことで，産婦が疲労して体力を消耗することを防ぎ，分娩の進行を妨げない（「第2章-3【4】産痛緩和」の「2 体位を工夫する」p.250参照）

要点	留意点・根拠
3 分娩第2期：産婦の状態・希望に応じた姿勢をとれるよう援助する	
①可能な範囲で産婦が望む姿勢に整える	▶産婦の希望を尊重しつつ，自ら効果的な体位をとれるようにする（「第2章-3【4】産痛緩和」の「2 体位を工夫する」p.250参照） ▶胎児の娩出に備えながらも，安楽に過ごせる姿勢をとれるように援助する
②分娩の進行を促す場合は，座位や蹲踞位をとるようすすめる	▶座位や蹲踞位になることで，恥骨結合・仙腸関節が広がって児頭が下降し，分娩の進行を促すことを説明する
4 分娩第3期：産婦の状態・希望に応じた姿勢をとれるよう援助する	
①産婦に苦痛がなければ，胎盤の娩出までは仰臥位で過ごしてもらう	根拠 分娩が終了して幸福感を抱くとともに，安心している時期であるが，同時に大出血などの異常が起こりうる時期でもある．看護師が観察しやすく，緊急時に直ちに対応できる仰臥位が望ましい
5 分娩第4期（分娩後2時間）：産婦の状態・希望に応じた姿勢がとれるよう援助する	
①産婦の状態に異常がないか観察する	
②異常がないと判断できたら，産婦が希望する安楽な姿勢にする	▶仰臥位または側臥位が望ましい 根拠 大出血などの異常が起こりうる時期なので，看護師が観察しやすく，緊急時に直ちに対応できる体位をとってもらう
③安楽で負担や苦痛のない姿勢に整え，ベッド柵を上げる	▶創部痛や腰痛などの苦痛がある時は，クッションなどを用いて疼痛を緩和する
④早期母子接触をする場合は，母子の安全を確保できる姿勢に整える	▶母子ともに苦痛がなく，安全な姿勢が望ましい．仰臥位のことが多い 事故防止のポイント 必ずベッド柵を上げて母子の転落を防止する．また早期母子接触中は看護師が付き添い，母子だけにしない．早期母子接触は上限を2時間以内とし，児が睡眠したり，母親が傾眠状態となった時点で終了する[1]
6 記録をする	
①活動・姿勢の状況を観察し，記録する	▶一時点だけでなく，前後の状態も合わせて活動・姿勢の状態を判断する

●文献

1）日本周産期・新生児医学会（2012）「早期母子接触」実施に留意点．http://www.jspnm.com/sbsv13_8.pdf（2020/7/13アクセス）

5 休息・睡眠

永見 桂子

目的 産婦が分娩経過に応じた休息・睡眠をとれるよう援助することで，産婦の休息・睡眠のニードを充足する．
チェック項目 分娩の進行状態，休息・睡眠のセルフケア状況，疲労感，食事・水分の摂取状況，睡眠コントロールの方法，休息・睡眠の必要性についての知識
適応 分娩第1〜4期にある産婦
注意 産婦の状態・希望に合わせて環境を調整する．
事故防止のポイント 母子の分娩台からの転落防止

手順

要点	留意点・根拠
1 分娩第1期：環境を整える ①室温・湿度などを調整する	▶室温26℃前後，湿度40〜60%とし，空調設備による風量・風向を調整する．臭いがある場合には換気する **根拠** 不快な環境は休息や睡眠を妨げる **コツ** 産婦の状態・希望を確認して調整する．掛け物などを用意しておくと微調整できる
②室内の明るさを調整する ・必要時，ブラインドやカーテンを用いる	▶休息時はやわらかな明るさとし，睡眠時は暗くする．照度は休息時には100ルクス，睡眠時は10〜30ルクスを目安とする **注意** 産婦の状態・希望を確認して調整する
③環境の音を調整する	▶騒音のない静かな環境にする．静かすぎると落ち着かない産婦もいるので，好みの音楽をかけるなど，産婦のニーズに合わせて調整をする
④ベッド周囲を環境整備をする ⑤付き添いの必要性を産婦の状態や意向から判断する	▶安心や安寧，ポジティブな気持ちを得られるよう心理面への配慮が大切である **根拠** 看護師あるいは家族がそばにいることが安心につながる．一方で，気になって休めないこともあるので，産婦に確認する
2 分娩第1期：産婦の状態・希望に応じた休息・睡眠がとれるよう援助する ①休息や睡眠をとることが体力の保持・回復につながり，分娩の進行を順調に促進することを産婦に説明する	▶陣痛周期が長い時期は，陣痛間欠時に少しずつでも休息・睡眠をとるようすすめる **根拠** 睡眠が不足すると疲労感が増し，体力が消耗して陣痛を弱める．分娩が遷延する原因となる **注意** 休息のとり方や睡眠のパターンは産婦により異なるため，産婦に確認しながら調整し，無理強いしない
②眠けを感じたらいつでも眠ってよいこと，眠れなくても横になり閉眼して休むことをすすめる	▶「睡眠をとるのはよくない」「眠っている間に生まれるのでは」と心配し，眠けを感じても，眠らないようにしている産婦もいる **根拠** 活動期以降になると，陣痛間欠時に眠けを感じる．これは

要点	留意点・根拠
	産婦に備わった生理的なものと考えられている．眠けに逆らわず力を抜き，うとうとしてよいことを説明する
③眠りへの導入として，入浴やシャワー浴，足浴をすすめたり温かい飲み物の摂取を促す	根拠 入浴や温かい飲み物の摂取により全身の血液循環が促進され，全身の緊張をほぐす コツ 清潔ケアの後に実施するとよい
④産婦の状態を確認して，リラックス法やマッサージ，タッチングを効果的に実施する ・陣痛発作時は，ゆっくり腹式呼吸を促し，産痛部位をマッサージする	▶産婦が行う呼吸法で効果がみられない場合，看護師が深呼吸をリードする
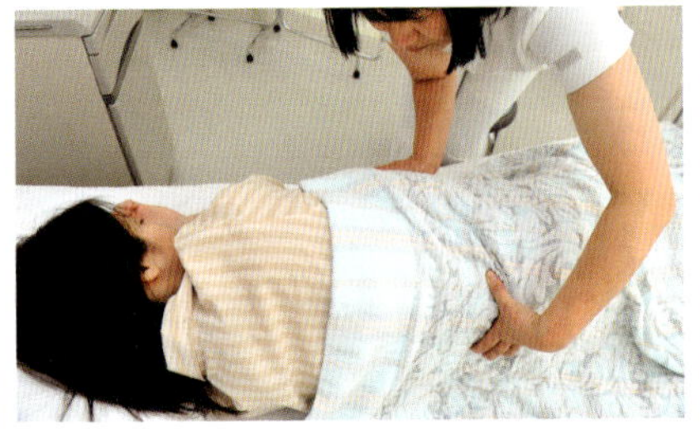 産痛部位をマッサージし，リラックスするよう促す	
・陣痛間欠時はタッチングなどを行って全身のリラックスを促す	▶できるだけそばに付き添いながら，全身の緊張をほぐし，意識してリラックスすることを促す 根拠 全身の力を抜いて，体力の消耗を最小限にする コツ 産婦の要望があれば，アロマセラピーを実施してもよい．可能なら好みの香りを用意する
《分娩が遷延し，陣痛が微弱となった場合》 ①体力回復に向け，食事・水分摂取を促すとともに休息・睡眠をすすめる	根拠 十分な栄養と水分の補給，休息・睡眠により体力の回復を目指す．陣痛が強まり，分娩が順調に進む
②付き添っている家族に分娩の進行状態を説明し，適宜休息をとるよう促す	▶分娩経過が長い場合，家族の疲労にも配慮し，休息や睡眠をとるよう声をかける ▶分娩期にも継続して産婦を支えられるよう，この時期に付き添いを交代したり，自宅に戻って休んだりすることをすすめる 注意 産婦と家族の意思を尊重する
3 分娩第2期：産婦の状態に応じて休息できるよう援助する ①陣痛間欠時に全身の力を抜き，休息するよう促す	根拠 分娩に集中する時期である．間欠時には緊張をといて心身をリラックスさせ，体力の消耗を最小限にする
②児の娩出まで時間がかかりそうな時は，側臥位で休めるように体位を整える	▶側臥位が望ましいが，いろいろな体位をとったうえで，産婦の意向を確認する
4 分娩第3期：産婦が休息できるよう援助する ①胎盤娩出まで休息するよう促す	▶胎盤娩出までは休息の時間として，リラックスして過ごすよう伝える

要点	留意点・根拠
5 分娩第4期(分娩後2時間)：環境を整える ①室温，照明などを調整する	▶室温26〜28℃とし，風向・風量を調整する．照度100〜200ルクスを目安とする
②静かな環境を提供する 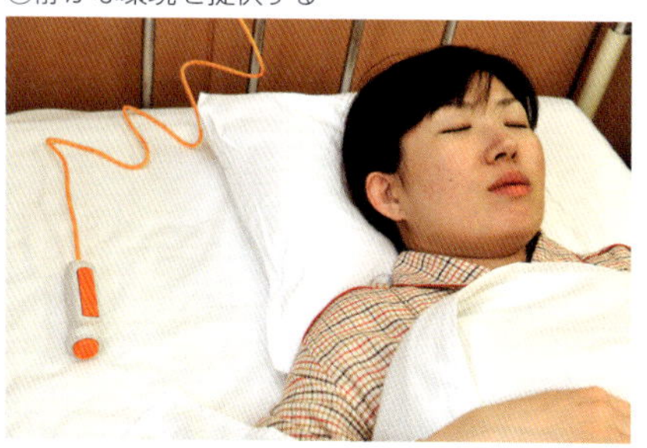	
③安心して過ごせるように，必ずベッド柵を上げる	▶早期母子接触中の場合は，無理なく過ごせるよう母子の体位や姿勢を整える **注意** 安楽に過ごせるよう，早期母子接触も産婦のニーズに合わせて援助する **事故防止のポイント** 母子の転落を防止するため，必ずベッド柵を上げる
6 分娩第4期(分娩後2時間)：休息・睡眠の援助をする ①産婦の状態に異常がないか観察する ②異常がないと判断できれば，眠ってもよいことを伝える	▶分娩後の産婦の疲労は強く，心身を休める必要がある **注意** 大出血などの異常が起こりうる時期であり，睡眠中でも観察を怠らない
・興奮して休めない産婦には，眼を閉じているだけでもよいことを伝える	▶眼を閉じているだけでも休める
③産婦の休息・睡眠に合わせて，付き添っている家族も休息できるよう配慮する	▶深夜などの場合には時間帯に考慮して，産婦の状態を説明し，家族も自宅で休むよう伝える **注意** 新生児誕生の喜びをともに分かち合う時間でもあるので，産婦・家族の状況や意思を考慮する
7 記録をする ①休息・睡眠の状況を観察し，記録する	▶一時点だけでなく，前後の状態も合わせて休息・睡眠状態を判断する

3

分娩援助技術

1 出産環境の整備

石村 由利子

目的
・産婦がリラックスして分娩に臨める環境を提供する．
・緊急事態に対応できる設備を整えておく．

チェック項目
・産婦，胎児・新生児の安全が確保できる設備，医療機器の準備状況
・産婦が安楽に過ごせる設備，備品の準備状況

適応 すべての産婦

注意 リスクに応じた管理体制が必要である．ローリスクと考えられる産婦でも十分な準備を怠らない．

事故防止のポイント プライバシーの保護，感染防止，転倒防止，出生直後の新生児の低体温防止

手順

要点	留意点・根拠
1 環境を整える ①温度，湿度を調節し，換気に気を配る 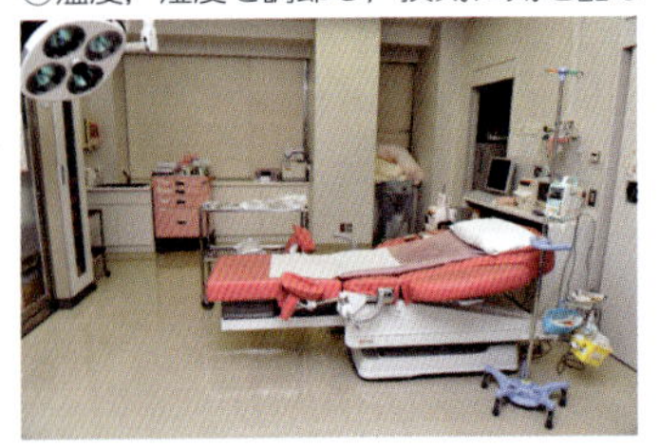	▶ 陣痛室，分娩室それぞれに適した温度，湿度を設定する ▶ 換気に気を配る **根拠** 分娩室，新生児室は感染予防のため，独自に空調設備を整えていることが多く，一般病室のように窓を開けて換気することはしない．管理者はフィルターの交換などにも気を配る．なお，総合病院では感染病棟と近接しない配置が望ましい
②産婦が不快に感じる音（騒音）を避ける	**根拠** 音は人によって，あるいは場面によって感じ方が異なる．バックグラウンドミュージック（BGM）を好まない産婦もいるので注意する **注意** 医療スタッフ間の会話も時に騒音になる．私語は厳に慎む
③清潔な環境を維持する	▶ 生活環境として必要なものを整える ▶ 清掃を徹底し，清潔な環境を維持する **根拠** 手術室ほどの清潔区域ではないが，分娩を取り扱う環境として必要な清潔管理が求められる
④分娩台の位置に配慮する	▶ 分娩台は足元が入口に向かないように配置する **根拠** 砕石位をとってもらうため，分娩室のドアが足側にあるのは羞恥心への配慮の点から好ましくない ▶ 窓がある場合はブラインドを下ろす **根拠** すりガラスでも夜間は影が映る **事故防止のポイント** 分娩台の位置に配慮してプライバシーの保護に努める
2 使用物品を整える ①必要物品をそろえる	▶ 「3 陣痛室を整備する」「4 分娩室を整備する」の項参照

要点	留意点・根拠
②感染防止対策を徹底する	▶感染症のある産婦の場合，必要なディスポーザブル器材，消毒薬を準備する．ディスポーザブル器材は焼却できるものの使用が望ましい 根拠 血液を介して感染する疾患は多い 注意 再使用する器機は適した消毒薬で使用後の処理をする．医療器材の廃棄方法はそれぞれの医療機関，自治体のルールに従う 事故防止のポイント 血液で汚染された器械，衛生材料の処理方法のマニュアルを決めておくなど，院内感染の防止対策を徹底する
3 陣痛室を整備する ①陣痛室に適した温度を設定する	▶室温，湿度を調節する．夏は 22℃ 前後，冬は 20℃ 前後がよいとされる 根拠 産婦は体温が高いことと分娩時の労作を考慮して室温はやや低めに設定するほうがよい
②陣痛室に必要な物品を準備する 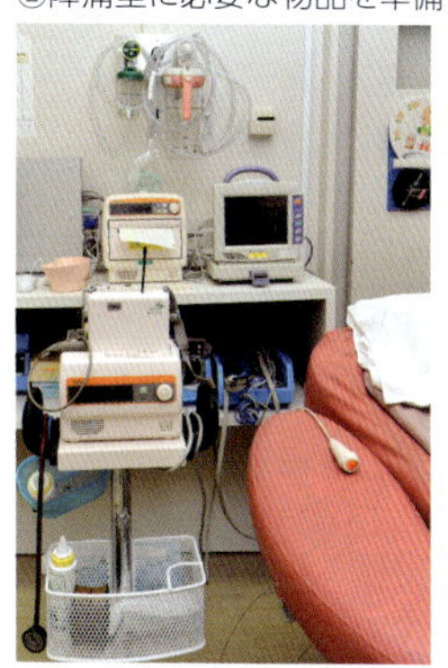 陣痛室：ベッド，分娩監視装置，ナースコールなど	▶産婦が自由な体位と動きがとれる環境を準備する ▶仰臥位では収縮回数は増加するが，収縮力は低下する．痛みを感じている割には分娩進行にはつながらない．分娩進行を促進するには仰臥位より側臥位，立位が優位である ▶電源コードが産婦の足元を邪魔しないように配置する 根拠 産婦は足元が見えない．また，産痛のため動作が緩慢であり，つまずいて転倒する危険のあるものを床に置かない．スリッパなども同様である 事故防止のポイント 転倒防止に努める ▶ナースコールを手元に置く 事故防止のポイント 急産，その他異常時の連絡手段を確保して，急変に対応できるようにする 注意 急変時に連絡できる方法を産婦に知らせておく
③リラックスできる環境を整える 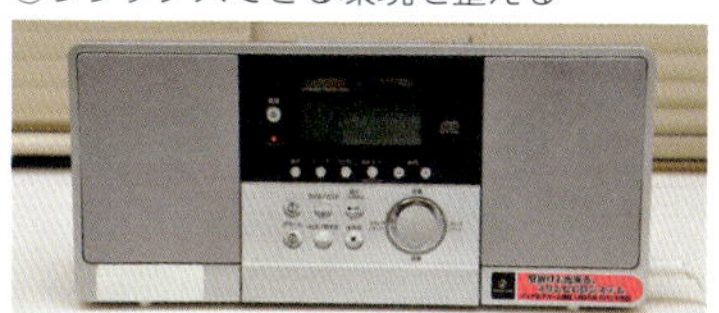 音楽を流す 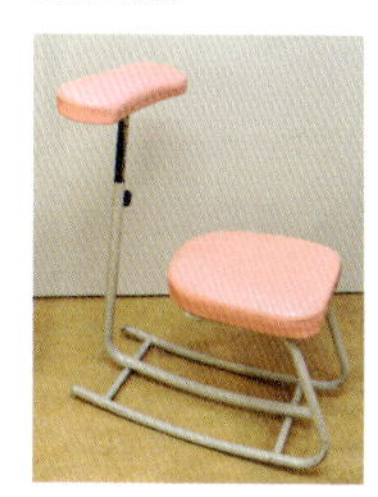 アクティブチェア	▶産婦がリラックスできる環境をつくる コツ 音楽を流す，アロマを取り入れるなど，産婦が好むものを取り入れる ▶家族と過ごせる時間を確保する ▶産痛緩和に役立つものを準備する．またアクティブチェア，腰部指圧用器具（例えばテニスボールなど），フットバスなどをいつでも使えるように準備する ▶吸い飲み，ストローなどを準備し，いつでも水分を摂れるようにしておく 根拠 陣痛・分娩中に産婦に飲み物を勧めることは，「WHO の 59 か条――お産のケア実践ガイド」で明らかに有効で推奨されるべきこととされている ▶夫（パートナー）や家族がリラックスできるよう，椅子，その他家具などを置く

要点	留意点・根拠
4 分娩室を整備する ①分娩室の温度，湿度を調整する	▶ 室温 25～28℃，湿度 50～60% に設定する．努責を行う産婦にとってはやや高い室温ではあるが，低いと出生直後の新生児の体温低下を助長する．一般に新生児室より高く室温を設定する 根拠 新生児は体積に比べて体表面積が大きく，皮膚の温度調節機能が十分でないため，輻射による熱の喪失が大きい．さらに出生直後の新生児は，羊水や血液で濡れているため，蒸散による熱の喪失が起こる 事故防止のポイント 出生直後の新生児の体温低下を防止する 注意 **児娩出が近づいたら，インファントウォーマーの電源を入れて温めておく**
②清潔な環境を維持する	▶ 換気を図り，不快な臭気がこもらないように配慮する　根拠 手術室に相当する清潔区域である必要はないが，感染予防に対する意識は必要である
③分娩室の時計の時刻を確認する	▶ 正しい時刻が表示されていることを確認する ▶ 分娩監視装置の時刻表示と合っていることを確認する 注意 **時刻合わせは普段から定期的に行う**
④分娩室の物品を整備する 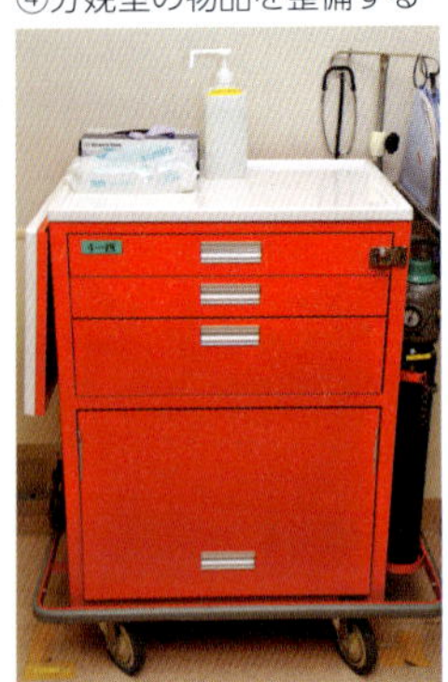 救急カート	▶ 分娩室をいつでも使用可能な状態に整備しておく　根拠 分娩進行は予想通りにならないことが多い．いつでも使えるよう物品や薬剤の補充，機器類の点検をしておく ▶ 救急カート，救急薬品の準備をしておく ▶ 緊急用モニター類をいつでも使えるように準備しておく 注意 **準備する医療機器，医薬品は施設が取り扱う分娩の重症度，医師の方針によって決められる．医師の指示を確認する．以下は緊急時に備えて準備しておく物品・医薬品の例である**[1)] ・医療介入が必要な場合に使用する産科機器：吸引分娩用吸引器および吸引カップ，産科鉗子 ・診断用機器：分娩監視装置，聴診器，血圧計，体温計，自動血圧計，心電図モニター，超音波断層装置，パルスオキシメーター ・治療用機器：吸引器，酸素吸入器，酸素マスク，アンビューバッグ，バイトブロック，自動輸液ポンプ，喉頭鏡 ・医薬品：輸液用製剤　子宮収縮薬，昇圧薬，局所麻酔薬 ・その他消耗品，衛生材料：輸液セット，膀胱内留置カテーテル，尿測バッグ，気管吸引用チューブ ▶ ナースコールが作動することを確認しておく 根拠 分娩介助者が他のスタッフを呼ぶのにも必要である
⑤産婦のプライバシーを保護できる環境を整える	根拠 分娩時の様子が漏れないように，分娩室は

要点	留意点・根拠
⑥立会い分娩で夫(パートナー)・家族が参加できる準備をする	基本的に個室が望ましい．複数の分娩台が配置されている施設では，プライバシーの確保に十分な配慮をする 注意 分娩介助者などの動線を妨げない位置に準備する
5 LDR を整備する ①必要な環境を整える 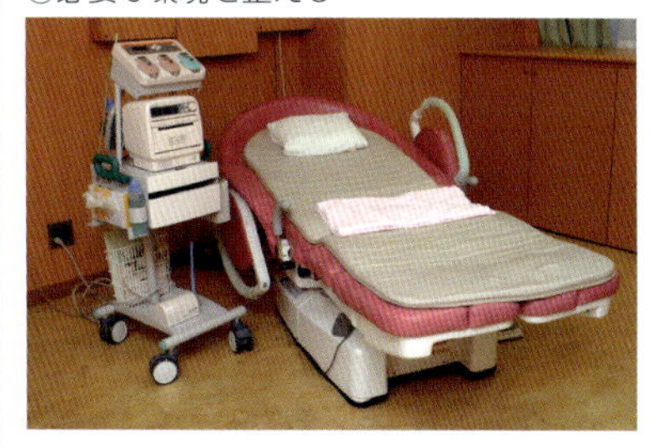	▶陣痛室，分娩室の項と同じ整備を行う 根拠 LDR とは，陣痛(labor)，分娩(delivery)，回復(recovery)の略称で，陣痛室，分娩室，回復室を一体化した設備をもつ部屋である．したがって，陣痛室，分娩室がもつ機能を備えた環境を準備する

評価

- 安心して分娩ができる環境であったかどうかを評価する．

●文献

1）日本産科婦人科学会，日本産婦人科医会編・監修：産婦人科診療ガイドライン―産科編 2020，pp.193-195，2020

2 分娩介助

石村 由利子

目的
・分娩機転に沿って侵襲を最小にするよう児の娩出を助け，母児ともに安全に分娩を終了させる．
・出生直後の新生児が円滑に体外生活に移行できるよう必要な処置を行う．
・産婦の主体性を尊重し，産婦と家族が満足できる分娩ができるよう援助する．

チェック項目 分娩進行状態，母児の健康状態，産婦の心理状態

適応 すべての産婦

注意 安全を確保し，正常からの逸脱を見逃さないように注意深く経過を観察する．正常からの逸脱を予測した時は医師に報告する．

禁忌 なし

事故防止のポイント 感染防止，会陰部の付加裂傷の防止，墜落産の防止，児の上腕神経麻痺の防止，出生直後の新生児の低体温の防止，熱傷予防，出生届の誤記の防止

必要物品 分娩台，分娩監視装置，無影灯，器械台，新生児受台

分娩セット（写真A）：ペアン止血鉗子(かんし)2本，コッヘル止血鉗子1本，臍帯剪刀(さいたいせんとう)，クーパー剪刀，有鉤鑷子(ゆうこうせっし)1本，長鑷子，大膿盆，中膿盆，消毒用綿球3～4個，ガーゼ，綿花，臍帯クリップ

滅菌シーツ類（写真B）：分娩用シーツ1枚，防水シーツ（腹部用，新生児用），足袋1組，布鉗子，介助者用ガウン，滅菌手袋，処置用防水シーツ

縫合セット（写真C）：腟鏡（桜井腟鏡，ジモン腟鏡），持針器，縫合針，縫合糸（バイクリルなどの合成吸収性縫合糸3-0または4-0程度の細いもの），10 mL注射筒，18 G・21 G注射針，キシロカイン注射液（1%）

新生児蘇生セット（写真D）：吸引器，吸引器用ドレーン，吸引チューブ，滅菌蒸留水，カップ，ジャクソンリース，蘇生用マスク，酸素，ガーゼ

消毒用セット：手洗い用ヒビスクラブまたはイソジンゲル，ガーゼ，洗浄液，洗浄ボトル，消毒薬，滅菌カップ，鑷子，鉗子立て，膿盆，綿球または綿花

導尿用セット：12～14 Frネラトンカテーテル，消毒薬，綿球，ディスポーザブル手袋，滅菌ガーゼ，滅菌トレイ，滅菌潤滑剤（滅菌グリセリン），尿カップまたは尿器，膿盆，処置用防水シーツ，必要があれば長鑷子・鉗子立て

救急カート：救急薬品，蘇生用セット，点滴セット

その他：吸引カップ，鉗子，母児第1標識，分娩直後パッド，産褥ショーツ

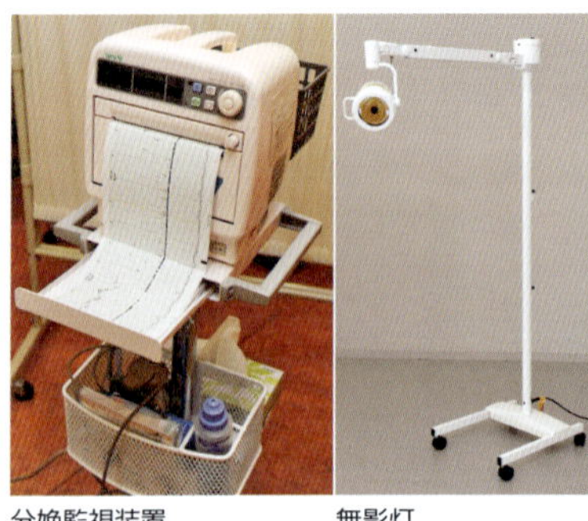

分娩監視装置　　無影灯

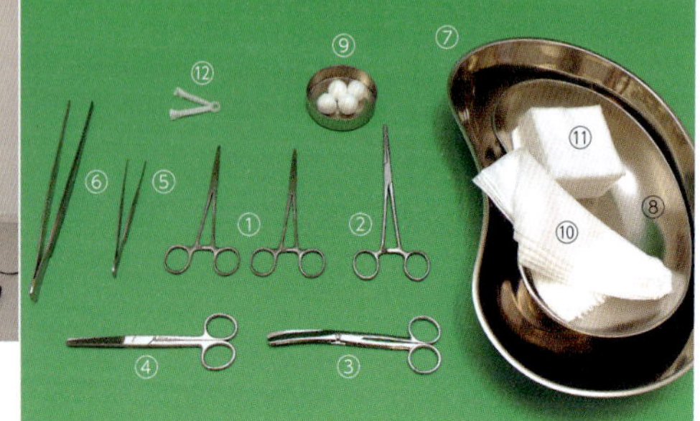

A. ①ペアン止血鉗子，②コッヘル止血鉗子，③臍帯剪刀，④クーパー剪刀，⑤有鉤鑷子，⑥長鑷子，⑦大膿盆，⑧中膿盆，⑨消毒用綿球，⑩ガーゼ，⑪綿花，⑫臍帯クリップ

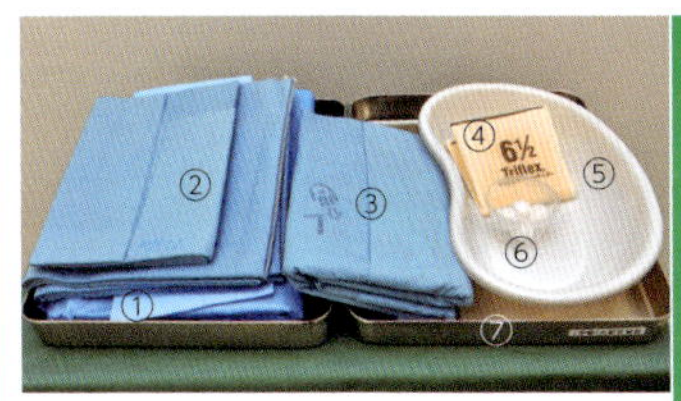

B. ①シーツ，②③ガウン，④滅菌手袋，
⑤膿盆，⑥綿球，⑦トレイ

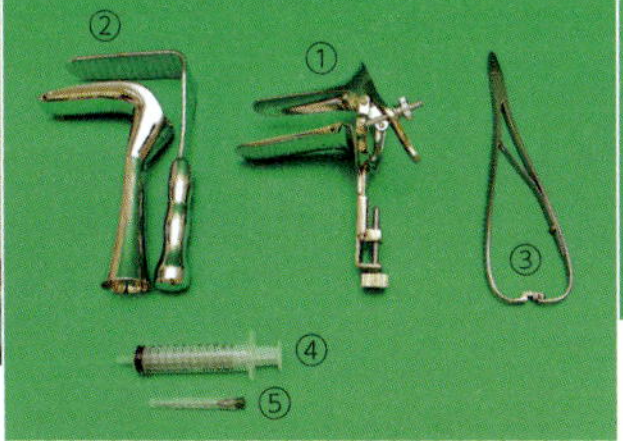

C. ①桜井腟鏡，②ジモン腟鏡，
③持針器，④注射筒，⑤注射針

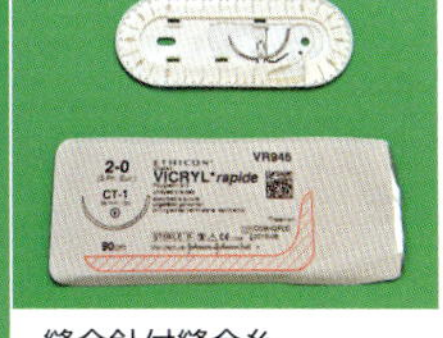

縫合針付縫合糸
(バイクリル)

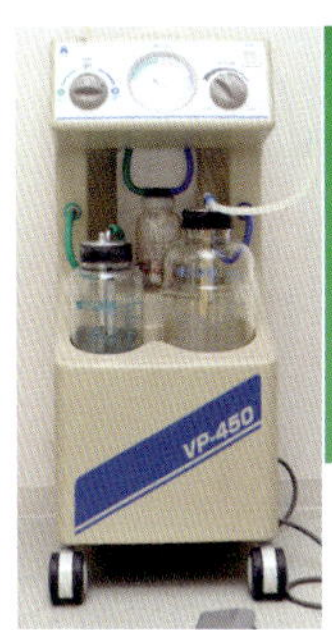

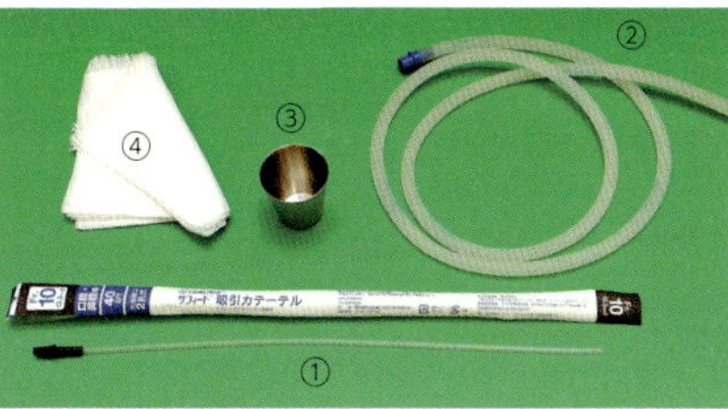

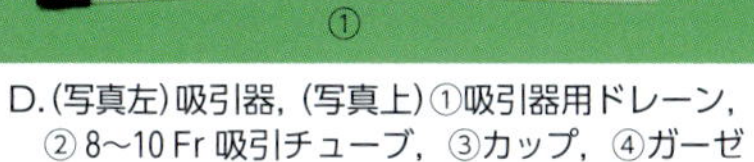

D.(写真左)吸引器，(写真上)①吸引器用ドレーン，
② 8～10 Fr 吸引チューブ，③カップ，④ガーゼ

洗浄ボトル

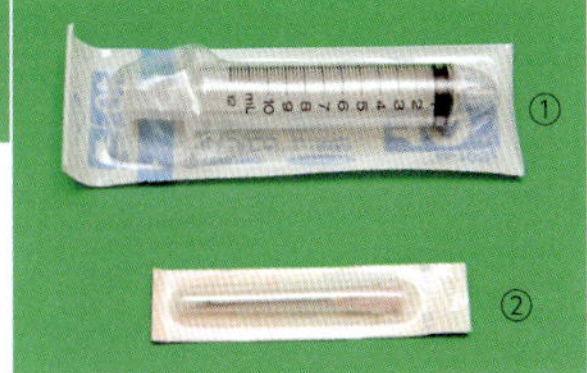

① 10 mL 注射筒，② 18 G 注射針

分娩の準備

手順

要点	留意点・根拠
1 分娩室の環境を整える ①分娩室の物品を整える 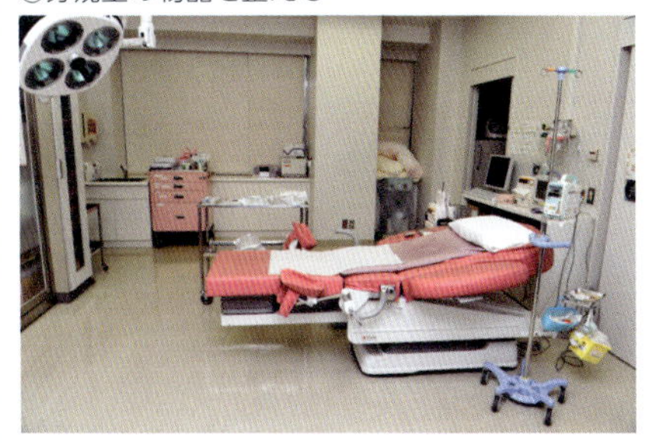	▶ 分娩室をいつでも使用可能な状態に整備しておく　根拠 分娩進行は予想通りにならないことが多い．いつでも使えるよう物品や薬剤の補充，器械類の点検をしておく
②分娩室の温度，湿度を調整する	▶ 室温 25～28℃，湿度 50～60% に設定する 根拠 努責を行う産婦にとってはやや高い室温ではあるが，低いと出生直後の新生児の体温低下を助長する．一般に新生児室より高く室温を設定する

要点	留意点・根拠
③リラックスできる環境を整える	事故防止のポイント 出生直後の新生児の体温低下を防止するため ▶ 産婦がリラックスできる環境をつくる コツ 音楽を流す，アロマを取り入れるなど，産婦が好むものを取り入れる
2 使用物品を整える ①産婦の処置，分娩介助に必要な物品をそろえる 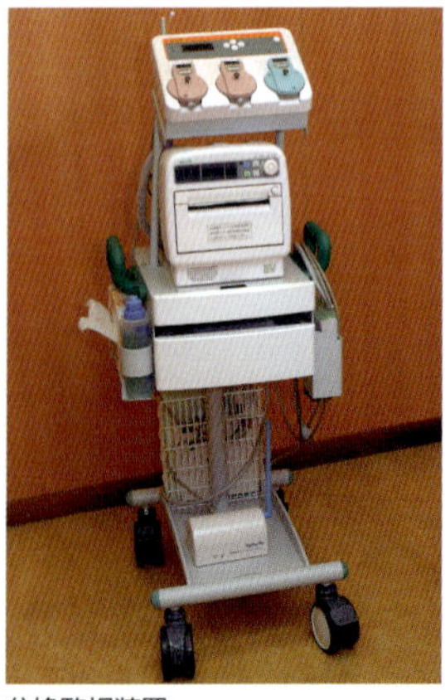 分娩監視装置 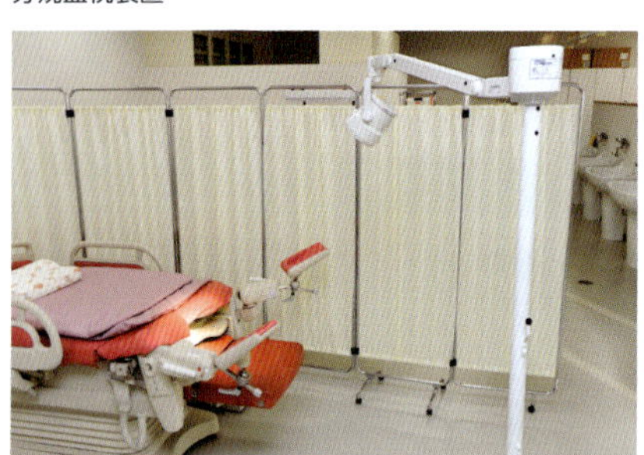 無影灯	**必要物品** 分娩台，分娩監視装置，無影灯，分娩セット一式，器械台，滅菌シーツ，足袋，外陰部消毒用セット一式，消毒用綿球，消毒薬用カップ，臍帯クリップ，母児第1標識，縫合セット ▶ 分娩台は水平にして最も低い位置にしておく 根拠 産婦が分娩台に上がる時，最も負担が少ないように準備しておく ▶ 電源コードが足元を邪魔しないように配置する ▶ 器械に付属する消耗品の補充を確実にしておく ▶ 滅菌済みの器械類やディスポーザブル製品の有効期限を確認する ▶ 分娩介助に適した位置に器械台を配置する ▶ 消毒薬は必要なだけ準備する コツ ディスポーザブルのカップ入り綿球は必要な時に薬液を入れて使える．万能瓶で常備するより便利であり，このような個別パックの製品が増えている 注意 万能瓶を使用する場合，薬液のつぎ足しはしない

要点	留意点・根拠
②新生児の蘇生に必要な物品をそろえる 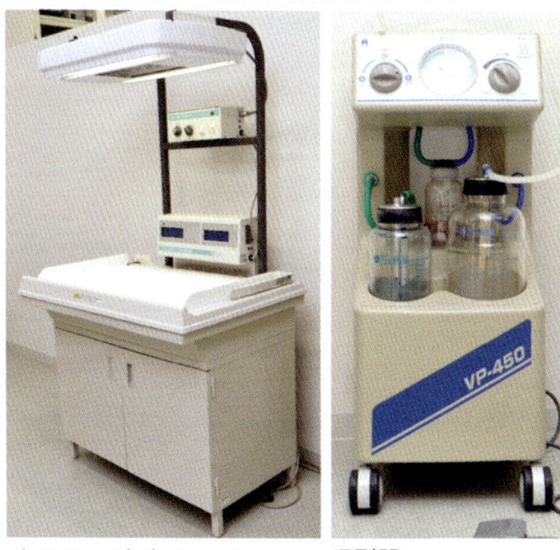 インファントウォーマー　吸引器	必要物品　新生児受台，吸引器用ドレーン，吸引カテーテル，滅菌蒸留水およびカップ，ジャクソンリース，蘇生用マスク，酸素 ▶吸引器のドレーンの接続を間違えないように確認しておく ▶胎児娩出が近づいたらインファントウォーマーのスイッチを入れる．新生児をくるむバスタオルなども温めておく ▶新生児のコットの寝具を温めておく 根拠 寝具を温めることによって新生児から伝導による熱の放散を防ぐ
3 産婦の準備を整える ①分娩室入室の時期を判断し，産婦に説明する	▶分娩体位は仰臥位，側臥位などのほか，フリースタイルの分娩も増えているが，ここでは最も基本的な頭位の仰臥位分娩について解説する ▶分娩室入室の時期を判断する ▶進行状態を説明し，分娩室に入室することを伝える 根拠 説明せずに処置を行うことはない．分娩室に入ることは産婦にとって胎児娩出が近いことを予測させ，陣痛の苦痛から解放されることを期待する出来事となる
②分娩室へ移動する 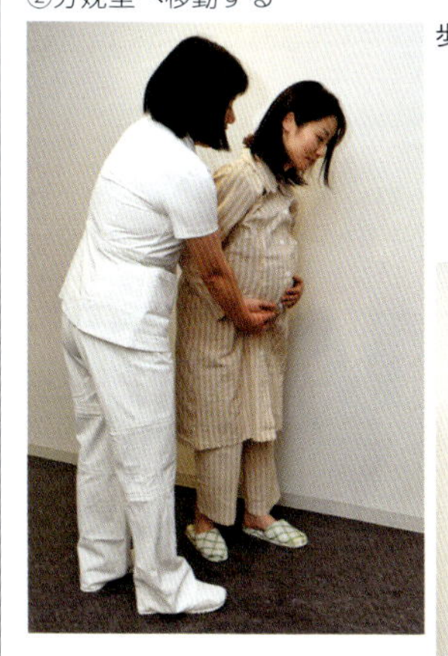 歩行して移動 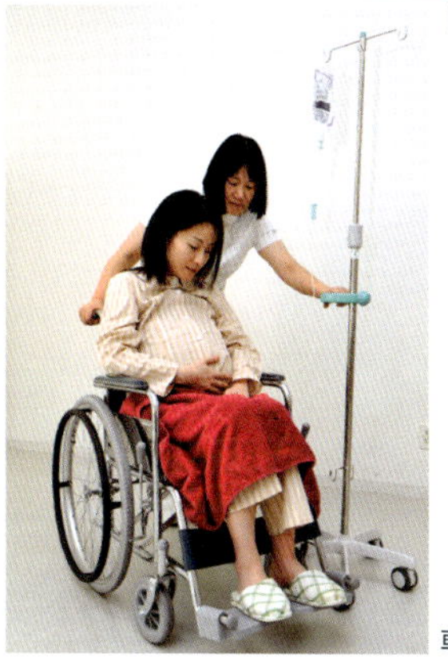 車椅子またはストレッチャーで移動	▶歩行できる状態か否かを判断し，適切な方法で分娩室に入室させる 根拠 入室が早すぎると，体位を拘束することや焦りなどその後の心理的負担が大きい．また，遅すぎると，産婦に努責を我慢させるような苦痛を与える．適切な時期を判断することが大切である 事故防止のポイント 移室時期の遅れによる墜落産を防止する

要点	留意点・根拠

要点

③産婦の体位を整える

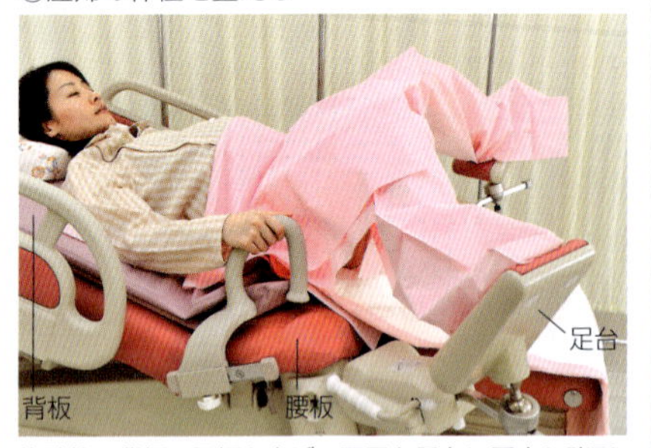

仰臥位で背板，腰板を上げ，両足を足台に固定し砕石位にする

留意点・根拠

▶ 下着をとり，分娩台で仰臥位をとってもらう
▶ 分娩台の背板をやや挙上する
▶ 分娩台の腰板の角度を調節して，腰を挙上する
根拠 仰臥位で背板，腰板をやや挙上すると骨盤誘導線に沿って胎児が娩出しやすい姿勢になる
▶ 両足を左右に開き，足台に固定して，砕石位にする
▶ 外陰消毒を始めるまで，バスタオルなどをかけて，不必要な露出を避ける

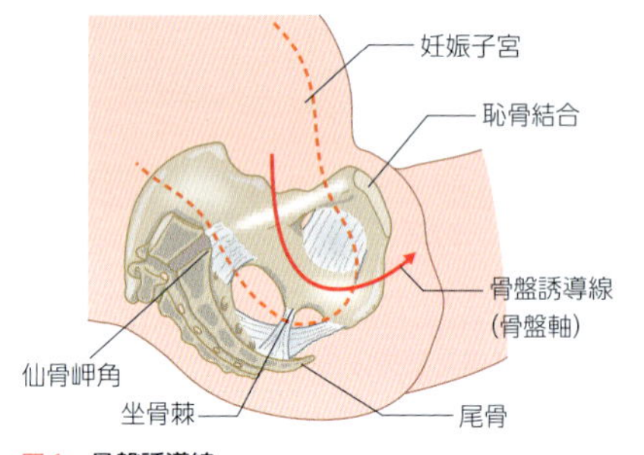

図 1　**骨盤誘導線**

要点

4 導尿を行う

①導尿を行う時期を判断する

②産婦に導尿を行うことを説明する

③必要物品をそろえる

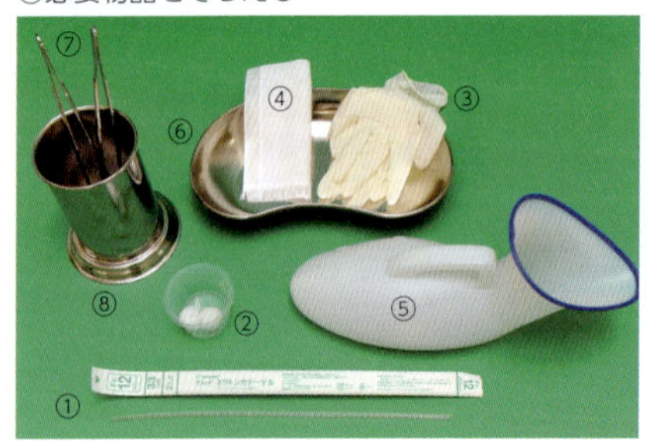

留意点・根拠

▶ 導尿する時期は p.212「6 清潔野を作成する」のあとでもよい．ただしその時は清潔野を不潔にしないように十分気をつける
▶ 排臨近くまで児頭が下降している時は導尿は行わない　根拠 尿道が圧迫されており，カテーテルの挿入は難しい
▶ 導尿をする目的を説明する　根拠 分娩介助の前に必ず膀胱を空にする．膀胱充満があると胎児の下降を妨げる．また，胎児の下降が進むと下降部の圧迫によって排尿困難が起こることがある
▶ 必要物品をそろえ，滅菌トレイ，滅菌鑷子，ネラトンカテーテルを清潔操作の基本に従って開封する

必要物品　12～14 Fr ネラトカテーテル(①)，消毒薬，綿球(②)，ディスポーザブル手袋(③)，滅菌ガーゼ(④)，滅菌トレイ，滅菌潤滑剤(滅菌グリセリン)，尿カップまたは尿器(⑤)，膿盆(⑥)，処置用防水シーツ，必要があれば長鑷子(⑦)，鉗子立て(⑧)

▶ 滅菌トレイに滅菌ガーゼを 1 枚たたんで置き，滅菌潤滑剤を少量たらしておく

注意 キシロカインゼリーは尿道内に傷があるとアナフィラキシーショックを起こすことがあるので，グリセリンのほうが安全である

▶ 消毒用に薬液を浸した綿球を滅菌トレイに 3～4 個準備する

要点	留意点・根拠
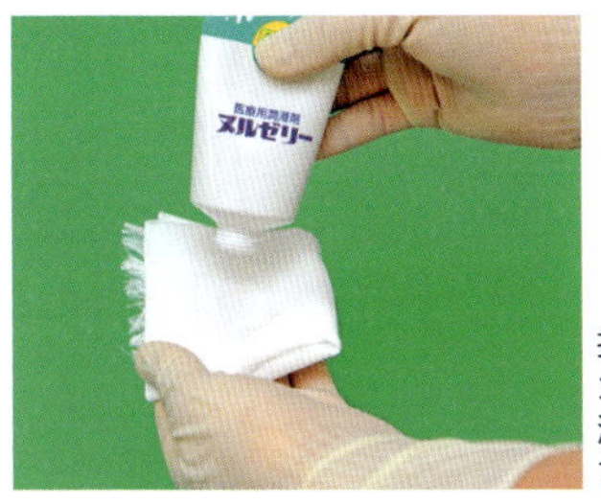折りたたんだガーゼに滅菌潤滑剤をたらす	▶腰の下に処置用防水シーツを敷き，膿盆，尿器または尿カップを殿部の近くに置く コツ 尿器はカテーテルが届く位置に置く
④介助者は操作しやすい位置に立つ 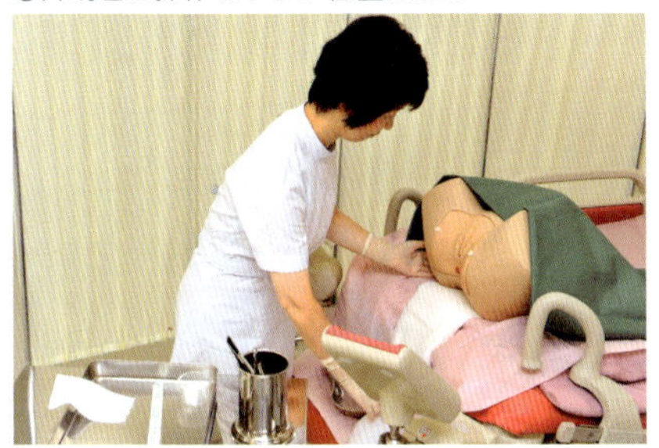 右利きの介助者は分娩台の向かって左側に立つ	▶介助者は右利きなら分娩台の正面左側に立つ コツ 利き手の操作がしやすい位置に立ち，使用するものを手近に置く ▶滅菌手袋装着の基本に従って，手袋をつける コツ 鑷子を用いて消毒やネラトンカテーテルを操作する場合は手袋が滅菌されている必要はない．その場合は長鑷子を鉗子立てに準備する 注意 陰部への処置であるので，それぞれの操作ごとに産婦に声をかける
⑤消毒を行う 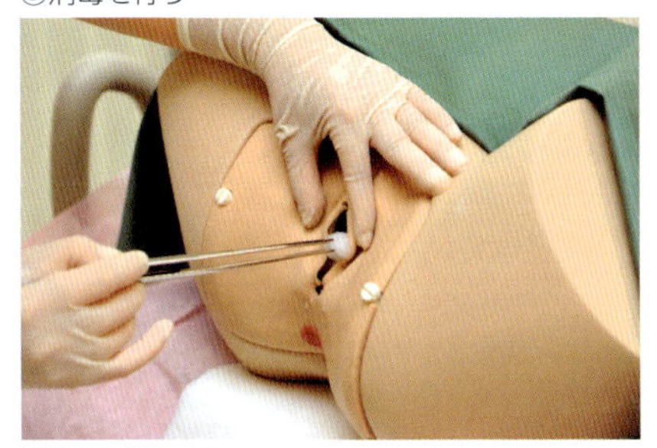 尿道口を消毒する	▶陰唇を開き，尿道口を確認して，50 倍イソジン液（0.05% ベンザルコニウム塩化物液を使うこともある）を浸した綿球で消毒する 注意 腟粘膜の消毒に適さない薬液がある．同じ薬剤でも濃度に注意する
⑥カテーテルを挿入し，排尿する 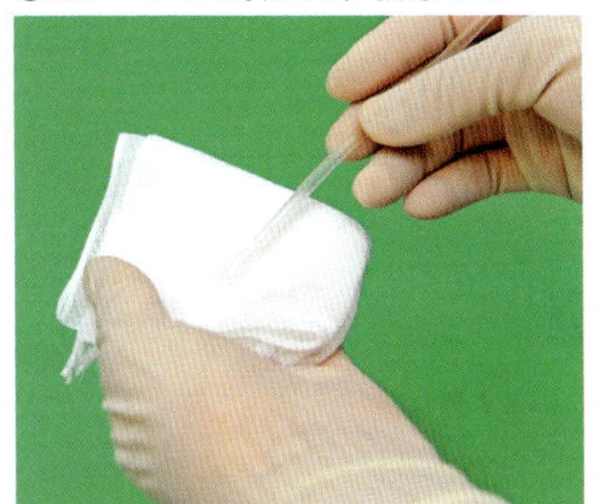 カテーテルの先端に滅菌潤滑剤をつける	▶12〜14 Fr ネラトンカテーテルの先端に滅菌潤滑剤を塗布し，外尿道口を損傷しないように静かに挿入し，カテーテルの末端を尿器または尿カップに入れる 根拠 女性の尿道は 3〜4 cm なので，挿入は 4〜6 cm を目安とする．排尿がみられない時，無理に深く挿入しない コツ 操作は陣痛間欠時に行い，産婦に力を入れないようにしてもらう．カテーテルの先端をやや下向きにして入れるとよい 注意 腟口を尿道口と誤認して挿入した時は，抜去して新しいカテーテルに交換する 事故防止のポイント 腟口と尿道口を確認する ▶途中で陣痛発作が始まったら，操作を止めて，そのまま待機する 根拠 下降部によって尿道が

要点	留意点・根拠
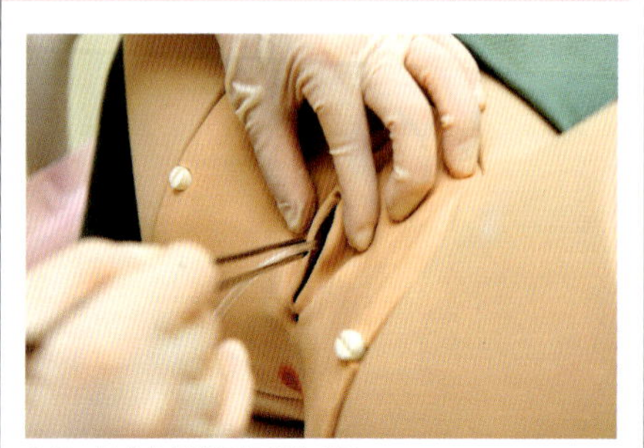 カテーテルを尿道口に挿入する 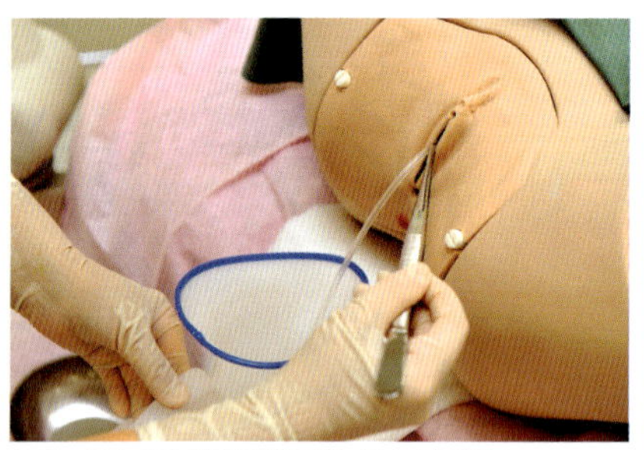 カテーテルの末端を尿器の壁に沿わせて置く ⑦排尿後，カテーテルをゆっくり抜き後片づけする	圧迫されているので，カテーテルを動かすと尿道を傷つけるおそれがある ▶排尿中，カテーテルの末端は尿器の壁に沿わせて置き，音がしないように配慮する．また，尿の中にカテーテル末端が入らないように気をつける 根拠 カテーテルの末端が尿に浸っていると逆行性感染の原因となる
5 分娩介助者の準備を整える ①滅菌ガウン，滅菌手袋を準備する 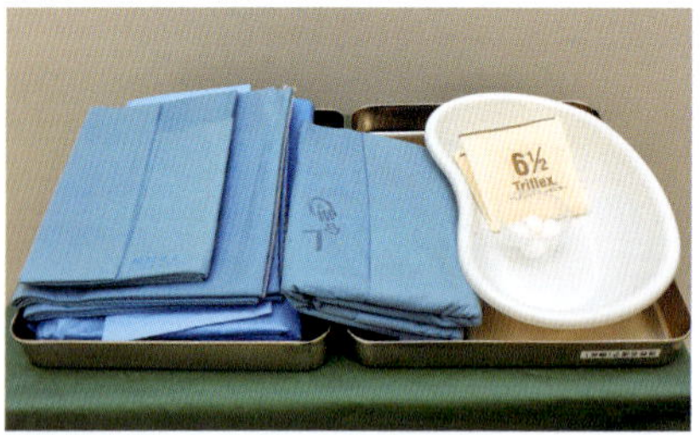 ガウン，手袋をトレイの上に準備する 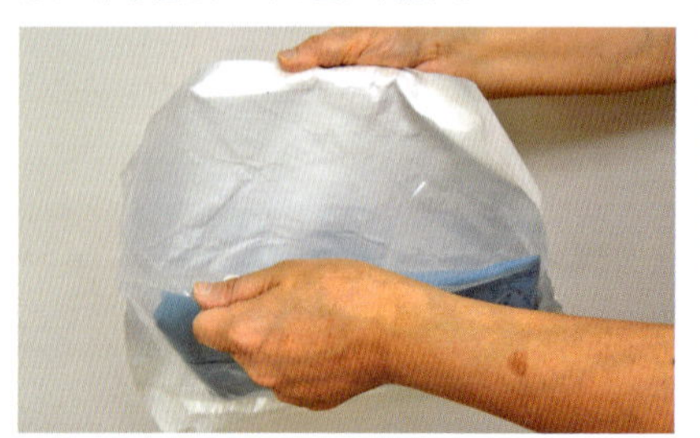 間接介助者が滅菌パックを開ける	▶滅菌ガウン，滅菌手袋を滅菌パックから滅菌したトレイにあけて準備する コツ 分娩セットのトレイに滅菌ガウン，滅菌手袋を置くこともある．手洗い後に取りやすい位置に準備する．また，間接介助者がいる場合は，手指消毒を済ませたのちに滅菌パックを開けてもらい，ガウンや手袋を袋から直接取り出してもよい ▶滅菌手袋は介助者の手に合ったサイズを選ぶ 根拠 指先が余っていると操作がしづらい

要点	留意点・根拠

②手指消毒（手術時手洗い）を行う

▶ 爪は短く切ってあることを確認する
▶ 流水で目に見える汚れを洗い流す **根拠** 有機物の汚れがあると消毒薬の効果が低下する
▶ ヒビスクラブあるいはイソジンゲルで手指の消毒を行う
注意 爪，指間は特に念入りに洗い，腕は肘の上まで洗う．また，石けん分を洗い流す滅菌蒸留水が指先の方向に流れないように，十分注意する
▶ 手洗い操作の基本に従って，滅菌ガーゼで水分を拭き取る

動画 2-6

③ガウンを着用する

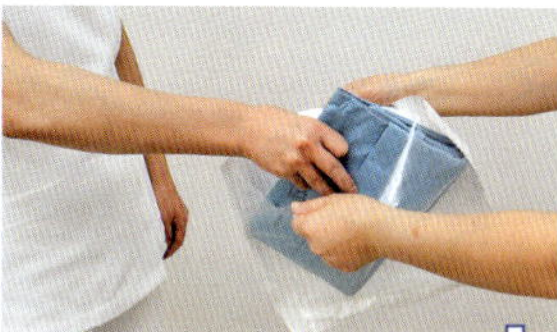

間接介助者が開けたパックからガウンを取り出す

襟元を持つ

▶ 滅菌ガウンを広げられるスペースを確保し，裏側から襟元を持って広げる
▶ 襟の紐の一側の先端を持ち，間接介助者が中間をとれるように伸ばす．間接介助者がとったら袖口に手を通す
▶ 反対側の手も同様に袖を通す
▶ 間接介助者に襟，腰の紐を結んでもらう
注意 ガウンの表面を直接手で触れないように気をつける

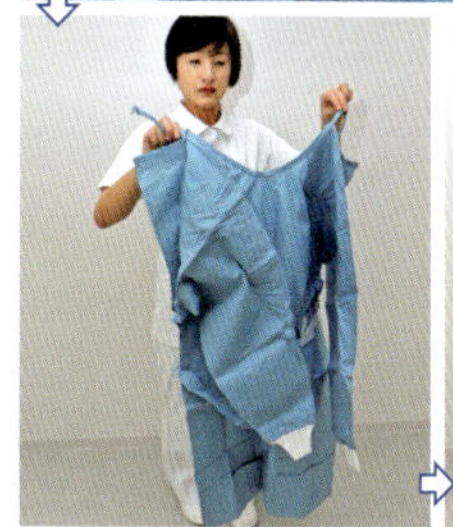

ガウンを広げる

襟の紐の先端を持ち，間接介助者が紐の中間を取れるように横に伸ばす

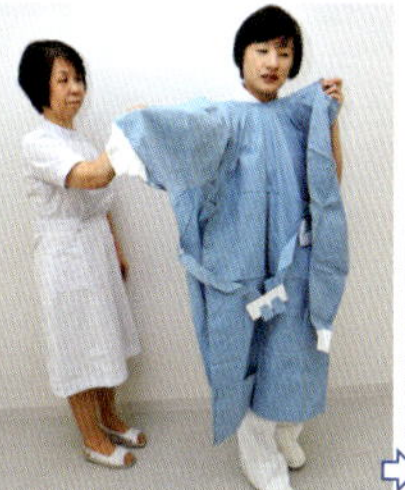

片方の袖に手を通す

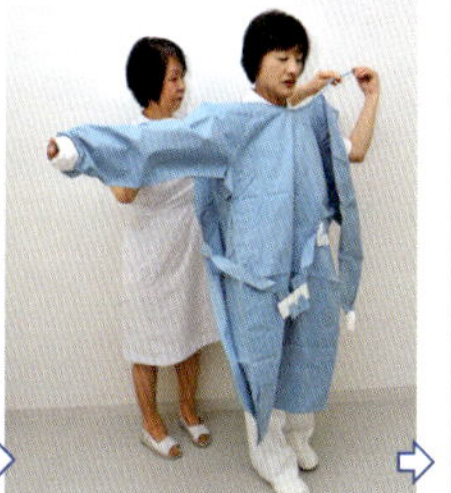

間接介助者にもう一方の襟の紐を持ってもらう

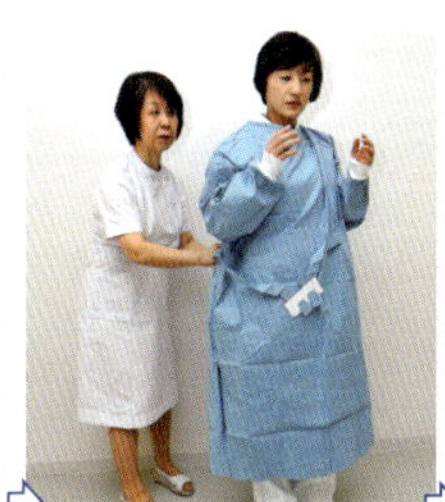

もう一方の袖に手を通す

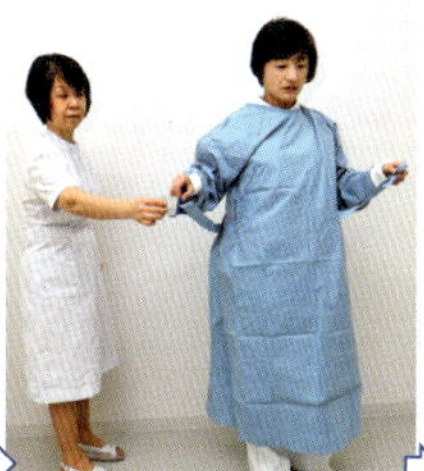

間接介助者は腰紐の先の厚紙部分を受け取る

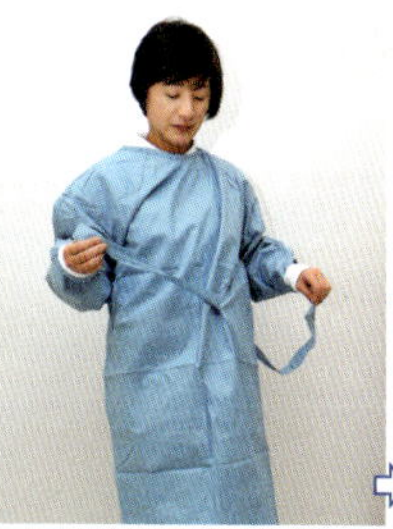

腰紐を両手で持つ

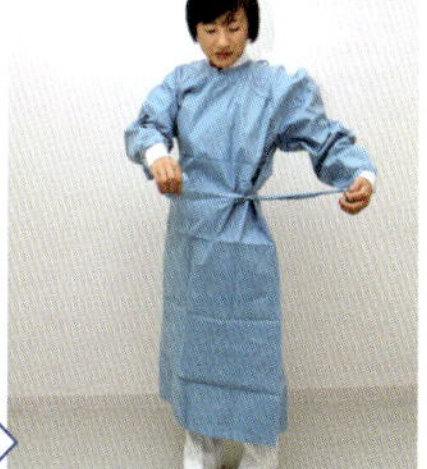

腰紐を結ぶ

要点	留意点・根拠
④滅菌手袋を着用する	▶清潔操作の基本に沿って滅菌手袋を着用する．左手で右手袋の折り返し部分の外側を持って右手を通し，手首まで引き上げる ▶左手袋の折り返し部分の内側に右手を入れて持ち上げ，左手を通し，手首まで引き上げる コツ 手袋を装着する順は左右どちらでもよい ▶ガウンの袖口を覆うように両手の折り返し部分を延ばす ▶指先のたるみがないように密着させる 根拠 指先にたるみがあると操作しづらい．介助者に合ったサイズの手袋を着用する

動画 2-7

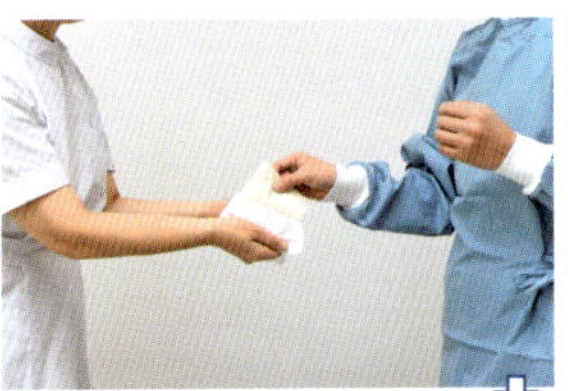
間接介助者が開けたパックから両手がセットになっている手袋を取る

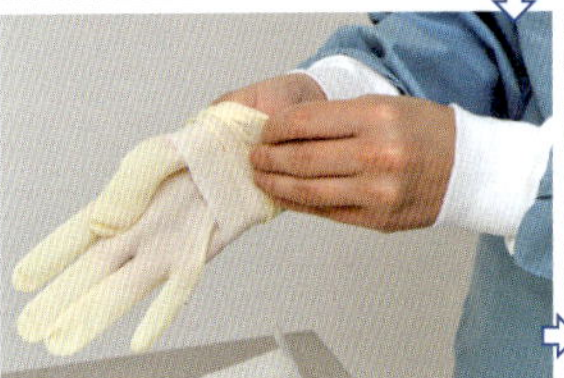
左手で右手袋の折り返し部分を持って右手を手袋に入れ，手首まで引き上げる

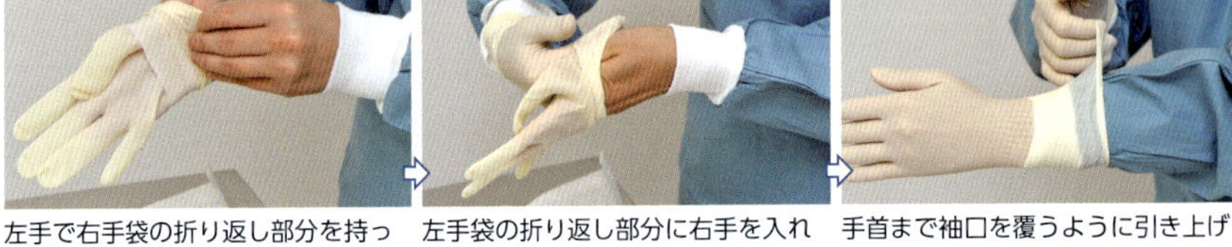
左手袋の折り返し部分に右手を入れて持ち，左手を手袋に入れる

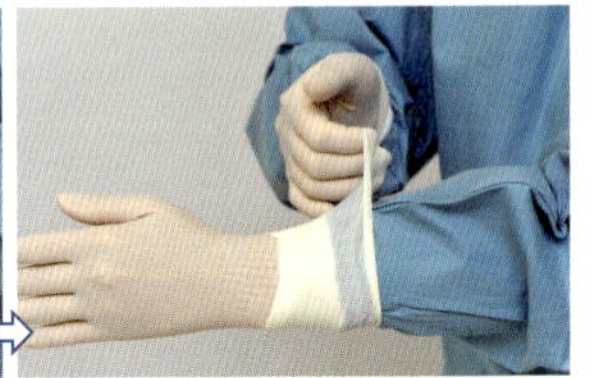
手首まで袖口を覆うように引き上げる

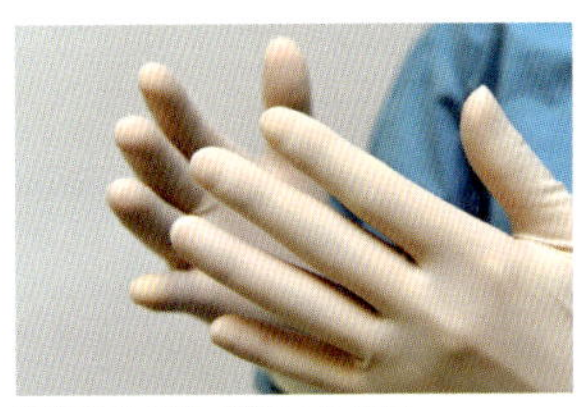
指先のたるみがないように密着させる

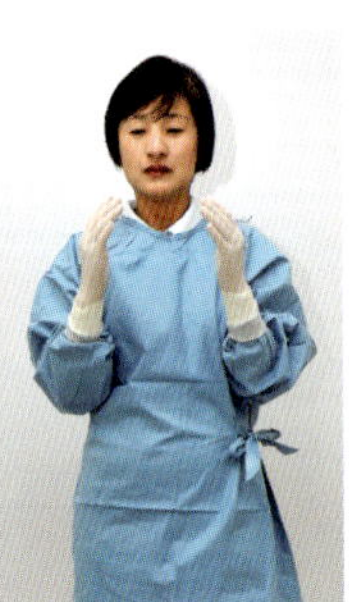
ガウン，手袋の着用完了

要点	留意点・根拠
6 清潔野を作成する ①産婦に清潔野をつくる目的と範囲を説明する	▶胎児娩出が近いことを知らせ，清潔野をつくることを説明する 根拠 清潔野の作成は母児に対する細菌感染を防止する目的で行われる．体位を拘束することになるので，早すぎないように適当な時期を判断する ▶消毒して滅菌シーツを敷く範囲を説明し，産婦が手を触れないように協力を依頼する ▶必要があれば，陰毛をカットする 根拠 剃毛は会陰切開および縫合時の処置を容易にする目的で行われてきた．しかし，剃刀によって皮膚に切り傷や擦過傷ができて感染の原因になるなど，マイナス因子が指摘されており，処置の邪魔になるようなら剪刀で陰毛をカットするだけにする

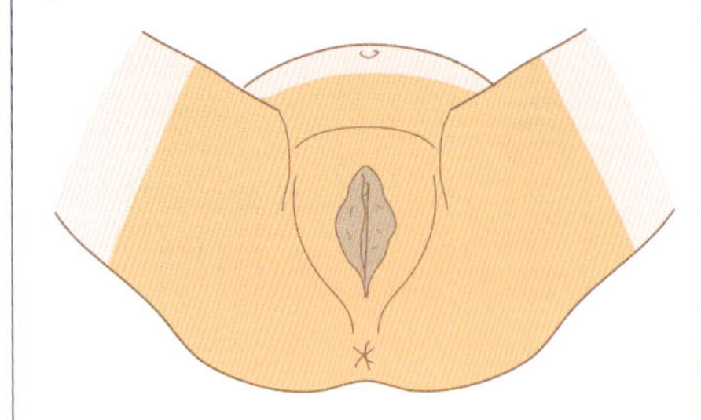
清潔野

図2 清潔野の範囲

要点	留意点・根拠
②外陰部消毒を行う **《洗浄法》** ・滅菌綿花または滅菌ガーゼを左右の鼠径部に乗せる 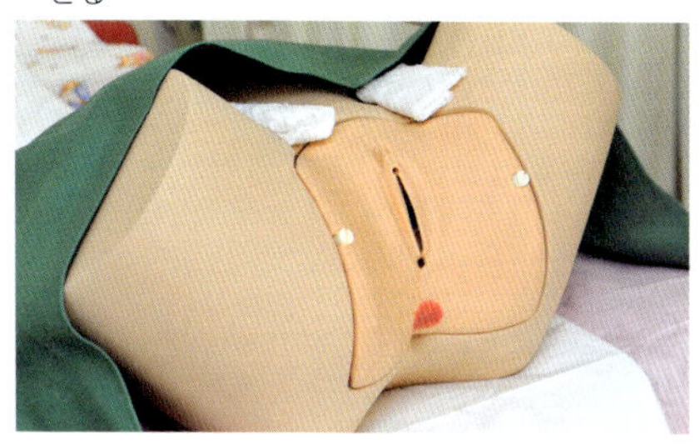	▶ 必要物品をそろえる（洗浄法） 必要物品　洗浄ボトル，洗浄液（0.02% ベンザルコニウム塩化物液）1,000 mL，綿花またはガーゼ適宜，綿球，滅菌済みの長鑷子，処置用の防水シーツ ▶ 局所を十分に露出してもらう 注意 衣服を腰の下に折り込んでぬれないようにする ▶ 産婦の腰の下に処置用の防水シーツを敷き，受水盆または膿盆を置く ▶ 消毒液が腹部に流れるのを防ぐため，滅菌綿花または滅菌ガーゼを左右の鼠径部に乗せる
・洗浄ボトルで洗浄液を流して洗浄する 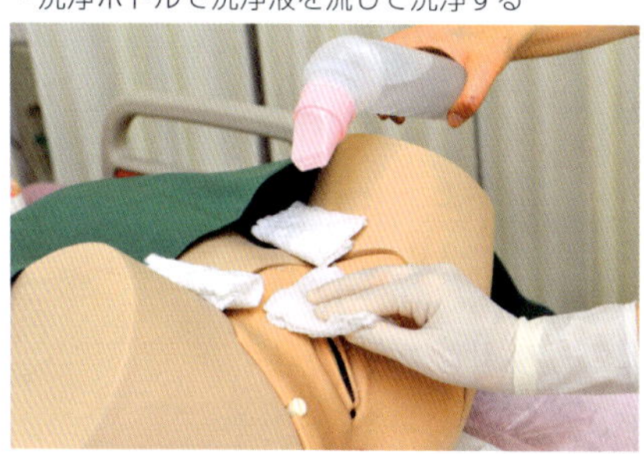	▶ 洗浄ボトルから洗浄液を流しながら，①恥丘→②左右大腿部内側→③左右陰唇外側→④陰唇中央→⑤会陰部→⑥左右殿部→⑦肛門部の順に十分洗浄する（図 3）　根拠 洗浄液は上から下に流す．流れる順に従って洗浄する 注意 洗浄液は 38℃ 前後に温めたものを使用する コツ 介助者の手に洗浄ボトルから洗浄液を少し流して，液温を確認する 事故防止のポイント 介助者が事前に洗浄液の温度を確認することで，高温による熱傷や低温による刺激を防止する 禁忌 腟内の消毒は行わない ▶ 洗浄後，両鼠径部の綿花またはガーゼを取り除く ▶ ガーゼで軽く洗浄液を拭き取る
・ガーゼで洗浄液を拭き取る 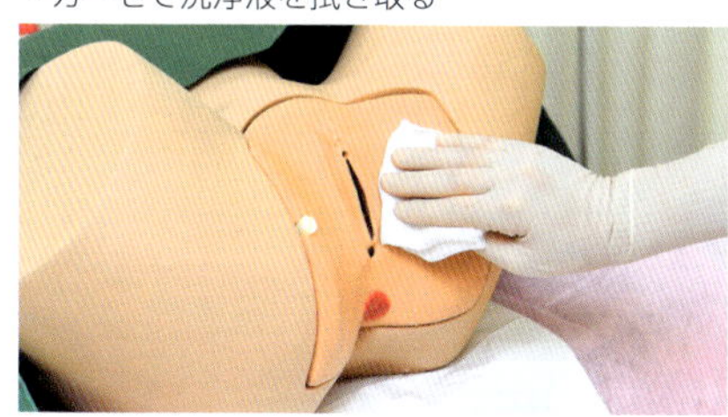 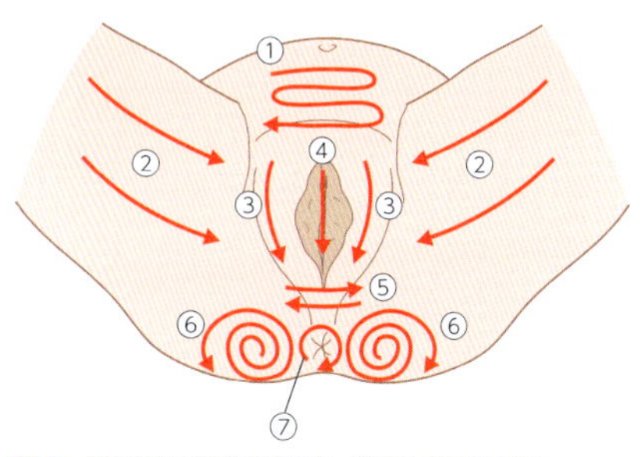 図 3　**清潔野の作成（洗浄法，数字は洗浄の順）**	

要点	留意点・根拠
《清拭法》 ・初めに恥丘を消毒用綿球で消毒する 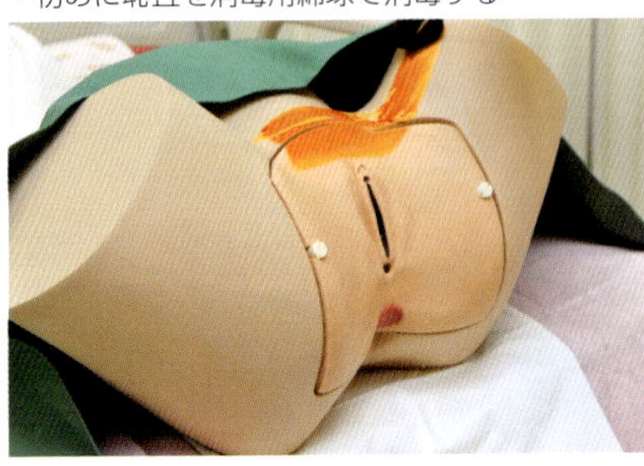 ・陰唇中央を上から下に向けて拭く 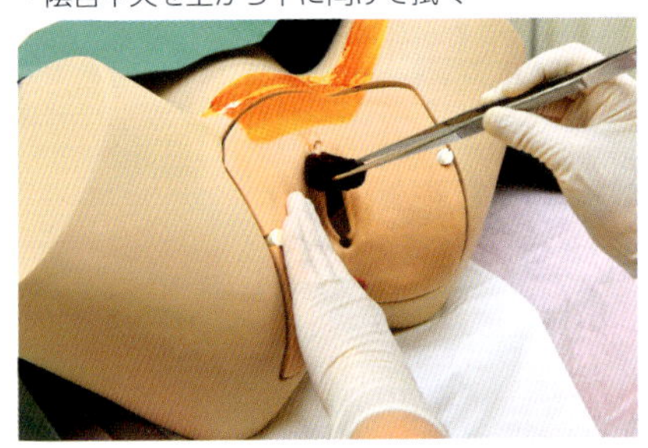 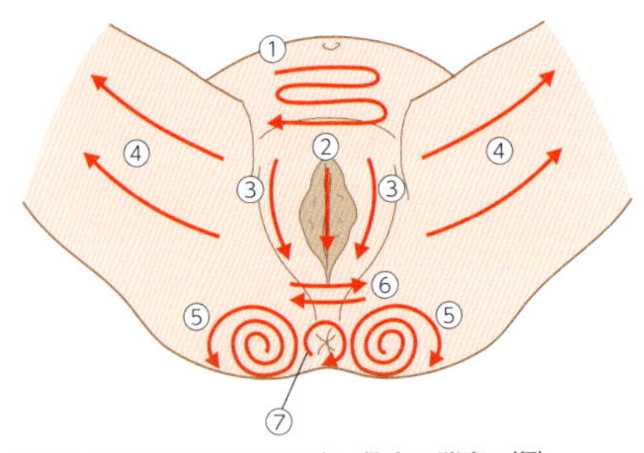 図 4　清潔野の作成（清拭法，数字は消毒の順）	▶ 必要物品をそろえる（清拭法） 必要物品　消毒液（50 倍イソジン液），綿球または綿花適宜，滅菌済みの長鑷子，消毒薬用ディスポーザブルのカップ，処置用の防水シーツ ▶ 局所を十分に露出してもらう ▶ 産婦の腰の下に処置用の防水シーツを敷く ▶ 50 倍イソジン液（イソジンクリームを使用することもある）を浸した綿球で，①恥丘→②陰唇中央→③左右陰唇外側→④左右大腿部内側→⑤左右殿部→⑥会陰部→⑦肛門部の順に，全体を十分消毒する（図 4） コツ 最も清潔にしたい部位から周辺へ向かって拭く．したがって，大腿部を消毒する時は股関節から膝の方向に拭き上げるので，洗浄法と逆になる 注意 陰唇中央を清拭する時は，綿球または綿花を新しいものと交換する　根拠 薬液が十分に塗布されるように綿球または綿花は適宜新しいものを用いる
③手指の消毒をする	▶ 綿球や綿花を手で持って消毒した時は，手袋を交換する　根拠 長鑷子を使用し，手指が消毒前の不潔な部位に触れていなければ手袋を換えなくてよい．使用した長鑷子は不潔として扱う

動画 2-10

要点	留意点・根拠
④滅菌防水シーツを敷き，足袋をかける ・滅菌防水シーツを敷く 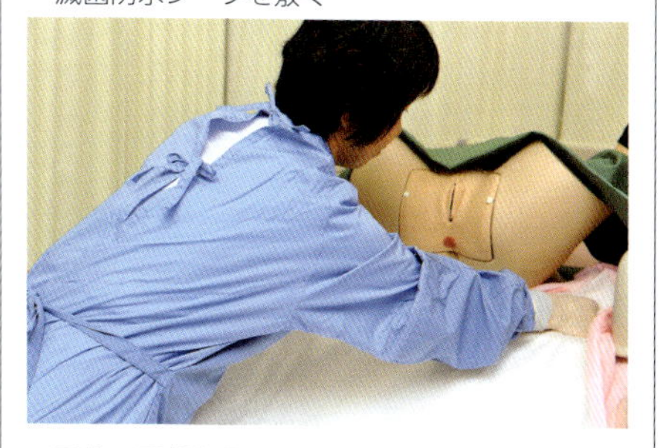	▶処置用防水シーツを外し，腰の下から補助台を覆う大きさの滅菌防水シーツを敷いて，清潔を保持する コツ 羊水や出血などの液体成分を吸い取る分娩用シーツを利用することも多い
・足袋で足部を覆い，腹部にシーツをかける 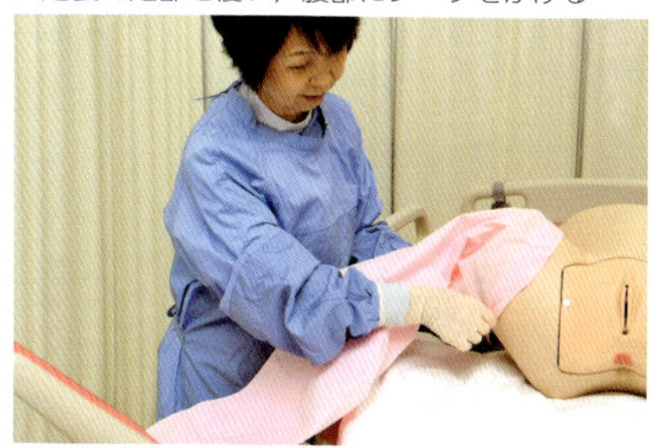 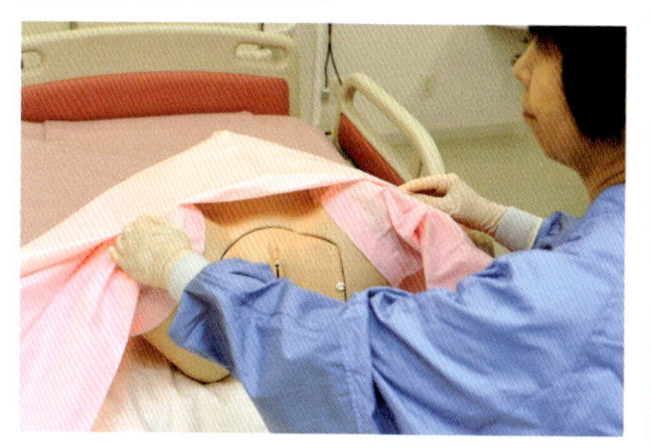	▶足袋で両足を覆う コツ 足袋を大腿部まで引き上げたのち，固定する紐を間接介助者に渡してしばってもらう．紐は清潔野に触れない位置に結ぶ ▶腹部に滅菌シーツをかける 注意 不潔部位に清潔面が触れないように注意してシーツ類を広げる 事故防止のポイント 感染防止のため，清潔操作を基本に忠実に行う
 **7 使用器械の準備をする** ①分娩台の高さを調節する 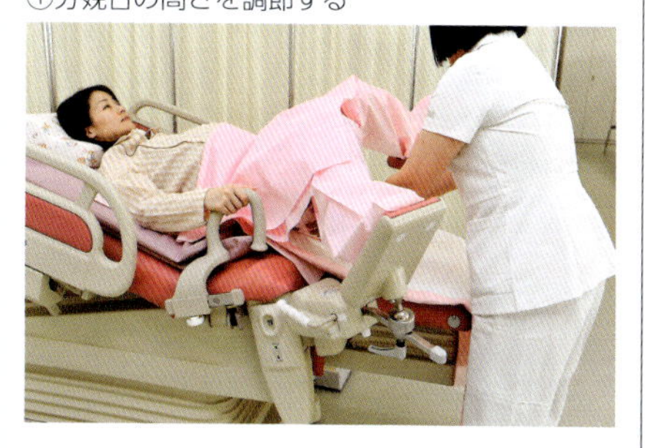	▶分娩台を分娩介助者の身長に合った高さに調整する　根拠 低すぎると腰を痛め，高すぎると肩甲の娩出が難しい コツ 分娩介助者自身の身体の部位(腰骨の位置など)に合わせて分娩介助に適した高さを覚えておくとよい

要点	留意点・根拠
②分娩台の補助台の位置を調整する 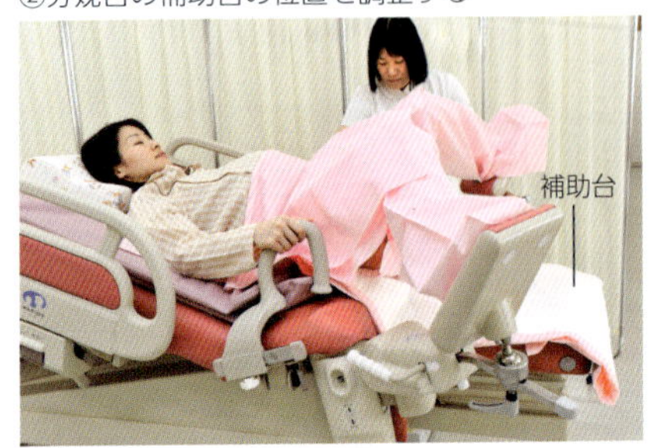 補助台の調節をする	▶分娩台の補助台を下げて，高さと広さを調整する 根拠 児頭娩出，肩甲娩出時に補助台が障害にならないように，腰板と落差があること，また，腰の下に膿盆を置くことができ，さらに出生後の児の処置ができるのに十分な広さが必要である
③分娩セットを開く 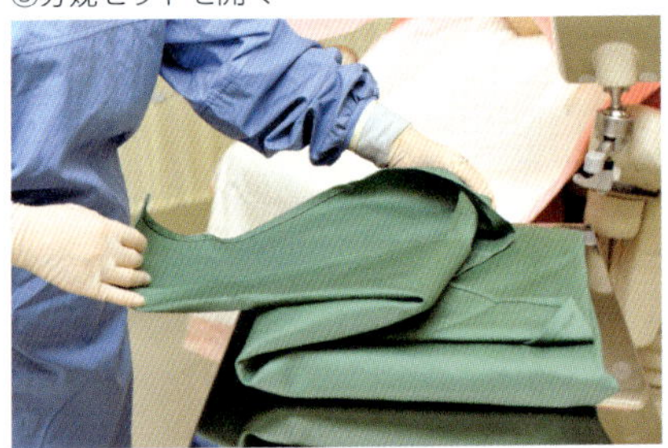 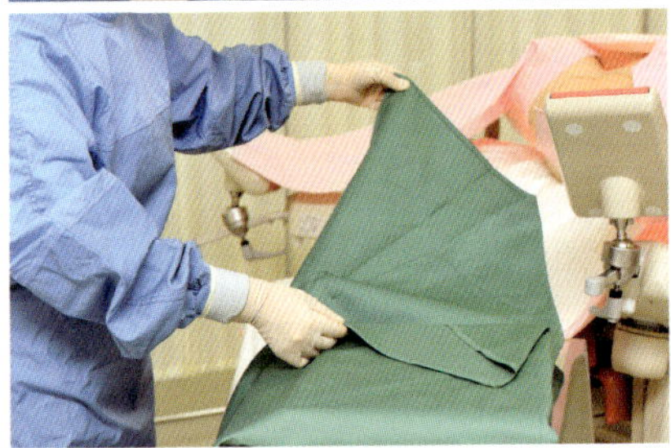 包布の内側を持って開く	▶滅菌パックから包布に包まれた分娩セットを出して器械台に置く 根拠 分娩セットとして必要な器械類を組み，滅菌パックをして準備している施設が多い 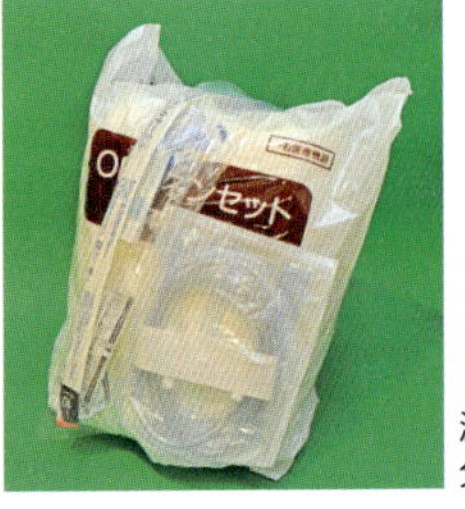 滅菌パックされた分娩セット コツ 滅菌パック内のトレイの下側に手を置いて取り出し，全体を不潔にしないように注意する コツ 包布の端が手前にくるように分娩セットを置く 根拠 初めに手前に開くと，操作の途中で清潔野に介助者のガウンが触れても，どちらも清潔面なので問題ない．反対側から開くと，包布の外側に分娩介助者のガウンが触れることがある **《間接介助者が開く場合》** ▶包布の一番上の折り返し部分を持って開く 根拠 外側は不潔になるので，手で触れてよい ▶包布の残りの角を鑷子または麦粒(ばくりゅう)鉗子などを用いて広げる **《分娩介助者が開く場合》** ▶滅菌手袋を着けているので，そのまま手を用いて包布を開く．その際，包布の内側を持つようにする 根拠 器械台に触れた部分は不潔，開いた内側は清潔野である 注意 清潔操作の基本に従ってセットをあける．滅菌四角布や滅菌トレイの上で紙パックを開くなどの行為はしない 事故防止のポイント 清潔操作を正しく行い，滅菌済みの器械器具，衛生材料を不潔にしない

要点	留意点・根拠
④胎児娩出までに必要な器械，物品を手近にそろえる 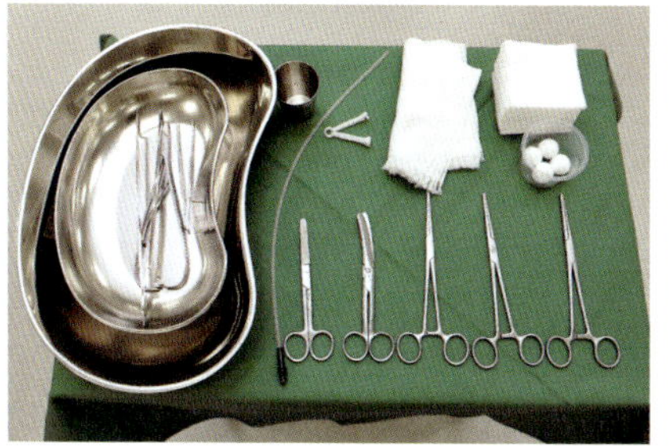 分娩セットを開き，必要なものを分けて並べる	▶分娩セットのトレイから，胎児娩出までに必要なものを分けて，手近にそろえる **《胎児娩出に備えて手近に置きたいもの》** ペアン止血鉗子2本，臍帯剪刀，クーパー剪刀，膿盆，臍帯クリップ，ガーゼ適宜，綿花，母児第1標識，消毒用綿球（イソジン綿球）など
⑤新生児用吸引器の準備をする 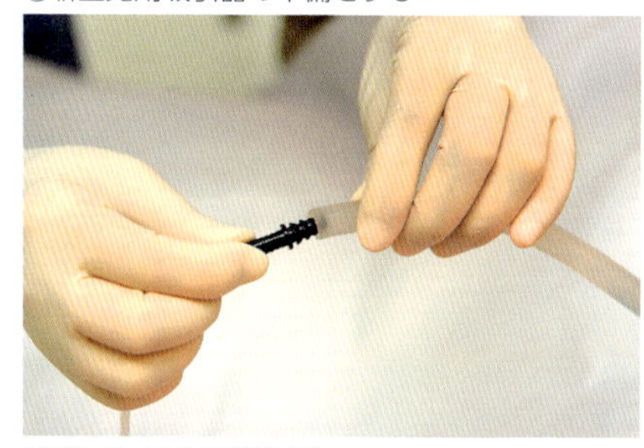 吸引カテーテルを接続する	▶吸引器のドレーンの先端を間接介助者に渡し，吸引器に接続してもらう．反対側に吸引カテーテルを接続し，吸引できることを確認する ▶自発呼吸が確立していれば気管吸引は行わないが，吸引器はいつでも使える状態に準備しておく
⑥膿盆を準備する	▶滅菌された膿盆を産婦の腰の下に置く コツ 羊水や血液を確実に受けられる位置を確認し，膿盆のカーブを利用してちょうどよいところに置く 注意 羊水，血液などを吸い取る分娩用シーツを使用すれば大膿盆を置く必要はない

分娩介助の実際

手順

要点	留意点・根拠
※利き手が右手の場合 **1 人工破膜を行う** ①人工破膜を行う ・人工破膜を行うのに適切な時期であるか判断する	▶子宮口全開大，あるいはそれに近いことを確認する 根拠 自然破水がみられない時は被膜児を防ぐため人工破膜を行う．分娩第2期に胎胞を残しておく必要はない 注意 臍帯下垂がないことを確認する
・コッヘル止血鉗子，または有鉤鑷子を準備する	▶コッヘル止血鉗子，または有鉤鑷子の先端を右

要点	留意点・根拠
	手示指で保護しながら腟内に挿入する
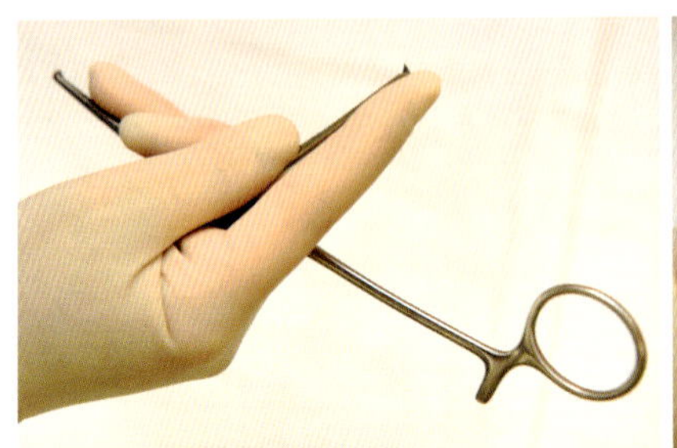 コッヘル止血鉗子の正しい持ち方	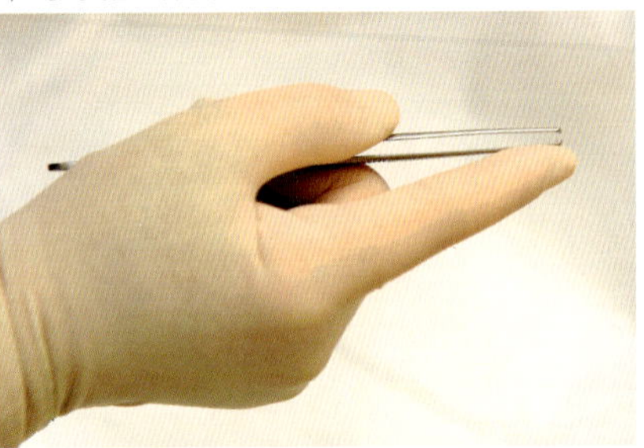 有鉤鑷子の正しい持ち方
・外陰部にガーゼを当てる 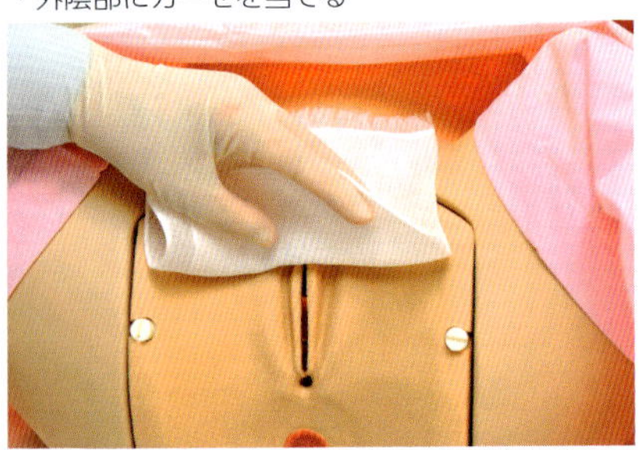	▶ 外陰部にガーゼを当てて，羊水が飛散するのを防止する 根拠 胎胞が緊張していると破裂時に羊水が飛散する
・破膜する	▶ 胎胞形成が明瞭なら，陣痛間欠時に鉤の先端で卵膜をはさみ，破膜する ▶ 児頭と卵膜が密着している時は，陣痛発作時に行う 根拠 陣痛発作時は卵膜が緊張しているので，鉗子や攝子の鉤が引っかかりやすく，児頭を傷つけるおそれが小さい
②羊水および破水後の観察を行う ・羊水の観察を行う ・胎児心音の変化の有無を確認する ・内診を行う	▶ 破膜の時刻を確認，羊水の量・色・混濁の有無と程度，臭気を観察する ▶ 胎児心音の変化の有無を確認する ▶ 必ず内診を行い，臍帯および胎児小部分の脱出がないことを観察する 注意 自然破水の場合も同様の観察を行う 事故防止のポイント 分娩促進のために子宮口3～4 cm開大以降に人工破膜をすることがある．臍帯脱出，胎児小部分の脱出を防ぐために，下向部が骨盤腔に陥入していることを確認してから行う
 動画 2-12 **2 肛門圧迫・保護を行う** ①肛門部に綿花を当てて保護する	▶ 胎児が下降して，肛門部が圧迫されてきたら開始する ▶ 綿花またはガーゼを折って肛門が隠れる大きさで，適当な厚さにして肛門部に当てる ▶ 努責時には，右手示指～小指をそろえて綿花またはガーゼの上から肛門を押さえ，脱肛を予防する

要点	留意点・根拠
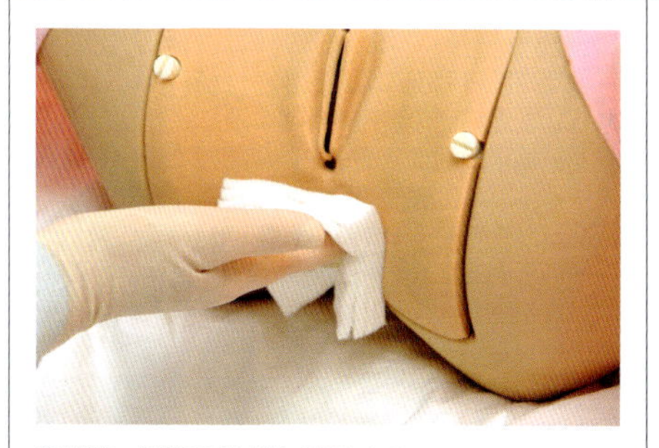 ②排臨，発露の時刻を確認する	▶排便があった時は拭き取り，綿花を交換して汚染を防止する．適宜イソジン綿球で清拭する 事故防止のポイント 感染防止．排便による汚染を防止する
3 会陰保護を行う  動画 2-13 ①保護綿をつくる  滅菌ガーゼで滅菌脱脂綿を包んで保護綿をつくる	▶排臨になったら開始する．初産婦では発露に近づいてからでもよい **《会陰保護の目的》** 1. 腹圧の調整と児頭発露時の娩出速度の調整 2. 胎児が最小周囲平面で骨盤腔・陰門を通過するための屈位の保持と第3回旋の援助 3. 会陰裂傷および会陰切開時の付加裂傷の予防 ▶手掌と肛門との間に，折り重ねた滅菌ガーゼまたは滅菌脱脂綿を滅菌ガーゼで包んだもの（保護綿）を置き，産婦の殿部と介助者の手掌のくぼみをなくす 根拠 保護綿は糞便による手指の汚染を防ぐ役目も果たす  注意 汚染したら捨てて新しいものに交換する コツ 保護綿の大きさは各自手の大きさに合わせて準備する
②分娩介助者の位置と手の当て方 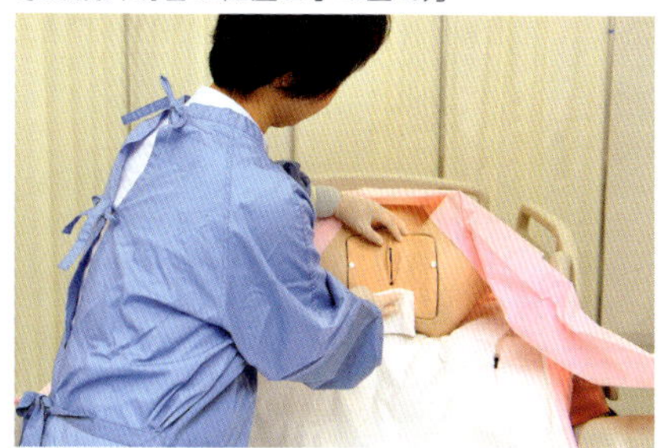	▶分娩介助者は産婦に向かって正面左側に位置し，右手を会陰に，左手は指をそろえて，恥骨丘側から児頭に当てる コツ 右手の母指を右陰唇下部に，他の4指を並べて左陰唇下部に当てて，母指・示指間の指裂縁を陰唇小帯から1～2 cm離れるように置く 注意 会陰保護は胎児の通過速度を調整する目的で行う操作であり，分娩進行を阻害するほどに力を入れて圧迫をしてはならない 禁忌 指で腟壁内側を広げる操作は行わない．これによって腟壁が伸展したり，胎児の下降が促進されたりする効果は期待できない．むしろ腟粘膜がこすれて出血しやすくなるなどの弊害が大きい ▶陣痛発作ごとに会陰保護を行う．間欠時は手を離してよい 注意 フリースタイルの分娩では会陰保護は行わない．必要性の見直しも指摘されている

要点	留意点・根拠

動画 2-14

4 児頭の娩出を行う

①児頭を後頭結節まで娩出させる

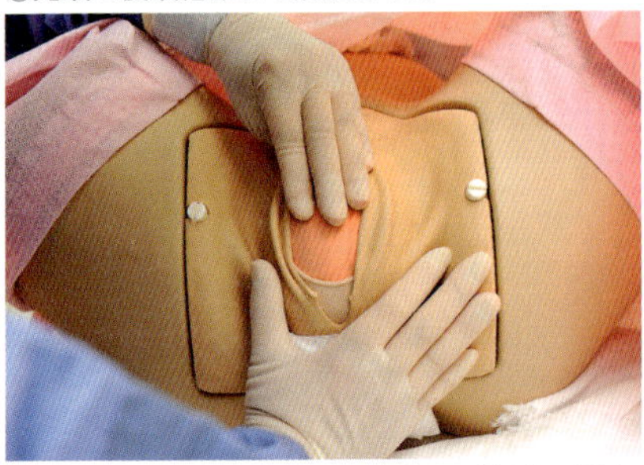

右手は母指と他の 4 指を開き，会陰の両側を後ろ下方に引いて会陰正中部の緊張を防ぐ．左手は指腹面を用いて児頭を軽く圧迫し，急な進出を防ぐ

▶ 項窩が恥骨弓下に現れるまでは前頂部の娩出を防ぎ，後頭結節の娩出を促すように操作する

根拠 最小周囲径である小斜径周囲で陰門を通過できるように胎児の姿勢を保つことが目的である

コツ 左手で時々後頭を会陰に向かって圧迫し，児頭の反屈を防ぎながら児頭の娩出を促す．この時，左手は常に平らにした手指の腹面を用い，指尖は使わない

▶ 右手の母指と他の 4 指を開き，会陰の両側部を後ろ下方に引いて会陰正中部の緊張を防ぐ

▶ 左手で軽く圧迫して児頭の急な進出を防ぐ．この時，左手は，母指と他の 4 指間を広げて後頭をつかむ．あるいは指をそろえて，手掌から指腹を児の後頭に沿わせておく

根拠 児頭娩出介助の目的は最小周囲径を維持しながら児頭をゆっくり娩出させることである．力を入れすぎて押さえ込むことがないようにする

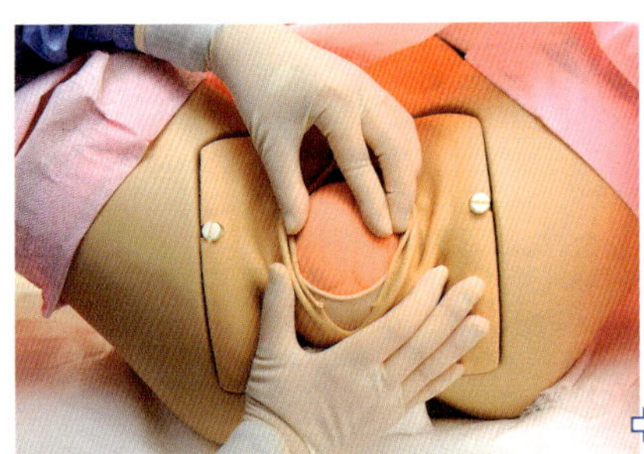

左手の母指と他の 4 指を広げて後頭をつかむように支える

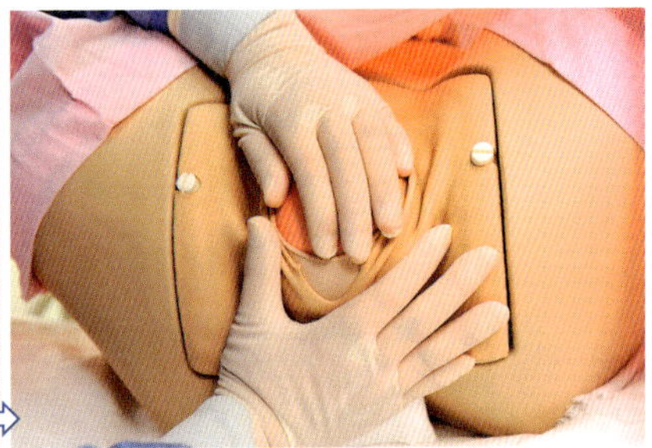

左手の手掌全体で児頭を軽く押さえる

②第 3 回旋を助ける

・前頭部を会陰から滑脱させる

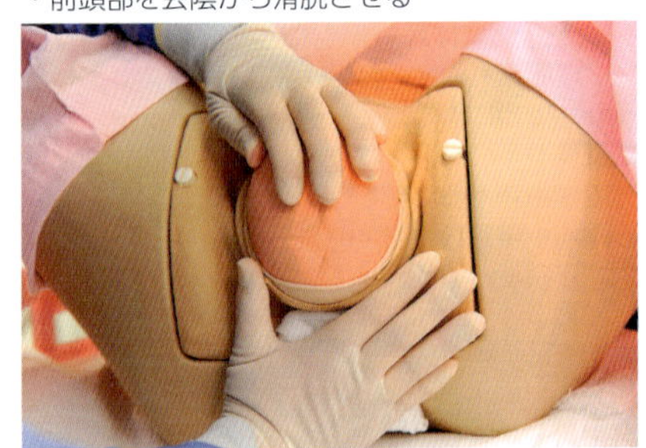

左手は指をそろえて手掌から指腹を児の後頭に沿わせておく

▶ 後頭結節が完全に娩出し，項窩が恥骨弓下に現れた後は児頭の急激な娩出を防ぎながら，陣痛間欠時に，静かに前頭部を会陰から滑脱させる

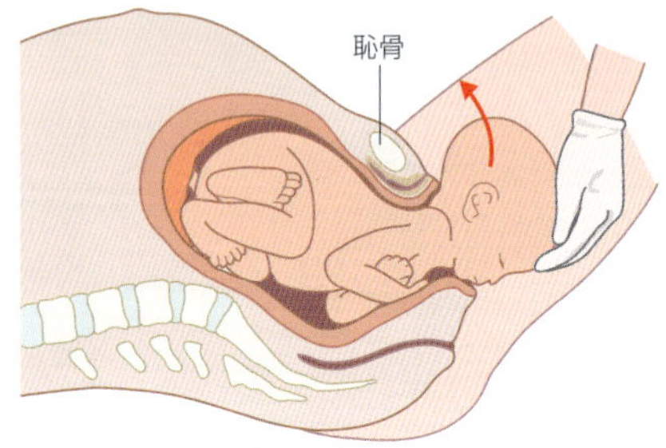

図 5　第 3 回旋　操作する向き

コツ この間，左手は指をそろえて手掌から指腹を児の後頭に沿わせておく

要点	留意点・根拠
・後頭部に続いて，前頭部→額部→目→鼻→口→顎の順に娩出させる	注意 児の目を強く押さえてしまうことがないよう，分娩介助者は自分の手の位置に注意する コツ 陣痛発作時には左手で児頭を支え，産婦の努責を禁じて短息呼吸をさせる 根拠 陣痛の発作・間欠に関わらず，娩出の速度を調整するため，努責させるか否かは分娩介助者が適宜判断する 事故防止のポイント 会陰裂傷および会陰切開後の裂傷の防止に努める

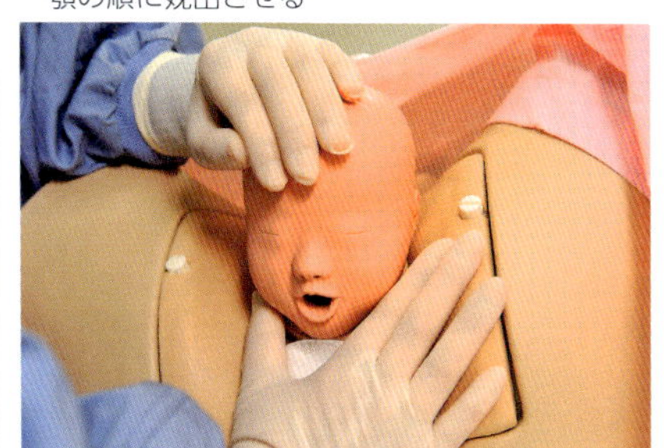

前頭部，額部，目，鼻，口，顎の順に娩出させる

要点	留意点・根拠
③臍帯巻絡の有無を確認する	▶ 左手示指で頸部を探り，臍帯巻絡の有無を確認する ・なし→「5 肩甲の娩出を行う」へ進む ・あり→④臍帯巻絡の解除または⑤臍帯切断を行う

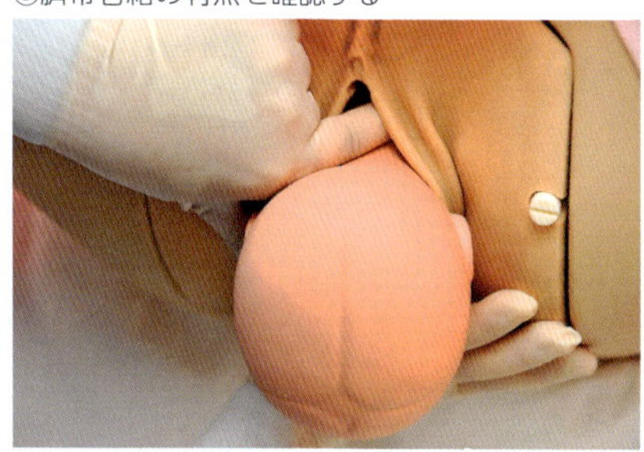

左手示指で臍帯巻絡を探る

動画 2-15

要点	留意点・根拠
④臍帯巻絡を解除する	《臍帯巻絡解除の手技》 ▶ 臍帯巻絡があることが確認されたら，臍帯を静かに引いてみる ▶ 牽引できる側を引き出して，これをゆるめ，児頭を越えて顔面の方向に外す．または，後方に肩甲を越えて垂れさせて，体幹を娩出させる ▶ 十分にゆるめることができない場合，または 2 回以上巻絡している場合は，臍帯を切断する

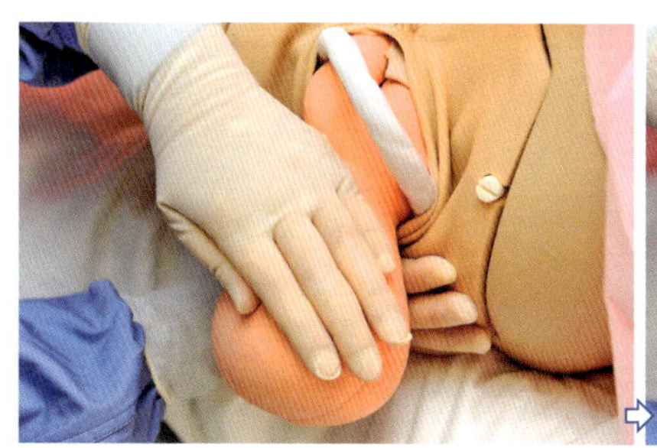

臍帯を引き出して体幹を娩出させる

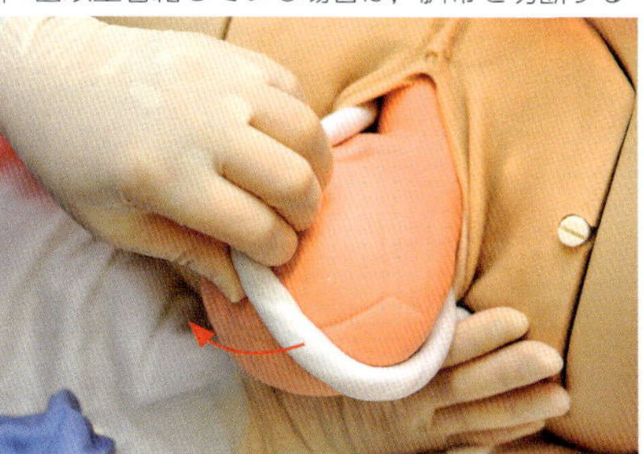

臍帯を引き出し児頭を越えて顔面方向に外す

要点

留意点・根拠

動画 2-16

⑤臍帯を切断する

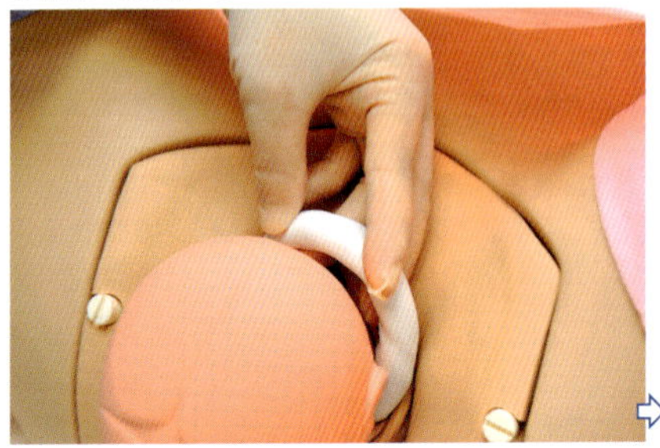
左手示指・中指と母指で臍帯を持つ

《臍帯切断の手技》

▶ 会陰保護をしていた右手を外し，保護綿を捨てる

▶ 左手示指・中指を首と臍帯の間に挿入し，左手母指とともに臍帯を保持する

▶ 約 2 cm の間隔をあけて臍帯の 2 か所をペアン止血鉗子ではさみ，その中央を切断する．切断時には，血液の飛散を防ぐため，ガーゼで保護する

▶ 臍帯を首から外し，巻絡が残っていないことを確認する．切断した臍帯の断端は腟入口下側に置く

注意 切断後，ペアン止血鉗子の先端が，児の顔面に当たらないように注意する

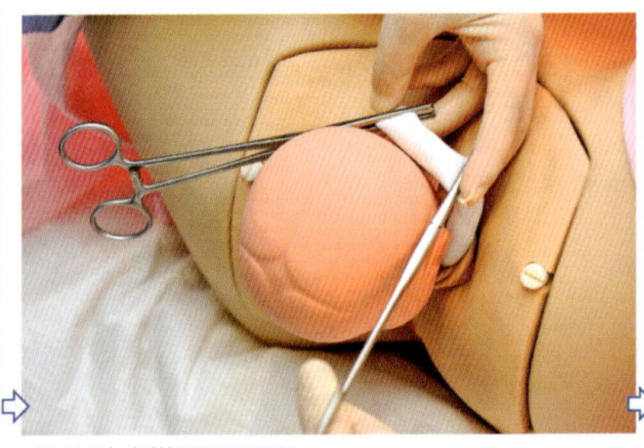
ペアン止血鉗子ではさむ

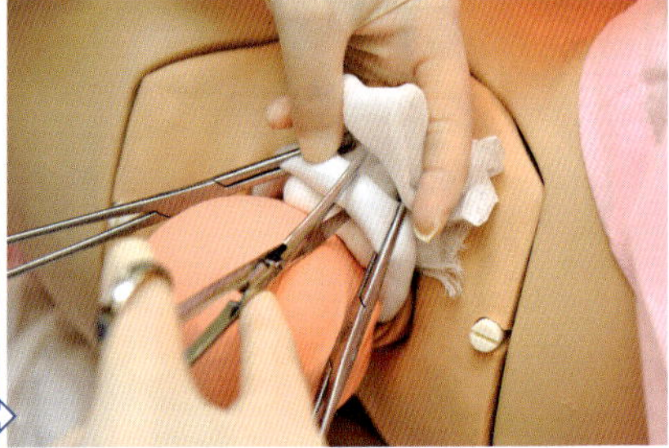
はさんだ中央部を切断する

動画 2-17

5 肩甲の娩出を行う

①第 4 回旋を助ける

▶ 右手の会陰保護の位置を再度確認する

▶ 自然に回旋するのを待つ．あるいは，軽く第 4 回旋を助ける方向に児頭を向ける 根拠 第 4 回旋は肩甲回旋であり，顔の向きは体幹の回旋に伴って動く．回旋が終了すると母体の大腿内側を向く

▶ 左右の肩甲が，母体の骨盤出口部前後径に一致していることを確認する

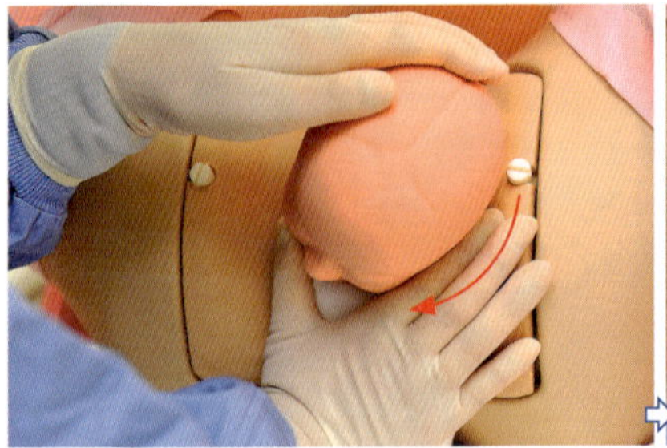
第 4 回旋を促す手の位置

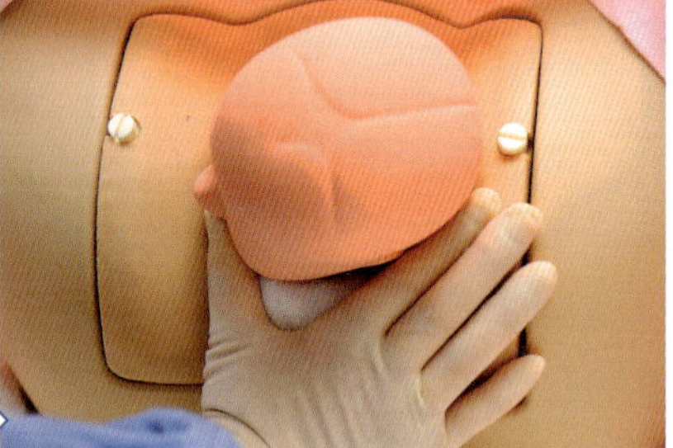
回旋が終了すると児の顔は横（母体の大腿内側）を向く

要点	留意点・根拠
②前在肩甲を娩出させる	▶ 腹圧を利用しながら前在肩甲が現れるまで左手で児頭を押し下げ，前在上腕の 2/3 を娩出させる コツ 左手掌は，第 1 頭位では後頭部と頬部を結ぶ大斜径に一致する方向に，第 2 頭位では前頭部と後頭結節を結ぶ小斜径に一致する方向に置く コツ 左手は手掌全体を使うように意識し，指先で強く頭を押すことがないようにする．前方へ引っ張るのではなく，押し下げるだけでよい

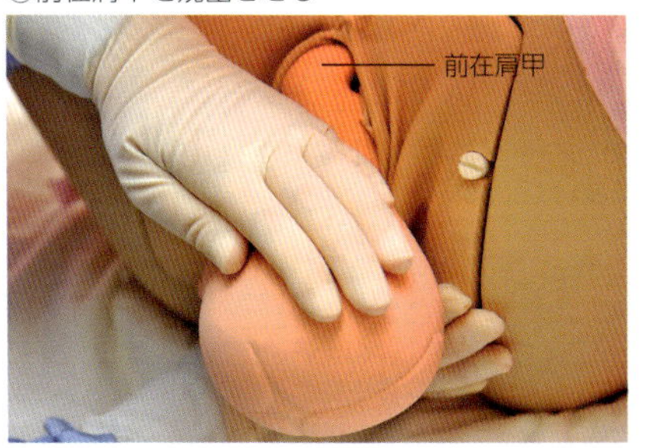

第 1 頭位：左手掌を大斜径に一致する方向に置き，前在肩甲が現れるまで児頭を押し下げる

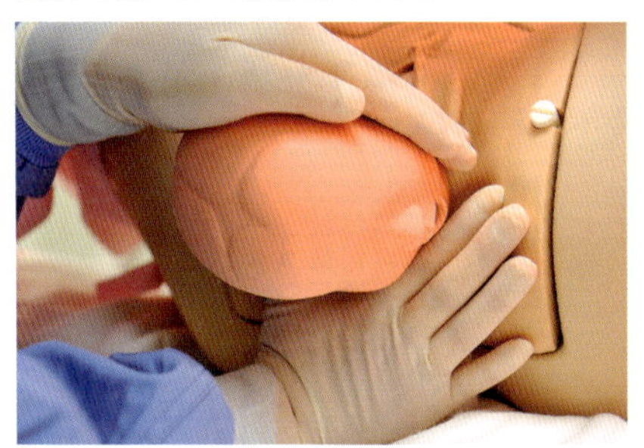

第 2 頭位：左手掌を小斜径に一致する方向に置き，前在肩甲が現れるまで児頭を押し下げる

要点	留意点・根拠
③後在肩甲を娩出させる	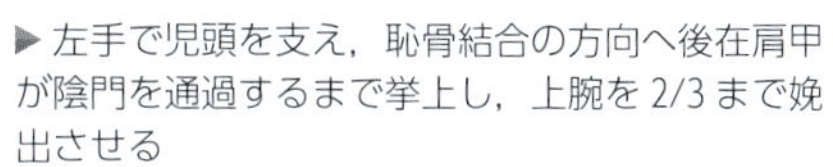 ▶ 左手で児頭を支え，恥骨結合の方向へ後在肩甲が陰門を通過するまで挙上し，上腕を 2/3 まで娩出させる コツ 後在肩甲娩出時の左手は，児頭を越えて抱えるように持つ方法と，手前下から児頭を支えるように持つ方法がある．どちらの方法でもよい

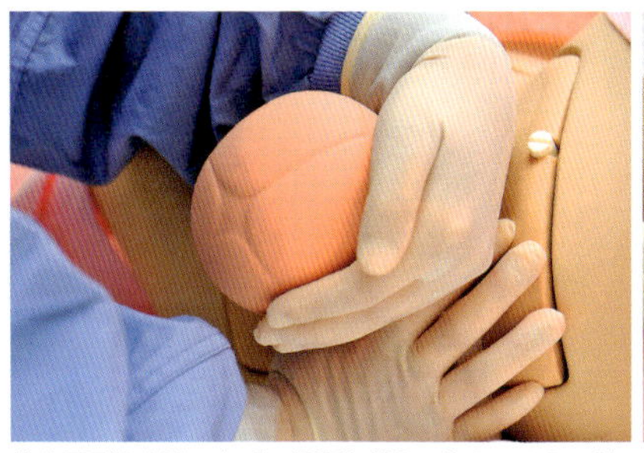

後在肩甲娩出時の左手：児頭を越えて抱えるように持つ方法

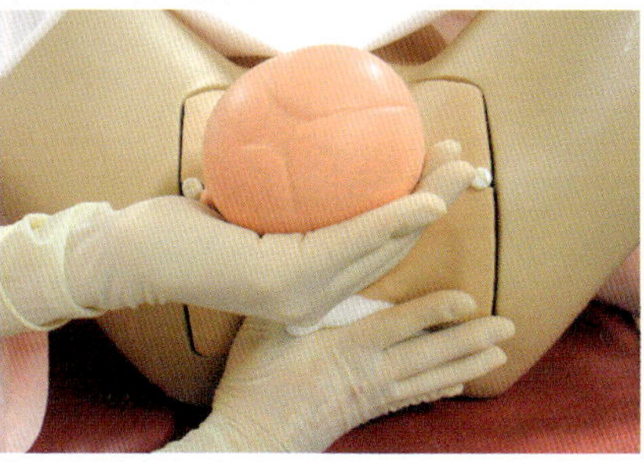

後在肩甲娩出時の左手：手前下から児頭を支え持つ方法

要点	留意点・根拠

6 体幹・下肢の娩出を行う

①体幹・下肢を娩出させる

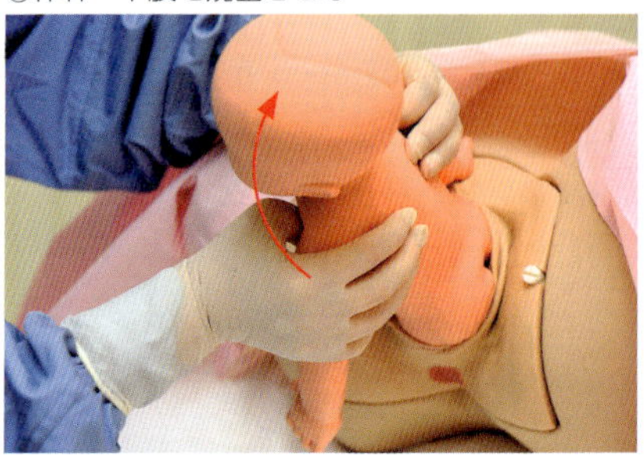

骨盤誘導線に沿って，ゆっくり，足先が娩出されるまで静かに持ち上げる

▶ 上腕が 2/3 以上娩出したら，会陰保護の手を離す

▶ 体幹を保持し，力を抑えた状態で骨盤誘導線の方向に沿って体幹，下肢をゆっくり娩出させる

根拠 前腕は腟内に残っている状態で上腕だけを持って引っ張ると，骨折や上腕神経麻痺などの分娩障害を起こす原因となる．娩出時には上腕を体幹に沿わせて保持する

事故防止のポイント 児の上腕の骨折や上腕神経麻痺を防ぐため，体幹娩出時の上腕の支え方に注意する

注意 体幹は前方に引っ張るのではなく，骨盤誘導線の延長線に沿って持ち上げる方向に導く

注意 急速に通過させず，足先が娩出するまで静かに持ち上げる 根拠 体幹，特に足の娩出時に会陰裂傷をつくることもあるため，ゆっくり娩出させる

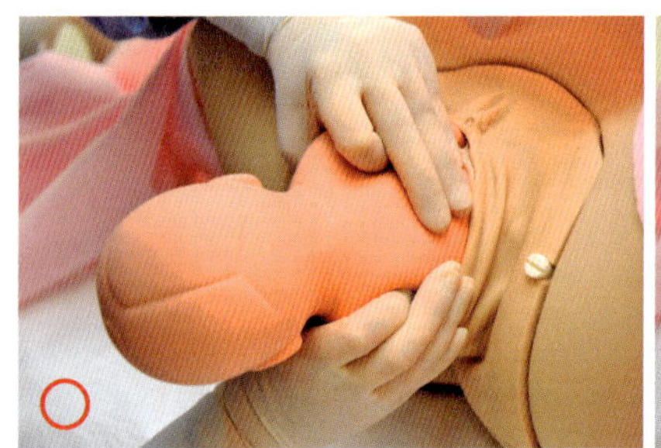

体幹の支え方：よい例

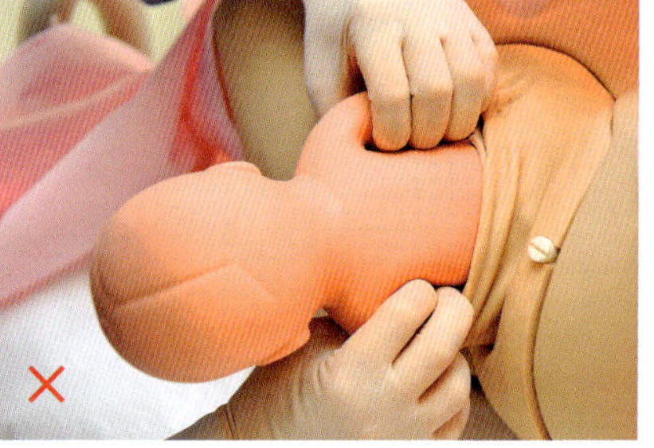

体幹の支え方：腋に手を入れて，児の上腕だけをつかんでいる悪い例

②出生時刻を確認する

コツ 出生時刻は間接介助者に時計を見てもらう．時刻を声に出して告げてもらうとよい

注意 助産師は出生直後の変化を観察するため，児から目を離さない

7 出生直後の児の処置を行う

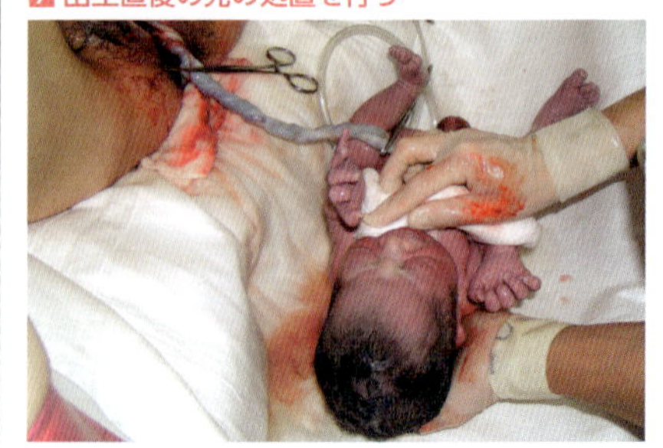

実際の出生直後の児

動画 2-18

要点	留意点・根拠
①気道の確保，呼吸の確立を図る ・滅菌ガーゼで顔面を拭く 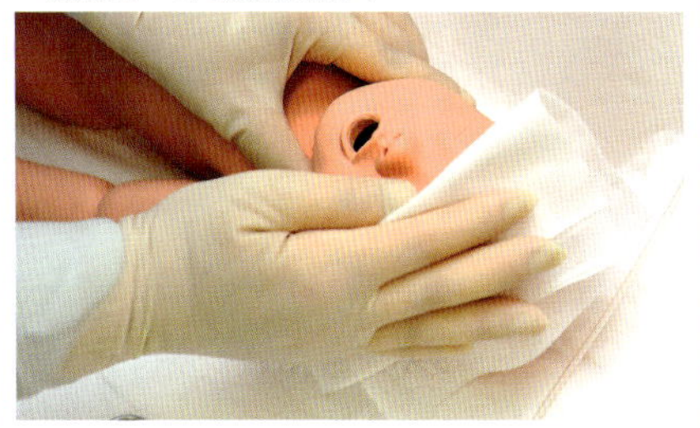	▶娩出した児は，臍帯をゆるやかに保てる位置に静かに寝かせ，気道を確保する体位をとらせる ▶滅菌ガーゼで顔面を額からオトガイ(頤)部に向けて拭き，羊水や血液，鼻や口からの分泌物を取り除く
・吸引の際は左手で児頭を支える 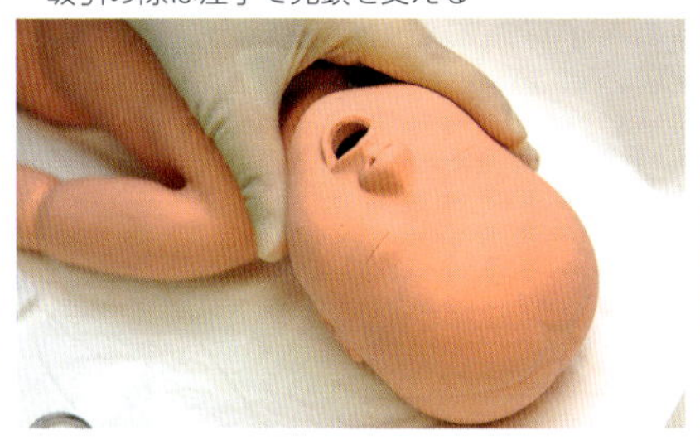	
・吸引カテーテルで口腔，鼻腔の順に吸引する 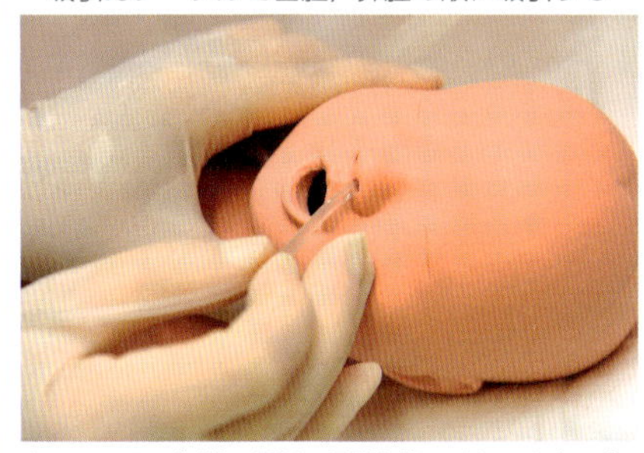 カテーテルの先端で喉頭，咽頭を傷つけないように注意しながら吸引する 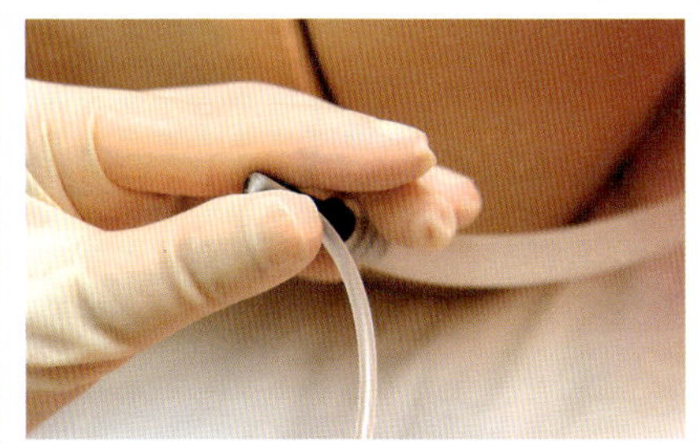 吸引カテーテルを口腔・鼻腔内に挿入する時は，スイッチを切るか，カテーテルの途中を折り曲げてとめ，陰圧がかからないようにする	▶胎便による泥状の羊水混濁のある場合，必要であれば吸引カテーテルで口腔内，鼻腔内の順に吸引する[1] **根拠** 鼻腔内吸引は自発呼吸を誘発しやすいので口腔内吸引を先に行い，口腔内分泌物の誤飲を防ぐ[1] ▶成熟児には 8〜10 Fr の吸引カテーテルを用いるが，羊水混濁がある場合は 12〜14 Fr にする[1] **コツ** ・吸引物は粘稠度が高いので，滅菌蒸留水を入れたカップを用意し，時々吸引カテーテル内を洗浄する ・吸引し続けると，児は呼吸や啼泣(ていきゅう)ができない．泣き声を聞きながら，吸引が十分か判断する ・吸引は何度も行わず，必要最小限(口腔内 5 秒，鼻腔内 5 秒程度)にとどめる[1]．しかし，うがいをしているようなガラガラした声の時は吸引が足りないと判断できる **注意** 左手で児頭を支え，カテーテルの先端で喉頭，咽頭を傷つけないように注意する **注意** 吸引カテーテルを児の口腔・鼻腔内に挿入する時は，スイッチを切るか，カテーテルの途中を指でとめて，陰圧がかからないようにする **注意** 食道閉鎖などの上部消化管の異常を見つけることもあるので，無理に深く挿入しない

要点	留意点・根拠
 吸引カテーテルを滅菌蒸留水で時々洗浄する	
②児の状態を観察する 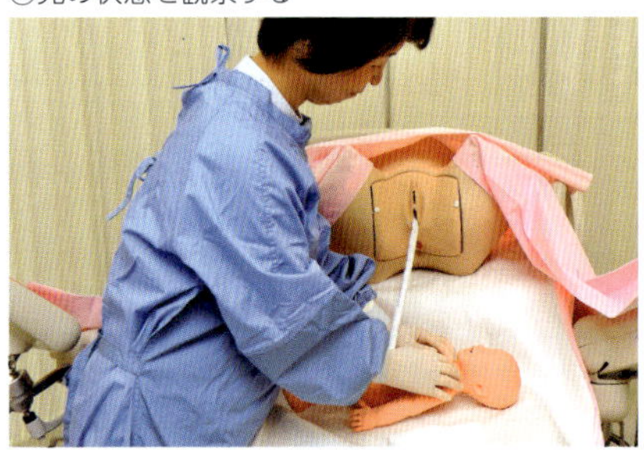 補助台の上で児を観察する	▶ 1 分後のアプガースコアを採点する(p.398「第 4 章-1【1】バイタルサイン②アプガースコア」参照) 注意 5 分後は新生児の処置係が採点する ▶児の性別を確認する
 動画 2-19 ③母児標識(第 1 標識)を装着する 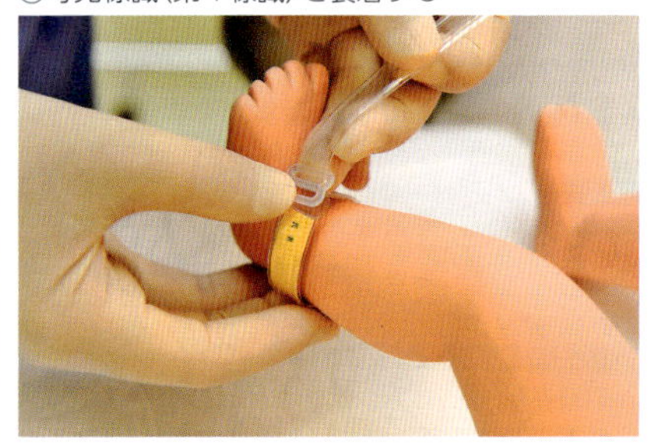	▶産婦の名前を確認し，母児標識(第 1 標識)を装着する 注意 母児標識は母児の識別のために大変重要なものである．特に第 1 標識の装着は臍帯切断前に行う．臍帯巻絡があって先に切断している場合は分娩台に新生児がいる間に必ず装着する 事故防止のポイント 同じ記号の標識を母親に装着することで，新生児の取り違えを防止する
④臍帯を切断する ・陰裂近くで臍帯をとめる 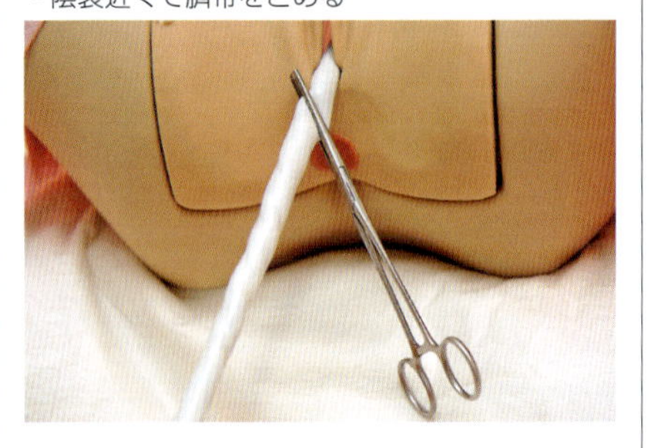	▶手指を消毒する．消毒薬の綿球を用いて拭く ▶ペアンまたはコッヘル止血鉗子を用いて，陰裂近くで臍帯をとめる 根拠 単胎の場合には，胎児が失血することがないので臍帯に止血鉗子をかけなくてもよい．しかし，この位置に鉗子をかけておくと胎盤剝離徴候を観察しやすいという利点がある 注意 臍帯拍動停止を待たなくてよい

要点	留意点・根拠
・臍帯動脈血ガス分析の検体を採取する	▶ペアンまたはコッヘル止血鉗子で臍帯の 2 か所を 20 cm 程度離してクランプする **注意** 分娩直後の第一啼泣前にクランプする **根拠** 新生児が呼吸を開始すると血液の酸素化が進み，分娩前・中の状態を反映しなくなる ▶臍帯表面をガーゼで清拭したのち，クランプした 2 か所の間の臍帯動脈血を採取する **注意** 採血は迅速に行い，速やかに検査する ▶介助者が採血できない時は，2 本の止血鉗子の外側を切断して間接介助者に依頼する．胎児側は臍帯クリップでとめてから切断する **コツ** それぞれに止血鉗子を 2 本ずつとめておき，その間を切断すると臍帯からの出血を防ぐことができる
・臍帯クリップをかける 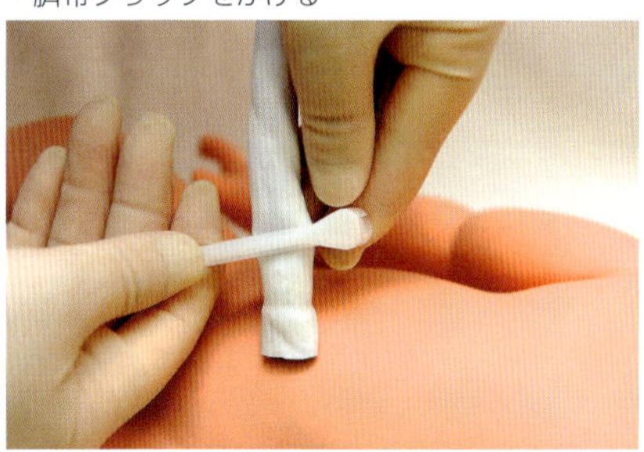	▶臍輪部から 2 cm のところに臍帯クリップをかける **コツ** 臍帯はクリップの中央に合わせて置く．臍帯が太い時は先に圧挫しておくとクリップをとめやすい **事故防止のポイント** 不完全な結紮(けっさつ)による出血を防止するため，クリップを必ずカチッと音がするまでとめる
・臍帯が太い場合はクリップ前に圧挫しておく 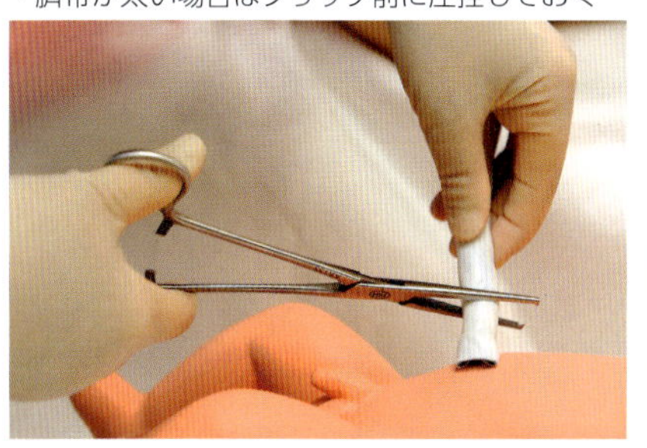	
・切断する部位を保持し，ガーゼで保護する 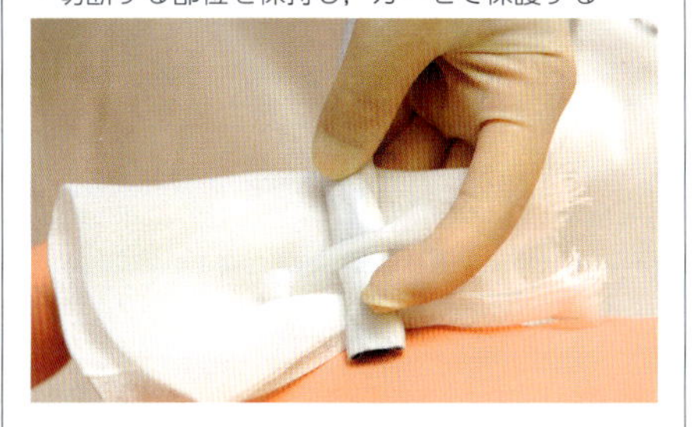	▶臍帯の切断する部分を左手中指，薬指，小指の上に乗せ，上から母指と示指で押さえる．切断部位が母指と示指の間にあるように固定する．この時，血液が飛散しないようにガーゼで保護する

要点	留意点・根拠
・臍帯を切断する 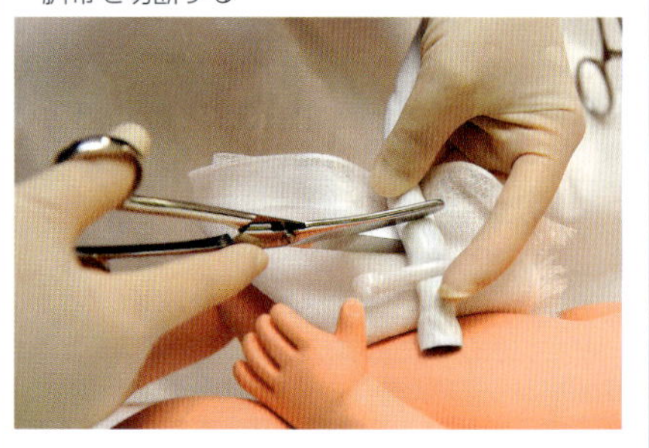	▶右手に臍帯剪刀を持ち，左手掌に向かう方向に構える 注意 刃先は必ず手掌の中にあるようにし，児を傷つけないように配慮する ▶臍帯クリップで結紮した位置から胎盤側へ1cmのところを臍帯剪刀で切断する 根拠 臍帯剪刀は刃の厚いはさみであり，断面を挫滅しながら切る特徴がある．一刀で切断するより少しずつ切り進むように使う
・臍帯の断端を観察する 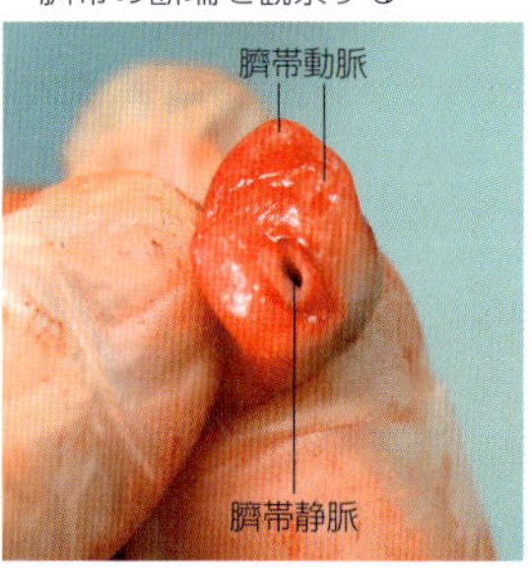 	▶臍帯の断端を観察し，臍動脈が2本，臍静脈が1本あることを確認する コツ 臍動脈は血管壁が厚く，ワルトン膠様質から突出するように見える．一方，臍静脈は血管壁が薄くて口径が広いので，両者を見分けられる
・胎児側の臍帯の断端を消毒する 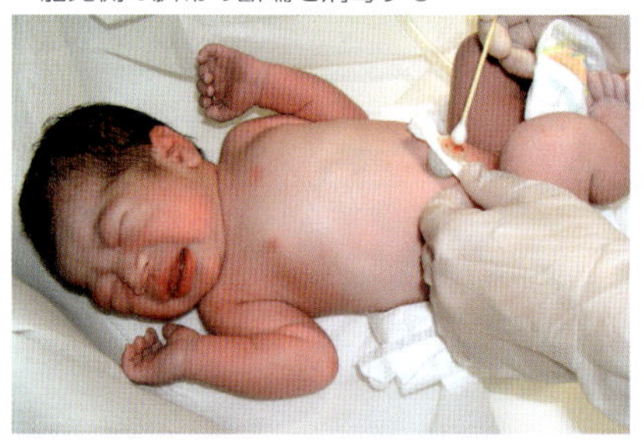	▶胎児側の断端をイソジン液，あるいは0.05％ベンザルコニウム塩化物液で消毒する
⑤新生児の羊水を拭き取る 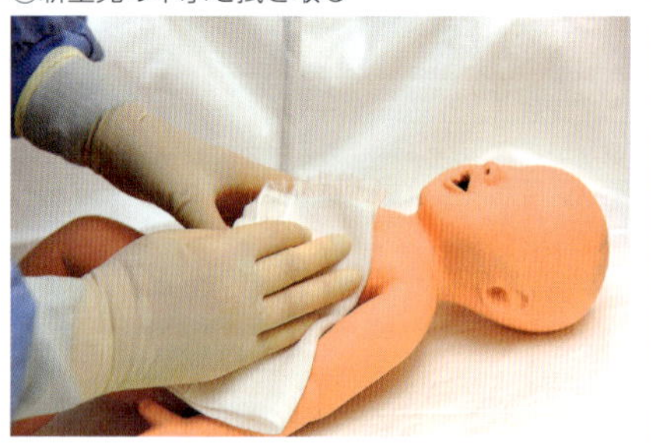	▶ガーゼで全身の羊水を拭き取る 根拠 羊水でぬれたままでは熱の蒸散による体温低下が大きい．乾いたガーゼで手早く清拭する 事故防止のポイント 体表からの熱の喪失を少なくして，低体温を防止する

要点 ／ 留意点・根拠

動画 2-20

⑥新生児の形態異常の第１次検索を行う

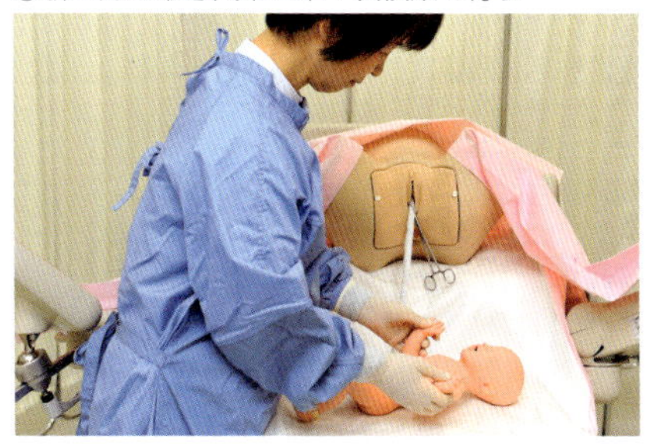

▶ 形態異常の有無を観察する．頭部（骨縫合・泉門）→顔面（目・鼻・耳・口唇・口腔）→頸部→鎖骨→胸部→腹部→上肢（腕の緊張・指の数）→背部→外陰部→肛門→股関節→下肢（長さ・指の数）

コツ 頭部から下肢に向かって系統的に観察する．手順を決めておくと見落としがない

⑦母児の対面，早期母児接触を行う

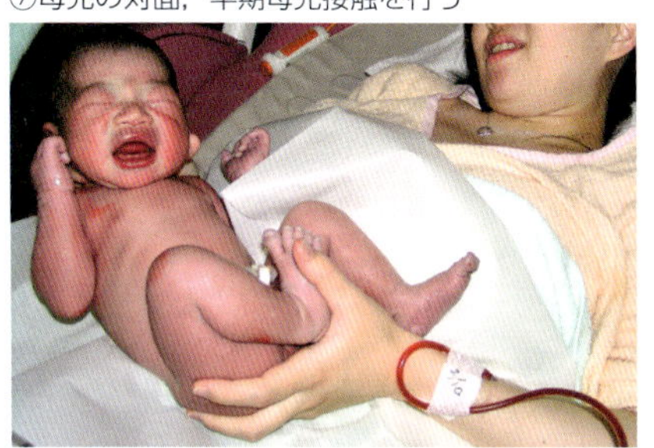

▶ 母児の対面をする．母の腹部に滅菌シーツあるいは四角布に乗せて抱かせる

▶ 終了後は新生児処置係に渡す

注意 児は羊水でぬれているため滑りやすい．しっかり保温し，乾いた四角布で包んでから母に抱かせる

事故防止のポイント 児の転落を防止する

動画 2-21

8 胎盤の娩出を行う

①子宮収縮状態を観察する

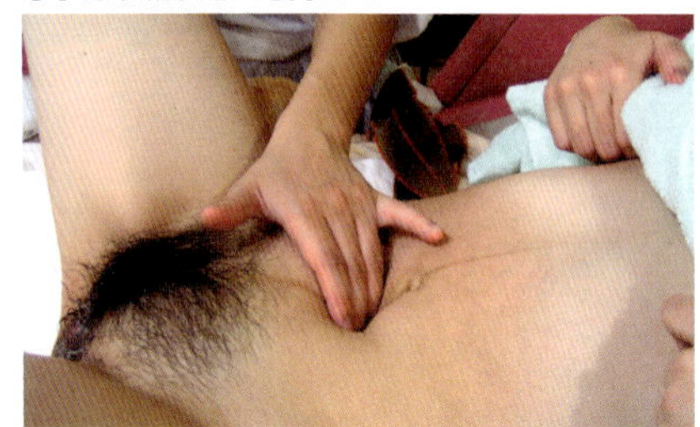

子宮底の観察をする

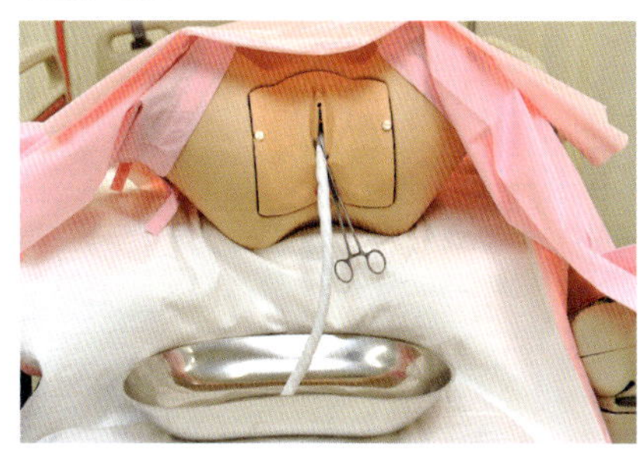

膿盆を置く

▶ 分娩介助者は腹部の滅菌シーツの上から子宮底を探り，位置，収縮状態を観察する．間接介助者に，子宮底に手を当てて，位置，収縮状態を観察してもらってもよい　**根拠** この時，子宮底はおよそ臍高にある

▶ 胎盤および剝離後の出血を受けるための膿盆を腰の下に置く

コツ 分娩台の腰板のカーブに沿って膿盆を置く．この時，腟からの出血を確実に受けられる位置に置くことが大切である

▶ 胎児娩出時に大膿盆を置いていた場合は，後羊水を他の容器（不潔で可）にあけるか，新しい膿盆に変える　**根拠** 分娩時出血量をできるだけ正確に知るためには，極力羊水と混ぜない工夫が必要である．胎児娩出とともに排出された後羊水とは別にする

要点	留意点・根拠
②胎盤剝離徴候を確認する 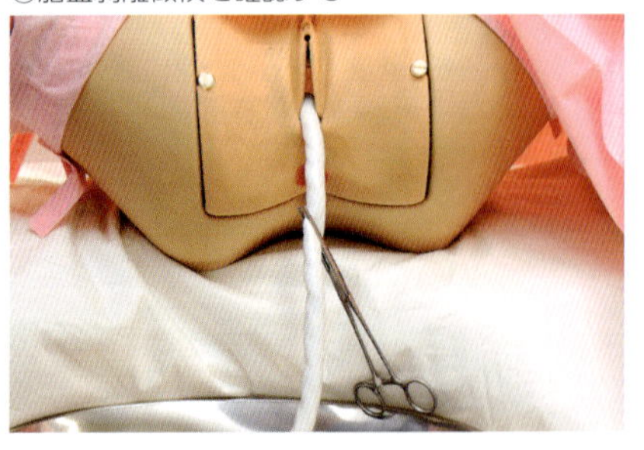	▶ 胎盤剝離徴候を確認する．少なくとも 2 種類の剝離徴候をみる（p.237「2 胎盤剝離徴候」参照） 根拠 胎盤剝離徴候の多くは実際の剝離より遅れてその徴候を示す．最も早く現れるのはキュストナー徴候である コツ キュストナー徴候，アールフェルト徴候の 2 つがわかりやすい．いずれも臍帯の会陰部に近い位置に止血鉗子をとめておき，剝離を知る目印にする
③ガーゼを広げ，胎盤を受ける準備をする 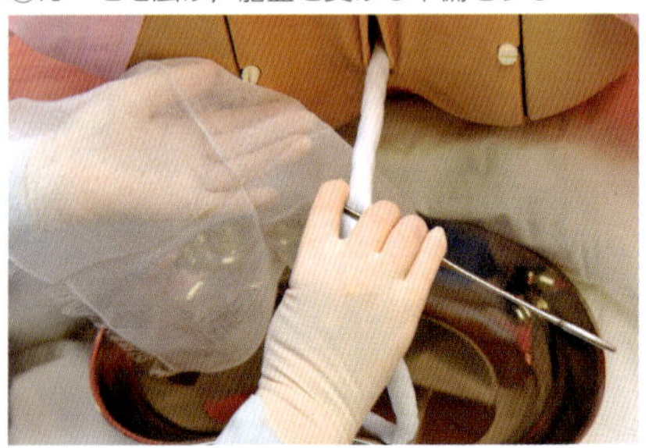 左手にガーゼを広げ，右手で臍帯を持つ	▶ 左手に滅菌ガーゼを広げる コツ 牽引する強さを加減するために，臍帯を引く側を利き手にする
④臍帯を牽引する 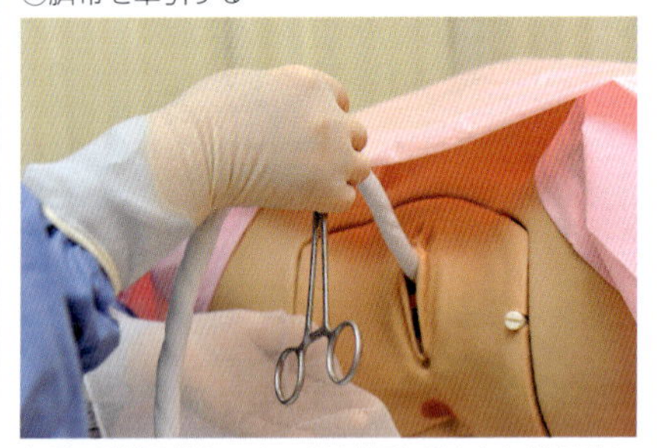 右手で臍帯を持ち，ゆっくり上下に動かしながら引く	▶ 右手で臍帯を持って，ゆっくり上下に動かしながら牽引する．無理に胎盤を引っ張らない 根拠 胎盤の一部だけが剝離した状態は多量出血を引き起こす コツ 臍帯の陰裂に近い位置にペアン止血鉗子をとめ，示指・中指をかけて引くとよい
⑤胎盤実質を娩出させる 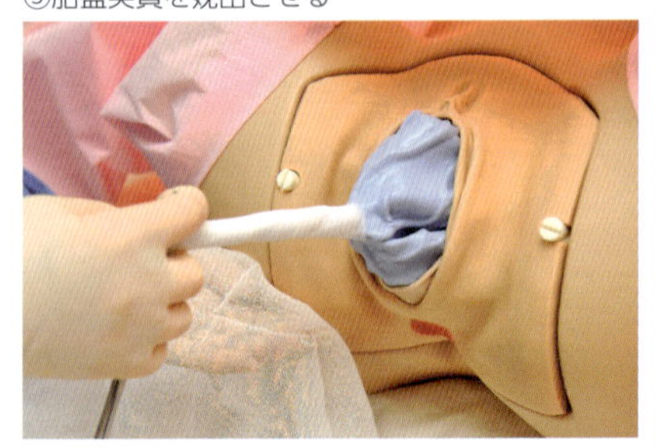	▶ 胎盤実質が 2/3 くらい出てきたら，左手のガーゼの上に置く ▶ 胎盤をガーゼで包み込むようにしながら時計回りの方向に回しながら，ゆっくり卵膜まで娩出させる 根拠 ガーゼに包むと滑らず，扱いやすい コツ 胎盤の娩出は無理に引っ張らず，骨盤底筋群の収縮や胎盤自体の重さ，胎盤後血腫の重さを利用しながら，ゆっくり出すほうが遺残をつくらない ▶ 胎盤の母体面が先進してきた時は，反転させて胎児面が先進するように直しながら娩出する

要点

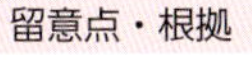

留意点・根拠

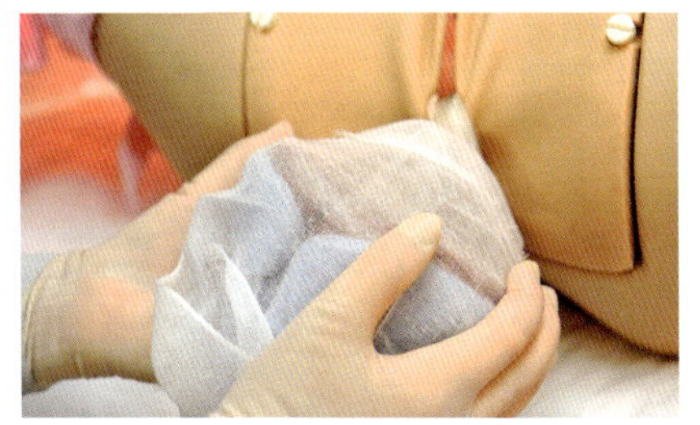

胎盤をガーゼに包んで娩出する

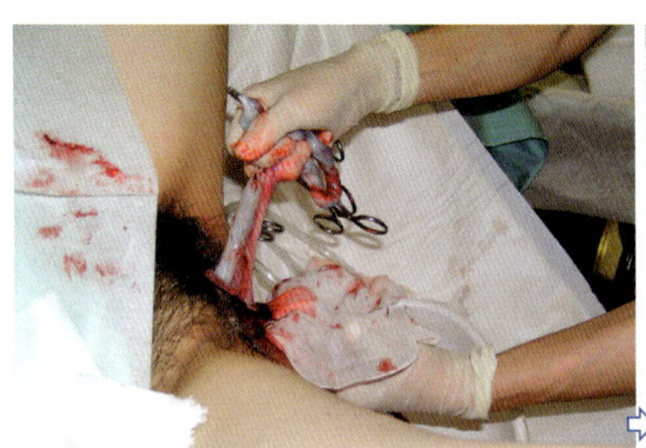

実際の胎盤娩出の様子

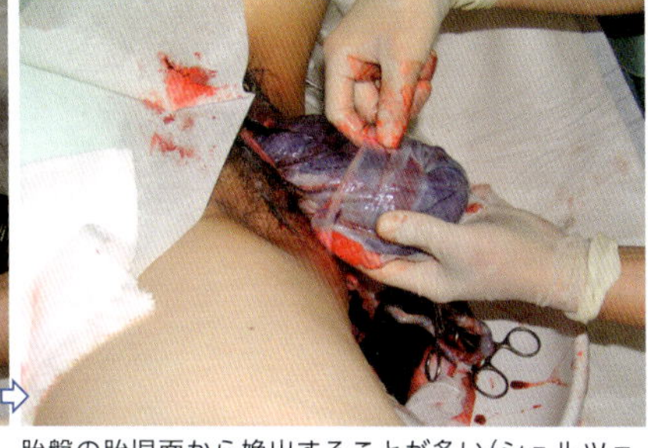

胎盤の胎児面から娩出することが多い(シュルツェ式)．卵膜で覆うように娩出する

⑥後続の卵膜を娩出させる

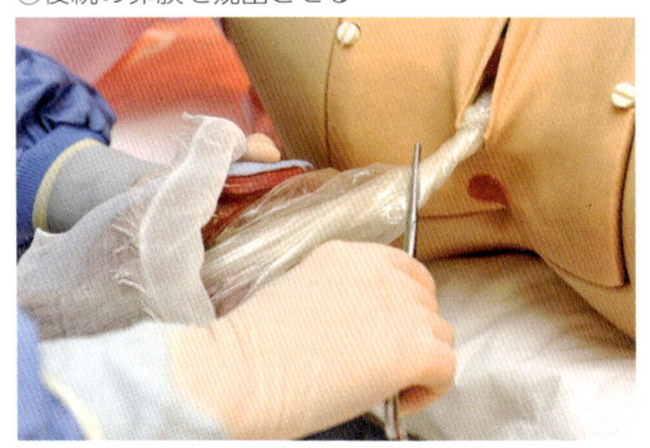

卵膜をペアン止血鉗子を用いて引く

▶ 卵膜は索状になって排出されるが，抵抗があったり，断裂しそうな場合は，ペアン止血鉗子ではさんで静かに捻転させる．必要に応じて，ペアン止血鉗子の位置を上へずらす

《ブラント・アンドリュース法による胎盤圧出法》

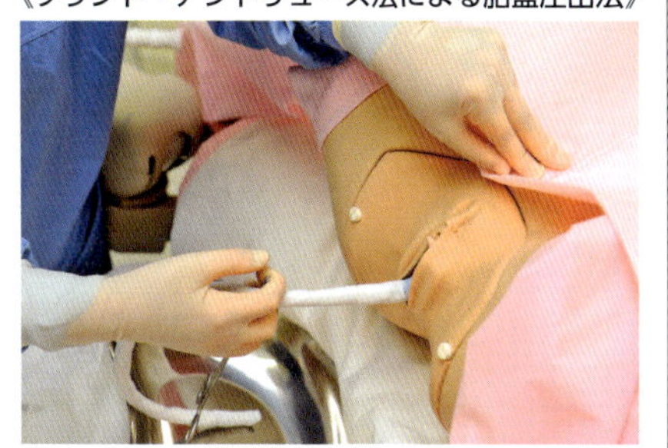

ブラント・アンドリュース胎盤圧出法

▶ ブラント・アンドリュース胎盤圧出法による場合は，左手の指をそろえて伸ばし，指尖を腹壁上から子宮体と子宮下部との境の部分に当てて，静かに子宮体を後上方に圧迫し，同時に右手で軽く臍帯を引く．この時，ガーゼは胎盤が腟入口に見えてから手に準備すればよい

要点	留意点・根拠
⑦胎盤娩出時刻を確認する	▶胎盤娩出時刻が分娩第 3 期終了時刻となる．分娩第 3 期の所要時間は，およそ 10～30 分である コツ 娩出時刻の確認は間接介助者でもよい
⑧胎盤の第 1 次検索を行う	▶胎盤実質の欠損がないか分葉の状態を確認する ▶副胎盤の可能性はないか確認する ▶卵膜の大きな欠損がないか確認する 根拠 収縮不全の原因となる所見の確認は急ぐが，詳細な検索はあとで行う(p.238「第 2 章-3【3】胎盤計測」参照)

動画 2-22

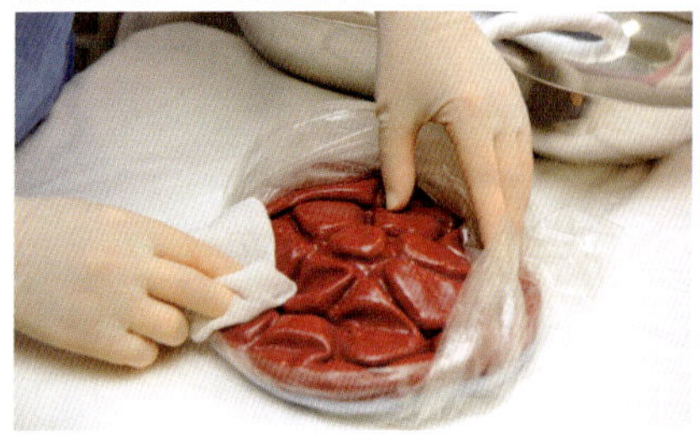
胎盤を広げて観察する

動画 2-23

9 産婦の観察を行う

要点	留意点・根拠
①子宮収縮状態を観察する	▶子宮底の高さと硬さを観察する 根拠 子宮底は，胎児娩出直後は臍高，胎盤娩出直後はおよそ臍下 2 横指の位置にある．子宮収縮が十分でないと思われる時は，冷罨法，輪状マッサージを行い，収縮を促す ▶異常出血の有無を観察する

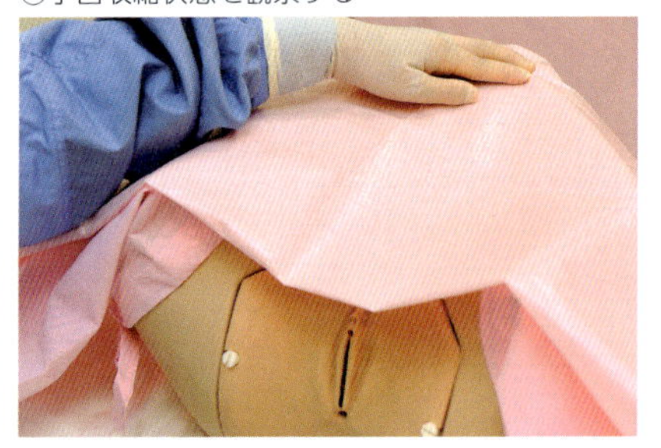

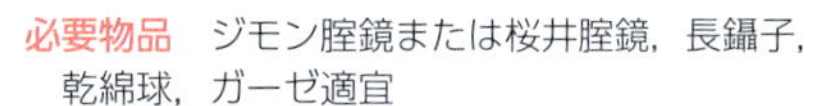

要点	留意点・根拠
②軟産道裂傷の有無を観察する	必要物品　ジモン腟鏡または桜井腟鏡，長鑷子，乾綿球，ガーゼ適宜 ▶会陰部の観察がしやすいように，外陰部を軽く清拭する ▶軟産道の裂傷の有無を確認する．あればその部位と程度を観察する ▶腟壁，頸管の裂傷が疑われる時は，医師がジモン腟鏡または桜井腟鏡を用いて観察するのを介助する

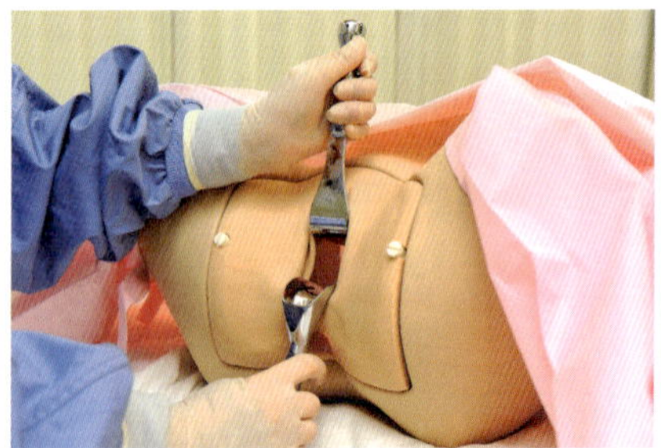
ジモン腟鏡を用いて観察

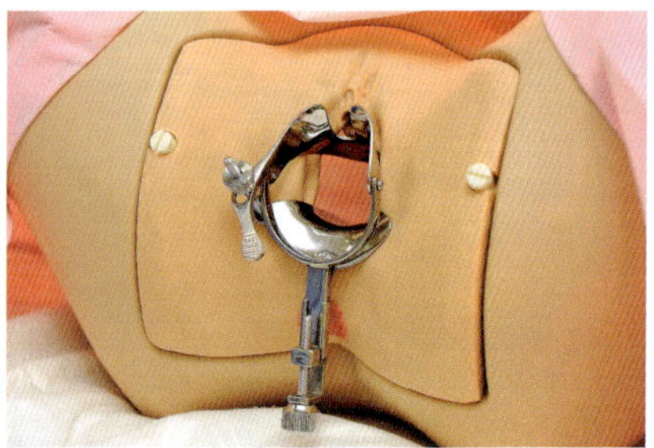
桜井腟鏡を用いて観察

要点	留意点・根拠
③全身状態の観察を行う 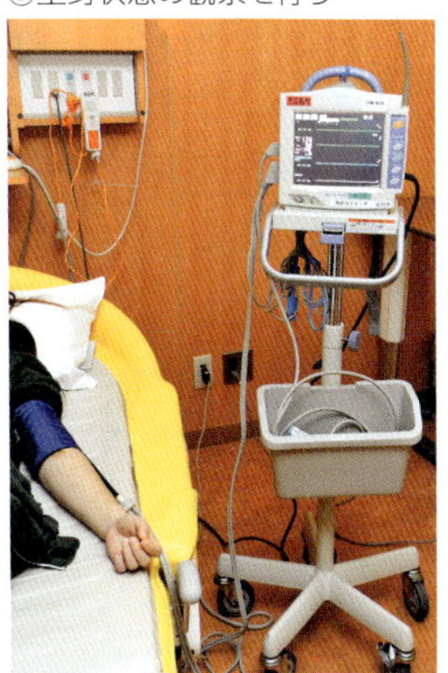	▶体温，脈拍，呼吸，血圧を測定する(p.268「第3章-1【2】バイタルサイン」参照)
 動画 2-24 **⑩縫合の介助** ①産道裂傷の部位と程度を観察する 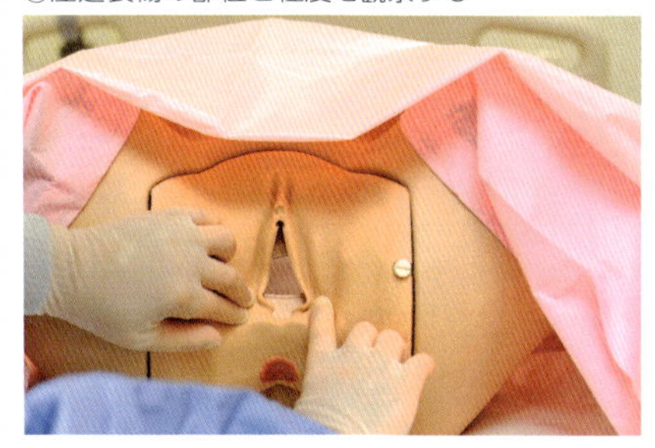	▶会陰部の観察がしやすいように，外陰部を軽く清拭する ▶軟産道の裂傷の部位と程度を確認する
 ②縫合のための清潔野を作成する	▶外陰部の血液を拭き取り，腰の下に新しい滅菌シーツを敷く **必要物品**　滅菌シーツ，持針器，縫合針，縫合糸，クーパー剪刀，注射筒，18 G・21 G注射針，1%キシロカイン注射液，ガーゼ適宜，イソジン綿球
③縫合の介助をする 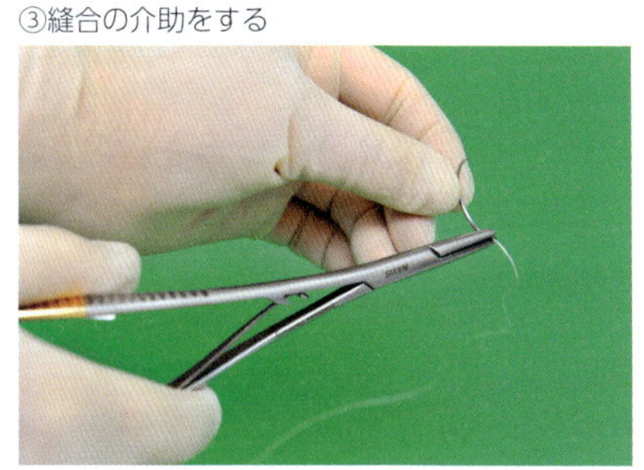 持針器に糸付きの針をセットする	▶縫合セットを開き，持針器，縫合針，縫合糸を準備する ▶局所麻酔薬の準備をする．1% キシロカイン注射液のバイアルの口をイソジン綿球で消毒し，10 mL を注射筒に吸う ▶会陰切開部あるいは裂傷部の縫合の介助をする ▶縫合が終了したら，縫合部をイソジン綿球で消毒する

要点	留意点・根拠

11 出血量の観察を行う

①出血量を量る

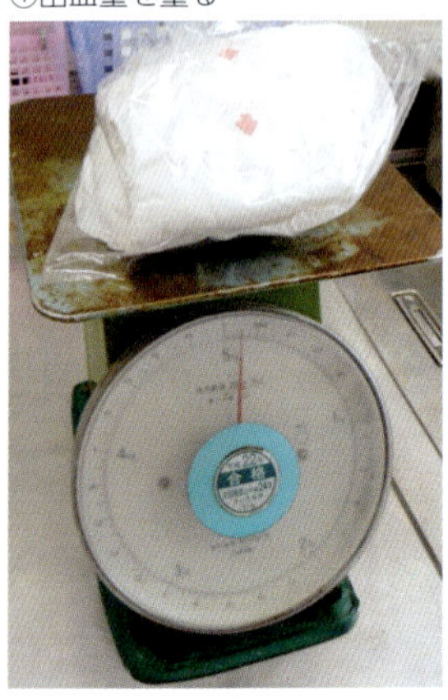

分娩用シーツの重量を計量する

▶ 分娩用シーツを使用している時はガーゼ，綿花を取り除いて重量を量り，分娩用シーツの重量を引く（❶）

注意 羊水も吸収されているので，出血量のみを量ることはできない

▶ 膿盆に血液を受けた時は計量カップで血液量を量る（❷）

▶ 血液を吸収したガーゼの重量を測り，ガーゼのみの重量を差し引く．これに❶または❷の量を加えて出血量を測定する **根拠** 尺角ガーゼは 1 枚 3 g として計算する．また，出血 1 g は 1 mL に相当すると考えてよい．大量の出血があった場合，正確に測定することは難しい．目算では少なめに判断する傾向がある

12 分娩後の産婦のケアを行う

①ねぎらいの言葉をかける

▶ 分娩が終了したことを伝え，祝福とねぎらいの言葉をかける

②清拭に必要な物品をそろえる

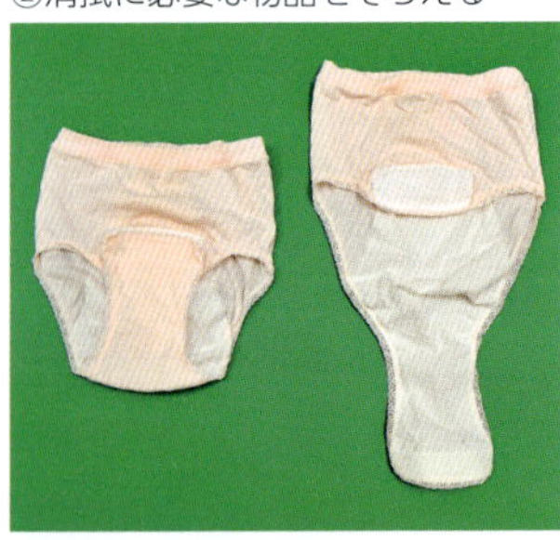

産褥ショーツ

▶ 着替えの寝巻き，清潔な産褥パッド，産褥ショーツ，清拭用蒸しタオル，出血を拭くガーゼまたは綿花を用意する **根拠** 外陰部および大腿部に飛散した出血を拭き取るために，ガーゼまたは綿花を用意する．血液を拭き取るものは使用後に廃棄，焼却処分できるものがよい

③局所の清拭をする

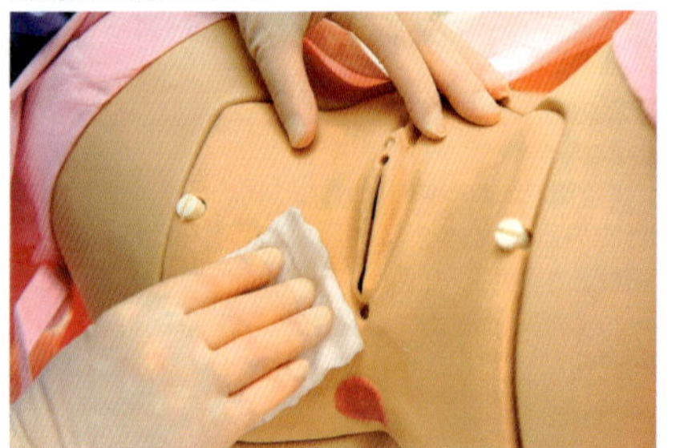

外陰部，殿部，大腿部の出血を拭き取る

▶ ガーゼまたは綿花で殿部，大腿部の出血を拭き取る

▶ 清潔なガーゼで外陰部，創部の血液を拭き取る

▶ 分娩シーツを取り，腰，殿部を清拭する．産婦に腰を上げてもらいながらシーツを引き抜いて，汚染した側を内側にしてまとめておく．防水シーツを敷いて腰を下ろさせる

④産褥パッドを当てる

▶ 分娩直後用の産褥パッドを当て，産褥ショーツで押さえる

コツ 防水シーツ，産褥ショーツ，分娩直後用の

要点	留意点・根拠
	産褥パッドを組んでおき，清拭後一度に腰の下に入れる．産婦が何度も腰を上げなくてよいので，負担が少ない

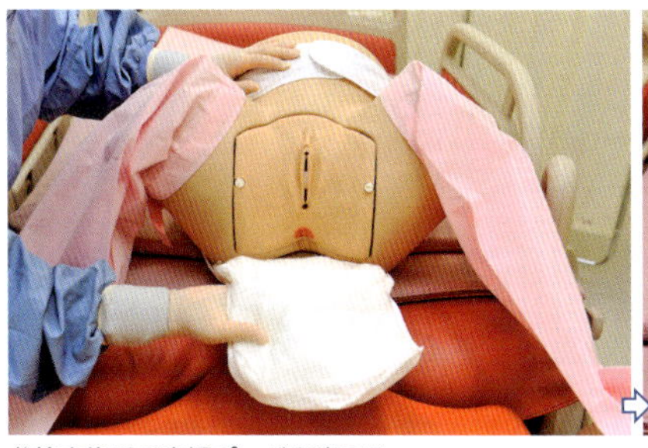
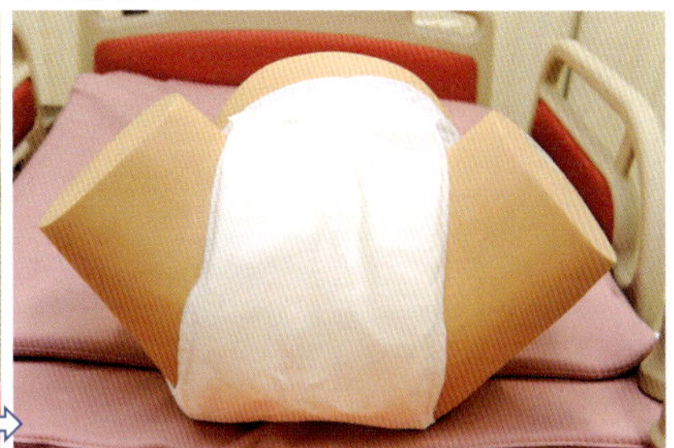

分娩直後用の産褥パッドを当てる

要点	留意点・根拠
⑤分娩台の腰台と補助台を水平に戻す	▶ 分娩台の腰台を下げ，補助台を上げて，水平になる位置に高さをそろえる ▶ 足台から足を下ろしてもらう
⑥全身の清拭，寝衣交換を行う	▶ 全身清拭を行う 根拠 分娩時の筋労作による発汗がある．清拭することで清潔を保つと同時に，産婦が爽快感を得られる ▶ 寝衣を交換する ▶ 綿毛布などをかけ，保温に気をつけ，休ませる 根拠 分娩直後は悪寒を訴えることがある
⑦服薬の説明をする	▶ 多くの施設で，抗菌薬，抗炎症薬，子宮収縮薬，緩下剤などが処方される．産後の服薬の方法，作用・副作用について説明する
⑧分娩後の安静について説明する	▶ 分娩後の安静と今後の予定を説明する ▶ 出血が多いなどの異常を感じたら，看護者を呼ぶことを説明する 根拠 分娩後の異常出血は，2時間以内が多い．この間は分娩室で様子をみる ▶ ナースコールを手近に置く

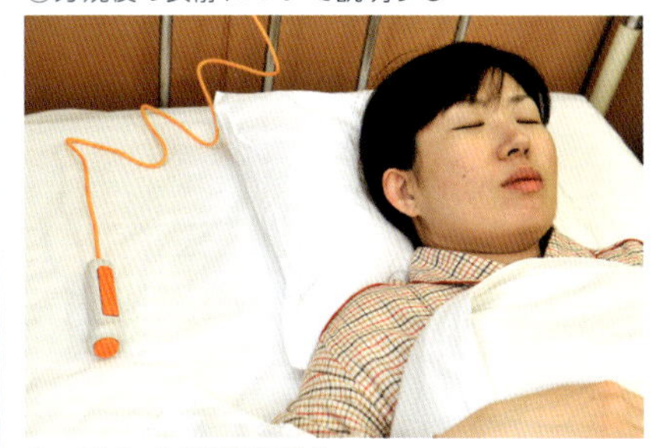

ナースコールを手近に置く

要点	留意点・根拠
13 後始末を行う	
①使用した器械を片づける	▶ 使用した器械を洗浄し，乾燥させる コツ 血液の付着した器械類は，水に浸しておくと簡単に洗える 注意 感染症のある産婦に使用した器械類は滅菌効果のある薬剤を用いて消毒する ▶ 施設のルールに従って，滅菌処理を行う
②血液などで汚染したごみの始末をする	▶ 血液の付着したディスポーザブルの滅菌シーツ類や器械類，綿花，綿球などの衛生材料，ガウン，

要点	留意点・根拠
③次の分娩に備えて，環境整備を行う	手袋などは，医療廃棄物として袋にまとめ，決められた方法で廃棄する ▶ 縫合針や注射針，刃物は危険物としてまとめ，決められた方法で廃棄する ▶ 血液の飛散がないか点検し，あれば拭き取る ▶ モニター類の点検を行い，記録紙などの消耗品を補充する ▶ 次の分娩に必要な物品を準備する
14 記録，評価を行う ①カルテ，助産録の記載をする ②母子健康手帳の記載をする	▶ カルテ，助産録に所定の事項を記載する 根拠 助産師が分娩介助をした時は，「助産に関する事項を遅滞なく助産録に記載しなければならない」と規定されている(保健師助産師看護師法第42条)．記載する12項目は保健師助産師看護師法施行規則第34条に規定されている
③出生証明書を作成する	▶ 分娩介助をした助産師は，出生証明書を交付する(保健師助産師看護師法第39条) ▶ 氏名は戸籍に記載された文字を確認し，正確に記載する 事故防止のポイント 氏名の誤記，記載事項の取り違えを起こさない

評価

1 アプガースコアの採点

- 採点と評価の指標はp.398「第4章-1【1】バイタルサイン②アプガースコア」参照．アプガースコア7～10点であれば胎外生活への適応能力や適応過程に問題がないことを示している．
- アプガースコアは5分値が中枢神経系の予後と密接な関連をもっている．アプガースコアが7点未満の場合は，7点になるまで5分ごとに20分まで記録することが望ましいとされている[1]．

表1　アプガースコア

	0点	1点	2点
心拍数	なし	100/分未満	100/分以上
呼吸	なし	緩徐，不規則	良好，啼泣
筋緊張	なし	四肢をわずかに屈曲	活発に運動
反射	なし	顔をしかめる	咳，くしゃみ
皮膚色	蒼白，全身チアノーゼ	四肢のみチアノーゼ 体幹淡紅色	全身淡紅色

7点以上：正常　4～6点：軽症の仮死　3点以下：重症の仮死

2 胎盤剝離徴候

- 胎盤剝離徴候はキュストナー徴候，アールフェルト徴候がわかりやすい．各徴候の確認方法を表2に示す．

表2 代表的な胎盤剝離徴候

名称	内容
アールフェルト徴候	胎盤が剝離して下降するに従い，臍帯も下降する．臍帯に会陰部近くで鉗子をつけ，下降の目印にする
キュストナー徴候	恥骨結合直上の腹壁を圧入した時，胎盤が剝離していなければ臍帯が腟内上方に後退するが，剝離していれば牽引されることなく，むしろ下降する
ストラスマン徴候	一方の手で臍帯を持ち，他方の手で子宮底を軽く打った時，振動が臍帯に伝われば剝離していない．振動を感じなければ剝離している
シュレーダー徴候	胎盤が完全に剝離して子宮下部に下降すると，子宮体は硬く，前後に扁平になり，子宮底は上昇して右に傾く．あわせて，恥骨結合上に軟らかい隆起を触れる
ミクリッツ＝ラデツキー徴候	胎盤が完全に剝離して腟内に下降すると，便意のような圧迫感を感じる
小林の徴候	胎盤が完全に剝離すると子宮底が稜角を形成する
剝離出血	胎盤剝離面からの出血が突然流出し始める

3 会陰裂傷の観察

- 分娩直後に裂傷の有無と程度を観察する．

表3 会陰裂傷の分類

分類	裂傷の程度
第1度	会陰皮膚および腟粘膜に限局する裂傷
第2度	筋層（球海綿体筋，浅会陰横筋）の裂傷を伴うが，肛門括約筋には達しない裂傷
第3度	外肛門括約筋，深層の会陰筋，直腸腟中隔に達する裂傷
第4度	裂傷が肛門粘膜，直腸粘膜に及んだもの

吉冨恵子，佐世正勝：分娩損傷，佐世正勝，他編：ウエルネスからみた母性看護過程＋病態関連図 第3版，p.579，医学書院，2016

4 産婦および家族の満足

- 分娩は産婦の主体性を大切にし，産婦と家族がよい体験であったと思えるものでなければならない．
- 安全・安楽を確保し，満足を引き出すことができたか評価する．

文献

1）日本産科婦人科学会／日本産婦人科医会編・監修：産婦人科診療ガイドライン―産科編 2020，pp.351-356，2020

3 胎盤計測

石村 由利子

目的
- 児の母体内での成育状況を把握する手がかりを得る.
- 母子の異常の予後判定に必要な情報を収集する.

チェック項目 胎盤実質，臍帯，卵膜のそれぞれについて観察をする.
- 胎盤実質：大きさ，重さ，厚さ，色調，形態異常の有無，組織の変性の有無，肉眼的検査で問題がある時は組織学的検索を行うこともある
- 臍帯：太さ，長さ，ワルトン膠質の発育状況，捻転回数
- 卵膜：色調，欠損の有無，強度，裂口の位置

適応 すべての産婦

注意 血液を取り扱うので観察者は必ず手袋をする．感染症のある産婦の胎盤は焼却できる防水シートの上に広げるなど，取り扱いに注意する.

禁忌 なし

事故防止のポイント 血液を介する感染の予防，感染性廃棄物の取り扱い方法の徹底

必要物品 はかり，メジャーあるいは胎盤計測用定規，鑷子(せっし)，剪(せん)刀，バット，手袋，ガウンまたはエプロン，ビニールシート，ビニール袋，注射器・注射針（双胎胎盤用），防水シート（感染症用）

手順

要点	留意点・根拠
1 使用物品を整える ①胎盤計測をする場所を決める	▶胎盤計測を行ってよい場所を決めておく **根拠** 血液が流れ出るので，汚染しても掃除がしやすいところが望ましい．通常，血液の処理がしやすい水洗設備のある流し台付近があてられる ▶胎盤は，分娩後なるべく短時間内に観察する **根拠** 組織の変性が進むため．あとで観察する時は 4℃ の冷蔵庫に保存しておく ▶胎盤を広げて観察できる大きさのバットの上に置く
②必要物品をそろえる	▶手が血液で汚染されることを念頭に，必要な物を手近に置くなど，使いやすいように準備する **コツ** 胎盤を入れるビニール袋の口はしっかり開いて，外側を血液で汚染しないようにしておく
2 観察者の準備を整える ①分娩経過を確認する	▶妊娠・分娩経過について概要を知っておく **根拠** 特に注意して観察すべきことがあるかわかる
②予防衣またはエプロンを着ける ③手袋をする 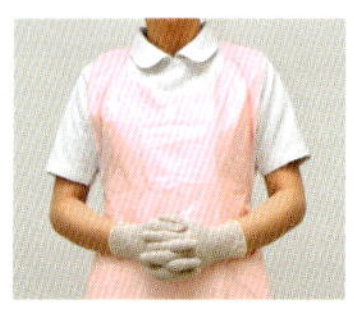	**根拠** 血液の飛散によるユニフォームの汚染を防ぐ **注意** 血液を扱うので，必ず手袋をする．滅菌手袋でなくてよい **事故防止のポイント** 血液を介する感染を防止する

要点	留意点・根拠

3 臍帯の観察を行う

①臍帯の長さを測定する

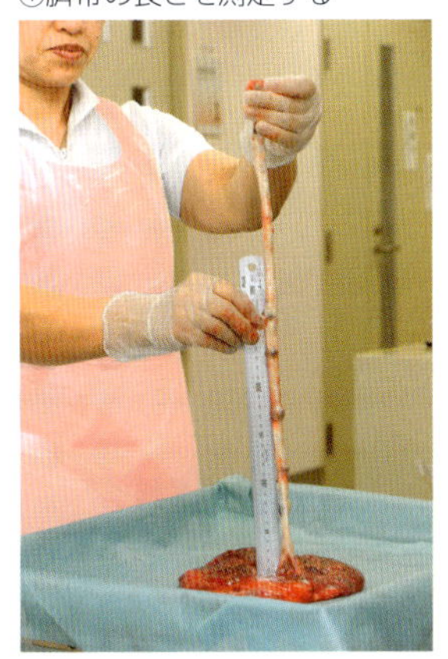

▶ 臍帯の長さは臍帯の付着部から断端までの実測値に，新生児の臍輪から断端までの長さ（残部臍帯長：約 3 cm）を加える　**根拠** 胎児心拍陣痛図（CTG）所見の異常や分娩遷延がある時は，臍帯因子による異常も考慮する．過長臍帯では臍帯圧迫，臍帯巻絡の発生頻度が高い．また，臍帯脱出のリスクが高くなる．過短臍帯は分娩時に引っ張られて断裂したり，児の下降を妨げたりして，分娩第 2 期遷延の原因となり，臍帯付着部位が子宮底付近にある時は，経腟分娩は困難になる

②太さを測定する

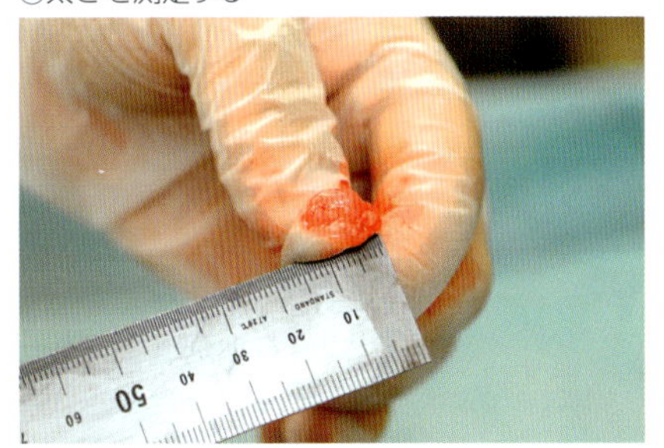

切断面の太さを測定する

▶ 切断面に定規またはメジャーを当てて太さを測定する

▶ ワルトン膠（こう）様質の発育状態を観察する．発育がよければ臍帯は太い　**根拠** ワルトン膠様質は臍帯の圧迫，屈曲による血流の途絶を防ぐ役目をもつ．過期妊娠では減少して臍帯が細くなる

③捻転回数を数える

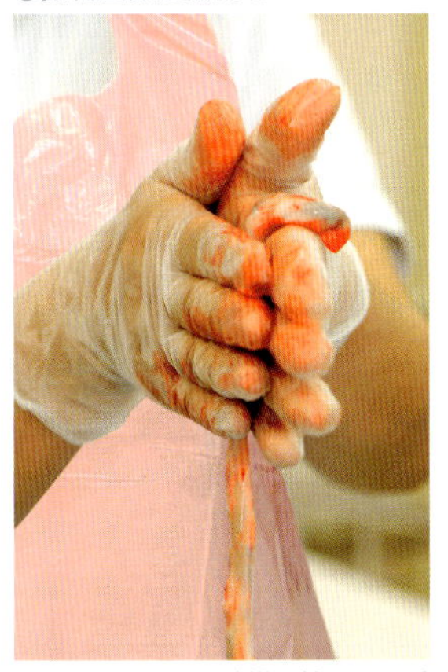
胎盤を台に置き，臍帯を持ち，両手ではさんで捻転回数を数える

▶ 胎盤の母体面を下にして台に置き，臍帯を持ち上げて両手ではさんで持つ

▶ 合わせた両手を臍帯の捻転に従ってずらす．右手が前に出れば右捻転，逆に左手が前に出れば左捻転と表現する　**根拠** 通常，臍帯の捻転は 10 回程度である．左右いずれであっても臨床的意味はみられない．捻転が形成される主な理由は，臍動脈と臍静脈の発育速度が異なることによる．過捻転は血行障害を招き，死亡例をみることもある．死産児の臍帯観察では，過捻転と狭窄の有無を確認する

要点	留意点・根拠
④血管数を確認する 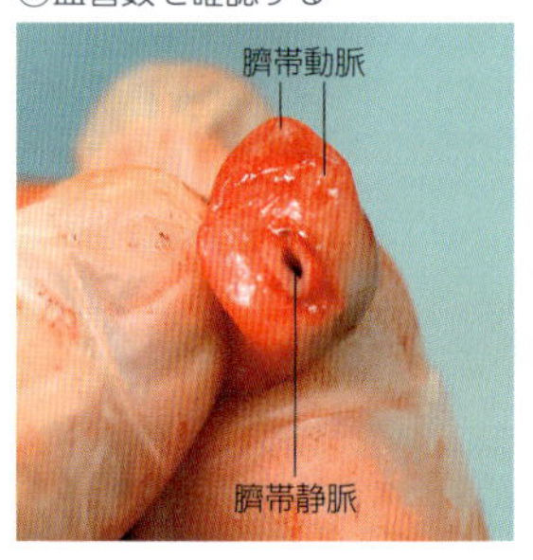 	▶臍帯を外科用剪刀などの鋭利な刃物で切断する **根拠** 臍帯剪刀は断面を挫滅しながら切断するので，断面の観察には適当ではない **コツ** 切断面を鋭利な刃物で切ると臍動脈が突出してわかりやすい ▶血管数を数える **根拠** 臍帯には1本の静脈と2本の動脈がある．血管壁が厚く，断端がワルトン膠様質から突出するように見えるのが臍帯動脈，血管壁が薄くて口径が広いのが臍帯静脈である **注意** 単一臍帯動脈の場合は先天奇形を合併する頻度が高い．出生児の全身状態を注意深く観察する
⑤臍帯付着部位をみる ・臍帯を持ち上げる 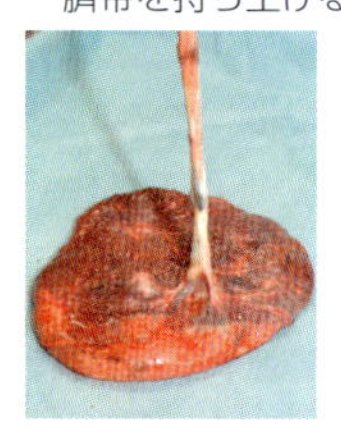 ・付着部と辺縁までの距離を測定する 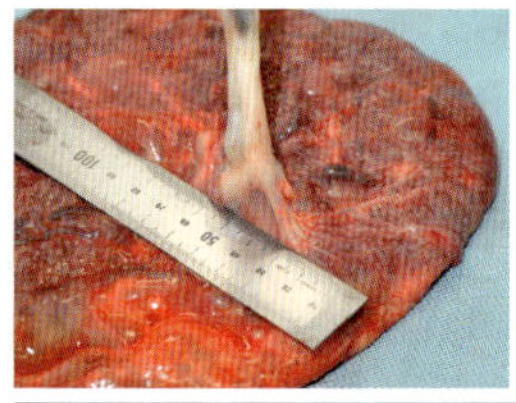 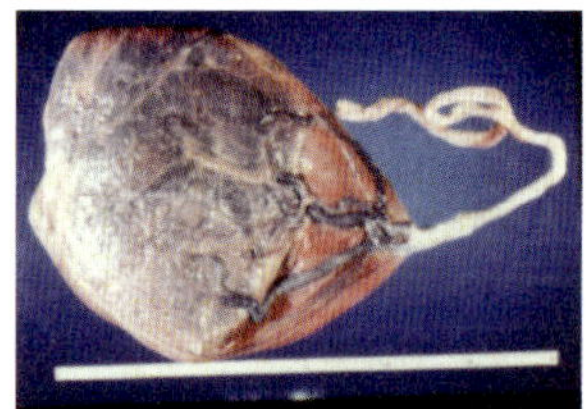 臍帯卵膜付着	▶臍帯付着部と辺縁までの最短距離を測定する．臍帯付着部位は，胎盤の中央・側方・辺縁・卵膜の4つに分けて表現する．辺縁付着なら0cmである **根拠** 臍帯の付着部位は，多くは胎児面の中央付近にある．付着部位の異常には辺縁付着と卵膜付着があり，胎盤実質にかかっているかどうかをみて判断する．これらは早産，子宮内胎児死亡の発症頻度が高い **コツ** 計測によらず判断する時は臍帯を持って胎盤を持ち上げる．側方付着ならいずれか一方が長く垂れ下がる
⑥結節の有無をみる	▶真結節，偽結節があれば記録する **根拠** 真結節による影響は，二次的に臍帯が短くなることと臍帯血管の閉塞を招くことである．実際にはゆるい結節が多く，また，ワルトン膠様質で保護されているので，出生児が予後不良となることはまれである

要点	留意点・根拠
4 胎盤実質の観察を行う ①胎盤を平らに広げて置く ②形を観察する	▶形態異常の有無を観察する ▶主胎盤に連続して存在する付属的な分葉を副胎盤といい，ほぼ同じ大きさの分葉からなる胎盤を二裂胎盤（二分胎盤）という．分葉の発達は個人差が大きく，数，形ともさまざまで，副胎盤も1つとは限らない コツ 必要に応じて簡単な図を添付するとよい ▶児の体重に比べて胎盤が小さい時，血管の走行が途切れている時は胎盤遺残を疑う 根拠 副胎盤は遺残の原因となりやすく，見落としやすい．実質に欠損のないことを確認する

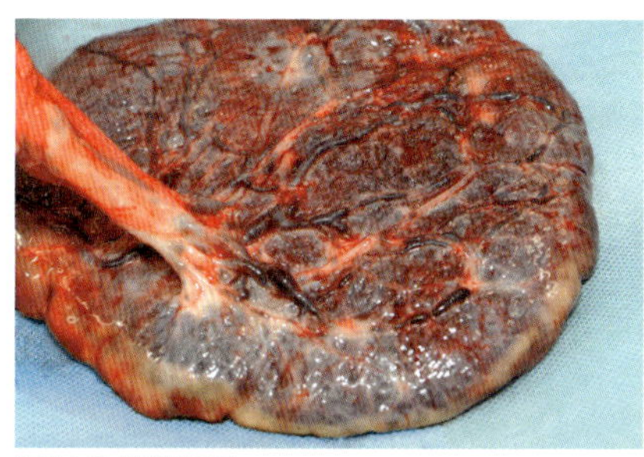
正常な胎盤（胎児面）

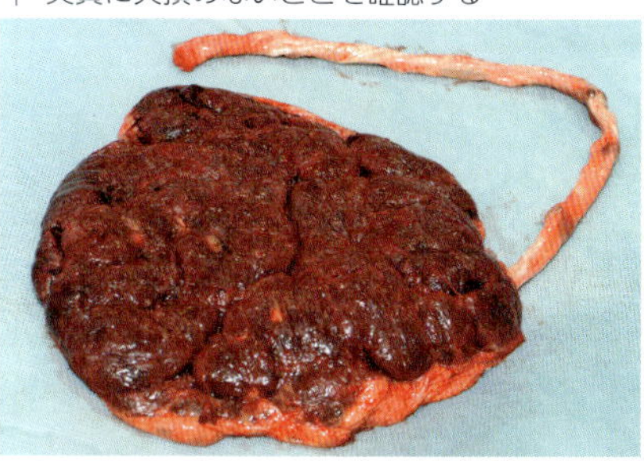
正常な胎盤（母体面）

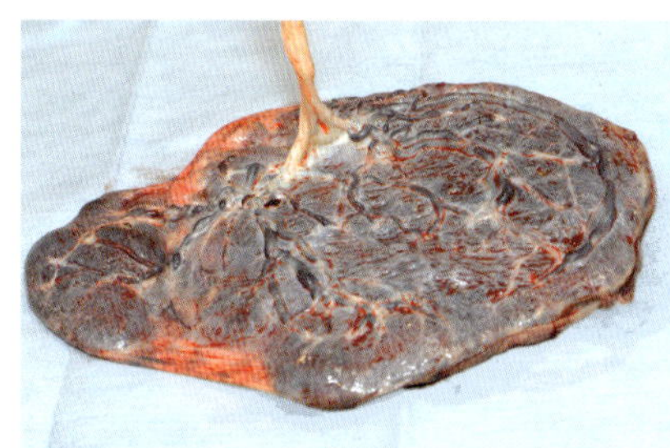
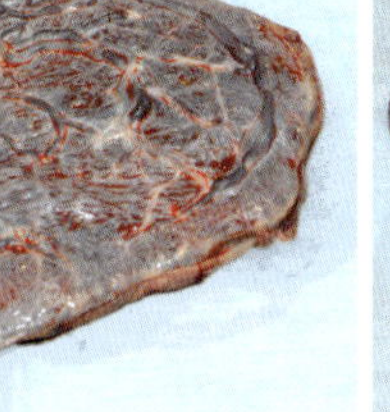
副胎盤（胎児面）

副胎盤（母体面）

要点	留意点・根拠
《母体面の観察を行う》 ①胎盤の色調をみる	▶胎盤の母体面を上にして置き，胎盤実質の色調をみる

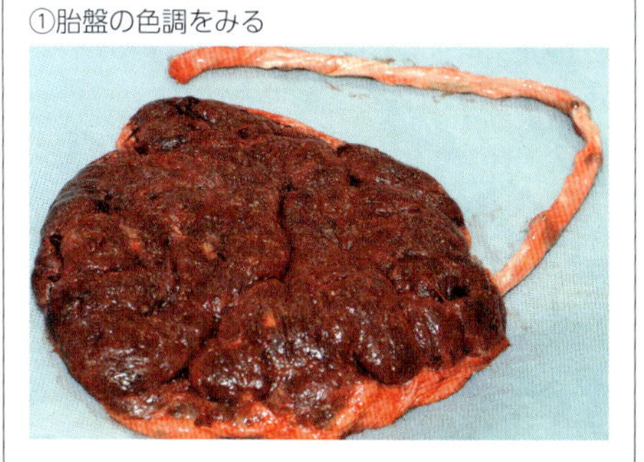

要点	留意点・根拠
②欠損の有無をみる 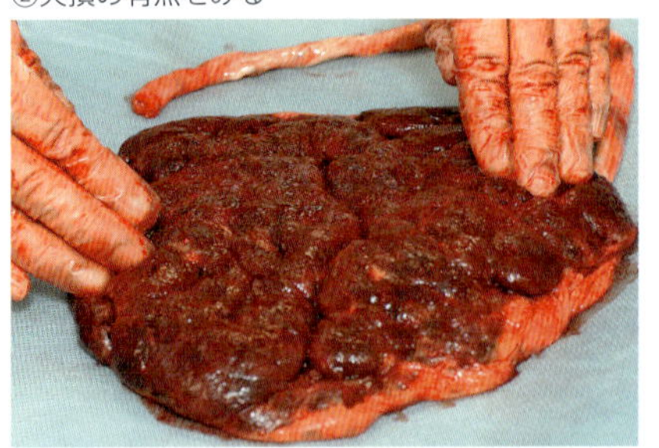 分葉をみる	▶ 胎盤実質の欠損はないか観察する 根拠 欠損がある時は子宮内への遺残が疑われる．子宮復古不全の原因になる ▶ 分葉を観察する．欠損の有無，分葉の裂溝の状態をみる 根拠 中央部に絨毛膜無毛部があって胎盤実質が環状を示すものを有窓胎盤といい，欠損と見誤りやすい
③石灰化の程度をみる	▶ 石灰化は満期を過ぎると急速に進む．生理的変化と考えられる コツ 石灰沈着は表面がざらざらした白色の粒子として触れる
④白色梗塞の有無をみる 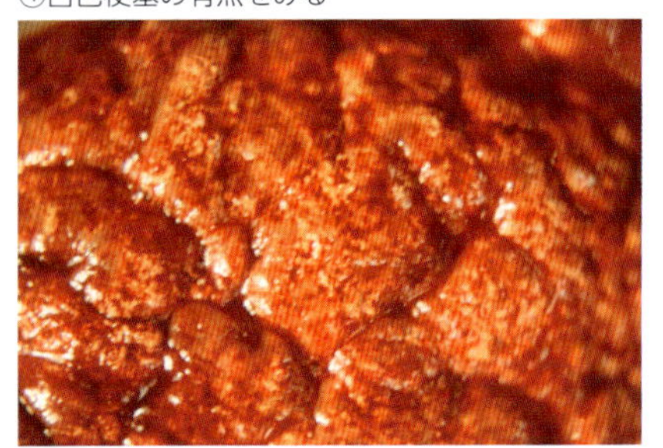 白色梗塞	コツ 白色梗塞は血流の障害によって絨毛細胞の変性と線維化が起こり，白い固まりとして触れる 根拠 白色梗塞は正常産の 1/4 に認められるが，小さなものを含めればほぼ全例に観察される[1]．ほとんどの場合，胎盤機能を障害するほどの影響はないが，重症例では，胎児発育障害，早産，胎児死亡の原因となる
⑤凝血，血腫の有無をみる	▶ 凝血，血腫があれば大きさを測る コツ 母体面の凝血は鑷子などで簡単に除去できる．胎盤後血腫は暗赤色の凝血塊であり，除去した部分は陥没している
⑥胎盤実質の軟らかさ，弾力をみる	▶ 胎盤実質の軟らかさを観察する．正常な胎盤は適度な弾力がある．硬くて弾力のないもの，水っぽくつぶれるものは異常である
《胎児面の観察を行う》 ①胎児面の色調をみる 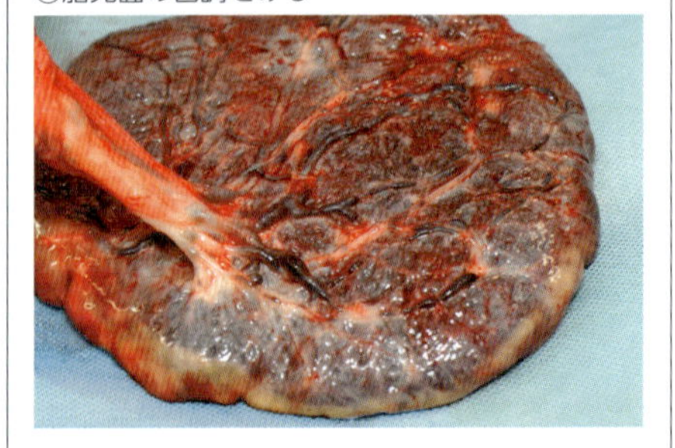	▶ 胎児面を上にして置き，色調を観察する 根拠 胎便汚染があれば黄染し，感染があれば不透明である

要点	留意点・根拠
②血管の走行分布をみる 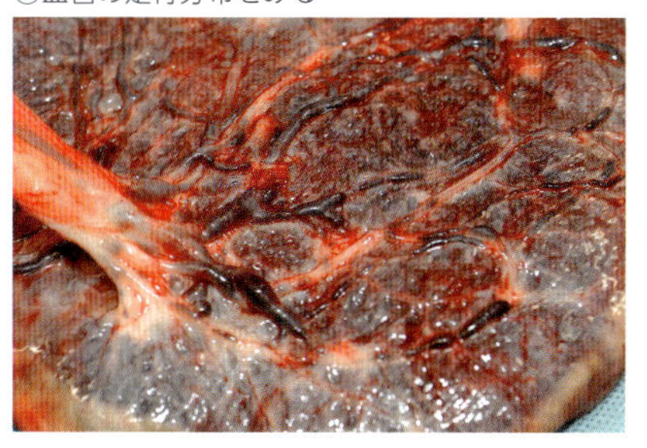	▶胎児面の血管の走行分布をみる．全体に血管が分布していればよい　根拠 臍帯付着部位で臍帯からの血管は分岐し，臍帯動脈は細く，太い臍帯静脈の上を越えて走る
5 卵膜の観察を行う ①卵膜の色をみる	▶卵膜は，淡灰白色の薄い透明な膜である 根拠 卵膜に胎便による黄緑色の着色がみられる時は，羊水混濁が発生してから比較的長くその状態が続いた証拠である
②卵膜の欠損の有無をみる 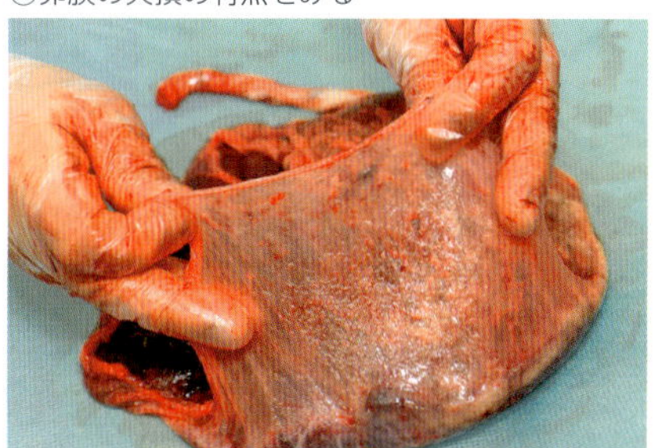	根拠 ほとんどの分娩で細かい卵膜の遺残がある．しかし，大きな遺残は子宮収縮を障害し，母体の予後に影響するので，欠損の有無の確認が必要である コツ 胎児面を底にして卵膜を引っ張り上げて袋状に整えてみるとわかりやすい
③卵膜の強度を確認する 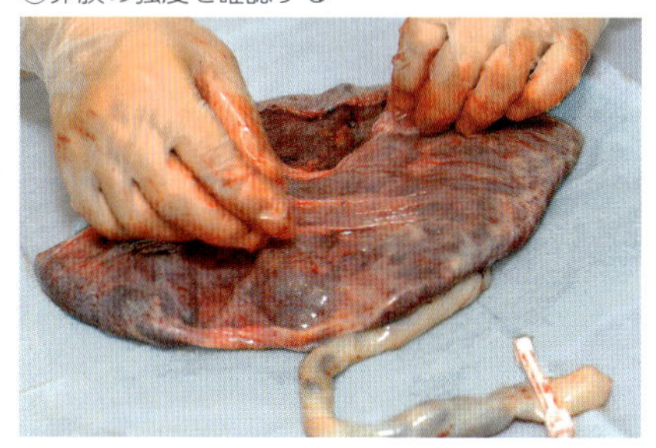	▶成熟胎盤では，絨毛膜と薄い羊膜の二層に容易に剥がすことができる．卵膜を左右に引っ張り，適度に弾力があり，容易に破れないことを確認する 根拠 脆弱な卵膜では子宮内に卵膜が残存しやすく，遺残の有無を確認しづらい．子宮の復古状態に注意する
④裂口の位置を確認する	▶卵膜裂口部と胎盤との最短距離を測定する 根拠 通常 9～14 cm くらいであり[1]，この距離が短いほど胎盤が低位置にあったと推測できる

要点	留意点・根拠
⑤卵膜の付着部位をみる 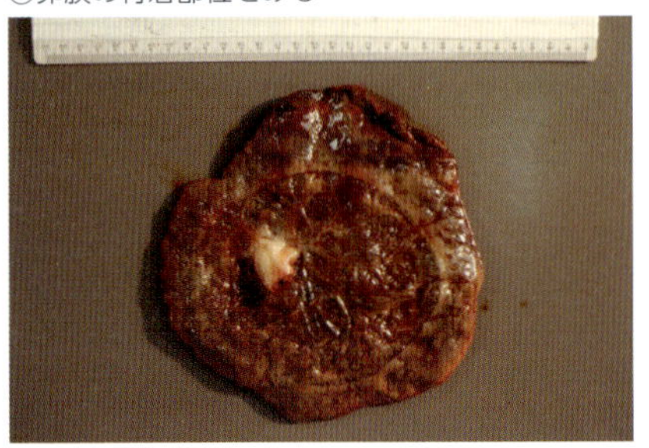 周郭胎盤	▶卵膜は通常，胎盤辺縁から始まるが，一部，胎盤組織が卵膜付着部を越えて突出している画縁胎盤と，卵膜が辺縁付近で二重に折り重なってひだ状になっている周郭胎盤がある **根拠** 周郭胎盤のうち臨床的意義があるのは，ひだ状の部分が全周にわたる完全周郭胎盤だけで，早産，胎児発育不全，常位胎盤早期剝離の頻度が高い．妊娠中にこれを鑑別することは難しく，出生後に胎児期の環境を推測する情報である
6 胎盤の計測を行う ①大きさを測る ・胎盤の長径を計測する 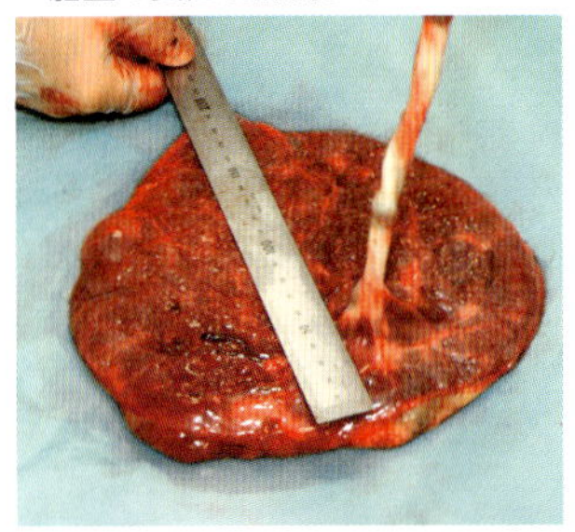 ・長径と直交する径を計測する 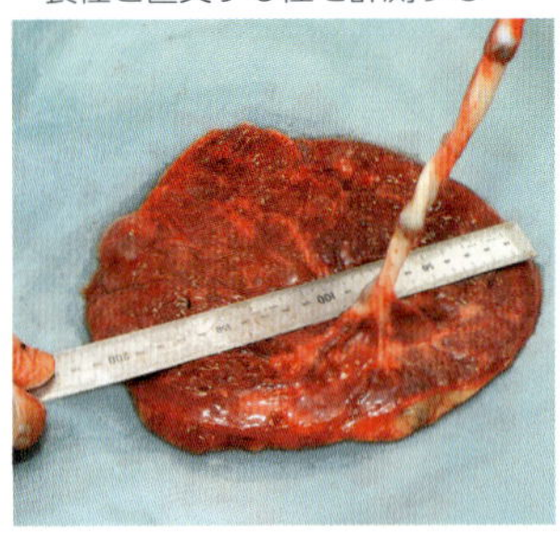	▶胎盤の長径とそれに直交する径を定規またはメジャーで測る **コツ** 副胎盤，二裂胎盤など，複数個の部分に分かれているものは，それぞれの部分ごとに計測する
②胎盤中央部付近の厚さを測る	**コツ** 胎盤計測用の定規で，一端が鋭角になっているものは，それを刺して目盛りを読む．定規がなければ，注射針など，先端の尖ったものを刺して厚さを測定することができる

要点	留意点・根拠
③重さを量る 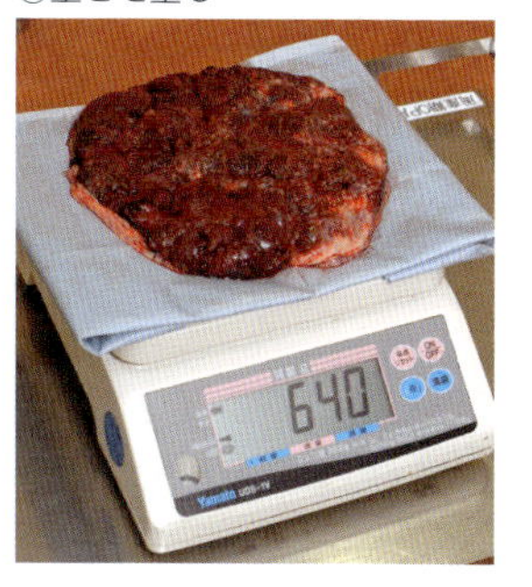 	▶ 胎盤実質から臍帯を切り取る．さらに胎盤の辺縁で卵膜を切り離す ▶ 適当な大きさのビニールシートに乗せて，あるいはビニール袋に入れて重さを量る 根拠 多くの施設では臍帯，卵膜をつけたまま測定しているが，本来は切り取って量るものである コツ 重量の測定を最後にすると手順がよい
7 双胎の胎盤の観察を行う ①胎盤の数を確認する 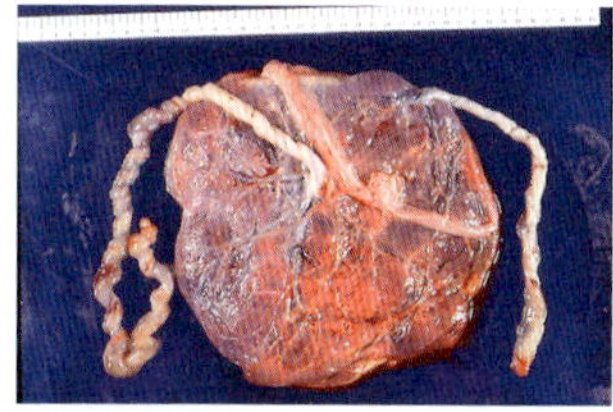 双胎胎盤の胎児面 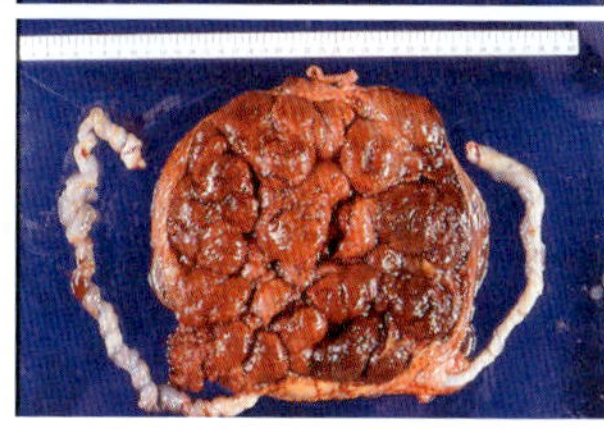 上の胎盤の母体面	根拠 胎盤が 2 個あれば，二絨毛膜二羊膜性の双胎である．この場合，一卵性か二卵性かの診断はできない ▶ 見かけ上胎盤が 1 個の時，胎児面の血管から色素薬を注入し，血管吻合の有無を確認する 根拠 血管の吻合が確認できれば，一絨毛膜性の双胎で，一卵性である コツ 色素薬がない時はミルクを代用してもわかりやすい ▶ 双胎間輸血症候群は胎盤が 1 個の時に起こる．児の子宮内環境を知る手がかりになる ▶ 三胎以上の時は，隣接する胎盤間で双胎に準じた手順で観察を行う 根拠 双胎間輸血症候群，二児の体重差が大きいディスコーダント・ツイン discordant twin の場合は，その後の管理に重要な情報となる
②胎盤の大きさ，重量を測定する ③隔壁の有無，あれば膜の種類と枚数を確認する 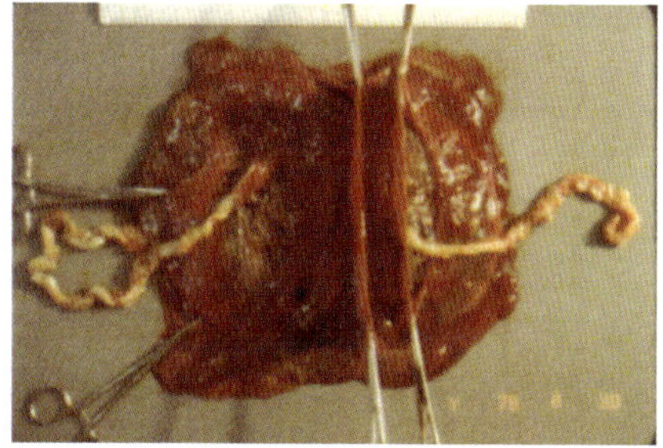 二絨毛膜二羊膜性双胎の胎盤	コツ 測定の手順は単胎に準ずる 根拠 膜性診断は妊娠初期に超音波診断によって行われ，妊娠中の管理をするうえで重要な情報となっている．出生後に胎盤の検索によって確認する ▶ 一絨毛膜一羊膜性の双胎では，結合体の発生，胎児相互の臍帯が絡まることによる子宮内胎児死亡が高率に発生するなど，予後が悪い ▶ 隔壁がなければ，一絨毛膜一羊膜性である．児の数と同じ数の胎盤があれば，二絨毛膜二羊膜性である コツ 三胎以上でも，双胎と同様に隣接する胎盤間で観察する

要点	留意点・根拠
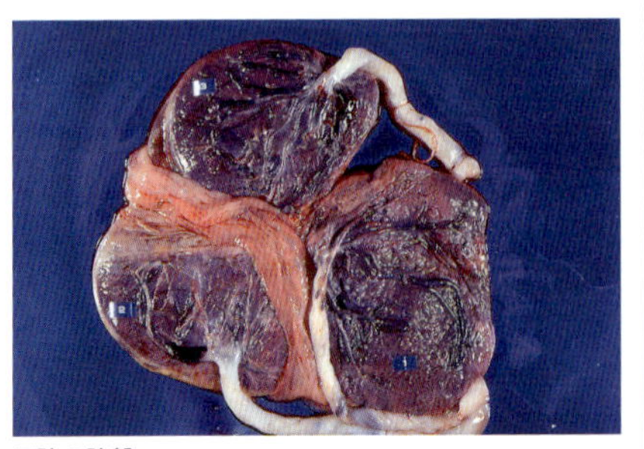 三胎の胎盤	
8 後始末をする ①胎盤の始末をする 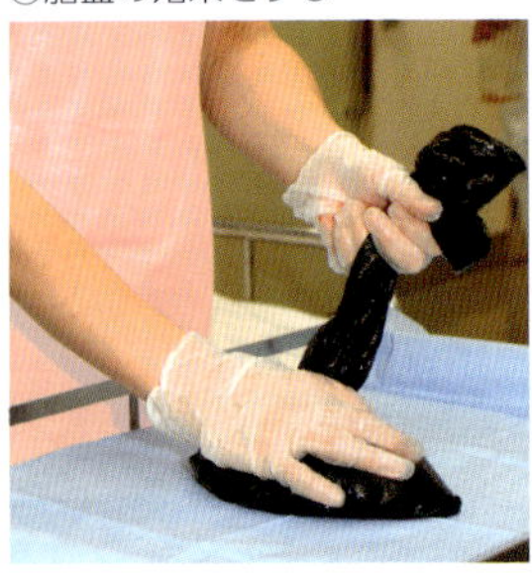 ビニール袋の口をしっかり閉じる	▶ビニール袋の口をしっかり閉じ，血液が流れ出ないようにして，所定の場所に捨てる **注意** 医療廃棄物として指定の業者に処理を依頼するのが一般的である **事故防止のポイント** 感染性廃棄物としての取り扱い方法を徹底する
②器具を洗浄し，消毒をする	▶使用した計測用具を洗浄し，血液を取り除く．必要があれば薬液で消毒する
③測定場所を洗浄し，清拭をする	▶測定した場所を洗浄，清拭し，血液を残さない **事故防止のポイント** 感染防止に努める
9 記録，評価をする ①肉眼的所見で異常がある時，必要なら病理検査を行う ②カルテ，助産録に記録する	**根拠** 産婦の氏名，分娩日時の基本的情報のほかに，新生児の体重，分娩時出血量，分娩時の異常および新生児の合併症は観察するうえで大切な情報である

評価

1 胎盤(表 1)

- 胎盤は，通常は子宮前壁または後壁の中央部を占める位置にあり，妊娠後期には全子宮内面のおよそ 1/4〜1/6 を占める大きさになる．臍帯，卵膜を含む全重量は胎児のおよそ 1/6 にあたる．

表1 胎盤の観察項目

胎盤実質所見	卵膜所見	臍帯所見
重量：　g 大きさ：　×　cm 厚さ：　cm 実質：普通・ぜい弱 形態異常：無・有(　　) 欠損：無・有(　　) 白色梗塞：無・有 石灰沈着：無・有 凝血付着：無・有	質：普・強・ぜい弱 裂口：中央・側方・辺縁 欠損：無・有	長さ：　cm 付着部：中央・側方・辺縁・卵膜 結節：無・偽・真 臍帯動脈：2・1 ワルトン膠質：良・細

2 臍帯

- 臍帯の長さは妊娠週数，児体重に関係する[2]．正常分娩では，長さは 50〜60 cm，直径 2 cm 以下である[1]．
- 過長臍帯の定義は明確ではなく，日本産科婦人科学会の用語集では 70 cm 以上としているが，80 cm 以上[3]，90 cm 以上[4]とするものもみられる．
- 過短臍帯も同様に，日本産科婦人科学会の用語集では，正常(50 cm)の 1/2 としているが，30 cm[4]とするものもある．

3 胎盤実質

- 成熟胎盤の形は，通常，円形から楕円形で，直径 20 cm 前後，厚さ 2 cm 程度である．
- 重量は臍帯，卵膜を含めると 500 g 前後で，これらを除くと 420 g くらいである[2,5]．胎盤重量の児体重に対するおよその比率は，胎盤実質重量だけなら 1/7，臍帯，卵膜を含む全重量なら 1/6 となる．

4 卵膜

- 卵膜は脱落膜，絨毛膜，羊膜からなる．
- 成熟胎盤では絨毛膜と薄い羊膜の二層に容易に剥がすことができる[6]．
- 画縁胎盤と周郭胎盤を絨毛膜外性胎盤といい，胎児面が狭くなり，妊娠中後期の外出血の原因となることがある．
- 双胎の膜性診断と卵性診断との関係は，表2のとおりである．

表2 双胎の膜性診断と卵性診断

膜性診断	胎盤	隔壁	卵性診断
一絨毛膜一羊膜	1個	なし	一卵性
一絨毛膜二羊膜	1個(完全に癒合)	あり(2枚の羊膜のみ)	一卵性
二絨毛膜二羊膜	見かけ上1個	あり(2枚の羊膜+2枚の絨毛膜)	決定できない
二絨毛膜二羊膜	2個に分離		決定できない

注1：胎盤所見とは別に，児の性別が異なる時，血液型が異なる時は，二卵性と診断できる．

●引用文献

1）竹村昌彦：胎盤・臍帯の異常，村田雄二編，産科合併症，pp.23-40，メディカ出版，2006
2）中山雅弘：第13章胎盤，臍帯の基準値，目でみる胎盤病理，pp.103-107，医学書院，2002
3）中山雅弘：第6章臍帯の観察とその異常，目でみる胎盤病理，p.51，医学書院，2002
4）相馬廣明：第6章臍帯，胎盤　臨床と病理からの視点，p.30，篠原出版新社，2005
5）中山雅弘：第2章2成熟胎盤の構造，目でみる胎盤病理，pp.11-13，医学書院，2002
6）相馬廣明：第6章臍帯，胎盤　臨床と病理からの視点，p.41，篠原出版新社，2005

●参考文献

・相馬廣明：胎盤の検査法，胎盤　臨床と病理からの視点，pp.7-18，篠原出版新社，2005
・中山雅弘：第1章胎盤の観察法と胎盤病理標本の作り方，目でみる胎盤病理，pp.1-5，医学書院，2002

4 産痛緩和

大林 陽子

目的

・産痛が緩和されることにより，産婦が分娩期を安楽にリラックスした状態で過ごせるようにする．産婦のもつ力を引き出し，疲労や体力の消耗を最小限にし，順調な分娩の進行につなげる．
・産婦が自己効力感をもち，分娩体験に満足を得られるようにする．また，家族がともに参加する場合，産婦との一体感や，産婦をサポートできた実感が得られるようにする．
・上記の目的で，体位の工夫，呼吸法，自律訓練法，漸進的リラクセーション(弛緩)法，イメジェリー(イメージ法)などのセルフコントロールによる産痛緩和法を産婦が自ら実施するのを援助し，タッチング，マッサージ法，圧迫法，罨法(あんぽう)などの身体的ケアによる産痛緩和法を提供する．

チェック項目 分娩の進行状態，産痛の部位と程度，産痛緩和法のセルフケア状況，産婦および付き添う家族の知識の程度(分娩の進行状態と産痛のメカニズム，分娩期の過ごし方，産痛緩和の必要性と方法)，および産痛緩和への意欲の程度，取り組む姿勢，バースプランの内容，出産準備教育の受講状況，妊娠中の産痛緩和法の練習状況，疲労および体力の消耗の程度，基本的ニードの充足状況

適応 分娩第 1～2 期で産痛のある産婦．自律訓練法，漸進的リラクセーション法，イメジェリーについては，妊娠中に練習していた産婦，あるいは，陣痛間欠時に方法，効果，注意点について十分な説明と練習する時間が確保できる産婦

注意 分娩進行を促進し，産婦の安楽が得られる方法を提案する．

事故防止のポイント 産婦の取り違え防止，臍帯下垂・脱出による胎児機能不全防止，転倒防止，熱傷・低温熱傷防止

必要物品

・アクティブチェア，クッション類，バランスボール，枕など
・温罨法(湯たんぽとカバー，温湿布，タオル，足浴容器と 38～40℃ の湯，精油など)
・冷罨法(氷枕とカバー，アイスノン，冷却パック，冷湿布，タオル，冷水，氷)

アクティブチェア

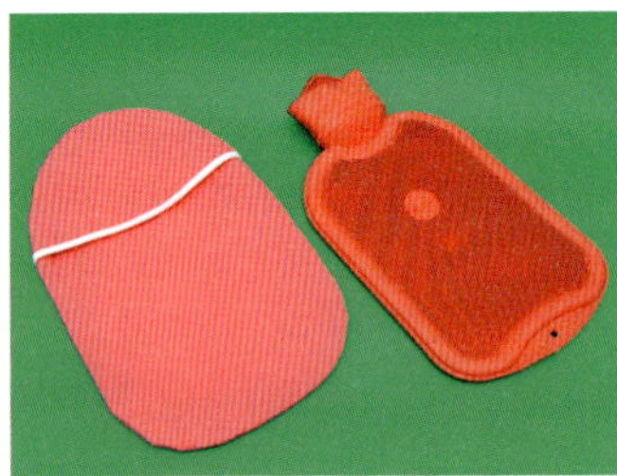
湯たんぽ(右)とカバー

アセスメント

手順

要点	留意点・根拠
1 産婦の状態を把握し，産痛緩和ケアの必要性を判断する	
①診療録(外来・入院)から産婦の情報を得る	▶事前に診療録(外来・入院)の内容を確認し，産婦の情報(年齢，妊娠・分娩歴の別，分娩予定日，妊娠経過中の異常と医師の指摘事項，感染症の検査結果，分娩の進行状態と胎児の状態など)を把握する
②産婦の氏名を確認し，自己紹介する	▶産婦の氏名をフルネームで確認する(ネームバンドがある場合，照合する)．また，自己紹介をし，

要点	留意点・根拠
	受け持つことを伝える．家族が付き添う場合，家族にも挨拶する **根拠** 付き添う家族に配慮する **事故防止のポイント** 産婦を取り違えない
③産婦の状態を観察・把握するとともに，産痛緩和ケアの必要性を判断する ・分娩の進行状態と産痛の部位と程度をアセスメントする ・産婦の産痛に関する知識の程度，産痛緩和のセルフケア状況，意欲や取り組む姿勢を観察・把握する	▶出産準備教育の受講の有無や妊娠中の練習状況を確認する **根拠** 産婦の状態を判断し，必要性に基づいたケアを調整する **コツ** 産婦が自分なりに実施している場合，それを認め，継続を促す．新しい提案をする場合，「もっと～するとよい」と伝える
・産痛やその緩和方法に対する産婦の考えや思い，バースプランの内容を確認する	**根拠** 産婦の意向に沿ったケアに努める
・産婦の疲労および体力の消耗の程度，基本的ニードの充足状況を観察・把握し，睡眠・休息と活動のバランスをアセスメントする	**根拠** 産婦の状態と分娩進行状態に応じたケアの内容を調整する **注意** 睡眠・休息が必要な場合，無理に産痛緩和を勧めず，睡眠・休息を優先する
④家族のサポート状況を把握する	▶家族の付き添いの有無を確認する．付き添っている場合，サポート状況（ケアへの参加の程度や産痛緩和法の実施状況）や思いを観察，把握する **根拠** 産婦が家族とともに分娩に取り組めるよう整える．また，家族が産婦をサポートできるよう調整する **コツ** 家族が実施している場合，それを認め，継続を促す．新しい提案をする場合，「もっと～するとよい」と伝える

セルフコントロールによる産痛緩和法（分娩第1～2期）

手順

要点	留意点・根拠
1 環境を整える ①産婦が過ごす室内の環境を整える 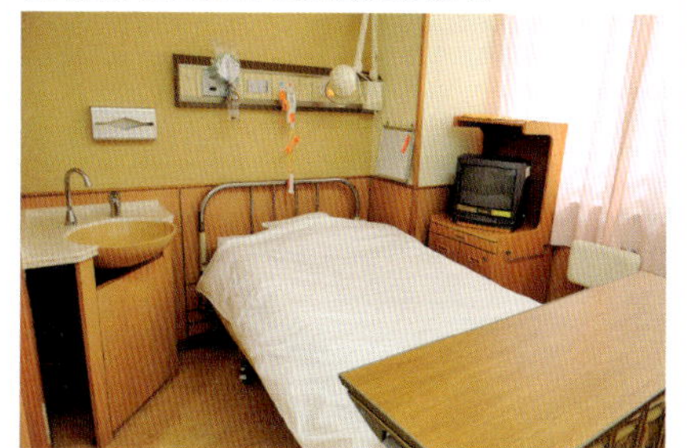	▶室内は室温21～26℃，湿度40～60%程度に調整し，風量，風向を適宜調整する **注意** 産婦の状態や好みにより個々に異なるため，産婦に確認しながら調整する ▶ベッド周囲を整理し，清潔に保つ

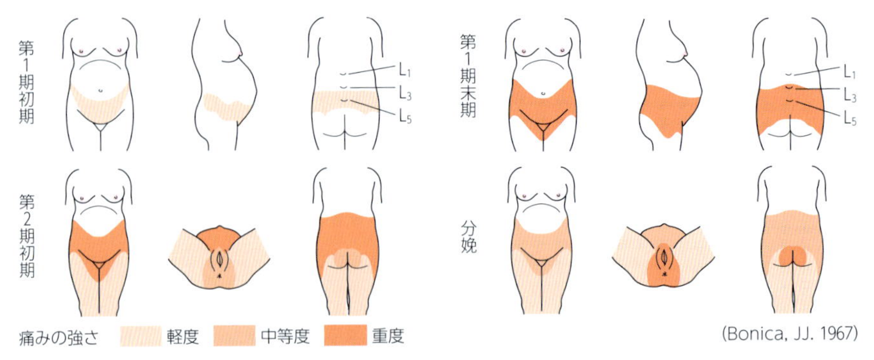

図1 **分娩進行に応じた産痛の部位**
村山陵子，松崎政代：助産学講座7 助産診断・技術学Ⅱ［2］分娩期・産褥期 第5版，図5-2 分娩進行に伴う産痛部位と強度の変化，p.139，医学書院，2013より一部改変

要点	留意点・根拠
②分娩の進行状態に応じた産痛のメカニズムや部位に関する知識を産婦に提供し，自身の状態を理解できるようにする ・分娩第1～2期に，産婦が自身の状態に応じた産痛緩和法を自ら実施してセルフコントロールできるようにする	▶観察・把握し，必要に応じた知識（主に現在の状態）を提供する 根拠 産婦がセルフケアに向けて，自分の状態を理解して対処できるようにする コツ 陣痛発作時は何らかの産痛緩和法を行っているため，間欠時に会話をする．産婦に知識がある場合，それを認める **《産痛のメカニズムと部位の変化》** **●産痛とは** 子宮とその支持組織，腟，会陰などの痛みの総称．分娩の進行（子宮口の開大や児頭の下降）とともに変化する（図1）．分娩時の子宮収縮や軟産道の開大，骨盤壁や骨盤底の圧迫，会陰の伸展による痛みで，個人差が大きく，社会・文化的背景や心理的要因により感じ方が異なる **●産痛のメカニズム** 子宮とその支持組織，腟，会陰などの痛覚が神経叢を経て腰髄や脊髄に入り，上行性に大脳皮質の痛覚中枢に伝達され，産痛として感じる
2 体位を工夫する ①産婦が状態に応じた安楽かつ分娩進行を促す体位を整えられるようにする	 左側臥位 クッションなどの利用

要点	留意点・根拠
・産婦が現在の体位をどのように感じているか観察，確認し，適切な体位であるか判断する	▶安楽かつ母児の状態に適した体位が望ましい ▶陣痛間欠時にそのままの姿勢で休息がとれると，より安楽に過ごせる
・産婦自身が安楽と感じる姿勢や体位をいつでも自由にとってよいこと，それが産痛を和らげることを伝える	▶自ら安楽と感じる体位を試したり，体位を調整したり変えたりするよう促す 根拠 産婦が自らセルフケアできるようにする 根拠 同一体位で過ごすことは特定部位の圧迫・緊張につながり，産痛を強く感じることがある ▶分娩監視装置を装着していても，自由な姿勢や体位がとれることを伝える
・体位の工夫は分娩の進行を助け，母児の状態が良好に保たれると説明する	▶仰臥位を避け，立位や側臥位(特に，陣痛発作時の下大動脈の圧迫を避ける場合は左側臥位)を勧める 根拠 仰臥位は増大した子宮が下大動脈を圧迫し，右心への静脈還流を減少させる．そのため心拍出量が低下して血圧が低下する(仰臥位低血圧症候群)ので避ける．また，陣痛発作時に下行大動脈が圧迫されて血液循環が損なわれ，気分不快が生じる 根拠 立位や座位は重力の作用により子宮収縮を増強させて陣痛の回数が増え，子宮頸管の開大につながる．立位時の歩行は分娩進行に効果がある 注意 破水後で児頭が骨盤内に陥入しておらず羊水漏出が著明な場合，また，臍帯下垂や脱出が予測される場合や胎児機能不全が予測でき，連続した観察が必要な時は，必要に応じて体位や体動を制限することもある．その際，産婦に十分説明し，産婦の協力を得る
・立位，座位，臥位のそれぞれの安楽な体位の工夫のためにアクティブチェアやクッション，バランスボール，枕などを用いて，様々な体位を産婦と相談し，整える	▶産婦が安楽と感じる体位を見いだせるように調整する．また，体位の工夫のための体動は，自由に動くことにより筋の緊張が和らぎ，重力の作用により順調な分娩の経過を促し，気分転換にもなる コツ 陣痛間欠時に体動を促す．様々な体位をとり，産婦に安楽の程度を確認する

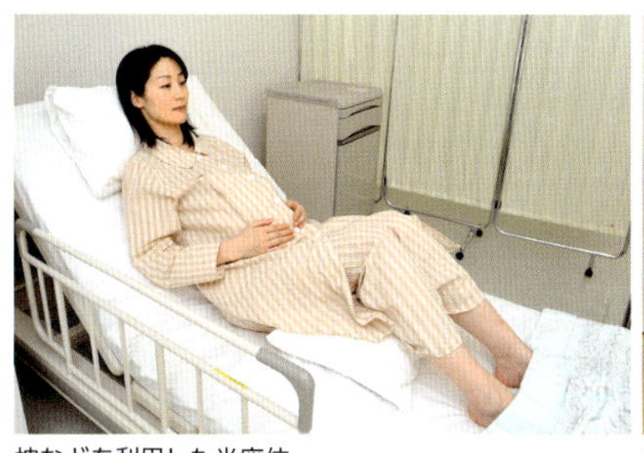

枕などを利用した半座位

アクティブチェアの利用

②家族が付き添う場合，産婦の体位の工夫に参加し，ともに調整できるようにする	根拠 家族が分娩に臨む一体感を得られるよう調整するが，産婦・家族の意向を尊重する

要点

3 呼吸法を実施する

①産婦が状態に応じた呼吸法を実施できるようにする

・産婦の呼吸法に関するセルフケア状況や思い，妊娠中の練習状況を観察，把握し，効果的な呼吸法を継続して実施できるようにする

・陣痛発作時の呼吸法の実施は副交感神経を亢進させてリラックス効果が得られ，また，筋肉の緊張を弛緩させると説明する

・分娩進行状態に応じて産婦が呼吸しやすい速さ(リズム)を勧めるが，できるだけゆっくりとした横隔膜を介した腹式深呼吸を勧める

腹部に両手を当てて腹壁の動きを確認し，腹式呼吸を意識するよう促す

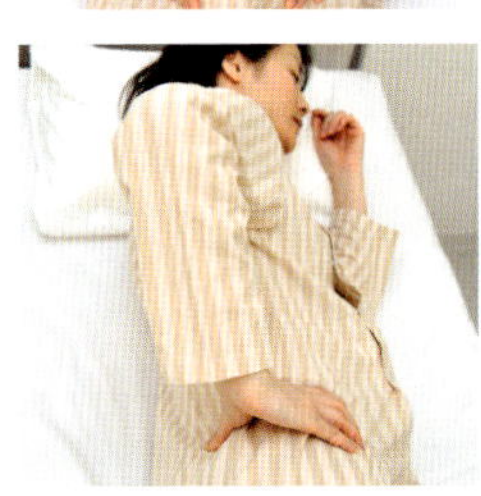

左側臥位で腸骨稜に手を当てて腹壁の動きを確認する

留意点・根拠

コツ 産婦が自分なりに実施していることを認め，継続を促す

根拠 呼気に集中したゆったりとした呼吸により副交感神経が亢進する

根拠 呼吸により筋の緊張が弛緩して産痛を緩和し，体力の消耗を最小限にする．また，呼吸に集中することが産痛への意識をそらして産痛を感じにくくする

コツ 吸気よりも呼気に意識を集中し，ゆっくり長く息を吐くよう促す

▶ 呼吸法に合わせてマッサージや圧迫法を取り入れるとより効果的であることを説明する 根拠 呼吸やマッサージに意識を集中して，産痛への意識をそらす

コツ 産婦が腹部に手を当てて腹壁の動きを確認し，腹式呼吸を意識できるよう促す．産婦や家族がマッサージや圧迫法を実施している場合，産婦の呼吸のリズムに合わせるよう促す

注意 過換気症候群が生じないよう，手足のしびれやこわばり，気分不快の有無や意識状態を観察する．症状がみられた場合は，意識してゆっくり呼吸したり，一時的に息を止めたりしてもらう．症状が落ち着いたらゆっくり休むよう促す

注意 口・鼻にペーパーバッグ(紙袋)を当てて，自分の呼気を再度吸ってもらうペーパーバッグ療法は，低酸素血症や高炭酸ガス血症を助長する可能性があるので，実施時は十分な観察が必要である

---

4 自律訓練法を実施する

①産婦が状態に応じた自律訓練法を実施できるようにする

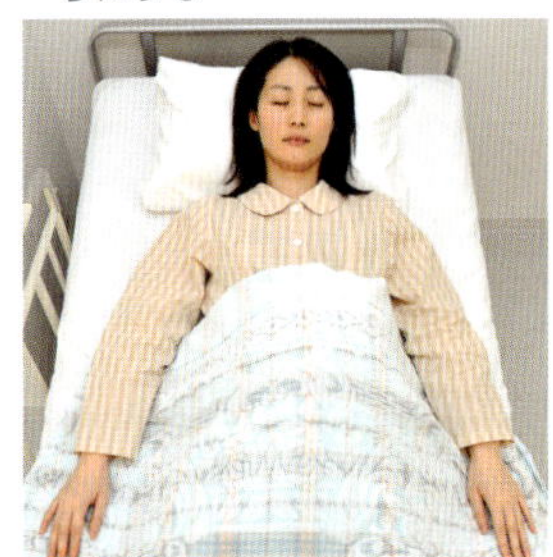

目を閉じて深呼吸を数回繰り返す

▶ 産婦の自律訓練法*1 に関するセルフケア状況や思い，妊娠中の練習状況を観察・把握し，効果的な自律訓練法を継続して実施できるよう環境を整える

コツ 産婦が自分なりに実施している場合，それを認め，継続を促す

*1 自律訓練法：決められた言語公式を頭の中で繰り返すことにより自己暗示と受動的注意集中を高めて，心身を緊張した状態から弛緩した状態へ誘うことを目的としたリラクセーション法

注意 産婦が妊娠中に練習していない場合，産婦に自律訓練法について十分な説明ができ，陣痛間欠時に何度か練習する時間が確保できることが望

要点	留意点・根拠
	ましい．その時間が確保できない場合，気持ちを落ち着けることが難しく，取り入れにくい
②静かで落ち着ける環境（薄暗いほうがよい）をつくる．産婦に腕時計やメガネ，装飾品，下着などの身体を締めつけるものを外すか緩め，排尿を済ませるよう伝え，安楽に感じる姿勢をとってもらう	根拠 リラックスし，安定して，自然な状態であることが満たされて，リラクセーション効果が得られる
③以下の一連の行動について，産婦ができているか，気持ちを落ち着かせて実施できるかを確認する	コツ うまく行えていることは認め，伝える．できていない場合は「もっと～するとよい」と伝える
・目を閉じて，深呼吸を数回繰り返す	根拠 気持ちが落ち着く
・「気持ちが落ち着いている」という言葉を，頭の中で自分のペースで何度も繰り返す	
・気持ちが落ち着いてきたら，注意を利き手に向けて（頭の中に利き手をイメージする），「利き手が重たい」という言葉を頭の中でゆっくりと3分くらい繰り返す（受動的注意集中）．次に，反対の手，両手，両足，両手両足と変えていく	根拠 利き手は四肢の中で最も敏感であるため利き手から始める コツ 「利き手が重たい」という感じは，手が膝の上にくっついてしまったような，下の方へ沈んでいくような感覚で，力が抜けてだらんとした感じと伝える．「重たい（重感覚）」に続き，「温かい（温感覚）」も取り入れて繰り返す
・消去動作として，やめる時には目を閉じたまま，両手を握ったり開いたりすることを3～4回繰り返すようはっきりした口調で伝える（グーパーグーパー……と声に出して促す）．続いて腕の曲げ伸ばしを4～5回行い，目を閉じたまま大きく背伸びをして，目を開けるよう伝える	
④陣痛発作時に受動的注意集中を高め，心身をリラックスするよう心の中で繰り返すこと，陣痛が治まる頃に目を閉じて深呼吸しながら気持ちを落ち着かせることを伝える	根拠 陣痛への過度な不安や緊張に対する逆制止のメカニズム，つまりリラクセーション反応を引き起こすことで不安や緊張を軽減する コツ 集中できない時は無理に勧めない．陣痛間欠時に効果を確認し，不安や緊張の緩和に効果があるようなら続けてもらう
5 漸進的リラクセーション法を実施する	
①産婦が状態に応じた漸進的リラクセーション法*2を実施できるようにする *2 漸進的リラクセーション法：全身の骨格筋に注意を向けることにより，緊張している状態と弛緩している状態の感覚を識別することによって段階的にリラックスする方法	▶産婦の漸進的リラクセーション法に関するセルフケア状況や思い，妊娠中の練習状況を観察，把握し，効果的なリラクセーション法を継続して実施できるようにする コツ 産婦が自分なりに実施している場合，それを認め，継続を促す 注意 産婦が妊娠中に練習していない場合，産婦に漸進的リラクセーション法について十分な説明ができ，陣痛間欠時に何度か練習する時間が確保できることが望ましい．その時間が確保できない場合，取り入れにくい
・静かで落ち着ける環境（薄暗いほうがよい）をつくる．産婦に腕時計やメガネ，装飾品を取り除いてもらい，衣服や下着はゆったりしたものを勧める．また，排尿を済ませて，安楽に感じる姿勢をとってもらう	根拠 リラックスできるように環境や身体の準備を整える
・目を軽く閉じて，しばらく深呼吸を繰り返すように促す	根拠 視覚を遮ることにより身体に意識を集中させやすくなる

要点	留意点・根拠
・身体各部（前腕・上腕の前面・後面，下腿・大腿部の前面・後面，殿部，腰部，腹部，胸部，肩，首，顔の前額部，眉間と目の周り，下顎，舌，口唇など）について，初めに5〜7秒間緊張させて，その感覚を確認する．その後，10〜15秒間力を抜き，リラックスした感覚との違いを意識するよう伝える	根拠 最初に緊張させるのは，身体にある自覚しないほどのわずかな緊張を知覚し，筋肉の緊張を意識してもらうため コツ 力を抜いた時は，リラックスした感覚を実感するよう促す．呼吸法を組み合わせ，息をゆっくり吐きながら，緊張させていた筋肉の力を抜くよう伝える
・前腕を緊張-弛緩させるよう伝え，以下の一連の緊張-弛緩の行動について，産婦の習得の程度を確認する	コツ うまく行えていることは認め，伝える．できていない場合は「もっと〜するとよい」と伝える
・方法：両手を軽く握って拳をつくり，その拳を内側に曲げて前腕外側部を5〜7秒間緊張させて，その後，息をゆっくり吐きながら力を抜いてリラックスした感覚を10〜15秒間味わうよう促す．同様に，両手を握って拳をつくり，そのまま手首を内側に曲げて前腕内側部を緊張させて，その後，緩める(a)	▶ 顔の中央の緊張-弛緩についても同様に確認する
・方法：まぶたをきつく閉じて，眉間や鼻，目の周りの筋肉を5〜7秒間緊張させて，その後，息をゆっくり吐きながら筋肉の力を抜き，10〜15秒間リラックスした状態を意識するよう伝える(b)	▶ 身体の力を抜いてリラックスした感覚を実感できるようになったら，陣痛発作後に意識してリラックスした状態をつくり，全身の筋肉を弛緩させるよう促す ▶ リラックスした状態が心身のエネルギーの消耗を最小限にして，出産までの体力を保持できると伝える 根拠 全身の筋肉を弛緩させてリラックスして過ごすことは，出産の生理的な機序を円滑に進める

a．両手を軽く握って拳をつくり，その拳を内側（体側方向）に曲げて，前腕外側部を緊張させる

b．その後，ゆっくり息を吐きながら力を抜いてリラックスする

コツ 陣痛間欠時に肩や上腕をさすり，筋肉の力が抜けているのを確認する．力が抜けていればそれを認め，リラックスできていることを伝える．緊張が残る場合はゆっくり息を吐きながら筋肉を弛緩させるよう声をかけたり，全身をさすりながらリラックスを促す

要点	留意点・根拠
6 イメジェリーを実施する	
①産婦が状態に応じたイメジェリー[*3]を実施できるようにする ＊3 イメジェリー：分娩への肯定的な考えをイメージして捉えることにより，心理的な安定と筋緊張を和らげる産痛緩和法	▶産婦のイメジェリーに関するセルフケア状況や思い，妊娠中の練習状況を観察・把握し，効果的なイメジェリーを継続して実施できるようにする コツ 産婦が自分なりに実施していることを認め，継続を促す 注意 産婦が妊娠中に練習していない場合，産婦にイメジェリーについて十分な説明ができ，陣痛間欠時に何度か練習する時間が確保できることが望ましい．その時間が確保できない場合，取り入れにくい
・イメジェリーはリラクセーションを介して大脳辺縁系に作用し，情動の意識化や精神的な洞察を高めて，さらに深いリラックスをもたらすと伝える	根拠 分娩への肯定的な考えをイメージして捉えることにより，心理的な安定や全身の筋肉の緊張が和らぎ，産痛が緩和される
・あらかじめ安楽な姿勢や体位を整え，リラックスしてもらう	▶産婦が安楽と感じる体位を自由にとってもらう
・産婦に目を閉じて，好きな情景やものを自由に思い浮かべてもらうよう伝える	▶誘導する場合，日常的な言葉を用いて，具体的・否定的な表現をせず，また自由にイメージしてもらう
・陣痛発作時に「子宮口の開大」「花（子宮口）が開く」「波が寄せたり引く」「赤ちゃんが下がる」「赤ちゃんを抱く」「大好きな場所」などをイメージしてもらう	根拠 子宮口の開大を花が開くように，また，陣痛を赤ちゃんに会える場所へ運んでくれる波（周期的に寄せては引く）のようにイメージすることで陣痛を赤ちゃんに会うためのよい波ととらえ，産痛を感じにくくする コツ 妊娠中にイメジェリーを練習していた場合，それを思い出すよう促すとともに，練習していた時と同様の音楽をかける
・陣痛間欠時には波が引くイメージをして，よい気持ちで深くゆったりとした呼吸に戻して全身を休めてリラックスする	コツ 呼吸法やリラクセーション法をあわせて行い，リラックスを促す
・産婦にイメジェリーによる産痛緩和の効果を確認しながら進める	コツ 産婦の意向に沿い，無理じいしない
7 家族をサポートする	
①家族も産婦が産痛緩和法を実施するのをサポートできるよう調整する	▶家族が産痛緩和法を取り入れセルフケアする産婦のそばに付き添い，見守り，時には呼吸法やリラックス法を産婦とともに実施したり，促す方法を説明する 根拠 付き添う家族の産痛緩和への参加は，産婦と家族の一体感を生み，産婦の満足感や家族の自己効力感を得られる コツ 家族の行うサポートが産婦の産痛緩和につながることを伝えながら，できていることを認め，継続を促す．また，産婦や家族の意向に沿い，無理じいしない．家族の疲労にも注意を向け，休息や食事が適宜とれるよう配慮する

身体的ケアによる産痛緩和法（分娩第1～2期）

手順

要点	留意点・根拠
1 タッチング，マッサージ法，圧迫法を行う ①タッチング，マッサージ法，圧迫法により心身の安楽が得られ，産痛が緩和されるようにする ・産婦のそばに付き添い，手を通じた身体的接触を図る 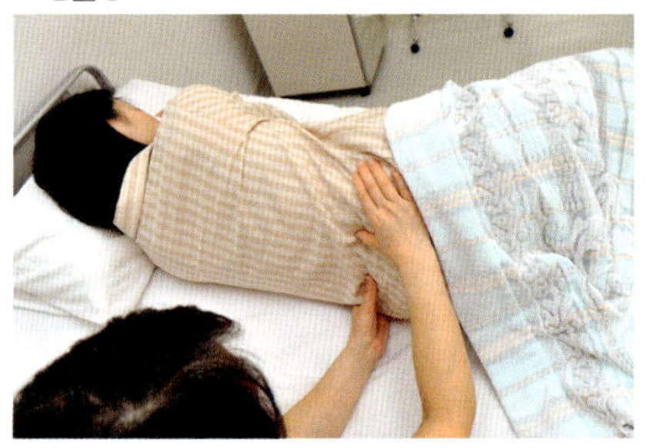 痛む部位を押したり，マッサージする	▶分娩第1～2期に，産婦の状態に応じた産痛緩和法を提供する ▶手を握る，肩や背中に手をそっと当てる，軽く叩く，軽くさする，軽くマッサージする，指腹や拳で押して圧迫する **根拠** ゲートコントロール説の感覚入力の伝達を抑えるL線維（太い神経線維）を刺激する．下垂体から鎮痛作用のあるエンドルフィンの分泌が促される
・陣痛発作時，痛みを感じる部位を手掌でやさしくマッサージしたり，少し力を入れて押さえながらなでる	**根拠** 手掌にはリラックス効果や癒す力がある．また，筋肉の緊張を和らげる **コツ** 産婦に部位や強さを確認し，産婦が心地よいと感じるケアを提供する **注意** 身体への接触を不快と感じ，触られたくない産婦もいるため，確認しながら行う
・陣痛発作時，痛みを感じる部位（腰背部）に母指や指先，拳や肘を当てて，身体の奥に届くようにしっかりと押したり，小さな円を描きながら押してマッサージする（図2）	**根拠** 身体の筋肉組織や骨に働きかける ▶産婦に部位や強さを確認して，産婦が心地よいと感じるケアを提供する
・経穴（ツボ）を押す（図3）	▶陣痛発作時，快痛部位〔腎兪(じんゆ)，志室(ししつ)，次髎(じりょう)〕の周囲に母指や指先，拳を当てて圧迫しながら刺激する．また，三陰交(さんいんこう)や合谷(ごうこく)を母指で圧迫して刺激する **根拠** 腎兪，志室，次髎は産痛を緩和し，三陰交や合谷は子宮収縮を強化して分娩を進行する効果があるとされる
・陣痛発作時にマッサージや圧迫法を呼吸法のリズムに合わせて行うが，陣痛間欠時には全身の力を抜いてリラックスを促す	▶陣痛間欠時には，力の入っている部分に手掌を当ててさすったりもみほぐしたりしながら，全身の力を抜いてリラックスするよう促す **根拠** 陣痛間欠時は緊張を和らげて体力の消耗を防ぐ **コツ** 緊張による力が入っていないか，手掌で確認しながらリラックスを促す

要点	留意点・根拠
2 罨法を行う ①産婦が罨法により心身の安楽が得られ，産痛が緩和されるようにする **《温罨法》** ・産婦に身体を温めることが全身の血流をよくして皮膚や筋肉温を上昇させて筋肉を弛緩させること，疼痛の閾値が上がることにより産痛を感じにくくする効果があることを説明する	▶温める方法には入浴，シャワー浴，足浴，部分的な温罨法があることを伝え，産婦が温罨法の効果や種類を理解し，自ら選択して実施できるようにする **根拠** 入浴は水の浮力により重力の影響を軽減させて筋緊張を緩和させる ▶産婦の理解度に応じて説明，補足する **禁忌** 破水している場合，上行性感染の予防のため入浴は実施しない
・入浴やシャワー浴の場合，分娩進行状態や実施状況，疲労状態を確認して可否を判断し，実施する	▶入浴中も陣痛発作時は呼吸法などで産痛の緩和を図り，間欠時に行動するよう伝える ▶逆効果となる疲労の増強や体力の消耗を避けるため，産婦の状態を的確に判断する

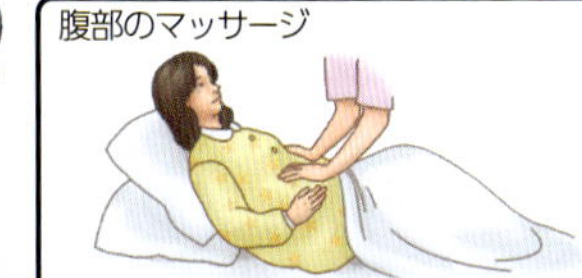

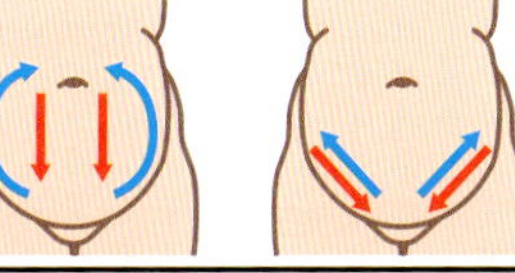

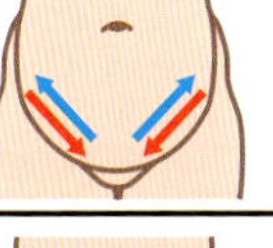

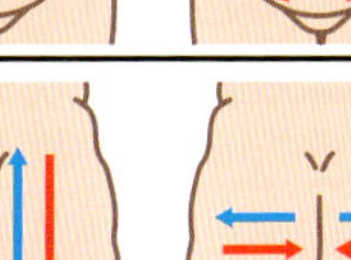

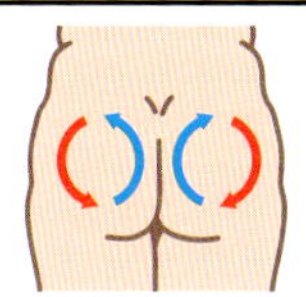

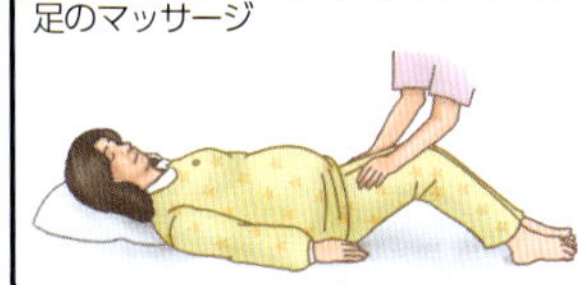

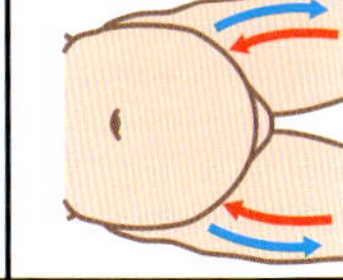

図2　**陣痛発作時のマッサージ法**
森恵美：系統看護学講座　専門分野Ⅱ　母性看護学2　第13版，p.228，医学書院，2016より一部改変

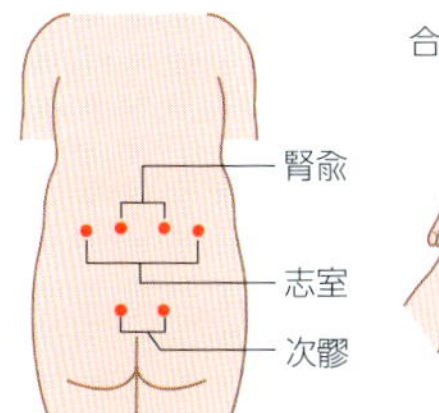

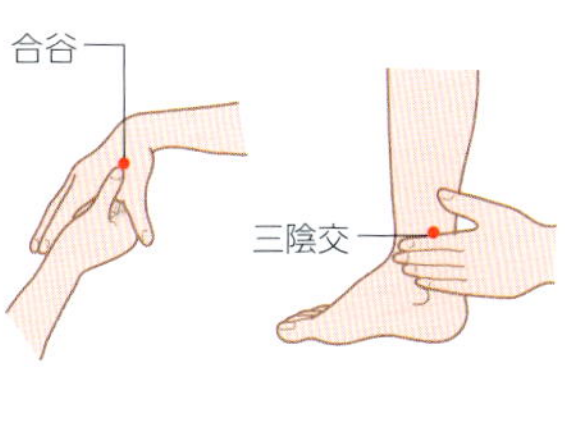

産痛緩和
- 腎兪：第2，3腰椎棘突起の間から外側に指2本のところ
- 志室：第2，3腰椎棘突起の間から外側に指4本のところ
- 次髎：第2後仙骨孔

子宮収縮促進
分娩促進
- 合谷：手背側の第1中手骨と第2中手骨との基底部の間
- 三陰交：下腿の内果から上に約4横指のところ

図3　**分娩第1～2期に用いられる経穴**
森恵美：系統看護学講座　専門分野Ⅱ　母性看護学2　第13版，p.226，医学書院，2016より一部改変

要点	留意点・根拠
	コツ 実施は産婦の意向に沿うが，状態に応じて必要な助言をする 事故防止のポイント 危険(転倒など)がないよう浴室内を整え，浴室に入る際にナースコールの場所や使用方法を確認してもらい，緊急時に備える
・足浴を行う場合，38～40℃の湯を準備する．体位は産婦が安楽な体位を整えるが，座位(ベッドサイド端座位，アクティブチェアに座った姿勢など)で行うと短時間で行え，産婦の身体への負担も少ない	▶終了後は足部の水分をしっかり拭き取り，冷やさないようにする コツ 湯温は産婦の好みを確認して調節する．かかとからくるぶしをマッサージしたり，三陰交を圧迫する 根拠 身体全体のリラックスをもたらし，分娩を進める効果がある 事故防止のポイント 終了後は床を拭き，水分が残っていないことを確認し，転倒を防止する
・湯たんぽや温かい濡れタオル(温湿布)を準備し，腰背部や足部に部分的に貼付する	▶皮膚に直接当たらないよう湯たんぽカバーや乾いたタオルでくるむ コツ 産婦に産痛を感じる部位を確認し，心地よいと感じる部位に貼付する．また，温度も産婦の好みに応じて調節する 事故防止のポイント 貼付前に表面温度を肘の内側で確認し，熱傷を予防する．また，長時間貼付する場合，低温熱傷に注意する
《冷罨法》 ・身体を冷やすことは感受性を低下させ，麻痺による求心性神経の刺激伝達を遅らせて産痛を感じにくくする効果があることを説明する	▶冷やす方法にはアイスノンや氷枕，冷却パック，冷水・氷水に浸したタオル(冷湿布)などがあると伝える 根拠 産婦が冷罨法の効果や種類を理解し，自ら選択し，実施できるようにする コツ 産婦の理解度に応じて説明・補足する
・産婦の意向を確認し，氷枕や冷却パックを準備する	▶皮膚に直接当たらないよう氷枕カバーや乾いたタオルでくるむ ▶産婦に産痛を感じる部位を確認し，心地よいと感じる部位に貼付する．また，温度も産婦の好みに応じて調節する 根拠 柔らかい冷湿布を子宮の上部や下部の部位に当てると産痛が緩和される 注意 **冷やすことで時に産婦の全身の体温が低下し，悪寒を生じることもあるため注意する．その場合，冷罨法を中止して，身体を温める**
3 アロマセラピーを行う ①アロマセラピーにより心身の安楽を得て，産痛が緩和されるようにする	
・精油の香りにより心身の緊張が和らぎ産痛が緩和すること，リラックス効果が得られることを産婦に説明する．妊娠中から用いたり，持参している精油があれば使用を促す	▶特に希望がなければ，精油は施設にあるものを用いる ▶産婦の理解度に応じて説明，補足する．分娩時にはラベンダー，ローズ，レモングラスなどを用いる
・経皮的な効果を得るため，入浴の際は浴槽に湯を張り，精油を入れ，湯によく溶けるよう十分にかき混ぜる(精油は水面に浮かび，揮発性があるため)．足浴や温湿布など，温罨法で用い	根拠 精油は皮膚や粘膜から吸収されて作用する．また，脂溶性のため脂質に富む細胞膜を通して吸収される．嗅覚が刺激され大脳辺縁系に作用して心身のバランスを整え，リラックス効果が得

要点	留意点・根拠
る湯に精油を数滴たらす	られる コツ 精油の量が多すぎると匂いの刺激が強すぎて不快になることがある．精油は少量ずつ加え，産婦に確認しながら調節する
・精油をアロマポットで焚き，室内にくゆらせて芳香として利用する	▶産婦の好みに応じて調節する
4 家族をサポートする ①家族も産婦が産痛緩和法を実施するのをサポートできるよう調整する 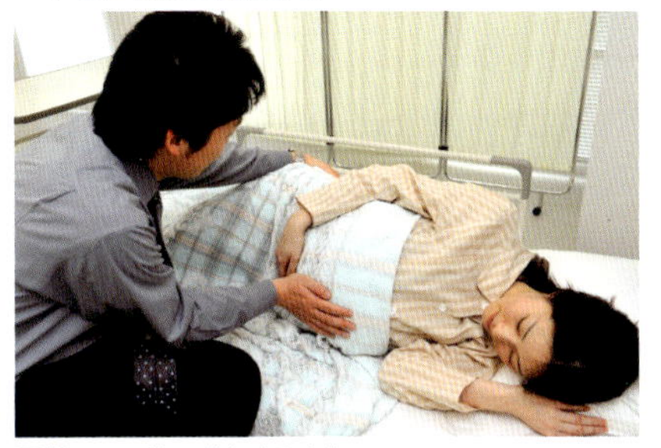 腰部のマッサージをする家族	▶家族も産婦のそばに付き添い，見守り，時にはタッチングやマッサージ・圧迫法を産婦に実施するよう促す　根拠 付き添う家族の産痛緩和への参加は産婦と家族の一体感につながり，産婦の満足感や家族の自己効力感が得られる ▶家族の行うサポートが産婦の産痛緩和につながることを伝えながら，できていることを認め，継続を促す．また，産婦や家族の意向に沿い，無理じいしない．家族の疲労にも配慮し，休息や食事が適宜とれるよう配慮する
5 観察し，ケアに関する結果を記録する ①産婦の状態，産痛緩和法の実施状況を観察し，記録する	▶産婦の分娩進行状態や一般状態，産痛緩和法のセルフケア状況，家族のサポート状況を観察し，提供したケアに関する結果を記録する

●文献

1）我部山キヨ子，武谷雄二編：助産学講座 7　助産診断・技術学 II［2］分娩期・産褥期　第 5 版，pp.136-147，医学書院，2013
2）森恵美：系統看護学講座　専門分野 II　母性看護学 2　第 13 版，pp.221-240，医学書院，2016
3）荒川唱子他編：看護にいかすリラクセーション技法　ホリスティックアプローチ，pp.30-52，65-75，医学書院，2001
4）カール・ジョーンズ，清水ルイーズ監訳：改版　お産のイメジェリー，メディカ出版，1997
5）ジャネット・バラスカス，佐藤由美子他訳：ニュー・アクティブ・バース［改訂版］，現代書館，2000

第3章
褥婦のケア

1
褥婦のアセスメント

1 インタビュー(問診)

永澤 規子

目的 産褥期の退行性変化・進行性変化を阻害する因子が存在していないかを把握する.

1. **身体因子**
   産後の母体の健康状態をインタビューから(視診・触診・諸計測と合わせて)アセスメントする.
2. **心理・社会的因子**
   褥婦が妊娠期から分娩期の振り返りを行うことで,自己の心理・社会的状態を客観的に評価するための支援をする(バースレビュー).

チェック項目 基礎疾患の有無と内容,妊娠期の異常の有無と内容,分娩時の異常の有無と内容,新生児のウエルネス低下の有無と程度,産褥期の身体状況の変化,異常の有無と内容,褥婦の心理状態,家族の支援状況

適応 すべての褥婦

禁忌 健康状態が悪化し,インタビューに応じられない状態の褥婦には行わない.

注意 プライバシー保護の遵守

事故防止のポイント 個人情報の漏洩防止

必要物品 診療録,看護記録(外来・入院カルテ),筆記用具

インタビューの準備

手順

要点	留意点・根拠
1 インタビュー前の情報収集をする ①診療録・看護記録から情報を把握する 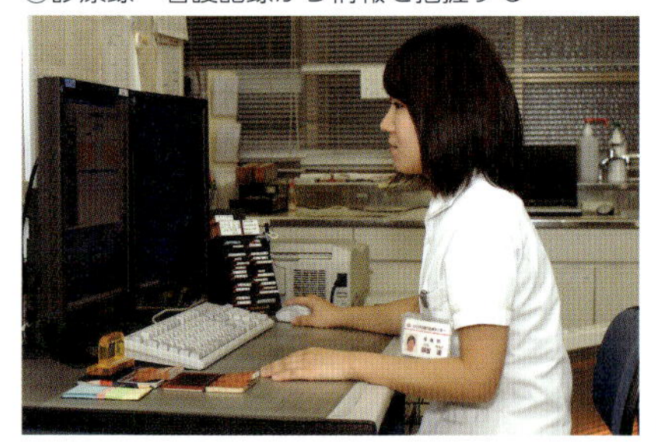	▶次の記録から妊娠・分娩各期の情報を収集する 妊娠期:産科外来診療録,保健指導の受講状況(入院していた場合は,入院時の診療録・看護記録も含める) 分娩期:パルトグラム,助産録,医師の診療録 産褥期:診療録,看護記録 **根拠** 基礎疾患や妊娠・分娩期の経過の異常は,退行性変化や進行性変化を遅らせる.インタビュー前に記録から情報を収集し,その内容を知ることで,インタビューを効果的・効率的に行うことができる(表1) **注意** 診療・看護上知り得た褥婦の情報は,たとえ家族であっても本人の許可がなければ,提供できない.プライバシーの保護を遵守する
2 インタビューの環境を整える ①プライバシーが守れる環境を整える	**根拠** プライバシーが守られることで,褥婦が周囲に気兼ねすることなく,自己の身体的問題や育児に対する不安などを話すことができる
②インタビューを行う場所の空調・音・照度を褥婦の好みに合わせる.また,体調に合わせて褥婦の体位を整える(仰臥位,セミファウラー位,側臥位,座位など)	**根拠** 褥婦が身体的不快を感じないようにすることで,インタビューによる負担を与えないようにする ▶インタビューは長時間にならないようにする

表1　情報収集のポイント

身体的情報	非妊時	①基礎疾患の有無と内容・程度 ・妊娠に影響する基礎疾患：産婦人科疾患(子宮筋腫，子宮奇形，卵巣囊腫)，膠原病，甲状腺疾患，糖尿病，心臓疾患，腎臓疾患など
	妊娠期	①産科合併症の有無と内容・程度 ②基礎疾患の増悪の有無と程度 ③妊娠期の母子のウエルネス
	分娩期	①分娩時の異常の有無と内容 ・早産の有無(分娩時の妊娠週数)，遷延分娩，急速遂娩の有無と内容，異常出血の有無と程度 ②分娩による母体損傷の内容 ・頸管裂傷，会陰裂傷，腟壁裂傷，会陰切開，脱肛，痔核 ③新生児のウエルネス
社会的情報		①婚姻状況 ②経済状況(配偶者・パートナーの職業，褥婦自身の職業の有無，医療費の支払い状況) ③妊婦健診の受診状況，保健指導の受講状況 ④育児支援者の有無
心理的情報		①妊婦健診時の言動・表情 ②分娩期の不安の表出状況，言動・表情 ③家族の表情・態度，面会状況

表2　インタビューの要点

身体的疼痛・苦痛に関する内容	進行性変化に関する内容
・分娩損傷部位の疼痛の程度 ・脱肛・痔核のある場合，その疼痛の程度 ・子宮収縮痛の程度 ・腰痛の有無と程度 ・排尿時痛の有無と程度 ・分娩からの疲労回復感 ・体動時の筋肉痛の有無と程度	・授乳回数，授乳間隔 ・乳頭・乳房痛の有無と程度 ・乳房の緊満感・熱感の有無と程度 ・授乳に関する疑問点の有無と程度
退行性変化に関する内容	**基本的日常行動に関する内容**
・悪露の量・性状 ・子宮底長について(看護師も触診して確認するが，褥婦も自身の身体的変化が観察できるように指導する)	・食欲，食事の摂取量 ・睡眠状態 ・排尿・排便の状態
	心理的変化に関する内容
	・新生児に対する感情 ・母乳育児への意欲の変化の有無や内容 ・退院後の育児への不安の内容

要点	留意点・根拠
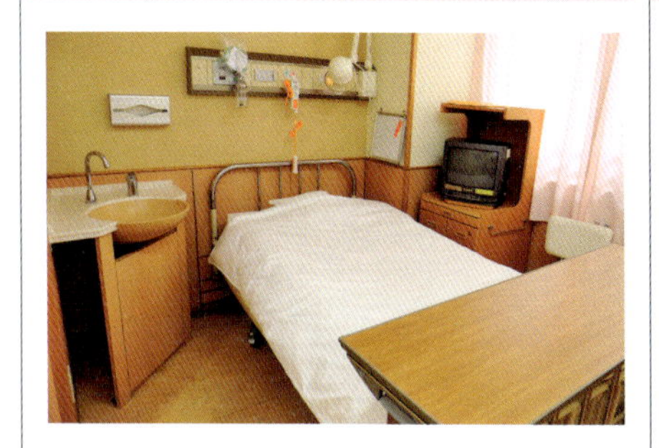	▶日々のケアに必要なポイントを押さえて行う(表2) 根拠 要点を押さえて，長時間のインタビューを避けることで，褥婦に心身の負担をかけないようにする コツ インタビューは，日々，褥婦の状態を把握するために必要である．特別な内容に関しては，時間と場所を準備して行うこともあるが，前述のようにプライバシーが守れて，褥婦がリラックスして話せるタイミング(授乳介助，悪露交換，検温時など)を見計らって負担を感じないように行う．インタビューを行うタイミングに合わせて，産褥日数によって起こりやすいトラブルを予測して，半構成的インタビューを行うと効果的である

インタビューの実際

手順

要点	留意点・根拠
1 分娩直後の問診を行う ※分娩後の処置が終了してから病室に戻るまでの時間に，分娩台で臥床したままで行う	
①身体的疼痛，不快感(創痛，後陣痛など)はないか，それは我慢できる範囲であるかを問診する	根拠 身体的疼痛や不快感が強いと母子同室・母乳育児推進を阻害する．また母親の安静も保たれず，疲労回復が遅延する可能性があり，そのことにより退行性変化，進行性変化が順調に進まない
②インタビューに対する受け答えの様子を観察する	根拠 受け答えの様子から身体的苦痛，不快感の程度が観察できる
③バースレビューを行う．妊娠中に自己が考えた分娩期のバースプランが達成できたかを振り返る	根拠 分娩期のバースプランが実践できていると，分娩に対する褥婦の満足感が高まり，その後の育児を肯定的に行える
④母乳育児に対する意欲を確認する 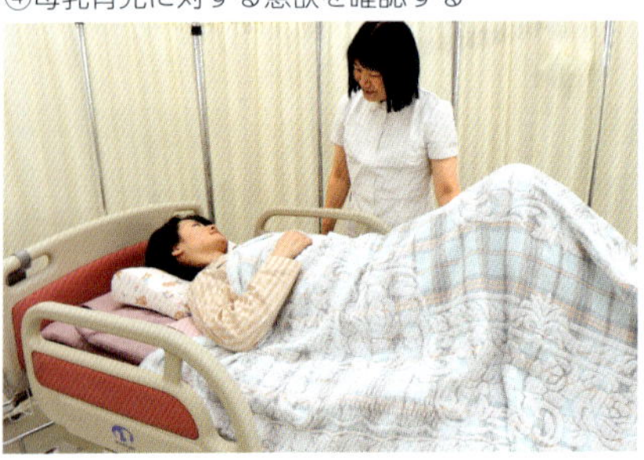	根拠 妊娠中から，母乳育児に対する意欲を確認しておくことが多い．分娩直後，新生児誕生で母親としての感情が高まっている時に，母乳育児に対する意欲を再確認することで，意欲がより高まる．あるいは母乳育児に消極的であった母親に意欲が出てくる場合もある コツ 母子に健康上の問題がなければ，授乳している時にインタビューを行うと，母親はリラックスして答えやすい 注意 褥婦の身体的苦痛や疲労感が強い場合は，分娩直後のインタビューは行わない 緊急時対応 インタビューの様子で，身体的異常が観察された場合は，すぐに医師に報告し，診察が受けられるようにする
2 帰室後(から産褥3日目まで)の問診を行う ※病室や授乳室で，悪露交換時・検温時などに行う	
①身体的疼痛，不快感の有無と内容，睡眠・休息の状態，新生児のケアに関する不安や疑問などについて問診する 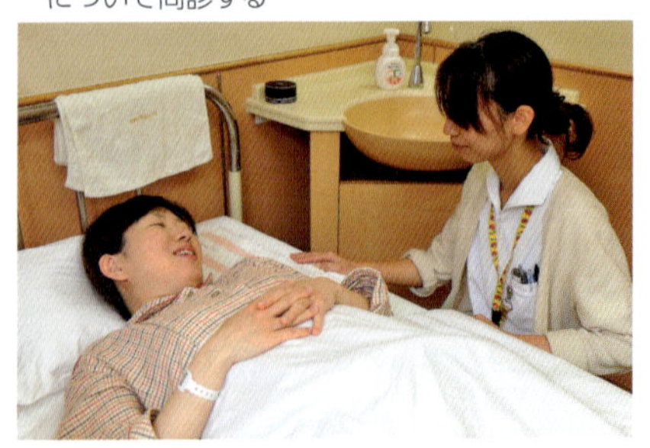	根拠 産後の身体回復，母乳育児の阻害因子の有無を的確に把握することで，阻害因子を排除する支援を早期に行うことができる．早期介入が身体回復，母乳育児を推進する コツ 一度にすべてをインタビューすると褥婦が疲労する．また経過の中で，褥婦の心身の変化に応じた内容にするため，インタビュー内容と適切な場を判断して行う〔例：授乳室(進行性変化に関すること)，悪露交換・検温時(身体的疼痛・苦痛に関すること，退行性変化に関すること)〕 注意 病室が大部屋でプライバシーに配慮しにくい場合は，インタビューの内容に注意する．プライバシー性の高い内容をインタビューする場合には，個室を用意し，大部屋では聞かない．褥婦の様子から答えたくないことを察知した場合(表情・言動などから)は，無理に聞かない

要点	留意点・根拠
3 退院前日の問診を行う ①退院前日に退院後の身体的不安，母乳育児に関する不安，心理・社会的問題がないかを把握する ・インタビューの時間を設ける 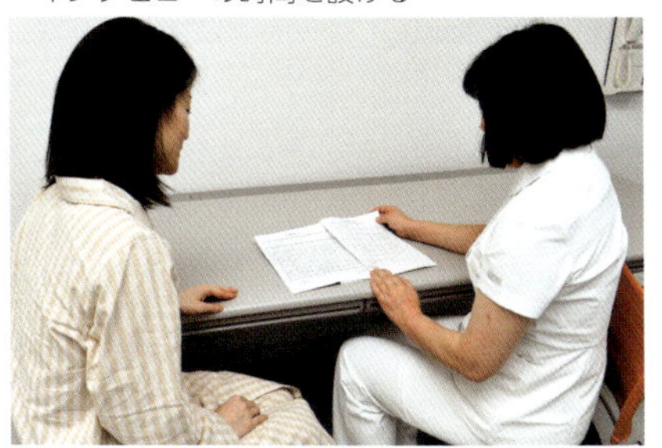	▶インタビュー内容は，帰室後から産褥3日目までの内容に加えて，退院後の育児支援の体制，母乳育児に対する不安，再度のバースレビュー，今後の社会的役割などについて聞く **根拠** 時間的余裕をもってインタビューすることで，褥婦の不安，心理・社会的問題を引き出しやすい **注意** 褥婦の様子から答えたくないことを察知した場合（表情・言動などから）は，無理に聞かない **コツ** 退院後も支援すべき内容があると予測された場合（家族構成，経済状況，母乳育児の進行状況，育児行動の習得状況，言動・表情など）は，フォローアップのため産後2週間程度で来院してもらったり，電話訪問したりする．また産後1か月健診時も看護師の保健指導を受けるようにアドバイスする

2 バイタルサイン

永澤 規子

目的 バイタルサインの測定を行い，測定値やその変化を観察することで，褥婦の全身状態を把握する．

《バイタルサイン測定間隔の目安》

1. **経腟分娩の場合**：バイタルサインの測定は，分娩直後，分娩1時間後，2時間後（分娩室から病室に帰室する時），初回歩行時（胎児娩出後6〜8時間）に行われる．その間に異常がなければ，産褥1日目から退院時までは1日3回（朝，昼，夜）の測定が行われる．
2. **帝王切開の場合**：バイタルサインの測定は，手術室からの帰室直後に行い，その後15分，30分，1時間，2時間の間隔で測定する．以降は，翌日の回診時までは，2時間間隔で測定する．なお，帝王切開帰室後から翌日の回診までは，生体情報監視装置を装着し，心拍数・呼吸数（機器に機能があれば経皮的酸素分圧）を継続的に管理することが多い．バイタルサインの測定値やその変化，出血量などの問題がなければ，その後は，1日3回（朝，昼，夜）の測定が退院まで行われる．

チェック項目 脈拍，呼吸数，体温，血圧

適応 すべての褥婦．身体状態に合わせて計測回数を決める．

注意 生活行動の影響を最小限にするよう注意する（体温以外のバイタルサインは，活動による変化を起こしやすい）．分娩様式や産褥期であることを考慮して結果を判断する（手術後は，身体的侵襲によるバイタルサインの変化がある．また産褥早期は，分娩時の努責などによる軽度の発熱が観察される場合がある）．

必要物品 体温計，自動血圧計，聴診器，ストップウォッチ，継続モニター装置（生体情報監視装置：手術直後や異常出血，妊娠高血圧症候群などで，循環動態の管理が継続的に必要な場合は，モニターを装着してバイタルサインの観察を継続的に行う）

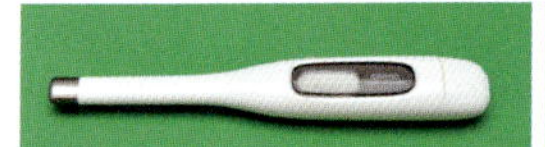

体温計

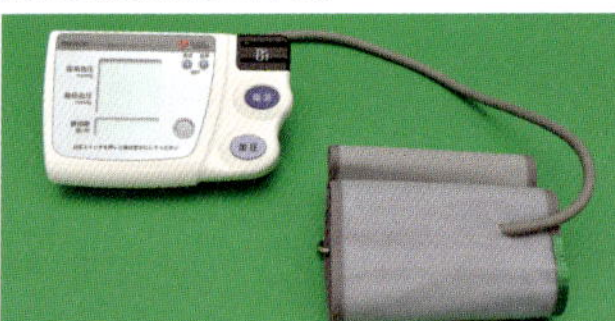

自動血圧計

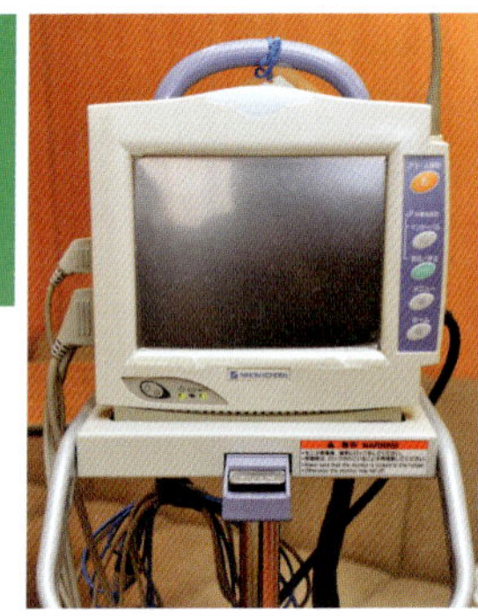

生体情報監視装置

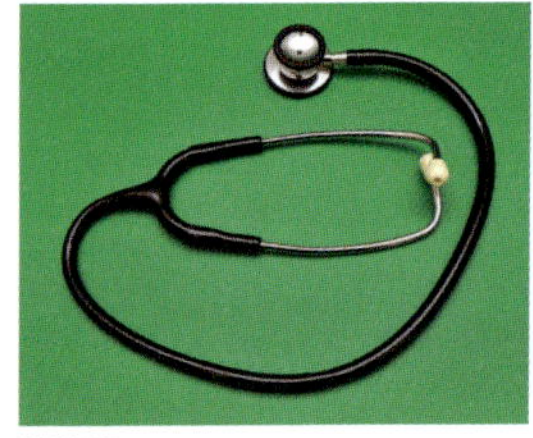

聴診器

ストップウォッチ

手順

要点	留意点・根拠
1 血圧測定を行う ①必要物品を準備する ・事前に血圧計が正確に作動することをチェックする	**根拠** 測定時に不具合がわかると，再度の物品準備が必要となり，スムーズに測定できないことで，褥婦に負担を感じさせる ▶水銀の有毒性の問題から水銀血圧計は使用されなくなった．自動血圧計のメリットは，血圧測定

要点	留意点・根拠
	に看護師の手がとられないので，その間に他の観察ができること，緊急時などでも迅速な対応ができることである
②褥婦に血圧測定の目的を説明する	根拠 説明することで，測定の必要性を理解し，協力が得られる
③測定する ・上腕にマンシェットを巻く ・以降の測定手順の詳細は p.8「第 1 章-1【2】バイタルサイン」参照 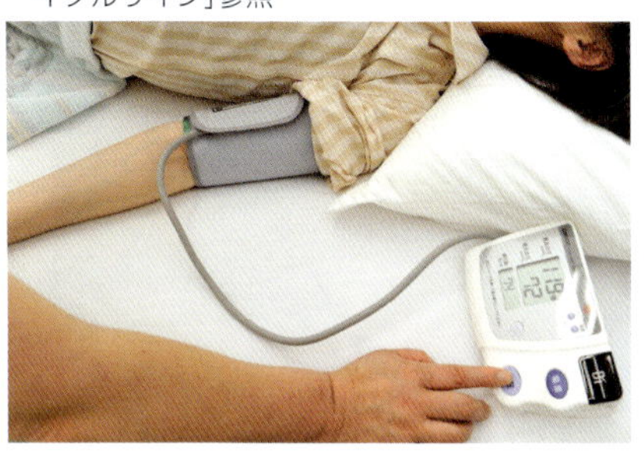	注意 点滴刺入側では測定しない（血液が逆流し，点滴チューブが閉塞する原因となる）．また，産科では少ない事例だが，乳がん手術後の患側上肢，人工透析の内シャントがある上肢，麻痺のある上肢では測定しない 根拠 上肢を加圧することで，上肢の損傷やシャントの閉塞を起こしたりする場合がある ▶自動血圧計の機器によっては，褥婦の前回の収縮期血圧値よりもやや高い値（20 mmHg 程度高値）に設定しておくとよい 根拠 上肢を圧迫する圧力を最小限にすることで，上肢圧迫による褥婦の不快感を軽減する コツ 正確に測定するため，ベッド上安静時に測定する．動いたあとは血圧が上昇することがある．通常，血圧は起床後，活動を開始する前に測定する
④測定部位の観察をする 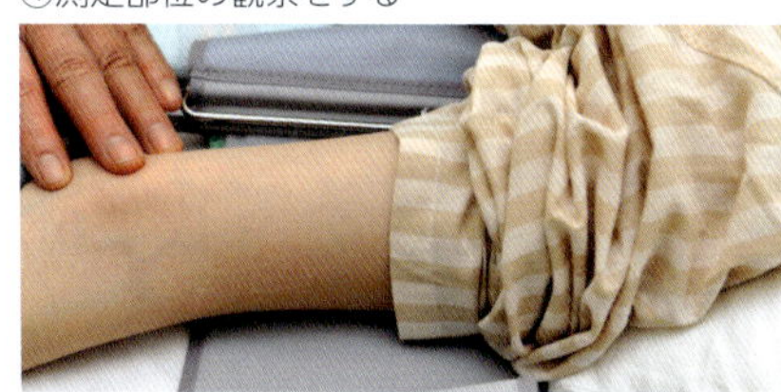	▶マンシェットで圧迫した部位を観察する 根拠 測定圧力が高すぎると，出血斑ができることがある 注意 圧力が高くないにもかかわらず，出血斑の出現をみる場合は，血液凝固系の異常を起こしている可能性がある
⑤後片づけをする ・聴診器はチェストピースとイヤーピースをアルコールで拭く	根拠 聴診器，血圧計は複数の褥婦で共用する．特に聴診器は，共用するため，感染を予防するとともに，次回使用する看護師が不快な思いをしないようにチェストピース，イヤーピースとも清浄にする．血圧測定では，マンシェットや聴診器に褥婦の血液が付着することは少ないので感染の機会は少ないが，マンシェットが血液で汚染した場合は，新しいものに交換する
⑥測定値を記録する	根拠 記録を正確に残すことで，褥婦の血圧の変化を把握できる
2 体温測定を行う ①必要物品を準備する ・事前に体温計が正確に機能しているか，破損はないかチェックする	根拠 体温を正確に測定できるようにする．また，測定時に不具合がわかると，再度の物品準備が必要となり，スムーズに測定できず，褥婦に負担を感じさせる
②褥婦に体温測定の目的を説明する	根拠 説明することで，測定の必要性を理解し，

要点	留意点・根拠
	協力が得られる
③測定する	▶通常は腋窩で測定するが，乳房緊満感が出現した場合は，肘窩で測定する 根拠 乳房緊満感が出現している場合，腋窩で体温を測定すると，乳房が熱をもっているため，実際の体温よりも高く測定される．そのため，乳房の熱の影響を受けにくい肘窩で測定する コツ 正確な値を測定するために，ベッド上安静時に測定する．食後，シャワー浴後は，体温が上昇することがあるので避ける．また，その時の室温にも注意し，寒暖を感じさせない室温となっているかを確認する

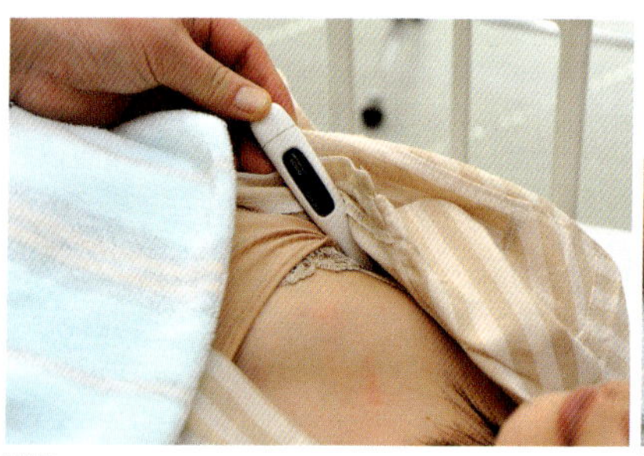
腋窩

肘窩

要点	留意点・根拠
④測定値を記録する	根拠 記録を正確に残すことで，褥婦の体温の変化を把握できる
⑤後片づけをする 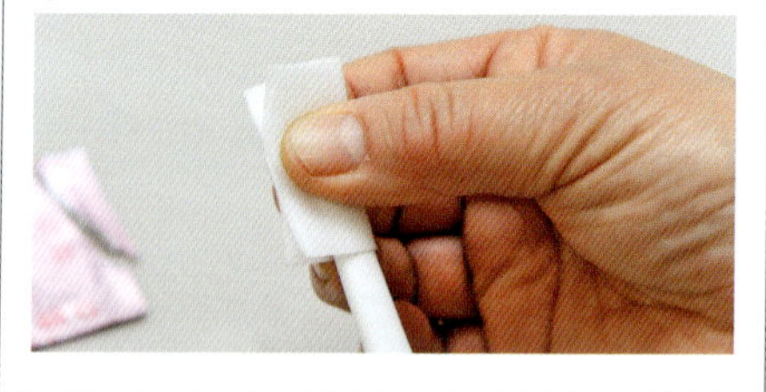	▶褥婦は，セルフケアできることが多いので，入院中はあらかじめ，個人専用の体温計を渡しておくことが多い．退院時の返却後には，アルコールで拭く 根拠 感染性の高い血液などの体液が体温計に付着する可能性は低いが，発汗などによる汚染もあるため，衛生面を考えて，返却後はアルコールで消毒する
3 脈拍測定を行う ①看護師は手洗いをする 	根拠 健康な皮膚から感染は起こらないとされるが，看護師は，様々な処置を行うため手が汚染されている可能性が高いので，直接肌に触れる場合は，感染防止のために手洗いをする コツ 水温の低い水で手を洗うと，手が冷たくなる．冷たい手で触られると褥婦は驚いたり不快に感じたりするので，手洗いの最後にお湯で手を温めたり，手を擦り合わせ温めてから褥婦に触れるようにする
②褥婦に脈拍測定の目的を説明する	根拠 説明することで，測定の必要性を理解し，協力が得られる

要点	留意点・根拠
③測定する 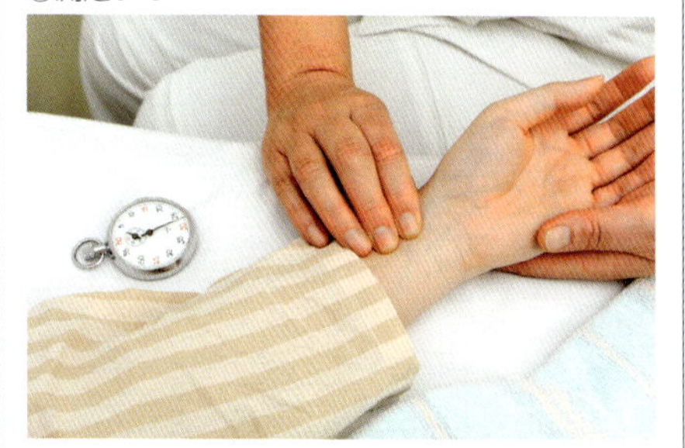	▶通常，手首の内側，母指側の橈骨動脈で1分間測定する　根拠 褥婦に負担を感じさせない部位で測定する．触知部位としては橈骨動脈のほかに上腕動脈，頸動脈，大腿動脈，足背動脈などがあるが，簡便で，褥婦の羞恥心や不快感を最小限にする部位として，橈骨動脈が第一選択となる コツ 正確な値を測定するために，ベッド上安静時に測定する．食後，シャワー浴後は，脈拍数が上昇することがあるので避ける
④測定値を記録する	根拠 記録を正確に残すことで，褥婦の脈拍数の変化を把握できる
4 呼吸数測定を行う ①呼吸状態，呼吸数を測定する	▶褥婦が気づかないように，1分間の呼吸回数を測定する　根拠 呼吸は褥婦自身がコントロールできるため，測定することを褥婦に伝えると，意識して正確に観察できなくなる場合がある．他のバイタルサインを測定しながら，呼吸を観察する コツ 呼吸数を正確に把握するために，安静時に測定する．また，呼吸状態が悪いと判断された場合には，聴診器で呼吸音を聴取する
②測定値を記録する	根拠 記録を正確に残すことで，褥婦の呼吸の変化を把握できる

評価

●バイタルサインに異常がある場合は，直ちに医師に報告し，治療指針の指示を受ける．

1 血圧

血圧は，収縮期血圧が140 mmHg以上，拡張期血圧が90 mmHg以上を高血圧としている．また，血圧低下は，収縮期血圧が90 mmHg以下，または，褥婦の通常の血圧から30 mmHg以上低下した場合に異常としている．血圧上昇は，妊娠高血圧症候群や本態性高血圧，母体疲労などで起こる．また，血圧低下は，大量出血が起こり，急激な循環不全が起こっている状態（ショック）や急な体動に伴う循環動態変化によって起こる（起立性低血圧）．

2 体温

体温は，37.5℃以上で発熱とされている．37～37.4℃までは微熱であるが，分娩後は，努責などの全身運動による微熱がみられることがある（多くは24時間以内に平熱に戻る）．また，分娩様式が帝王切開の場合には，手術による身体的侵襲のために，手術後1～2日程度は軽度の発熱をみることがある（38℃以上は注意する）．

3 脈拍

脈拍の正常値の基準範囲は，通常60～90回/分で，規則的なリズムがあることとされている．褥婦は，代謝が活発なために，脈拍が非妊時よりも速いことが多いが，基準範囲内であれば様子をみる．脈拍は，発熱時や血圧低下時に速くなるので，他のバイタルサインとの関連性を把握しながら観察する．

4 呼吸数

成人の呼吸数の正常値の基準範囲は，16～20回/分とされている．呼吸数が多い場合には，感染やショック，呼吸器系の異常が考えられる．

3 視診

永澤 規子

目的 母体の健康状態，分娩による損傷の有無と程度，退行性変化，進行性変化を視覚的に観察する．

チェック項目

・全身：体格(栄養状態)，姿勢・動作時の様子，睡眠の様子
・顔面：顔色，眼瞼(けん)結膜の色調，顔面皮下出血の有無と程度，表情
・乳房：乳房・乳頭の形態，乳房・乳頭の発赤・皮膚トラブル・腫脹，乳汁分泌状態，乳汁の性状
・腹部：腹壁の弛緩状態，膀胱充満の状態，皮膚の状態(妊娠線，発疹の有無など)
・外陰部：分娩時の損傷(会陰裂傷，会陰切開)の癒合状態，発赤・腫脹の有無と程度，静脈瘤の有無と程度，悪露の量・性状
・肛門部：脱肛・痔核の有無と程度
・下肢：浮腫・静脈瘤の有無と程度

適応 すべての褥婦．身体状態に合わせて視診回数を決める．基本的に1日1回は観察する．

注意 視診によって正常を逸脱していると思われる所見があれば，問診，触診，計測診，臨床検査でさらに詳しく情報を得る．

事故防止のポイント 転倒防止，新生児落下防止，感染防止

必要物品 感染防止物品：ディスポーザブル手袋，　ビニールエプロン(必要時)

手順

要点	留意点・根拠
1 全身の観察を行う ①全身状態をみる ・体格(栄養状態)をみる	**根拠** 褥婦の栄養状態の不良は，産後の疲労回復や分娩損傷部の治癒，子宮復古の促進，乳汁分泌に影響する．るいそう，肥満のどちらも栄養状態の偏りが推察される
②姿勢，動作をみる ・姿勢を観察する	**根拠** 分娩時損傷による創痛や腰痛などにより，正しい姿勢が保てないと，様々な筋肉に過剰な負担をかけ，さらに腰痛を増強させる場合がある．そのアセスメントのために正しい姿勢が保てているかどうかを観察する必要がある
・動作を観察する   歩行時の介助	**根拠** 疼痛などで動作が鈍くなっていたり，ふらつきなどがあると，転倒・転落や授乳時の新生児落下などの危険につながる．危険防止を図るために，動作の観察をする **注意** 動作が危険な状態であると判断された場合は，転倒・転落や新生児落下を防止するために，動作の安定がみられるまで，看護師・助産師が褥婦の動作時の介助や見守りを行う **事故防止のポイント** ベッドから降りる際の転落や，歩行時の転倒，授乳時の新生児落下に注意する

要点	留意点・根拠
③睡眠の様子を観察する 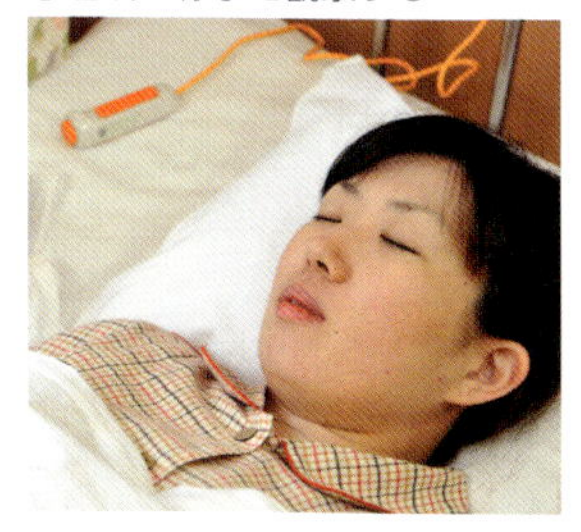	▶睡眠時に訪室し，睡眠状態を観察する．訪室時にすぐに覚醒するようであれば，睡眠が十分にとれていない可能性がある　根拠 睡眠が十分にとれていないと，休息不足となり，乳汁分泌不足や産後の身体的回復の遅れを招くことがある．またこれらのことが心理的な負担となり，マタニティブルーズのリスクも高まる 注意 睡眠時に訪室する時は，なるべく褥婦を起こさないように静かに訪室する
2 顔の観察を行う ①顔色をみる	▶できるかぎり自然光の下で観察する　根拠 蛍光灯などの人工灯下では，顔色が青白く見えることがあり，顔色不良と視診してしまう場合がある コツ 夜間などで自然光下で観察できない場合は，他の観察項目(バイタルサイン，性器出血量，自覚症状など)と合わせて観察する
②眼瞼結膜の色調をみる ・下眼瞼の皮膚を母指でやさしく押し下げる ・眼瞼結膜の色調を観察する 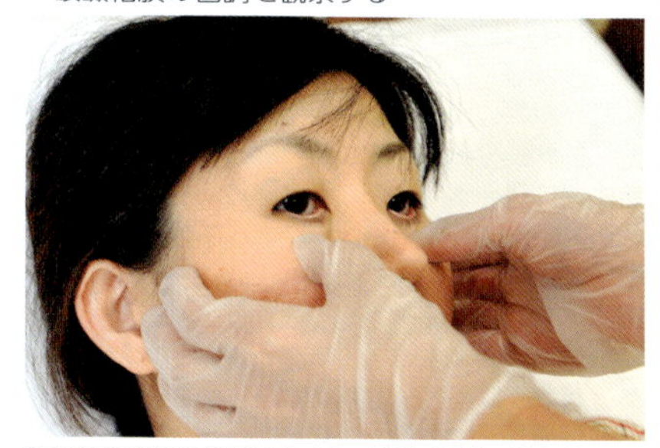 下眼瞼の皮膚を母指でやさしく押し下げて観察する	根拠 眼瞼結膜が露出しやすい 根拠 眼瞼結膜の色調で貧血の状態がある程度わかる．白色に近いほど貧血の状態が悪化している 注意 下眼瞼の皮膚の近くを触る際，誤って結膜に触れないようにする．結膜に触れると，褥婦は疼痛を感じる．また，強い力で引っ張って，褥婦が不快感を覚えないようにする 事故防止のポイント 処置の前後，感染防止のために手を洗い，ディスポーザブル手袋を装着する
③分娩時の努責による顔面皮下出血の有無と程度を把握する 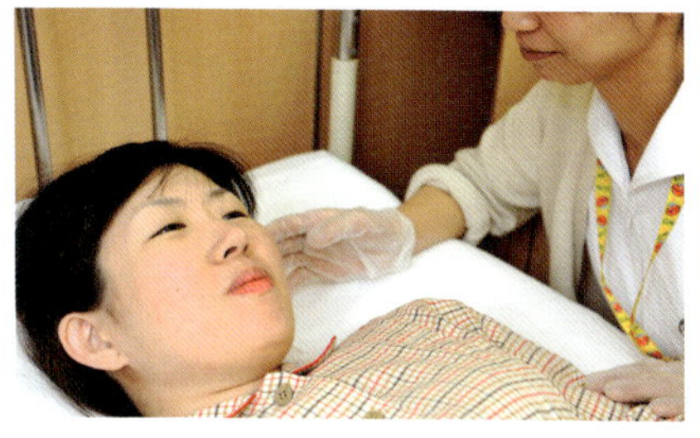	根拠 分娩時の努責による顔面の皮下出血は，皮疹(発疹)と間違うことがある．努責による皮下出血では，頸部から上に限局してみられるので，他の発疹性疾患との鑑別の指標となる コツ あらかじめ顔面の皮下出血について，説明しておかないと，褥婦は，鏡を見て驚くことがある．必ず治ること(2～3日程度で消失することが多い)を説明し，不安の緩和を図る
④表情から疲労感，倦怠感，眠気の様子などを観察する	根拠 分娩・授乳による疲労状況を確認する．疲労感が強く，育児行動に支障をきたすようであれば，看護師が育児介助を行う必要がある．その有無をアセスメントする

乳房のタイプ	Ⅰ型	Ⅱa型	Ⅱb型	Ⅲ型
特徴	扁平	おわん型		下垂が著しい大きい
		下垂を伴わない	下垂している	

図1　乳房の形態

正常乳頭　扁平乳頭　陥没乳頭

図2　乳頭の形態

要点	留意点・根拠

3 乳房の観察を行う

①乳房の形態をみる

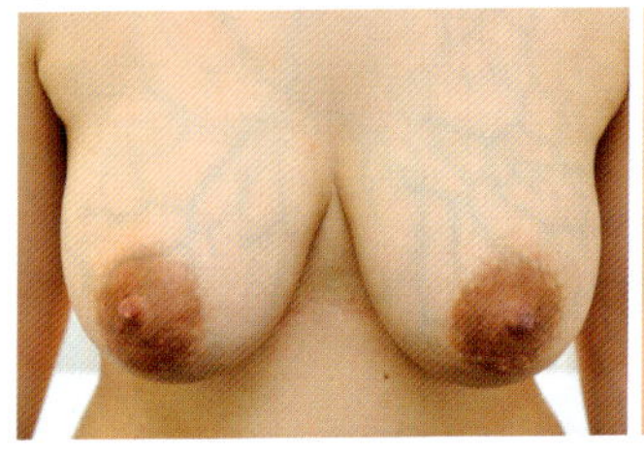

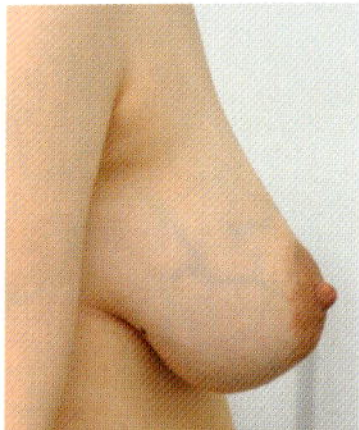

根拠 乳房の形態は4つに分類される(図1). 乳房のタイプ(型)により, 授乳時の新生児の保持方法や乳房トラブルの発生リスクが異なるため, 乳房の形態を把握する必要がある

②乳頭の形態をみる

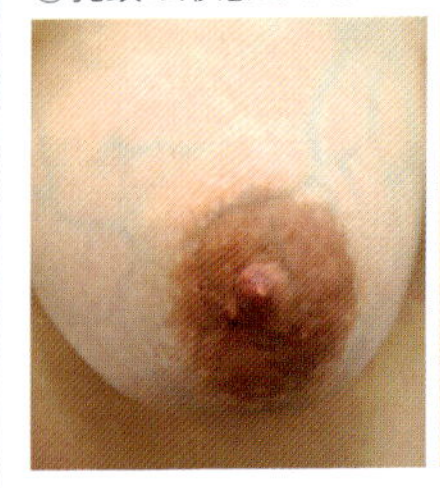

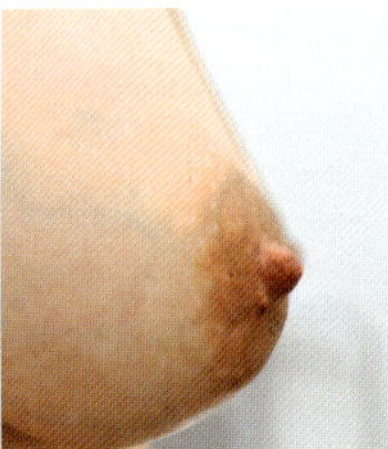

▶ 特に扁平乳頭, 陥没乳頭の有無と程度を観察する(図2)　根拠 扁平乳頭, 陥没乳頭は, 乳頭発赤, 乳頭亀裂などの乳頭トラブルを起こしやすい. また, 新生児の直接授乳困難の要因となる

コツ 乳頭の形態異常が強い場合は, 搾乳を行い, 新生児に母乳を与える. その際, 新生児が乳頭混乱(直接授乳と哺乳瓶授乳の両方が行われると, 児が乳頭を上手に吸啜(てつ)できなくなる現象)を起こさないように搾乳した母乳(搾母乳)をスプーンやカップで与える場合もある. また, 入院中のケアだけでは不十分と判断した場合は, 退院後も母乳外来などに来院してもらい, フォローアップをする

事故防止のポイント 新生児にスプーンやカップで母乳を与える場合は, 誤嚥に注意する

▶ 真性陥没乳頭(乳頭刺激しても乳頭が陥没したままの状態)などで, 長期的に直接授乳が困難だと予測される場合には, スプーンやカップで授乳するよりも, 搾母乳を哺乳瓶で乳児に与える方法を母親に指導したほうがよい場合もある. 乳頭の状態に応じて搾母乳の与え方を指導する　根拠 長期にわたり乳児にスプーンやカップで搾母乳を与えることは, 誤嚥のリスクが増すとともに, 時間もかかるため, 母親の負担となり現実的に実施できないことが予測される. 指導は, 母親自身でできるようになる方法を選択することが重要である

③乳房の異常をみる

・乳房の緊満, 発赤, 腫脹を観察する

▶ 乳房の産後の変化や乳房うっ積, 乳腺炎発症の

要点	留意点・根拠

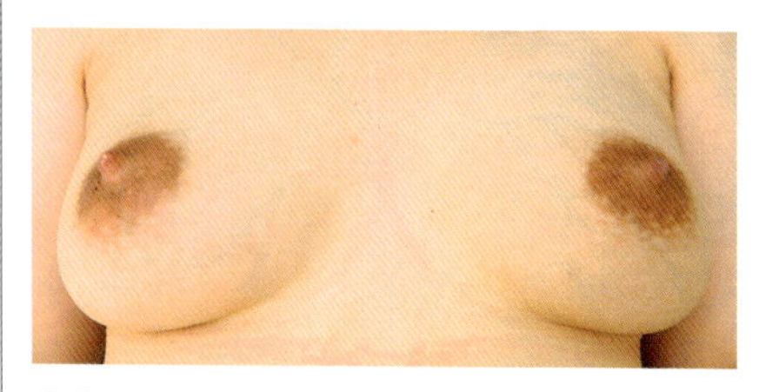

有無と程度を把握する 根拠 乳房の異常を把握し，乳房トラブルの状況を観察することで，母親の状況に適した授乳方法を指導することができる．これにより哺乳量不足による新生児ウエルネスの低下を防止し，乳房トラブルの増悪を防ぐことができる

④乳頭の異常をみる
・乳頭の発赤，腫脹，亀裂などを観察する

▶乳頭トラブルの発症の有無と程度を把握する 根拠 乳頭トラブルの状況を観察することで，母親の状況に適した授乳方法を指導することができる．これにより哺乳量不足による新生児ウエルネスの低下を防止し，乳頭トラブルの増悪を防ぐことができる

⑤看護師は手洗いをし，ディスポーザブル手袋を装着して乳汁分泌状態をみる準備をする

根拠 看護師は，様々な処置を行うため手が汚染されている可能性が高いので，直接肌に触れる場合は，感染防止のために手洗いをする．また，母乳は体液なので，看護師自身も体液を介した感染を起こさないように，ディスポーザブル手袋を装着する．射乳が良好で，母乳が看護師の衣類を汚染する可能性のある場合には，ビニールエプロンも装着する

⑥乳汁分泌の状態をみる
・乳頭を圧迫し，射乳状態などをみる

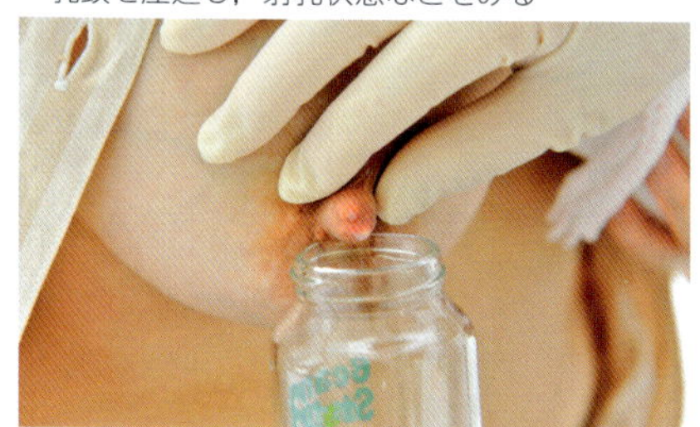

根拠 乳汁分泌状態は，母乳栄養が確立できるかどうかの指標となる

注意 射乳時に，母乳が看護師の目に入らないように，乳頭圧迫時は圧迫する力を加減しながら行う

事故防止のポイント 感染を防止する

⑦乳汁の色調・性状をみる

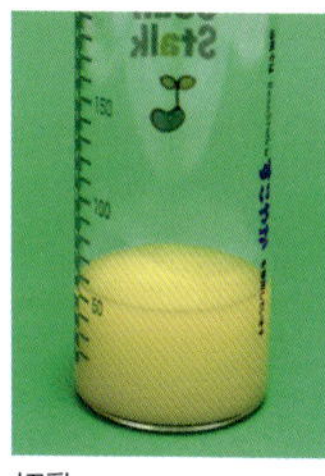

初乳

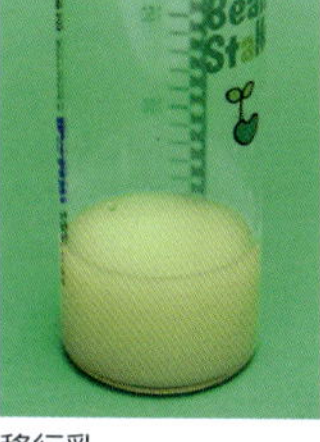

移行乳

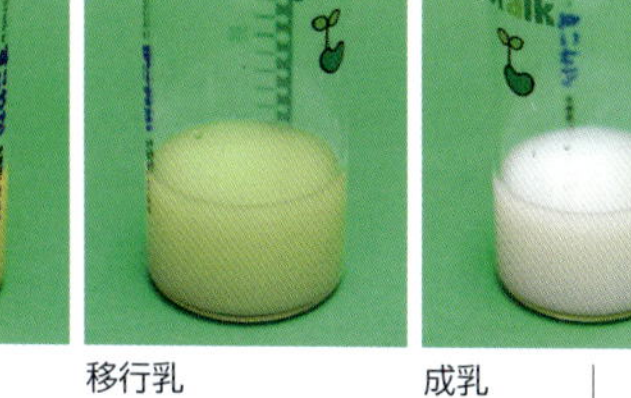

成乳

▶初乳，移行乳，成乳への移行状態を把握する 根拠 進行性変化が順調に進んでいるかを把握する必要がある．成乳期となった乳汁が黄色を帯びている場合，乳汁うっ滞や乳腺炎が起こっている可能性もあるため，乳房・乳頭の状態と併せて観察する

⑧ディスポーザブル手袋を廃棄する

▶体液が付着したディスポーザブル手袋は，医療廃棄物専用容器に廃棄する
▶ビニールエプロンを着用していた場合には，同様に廃棄する

要点	留意点・根拠
⑨手洗いを行う	▶ディスポーザブル手袋を外した後に手洗いを行う 根拠 ディスポーザブル手袋にはピンホール(目に見えない小さい穴)ができている可能性がある．そのため，細菌が手に付着している可能性がある．ディスポーザブル手袋を外した後は，手洗いを十分に行う
4 腹部の観察を行う ①腹壁の状態をみる ・腹直筋の離開程度を把握する 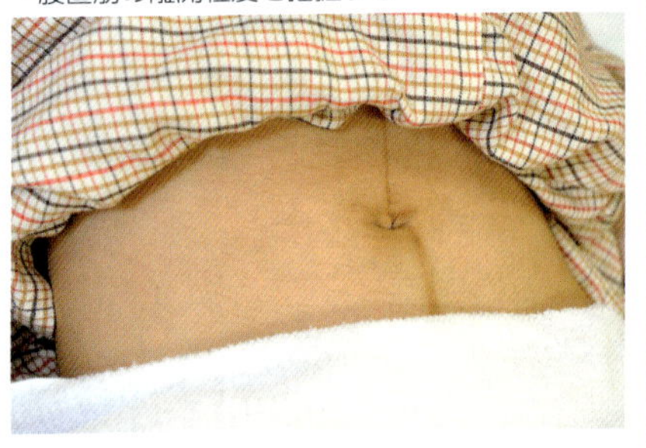	▶離開がある場合には，腹部中央の縦方向に腸管が直接触れる感覚(視覚的に蠕動運動が見える場合もある)や，抵抗なく腹部に手が入り込む感覚がある 根拠 腹直筋が離開していると，離開部からの腸管脱出などにより腸蠕動が低下して便秘が起こる場合がある．また，体幹を支持するための腹直筋が弛緩しているため，姿勢の保持を補うために背筋・腰筋に負担がかかり，腰背部痛が起こる場合もある．そこで腹直筋の離開程度の把握により，褥婦の状態に合ったケア(腹帯着用の指導，動いたり休んだり動き方の指導など)を行うことができる
・腹部の皮膚(腹部の妊娠線，発疹の有無)の状態を観察する	根拠 妊娠線が多いと瘙痒感を伴うことがあり，褥婦の不快感を増強させる．またボディイメージの変化を受容できない場合があるので，褥婦の心理状態を把握するための情報となる．発疹などがある場合は，産後に投与された薬物に対するアレルギーの有無を知る情報となる
②膀胱の充満状態をみる	▶恥骨直上部の膨満状態を観察する 根拠 産後は，分娩時の膀胱の神経麻痺や分娩損傷などで尿意を感じにくくなったり，排尿困難となったりする場合がある 注意 **膀胱に尿がたまっていると，子宮復古を阻害したり，膀胱炎の原因となったりする場合があるので，尿が充満している場合には，排尿を促したり，必要に応じて導尿の処置が行われる**
5 外陰部の観察を行う ①外陰部の状態をみる ・分娩時の損傷(会陰裂傷，会陰切開)の癒合状態，発赤・腫脹の有無と程度をみる 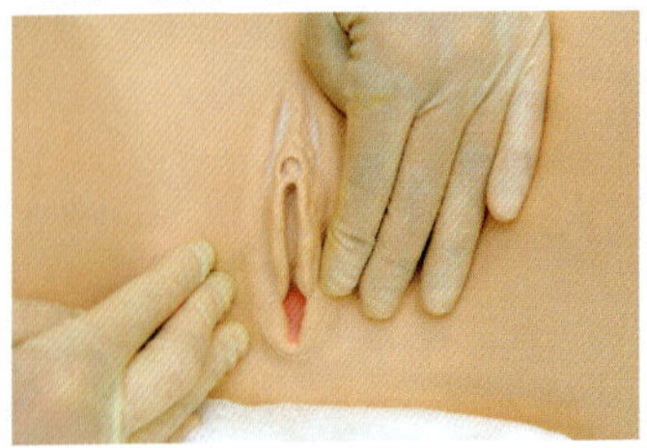 外陰部の状態をみる	根拠 分娩によって生じた母体の損傷が時間的経過に応じた回復傾向にあるか，あるいは感染症などの合併症を併発していないかをみる コツ 外陰部の観察は褥婦に羞恥心を引き起こすので，悪露交換時などに行う．また，外陰部に触れる時は，褥婦が驚かないように褥婦に声をかけて行う．創部痛が強い場合は，創部付近には触れないようにする 事故防止のポイント 褥婦，看護師双方の感染を防止するために手を洗い，ディスポーザブル手袋，ビニールエプロンを着ける

要点	留意点・根拠
・静脈瘤の有無と程度を観察する	根拠 外陰部の静脈瘤は疼痛の原因となる．把握することで，褥婦が外陰部の疼痛を訴えた時のアセスメントの視点となる
6 悪露の観察を行う ①悪露の量・性状をみる	▶産褥経過によって悪露の量・性状は異なる．それらが産褥経過に沿って順調に経過している状態にあるかをみる（p.293「第3章-1【7】産褥復古の観察」参照） 根拠 退行性変化が順調であるかどうかの指標となる
7 肛門部の観察を行う ①肛門部の状態をみる ・脱肛・痔核の有無を観察する	根拠 脱肛・痔核の存在は褥婦の苦痛の原因となる．その程度を把握することで，苦痛緩和の介入方法を探る
8 下肢の観察を行う ①下肢の浮腫・静脈瘤の有無を観察する 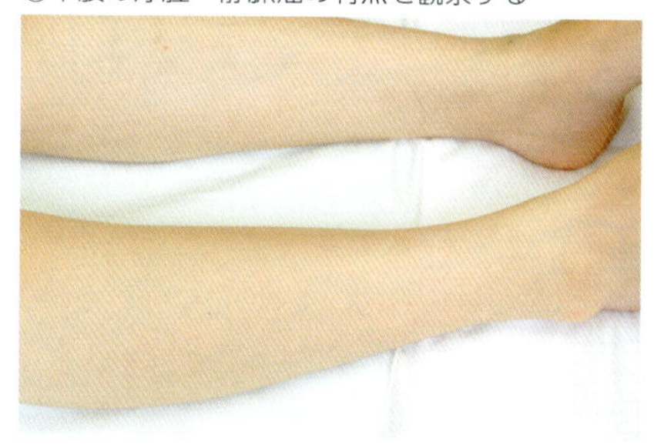	▶日々の変化をみる 根拠 下肢の浮腫・静脈瘤は，母体疲労や増大した子宮による下大静脈の圧迫，外陰部の損傷に起因する歩行異常による下肢への負担などにより，下肢静脈血の還流異常をまねいて起こる 注意 改善がみられない場合や悪化する場合は，原因を把握する
9 後片づけをし，記録する ①ディスポーザブル手袋，ビニールエプロンを廃棄する ②手洗いを行う ③日々の状態を記録する	▶体液が付着したディスポーザブル手袋，ビニールエプロンは，医療廃棄物専用容器に廃棄する 根拠 看護師だけでなく，廃棄物処理業者への感染防止にも配慮する ▶ディスポーザブル手袋を外した後に手を洗う 根拠 ディスポーザブル手袋にはピンホール（目に見えない小さい穴）ができている可能性がある．そのため，細菌が手に付着している可能性がある．ディスポーザブル手袋を外した後は，手洗いを十分に行う 根拠 日々の記録を行うことで，産後の退行性変化，進行性変化の状態が的確に把握できる．また記録は，褥婦へ継続的なケアを行うために他の看護師への情報伝達の重要な方法である

4 触診

永澤 規子

目的 母体の健康状態，分娩による損傷の有無と程度，退行性変化(子宮の収縮状態)，進行性変化(乳房の状態)を触診して観察する．
※触診は視診と並行して行われる．

チェック項目

・顔面：顔面浮腫，顔面皮下出血の状態
・乳頭：乳頭の硬さ・伸展の程度，形態異常・乳頭痛の有無と程度
・乳房：乳房の熱感，緊満感，触診時の疼痛の有無と程度，硬結の有無と程度
・腹部：腹直筋弛緩の有無と程度，子宮底高，子宮の硬度，膀胱充満の有無と程度，腸管内の便貯留の状態
・外陰部：分娩時の損傷(会陰裂傷，会陰切開)の熱感，硬結・疼痛の程度，脱肛・痔核の触診時の疼痛の程度，硬結の程度
・下肢：浮腫・静脈瘤の有無と程度

適応 すべての褥婦．基本的に1日1回は観察するが，身体状態に合わせて触診回数を決める．

注意 触診によって正常を逸脱していると思われる所見があれば，問診，視診，計測診，臨床検査でさらに詳しい情報を得る．体液を介した感染の防止に努める．

事故防止のポイント 感染防止，不適切な触診による身体状況の悪化防止

必要物品 ディスポーザブル手袋，ビニールエプロン，タオル．必要時，不必要な露出を避けるためのバスタオル，ゼリー(潤滑剤)

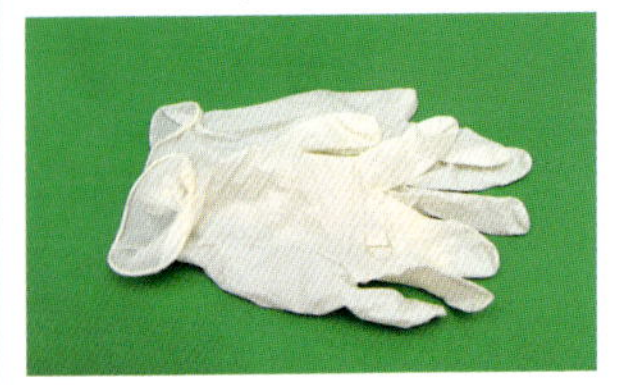

ディスポーザブル手袋

手順

要点	留意点・根拠
1 顔の触診を行う ①手洗いを行う	▶触診直前に手洗いを行う **根拠** 看護師の手を介した感染防止のため，ケアの直前には手洗いを行う **コツ** 冷たい手で触診すると，褥婦が不快に感じる場合があるので，手洗いの最後に手を湯で温めたり，手を擦り合わせたりして，看護師の手を温める
②顔面の浮腫をみる ・褥婦に触診を開始することを伝える	**根拠** 予告なく触診を行うと，褥婦が驚き不安を増強させるリスクとなる

要点	留意点・根拠
・額や頬(きょう)骨の部分を看護師が母指で押してみる 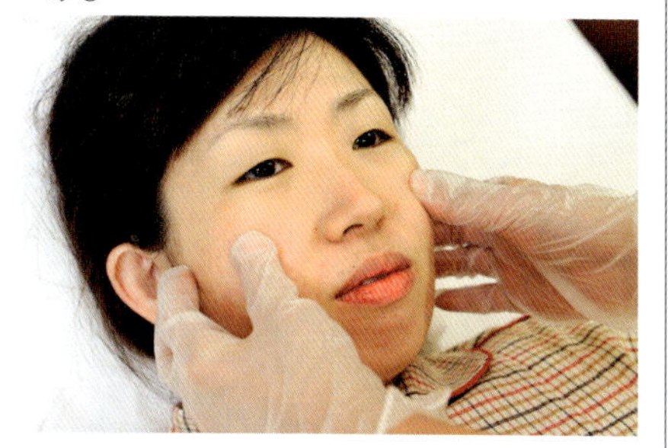	▶圧痕が残るようであれば，顔面の浮腫があると判断される　根拠 額や頬骨の部分は，皮下組織が薄いため，骨に皮膚を軽く圧迫するだけで圧迫痕が現れやすく，褥婦に負担をかけずに観察できる 注意 あまり強い力で圧迫しない．強い力で圧迫すると褥婦に苦痛を与える
③顔面の皮下出血の状態をみる ・皮下出血部を軽く圧迫し，出血斑が消失するかを確認する．また，皮下出血の出現している部位を確認する	根拠 分娩時の努責による出血斑は，圧迫により一時的に消失するので，皮下出血であることを確認できる．また，分娩時の努責による皮下出血は，顔面から頸部までに限局していることが多く，他の発疹性疾患との鑑別の指標となる
④手洗いを行う	根拠 感染防止を図る
 **2 乳頭，乳房の触診を行う** ①環境を整える ・乳頭・乳房を露出するため，室温に配慮する	根拠 褥婦が室温の寒暖で不快感を覚えないようにする コツ 室温は 24～25℃ 程度が好まれる．空調機の下で風が直接当たる場所は，室温が保たれていても寒さを感じる場合があるので避ける
・プライバシーに配慮して環境を整える 	根拠 乳房を露出するので，褥婦の羞恥心が緩和されるようにする コツ 授乳室のような褥婦が乳房を露出する空間であれば，個室でなくても羞恥心は緩和される
②必要物品を準備する ・ディスポーザブル手袋とタオルを用意する	根拠 乳頭の触診時に乳汁が分泌される場合があるので，ディスポーザブル手袋を装着して触診する．また，分泌された乳汁を拭き取るためにタオルを用意する 注意 感染防止のために，病院のタオルを使用する場合は必ず新しいものを使用し，その後クリーニングに出す

要点	留意点・根拠
③乳頭・乳房触診の準備をする ・手洗いを行い，ディスポーザブル手袋を装着する	▶射乳が良好で母乳が看護師の衣類を汚染する可能性のある場合には，ビニールエプロンも装着する
④乳頭の硬さ，伸展度をみる ・褥婦に触診を開始することを伝える	根拠 予告なく触診を行うと，褥婦が驚き不安を増強させるリスクがある
⑤利き手の母指と示指で乳頭をつまむようにゆっくりと圧迫する 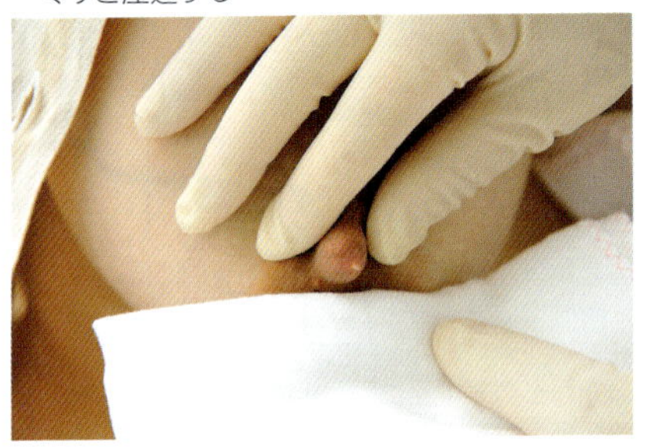	根拠 急に乳頭を強くつまむと褥婦が痛みを感じる 注意 褥婦が強い痛みを訴える場合は，中止する．また，苦痛を我慢し訴えない場合もあるので，触診時は、褥婦の表情にも注意する
⑥搾乳をする時のように指を動かし乳頭の硬さ，伸展度を観察する（p.383「第 3 章-4【4】搾乳」参照） 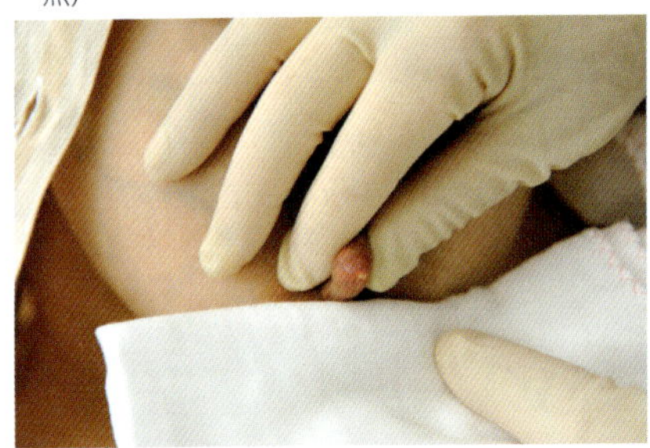	根拠 搾乳時と同様の乳頭の圧迫で乳頭の硬さ，伸展度がわかる．圧迫時に，乳頭に芯があるような指先の感覚がある場合は，乳頭が硬く伸展が不良である場合が多い．耳たぶくらいの軟らかさが，新生児が吸啜(てつ)しやすいといわれている
⑦乳頭の形態異常の状態を観察する 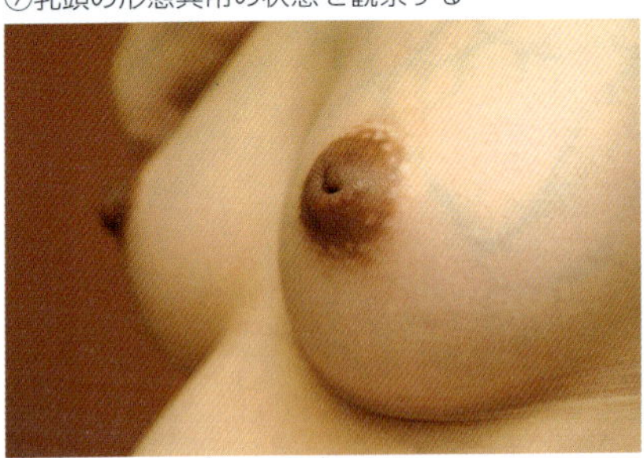 左側の乳頭が陥没している	▶乳頭の形態異常（扁平，陥没，短乳頭）がある場合，乳頭の圧迫で形態が変化するかを観察する 根拠 仮性の形態異常である場合は，乳頭を刺激することで形態が変化する場合がある（図 1）．変化の状態を把握して，直接授乳が可能かどうかを判断する 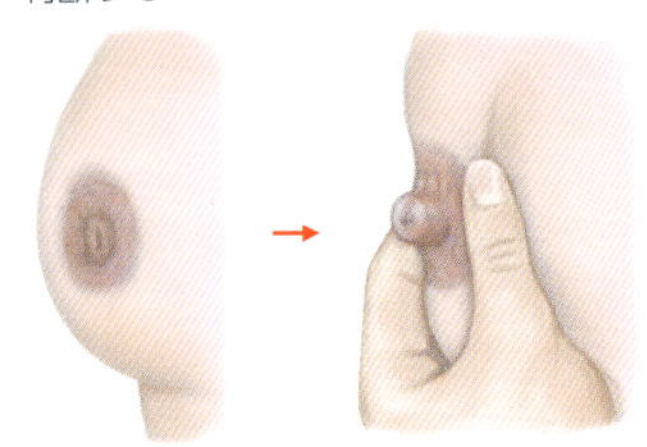 **図 1 仮性陥没乳頭** 搾乳の要領で乳輪部周辺を母指と示指で圧迫すると，乳頭が前方に突出するもの

要点	留意点・根拠
⑧乳頭の疼痛をみる	▶乳頭を圧迫した時の疼痛の程度を褥婦の表情や訴えからみる　**根拠** 乳頭の圧迫で痛みを強く感じるようであれば，直接授乳でも痛みを感じることになる．その原因は，乳頭の形態異常や伸展不良，硬さなどによるが，そのまま直接授乳を行うと，新生児が嫌がって吸啜しなかったり，乳頭トラブル（乳頭損傷）の原因となったりする **コツ** 乳頭圧迫による痛みがある場合には，搾乳手技により乳頭を軟らかくしてから直接授乳させる．また直接授乳は短時間とし，乳頭に負担をかけない授乳方法を指導する
⑨乳房の熱感，緊満感をみる ・やさしく両手で乳房を包み込むように触診する 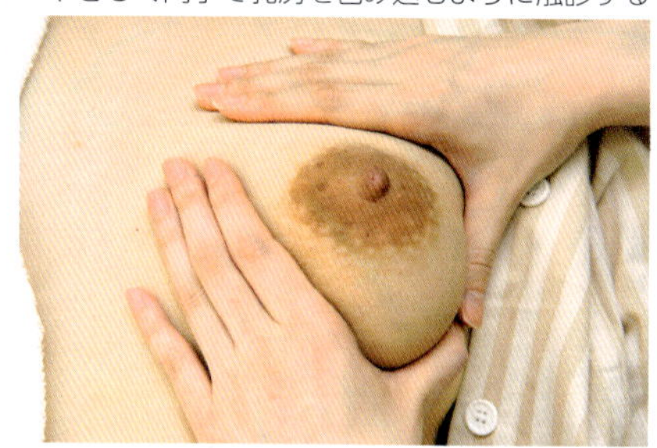	**根拠** 強く触ると，疼痛を感じて褥婦に苦痛を感じさせるので，痛みを感じないようにやさしく触れる **コツ** 熱感をみる場合には，ディスポーザブル手袋をしていると感じづらいので，体液（乳汁）に触れないように注意して素手で行う．また，手洗いの水が低温だと手が冷たくなり，乳房の熱感を強く感じやすいことと，褥婦が冷たい手で触られると驚いたり，不快感を覚えたりするので，手洗いの最後に手に湯を流したり，両手を擦り合わせたりして，手を温めてから触診する
⑩乳房の疼痛，硬結をみる ・⑨に引き続き，ゆっくりと乳房を圧迫し，その時の疼痛の状態を褥婦から聞き取る	**根拠** 疼痛は自覚的な感覚のため，褥婦自身の訴えを聞き取ることで判断する **コツ** 訴えと同時に褥婦の表情を観察すると，客観的に評価しやすい
・両手掌を乳房をはさみ込むように動かして乳房全体を圧迫し，乳房の硬結を探る 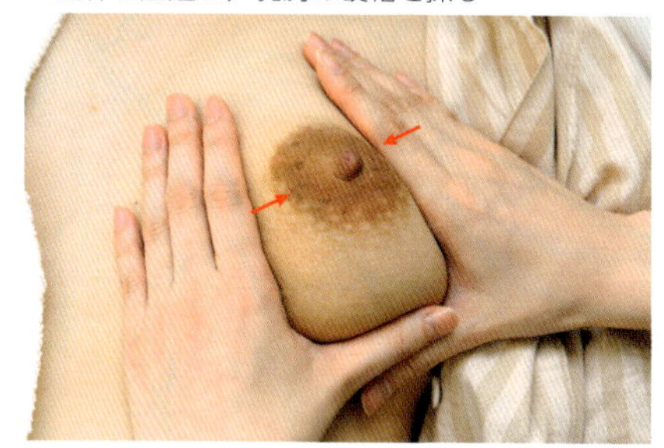 乳房をはさみ込むように動かす	**根拠** 乳房をはさみ込むように圧迫すると硬結部を把握しやすい **コツ** 褥婦の乳房に接触する看護師の手の表面が大きいほど圧迫の力が分散され，褥婦が痛みを感じることが少ないので，両手掌で触診する．硬結の大きさ，硬さなどを触診する場合は指先で確認する必要があるが，その場合も強い力は加えず，やさしく探る（強く探ると褥婦が疼痛を強く感じる） **事故防止のポイント** 体液に触れないよう感染防止に留意する
⑪ディスポーザブル手袋，ビニールエプロンを廃棄する	▶体液が付着したディスポーザブル手袋，ビニールエプロンは，医療廃棄物専用容器に廃棄する **根拠** 看護師だけでなく，廃棄物処理業者への感染防止にも配慮する
⑫手洗いを行う	**根拠** ディスポーザブル手袋にはピンホール（目に見えない小さい穴）ができている可能性がある．そのため，細菌が手に付着している可能性がある．

要点	留意点・根拠
	ディスポーザブル手袋を外した後は，手洗いを十分に行う
3 腹部の触診を行う ①環境を整える ・腹部を露出するため，室温に配慮する	**根拠** 褥婦が室温の寒暖で不快感をもたないようにする **コツ** 室温は 24～25℃ 程度が好まれる．空調機の下で風が直接当たる場所は，室温が保たれていても寒さを感じる場合があるので避ける
・プライバシーに配慮した環境を整える	**根拠** 乳房や性器ほどではないが，肌を露出するので，褥婦の羞恥心が緩和されるようにする
②手洗いを行う	**根拠** 感染防止のために手洗いを行う **コツ** 低温の水で洗うと手が冷たくなり，褥婦が冷たい手で触られると驚くので，手洗いの最後に手に湯を流したり，両手を擦り合わせたりして，手を温めてから触診する
③腹直筋の弛緩の程度をみる ・褥婦に触診を開始することを伝える 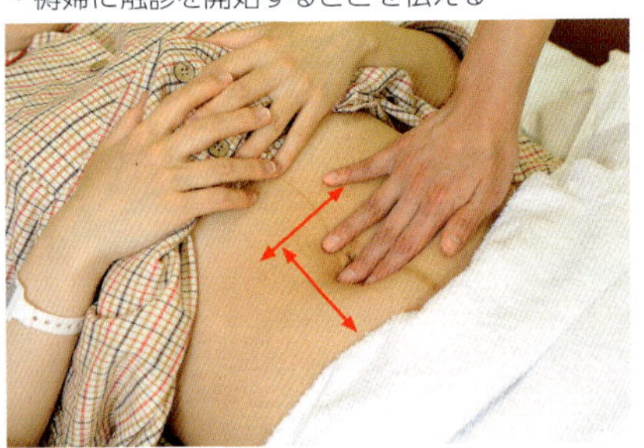	**根拠** 予告なく触診を行うと褥婦が驚き，不安を増強させるリスクがある
・示指・中指・環指の 3 本の指の腹全体で，腹部の中央部を上下左右にやさしく押しながら触診する	▶腹直筋が弛緩していると，腹部に手が容易に入り込む感覚がある **根拠** 腹直筋は臍部を中央として左右にある．妊娠による腹部増大で腹直筋は弛緩していることが多く，腹部の中央部を触診することでその程度が把握できる
④子宮底高，硬度を把握する ・褥婦の腹部に手を垂直に押し当て，子宮底部を探る．子宮底部が触知できたら，その高さを観察し，正常経過をたどっているかを把握する 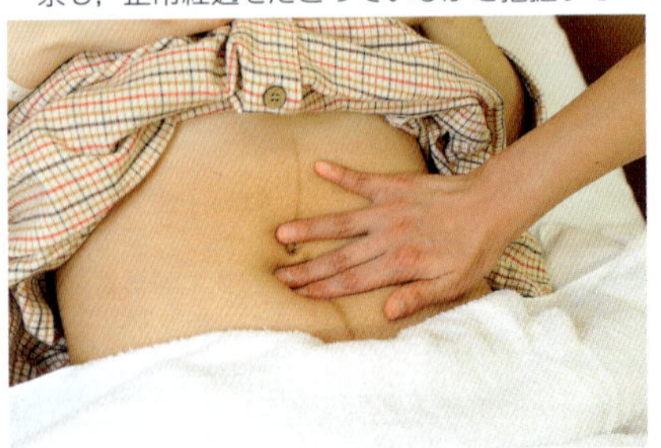	**根拠** 腹部に垂直に手を押し当てると子宮底部がわかりやすい．また，子宮底の高さを観察することで，退行性変化が順調かどうかの評価をする

要点	留意点・根拠
・子宮底部を探る時，すぐに子宮底が確認できたかどうかを観察する	根拠 子宮硬度が良好な場合は，すぐに子宮底が触知できる ▶探っているうちに子宮底が触知できた場合は，子宮底の触知動作が子宮底輪状マッサージ効果となり，子宮の硬度が良好となって触知できたことが推察される．その場合は，子宮収縮が不良の場合もあるので，悪露の性状・量なども合わせて観察する
⑤膀胱の充満の程度をみる ・恥骨直上部の触診で膨満感の有無と，その部位を軽く圧迫し，褥婦が尿意を感じるかどうかを観察する 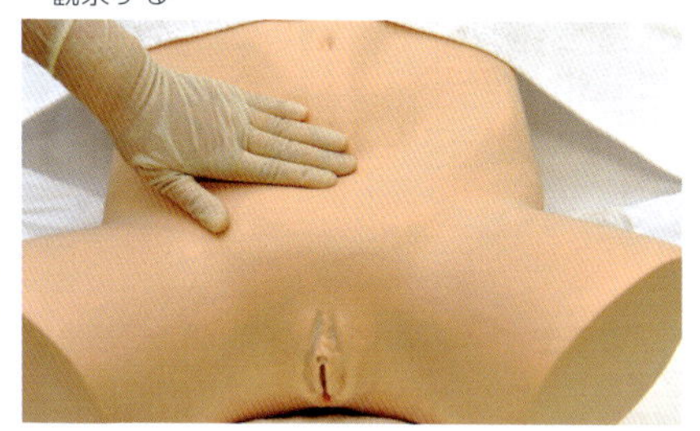	根拠 褥婦は，分娩時の膀胱圧迫による膀胱神経の一時的麻痺あるいは損傷により，尿意を感じにくくなり，膀胱に尿が貯留する場合がある．その場合は，触診で恥骨直上部の充満が観察される．さらに，軽く圧迫することで尿意を感じた場合，膀胱に尿が貯留していることが推察される コツ 排尿行動を意識できるように，褥婦には，尿意がなくても3～4時間ごとにトイレに行くように指導する 事故防止のポイント 恥骨上部を触れるため，感染防止に留意する
⑥手洗いを行う	根拠 感染防止を図る
4 外陰部の診察を行う ①環境を整える ・外陰部を露出するため，室温に配慮する	根拠 褥婦が室温による寒暖で不快を感じないようにする コツ 室温は24～25℃程度が好まれる．空調機の下で風が直接当たる場所は，室温が保たれていても寒さを感じる場合があるので避ける
・プライバシーに配慮して環境を整える	▶大部屋の場合には，視線をさえぎるためにベッド周囲をカーテンで囲む　根拠 外陰部を露出するので，褥婦の羞恥心が緩和されるようにする
②手を洗い，ディスポーザブル手袋を装着する	▶必要に応じて，ビニールエプロンも装着する 根拠 外陰部を触診するため，悪露で看護師の手が汚染される可能性が高い．感染防止のために手洗いを行い，ディスポーザブル手袋を装着する
③褥婦の体位を整える 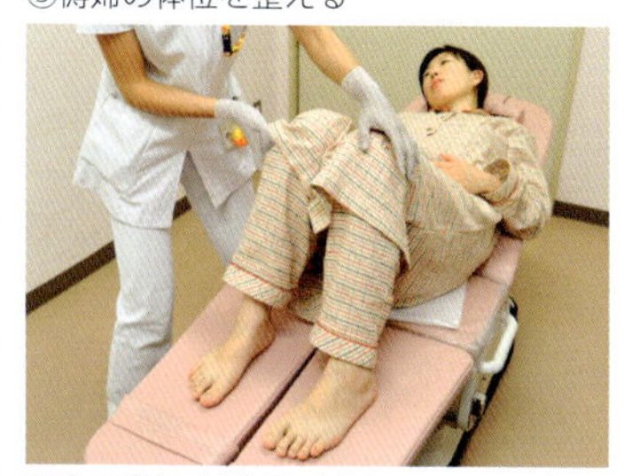 悪露交換時に外陰部の触診をすることが多い	▶内診台かベッド上で行う．ベッドで行う時は仰臥位で両膝を立てて開き，外陰部が見えるようにする　根拠 外陰部を十分露出すると，触診がしやすい 注意 内診台に上がる時は，看護師が介助し，転倒・転落に注意する

要点	留意点・根拠
④外陰部を触診する	
・褥婦に触診を開始することを伝える	根拠 予告なく触診を行うと褥婦が驚き，不安を増強させるリスクになる
・視診で分娩損傷部(会陰裂傷，会陰切開)に発赤，腫脹がみられた場合，利き手の示指と中指で触診する 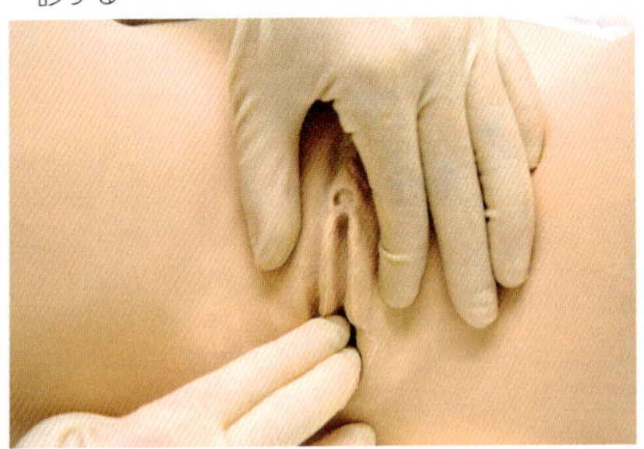 利き手の示指と中指で触診する	根拠 発赤，腫脹がある場合は感染の可能性があるため，創部の熱感，疼痛の程度を確認するために触診する コツ 褥婦が疼痛を感じないように指先でそっと触れる．また，頻回の外陰部の露出は羞恥心を増強させるので，緊急性(創痛の増強，創部からの出血など)がない場合は，悪露交換時に行うとよい 注意 創部の触診は褥婦に疼痛を感じさせる．また感染を誘発することもあるので，視診で評価できる場合は，不必要な触診を行わない．触診後は創部を消毒する
⑤脱肛，痔核を触診する	
・褥婦に触診を開始することを伝える	根拠 予告なく触診を行うと褥婦が驚き不安を増強させるリスクになる
・脱肛，痔核がある場合は，その硬度，疼痛の確認のために触診する 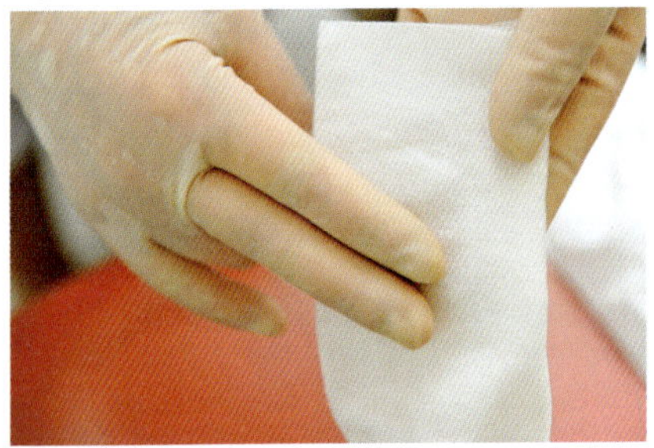 ゼリーをガーゼにとってから指先につける	コツ 触診する指先にゼリーをつけて行うと疼痛が緩和できる 事故防止のポイント 感染を防止する．不適切な触診によって身体状況を悪化させない
・触診時に脱肛の整復が可能であれば行う	▶整復できる状態かどうかを母指・示指・中指の3指で軽くつまむ，あるいは示指でやさしく押すように触診し判断する．疼痛・硬結が強い場合は，整復時に褥婦が疼痛を強く感じることが多い 注意 整復の効果が続かず，元に戻る場合が多いので，無理には行わない．外陰部の静脈血のうっ滞が緩和されてくると，自然に整復される場合もある．整復できない場合は，円座や医師の指示による鎮痛薬(坐薬が多い)を使って苦痛の緩和を図る
⑥触診後は触診した部位を消毒する ⑦手洗いを行う	根拠 感染防止を図る
5 下肢の触診を行う ①下肢の浮腫，静脈瘤の有無と程度をみる	

要点	留意点・根拠
・褥婦に触診を開始することを伝える	根拠 予告なく触診を行うと褥婦が驚き，不安を増強させるリスクとなる
・下腿の脛(けい)骨前面を看護師の母指で圧迫する 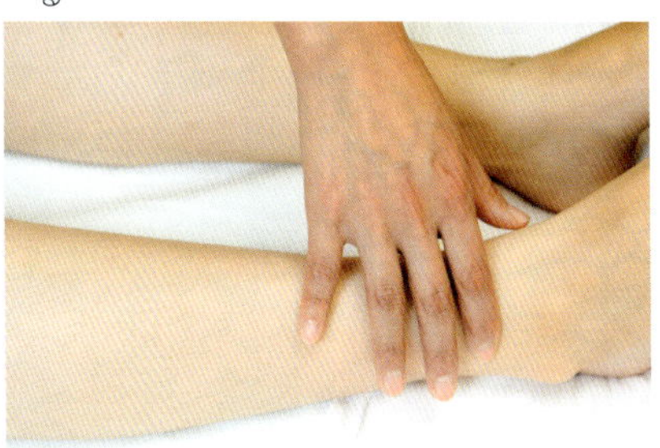	根拠 下肢の浮腫は，下腿の脛骨前面で圧迫痕が出現しやすく触診による把握がしやすい
・視診で確認した静脈瘤の部位を示指と中指で圧迫し，疼痛の程度を褥婦の訴えや表情から把握する	根拠 下肢静脈瘤を圧迫して痛みを感じる時は，炎症を起こしている場合がある
②手洗いを行う	根拠 感染防止を図る 事故防止のポイント 不適切な触診によって身体状況を悪化させない(静脈瘤の破綻など)
6 後片づけをし，記録をする ①ディスポーザブル手袋を廃棄する	▶体液や分泌物が付着したディスポーザブル手袋は，医療廃棄物専用容器に廃棄する 根拠 廃棄物処理業者への感染防止にも配慮する
②日々の状態を記録する	根拠 日々の記録を行うことで，症状の変化が観察される．また記録は，褥婦へ継続的なケアを行うために他の看護師への情報伝達の重要な方法である

5 計測診

永澤 規子

目的 産後の身体的状態を計測値とその変化によって客観的に評価する.
チェック項目 バイタルサイン, 体重, 尿量, 乳汁分泌量, 子宮底長(高), 悪露の量
適応 すべての褥婦. 基本的に1日1回は観察するが, 身体状態に合わせて計測診の回数を決める.
注意 褥婦に計測の必要性を説明し, 正確な計測ができるように協力を得る.
禁忌 体重測定は, 褥婦の健康状態が悪化し, 立位が困難な時は行わない.
事故防止のポイント 転倒防止, 感染防止

必要物品 血圧計, 体温計, ストップウォッチ, 体重計, 採尿カップ, 蓄尿袋, 哺乳瓶, メジャー, 計量器, 感染防止物品(ディスポーザブル手袋, ビニールエプロン)

採尿カップ

手順

要点	留意点・根拠
1 バイタルサインを測定する	▶ p.268「第3章-1【2】バイタルサイン」参照
2 体重を測定する ①産後の体重変化をみる 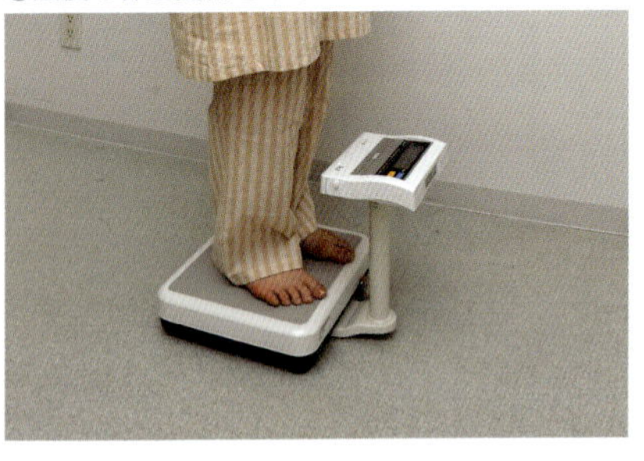	▶退院日の起床時に測定する **根拠** 体重測定は, 褥婦が希望すれば産後毎日行ってもよいが, 少なくとも退院日には測定し, 非妊時の体重にどの程度まで戻っているかを把握する **注意** 体重計に乗る際には転倒に気をつける **事故防止のポイント** 転倒しないように褥婦の状態を観察し, 必要に応じて動作をサポートする
3 尿量を測定する ①産後の尿量を把握する ・褥婦に尿回数を1日1回インタビューする. 回数が少ない場合は尿量の測定指導を行い, 1日の尿量を把握する	▶妊娠高血圧症候群, 腎疾患などの合併症がある場合は, 医師から尿量チェックの指示が出る. その場合は, 測定方法を褥婦に説明し, 尿量を確認のうえ, 医師に報告する **根拠** 産後は, 乳汁分泌を促進するため水分が必要であるが, 分娩損傷による創痛のため, 褥婦がトイレに行くことに不安を覚え, 水分摂取を制限し, その結果尿量が減少してしまうことがある. 尿量減少は膀胱炎の原因ともなるので, 尿量を観察し, 少なければ, 必

要点	留意点・根拠
	要な水分量の摂取を促す．妊娠高血圧症候群，腎疾患などの場合は，腎機能の評価のために尿量測定の指示が出る
②尿量測定の目的，方法を説明する	根拠 目的，方法を理解することで，検査に協力的になり，正確に行える
・尿量測定時の注意事項を説明する．排尿前後の手洗いの遵守，蓄尿する場合には他の褥婦の採尿カップや蓄尿袋と間違えないように指導する 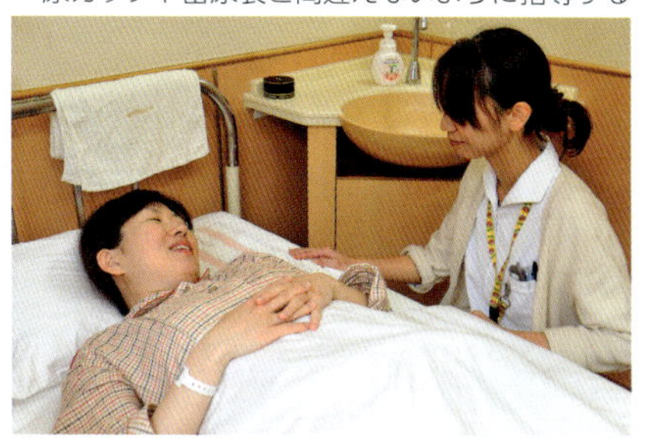	▶感染防止と検体採取を正しく行えるように指導する 根拠 他の褥婦の蓄尿袋に入れてしまうと，両者の測定値を正確に把握できなくなる．なお，蓄尿せずに褥婦が毎回の尿量を記録し，それを看護師が確認する方法もある 事故防止のポイント 褥婦の感染を防止する
③必要物品を準備する ・個人別の採尿カップ，蓄尿袋を準備し，褥婦に説明する	根拠 感染を防止し，検体採取を正しく行えるように個人の使用物品を用意し，説明する
④尿量を測定する ・ディスポーザブル手袋，ビニールエプロンを装着する	根拠 尿は体液であるため，感染防止を図る
・蓄尿袋にためられた尿量を測定する	▶尿量は 24 時間の量を測定する．測定後は尿を汚水槽に廃棄する 根拠 尿は感染防止のために汚水として廃棄する ▶尿量測定継続時は，新しい蓄尿袋を設置する．その場合，蓄尿袋は同じ場所に設置し，褥婦の氏名を正しく記載する 根拠 褥婦が自分の蓄尿袋を間違わないようにする
⑤手洗いを行う	▶測定終了後，ディスポーザブル手袋，ビニールエプロンを医療廃棄物専用容器に廃棄し，看護師は手洗いを行う 根拠 感染防止を図る
4 乳汁分泌量を測定する	▶ p.298「第 3 章-1 【8】乳汁分泌の観察」参照
5 子宮底長(高)を測定する	▶ p.294「第 3 章-1 【7】産褥復古の観察」参照
6 悪露量を測定する	▶ p.296「第 3 章-1 【7】産褥復古の観察」参照
7 記録をする ①日々の計測値(視診，触診も含む)を記録する	根拠 日々の記録を行うことで，症状の変化が観察できる

6 腟鏡診・内診(介助)

永澤 規子

目的 分娩損傷と産後の退行性変化の回復状況を観察する.
チェック項目 子宮の大きさ, 硬さ, 子宮頸管の回復状況, 軟産道裂傷の確認とその治癒状態
適応 すべての褥婦. 通常, 分娩直後と退院診察時に行う.
注意 消毒薬によるアレルギーの有無を確認しておく. 感染の機会とならないよう清潔操作に留意する.
禁忌 なし
事故防止のポイント 感染防止, 消毒薬によるアレルギー防止, 転倒・転落防止

必要物品 腟鏡, 滅菌手袋, バスタオル, 消毒液(ポビドンヨードまたは逆性石けん), 感染防止物品(ディスポーザブル手袋, ビニールエプロン)

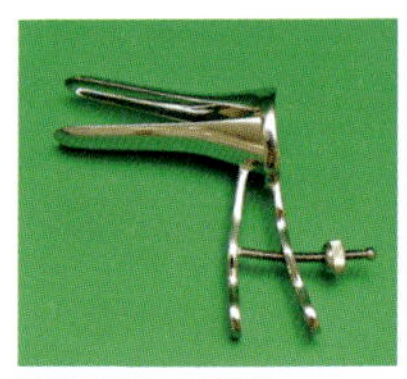
腟鏡(クスコ腟鏡)

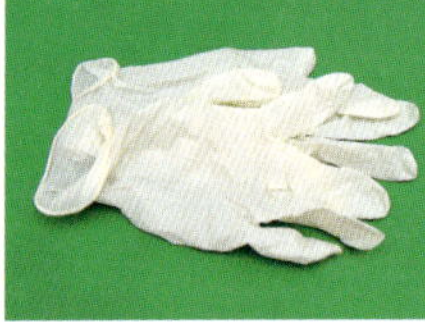
ディスポーザブル手袋

消毒液

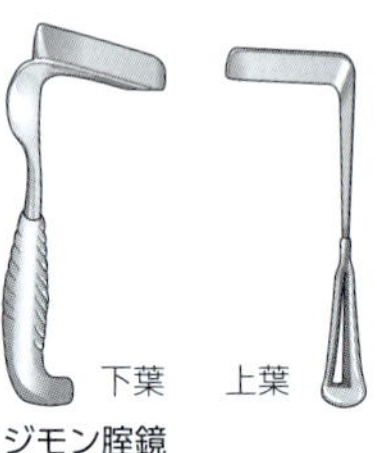

ジモン腟鏡

分娩直後(胎盤娩出後)

分娩直後に行われる腟鏡診と内診は, 胎盤娩出後の子宮の状態, 分娩による軟産道の損傷部の確認のため, また損傷部処置終了後に異常がないかどうかの確認のために行われる.

手順

要点	留意点・根拠
1 分娩台で腟鏡診・内診を行う	▶分娩介助助産師が引き続き介助する. ガウン(ビニールエプロン), ディスポーザブル手袋をそのまま装着し, 行う
①腟鏡診・内診の目的・方法を説明する	**根拠** 目的・方法を説明することで, 褥婦の不安を軽減し, 検査に協力が得られる
②必要物品を準備する ・必要物品を褥婦のサイズに合わせて準備する	▶通常は, 分娩介助セットに準備されている **根拠** 腟鏡(クスコ腟鏡)は, 軟産道を的確に診察するため褥婦の体格に合わせて準備する. 分娩直後は, M・L・LLサイズなどが使用される. なお, 子宮頸管裂傷では, 腟の奥の視界を広くするため, ジモン腟鏡が使用される場合もある
・腟鏡は人肌程度に温めておく  腟鏡を温めておく	**根拠** 冷たい器具が腟内に入ると褥婦は不快感を覚える **コツ** 滅菌済みの腟鏡を40℃程度の滅菌蒸留水で温める **注意** 湯の温度が高すぎると熱傷を起こすことがあるので注意する. 使用直前に滅菌手袋を装着した手で握って温度を確かめる

要点	留意点・根拠
③診察部位の照度を調整する	根拠 腟鏡診が的確に行われるように，診察部位の照度を調整する

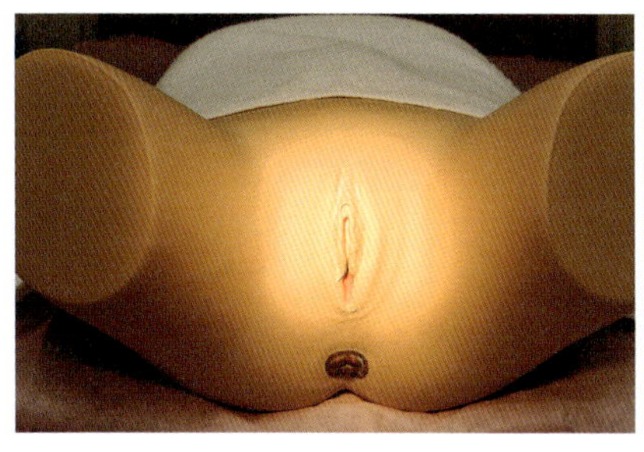

外陰部に焦点を合わせる

要点	留意点・根拠
④腟鏡診・内診の情報を得る	▶医師が行う腟鏡診・内診の情報を共有する(表1)　根拠 子宮の状態・分娩損傷の有無と程度の情報を共有することで，産褥の異常の早期発見ができるようになる．腟鏡診・内診で分娩損傷部を確認したら，医師が行う処置を介助する

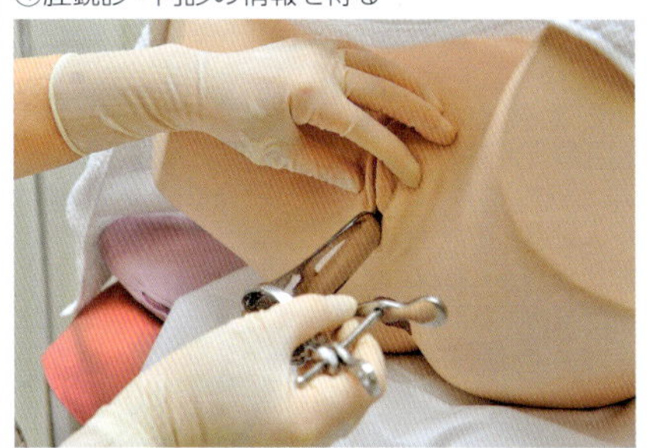

褥婦の苦痛を最小限とするために，腟鏡は，横にして陰裂に対して最小径で挿入する

表1　腟鏡診・内診から得られる情報

子宮復古情報
- ・子宮内遺残物の有無と程度
- ・子宮復古状態(大きさ，硬度)
- ・悪露の量

分娩損傷の情報
- ・子宮頸管裂傷の有無と程度
- ・腟壁裂傷の有無と程度
- ・会陰部裂傷の有無と程度
- ・会陰切開の有無と程度
- ・分娩損傷部からの出血状態

軟産道のその他の異常
- ・外陰部血腫の有無と程度

事故防止のポイント 感染を防止する

要点	留意点・根拠
2 後片づけをし，記録をする	
①腟鏡は，他の分娩介助器材とともに滅菌消毒に出す ・使用した器材は，血液に触れないように手袋を着用したまま取り扱い，滅菌に出すトレイに片づける	事故防止のポイント 使用した器材を滅菌部門に出す手順は，院内の感染防止対策に準ずる
②ディスポーザブル手袋，ビニールエプロンを廃棄する	▶体液や分泌物が付着したディスポーザブル手袋，ビニールエプロンは，医療廃棄物専用容器に廃棄する　根拠 廃棄物処理業者への感染防止にも配慮する
③手洗いを行う	▶ディスポーザブル手袋を外した後は，必ず手を洗う　根拠 ディスポーザブル手袋にはピンホール(目に見えない小さい穴)ができている可能性がある．そのため，細菌が手に付着している可能性がある．ディスポーザブル手袋を外した後は，手洗いを十分に行う 事故防止のポイント 感染を防止する

要点	留意点・根拠
④記録する ・分娩直後の腟鏡診・内診で観察された身体状況を記録する	根拠 分娩直後の状態の正確な記録がその後の経過の指標となる(回復しているか,悪化しているか)

退院診察時

手順

要点	留意点・根拠
1 褥婦に腟鏡診・内診を説明する ①目的・方法を説明する	根拠 目的・方法を説明することで,診察に協力が得られる
2 環境・使用物品を整える ①内診台を整える ・プライバシーが保護される環境を整える	根拠 外陰部を露出するため,羞恥心が最小限に抑えられるようにプライバシーに注意する(個室・個別対応が原則)
・室温を調整する	▶室温は24～25℃程度に調整する 根拠 下半身を露出した時,寒暖によって褥婦が不快感を覚えないように室温を調整する
②必要物品を整える ・褥婦に持参してもらう物品を説明する(新しいナプキンを持参してもらう)	
・腟鏡診・内診の必要物品(滅菌物)をそろえる	根拠 感染防止のために滅菌物をそろえる.準備を整えておかないと,褥婦が内診台に乗っている時間が長くなり,羞恥心や体位による苦痛が長引く 注意 滅菌物の使用期限に注意する
・創部の消毒液は,褥婦のアレルギーの有無を把握して選択する	根拠 一般的にはポビドンヨード(10% イソジン液)か逆性石けん(0.025% チアミトール液)を使用する 注意 事前に消毒薬のアレルギーがないかを褥婦自身に必ず確認する 事故防止のポイント 消毒薬によるアレルギーを防止する 緊急時対応 消毒薬でアレルギーを起こした場合は,他の医師,看護師を呼ぶ(マンパワーの確保)
③腟鏡を温める	▶腟鏡は人肌程度に温めておく.内診台に隣接して,照明(無影灯),腟鏡の保温装置,洗浄液や滅菌物品の収納ができる内診ユニットが設置されている場合が多い.内診ユニットがある場合には,その腟鏡保温装置を利用する 根拠 腟鏡が冷たいと褥婦は不快感を覚える 注意 湯の温度が高すぎて熱傷を起こさないように,使用直前に滅菌手袋を装着した手で温度を確認する

要点	留意点・根拠
3 内診台へ移動するための介助を行う ①看護師は身支度を整える ・診察介助を行うため看護師は手洗いの後，ディスポーザブル手袋を装着し，ビニールエプロンを着ける 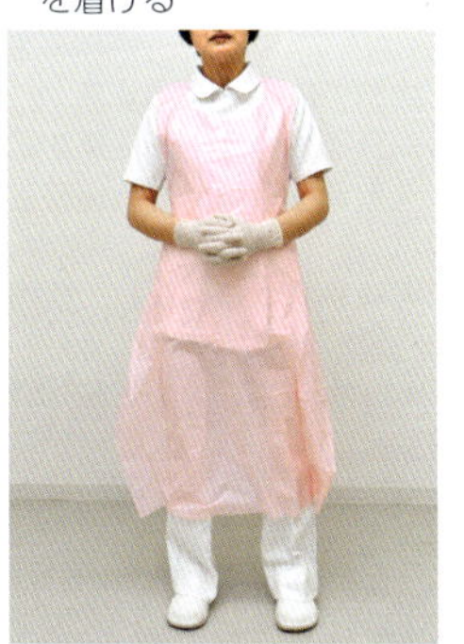	**根拠** 移動の介助時にも悪露で汚染した下着に触れる可能性があるため，内診台に上がる前に身支度を整える．手袋はピンホール（目に見えない小さい穴）がある可能性があるので，身支度を整える前，感染防止のために手を洗う **注意** 職業感染防止のために身支度は，スタンダードプリコーション（標準予防策）にのっとって確実に行う
②移動を介助する 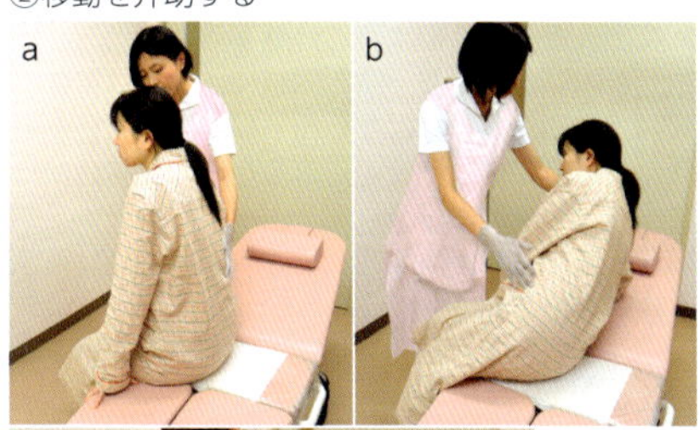 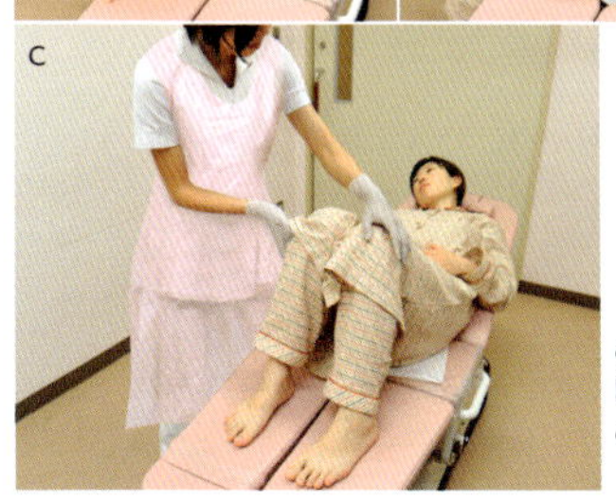 a. 褥婦を内診台に腰かけさせる b. 上半身を内診台に側臥位のまま，横に寝かせる c. 両足を昇降側の脚台に乗せ，全身が内診台に乗ったところで，仰臥位となるよう介助する	▶内診台に上がる時に，転倒・転落を起こさないように介助する **根拠** 産後は，分娩時の身体損傷，貧血，疲労などで，非妊時のように動作がスムーズにできないことが多いため，看護師の介助が必要である **注意** 内診台からの転倒・転落に注意する **禁忌** 母体の状態が悪い場合に，内診台に移動させることは身体的負担が大きく，転倒・転落の危険を伴う．その場合は診察をベッド上で行う **コツ** 転倒・転落を防止するため，内診台を最低位に下げる．褥婦を内診台に腰かけさせ（a），上半身を内診台に側臥位のまま，横に寝かせる（b）．次に両足を昇降側の脚台に乗せ，全身が内診台に乗ったところで，仰臥位となるよう介助し（c），脚を左右の脚台に乗せる
③褥婦の体位と身支度を整える	▶外陰部の洗浄で褥婦の衣服を汚染しないようにする．衣服を腰の上まで上げて外陰部を十分に露出し，腰を浮かさないように褥婦に説明する．腹部にはバスタオルをかけ，不必要な露出を避けて羞恥心に配慮するとともに保温に努める **根拠** 腰を浮かしていると，消毒液などが背部に流れて衣服が汚染され，褥婦は不快感を覚える **事故防止のポイント** 感染を防止する．転倒・転落に注意する
4 腟鏡診・内診の介助を行う ①診察を開始する	

要点	留意点・根拠
・褥婦に診察を開始することを知らせる	根拠 予告なく突然診察を始めると，褥婦が驚き身体を動かしたりして，転落や診察時の危険につながる
②診察部位の照度を調整する	▶腟内が見やすくなるように照度を調整する 根拠 照度を調整することで，より正しく診察できるように介助する
③腟鏡診・内診の情報を得る	▶医師が行う腟鏡診・内診の情報を共有する 根拠 子宮の回復状況，分娩損傷の治癒状態を知ることで，退院後の生活指導を適切に行う情報となる コツ 診察時の褥婦の表情や言動も観察し，創痛の程度を観る
④褥婦の身支度を整える	▶褥婦の持参したナプキンを当てて，身支度を整える 根拠 身支度を整えることで，内診台から降りる時に周囲への悪露による汚染防止を図り，安全に降りることができる 注意 身支度が整っていないと，衣類が内診台や身体に引っかかったりして危険である 事故防止のポイント 悪露による感染を防止する
⑤内診台から降りる介助をする	▶転倒・転落しないように介助する 根拠 内診台に上がる時と同様に，産後は身体的疼痛，貧血，疲労などからふらつき，めまいなどを起こし，動作が不安定であるため，内診台から降りる時も介助を行う コツ 内診台に上がる時と反対の順序で降りるよう介助を行う 事故防止のポイント 転倒・転落に注意し，褥婦を介助する
5 後片づけをし，記録をする ①腟鏡を滅菌消毒に出す	▶使用した器材は，血液に触れないように手袋を着用したまま取り扱い，滅菌に出すトレイに片づける 事故防止のポイント 使用した器材を滅菌部門に出す手順は，院内の感染防止対策に準ずる
②ビニールエプロン，ディスポーザブル手袋を廃棄する	▶体液や分泌物が付着したビニールエプロンやディスポーザブル手袋は，医療廃棄物専用容器に廃棄する 根拠 廃棄物処理業者への感染防止にも配慮する 事故防止のポイント 感染を防止する
③手洗いを行う	▶ディスポーザブル手袋を外した後は，必ず手を洗う 根拠 ディスポーザブル手袋にはピンホール(目に見えない小さい穴)ができている可能性がある．そのため，細菌が手に付着している可能性がある．ディスポーザブル手袋を外した後は，手洗いを十分に行う
④腟鏡診・内診で得た情報を記録する	▶医師の診察介助の結果を記録する 根拠 子宮復古状態，創部の治癒状態を記録し，産後1か月健診時の診察の指標とする

7 産褥復古の観察

永澤 規子

目的 退行性変化である子宮復古が順調に進んでいるかを観察する.
チェック項目 子宮底高，子宮底長，硬さ，悪露の性状・量，後陣痛の有無と程度
適応 すべての褥婦．産後は毎日観察する．また産後1か月健診時に最終評価を行う.
注意 褥婦の身体に直接触れる場合や，悪露の観察の場合には，体液・血液に触れる機会となるので，感染防止策を遵守する.
事故防止のポイント 感染防止

必要物品 メジャー，アルコール綿，計量器，感染防止物品（ビニールエプロン，ディスポーザブル手袋）

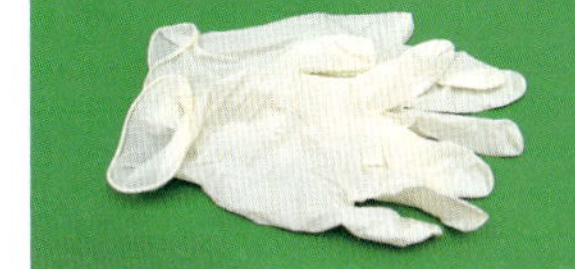
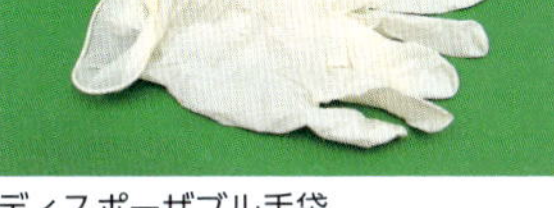
ディスポーザブル手袋

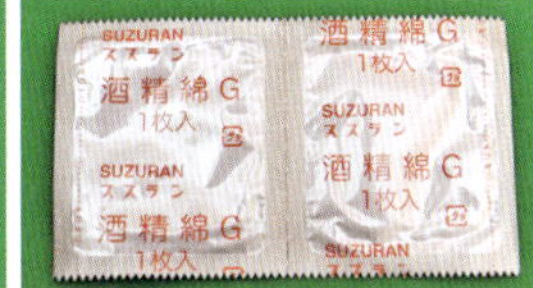

アルコール綿

子宮復古

手順

要点	留意点・根拠
1 インタビューを行う ①後陣痛の有無や程度，出現状況などを聞く	**根拠** 後陣痛は子宮の収縮痛である．その状況を聞くことで，子宮復古の状況を把握することができる **コツ** 検温時や悪露交換時など1日1回は聞く
2 触診を行う ①環境を整える ・腹部を露出するため室温に配慮する 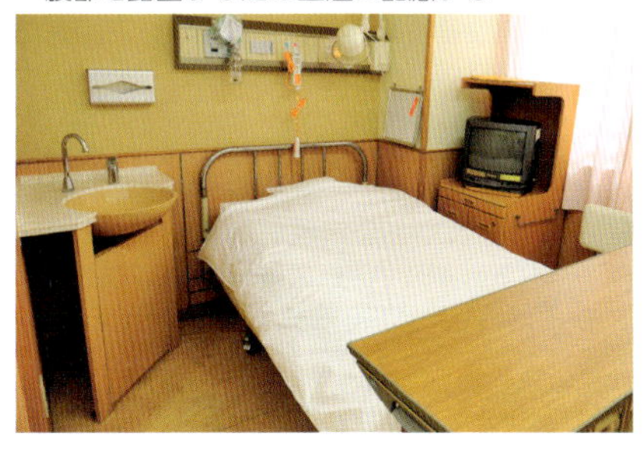	**根拠** 褥婦が室温の寒暖で不快を感じないようにする **コツ** 室温は24～25℃程度が好まれる．空調機の下で風が直接当たる場所は，室温が保たれていても寒さを感じる場合があるので避ける
・プライバシーに配慮して環境を整える	**根拠** 乳房や性器ほどではないが肌を露出するので，褥婦の羞恥心が緩和されるようにする
②手洗いを行う	**根拠** 感染防止のために手洗いを行う **コツ** 低温の水で洗うと手が冷たくなり，褥婦が冷たい手で触られると驚くので，手洗いの最後に手に湯を流したり，両手を擦り合わせたりして，手を温めてから触診する

要点	留意点・根拠
③子宮底高，硬度を触診する	
・褥婦の腹部に看護師は手を垂直に押し当て，子宮底部を探る．子宮底部を触知できたら，その高さを観察し，正常経過をたどっているかを把握する	根拠 腹部に垂直に手を押し当てると子宮底部がわかりやすい．また，子宮底の高さを観察することで，退行性変化が順調かどうかを評価する
・子宮底部を探る時，すぐ子宮底が確認できたかどうかを観察する	根拠 子宮硬度が良好な場合には，すぐに子宮底が触知できる 注意 探っているうちに子宮底が触知できた場合は，触知動作が子宮底輪状マッサージ効果となり，子宮の硬度が良好となって触知できたと予測される．この場合は子宮収縮が不良である可能性もある
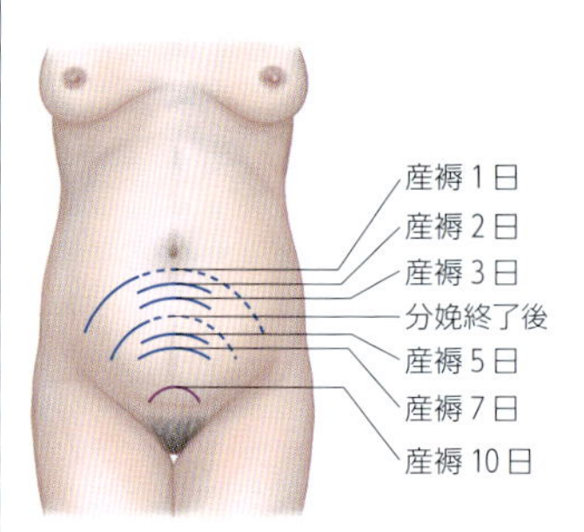 図1　子宮底の位置変化	事故防止のポイント 感染を防止し，不適切な触診によって身体状況を悪化させない ▶ 子宮底高（子宮底の位置）は，臍の位置，または剣状突起下縁からの横指（指の幅）で表現する
④終了後，手洗いを行う	根拠 感染防止を図る
3 計測を行う	
①必要物品を準備する	▶ 物品に不足がないように準備する　根拠 計測がスムーズに行える
②手洗いを行う	根拠 感染防止のために手洗いを行う コツ 低温の水で洗うと手が冷たくなり，褥婦が冷たい手で触られると驚くので，手洗いの最後に手に湯を流したり，両手を擦り合わせたりして，手を温めてから計測する
③子宮底長を計測する	
・褥婦の腹部に看護師の手を垂直に押し当て，子宮底部を探り，子宮底部の位置を確認する	根拠 腹部に垂直に手を押し当てると，子宮底部がわかりやすい
・恥骨上縁部にメジャーの0 cmの起点を片手で合わせ，測定する 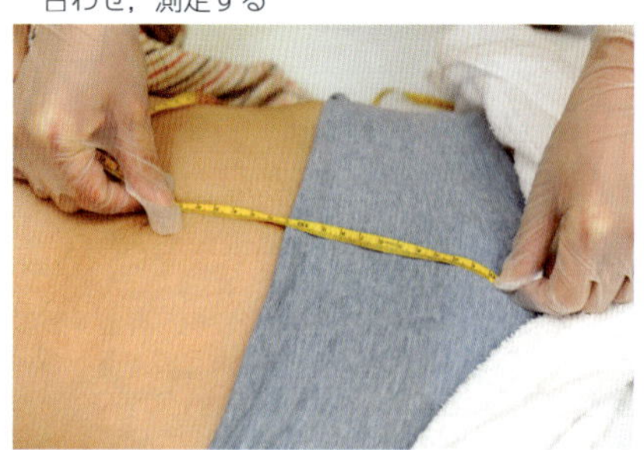 子宮底長の測り方	▶ 子宮底長は，恥骨結合上縁から子宮底最高点までの距離を腹壁に沿ってメジャーで測定した長さをいう．なお，臨床では簡便に行うために，子宮底長の計測よりも子宮底高の触知（p.282「第3章-1【4】触診」の「④子宮底高，硬度を把握する」参照）で子宮収縮状態を観察することが多い
④後片づけをする	
・測定に使用したメジャーは，使用後アルコール綿で消毒する	根拠 メジャーは共用するので，感染防止のため使用後は消毒する

要点	留意点・根拠
⑤手洗いを行う	事故防止のポイント 感染を防止する 根拠 感染防止のために手洗いを行う
4 腟鏡診・内診の介助を行う	▶子宮収縮の状態を知るには，医師が行う腟鏡診・内診の情報の把握も必要である．詳細はp.288「第3章-1【6】腟鏡診・内診（介助）」を参照
5 記録をする ①インタビュー，触診，子宮底高（長）の結果を記録する	▶子宮復古の状態は，褥婦の感じる後陣痛の程度，看護師の子宮の触診・計測，医師の行う腟鏡診・内診の結果の総合評価で行われる．日々の記録をする 根拠 日々記録することで，子宮復古の変化がわかる

悪露

手順

要点	留意点・根拠
1 インタビューを行う ①褥婦に悪露の量，性状を聞く 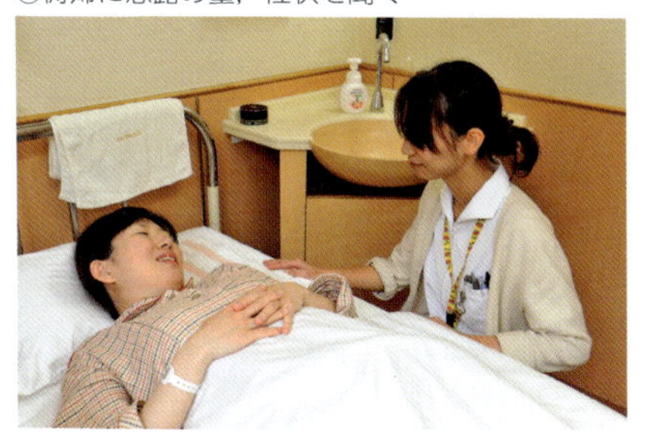	▶事前に，褥婦に悪露の量，性状の変化について説明する．検温時に1日1回聞く 根拠 悪露の状態を褥婦自身が自己管理することで，異常時に早期介入できるようになる 注意 弛緩出血，癒着胎盤，子宮内胎盤・卵膜遺残の疑いがある場合は，その病態が落ち着くまで看護師が毎回確認する
2 悪露の観察を行う ①看護師は身支度を行う ・看護師は手洗いの後，ディスポーザブル手袋を装着し，ビニールエプロンを着ける ②悪露の量，性状をみる	根拠 悪露は血液であり，体液としては最も感染性が高い．感染防止のために行う ▶子宮復古の状態によって悪露の量，性状は異なる．その状態から退行性変化が順調に進んでいるかを評価する 根拠 産褥経過を把握する指標とする 注意 悪露の付着したナプキンを直接観察する時は，血液曝露の機会となるので，感染予防対策を遵守する．また褥婦の羞恥心にも配慮して行う
③ディスポーザブル手袋，ビニールエプロンを廃棄する	事故防止のポイント 感染を防止する ▶体液や血液が付着している可能性のあるディスポーザブル手袋やビニールエプロンは，医療廃棄物専用容器に廃棄する 根拠 廃棄物処理業者へ

要点	留意点・根拠
④悪露視診後，手洗いを行う	の感染防止にも配慮する 根拠 感染防止のために手洗いを行う

3 悪露量を測定する

①看護師は身支度を行う

・看護師は手洗いの後，ディスポーザブル手袋を装着し，ビニールエプロンを着ける

根拠 悪露は血液であり，体液としては最も感染性が高い．感染防止のために行う

②ナプキンの重量を測定する

▶ あらかじめ褥婦の使用しているナプキンの重さを測定しておく 根拠 正確な悪露量を測定するためにナプキンの重量を差し引く必要がある

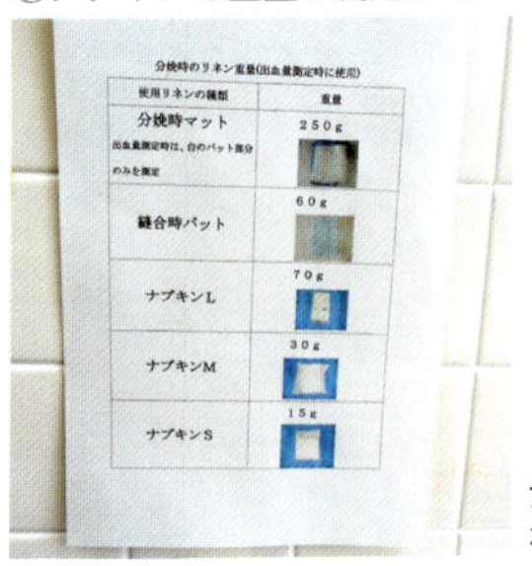

ナプキンの重量を表にしておく

③悪露を測定する

・トイレの後に褥婦からナプキンを預かる

・ナプキンを計量器に乗せる

・測定値からナプキンの重さを引く

根拠 悪露の量は計算によって把握できる

注意 悪露量の計測は，退院まで行う必要はないが，初回歩行時（胎児娩出後6～8時間）の悪露は，量が正常範囲内にあるかを評価するため計測する

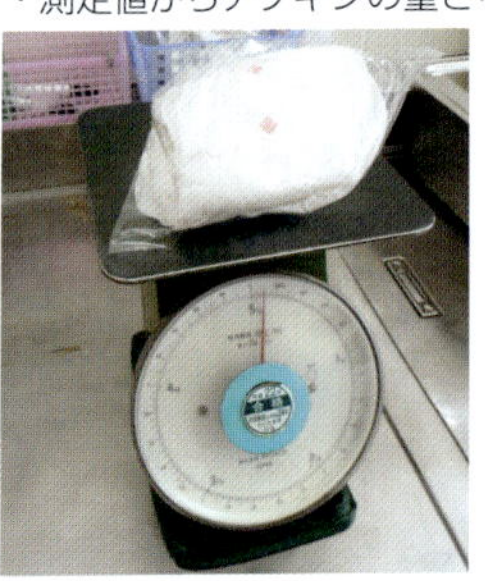

・悪露で汚染されたナプキンは，医療廃棄物専用容器に入れて処理する

根拠 血液は感染性物質として取り扱う

事故防止のポイント 感染を防止するため，スタンダードプリコーション（標準予防策）を遵守する

④ディスポーザブル手袋，ビニールエプロンを廃棄する

▶ 体液が付着したディスポーザブル手袋，ビニールエプロンは，医療廃棄物専用容器に廃棄する

根拠 廃棄物処理業者への感染防止にも配慮する

事故防止のポイント 感染を防止する

⑤手洗いを行う

根拠 感染防止のために手洗いを行う

⑥インタビュー，視診，悪露量の計測値の結果を記録する

▶ 悪露の性状・量は，インタビュー，視診，計測値の結果を総括して評価される．悪露の性状・量は子宮復古の指標となる 根拠 日々記録を行うことで，子宮復古の変化がわかる

評価

- 子宮底高や子宮底長，悪露の状態から子宮復古状態を評価する（表 1）．

表 1　子宮復古状態の評価

時間	子宮底高	子宮底長（恥骨結合上 cm）	悪露の性状	悪露の量
胎盤娩出直後	臍下 2～3 横指	11 ～ 12	純血液性	分娩時出血として，500 g 以下
分娩 12 時間後	臍高～臍上 1 横指	15	純血液性	分娩後から 100 g 以下
産褥 1～2 日	臍下 1～2 横指	12 ～ 13	純血液性～暗赤色	産褥 1 日目 100 g 以下 産褥 2 日目 50 g 以下
3 日	臍下 2～3 横指（分娩直後と同様）	10 ～ 12	純血液性～暗赤色	40 g 程度
4 日	臍恥中央	9 ～ 10	暗赤色～赤褐色	30 g 程度
5 日	恥骨結合上縁上 3 横指	8 ～ 10	暗赤色～赤褐色	20～30 g
6 日	恥骨結合上縁上 2 横指	7 ～ 8	暗赤色～赤褐色	20～30 g 程度
7 ～ 10 日	恥骨結合上縁にわずかに触れる	6 ～ 9	赤褐色～黄色	20 g 程度
11 ～ 14 日	腹壁上から触知不可		赤褐色～黄色	20 g 以下

石村由利子（我部山キヨ子，武谷雄二編）：助産学講座 7　助産診断・技術学 II [2] 分娩期・産褥期　第 5 版，pp.294-295，医学書院，2013 を参考に作成

 乳汁分泌の観察

永澤 規子

目的 新生児に必要な乳汁分泌がみられているかを観察する．

チェック項目 射乳の状態，乳腺開口の状態，乳房緊満状態，搾乳量，乳汁の性状，新生児の体重の変化（間接的に乳汁分泌の過不足を評価できる）

適応 授乳中の褥婦

注意 乳汁に直接触れないように注意する．不潔な操作の後で乳頭・乳房に触れることがないよう手指消毒を徹底する．

禁忌 褥婦の健康状態が悪化している場合（必要に応じてベッド上で行う場合もある）

事故防止のポイント 感染防止，新生児の転落防止，不適切な搾乳による乳頭・乳房トラブルの発生防止

必要物品　哺乳瓶，フェイスタオル，新生児体重計，感染防止物品（ディスポーザブル手袋，ビニールエプロン）

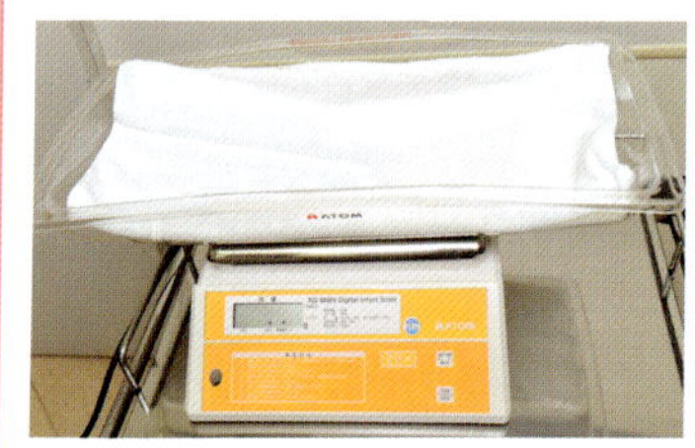

新生児体重計

哺乳瓶

ディスポーザブル手袋

乳腺開口・射乳状態の観察

手順

要点	留意点・根拠
1 環境・必要物品を整える ①環境を整える ・プライバシーに配慮する	**根拠** 授乳時は乳房を露出するため，プライバシーに配慮することで褥婦が気兼ねなく授乳できるようにする **コツ** ここでいうプライバシーは，個室対応を意味しているのではなく，乳房を褥婦が露出するのに適した空間の準備を指している．複数で使用できる授乳室を用意するのがよく，そこで，母親同士の仲間意識がもてる利点もある
・室温を調整する	▶ 室温は 24～25℃ に設定する **根拠** 室温の調整により，寒暖による不快感がないようにする ▶ 空調からの風が褥婦に直接当たることのないように，風向きを調整する **根拠** 風が褥婦に直接当たることで，褥婦は寒さを感じることがある

要点	留意点・根拠
②乳房，乳頭が観察しやすいように褥婦の身支度をする 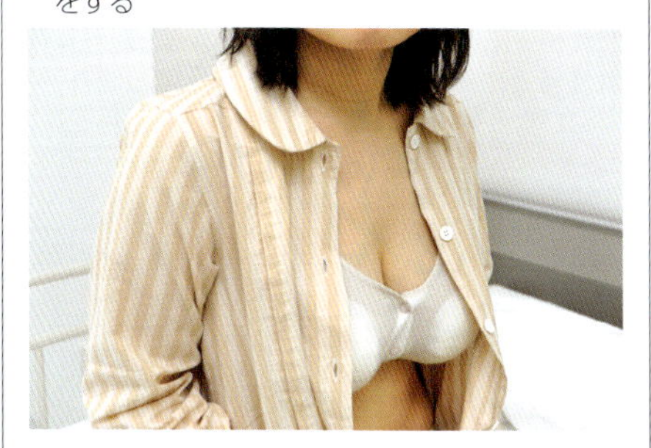	▶乳腺開口状態が観察しやすいように，乳房が出しやすい服装を指導する 根拠 乳房が十分に出せることで，乳腺開口部を観察しやすく，また射乳時に乳汁による衣服の汚染を防ぐ
③必要物品を不足のないように整える	根拠 観察がスムーズに行えるようにする
2 手洗いを行う ①看護師，褥婦ともに手を洗う ・石けんを用いて十分に手洗いを行う ・その後，消毒用速乾性アルコール製剤で両手を消毒する ・看護師は，乳汁に直接触れるので，ディスポーザブル手袋を装着する	根拠 手洗いは，感染防止のため重要である．また，搾乳した母乳は新生児に哺乳させるので，手洗い後には，アルコールで手指消毒も行う 注意 乳汁は体液であるため，感染防止のために看護師が直接触れないように注意する．また，看護師の手から母乳に雑菌が混入しないようにする 事故防止のポイント 感染を防止する

石けんを用いた手洗い

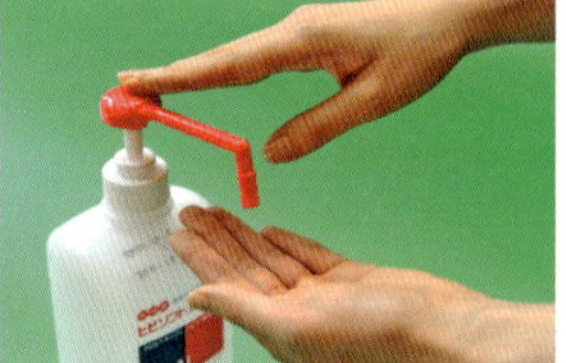

消毒用速乾性アルコール製剤による手指消毒

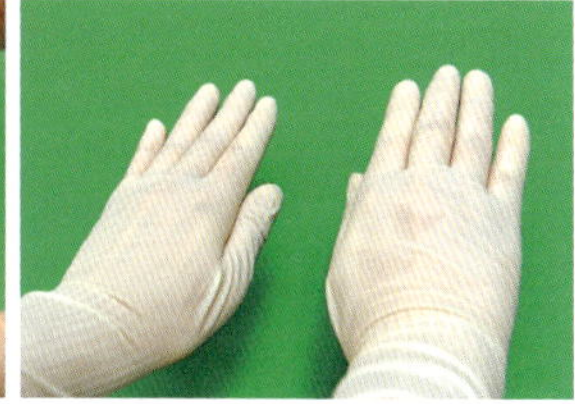

ディスポーザブル手袋装着

要点	留意点・根拠
3 乳腺開口，射乳を観察する ①乳腺開口を観察する ・看護師は利き手の母指と示指で乳頭をつまむようにゆっくりと圧迫する 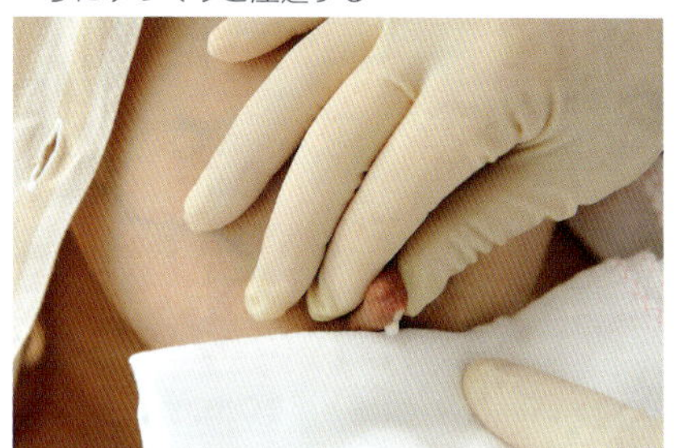	根拠 急に強くつまむと褥婦が痛みを感じるので，ゆっくりと圧迫する．圧迫すると開口している乳腺から乳汁がしみ出る．その様子から開口腺の数が観察できる コツ 圧迫して乳汁がしみ出ない時は，軽く搾乳してみるとよい

要点	留意点・根拠
②射乳を観察する ・乳汁を軽く搾乳する 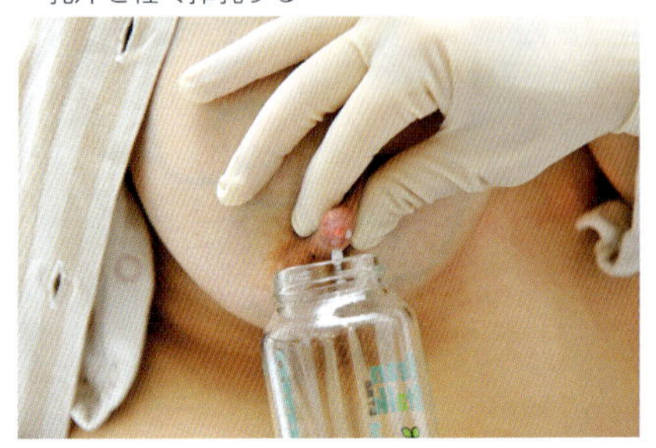	▶搾乳した乳汁が，哺乳瓶で受け止められるように乳頭下部に哺乳瓶の口を当てて行う 根拠 搾乳すると，射乳状態がわかる(搾乳方法は p.383「第3章-4【4】搾乳」参照) 事故防止のポイント 感染を防止する．不適切な搾乳によって乳頭・乳房トラブルを起こさない
4 後片づけをし，記録をする ①ディスポーザブル手袋を廃棄する	▶医療廃棄物専用容器に廃棄する．使用したタオル類はクリーニングに出す 根拠 ディスポーザブル手袋には，乳汁(体液)が付着している．感染防止のために医療廃棄物専用容器に廃棄する 事故防止のポイント 廃棄物処理業者への感染防止にも配慮する
②手洗いを行う	▶ディスポーザブル手袋を外した後に石けんで手を洗う 根拠 ディスポーザブル手袋にはピンホール(目に見えない小さい穴)ができている可能性がある．そのため，細菌が手に付着している可能性がある．ディスポーザブル手袋を外した後は，手洗いを十分に行う
③観察を記録する	▶乳腺開口，射乳状態を記録する 根拠 日々記録することで，乳腺開口，射乳の状態の変化がわかる

新生児の体重変化

直接授乳時前後の新生児の体重変化をみることで，間接的に直接授乳量を知ることができる．また体重を毎回測定しなくても，日々の体重変化を観察することで，母乳の過不足を評価できる．

手順

要点	留意点・根拠
1 直接授乳前後の体重変化による授乳量の観察を行う ①おむつを交換する ・石けんを用いて手洗いを十分に行う	根拠 感染防止のため，新生児に触れる前に手を洗う コツ 看護師は見本となって，母親に手の洗い方を視覚的に指導する
・おむつを開け，排泄がないかを確認する．排泄がある場合は，おむつ交換を行う	根拠 排泄したまま(特に排便)授乳すると，新生児が不快感を覚え，母乳吸啜(てつ)に集中できな

要点	留意点・根拠
	い場合がある．また，おむつを汚染したままにしておくと，排泄物による外陰部，殿部への刺激によりおむつかぶれの原因となる
・おむつ交換が終了したら再度，石けんを用いて手洗いを十分に行う	**根拠** 排泄物で手が汚染されているので，感染防止のため手を洗う **注意** 看護師がおむつ交換介助を行う場合は，看護師の手を介在した感染防止のため，手を洗った後にディスポーザブル手袋を装着する．ディスポーザブル手袋は，おむつ交換ごとに新しいものに取り換える
②授乳直前に新生児の体重を測定する	**根拠** 授乳直前と授乳後の体重差が授乳量の目安となるため，授乳直前に新生児の体重を測定する
③直接授乳を行う 	
④授乳直後，おむつ交換前に新生児の体重を測定する	**根拠** 授乳後と授乳直前の体重差が授乳量の目安となるため，授乳直後に新生児の体重を測定する **注意** 授乳後，体重測定前におむつを交換してしまうと，排泄物の重さが減少し授乳量の正確な測定ができないので，おむつ交換前に体重を測定する．授乳前と同じ条件で体重を測定する **事故防止のポイント** 感染を防止する．体重測定時の新生児の転落に注意する
2 日々の体重変化による授乳量の観察を行う ①新生児の体重を測定する 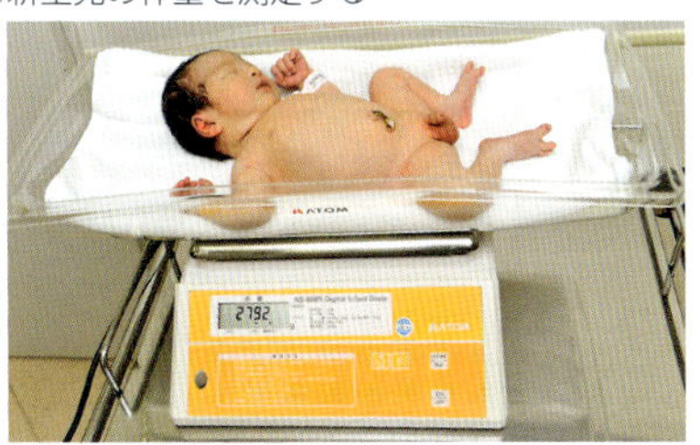 	▶新生児の体重を1日1回測定する．通常，朝9～10時頃に測定する　**根拠** 毎日同じ時間に体重測定するなど，測定条件を一定にすると比較しやすい．また新生児の体重変化を観察することで，乳汁分泌の過不足が評価される **注意** 新生児の生理的体重減少（生下時の浮腫の改善，排泄物による体重減少）の範囲内（生下時体重の10％以内，ピークは生後5日目くらいで，7日目頃から増加傾向になるといわれている）であれば問題はない．新生児生理的体重減少の範囲を超えた体重減少や生後7日目以降に体重増加がみられない場合は，乳汁分泌不足が考えられる（新生児に問題がない場合）

乳汁分泌量の観察

手順

要点	留意点・根拠
①搾乳して乳汁分泌量を把握し，記録をする	▶ 乳汁分泌量を記録する **根拠** 日々記録することで，乳汁分泌量の変化がわかる ▶ 乳汁分泌量の観察は，次のような場合に行われる 1) 新生児が直接授乳できない場合(乳頭トラブルや新生児ウエルネス低下による直接授乳困難時)に，吸啜刺激が加わらないことで，乳汁分泌量が低下していないかどうかを把握する 2) 直接授乳で新生児の体重増加がみられない場合に，乳汁分泌量の把握をする

乳汁の観察

手順

要点	留意点・根拠
①搾乳する 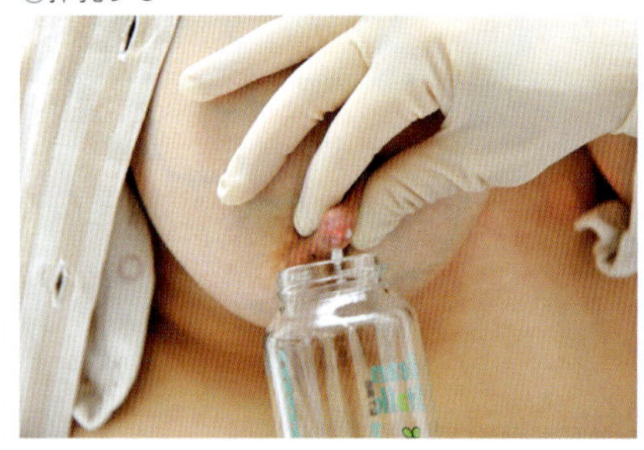	▶ p.383「第3章-4【4】搾乳」参照 **事故防止のポイント** 感染を防止する．不適切な搾乳によって乳頭・乳房トラブルを起こさない
②乳汁の性状を観察する 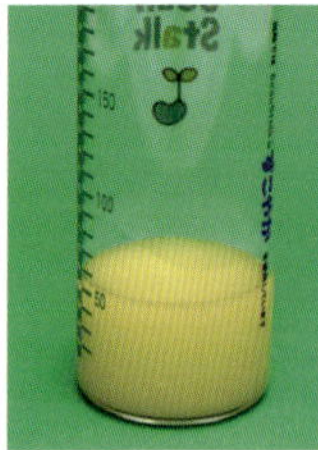 初乳  移行乳 成乳	**根拠** 乳汁の性状の変化が順調に進んでいるかを観察する **注意** 化膿性乳腺炎などでは，膿汁様の乳汁が出ることがある．そのような乳汁は授乳できない
③乳汁の状態を記録する	**根拠** 日々記録することで，乳汁の性状の変化がわかる

2
褥婦の生活援助技術

1 食生活

永澤 規子

目的 授乳期に必要な栄養摂取ができるように支援する．

チェック項目 褥婦の食習慣，妊娠期の栄養状態(るいそう・肥満)，分娩時の出血量，産後の貧血の有無と程度，妊娠高血圧症候群の有無と程度，食事制限の必要な基礎疾患(心臓・腎臓系疾患，糖尿病)の有無と内容，授乳の可否

適応 すべての褥婦

注意 褥婦の健康状態に合わせた栄養指導を行い，ライフスタイルに取り入れやすい情報を提供する．母乳哺育時の付加栄養所要量と具体的な食事の目安を知らせる．

禁忌 母親の健康状態が悪化している場合(指導が主になるので，健康状態が悪化している急性期には行わない．回復期に行う)

事故防止のポイント 個人情報の漏洩防止

必要物品 食事指導パンフレット(病院で用意しておくとよい)

食事指導パンフレットの例

手順

要点	留意点・根拠
1 インタビュー前の情報収集を行う ①診療録・看護記録から情報を把握する	▶次の記録から妊娠・分娩各期の情報を収集する ・妊娠期：妊娠以前の食習慣(表1)，妊娠期の体重変化，貧血の状況，妊娠高血圧症候群の有無と程度，基礎疾患の有無と内容 ・分娩期：分娩時の出血 ・母乳禁忌となる状態(表2) ・新生児の情報：新生児の生存 **根拠** 産後の食生活指導の援助は，母体の退行性変化を促進するとともに，乳汁分泌のため必要栄養量を確保するためのものとなる．指導が効果的に行われるために妊娠以前の食習慣，妊娠・分娩期の母体の栄養状態，母子の健康状態が授乳できる状態かどうかの情報を得る必要がある

表1 食習慣のチェックポイント

- 食事時間
- 1日の食事回数
- 間食の有無と内容
- 嗜好傾向(薄味，濃い味，食事の偏りの傾向)
- 嗜好品の内容(飲酒・甘味)

表2 母乳の禁忌

- 母体の健康状態(心身両面から)の悪化
- 新生児に影響を及ぼす薬剤の内服
- 感染症〔HIV(ヒト免疫不全ウイルス)など〕

要点	留意点・根拠
2 食習慣のインタビューを行う ①環境を調整する ・プライバシーが保護される環境を整える	**根拠** 褥婦によっては，経済的問題や社会的問題などから食習慣を健全に保てない場合がある．そのような状況を正確にインタビューするには，プライバシーが守れる環境を整える必要がある
3 食生活の指導を行う ①食事指導を行う ・カルテやインタビューで得た情報を基に，食事指導を行う 	**根拠** 情報を得ることで，褥婦・新生児の状況に合わせた食事指導が行える **《指導の具体的内容》** ・貧血指導：褥婦の貧血の多くは，鉄欠乏性貧血である．鉄分が補給できるような食事指導を行う ・低蛋白血症の指導：分娩時に異常出血があると，貧血と同時に低蛋白血症となることがある．その場合は，鉄分の補給とともに，蛋白質の補給に関する栄養指導も行う ・乳汁分泌促進のための指導：乳汁分泌不足とならないように，食事摂取基準に基づいて必要な栄養素・エネルギー量を摂取するように指導する（授乳時のエネルギー付加量は，対象褥婦の年代，生活活動強度における非妊娠時の必要エネルギー＋600～700 kcal といわれている）．ただし，肥満褥婦は，肥満の改善が必要となるので，その体格をふまえたエネルギー量の調整が必要となる **コツ** 産後は育児に時間がとられる．育児で精いっぱいの褥婦に食習慣からかけ離れた食事指導を行っても，実践できないことが多い．改めるべき食習慣は，修正するように指導するが，急激な食習慣の変更は，褥婦のストレスとなることもあるので，実践できるように従来の食習慣をふまえた指導を行う
・母乳哺育に効果的な食事回数・時間の指導を行う	**根拠** 授乳の 30 分～1 時間前に母親が食事を摂取すると，消化などの関係から乳汁分泌に効果的である．母乳哺育では，自律授乳（児が欲しがる時に授乳すること）が基本であるため，新生児期の授乳間隔は頻回で，母親の食事時間との関係を調整するのは難しい．しかし，月齢が進み，授乳時間がある程度決まってきたら，母親の食事時間と授乳時間を調整すると乳汁分泌に効果的である **コツ** 授乳期は，母親の朝・昼・夕食の間に間食を設けて，5～6 回食とすると乳汁分泌に効果的である．ただし 1 日の食事量全体は増えすぎないように，食事を分割する
②水分の摂取を促す	**根拠** 産後は乳汁分泌で水分を失うので，水分を十分に補給する **コツ** 水分の補給はエネルギー量調整のため，お

要点	留意点・根拠
③必要に応じて，管理栄養士が食事指導を行う	茶や水などエネルギーのないものにする ▶ 通常の乳汁分泌促進のための食事指導は，看護師，助産師が行うが，妊娠高血圧症候群や心臓・腎臓系疾患，糖尿病などの基礎疾患がある場合は，管理栄養士に食事指導を依頼する 根拠 栄養指導の専門家である管理栄養士の指導を受けることによって，より指導効果が上がる コツ 管理栄養士が効果的に指導できるように，褥婦の情報を共有し連携を図る
4 記録をする ①記録する ・行った食事指導の内容を記録する．褥婦の理解度や指導時の様子も記録する	根拠 記録を残すことによって行われた指導を共有する．また指導後の褥婦の変化の指標にもなる

2 排泄

永澤 規子

目的
・帝王切開術直後や母体の健康状態悪化などにより，ADLが低下し，排泄の自立ができていない場合に，介助を行う．
・産後の排泄管理・指導を行い，合併症の予防や退行性変化を促進する．

チェック項目 ADLを低下させる要因となっている母体の身体的状態

適応 ADLが低下し，排泄援助が必要な褥婦

注意 褥婦の羞恥心に配慮する．

事故防止のポイント 転倒・転落防止，感染防止

必要物品　差し込み尿器，差し込み便器，洗浄ボトル，40℃程度の湯，トイレットペーパー，バスタオル，防水シート，感染防止物品（ディスポーザブル手袋，ビニールエプロン）

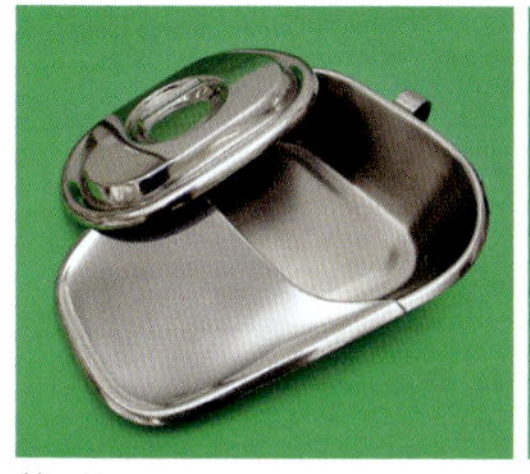
差し込み尿器

差し込み便器

洗浄ボトル

手順

要点	留意点・根拠
1 分娩時の情報収集を行う ①診療録・看護記録から情報を把握する	▶助産録やパルトグラム（分娩経過図）から，分娩時の出血，分娩損傷の程度，分娩様式（経腟分娩，帝王切開）などの分娩時の情報を収集する **根拠** 自力歩行できる状態かどうかを把握する．歩行開始は，通常，経腟分娩では胎児娩出6～8時間後，帝王切開では術後1日目に行われる．また分娩時の母体損傷の程度により，歩行開始が遅れる場合もある．母体の身体的状態を把握し，適切な排泄管理の支援方法を選択する
2 床上排泄を援助する	▶帝王切開直後や重度の分娩損傷で床上排泄介助が必要となるような母体の身体的状態下では，循環動態管理のために膀胱留置カテーテルが挿入されていることが多く，床上排泄介助は主に排便時となる
①環境を調整する ・プライバシーを保護する	▶多床室ではカーテンを引き，周囲からの視線を避ける **根拠** 排泄は羞恥心を伴う．プライバシーに十分配慮するように注意する

要点	留意点・根拠
②必要物品を準備する ・便器，トイレットペーパー，防水シート，洗浄ボトル（40℃の湯を入れる），バスタオルを準備する	▶便器は洗浄・消毒済みのものを使用する 注意 褥婦が不快感をもたないように，また感染を防止するため，清潔な物品を使用する
③看護師は身支度を整える ・手洗い後，ディスポーザブル手袋，ビニールエプロンを装着する	根拠 感染防止を図る
④便器を褥婦に当てる ・褥婦の下半身を十分に露出する	根拠 衣類が排泄物で汚染されないようにする
・防水シートを褥婦の腰部の下に敷く	根拠 直接便器をシーツの上に置くと，褥婦が不快に感じる．また，便器から排泄物が漏れた時のリネン汚染防止を図る
・便器を防水シートの上に置き，褥婦の腰の下に差し込む	コツ 便（尿）を適切に受けられるように便器を十分腰の奥まで入れる．また，尿・便が背中にまわらないように，褥婦に腰を便器に押し付けるように指導する（膀胱留置カテーテル挿入中でも，排便時の腹圧によって尿道口から尿が漏れる場合がある）．排尿介助の場合は，両脚にはさむように外陰部にトイレットペーパーを当て，尿が飛び散って衣類やリネンを汚染しないようにする コツ 便器が冷たいと褥婦が不快感を覚えるので，使用直前に便器に湯をかけるなどして温めるとよい 注意 便器専用の洗浄器での洗浄直後は、便器が熱くなっているので，熱傷に注意する

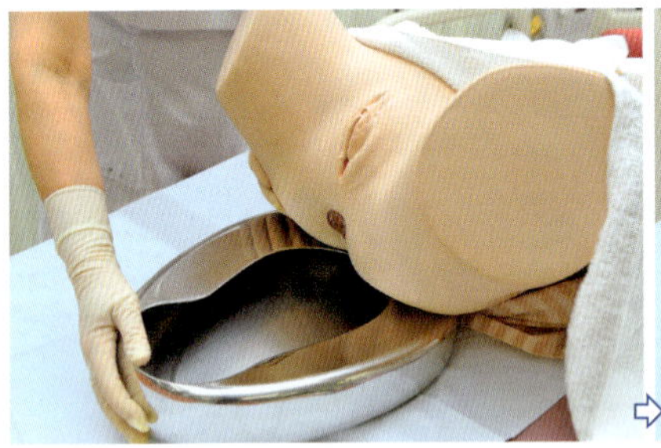
便器を腰の下に差し込み，奥まで入れる

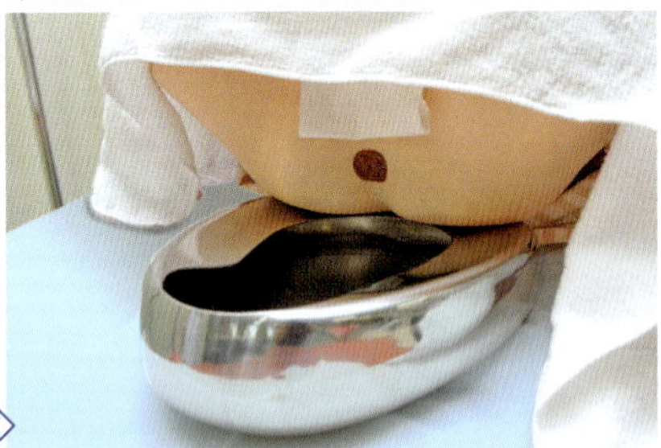
外陰部にトイレットペーパーを当てる

要点	留意点・根拠
・褥婦の下半身をバスタオルなどで覆う	根拠 羞恥心を最小限にする コツ セミファウラー位をとると排泄しやすい．褥婦に便器が腰の下に十分入っていると感じるか，便器と腰が密着している感じがあるか，腰背部に違和感がないかなどを確認する
⑤看護師はカーテンの外で待機する	▶羞恥心に配慮して看護師はカーテンの外に出る 根拠 他人がそばにいると遠慮や羞恥心から排泄がスムーズにできない場合がある 注意 排泄中に気分不快などの体調変化が起こる場合があるので，褥婦から離れない
⑥排泄後の清潔ケアを行う ・排泄後，洗浄ボトルの湯で外陰部，肛門部を洗浄する	注意 熱傷を起こさないように洗浄ボトルの湯の温度に注意する

要点	留意点・根拠
・洗浄後にトイレットペーパーを押し当てるように水分を拭き取る	▶洗浄のために湯を外陰部にかけるときは，褥婦が驚かないように声をかけてから行う 根拠 排泄後の不快感の緩和と感染防止のために行う コツ 褥婦に湯の温度が適温かどうか確かめるために，殿部に少量の湯をかけるとよい

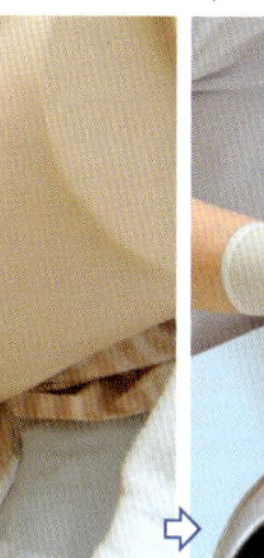
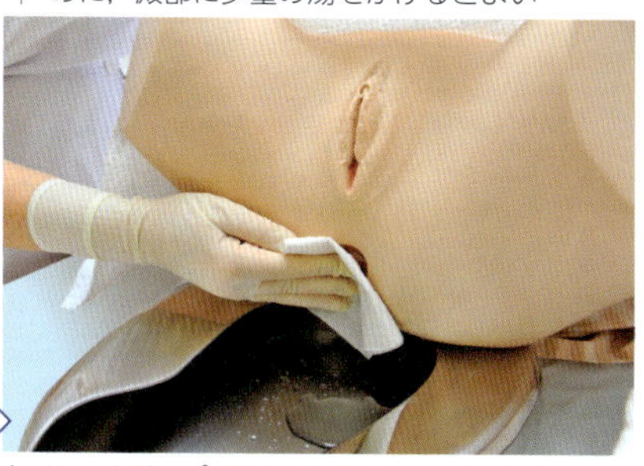

洗浄ボトルで外陰部，肛門部を洗浄する

トイレットペーパーを押し当て水分を拭き取る

要点	留意点・根拠
⑦終了後の褥婦の身支度を整える ・便器を外す ・防水シートを外す ・下着，衣類を整える ・掛け物をかける	根拠 褥婦が終了後に不快感を覚えないように身体を元の状態に整える
⑧排泄物の観察と処理を行う ・排泄物を観察する	根拠 排泄が十分にあったか，排泄物の性状に異常がないかを観察する
・褥婦に排泄が十分に行えたかを聞く	根拠 褥婦の排泄感を聞くことで，排泄後の不快感，残尿感，残便感がないかを把握する．十分な排泄感がない場合には，再度介助を行ったり，医師に確認し，車椅子でトイレまでの移送介助が可能かどうかを確認する
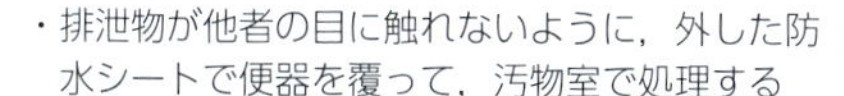 ・排泄物が他者の目に触れないように，外した防水シートで便器を覆って，汚物室で処理する	根拠 褥婦の羞恥心に配慮するとともに，他者が排泄物を見ることによる不快感を防ぐ
・排泄物を汚水槽に廃棄する	根拠 排泄物は感染の可能性のある物質として取り扱う
・便器は流水で洗浄し，消毒薬につけて消毒する	▶洗浄器がある場合は活用する　根拠 便器は共用物である．便器による感染を防止する

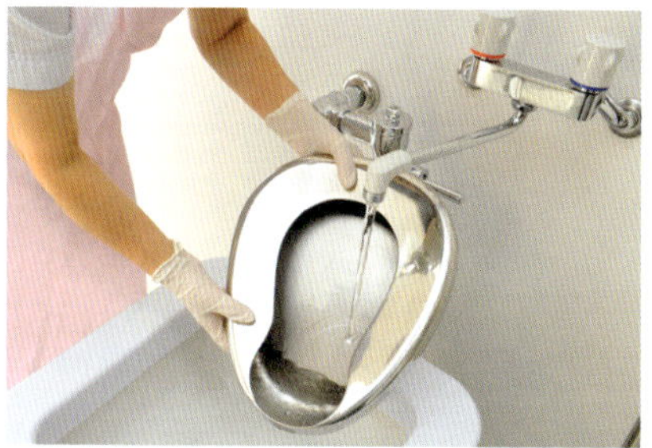

便器を流水で洗浄する

要点	留意点・根拠
⑨使用した消耗品，ディスポーザブル手袋などを廃棄する	▶ディスポーザブル手袋・ビニールエプロンを外し，医療廃棄物専用容器に廃棄する

2 排泄

要点	留意点・根拠
⑩手洗いを行う	根拠 感染防止を図る 事故防止のポイント 感染を防止するために，スタンダードプリコーション(標準予防策)を遵守する
3 排泄時の歩行を介助する ①歩行開始直前にバイタルサインをチェックする 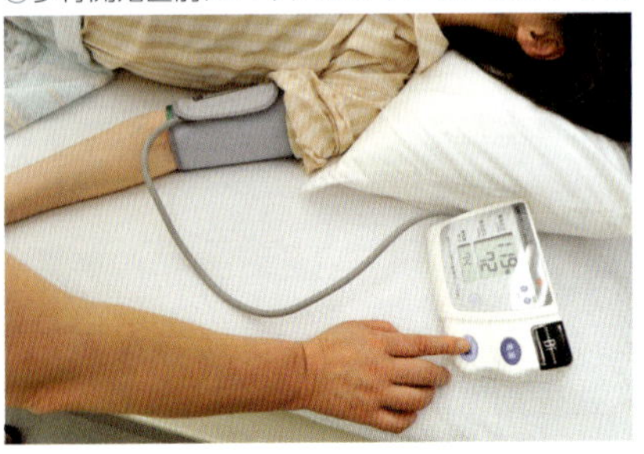	根拠 歩行開始前に身体的異常がないかを観察する．異常がある場合(特に血圧)は，歩行を中止することもある ▶ 経腟分娩では胎児娩出6～8時間後，帝王切開では術後1日目に初回歩行が行われる．初回歩行時には必ず看護師が付き添う 根拠 分娩後は母体の循環動態が急激に変化する時期である．また，分娩時の出血による貧血も予測される．手術後は，手術創の痛みや麻酔の影響などもある．このように分娩直後の身体状態は不安定で，めまい，ふらつきなどによる転倒のリスクが高い．その防止を図るために初回歩行時は，看護師が付き添うことが重要である
②悪露を測定する ・悪露の量を確認する 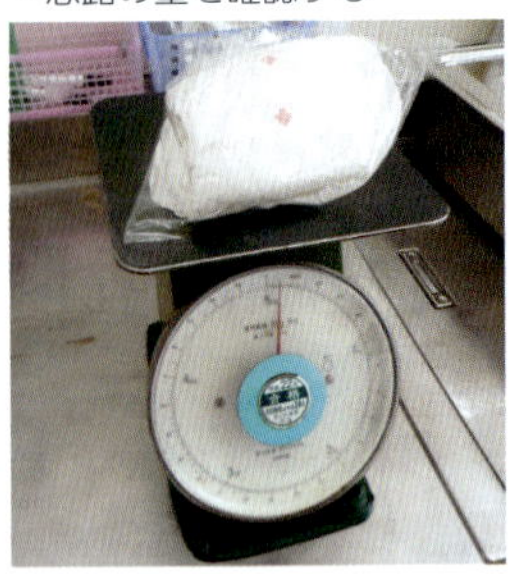	根拠 異常出血がないかを確認する．異常出血がある場合は歩行を中止し，ただちに医師に報告する．そのまま歩行させると脳貧血を起こし，転倒リスクが高くなる．また，褥婦の全身状態も悪化する 注意 悪露を確認する時，看護師は感染防止のためにディスポーザブル手袋を装着する
③ベッド上で座位をとらせる 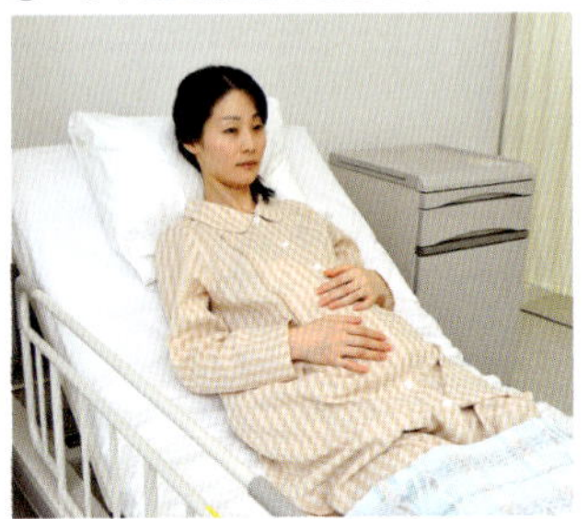	▶ ベッドの頭部を少しずつ上昇させる 根拠 急激な体位の変化は血圧の変動を招き，めまい，ふらつきを起こす
④端座位をとらせる ・ベッドに座ったまま両足を降ろし，端座位をとらせ，そのまましばらく様子をみる	根拠 体位変換による急激な循環動態の変化を防ぐ．そうすることで，転倒リスクが低減する コツ 褥婦がめまい，ふらつきを起こした時に支えることができるよう，看護師は褥婦の前面に立つ
⑤立位を介助する ・ベッド前でゆっくりと端座位から立位をとらせる	▶ 急激な血圧の変動が起きていないか，褥婦の様

要点	留意点・根拠
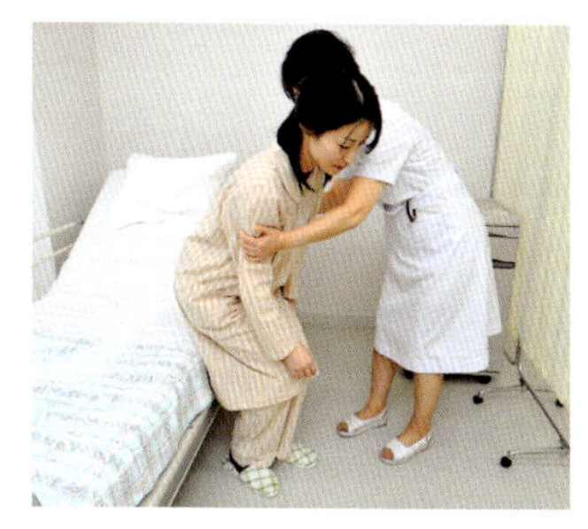	子を観察する 根拠 血圧変動による転倒防止を図る コツ 褥婦がめまい，ふらつきを起こした時に支えることができるように，看護師は，褥婦の前面に立つ
⑥トイレへの歩行を介助する ・褥婦には廊下の手すりを片手で握ってもらい，看護師は手すりの反対側に褥婦と並んで立ち，褥婦を背中から支え，歩行を介助する 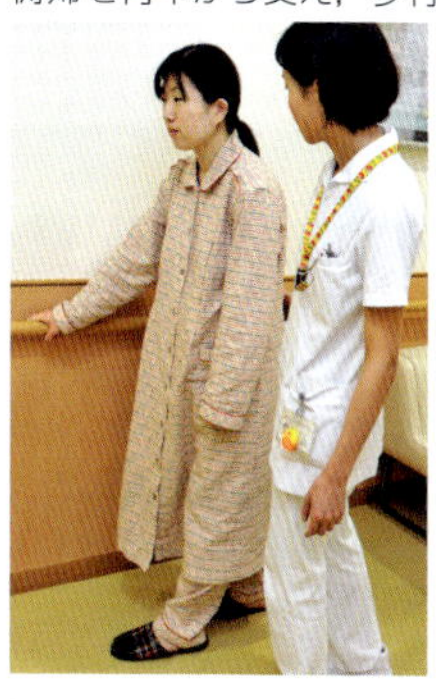 背中から支え，歩行を介助する	▶ 褥婦が歩行時にめまい，ふらつきを訴えた場合，すぐにその場で座らせることができるように，体勢を考えながら介助する(座らせることで，大きな転倒を防ぐことができる) ▶ 褥婦がトイレに入っている間，看護師はトイレのドアの前に立ち，褥婦のそばを離れないようにする 根拠 排泄中に気分不快などの体調変化がみられる場合がある 緊急時対応 褥婦が歩行中や排泄中，体調不良を訴えた時は，人を呼び(マンパワーの確保)，ベッドに移送し，医師に連絡して指示を受ける．なお，褥婦の初回歩行時は特に循環動態の変化による体調変化のリスクが高いので，介助をする場合には，事前にその情報を看護師間で共有し，異常時にはすぐに対応できるようにする
・排泄後に手洗いをするように褥婦に指導する	根拠 感染防止のために行う
⑦帰室時の歩行を介助する	▶ ⑥と同様に介助する
⑧ベッドで休ませ，バイタルサインをチェックする ・歩行時の状態を評価する	根拠 歩行終了後の全身状態を観察し，歩行による身体状態の悪化がなかったかを把握する 根拠 次回の歩行に介助が必要か否かを判断する 事故防止のポイント 転倒・転落を防ぐ．感染を防止する
⑨手を洗う	▶ 歩行介助終了後，看護師は必ず手を洗う 根拠 感染防止のために行う．ディスポーザブル手袋にはピンホール(目に見えない小さい穴)ができている可能性がある．そのため，細菌が手に付着している可能性がある．ディスポーザブル手袋を外した後は，手洗いを十分に行う
4 記録をする ①歩行状態，排泄状態，悪露量を記録する	▶ 歩行時のふらつき，めまいの有無や程度，排泄時の疼痛の有無と程度，排泄物の内容・量，悪露の量，性状などを記録する 根拠 記録することで，日々の変化がわかる

3 清潔

永澤 規子

目的 産後の身体清潔の保持を援助し，褥婦の不快感の軽減や感染防止を図る．
チェック項目 分娩時の損傷，褥婦の動作
適応 すべての褥婦
注意 褥婦の羞恥心に配慮する．産褥期は発汗，分泌物が多いので，褥婦の状態に合わせた方法を選択して清潔保持に努める．
禁忌 褥婦の健康状態が悪化している場合は，シャワー浴を禁止し，ベッド上での清拭介助を行う．
事故防止のポイント 転倒・転落の防止，感染防止，消毒薬のアレルギーの防止

必要物品

・清拭：清拭タオル，バスタオル
・外陰部洗浄：差し込み尿器あるいは差し込み便器，洗浄ボトル，40℃ 程度の湯，トイレットペーパー，防水シート，鑷子(せっし)，消毒薬〔イソジン液(ポビドンヨード)，0.025% ヂアミトール液(ベンザルコニウム塩化物)〕，乾綿球・悪露交換必要物品(p.337「第3章-3【2】悪露交換」参照)
・感染防止物品：ディスポーザブル手袋，ビニールエプロン

タオルポットで温められた清拭タオル

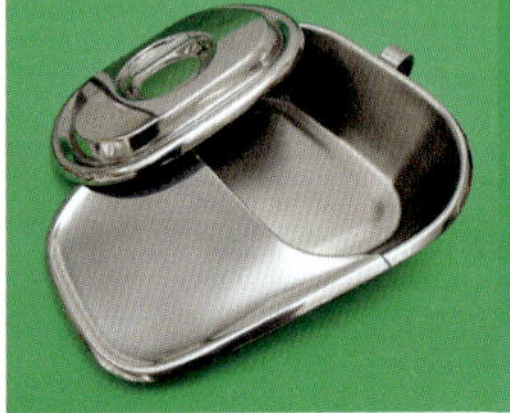

差し込み尿器(左)，差し込み便器(右)

洗浄ボトル

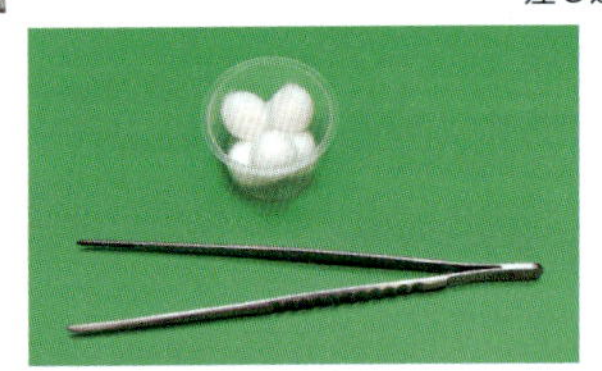
鑷子(下)，乾綿球(上)

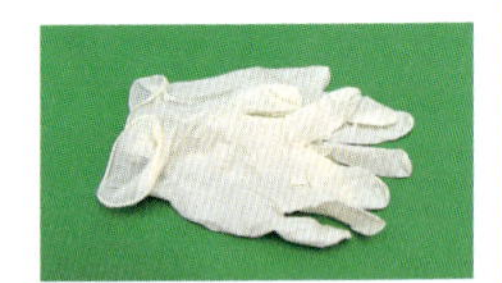
ディスポーザブル手袋

身体清拭・シャワー浴

手順

要点	留意点・根拠
1 分娩時の情報収集を行う ①診療録・看護記録から情報を把握する	▶助産録やパルトグラム(分娩経過図)から，分娩時の出血，分娩損傷の程度，分娩様式(経腟分娩，帝王切開)などの分娩時の情報を収集する **根拠** 生活ケアが自分でできる状態かどうかを把握する．状態を把握し，適切な清潔ケアの支援方法を選択する

要点	留意点・根拠
2 ベッド上での清拭を援助する	▶帝王切開の翌日や，産後の体調が悪く身体清潔のセルフケアができない場合は，ベッド上で清拭介助を行う
①環境を調整する ・プライバシーの保護を図る	▶多床室ではカーテンを引き，周囲からの視線を避ける　根拠 清拭時は肌を露出するので羞恥心を伴う．プライバシーに十分配慮するように注意する
・室温を 24～25℃ 程度に調整する	根拠 肌を露出するので，褥婦が寒暖で不快感を覚えないようにする ▶空調機の真下では行わない　根拠 空調機の風が直接肌に当たり，寒さを感じるので避ける
②必要物品を準備する ・清拭タオル 3～4 本，バスタオルを準備する	▶清拭タオルは，固く絞ったフェイスタオルをロール状にたたんでタオルポットで温めておくとよい　根拠 清潔な物品を用意し，褥婦が不快に感じないようにする．また感染防止を図る
③看護師は身支度を整える ・手洗い後，ディスポーザブル手袋，ビニールエプロンを装着する	根拠 清拭中に看護師の手に悪露が付着してしまうことがある．感染防止のために身支度を整える
④身体清拭を行う ・清拭タオルで身体を清拭する 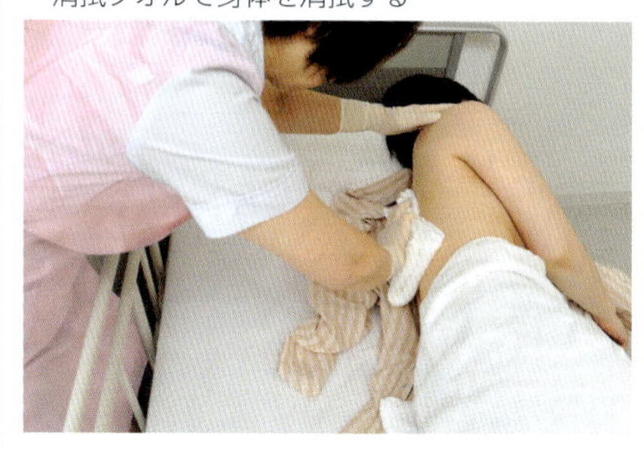	▶清潔な部位から汚染されている部位（上半身から下半身へ）の順で行う　根拠 褥婦が不快を感じず，また感染防止のために比較的清潔な部位から行う **注意** 熱傷を起こさないように，清拭タオルの温度に注意する．そのためには、看護師自身が手で温度を確かめるとともに，褥婦にも熱くないかを確認しながら行う
※褥婦が自分でできそうな部位（顔，両腕，手など）は，タオルを渡し，自分で行ってもらう 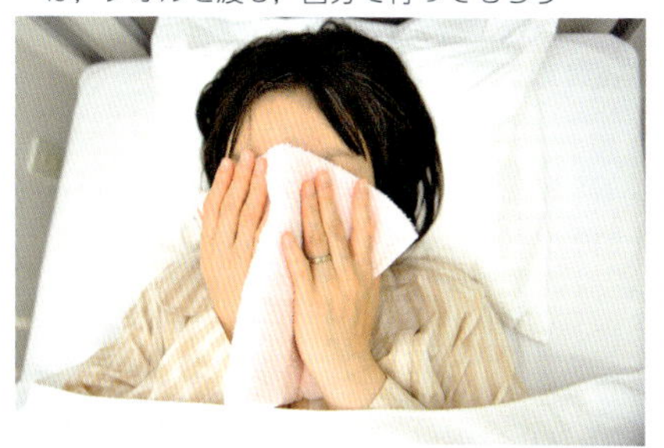	根拠 褥婦のセルフケア能力を引き出しながら行うことで，身体回復を促す
※清拭する部位のみを露出し，それ以外の部位は，バスタオルで覆いながら行う ・清拭を行いながら，新しい着衣に交換する	根拠 褥婦の羞恥心に配慮する．また，肌の露出による体温の放出を防ぐ 根拠 清拭後，新しい寝衣に交換することで爽快感が増す

要点	留意点・根拠
	コツ 清拭タオルが冷めないように1枚使用してから次のタオルを出す．未使用のタオルはビニール袋に入れ，その上から乾いたタオルで覆っておくと冷めにくい コツ 清拭時は，タオルを広げて身体を覆い，しばらく蒸すようにしてから，タオルで拭くと褥婦の爽快感が増す
〈帝王切開後で腹部に創がある場合の体位変換〉 ・創部を手で軽く押さえながら行う	コツ 創部を手で軽く押さえながら行うと創痛が緩和する．体位変換時の創痛は，皮膚が動くことによって生じるので，手で創部を軽く押さえることで皮膚の動きが少なくなり，創痛を軽減できる
〈点滴などをしていて更衣をする場合〉 ・脱ぐ時は点滴をしていない側から，着る時は点滴をしている側から行う	コツ 点滴をしている側は，できるだけ関節を伸展した肢位を保つことで，更衣中の点滴刺入部位の違和感や点滴が漏れるのを防ぐ．身体可動域に無理がなく点滴部位の安全を守るため，この順序が適している 事故防止のポイント 体位変換時の転倒・転落を防止するために，看護師が位置している側と反対側のベッド柵を必ず上げておく 事故防止のポイント 清潔な物品を準備し，また清拭部位の順序を考慮することで感染を防止する
⑤褥婦の身支度を整える ・清拭後は寝衣を整え，掛け物をかけて安静を促す	根拠 清拭は爽快感とともに疲労を感じさせる場合があるので，清拭後は30分〜1時間程度安静に過ごすようにする
⑥後片づけをする ・使用したタオルをクリーニングに出す  	根拠 感染防止のために行う
⑦ビニールエプロン，ディスポーザブル手袋を外して所定の場所に廃棄し，手洗いを行う	根拠 感染防止のために行う
3 シャワー浴の援助を行う	▶褥婦の体調に問題がなければ，経腟分娩では翌日から，帝王切開では術後4日目ころからシャワー浴を勧める
①褥婦にシャワー浴時の注意事項を説明する	▶具体的（外陰部や手術創に強い水圧のシャワーを当てたり，浴槽につかったりしない）に説明し，シャワー浴中の安全を守る 根拠 外陰部の損傷部位に強い力を加えるなど，間違ったシャワー浴を行うと，感染を起こしたり損傷部位を悪化させたりする．浴室にシャワー装置だけでなく浴槽の設備もあると，入浴も可能と誤った判断をした褥婦が浴槽につかったりする場合もある

要点	留意点・根拠
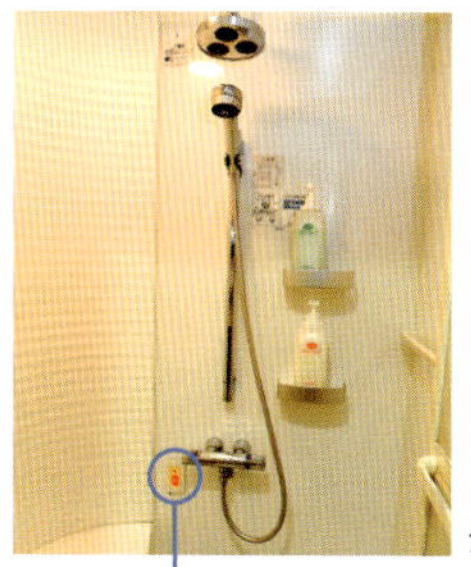 シャワー室  シャワー室のナースコール	注意 シャワー浴のみとし，入浴はしない．女性の性器は外部と腹腔がつながっているため，産後で腟の自浄作用が低下し，子宮内部に胎盤剝離部がある状態で入浴をすると，上行性に細菌に感染し，子宮内膜炎や骨盤腹膜炎などを起こす場合がある 注意 外陰部の損傷部位を強い力でこすったりしない．縫合部の感染や創部離開を起こす場合がある 注意 シャワー浴中，気分が不快になった場合は，ナースコールを直ちに押せるようにナースコールの位置を知らせる．ナースコールが確実に作動していることをシャワー浴直前に確認し，緊急時に即座に対応できるようにする コツ 緊急時に対応するために人員の少なくなる夜間帯には浴室を解放せず，シャワー浴時間は日中の時間帯とする．また，褥婦がシャワー浴中であることがわかるように表示しておくなどの工夫をする 事故防止のポイント 転倒・転落に注意する．感染を防止する
②シャワー浴によって体調に変化がないかを観察する ・シャワー浴中やシャワー浴後に気分不快などがなかったかを確認する ③浴室を清掃する	根拠 シャワー浴を継続しても問題ないかを評価する ▶ 産後は，悪露がシャワー浴中に排泄されることがある．シャワー浴後に浴室に悪露が残っていないか確認し，残っていた場合はシャワーで流す 根拠 褥婦が自分で気づかずに，悪露で浴室を汚染したままにしてしまう場合がある．そのような場合は，感染の原因となるばかりでなく，次に浴室を使用する褥婦が不快な思いをするので，使用後の浴室を確認し，必要時は清掃する
4 記録をする ①清拭・シャワー浴実施後に状態を記録する ・清拭やシャワー浴中・後の身体状況の変化を記録する	根拠 記録することで，日々の変化がわかる

外陰部の清潔ケア

手順

要点	留意点・根拠
1 外陰部を洗浄する	▶ 褥婦に床上安静の必要がある場合，外陰部の清潔を保つために行う
①環境を調整する ・プライバシーの保護を図る	▶ 多床室ではカーテンを引き，周囲からの視線を

3 清潔

要点	留意点・根拠
	避ける　根拠 外陰部洗浄は羞恥心を伴う．プライバシーに十分配慮するように注意する
・室温を24～25℃程度に調整する	根拠 肌を露出するので，褥婦が寒暖によって不快に感じないようにする ▶空調機の真下では行わない　根拠 空調機の真下では風が直接肌に当たり，寒さを感じるので避ける
②必要物品を準備する ・便器，トイレットペーパー，防水シート，洗浄ボトル，タオルを準備する	▶便器は洗浄，消毒済みのものを使用する 根拠 清潔な物品を使用し，褥婦が不快感を覚えないようにする．また感染防止を図る
③看護師は身支度を整える ・手洗い後，ディスポーザブル手袋，ビニールエプロンを装着する	根拠 感染防止を図る
④便器を褥婦に当てる ・褥婦の下半身を十分に露出する	根拠 衣類が洗浄液で汚染されないようにする
・防水シートを褥婦の腰部の下に敷く	根拠 直接便器をシーツの上に置くと，褥婦が不快感を覚える
・便器を防水シートの上に置き，褥婦の腰の下に差し込む．腰を便器に押し付けるように褥婦へ指導する 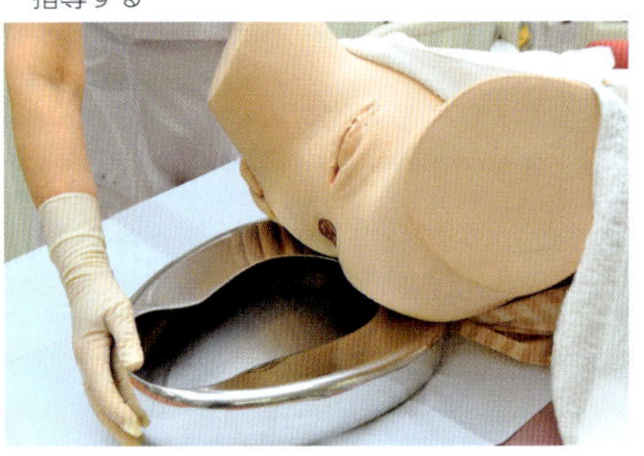	根拠 洗浄液が背部に回ってリネン類を汚染しないようにする
・褥婦の下半身をバスタオルなどで覆う	根拠 不必要な露出を避けることで，羞恥心を低減させる
⑤外陰部を洗浄する ・洗浄液(40℃程度の湯)で外陰部，肛門部を洗浄する 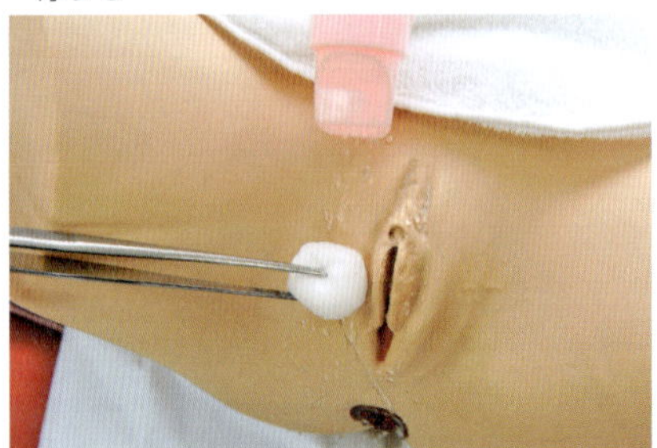 ・洗浄後にトイレットペーパーを押し当てるようにして水分を拭き取る	▶鑷子ではさんだ綿球に洗浄液を当てながら軽くこすって洗浄する 根拠 洗浄液を直接外陰部に当てると，水圧で創痛が悪化したり，褥婦が不快感を覚えたりすることがある．洗浄液は綿球に当てて直接外陰部に水圧が加わらないようにする ▶洗浄は，陰裂を最初に行い，次いで左右の小陰唇，大陰唇，会陰，肛門部の順に行う 根拠 感染防止のために汚染度が高い陰裂を中心に洗浄する．また，最も清潔を保ちたい部位を最初に洗浄する．洗浄方向は，恥骨から肛門方向とし，肛門部に綿球が触れた場合は，綿球が汚染されているので，新しい物と取り替える

要点	留意点・根拠
⑥創部の消毒を行う ・分娩損傷部を消毒薬（イソジン液，0.025% ヂアミトール液）で消毒する 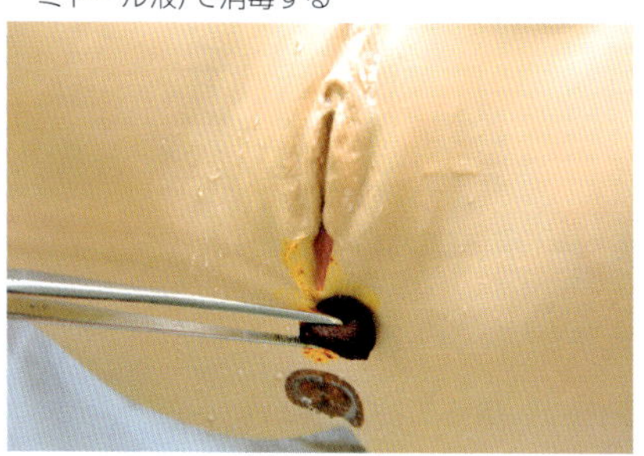	根拠 創部の感染防止を図る 事故防止のポイント 感染を防止する．消毒薬のアレルギーに注意する．不適切な清潔ケアによって身体状況を悪化させない 緊急時対応 消毒薬でのアレルギーで体調不良を訴えた時は，人を呼び（マンパワーの確保），医師に連絡して指示を受ける
⑦終了後，褥婦の身支度を整える ・便器を外す ・防水シートを外す ・ナプキンを当て，下着，衣類を整える ・掛け物をかける	根拠 褥婦が終了後の不快感を覚えないように元の状態に身体を整える
⑧便器を片づける ・便器は流水下で洗浄し，消毒薬に浸けて消毒する 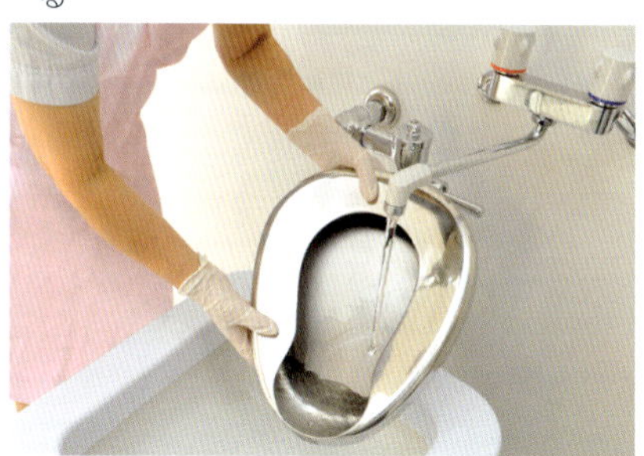 便器は流水で洗浄する	▶ 洗浄器がある場合は，それを活用するとよい 根拠 便器は共用物である．便器による感染防止のために行う
⑨使用した物品，使用後の綿球を廃棄する．鑷子は滅菌に出す	▶ 使用した綿球は医療廃棄物として廃棄する．使用した器具は，手袋を装着したまま片づける．ディスポーザブル手袋，ビニールエプロンを外し，これらは，医療廃棄物専用容器に廃棄する 根拠 感染防止を図る
⑩手洗いを行う	根拠 感染防止を図る
2 記録をする ①外陰部洗浄時の様子を記録する ・創部・悪露の状態，洗浄中の褥婦の身体的変化の有無や内容を記録する	根拠 記録することで，日々の変化がわかる
3 悪露交換を行う	▶ p.337「第 3 章-3【2】悪露交換」参照

4 動作・姿勢

永澤 規子

目的
・身体を移動する場合の転倒・転落を防止する.
・不適切な姿勢による身体的負荷を防止する.

チェック項目 分娩時の損傷，腹壁の弛緩状態，褥婦の動作
適応 すべての褥婦
注意 離床時には，バイタルサイン，異常出血の有無を観察し，無理な動作は勧めない.
禁忌 褥婦の健康状態が悪化している場合
事故防止のポイント 転倒・転落の防止，不適切な援助による身体状況の悪化の防止

必要物品 ウエストニッパー，腹帯，さらし木綿(岩田帯など，現在ではあまり使われない)

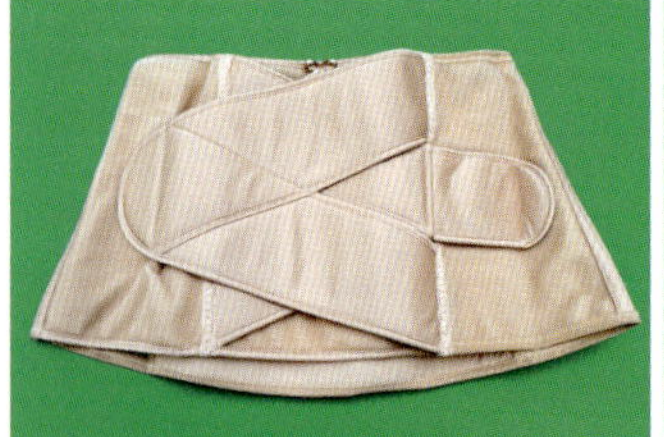
ウエストニッパー

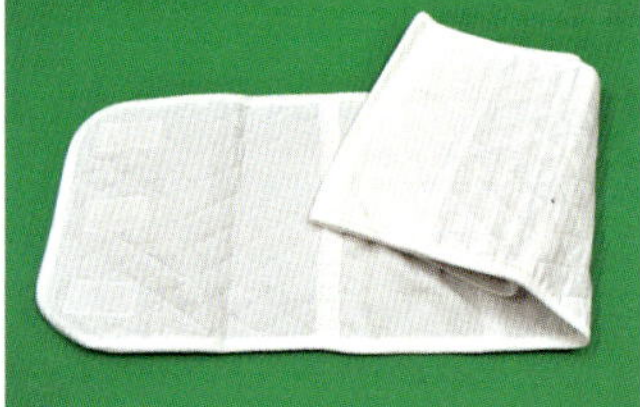
腹帯

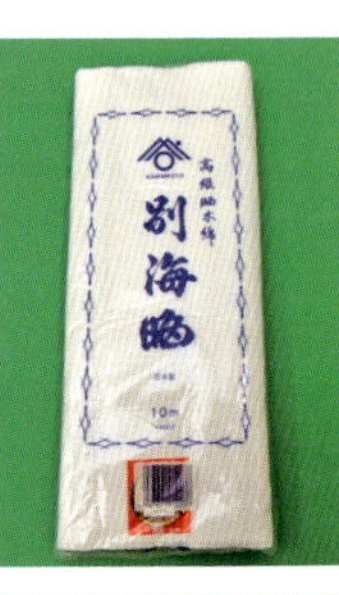
さらし木綿▶

動作(離床)への援助

手順

要点	留意点・根拠
1 分娩時の情報収集を行う ①診療録・看護記録から情報を把握する 	▶助産録やパルトグラム(分娩経過図)から，分娩時の出血，分娩損傷の程度，分娩様式(経腟分娩，帝王切開)などの分娩時の情報を収集する **根拠** 自力歩行できる状態かどうかを把握する．歩行開始は，通常，経腟分娩では胎児娩出 6〜8 時間後，帝王切開では術後 1 日目に行われる．また分娩時の母体の損傷程度により，歩行開始が遅れる場合もある．分娩時の状況を把握して，離床を進めてもよい状態かどうかをアセスメントする
2 仰臥位から立位への介助(離床介助)を行う ①離床前のバイタルサイン，異常出血の有無をチェックする ・離床前に，バイタルサインをチェックし，異常	**根拠** 分娩後は母体の循環動態が急激に変化する

要点	留意点・根拠
がないかを評価する 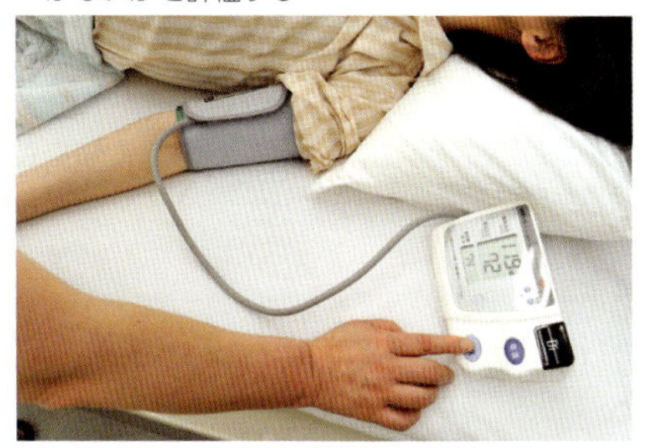 血圧を測定する 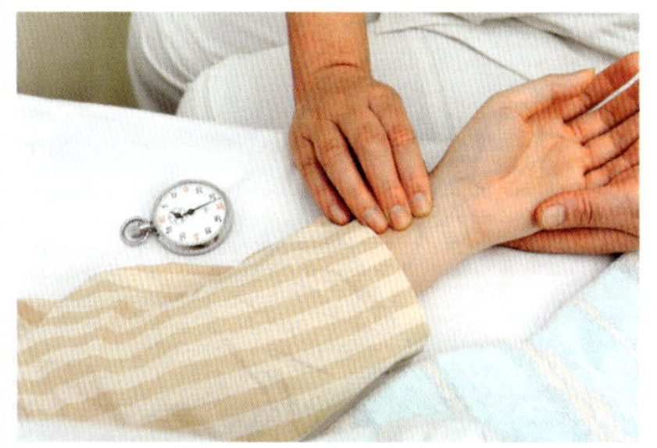 脈拍を測定する	時期である．また，分娩時の出血による貧血も予測される．手術後は，手術創の痛みや麻酔の影響などもある．このようにいずれの分娩方式でも分娩後は，母体の身体状態が不安定で，めまい，ふらつきなどによる転倒のリスクが高いため，離床前にバイタルサインをチェックし，異常がないかを評価する 根拠 血圧が低く脈拍が速い場合には，循環動態に変調を起こしている可能性がある．その場合，離床を進めず，医師の診察を受けるようにする
・悪露の量を確認する	▶悪露を確認する場合，看護師は必ずディスポーザブル手袋を装着する 根拠 離床時に異常出血がないかを確認する．異常出血がある場合は，離床を中止し，医師に直ちに報告する．そのまま歩行させると貧血を起こし，転倒リスクが高くなる．また，全身状態も悪化する
②ベッド上で座位をとらせる 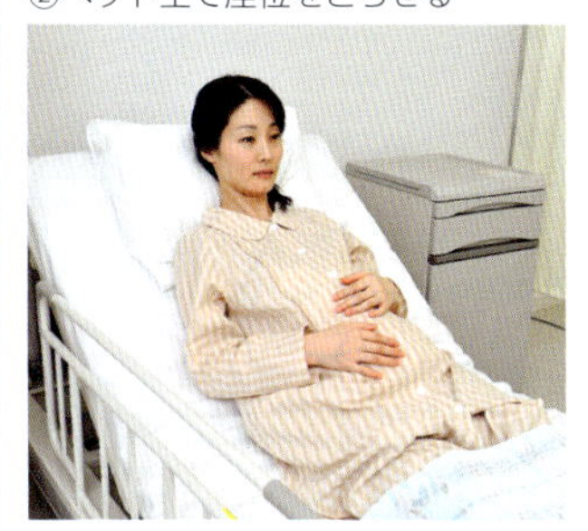	▶離床を進める前に，不快でないか，何か違和感を覚えることはないかなどを褥婦に確認する 根拠 褥婦が何らかの身体的違和感を自覚している時は，潜在的な異常が起きていることもあるので，褥婦にも離床が進められるかどうかを確認する ▶ベッドの頭部を少しずつ上昇させる 根拠 急激な体位の変化は血圧の変動を招き，めまい，ふらつきを起こす
③端座位をとらせる ・ベッドに座ったまま両脚を降ろし，端座位をとらせ，そのまましばらく様子をみる	根拠 体位変換による急激な循環動態の変化を防ぐ．そうすることで，転倒リスクが低減する コツ 褥婦がめまい，ふらつきを起こした時に支えることができるように，看護師は褥婦の前面に立つ

要点	留意点・根拠
④立位を介助する ・ベッドのわきでゆっくりと端座位から立位をとらせる 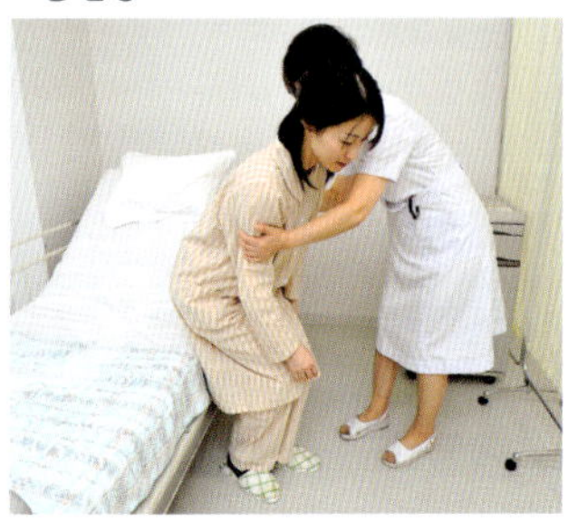	▶急激な血圧の変動が起きていないか，褥婦の様子を観察する 根拠 血圧変動による転倒防止を図る コツ 褥婦がめまい，ふらつきを起こした時に支えることができるように，看護師は褥婦の前面に立つ
⑤歩行を介助する ・褥婦に廊下の手すりを片手で握ってもらい，看護師は手すりの反対側に褥婦と並んで立ち，褥婦を背中から支え，歩行を介助する 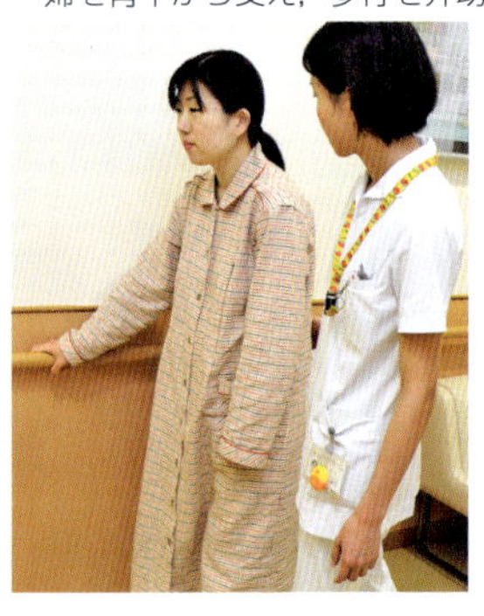	根拠 褥婦が歩行時にめまい，ふらつきを訴えた場合，すぐにその場でしゃがむことができるように，体勢を考えながら介助する(しゃがむことで，大きな転倒を防ぐことができる) 緊急時対応 褥婦が歩行中，体調不良を訴えた時は，人を呼び(マンパワーの確保)，ベッドに移送し，医師に連絡して指示を受ける 事故防止のポイント 転倒・転落を防ぐ，不適切な動作援助によって身体状況を悪化させない
3 記録をする ①歩行状態を記録する ・歩行時のふらつき，めまいの有無や内容を記録する	根拠 記録することで，日々の変化がわかる

姿勢への援助

手順

要点	留意点・根拠
1 姿勢保持を援助する ①正しい姿勢を保持できない因子を把握する	▶産後は，分娩による急激な身体的変化や分娩損傷によって正しい姿勢保持が困難な場合がある．正しい姿勢が保持できないと，腰痛や筋肉痛を生じる．これらの予防のために，正しい姿勢を保持する援助をする

要点	留意点・根拠
・腹壁の弛緩状態，分娩損傷の状態，疼痛の有無と程度を観察する 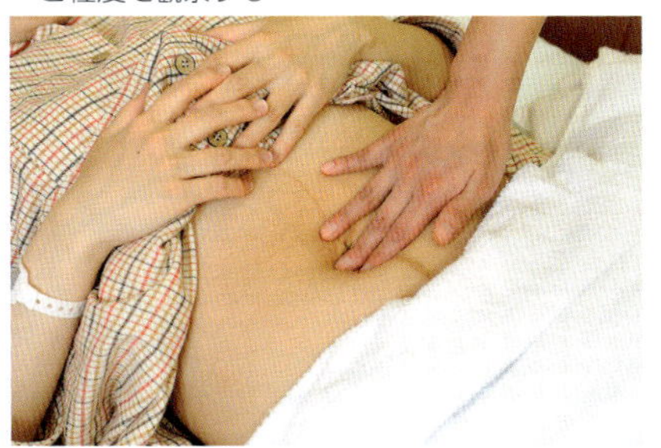 腹壁の弛緩状態を観察する	根拠 腹壁が弛緩している状態では，正しい姿勢が保持できない．また，分娩損傷の疼痛が強いと，正しい姿勢を保てないことがある
②褥婦に正しい姿勢を保持する必要性を説明する	根拠 褥婦が正しい姿勢とその保持を必要とする理由を理解することで，自己管理と指導を遵守できる
③必要物品を準備する	▶腹壁弛緩の場合は，ウエストニッパー，腹帯の装着が有効であり，準備する 根拠 ウエストニッパー，腹帯で腹筋弛緩を是正し，正しい姿勢をとるための補助とする ▶褥婦の体格に合ったウエストニッパー，腹帯を準備する 根拠 腹帯が身体に合っていないと適切に腹筋を保持できない．またサイズが小さいと締めつけられて循環を阻害し，下肢の浮腫を増強させたり，血栓を形成したりするリスクが高まる．また，圧迫により皮膚トラブルが発生する場合もある
④ウエストニッパー，腹帯を装着する ・ウエストニッパー，腹帯の装着方法を指導する 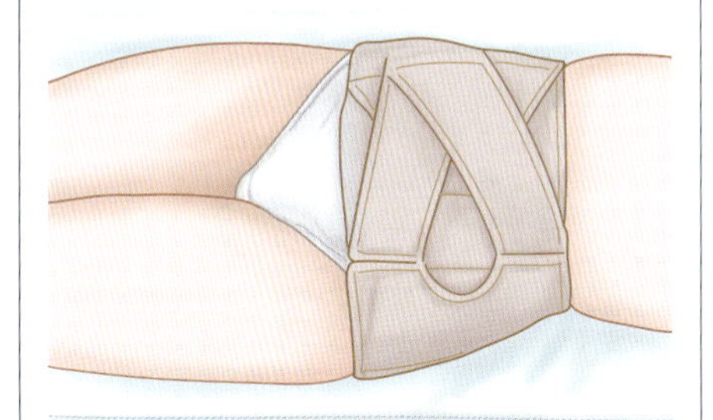	▶褥婦自身が退院後も継続して装着できるように，自己管理方法を指導する コツ ウエストニッパー，腹帯は，就寝時には循環をよくするために緩める．ウエストニッパー，腹帯の装着は仰臥位で行うとよい．立位になった時も緩まず，姿勢が保持できる 注意 ウエストニッパー，腹帯はきつく締めすぎないように注意する．きつく締めすぎると褥婦が不快感を覚えるだけでなく，下肢静脈血の還流を阻害して，下肢静脈血栓症の発生や浮腫を招く．また，腸管蠕動運動を妨げて便秘の原因となるほか，膀胱の締めつけによる尿漏れ，尿失禁などを引き起こす場合もある 事故防止のポイント 不適切な援助によって身体状況を悪化させない
2 記録をする ①ウエストニッパー，腹帯装着の有無と，装着後の姿勢保持状態を記録する ・ウエストニッパー，腹帯が適切に装着できているかを観察する	根拠 記録することで，日々の変化がわかる

5 休息・睡眠

永澤 規子

目的 母体の疲労が回復し，退行性変化・進行性変化が促進されるよう，効果的な休息・睡眠がとれるように援助する．
チェック項目 分娩所要時間，分娩時の出血，分娩時の損傷，授乳の状態，新生児の状態
適応 すべての褥婦
注意 褥婦の生活時間を把握し，休息・睡眠時間を確保できるようスケジュールを調整する．

手順

要点	留意点・根拠
1 分娩時の情報収集を行う ①診療録・看護記録から情報を把握する	▶助産録やパルトグラム（分娩経過図）から，分娩時の出血，分娩損傷の程度，分娩様式（経腟分娩，帝王切開）などの分娩時の情報を収集する **根拠** 分娩時の状態や分娩様式などにより，母体の疲労状態や休息・睡眠を阻害する因子（身体的疼痛）を把握する
2 疼痛がある場合，疼痛緩和を図る ①疼痛緩和を図る ・疼痛の程度と内容を把握し，適切なケアを実施する	**根拠** 疼痛は休息や睡眠を阻害する ▶具体的な方法については，p.326「第3章-3【1】産後疼痛ケア」参照 **根拠** 疼痛を緩和することで，休息・睡眠が促される
3 疲労がある場合，母子同室の中止を検討する ①母体の疲労度を把握する ・自覚症状として倦怠感，眠気，めまい，ふらつきなど，客観的な症状として，褥婦の目のうつろ感，動作の鈍さ，検査データ（貧血，血漿蛋白値など）がある	▶遷延分娩，母体の基礎疾患，高年齢，栄養状態の低下などにより，疲労度は強まる．それらを把握し，母体の疲労度を判断する ▶母乳育児のためには母子同室が推奨されるが，母体の疲労が強い時に母子同室を行うと，母体ウエルネスの低下を招き，乳汁分泌低下，育児に対する意欲低下などが起こり，マタニティブルーズとなる場合もある ▶新生児のケアが十分にできず，新生児ウエルネスの低下や新生児の転落などのリスクも発生するために母子同室を中止する場合がある
②母子同室中止時のケアを行う ・搾乳介助を行う 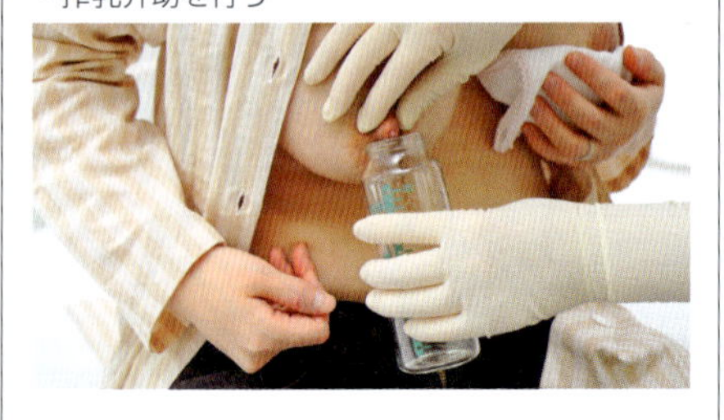	▶p.383「第3章-4【4】搾乳」参照 **根拠** 母体疲労時は自己搾乳も困難なことが多い．搾乳を行わないと乳頭刺激が少なくなり，乳汁の分泌不全が起こったり，また，新生児に母乳を与えることもできない．乳汁分泌維持と新生児への母乳確保のために搾乳介助を行う

要点	留意点・根拠
・新生児のケアは看護師が行う	根拠 看護師が新生児のケアをサポートすることで，母親を休息させる コツ 新生児のケアができなくても，母親のもとに新生児を連れていき，愛着を促す
4 休息・睡眠環境を調整する ①病室を調整する	▶産科の病室には妊婦，褥婦が入院している．できるだけ妊婦と褥婦が同室とならないよう，産後は褥婦同士の部屋になるよう調整する 根拠 妊婦と褥婦は1日のスケジュールが異なる．また褥婦は，母乳育児推奨のため母子同室が行われるため，妊婦と同室になると新生児の泣き声や授乳などで互いに気兼ねして，休息・睡眠がとりにくくなる
②環境を調整する ・室温，採光，音を調整する 	▶室温は24～25℃程度に，直射日光はカーテンで調整し，騒音をたてないように注意する(特に処置時の金属音や検温時の看護師，助産師の会話など) 根拠 褥婦，新生児が寒暖で不快に感じないように室温を調整する．直射日光や騒音は，新生児の睡眠中に休息をとる母親の妨げとなる
③ケアをできるだけ母親の休息・睡眠時間以外に行う	▶母親の休息・睡眠中は，緊急時以外，観察，ケアを行わない 根拠 母親は授乳のために夜間も起きることが多い．日中でも休んでいる場合は，検温や指導などの観察，ケアを調整し，休息・睡眠を優先する コツ 母親の1日のスケジュールを把握しておくと，時間調整しやすい
5 記録をする ①休息・睡眠状態，行ったケアを記録する ・母親の疲労感，倦怠感の有無や程度，休息・睡眠の充足感をインタビューする ・血圧上昇の有無や程度，顔色，表情，目のうつろ感，食事の摂取状態などを観察，記録する ・休息・睡眠を促進するために行ったケアも記録する	根拠 記録することで，日々の変化がわかる．また，ケアを継続して行うことができる

3

産褥復古支援技術

1 産後疼痛ケア

永澤 規子

目的 身体的疼痛の緩和を図る.

チェック項目 分娩時の母体損傷(腟壁, 会陰裂傷, 会陰切開), 脱肛・痔核, 後陣痛, 腰痛, 排尿時痛の有無と程度

適応 産後疼痛のある褥婦

注意 疼痛の部位・原因に適した緩和法を選択する. 与薬あるいは与薬の中止は医師の指示を得る.

事故防止のポイント 産後疼痛による転倒・転落防止, 清潔操作の不備による母体損傷部の感染防止, 鎮痛薬・潤滑剤など(局所麻酔薬が含まれている場合)の薬物アレルギー発症防止, 注射時の神経損傷防止, ウエストニッパーなどの締めすぎによる褥瘡の予防および脱肛・痔核の悪化防止, 罨法における熱傷防止, 新生児の落下防止, 看護師の感染防止, 針刺し事故防止, 院内感染防止

必要物品 円座, 産褥椅子, ウエストニッパー, 腹帯, ディスポーザブル手袋, 湯たんぽ, シリンジ, 注射針(23 G), アルコール綿, 医師の指示がある場合は鎮痛薬(注射・内服・坐薬), 痔核治療薬, 潤滑剤

産褥椅子

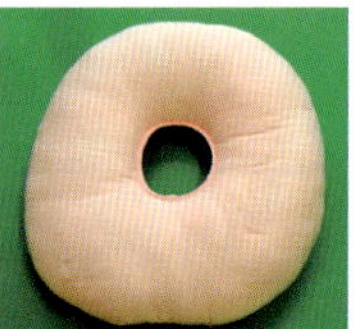

円座

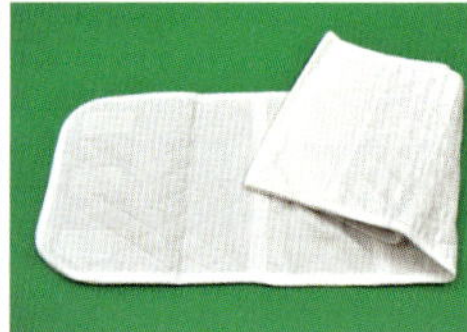

腹帯

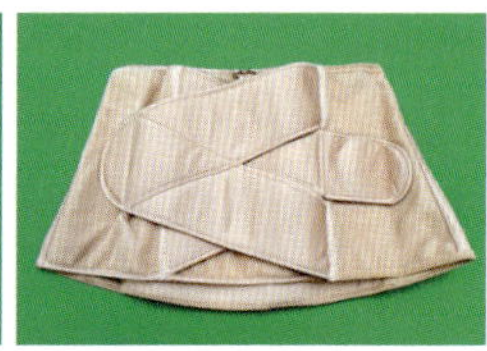

ウエストニッパー

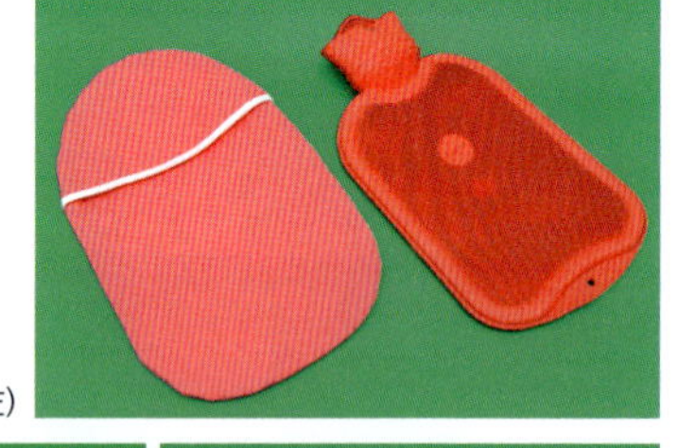

湯たんぽ(右)とカバー(左)

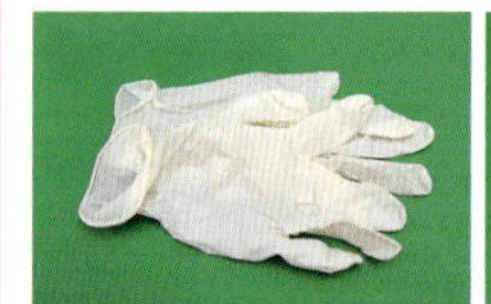

ディスポーザブル手袋

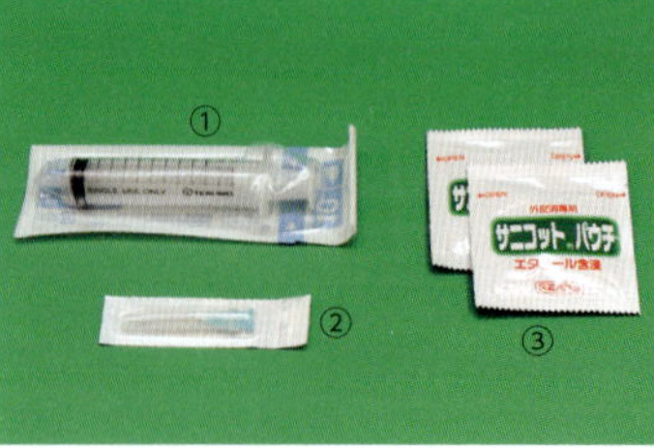

①シリンジ, ②注射針(23 G), ③アルコール綿

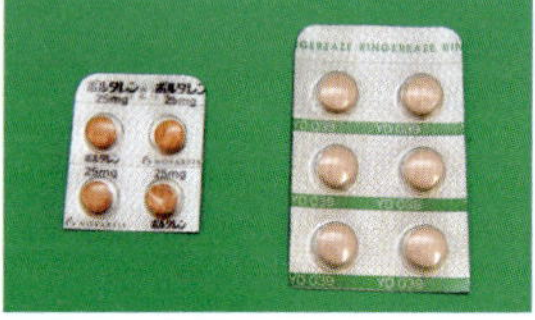

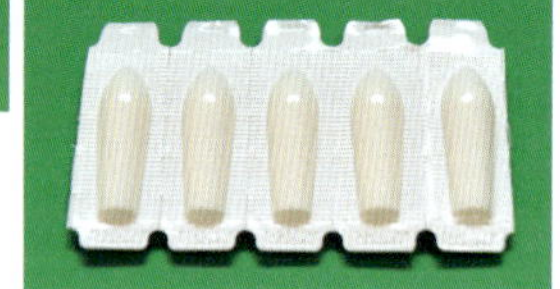

鎮痛薬:内服薬(上), 坐薬(下)

分娩損傷，脱肛・痔核の疼痛緩和の援助

手順

要点	留意点・根拠
1 円座や産褥椅子を使用し疼痛緩和を図る ①褥婦に円座や産褥椅子の使用目的を説明する	▶これらを利用することで座位時の外陰部の圧迫が軽減され，分娩損傷部や脱肛・痔核の疼痛が緩和されることを説明する　**根拠** 疼痛緩和に有効な根拠を知ることで，理解が得られやすくなる
②必要物品を用意する ・円座，産褥椅子を用意する	**コツ** 褥婦に合った高さ，大きさの円座を褥婦自身に選択してもらう
③使用方法を説明する 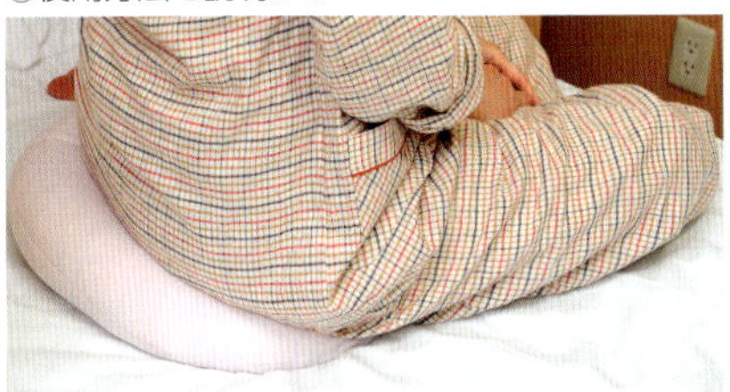 円座使用例 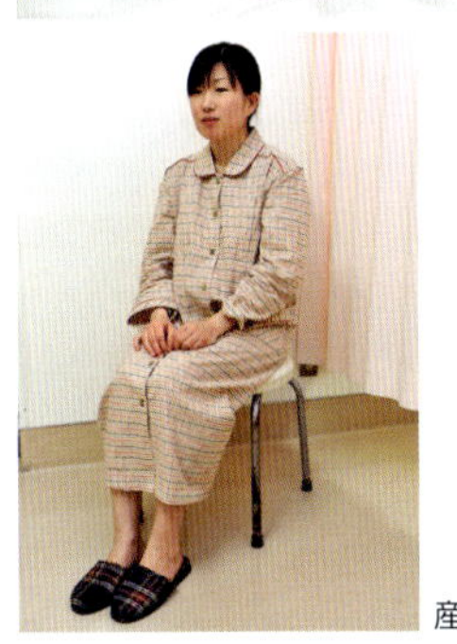 産褥椅子使用例	▶実際に使用しながら説明する　**根拠** 使用感を体験することで，自分に適した円座，産褥椅子を選択できる **注意** 円座の厚さが不適切だと，座位姿勢が不安定となり転倒につながるおそれがある．また，授乳時の場合は，新生児を落下させるおそれもあるので注意する **コツ** 座位となるような姿勢，例えば授乳，食事摂取，産後の集団指導を聞く場合など，使用する機会となる場面を具体的に説明すると，事前に対処行動がとれる
④使用後，後片づけを行う ・円座カバーを外しクリーニングに出す ・円座を洗い，アルコールシート＊で拭く ・産褥椅子をアルコールシートで拭く ＊医療用・環境清掃用のアルコールシートを使用するとよい	▶入院中，褥婦が必要としている間は，本人用として貸し出し，必要とする場所に持参するように指導する　**根拠** 円座使用時に悪露で円座も汚染する場合がある．感染防止のため個別に管理する **注意** 褥婦の退院後，円座カバーをクリーニングに出し清潔を保つ．感染防止上，80℃の熱湯で10分間洗浄すると問題ないとされている．また円座そのものは水道水で洗浄し，乾燥させる．その後アルコールシートで拭き，さらに乾燥させる．バスタオルを使用した場合は，バスタオルもクリーニングに出す **緊急時対応** 褥婦の転倒時，新生児の落下時は，すぐに医師に連絡し診察してもらい指示を得る．また，緊急処置が必要な場合には，人員確保のため，他の看護師をコールする **事故防止のポイント** 褥婦の転倒，新生児の落下に注

要点	留意点・根拠
	意する．感染を防止する
2 鎮痛薬を使用する ①褥婦に使用する鎮痛薬の薬理効果，副作用，投与方法を説明する	根拠 投与後，どの程度の時間で効果が現れるのか，起こりうる副作用は何かを説明することで，薬理効果，副作用についての知識が得られる．知識を得ることで，褥婦自身で薬理効果が低い場合や副作用の出現時に報告することができ，鎮痛薬変更の必要性を検討したり，副作用出現時の早期介入が可能となる
・褥婦に投与方法ごとのメリット，デメリットを説明する	▶経口，注射（皮下・筋肉・静脈内），坐薬（直腸内）などの投与方法がある．一般的には経口薬か坐薬が選択される　根拠 投与方法による薬理効果，副作用の違いを説明し，自己に合った方法を選択する．また，褥婦の好みによる投与方法の変更もある
・褥婦が選択した鎮痛薬を投与する	根拠 自己選択した方法を行うことで，投与時の苦痛，不快感，薬理効果，副作用の出現を受け入れやすい．経口薬は身体的侵襲が最も低いので好まれる場合が多い．ただし，薬理効果の出現に時間がかかる 注意 注射による鎮痛薬投与は，鎮痛効果を迅速に出現させたい場合（帝王切開直後，分娩損傷部の再縫合が必要な場合，子宮内遺残物排泄のための子宮内清掃術施行が必要な場合）である．投与方法が注射となる鎮痛薬は，呼吸抑制やふらつきなどを起こすリスクが高いため，効果が出現している間は，生体監視モニターを装着するなどして，異常の早期発見ができるようにする．このように，注射による鎮痛薬の投与は，通常の疼痛緩和に使用されることはないため，褥婦の希望で行うことはない
《経口による与薬》 ①経口薬の種類，内服方法，薬理効果，副作用について説明する	根拠 使用方法と，薬理効果，副作用を正しく知ることで経口薬に対する理解が得られる
②内服状況を確認する 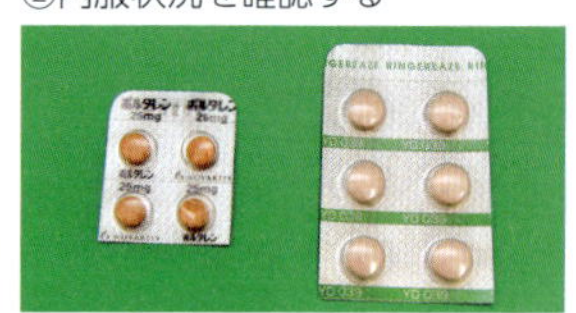 鎮痛薬（経口薬）	▶鎮痛薬の服用は患者の自己管理ではなく，看護師が管理する　根拠 鎮痛薬は服用間隔をあけないと，副作用が増強する．そのため，自己管理では疼痛のために短い間隔で服用してしまう危険性があるので自己管理にしない．また，内服を看護師が管理することで，疼痛緩和の程度の把握につながる 注意 服用時に誤嚥しないように注意する 事故防止のポイント 薬物のアレルギーと副作用に注意する 緊急時対応 鎮痛薬のアレルギー症状，副作用が出現した場合は，第一に人員を確保するための緊急コールを行う．褥婦の状態に合わせた救急蘇生のための処置を，医師の指示どおりに正確かつ迅速に行う

要点	留意点・根拠
《直腸内与薬》	
①坐薬の種類，挿入方法，薬理効果，副作用について説明する	**根拠** 使用方法，薬理効果，副作用を正しく知ることで坐薬に対する理解が得られる
②看護師は身支度を整える	
・手洗い後，ディスポーザブル手袋を装着する 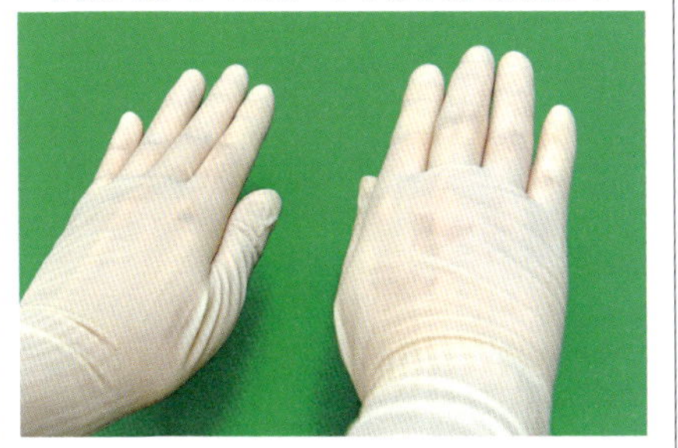	**根拠** 坐薬挿入時は肛門部に触れるので，感染防止に対する準備が必要となる **注意** 感染防止のためには，処置前後と処置ごとの手洗いが基本である
③褥婦の体位を整える	
・プライバシーが保護できる環境を整え，肛門部が露出する体位を整える 	▶側臥位で下着を外してもらう　**根拠** 坐薬の挿入を安全に行うために，肛門部が十分に観察できる体位を整える．また，肛門部を露出するので，褥婦の羞恥心を軽減するため，プライバシーの保護が重要である
④坐薬を挿入する	
・坐薬の挿入時，褥婦に声をかける	**根拠** 褥婦が驚かないように，声をかけてから始める
・坐薬の先端に潤滑剤をつけ，ゆっくり挿入する	**根拠** 潤滑剤をつけることによって，スムーズに挿入でき，挿入時の疼痛も緩和される
・坐薬挿入時の褥婦の訴え，表情を観察する 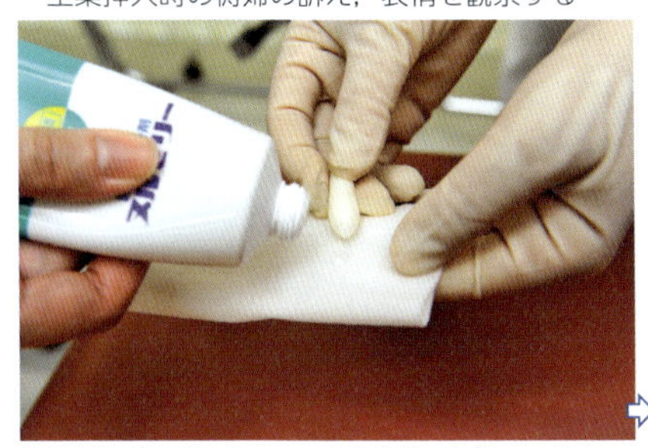 潤滑剤をガーゼにとり，それを坐薬の先端につける	**根拠** 肛門部に脱肛・痔核などがあると，坐薬挿入時に疼痛を感じる．肛門部を刺激しないように褥婦の状態を観察しながら，ゆっくりと挿入する **コツ** 褥婦に口呼吸をしてもらうと，肛門に力が入らず挿入しやすくなり，また挿入時の違和感や疼痛を緩和できる **事故防止のポイント** 薬物のアレルギーと副作用に注意する．感染を防止する **緊急時対応** 鎮痛薬のアレルギー症状や副作用が出現した場合は，第一に人員を確保するための緊急コールを行う．褥婦の状態に合わせた救急蘇生のための処置を医師の指示どおりに正確かつ迅速に行う

要点	留意点・根拠
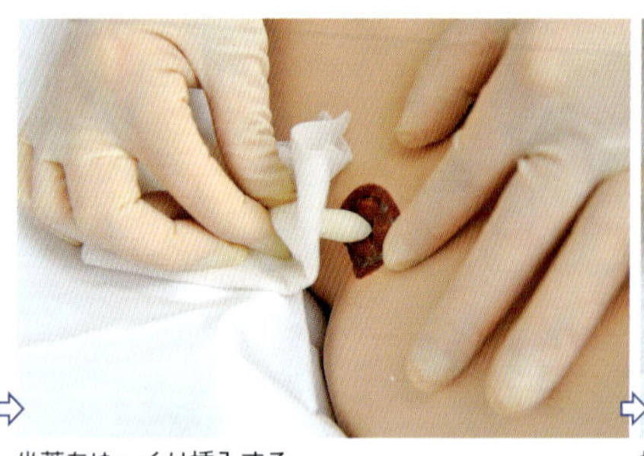 坐薬をゆっくり挿入する	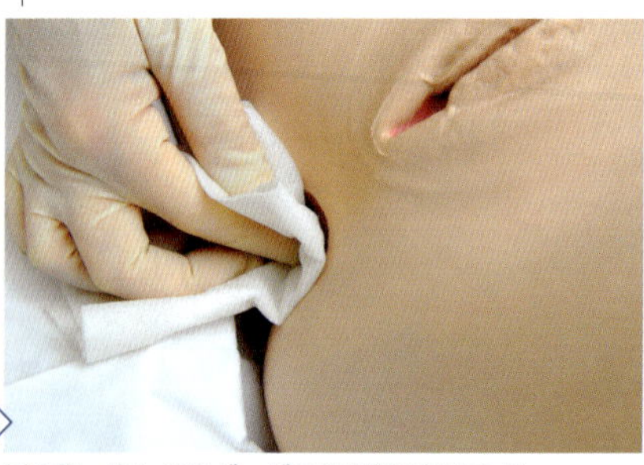 挿入後，少しの間ガーゼで肛門部を押さえる
⑤後片づけをする	▶手袋は肛門部を触っているので体液が付着している．体液が手に直接触れないように手袋を外し，医療廃棄物専用容器に廃棄する **根拠** 体液は感染源となる危険物である．看護師はもちろんのこと，廃棄物処理業者も感染しないように廃棄物の分別処理を正しく行う
⑥手洗いをする  処置終了後の手洗い	**根拠** 看護師自身や看護師の手を介した他の患者に対する感染防止のために，処置終了後は必ず手洗いをする
⑦記録する	
《注射による与薬》	
①注射による鎮痛薬の投与について説明する	▶注射には，皮下・筋肉・静脈内注射の方法がある．どの方法をとるかを説明する **根拠** 投与方法の違いによって，薬理効果の出現時間などが異なる．説明することで褥婦の不安を軽減し，投与に協力できるようにする ▶投与方法は医師の指示による．注射時の痛みを感じるのは，筋肉→皮下→静脈内注射の順である．また，効果出現の早いのは，静脈内→筋肉→皮下の順である．効果の持続性では，皮下→筋肉→静脈内の順に長く続く．このような特徴をふまえて投与する **根拠** 投与方法の特徴を知ることにより，褥婦に投与時の説明を具体的に行える **注意** 薬剤により投与方法が決められているので，医師の指示と合わせて確認する

要点	留意点・根拠
②必要物品を準備する ・医師の指示による薬剤と，投与方法に合った物品の準備を行う	**根拠** 皮下・筋肉・静脈内注射によって必要物品が異なるので，投与方法を把握し，必要物品の不足がないようにする **注意** 消毒薬(アルコール)のアレルギーを確認し，アルコールが使用できない場合は，他の消毒薬〔0.025% ヂアミトール液(ベンザルコニウム塩化物)など〕を用意する **コツ** 筋肉注射や皮下注射など，薬剤注入時の疼痛が強い投与方法では，細い注射針を選択し，薬剤の注入速度をゆっくりすることで，痛みが軽減される
③皮下・筋肉・静脈内注射の部位を選択する	**事故防止のポイント** 神経損傷を起こさない部位(表1)を選択する **根拠** 皮下・筋肉注射部位は殿部もあるが，褥婦は，分娩損傷，脱肛・痔核による疼痛で歩行が困難な場合がある．それに加えて，殿部に皮下・筋肉注射をするとその痛みも加わるため，褥婦には上肢を注射部位として選択する
④看護師は身支度を整える ・手洗い後，消毒用速乾性アルコール製剤で両手を消毒する．その後ディスポーザブル手袋を装着する	**根拠** 手袋には見えない穴(ピンホール)がある可能性があるため，十分に手洗いした後，装着する．手袋装着は，褥婦・看護師，双方の感染防止のために行う **注意** 感染防止には，処置前後，処置ごとの手洗いが基本である．また，手袋を装着することによって，万一，看護師が針刺しした場合の感染リスクを低減できる
⑤注射を準備する	▶指示箋により薬剤，指示量を正確に準備する **根拠** 薬理効果が正確に評価できるように，正確に準備する **コツ** 薬物の内容・量を正確に確認するために，看護師2人でダブルチェックを行う
⑥注射を実施する ・注射部位を消毒する	▶注射針の刺入部を中心に円を描くように消毒する **根拠** 針の刺入部位が最も清潔になる
・注射針刺入時の確認と薬液注入中の褥婦の様子を観察する	▶手先のしびれ感がないか，また皮下注射や筋肉注射では針を刺入後，一度注射器の内筒を引いて，血液の逆流がないか確認する **根拠** 神経損傷がないか，また皮下注射，筋肉注射の場合，血管内へ注入していないかを確認する

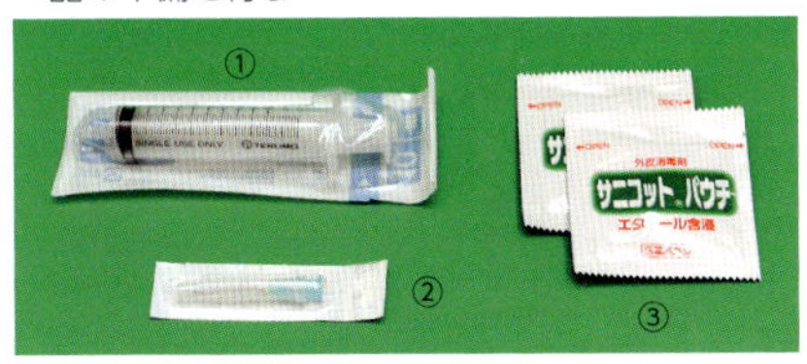

①シリンジ，②注射針(23 G)，③アルコール綿

表1　注射部位

皮下注射部位	肩峰と上腕後面肘頭を結ぶ線上の下方1/3の位置
筋肉注射部位	肩峰から約3横指下の三角筋部位
静脈内注射部位	前腕正中皮静脈，肘正中皮静脈，橈側皮静脈

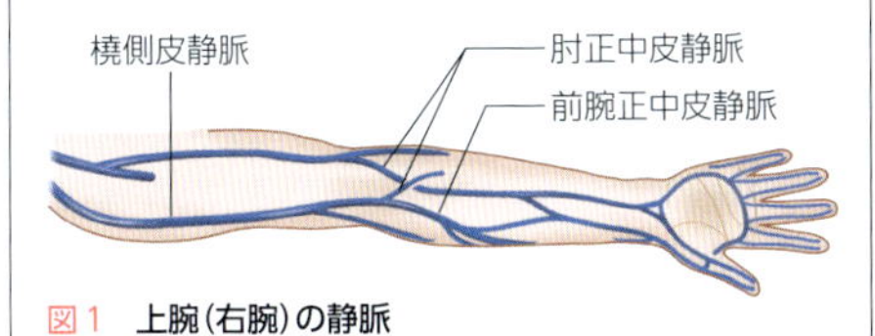

図1　上腕(右腕)の静脈

1 産後疼痛ケア

要点	留意点・根拠
	▶薬液注入中に気分不快や刺入部の痛みが増強していないかを観察する **根拠** 薬物アレルギーや副作用の出現に注意する．また，薬液注入中に神経を刺激する場合もあるので，刺入後の痛みが指先先端に響いていないかを褥婦の訴えから把握する
・皮下注射，筋肉注射注入後は，その部位を軽くマッサージする．静脈内注射はマッサージせずに圧迫止血する	**根拠** 薬液を吸収しやすくするために，また投与による疼痛を緩和するために行う．静脈内注射時はもむと内出血を起こすので圧迫止血を行う **注意** 鎮痛薬の皮下・筋肉注射は，薬液注入後，刺入部位のマッサージで吸収を促進するが，薬剤によってはマッサージを行ってはいけないものもあるので注意する **緊急時対応** 鎮痛薬のアレルギー症状や副作用が出現した場合は，第一に人員を確保するための緊急コールを行う．褥婦の状態に合わせた救急蘇生のための処置を，医師の指示どおりに正確かつ迅速に行う **事故防止のポイント** 薬物アレルギーに注意する．感染を防止する．針刺し事故を起こさない
⑦後片づけをする 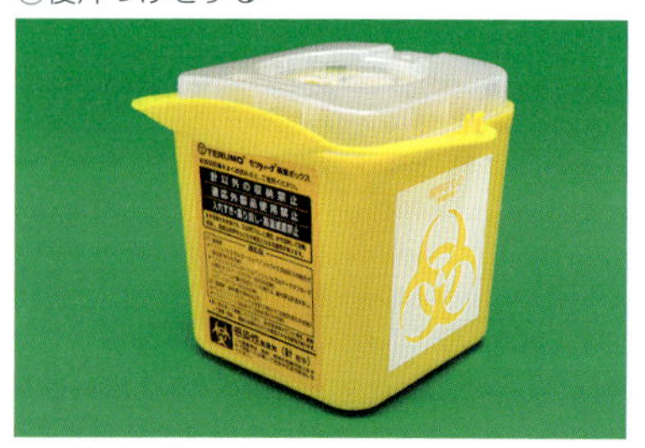 注射針廃棄ボックス	▶ディスポーザブル手袋は血液が付着している可能性があるので，直接手に触れないように手袋を外し，医療廃棄物専用容器に廃棄する．また，針も専用容器に廃棄する **根拠** 血液は感染源となる危険物である．看護師はもちろんのこと，廃棄物処理業者が感染しないように廃棄物の分別処理を正しく行う
⑧後片づけ終了後，手洗いを行う	**根拠** 看護師自身や看護師の手を介しての他の患者に対する感染防止のために，処置終了後は必ず手洗いをする
⑨記録する	▶薬剤の内容，投与量，投与方法と，褥婦の疼痛の緩和状態など観察した事項を記録する．また投与時に発生したトラブルの有無や内容（神経損傷など）も記載する **根拠** 経時的変化を観察するため記録は重要である **コツ** 情報を共有できるように看護師が共通理解できる用語で記録する
3 脱肛・痔核の整復を行う	▶脱肛・痔核をそのままにしておくと，うっ血が進行したり，下着やナプキンにすれて損傷し，疼痛が増強したり，感染を起こしたりする．そのため可能であれば整復する（p.343「第3章-3【3】脱肛・痔核への対処」参照）

後陣痛緩和の援助

手順

要点	留意点・根拠
1 子宮収縮薬を中止する ①褥婦に子宮収縮薬の服用中止について説明する	▶医師に中止の指示を得てから説明する 根拠 後陣痛の状態が強くても分娩期の状態(弛緩出血，癒着胎盤，微弱陣痛，遷延分娩など)から，子宮収縮薬が必要な場合がある．そのため，医師に後陣痛の状態を報告して中止が可能かどうかの指示を受ける
2 鎮痛薬を使用する	▶鎮痛薬の投与方法については，p.327 の 分娩損傷，脱肛・痔核の疼痛緩和の援助 を参照 コツ 授乳は子宮収縮を促進させる．そのため，授乳時に後陣痛を強く感じる褥婦が多い．その点を考慮して，鎮痛薬使用のタイミングを授乳の30 分前程度に行うと効果的である 根拠 投与方法にもよるが，最も薬理効果の遅い経口投与でも 30 分程度で薬理効果が出現する 緊急時対応 鎮痛薬のアレルギー症状や副作用が出現した場合は，第一に人員を確保するための緊急コールを行う．褥婦の状態に合わせた救急蘇生のための処置を医師の指示どおりに正確かつ迅速に行う 事故防止のポイント 薬剤アレルギー，薬剤の副作用の出現に注意する
3 子宮収縮促進ケアを中止する ①子宮底輪状マッサージを中止する ・マッサージ中止の理由を説明する	根拠 産後のセルフケアとして，子宮収縮促進のための子宮底輪状マッサージを指導している場合が多い．中止の理由を説明しないと，褥婦がマッサージを遵守し，後陣痛が増強する場合がある
4 腹部を締める用具の使用を中止する ①ウエストニッパー，腹帯の使用方法を再指導する	▶ウエストニッパー，腹帯を緩める，あるいは使用を中止するように指導する 根拠 産後は子宮収縮促進，腰痛緩和のためにウエストニッパー，腹帯の使用を勧める場合が多い．それを緩めること，あるいは使用中止の理由を説明しないと，使用を遵守して後陣痛による苦痛が持続することがある
5 記録をする ①行った処置の内容と使用した薬剤を記録する	根拠 処置の効果の評価と経時的変化を観察するために記録は重要である

腰痛・恥骨痛緩和の援助

手順

要点	留意点・根拠
1 ウエストニッパー，腹帯の着用の利点を説明する	
①ウエストニッパー，腹帯の利点と使用の根拠を説明する	▶ウエストニッパー，腹帯の利点をわかりやすく説明する．それらを使用すると腰痛が緩和できる理由を説明する **根拠** 産後の腰痛の原因は，妊娠によって弛緩した腹筋がすぐに戻らず体幹を支持できないことや，分娩損傷，脱肛・痔核の疼痛のために，正常歩行ができず，腰部に負担がかかることが主である．腰部への負担軽減のために，ウエストニッパー，腹帯で腰部を支持することで腰痛が緩和される．根拠を説明することで，理解が得られやすくなる
②ウエストニッパー，腹帯の種類を説明し，選択してもらう	▶褥婦に種類やそのメリット，デメリットを説明し，使用するものを選択してもらう **根拠** 腹帯は腰部・腹部周囲径の変化に対応しやすいが，装着に時間がかかり，面倒な感がある．ウエストニッパーは着脱が簡単であるが，腰部・腹部周囲径の変化に応じて再購入する必要がある
2 ウエストニッパー，腹帯の装着方法を説明する	
①実際に装着しながら説明する	**根拠** 使用感を体験することで，自分に合ったものを選択できる
②腹帯やウエストニッパーを強く締めすぎないこと，就寝時は外すように指導する 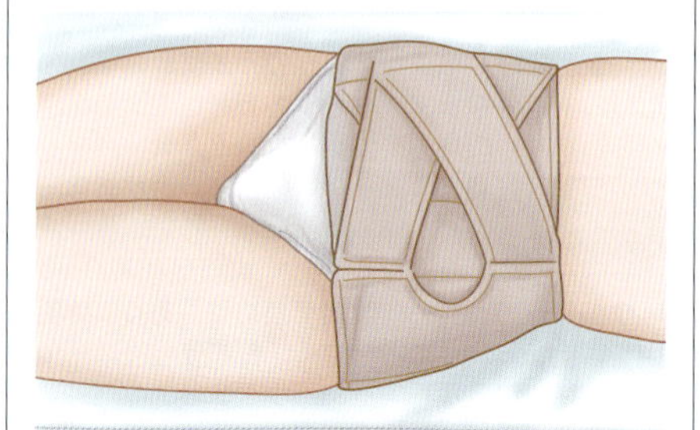 仰臥位で装着すると緩みにくくなる	**根拠** 強く締めすぎると皮膚を圧迫し，褥瘡を起こすことがある．また，就寝時は血流が緩慢となるため腹帯やウエストニッパーを装着したまま休むと，下半身がうっ血し，創部，脱肛・痔核の悪化や下肢の浮腫，血栓を生じる危険がある **事故防止のポイント** 褥瘡を起こさない．分娩損傷部，脱肛・痔核を悪化させない

要点	留意点・根拠
3 腰部の罨法を行う ①温罨法を行う 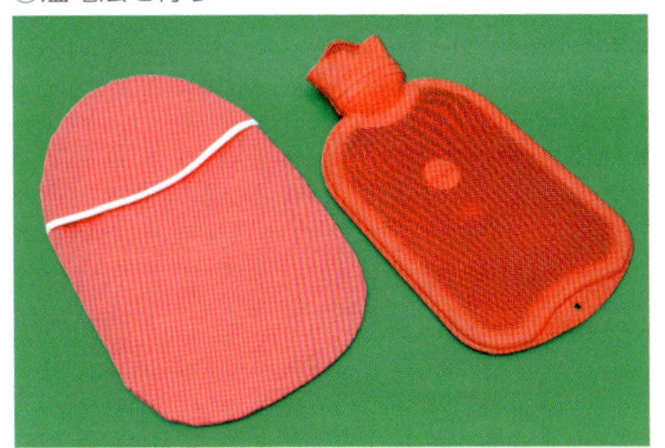 湯たんぽ(右)とカバー(左)	▶湯たんぽや温タオルなどを用いる **根拠** 腰部に負担がかかっている状態は，腰部の筋肉がうっ血していることが多い．うっ血は腰痛を増強させるので，血行の改善を目的に温罨法を行う **注意** 熱傷にならないよう，罨法の温度に注意する．また，低温でも長時間，同一部位を温罨法すると，低温熱傷を起こすことがあるので，皮膚の状態を確認しながら行う **事故防止のポイント** 熱傷を起こさないよう罨法の温度に注意する
4 鎮痛薬を使用する ①使用する鎮痛薬とその薬理効果，副作用について説明する	▶鎮痛薬の投与方法については，p.327 の **分娩損傷，脱肛・痔核の疼痛緩和の援助** を参照 **根拠** 投与後，どのくらいの時間で効果が現れるのか，起こりうる副作用を説明することで，薬理効果，副作用についての知識が得られる．知識を得ることで，褥婦は薬理効果の低い場合や副作用の出現を報告でき，鎮痛薬の変更の必要性を検討したり，副作用出現時の早期介入が受けられる
②褥婦に投与方法ごとのメリット，デメリットを説明する	▶経口投与，直腸内投与，経皮的投与などの投与方法がある **根拠** 投与方法による薬理効果，副作用の違いを説明し，自己に合った方法を選択する．また，褥婦の好みで投与方法を変更することもある **緊急時対応** 鎮痛薬のアレルギー症状や副作用が出現した場合は，第一に人員を確保するための緊急コールを行う．褥婦の状態に合わせた救急蘇生のための処置を，医師の指示どおりに正確かつ迅速に行う **事故防止のポイント** 薬物アレルギー，薬剤の副作用の出現に注意する
5 記録をする ①行ったケアや使用した薬剤を記録する	**根拠** 行ったケアの評価や，経時的変化を観察するために記録は重要である

排尿時痛緩和の援助

手順

要点	留意点・根拠
1 排尿時痛を緩和する ①温水洗浄便座を利用する	▶温水洗浄便座の水流を弱め，尿道口に温水が当たるように流しながら排尿する 根拠 排尿時の疼痛は，尿道口が炎症を起こしていたり，視覚的に確認できない傷があったりすることで，排尿時にその部位を尿が刺激して起こることが多い．尿を温水洗浄便座の温水で薄めながら排尿すると，疼痛が緩和される コツ 温水洗浄便座の水流を弱くすることがポイントである．水圧が高いと炎症・損傷部を刺激し，疼痛が増強する
②排尿後の下腹部痛を緩和する 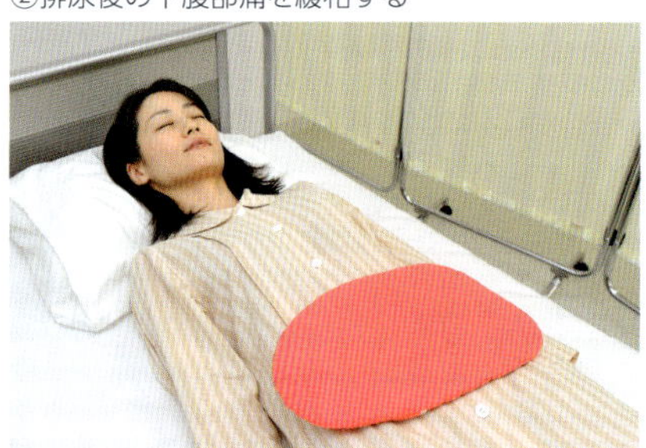 下腹部の温罨法	▶排尿後に子宮収縮が起こり，そのために下腹部痛が起こることがある．この場合は下腹部の温罨法が有効である 根拠 子宮収縮時の疼痛は，子宮筋の収縮による．温罨法は筋肉の収縮を緩和する働きがあるため，疼痛緩和に有効である 注意 子宮収縮不良の場合は行わない．温罨法で子宮収縮がより悪くなることがある
③薬剤を投与する	▶膀胱炎の場合には，抗菌薬が経口的・経静脈的に投与される 根拠 膀胱炎は細菌感染によって起こる 注意 抗菌薬投与時のアレルギー症状の出現に注意する 事故防止のポイント 温罨法による熱傷，抗菌薬によるアレルギー症状の出現に注意する 緊急時対応 抗菌薬のアレルギー症状が出現した場合は，第一に人員を確保するための緊急コールを行う．褥婦の状態に合わせた救急蘇生のための処置を，医師の指示どおりに正確かつ迅速に行う
2 記録をする ①薬剤の内容・投与量・投与方法と行ったケアを記録する	根拠 行ったケアの評価と，経時的変化を観察するために記録は重要である

2 悪露交換

永澤 規子

目的

・外陰部の分娩損傷部，脱肛・痔核の状態や子宮復古状態を観察する．
・外陰部を清潔に保つ．感染を防ぐ．
・褥婦自身で外陰部の清潔管理のセルフケアができているかどうかを視覚的に観察する．

チェック項目 分娩損傷部の癒合状態，感染の有無，脱肛・痔核の有無と程度，悪露の量・性状・臭気の観察，子宮収縮状態，外陰部の清潔状態（悪露が陰毛に付着していないか．肛門部に便の拭き残しがないかなど）

適応

経腟分娩：分娩翌日から退院日まで（退院は通常産褥 4～5 日目）の褥婦．以前は毎日行っている施設が多かったが，最近では母体の健康状態が良好であれば分娩翌日からシャワー浴が可能となる施設が多いため，褥婦が分娩損傷部や脱肛・痔核の疼痛を強く訴える場合にその観察目的を主として行うことが多い．

帝王切開分娩：帝王切開が行われた場合，離床前には外陰部のセルフケアができないので看護師が行う．

経腟分娩・帝王切開分娩のいずれの場合にも，医師の処置後には必ず行う．

注意 悪露の付着した部位をケアするので．スタンダードプリコーション（標準予防策）に従って感染防止対策を遵守する．消毒薬によるアレルギーの有無を確認しておく．

禁忌 なし．母体の状態に応じて方法と場所を変更する場合がある．

事故防止のポイント 内診台からの転倒・転落の防止，洗浄液の不適切な温度による熱傷防止，消毒薬によるアレルギー防止，感染防止

必要物品　鑷子（せっし），綿球，洗浄液〔微温湯，0.025% ヂアミトール液（ベンザルコニウム塩化物）など〕，消毒薬（0.025% ヂアミトール液，ポビドンヨードなど），ナプキン，バスタオル，感染防止物品（ビニールエプロン，ディスポーザブル手袋）

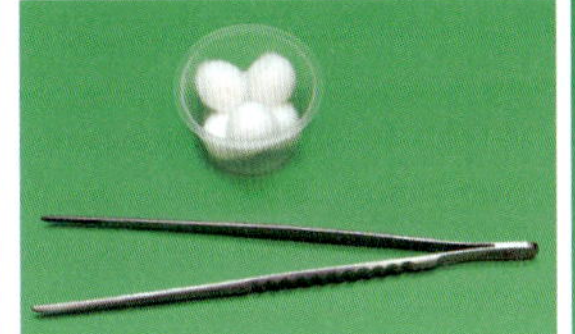
鑷子（下），綿球（上）

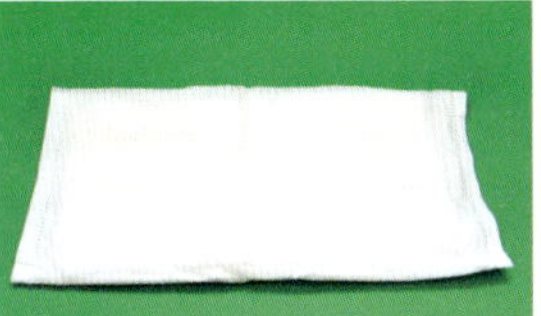
ナプキン

ディスポーザブル手袋

消毒薬

手順

要点	留意点・根拠
1 環境・使用物品を整える ①内診の準備を整える ・プライバシーが保護されるよう環境を整える	**根拠** 外陰部を露出するため，羞恥心が最小限に抑えられるようにプライバシーに注意する（個室・個別対応が原則）
・空調により室温を 24～25℃ 程度に調整する	**根拠** 下半身を露出するため，褥婦が寒暖で不快感をもたないように温度調整する
・洗浄液を温めておく	▶ 洗浄液は，40℃ 程度に温めておく **根拠** 体温よりやや高い温度が不快感を覚えにくい

要点	留意点・根拠
②褥婦に持参してもらう物品(新しいナプキン)を説明し，必要物品を整える ・ナプキンを褥婦から預かる ・悪露交換の必要物品(滅菌物)をそろえる ・創部を消毒する消毒薬を準備する	根拠 感染防止のために滅菌物をそろえる．また準備を整えておかないと，褥婦が内診台に乗っている時間が長くなり，羞恥心や体位による苦痛が長引く ▶一般的には，0.025％ヂアミトール液，ポビドンヨードなどが使用される 注意 事前に消毒薬のアレルギーがないかを必ず褥婦に確認する 事故防止のポイント 消毒薬のアレルギーに注意する 緊急時対応 消毒薬のアレルギー症状でアナフィラキシーショックを起こした場合は，すぐに他の看護師に連絡し，人員を確保すると同時に医師に緊急連絡し，指示を受ける
2 褥婦に悪露交換の必要性を説明する ①悪露交換の目的，内容を説明する	▶産後の処置(分娩損傷処置，清潔ケアなど)が終了し，病室に帰室する産後2時間までの間に産後スケジュールを説明することが多い 根拠 産後に行われる処置の目的やスケジュールの説明を受けることで，安心を促す ▶産後スケジュールは，妊娠中にパンフレットを配付したり，褥婦用クリニカルパスを使用したりして説明するとわかりやすい 根拠 口頭の説明だけでなく，後で見直すことのできるパンフレット類があると，反復して情報を得ることができるため，理解しやすい
3 内診台への移動を介助する ①洗浄を行うため，看護師は身支度を整える ・手洗い後，ディスポーザブル手袋を装着する ②内診台への移動を介助する 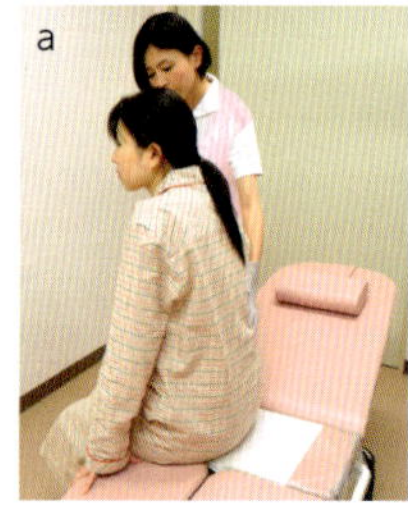 a 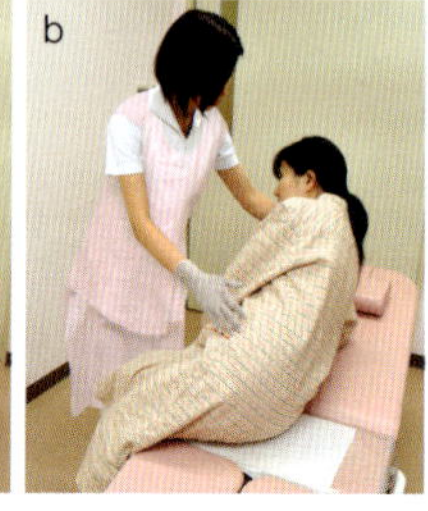 b	根拠 悪露で汚染した下着に触れる可能性があるため，内診台への移動を介助する前に身支度を整える 根拠 ディスポーザブル手袋にはピンホール(目に見えない小さい穴)が存在している可能性があるので，感染防止を図る 注意 感染防止のため，身支度はスタンダードプリコーションに則って確実に行う 根拠 産後は分娩時の身体損傷，貧血，疲労などで，非妊時のように動作がスムーズにできないことが多いため，看護師の介助が必要である 注意 内診台からの転倒・転落に注意する 禁忌 母体の状態が悪い場合，内診台に褥婦を移動させることは，身体的負担が大きく，転倒・転落の危険が伴う．その場合は，ベッド上で悪露交換を行う(p.312「第3章-2【3】清潔」参照) コツ 転倒・転落を防止するため，内診台を最低位に下げる．褥婦を内診台に腰かけさせ(a)，上半身を内診台に側臥位のまま横に寝かせる(b)．

要点	留意点・根拠
	次に両脚を昇降側の脚台に乗せ，全身が内診台に乗ったところで，仰臥位となるよう介助し(c)，両脚を左右の脚台に乗せる．バスタオルをかけて体位を整える
③内診台での体位を整える ・腰を浮かさないように褥婦へ説明する ・衣服を腰の上まで上げて，外陰部を十分に露出する ・腹部にバスタオルをかける 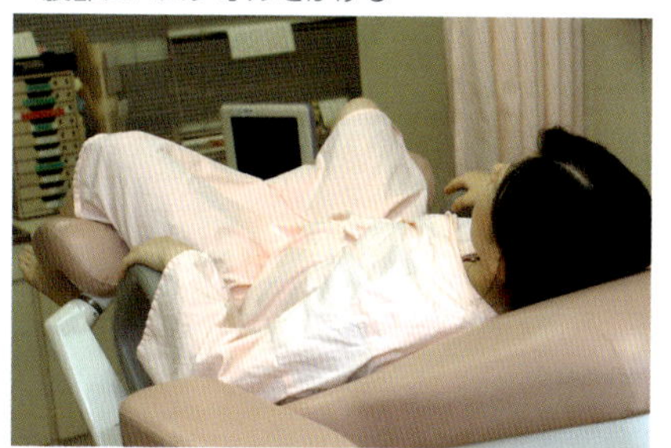	▶ 外陰部の洗浄で衣服が汚染されないように，体位と身支度を整える **根拠** 腰を浮かしていると洗浄液が背部に流れて衣服が汚染され，褥婦が不快感を覚える ▶ 不必要な露出を避けて，羞恥心に配慮する **事故防止のポイント** 転倒・転落に注意する．感染を防止する
④汚れたナプキンを外す 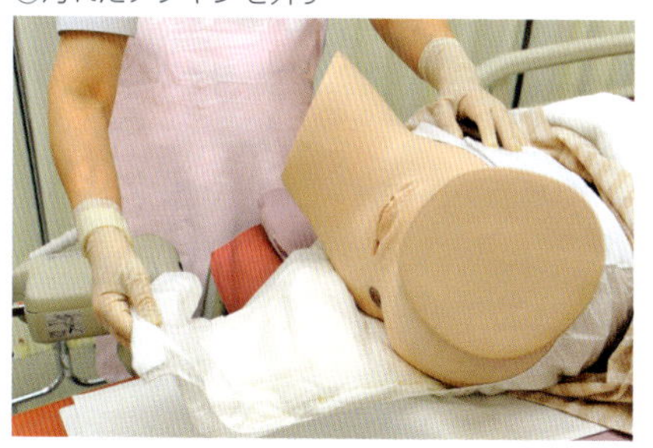	▶ ナプキンに付着した悪露が内診台などの医療機器や看護師の手にできるだけ付かないようにナプキンの汚染部分を中心に丸めこみながら外すようにする．外したナプキンは医療廃棄物容器に廃棄する　**根拠** 血液は感染源となる危険物である．看護師はもちろんのこと，廃棄物処理業者が感染しないように廃棄物の分別処理を正しく行う
4 観察をする ①外陰部を観察する	▶ 分娩時の損傷部位の発赤，腫脹，熱感，疼痛の有無と程度，癒合の状態，外陰部の浮腫の有無と程度，痔核・脱肛など，分娩によって生じた外陰部の状態を観察する　**根拠** 分娩によって生じた母体の損傷の回復状況を把握する
②悪露の量，性状，臭気を観察する	▶ 悪露の量，性状，臭気を観察し，子宮内感染，子宮内遺残物の有無・内容，子宮復古状態，悪露滞留の有無と程度を把握する　**根拠** 子宮内感染が起こると，悪露が悪臭を放つ．また子宮内遺残

要点	留意点・根拠
③子宮復古状態を観察する 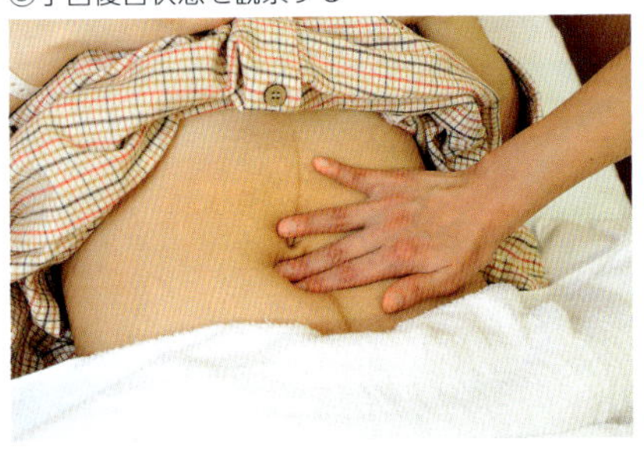	物(胎盤，卵膜)が，産褥経過の中で自然に排泄されることがある．特に，分娩後の胎盤計測で胎盤実質や卵膜に欠損が疑われる場合には，注意して悪露の性状(膜状のもの，凝血の混入の有無と程度)を観察する．さらに，悪露が産褥日数に比較して多く，性状が鮮血様の場合には，子宮復古不全が推察される．反対に悪露の量が極端に少ない場合には，子宮内に悪露滞留が起こっていることが考えられる ▶子宮底高と子宮硬度から子宮復古状態を評価する．産褥日数が経過するほど，子宮底高は下がる．硬度も硬く，触診で子宮の形状がすぐにわかる状態が正常である．子宮底高が高く，子宮も軟らかい状態(マッサージを行っているうちに硬くなって子宮がわかる状態)は子宮復古不全が推察される コツ 子宮底を観察する場合，産褥日数による平均的な子宮底高の位置に看護師の手を当てる．手は，示指・中指・環指の3本の指の腹全体で，産褥日数から予測される子宮底の位置にあたる腹部に押し当てるようにするとよい
5 外陰部を洗浄する ①褥婦に外陰部の洗浄を開始することを知らせる	根拠 見えないところで操作するため，突然開始すると，褥婦が驚き，腰を浮かすなどして，衣類汚染の原因となる
②洗浄液の温度を確認する 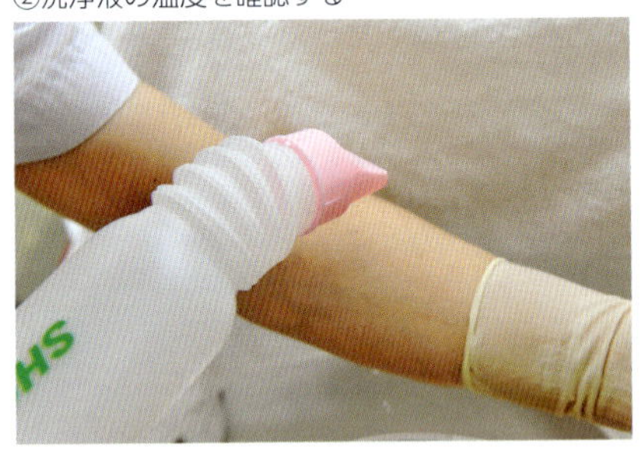 洗浄液の温度確認	▶看護師は洗浄液の温度を前腕にかけて温度の確認をする 根拠 現在，洗浄液は機械で温度調整されることがほとんどであるが，施行直前には，不適切な温度による不快感，熱傷予防のため看護師自身で温度を確認する コツ 温度の確認は，手袋を装着しているため指先では感じにくいので，前腕に洗浄液をかけて確認する
③洗浄を開始する．中央，左右の順に洗浄する ・鑷子で綿球を挟み，その綿球で洗浄液とともに外陰部に付着している悪露などを洗い流す	▶陰裂を最初に行い，次いで左右の小陰唇，大陰唇，会陰，肛門部の順に行う．洗浄は，常に上から下に(恥骨部から肛門部へ)行う 根拠 洗浄は感染防止のため，最も清潔を保ちたい部位を最初に行う

要点	留意点・根拠
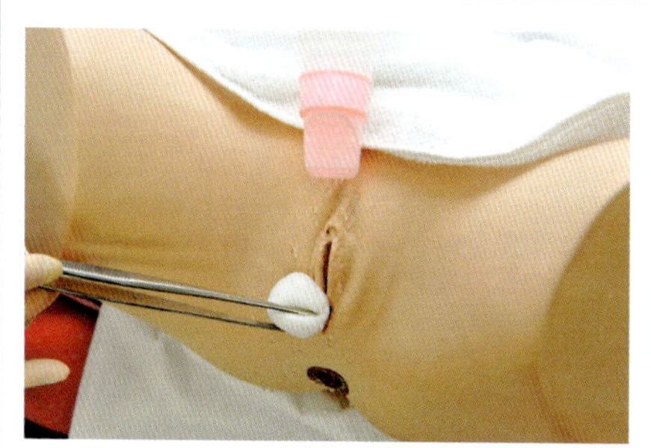 中央の消毒	注意 洗浄の方向は，感染防止のため，きれいな部分から汚染されている部位に向けて行うことが必要である．そのため，恥骨部から肛門部へ向かって行うことで，感染防止を図る．また，肛門部に細菌が最も多く存在するため，そこを触れた綿球は交換する．洗浄液を外陰部にかける前に，最初に褥婦の大腿部内側に少量かけ，その温度で，不快感を覚えないかを確認する コツ 分娩損傷部に触れると褥婦が疼痛を感じるので，洗浄時は，綿球であまりこすらないようにする．また洗浄液は綿球に当たるようにかけて，外陰部に強い水圧がかからないようにすると，褥婦が疼痛を感じにくい
・洗浄終了後に乾綿球で水分を拭き取る	▶ 拭き取る順序も洗浄順序と同じとする
④創部を消毒薬で消毒する 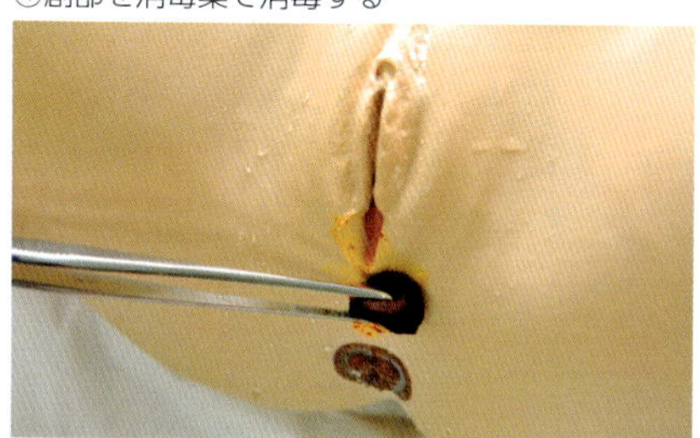	注意 消毒薬を塗布した後に気分不快などがないかを褥婦に確認する 緊急時対応 消毒薬のアレルギーが出現した場合は，第一にマンパワーを確保するための緊急コールを行い，褥婦の状態に合わせた救急蘇生のための処置を医師の指示どおりに正確かつ迅速に行う 事故防止のポイント 感染を防止する．洗浄液による熱傷や消毒薬のアレルギー出現に注意する
⑤褥婦の身支度を整える 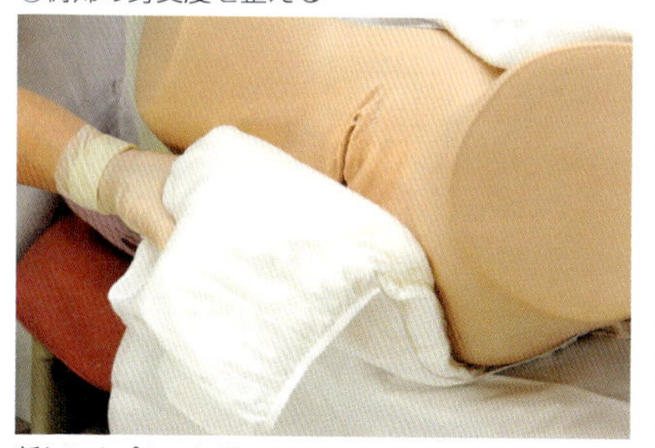 新しいナプキンを当てる	▶ 新しいナプキンを当て，産褥ショーツを整える
⑥内診台から降りる介助をする 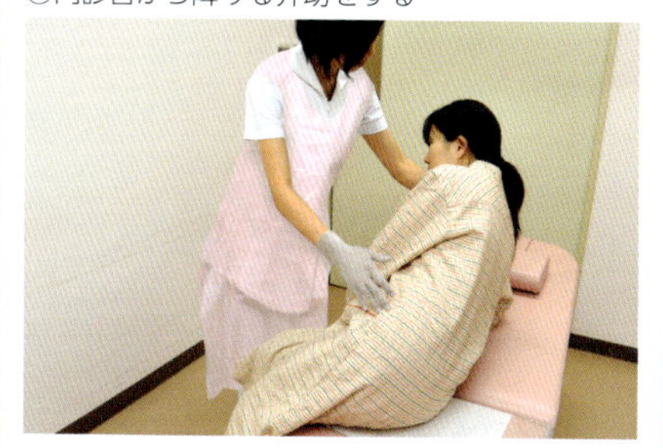	▶ 内診台に上がる時と同様，降りる介助を行う 根拠 産後は身体的疼痛，貧血，疲労などからふらつき，めまいなどを起こし，動作が不安定であるため，内診台から降りる時も介助する 注意 内診台からの転倒・転落に注意する コツ 内診台に上がる時と反対の順序で降りる介助を行う 事故防止のポイント 転倒・転落に注意する

要点	留意点・根拠
6 後片づけをし，記録をする ①使用物品の後片づけをする	▶使用した器具は，血液に触れないように，ディスポーザブル手袋をしたまま取り扱い，滅菌に出すコンテナの中へ片づける **根拠** 血液は感染源となる．汚染した器具は感染源として，安全に隔離して運搬できるように専用コンテナを使用する
②使用した綿球などの汚染物品を廃棄し，使用した内診台を清掃する	▶汚染物品を専用の廃棄容器に廃棄し，使用した内診台などは消毒薬で清掃する **根拠** 血液は感染源となる．廃棄物処理業者も感染しないように，汚染物の分別は決められた容器に確実に廃棄する
③後片づけ終了後，ディスポーザブル手袋を外し手洗いする 	**根拠** 看護師自身や看護師の手を介して他の患者に感染しないように，処置終了後は必ず手洗いをする．手洗い後は，擦式消毒用アルコール製剤などで手を消毒する **事故防止のポイント** 感染を防止する
④記録する ・外陰部の状態，悪露の状態，子宮収縮の状態，また悪露交換時の褥婦の動静や創部痛の有無や程度などを記録する	**根拠** 経時的変化を観察するために，記録は重要である

3 脱肛・痔核への対処　永澤 規子

整復

目的 脱肛・痔核の整復ケアを行い，褥婦の身体的疼痛の緩和を図る．
チェック項目 脱肛・痔核の程度，疼痛の有無と程度，排便の状態，疼痛によるセルフケア不足の有無と内容
適応 脱肛・痔核のある褥婦
注意 潤滑剤としてキシロカイン（リドカイン塩酸塩）ゼリーを使用する時はアレルギー症状に注意する．無理な整復を行わない．排便コントロールの指導を同時に行う．
禁忌 重度の脱肛・痔核では，整復ケアを行うことで腸管や痔核部の損傷を起こすことがあるので，看護師は行わない．
事故防止のポイント 転倒・転落防止，整復時の直腸損傷や脱肛・痔核の悪化防止，鎮痛薬・潤滑剤（局所麻酔薬が含まれている場合）の薬物アレルギー防止，感染防止

必要物品 手袋，潤滑剤，痔核治療薬，鎮痛薬（直接効果があるため，坐薬による与薬が多い），感染防止物品：ディスポーザブル手袋，ビニールエプロン

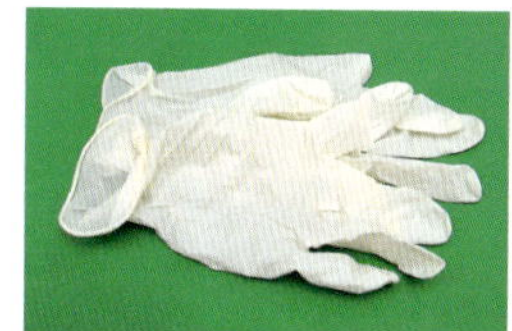
ディスポーザブル手袋

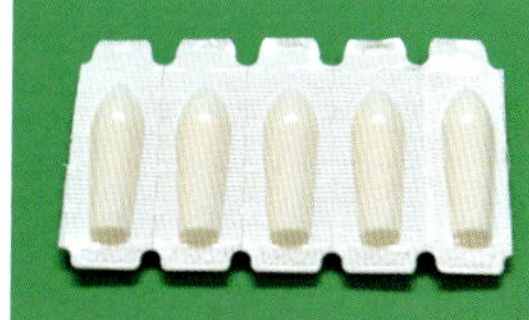
痔核治療薬（坐薬）

手順

要点	留意点・根拠
1 環境・必要物品を整え，看護師は身支度を整える	
①内診室の環境を整える 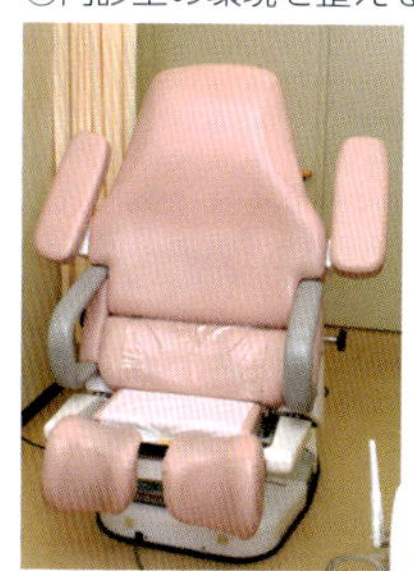 内診台	▶一般的には，内診台で悪露交換を行う時に脱肛・痔核の整復を同時に行う **根拠** 外陰部を露出する処置のため，褥婦の羞恥心をできるだけ軽減することが必要である．そのため，悪露交換などの他の外陰部処置と一緒に行うことで，外陰部の露出の機会を少なくできる
・室温を 24～25℃ 程度に設定する	**根拠** 外陰部を露出するので，褥婦が寒暖による不快感を覚えないようにする
②必要物品を整える	**根拠** 物品の準備を整えておくことで，処置をスムーズに行うことができ，褥婦の身体的・心理的負担を最小限にとどめる
③看護師は身支度を整える ・整復を行うため手洗いを行い，ディスポーザブ	**根拠** 介助時に悪露で汚染した下着に触れる可能

要点	留意点・根拠
ル手袋，エプロンを着用する	性があるため手袋を着用する．手袋にはピンホール（目に見えない小さい穴）ができている可能性があるので手洗いを行い，その後身支度を整える 注意 感染防止のためには，処置の前後，処置ごとの手洗いが基本である 事故防止のポイント 感染を防止する
2 褥婦の準備を整える ①整復処置の内容を説明し，体位を整える ・脱肛・痔核の整復の目的を説明する	根拠 脱肛・痔核の整復は疼痛を伴い，褥婦にはつらい処置であるが，整復しないと感染発生，病態の悪化や疼痛の増強などのリスクがあることを説明し，理解を得る
《内診台への移動を介助し，体位を整える場合》 ・内診台に褥婦を誘導する 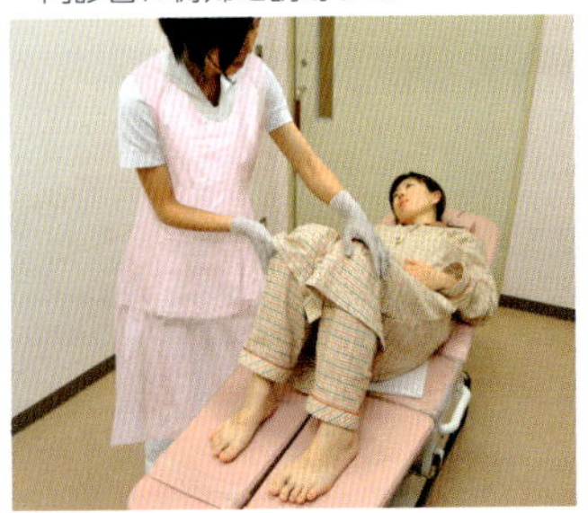	根拠 産後は分娩時の身体損傷，貧血，疲労などで非妊時のようにスムーズに動けないことが多い 注意 内診台からの転倒・転落に注意する 禁忌 母体の全身状態が悪い場合は，内診台に褥婦を移動させることは身体的負担が強く転倒・転落の危険が伴うので行わない．また，脱肛・痔核の整復は緊急性がないので，全身状態の回復を待って行う．脱肛・痔核に対する苦痛が強い場合は，整復ではなく，医師の指示による痔核治療薬や鎮痛薬を投与し，疼痛緩和を図る コツ 転倒・転落を予防するためには，内診台を最低位に下げてから褥婦を内診台に腰かけさせ，上半身を内診台に側臥位に寝かせる．次に両脚を昇降側の脚台に乗せ，仰臥位となるように介助する（「第3章-3【2】悪露交換」の「3 内診台への移動を介助する」（p.338）参照）
《外診台への移動を介助し，体位を整える場合》 ・外診台に褥婦を誘導する  外診台での体位	根拠 産後は分娩時の身体損傷，貧血，疲労などで非妊時のようにスムーズに動けないことが多い 注意 外診台からの転倒・転落に注意する コツ 転倒・転落を予防するために外診台を最低位に下げ，褥婦を外診台に腰かけさせ，上半身を横たえるのを介助し，両脚を外診台上に上げて側臥位とする
・外診台での体位を整える	▶ 側臥位で両脚を屈曲させ，肛門部が十分に露出する体位をとる　根拠 肛門部が十分に露出すると整復がしやすくなる 事故防止のポイント 転倒・転落に注意する ▶ 内診台・外診台のいずれを選択するかは，褥婦の状態で判断する．一般的には，悪露交換と同時に行う場合は内診台で，それ以外は，褥婦にとって昇降が楽な外診台とすることが多い

要点	留意点・根拠
3 脱肛・痔核を観察する ①脱肛・痔核の状態，程度を観察し，整復可能な状態であるかを判断する	**根拠** 重度の脱肛・痔核では，無理に整復すると疼痛が悪化したり，直腸・肛門を損傷してしまう場合がある．また，整復自体ができなかったり，仮に整復してもすぐに元の状態に戻ってしまうことも多い **禁忌** 重度の脱肛・痔核では，直腸損傷，痔核破裂を起こすリスクがあるので整復しない
4 脱肛・痔核を整復する ①褥婦に整復を開始することを知らせる ②手袋に潤滑剤をつけて整復の準備をする 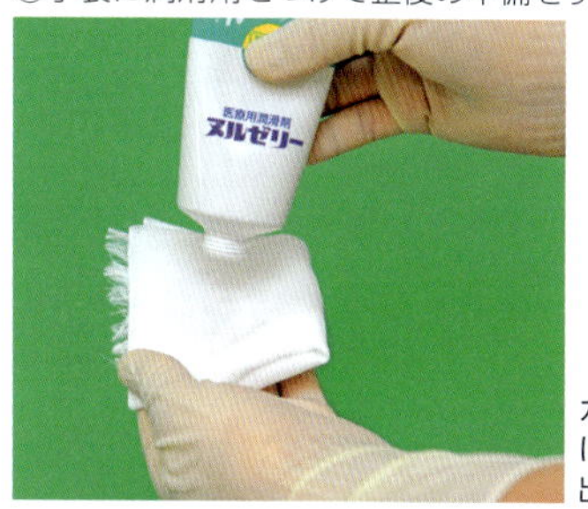 ガーゼの上に潤滑剤を出す 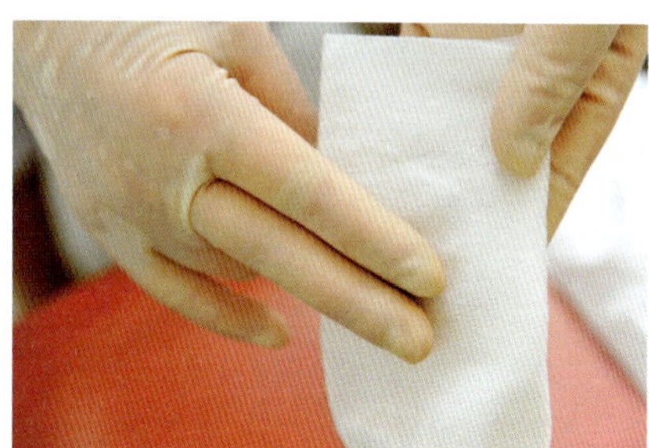 示指と中指に潤滑剤をつける ③整復を行う 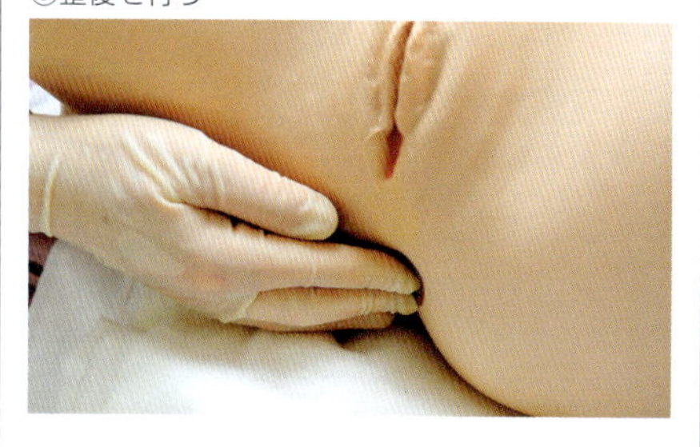	**根拠** 整復は疼痛を伴うので，褥婦が驚かないように開始時は声をかけてから始める **根拠** 潤滑剤をつけることで潤滑がよくなり整復しやすくなる．また，褥婦の疼痛も緩和される．潤滑剤の種類は，一般的にはグリセリンが主成分のものを使用するが，疼痛が著しい場合は，局所麻酔薬成分の入ったもの〔キシロカイン（リドカイン塩酸塩）ゼリー〕を使用することがある．局所麻酔薬成分の入ったものを使用する場合には，医師の指示を受ける ▶ 看護師の利き手の手袋の上にもう1枚手袋を装着し，潤滑剤をガーゼの上に出してから示指と中指に潤滑剤をつける **根拠** 利き手の手袋を二重にする目的は，利き手で整復術を行うこととなるので，肛門の処置後に1枚の手袋を外し，その後の褥婦のケアも清潔に行えるようにするためにである **注意** 褥婦のアレルギー既往の有無と内容を確認する．キシロカインゼリーを使用する場合はアレルギー反応に注意する **禁忌** リドカイン製剤によるアレルギーのある褥婦には，リドカイン製剤は絶対に使用しない **コツ** アレルギーの有無と内容が医療者の誰にでもわかるように，診療録の表紙にアレルギーのマークをつけるとよい **緊急時対応** アレルギー症状が出現した場合，第一に人員を確保するための緊急コールを行う．褥婦の状態に合わせた救急蘇生のための処置を，医師の指示どおりに正確かつ迅速に行う ▶ 看護師の利き手の示指と中指で脱肛・痔核を肛門内に押し入れるように整復する．整復時は，褥婦の疼痛の訴えや表情を観察しながら行い，無理に行わない **コツ** 脱肛・痔核の整復は，1つの場所から円を描くように少しずつ行っていく．また，示指・中指は写真のように肛門に対して水平に押し当てるように行うと，指で押す力が分散され，痔核・脱肛の損傷リスクが低減し，褥婦も疼痛を感じることが少ない

要点	留意点・根拠
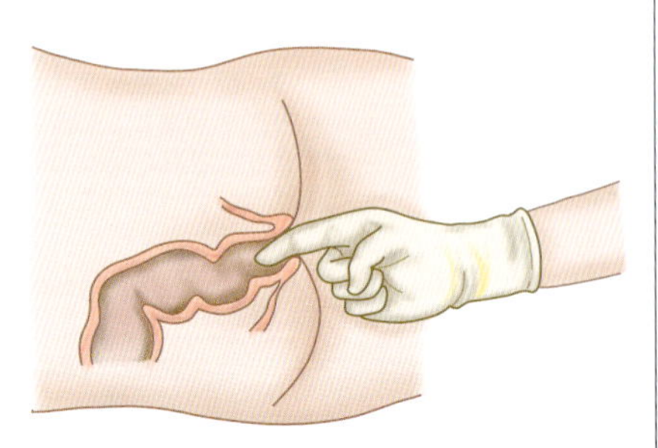 肛門括約筋が機能しているか確認する	▶押し入れた後は肛門に示指を挿入し，褥婦に肛門括約筋を締めるように説明し，括約筋が機能しているかを確認する．括約筋が機能していないと再脱肛する可能性が高い 注意 直腸損傷，痔核の破裂を起こさないように，決して無理な整復は行わない
④痔核治療薬を塗布する 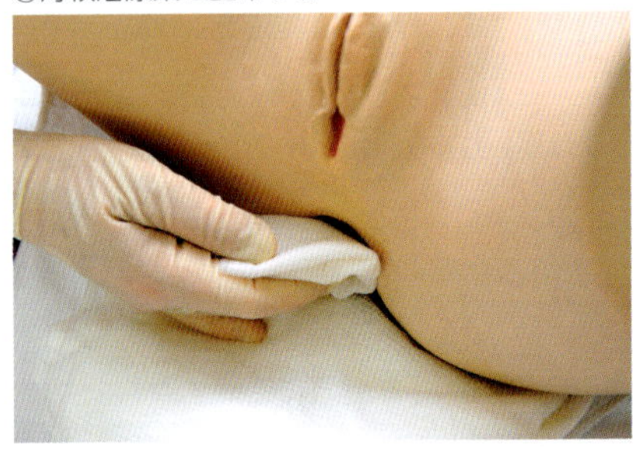 肛門の外側のみに塗布する場合：軟膏をガーゼに塗布し，そのガーゼを肛門部に当てる	根拠 脱肛・痔核の治癒を促進する コツ 注入タイプのものは，肛門部に先端を挿入し，軟膏を絞り出しながら，先端部を引き抜き徐々に肛門周囲に塗布していく．肛門の外側のみに塗布する場合はガーゼに軟膏を塗布し，そのガーゼを肛門部に当てるようにすると疼痛が少なく，また軟膏が均等に塗れる ※肛門の処置が終了したら，二重に装着した手袋の1枚を外し，医療廃棄物の専用容器に廃棄する 事故防止のポイント 整復時の直腸損傷，痔核の悪化を起こさない．鎮痛薬，潤滑剤のアレルギー（局所麻酔薬成分入りの場合）に注意する．感染を防止する 緊急時対応 薬剤のアレルギー症状が出現した場合は，第一にマンパワーを確保するための緊急コールを行う．褥婦の状態に合わせた救急蘇生のための処置を，医師の指示どおりに正確かつ迅速に行う
5 内診台，外診台から降りる時に介助する	▶内診台，外診台に上がる時と同様，転倒・転落しないように介助する 根拠 特に脱肛・痔核の整復後は，疼痛のために身体のふらつきが起こる場合があるので，褥婦の状態に注意して観察しながら介助する 注意 内診台からの転倒・転落に注意する コツ 内診台に上がる時と反対の順序で降りる介助を行う 事故防止のポイント 転倒・転落に注意して褥婦を介助する
6 後片づけをし，記録をする ①処置終了後，後片づけをする	▶手袋は肛門部に触れており，体液が付着している．体液や分泌物が手に直接触れないように手袋を外し，医療廃棄物の専用容器に廃棄する 根拠 体液は感染源となる．看護師はもちろんのこと，廃棄物処理業者が感染しないように，廃棄物の分別処理を正しく行う

要点	留意点・根拠
②後片づけ終了後，手袋を外し手洗いをする	注意 看護師自身や看護師の手を介して他の患者への感染防止のため処置終了後は，必ず手洗いをする．手洗い後は，擦式消毒用アルコール製剤などで消毒する
③記録する	▶脱肛・痔核の状態，整復の可否，褥婦の疼痛の状態など観察した事項を記録する 根拠 行ったケアの評価と経時的変化を観察するために記録は重要である

疼痛緩和の援助と指導

目的 産後の日常生活上での疼痛緩和を図る．
チェック項目 日常生活行動のどのような場面で疼痛が増強するか(排便時，歩行時，授乳時)．
適応 脱肛・痔核の疼痛がある褥婦
禁忌 褥婦の健康状態が悪化している場合は，回復後に指導を行う．
事故防止のポイント 鎮痛薬の副作用症状の発見

必要物品 円座，バスタオル，クッション，産褥椅子，鎮痛薬，感染防止物品(ディスポーザブル手袋，ビニールエプロン)

産褥椅子

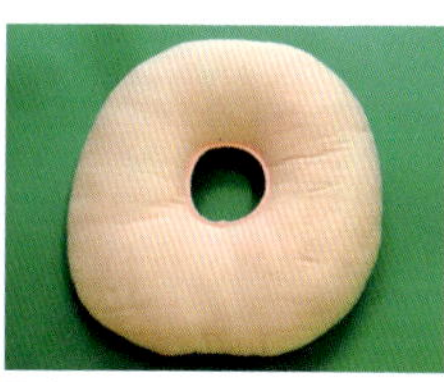
円座

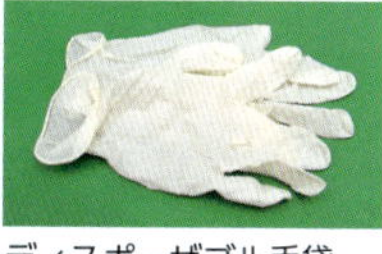
ディスポーザブル手袋

手順

要点	留意点・根拠
1 褥婦に動作上の注意事項，疼痛緩和方法を説明する	
①具体的な内容(どのような場面で肛門部の疼痛が増強しやすいか)をわかりやすい言葉で説明する	▶肛門部の疼痛は，その部位に外圧がかかることで増強する．例えば，授乳時や食事の時に座位姿勢となった場合に起こりやすい．そのため，疼痛コントロールをしないと，授乳時や新生児のケアを行う際に，疼痛から動作コントロールがつかず，誤って新生児を落下させるおそれがあることを説明する．また，歩行時にも，両脚を交互に動かすことで肛門部に刺激が加わりやすく，疼痛のためにふらつき，転倒する場合があることなどを説明する．ベッドから降りる時にも転落に注意する 根拠 事前に動作上の疼痛増強リスクを知ることで，安全への配慮を褥婦自身で行える

要点	留意点・根拠
②円座などは褥婦に合ったものを選択し使用する 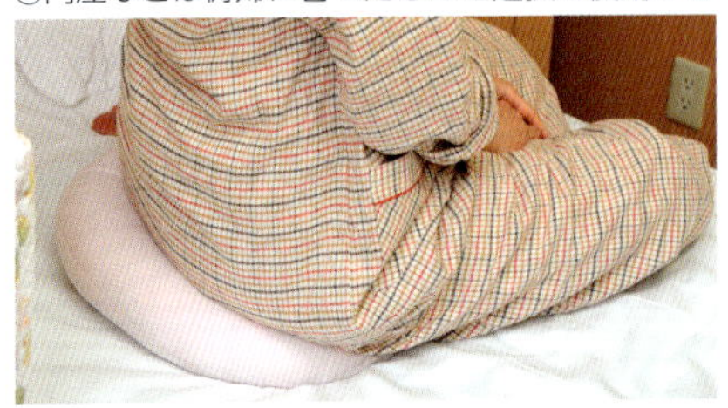	注意 動作時の転倒・転落に注意する ▶授乳時や食事を摂る時に円座やクッション，産褥椅子などを使用する　根拠 円座やクッション，産褥椅子を使用することで，座位姿勢によって肛門部にかかる外圧を軽減する 注意 円座を使用する場合，適切に使用しないと，座位の姿勢が不安定となり，新生児を落下させるおそれがある．褥婦に危険性を説明し，注意して使用するように指導する．使用開始時は，必ず看護師が使用方法を説明し，使用状況を確認する
③鎮痛薬を使用する 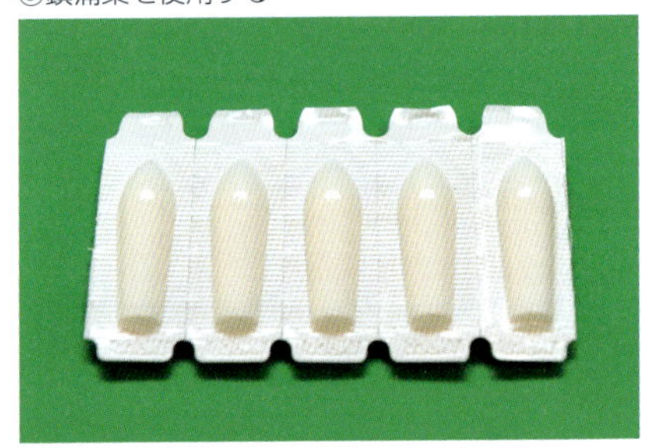 坐薬	▶褥婦が疼痛をがまんできない状態ならば，医師に褥婦の状態を報告し，鎮痛薬の投与指示を受けて使用する．通常使用される薬は，局所的な直接効果を得られやすい坐薬が多い 注意 脱肛・痔核の鎮痛薬としてよく用いられる坐薬はボルタレン（ジクロフェナクナトリウム）である．この薬物の副作用として，子宮収縮を阻害することがあるので，弛緩出血後や子宮復古不全時は，慎重に投与するとともに，子宮の収縮状態を十分に観察する．また，薬物に対するアレルギーや副作用として，血圧低下などを起こす場合がある 禁忌 褥婦に事前に薬物アレルギーの既往を聴取する．ボルタレンに対するアレルギーがある場合は，使用禁忌である 緊急時対応 鎮痛薬のアレルギー症状や副作用が出現した場合は，第一に人員を確保するための緊急コールを行う．褥婦の状態に合わせた救急蘇生のための処置を，医師の指示どおりに正確かつ迅速に行う ※薬物投与に対する詳細は，p.328「第 3 章-3【1】産後疼痛ケア」の「2 鎮痛薬を使用する」参照 事故防止のポイント 日常生活行動中の転倒・転落，新生児の転落に注意する．鎮痛薬の副作用症状が発現していないか観察する

悪化防止の指導

目的 脱肛・痔核の悪化を防止するため，日常生活上の注意点を指導する．
チェック項目 排便コントロール状況，排泄時の清潔ケア（セルフケア），動作，身体の保温
適応 脱肛・痔核のある褥婦
禁忌 健康状態の悪化した褥婦（身体状況が回復してから行う）
事故防止のポイント 不適切な排便コントロールによる腹痛・下痢の防止，誤ったセルフケアによる脱肛・痔核の悪化防止

必要物品　緩下剤（排便コントロールの必要がある場合，医師の指示による）

手順

要点	留意点・根拠
1 排便コントロール状況を確認する ①妊娠前，妊娠期，分娩後の排便状況を確認する	根拠 妊娠前，妊娠期に便秘傾向にあった褥婦は，産後も排便コントロールが不良となる傾向にある．便秘になると便が硬くなり，排便時の肛門への刺激や，排便時努責も強くなるために脱肛・痔核が悪化する場合がある．以前の排便習慣を把握することで，早期介入ができ，脱肛・痔核の悪化予防につながる
②食事指導をする	▶繊維質を多くとるようにする 根拠 腸蠕動運動を促進する コツ 難しい調理は，育児などもあり困難である．褥婦の生活習慣を把握し，その中に自然に取り込めるような食事指導をする．例えば，米飯にゴマやきな粉をかける，味噌汁にとろろ昆布を入れるなど簡単に実践できることを指導する
③褥婦の好む水分の摂取を促す	▶排便コントロールとして水分の摂取を促す 根拠 授乳時は乳汁にも水分をとられるため，水分不足により便秘になりやすい．褥婦の好む湯温・内容で，できるだけ水分を摂取するよう促す(糖質の含まれる水分は，エネルギー過多となりやすいので避ける)
④緩下剤を使用する	▶生活指導で排便コントロールが困難な場合は，排便状況に合わせて医師の指示による緩下剤を投与する 根拠 薬物療法は補助療法として効果を発揮する 注意 下痢を起こすと脱肛・痔核に悪影響を及ぼすので，便の性状を観察しながら緩下剤を調整する 事故防止のポイント 不適切な排便コントロールによって下痢を起こさない
2 排便時，清潔を保つよう指導する ①排便後は肛門部を清潔に保つように指導する ・温水洗浄便座の使用を勧める 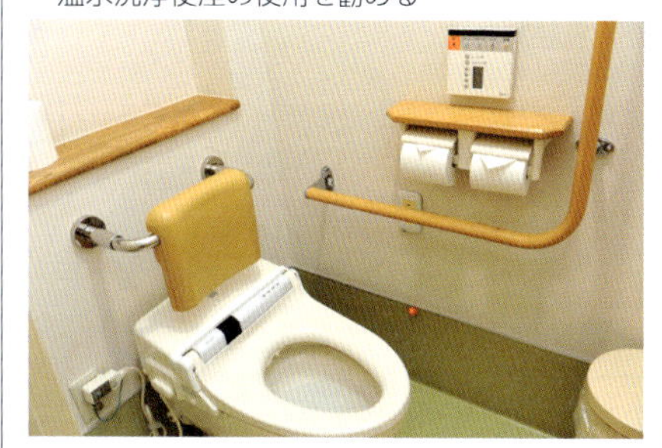	根拠 排便後，肛門を清潔に保つことで，感染防止を図る コツ 施設内に温水洗浄便座があれば，その使用を勧める．また，洗浄終了後の水分の拭き取りは力を入れて拭きとらずに，トイレットペーパーを押し当てるようにして行うように指導する．温水洗浄便座を使用する場合は，水流を一番弱い状態にして，機械的刺激があまり加わらないようにする 注意 機械的刺激で脱肛・痔核部を損傷しないようにする

要点	留意点・根拠
・温水洗浄便座がない場合は，洗浄ボトルで肛門を洗浄する	▶ 洗浄ボトルに 40℃ 程度の温水を入れて，排便時に肛門を洗浄する

洗浄ボトル

3 身体の保温を図る

要点	留意点・根拠
①身体の保温を衣類によって調整する	▶ 身体が冷えないように衣服を整える．特に足元が冷えないようにする 根拠 下肢が冷えて血流が悪くなると，肛門部の血流も悪くなり，うっ血を起こして，脱肛・痔核が悪化する場合がある

要点	留意点・根拠
②室温を調整する	▶ 室温を 24～25℃ 程度に調節する 根拠 身体の冷えを防止する コツ 空調機の風が直接褥婦に当たらないように，ベッドの位置を調整する．風が直接身体に当たると体温が奪われる
③ウエストニッパー，腹帯を調整する	▶ 産後に弛緩した腹部を保持するために装着しているウエストニッパー，腹帯を強く締めすぎないようにする 根拠 腹部を強く締めすぎると血流が悪くなり，肛門部の血流にも影響して，脱肛・痔核が悪化する コツ 起きている時は，比較的強めに腹部を締めていても，動いていることにより血流が保たれるが，就寝時やベッドに横になって安静にしている時は，腹部の圧迫によって下半身からの静脈還流が阻害されることがあるので，ウエストニッパーや腹帯は外す

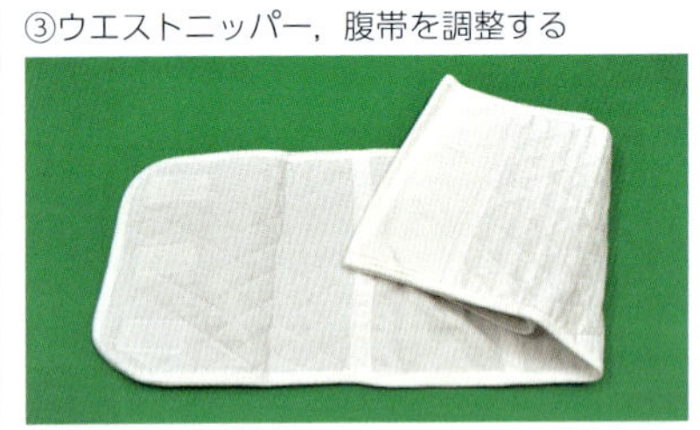
腹帯

ウエストニッパー

4 排尿障害への対処

永澤 規子

目的 分娩後の排尿障害を改善する.

チェック項目 排尿時の疼痛, 尿意の欠如, 排尿困難の有無と程度, 失禁の有無と内容

適応 排尿障害のある褥婦

注意 スタンダードプリコーション(標準予防策)に則って感染防止を図る. 子宮収縮状態との関連を観察し, 援助方法を選択する.

事故防止のポイント 転倒・転落防止, 消毒薬によるアレルギー防止, 感染防止

必要物品

導尿関連:鑷子(せっし)(①), 鉗子立て(②), 膿盆(③), 綿球(④), 消毒薬, 万能ビン, 12〜15 Fr ネラトンカテーテル(⑤), 滅菌潤滑剤, 尿器(⑥)または採尿カップ

感染防止物品:ビニールエプロン, ディスポーザブル手袋(⑦), ガーゼ(⑧)

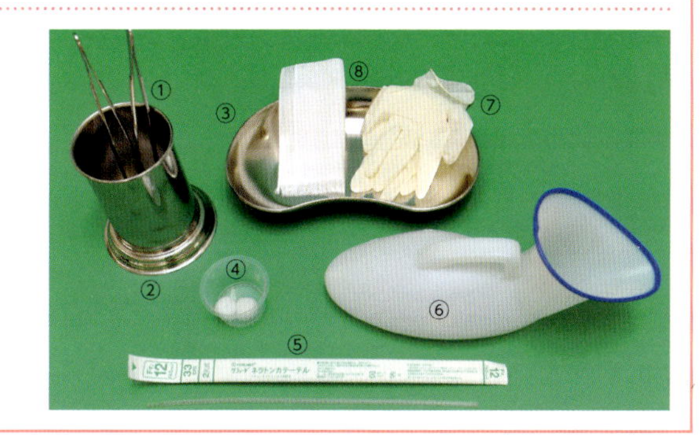

排尿障害の内容と程度の把握

手順

要点	留意点・根拠
1 排尿障害の内容・程度を観察する ①分娩時の状況を把握する	▶診療録, 助産録, パルトグラム(分娩経過図)から, 吸引・鉗子分娩術, 分娩第2期遷延, 導尿時の出血などの有無を把握する **根拠** 吸引・鉗子分娩術では, 急激に胎児を娩出させることにより, 膀胱に物理的刺激が加わり, 神経を損傷させる場合がある. 分娩第2期遷延では, 長期間の努責から尿道口が浮腫を起こし, 排尿がスムーズにできない場合がある. また, 導尿時の出血は, 操作による尿道の損傷を疑わせ, 排尿時痛を起こす場合がある. 分娩時の状況の把握により, 産後に起こる排尿障害を推測することができる
②褥婦の問診を行う ・排尿に関して疼痛, 不快感がないかを問診する	▶具体的な言葉で聞く **根拠** 実際の症状を褥婦から聴取し, 分娩時の状況と合わせて, 排尿障害の病態を推察する. また, 症状に合わせた援助方法を的確に選択できる **コツ** 具体的な症状(排尿時痛, 残尿感, 排尿後の下腹部痛など)の例を挙げながら聞くと, 褥婦は答えやすい

要点	留意点・根拠
③下腹部の状態を観察する ・膀胱部のふくらみを観察し，尿が貯留している状態かを把握する 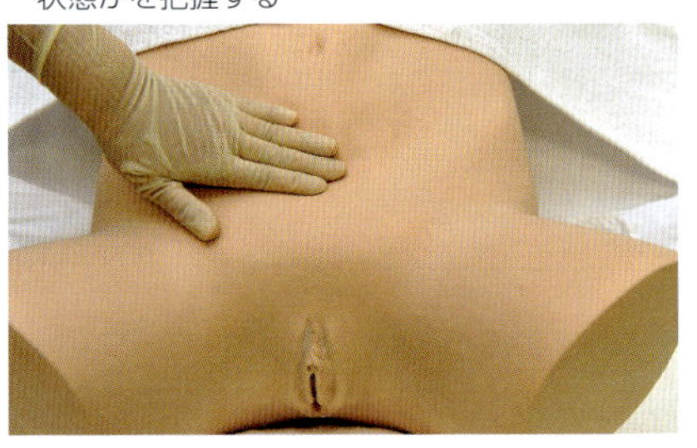	根拠 尿閉の状態を把握する 注意 膀胱を損傷するリスクや，褥婦が下腹部痛を感じたりするので，強く圧迫しない
④尿道口の状態を観察する ・尿道の浮腫・発赤，損傷の有無を観察する 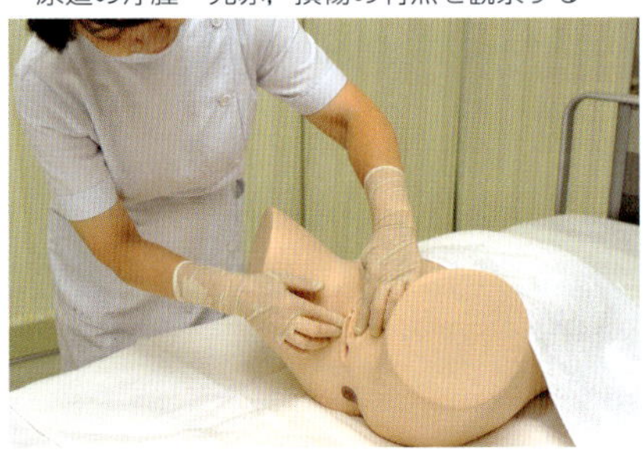	▶外陰部に触れる前に，褥婦に声をかける 根拠 褥婦が驚かないようにする 根拠 排尿時に疼痛を起こしている病態を，視覚的に確認する ▶看護師は，汚染されないように手洗い後ディスポーザブル手袋を装着するなど，身支度を整える．また終了後も必ず手洗いをする 根拠 体液に触れるため，感染防止を図る

尿閉時のケア

手順

要点	留意点・根拠
1 尿意を促す ①トイレに行くことを促す ・尿意がなくても時間を決めて定期的にトイレに行くように指導する	根拠 尿意がないと，トイレに行かないことが多いが，3～4時間ごとにトイレに行き，排尿を試みることで，自然排尿がみられる場合がある コツ トイレに行った時に，次のことを実践してみるように指導する ・排尿を試みる時に水を流し，水音を聞きながら行う→水音で尿意をもよおすことがある ・下腹部を圧迫する→下腹部を圧迫すると物理的刺激で排尿できることがある．下腹部に圧迫をかけやすい体位は，洋式トイレの場合，上体を前屈させるとよい．また，和式トイレでは，その体位から自然に下腹部が圧迫される 注意 和式トイレを使用する際は転倒に注意する
②排尿時に尿道口を刺激する	▶温水洗浄便座で尿道口を刺激する 根拠 水圧による刺激と水音で尿意をもよおすことがある

要点	留意点・根拠
2 導尿を行う ①導尿について説明する	▶導尿の目的・方法について，わかりやすく説明する **根拠** 導尿は苦痛を伴う処置である．その必要性を褥婦に説明することで，処置に対する理解と協力を得る **注意** 過度の膀胱充満で膀胱損傷を起こすリスク（膀胱の平滑筋線維がダメージを受けると，排尿障害の回復が遅れる）が高まる．排尿状態を把握し，8〜12時間以上排尿がみられない場合には，導尿する
②必要物品を準備する ・導尿に必要な滅菌された物品を用意する	**根拠** 導尿は異物を体内に挿入する手技である．感染リスクを低減するため，必ず滅菌された器具類を使用する
③看護師は身支度を整える	▶導尿のための身支度を整える **根拠** 導尿は通常，内診台や外診台で行われる．移動の介助時にも悪露で汚染した下着に触れる可能性があるため，内診台に上がる前に身支度を整える．手袋にはピンホール（目に見えない小さい穴）がある可能性があるので，感染防止のために身支度を整える前に手洗いを行う **注意** 感染防止のため，スタンダードプリコーション（標準予防策）に則って確実に行う
④褥婦の体位を整える 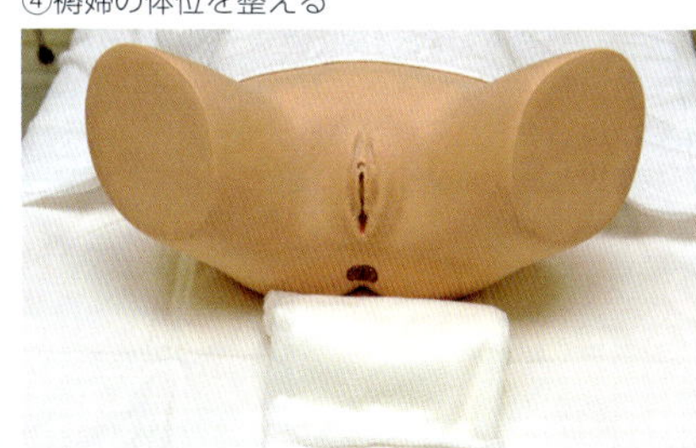 開脚し，尿道口が十分観察できる体位をとる	▶十分に開脚できる体位を整える **根拠** 尿道口が十分に観察できる体位をとることで，安全に導尿が行える **注意** 内診台・外診台へ上がる時，転倒・転落しないように注意する ※内診台・外診台への昇降介助は，p.338「第3章-3【2】悪露交換」，p.344「第3章-3【3】脱肛・痔核への対処」参照
⑤導尿の開始時に声をかける	▶褥婦を驚かさないよう，事前に声をかける **根拠** 導尿は苦痛を伴う処置なので，突然行うと，褥婦が急に動いてしまう可能性があり，処置が安全に行えなかったり，内診台，外診台から転落するリスクがある **注意** 急な体動により，転倒・転落，尿道損傷，看護師への体液曝露による感染事故発生の危険がある

要点	留意点・根拠
⑥尿道口を消毒する 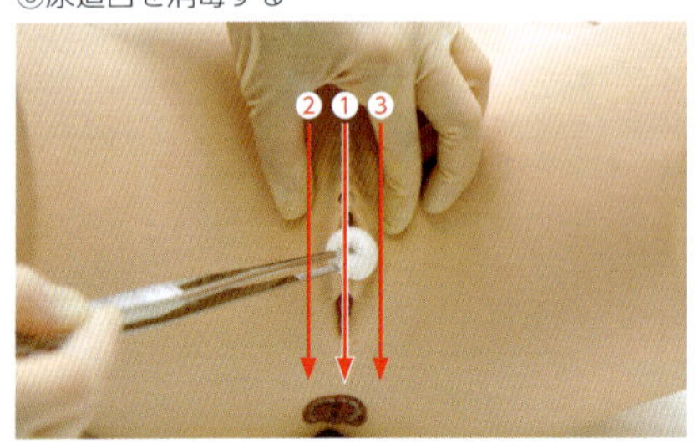 消毒の手順	根拠 尿道口周囲には雑菌が付着している．カテーテルを挿入した時に，その雑菌を膀胱内に押し入れないように消毒する 注意 尿道口の上から肛門方向に向かって消毒する．感染防止のため，清潔操作を遵守する 緊急時対応 消毒薬のアレルギーが出現した場合は，第一に人員を確保するための緊急コールを行う．褥婦の状態に合わせ救急蘇生のための処置を，医師の指示どおりに正確かつ迅速に行う
⑦導尿カテーテルを挿入する 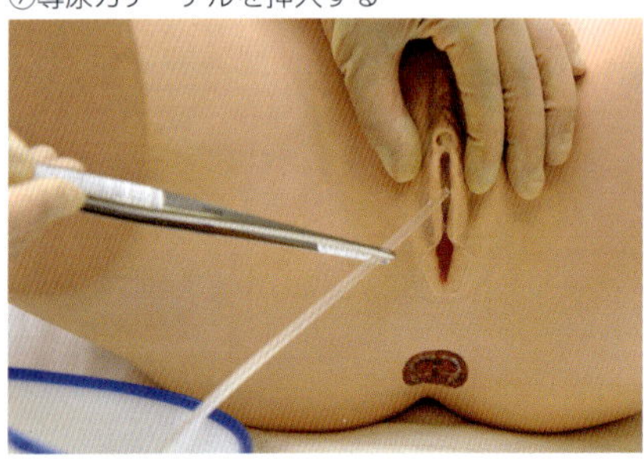	▶ カテーテルの先端に滅菌潤滑剤をつけ，ゆっくりと挿入する　根拠 カテーテル挿入時に最も疼痛を感じるので，潤滑剤で挿入をスムーズにする．ゆっくり行うことで，尿道の走行に沿って安全に挿入できる．疼痛緩和と尿道損傷防止のために必要である コツ 女性の尿道の長さは約 4 cm といわれている．解剖学的情報を知り，どの程度挿入したらよいか，挿入前にカテーテルの長さに目安をつけておくことで，挿入による膀胱損傷を防止する．長く挿入しても排尿がみられない場合は，誤って膣に挿入していることが考えられる
⑧排尿中の様子を観察する	▶ カテーテル挿入中は動かないように説明する 根拠 カテーテル挿入中に身体を動かすと，尿道が傷つけられるおそれがある コツ カテーテルから尿の流出がゆるやかになったら，看護師が膀胱部を手で軽く圧迫すると，尿が残りにくい 事故防止のポイント 転倒・転落に注意する．消毒薬によるアレルギーを起こしていないか観察する．感染を防止する
⑨導尿カテーテルを抜去する	▶ 褥婦の状態を観察しながら，ゆっくりと抜く 根拠 急に抜き取ると尿道を損傷させる原因となる
⑩尿道口を消毒する	根拠 尿道口は粘膜である．処置時に視覚的には確認できないような細かい傷が生じている可能性もあるため，感染防止のために導尿後も消毒する 注意 尿道口の上から肛門方向に向かって消毒する．感染予防のため，清潔操作を遵守する
⑪褥婦の身支度を整える	▶ ナプキンを当て，下着と上着を整える介助をする ※内診台・外診台への昇降介助は，p.338「第 3 章-3【2】悪露交換」，p.344「第 3 章-3【3】脱肛・痔核への対処」参照
3 後片づけをし，記録をする ①使用物品を片づける	▶ 使用した器具は手袋をしたまま取り扱い，専用コンテナに片づける　根拠 尿は感染源となる危

要点	留意点・根拠
	険がある．汚染された器材は感染源として，安全に隔離して運搬できるように専用コンテナを使用する 事故防止のポイント 感染を防止する
②汚染されたカテーテル，綿球などを廃棄する	▶医療廃棄物専用の容器に廃棄する 根拠 尿は感染源となる危険性がある．廃棄物処理業者も感染しないように，汚染物は，決められたとおり確実に廃棄する 根拠 感染を防止する
③内診台を清掃する ④処置終了後，手洗いをする	▶後片づけ後，手袋を外し手洗いをする 根拠 看護師自身や看護師の手を介して他の患者への感染を予防するため，処置終了後は必ず手洗いをする．手洗い後は，擦式消毒用アルコール製剤などで手指を消毒する
⑤記録する	▶導尿時の状態，尿量，尿の性状を記録する 根拠 行った処置の評価，経時的変化の観察には，記録は重要である

排尿時痛がある場合のケア

手順

要点	留意点・根拠
1 排尿時痛の緩和を援助する ①温水洗浄便座の使用を勧める	▶温水洗浄便座を使用する時は，水流を弱めて尿道口に当て，温水を流しながら排尿する 根拠 尿道口に炎症が起きている場合は，尿が炎症部を刺激して排尿時に疼痛が起こる．尿を温水洗浄便座の温水で薄めながら排尿すると，刺激が少なくなり，疼痛が緩和される コツ 温水洗浄便座の水流を弱くすることがポイントである．水圧が高いと炎症部を刺激し，疼痛が増強する
②排尿後，下腹部痛を緩和する 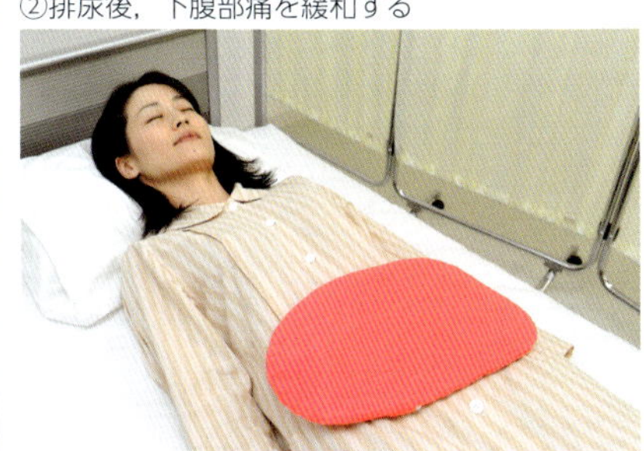	▶排尿後に子宮収縮が起こり，そのために下腹部痛が起こることがある．その場合は下腹部の温罨法が有効である 根拠 下腹部の疼痛は，子宮筋が収縮することによるものである．温罨法は筋肉の収縮を緩和する働きがあるため，疼痛緩和に有効である 注意 子宮収縮不良の場合は行わない．温罨法で子宮収縮がより悪くなる場合がある
③薬物を投与する	▶膀胱炎には，抗菌薬が経口的・経静脈的に投与される 根拠 膀胱炎の原因は，細菌感染であり，抗菌薬が投与される．薬物の投与方法は p.326「第

要点	留意点・根拠
	3章-3【1】産後疼痛ケア」参照 注意 投与時のアレルギーに注意する 事故防止のポイント 温罨法による熱傷に注意する．抗菌薬によるアレルギー症状の出現に注意する 緊急時対応 抗菌薬のアレルギーが出現した場合は，第一に人員を確保するための緊急コールを行う．褥婦の状態に合わせた救急蘇生のための処置を，医師の指示どおりに正確かつ迅速に行う
④記録する	▶行った処置，指導について記録する 根拠 処置や指導の効果の評価には，経時的変化の観察が必要であり，そのために記録は重要である

失禁がある場合のケア

手順

要点	留意点・根拠
1 失禁に対する援助・指導を行う	
①失禁の程度を把握する ・失禁が起こる動作	▶産後は骨盤底筋群の伸展から失禁が起こりやすい．臥位や座位から立位となった時に，失禁は起こりやすい 根拠 骨盤底筋に過重がかかった時に失禁が起こりやすい
・失禁時の尿量 ・失禁の頻度	根拠 常に尿が少量ずつ漏れているような場合には尿閉が起こり，膀胱の容量を超えて尿道口から尿があふれている場合がある．尿閉が疑われる場合には，医師に報告し導尿などの処置を行う
②失禁時の対処方法について指導する	▶失禁してしまった場合には，そのつどナプキンを交換するように指導する 根拠 産後は，悪露が出ているためにナプキンを当てており，少量の尿であればナプキンによって吸収される．しかし，そのままにしておくと皮膚トラブルや膀胱炎などの感染症を引き起こす可能性があるので，ナプキンを交換して外陰部の清潔を保つ
③産褥体操を指導する	根拠 骨盤底筋群の回復に産褥体操は有効である(p.357「第3章-3【5】産褥体操」参照)
④記録する	根拠 経時的変化の観察に記録は重要である

5 産褥体操

永澤 規子

目的
- 妊娠・分娩で弛緩した骨盤底筋群や腹筋の復古を促進する.
- 分娩時の努責や体位などで疲労した筋肉痛の緩和を図る.
- 授乳や搾乳で緊張した筋肉の緊張緩和を図り，身体的不快感を改善する.
- 下肢の浮腫を緩和する.

チェック項目 分娩第 2 期の時間（努責時間，分娩体位の継続時間の把握），腹部の弛緩状態，外陰部の弛緩状態，腰痛の有無や程度，肩こりの有無や程度，下肢の浮腫の状態，排泄（特に尿失禁）の状態

適応 すべての褥婦

注意 褥婦の身体状況にあった体操を選んで指導する.

禁忌 健康状態が悪化している褥婦

事故防止のポイント 不適切な産褥体操による身体症状の悪化防止，ベッドからの転落防止

手順

要点	留意点・根拠
1 産褥体操の説明と環境の調整をする ①褥婦に産褥体操の目的と必要性を説明する	▶ 産褥体操の目的と内容を説明する **根拠** 目的や必要性を理解することにより，積極的に産褥体操を行うことができる
②褥婦の身支度を整える ・排尿をすませ，身体を締めつけているウエストニッパーや腹帯などを外す	▶ パジャマなど体操しやすい服装がよい **根拠** 体操が効果的に，楽に行える
③環境を調整する ・室温の調整やベッド柵を上げて行うように指導する 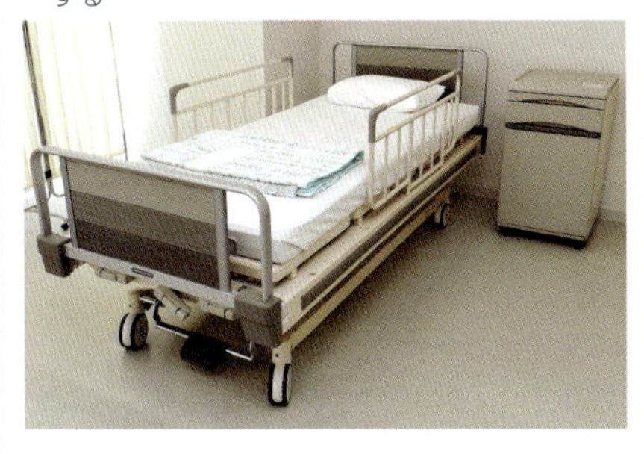	▶ 入院中はベッド上で産褥体操を行うこととなる **根拠** ベッド柵を上げることにより，体操時のベッドからの転落を防止する ▶ 室温は 24〜25℃ 程度に調整し，体操時に寒暖を感じて不快にならないようにする ※以下の産褥体操の写真では撮影の都合上，ベッド柵を下げたままの写真となっている
2 産褥体操を具体的に指導する ①産褥日数に合った内容を指導する 以下，運動負荷の軽いものから産褥体操を記載する	▶ 最初は，身体的負担の少ない体操から指導する **根拠** 出産直後は，分娩損傷部の疼痛，後陣痛，母体疲労などが強い時期である．身体状態を考慮して負荷の少ない内容から行う **注意** 身体状況を適切に評価し，状態に合った産褥体操の指導を行わないと，身体症状を悪化させることがあるので注意する

要点	留意点・根拠
	コツ 最初は，褥婦が理解しやすいように看護師が付き添って指導する
②弛緩した腹筋を戻す運動 	▶最初にベッドと腰の隙間に両手を入れる．次に腹筋に力を入れながら腰とベッドの隙間をなくすような感覚で，腰を両手に押しつける．呼吸を止めずに行う．腰を押しつける時に息を吐き，力を緩める時に息を吸う．深呼吸をしながらゆっくりと 5～10 回行う
③足首の運動 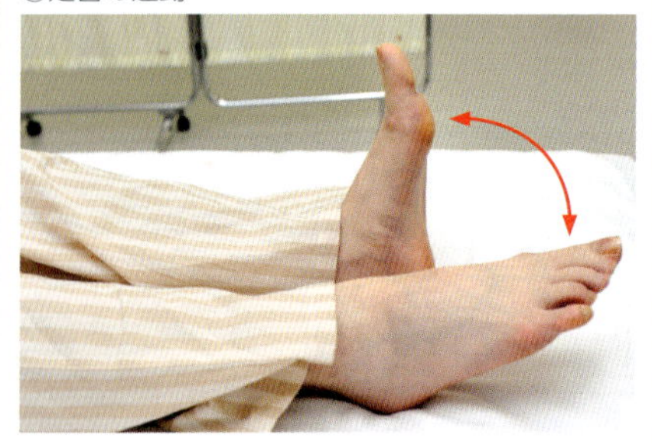	▶両足首の屈曲運動を指導する．両足同時に 5～10 回行う．次に，左右の足首を交互に伸展・屈曲し，これも 5～10 回行う 根拠 足首の伸展を行うことで，下肢の筋肉が収縮し，下肢の血流が促進され，下肢の浮腫，倦怠感の軽減などに役立つ
④首と肩関節の運動  首を回す 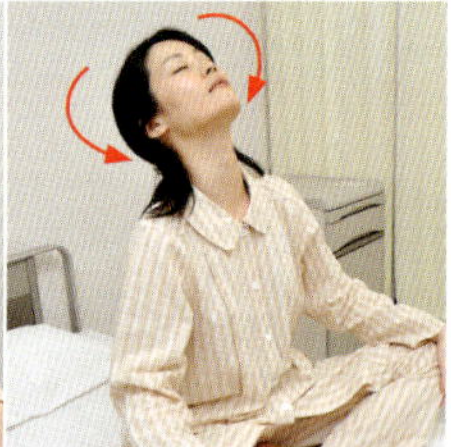 首を前後に倒す	▶首や肩関節を回す運動をする 根拠 授乳や搾乳によって首や肩の筋肉の緊張が続き，首や肩がこり，不快感を生じている．その緩和のために行う 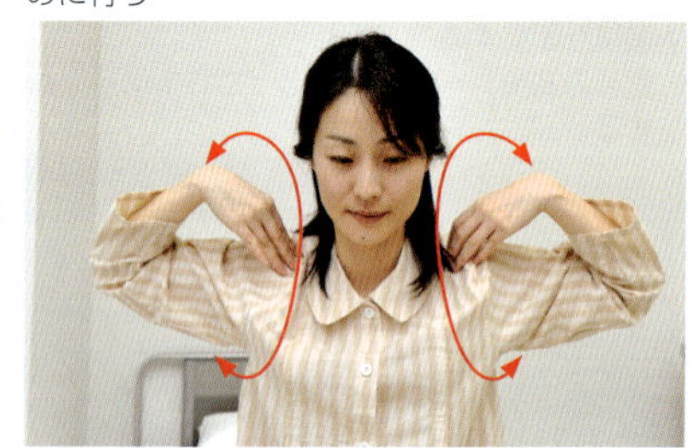 指先を肩につけて肩関節を回す
⑤寝たままで首を起こす 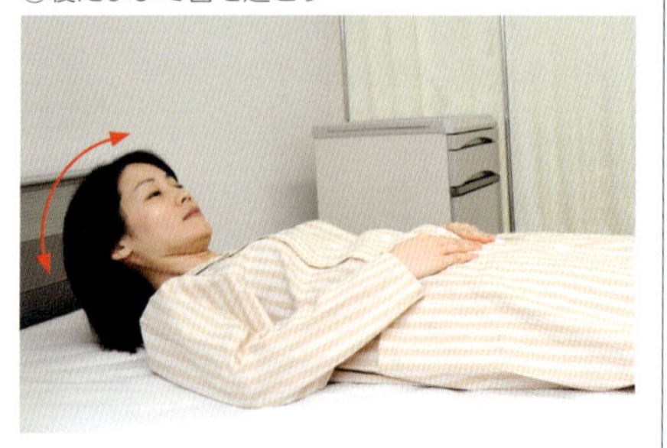	▶腹部を意識するように腹部に手を当てながら，首を起こす 根拠 首を起こすためには腹筋を使うので，腹筋の強化になる コツ 長時間首を持ち上げていると，首のこりにつながるので，持ち上げる時間は 10～20 秒程度とし，その後，首を元の位置に戻し，仰臥位となってリラックスする．この運動を褥婦の状態に合わせて適宜(数回)繰り返す

要点	留意点・根拠
⑥骨盤底筋群の復古を促すための体操 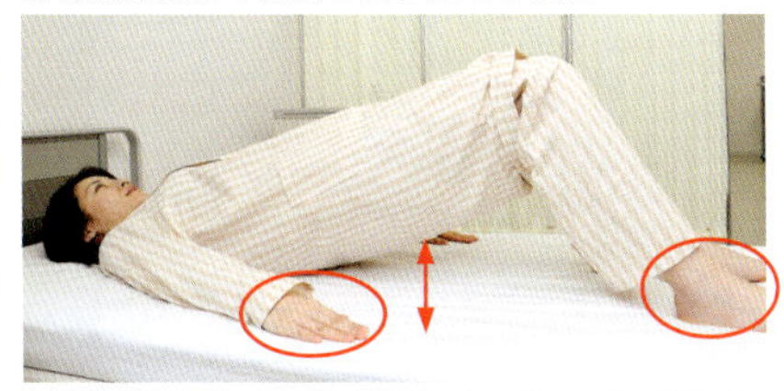 仰臥位で膝を立て，両手手掌をベッドにつけて腰を上げ下げする	▶骨盤底筋群の復古を促す体操は，腰の上げ下ろし，肛門の引き締め運動がある．その指導を行う ・腰の上げ下ろし運動：仰臥位で膝を立て，両手は身体を支えるように手掌をベッド（床）につけ腰を上げる．腰を上げている時間は 10〜20 秒程度とし，その後，腰を元の位置に戻してリラックスする．この動作を 5〜10 回繰り返す ・肛門の引き締め運動：仰臥位あるいは仰臥位で膝を立てた姿勢で行い，肛門を 10〜20 秒引き締め，その後同じ時間リラックスする．この動作を 5〜10 回繰り返す 根拠 腰を上げることにより，骨盤底筋の緊張が高まり，弛緩の改善につながる．また，肛門の引き締め運動は，腟壁の引き締め運動となり，骨盤底筋の引き締めにつながる 注意 運動を行っている間に分娩損傷部の疼痛が増強して，褥婦の不快感が増強する場合には中止する
⑦下肢の上げ下ろし運動 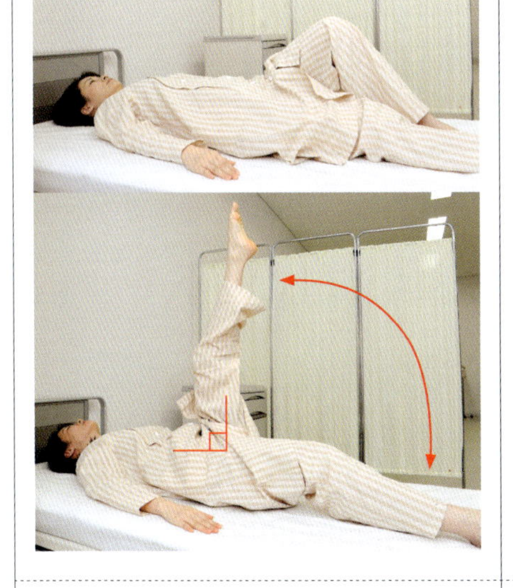	▶仰臥位となり，両手掌をベッド（床）につけて身体を支え，片足ずつ体幹との角度が 90 度になるようにまっすぐ足を上げる．上げた姿勢を 10〜20 秒程度保持し，その後ゆっくりと足を下ろしてリラックスする．この動作を両脚交互に 5〜10 回行う　根拠 足を上げることで，骨盤底筋・腹筋を緊張させ，それらの筋肉の弛緩改善につながる コツ 産褥体操は，いわゆる床上げ（産後 3 週間程度）までは意識的に行うように指導する．その後，弛緩した筋肉のトレーニングを自然に日常生活の中に取り入れていくように指導すると長続きする．例えば，料理をしている間につま先立ちをしてみる，授乳前後に肩回しをする，就寝時にストレッチ体操をするなど 事故防止のポイント 不適切な産褥体操によって身体症状を悪化させない．ベッドからの転落に注意する
3 記録をする ①行った指導や褥婦の習得・実施状況を記録する	根拠 日々記録することで，その効果を把握できる．また身体的症状が悪化していないかも把握する

5 産褥体操

4

母乳育児支援技術

1 母乳育児支援

永澤 規子

目的 新生児の栄養管理が母乳でできるようにする.

チェック項目 乳頭の形態, 乳房の形態, 乳房緊満状態, 乳汁の分泌状態, 新生児の健康状態(直接授乳ができる状態か否か), 母親の健康状態

適応 すべての褥婦

注意 母子の健康状態を観察し, 直接授乳できる状態かどうか判断してすすめる.

禁忌 健康状態が悪化している褥婦

事故防止のポイント 新生児の転落防止, 新生児の連れ去り防止, 乳頭トラブル防止, 感染防止

必要物品 直接授乳に必要な物品：新生児保持用具(授乳クッション, 枕), 円座(座位で外陰部に疼痛がある場合), 脚台(必要時), 新生児バンパー, 乳房冷却ジェル(必要時)
搾乳に必要な物品：哺乳瓶, 母乳保存用バッグ, フェイスタオル, 搾乳器
感染防止物品：ディスポーザブル手袋, ビニールエプロン

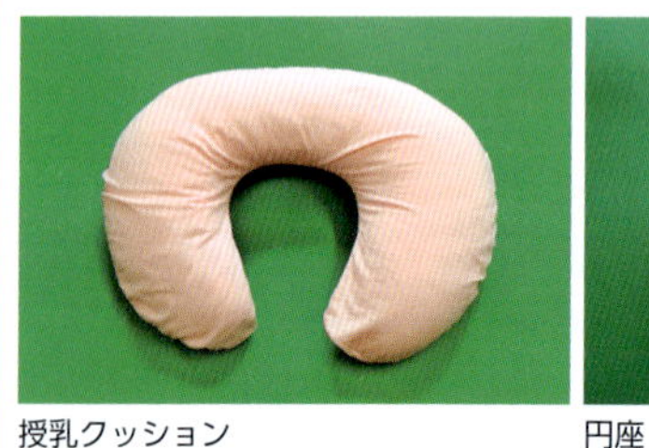

授乳クッション

円座

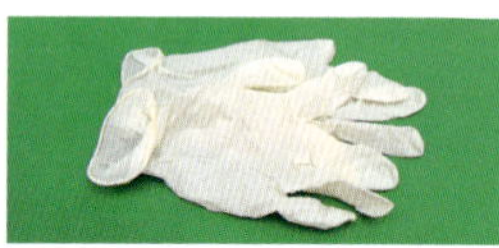

ディスポーザブル手袋

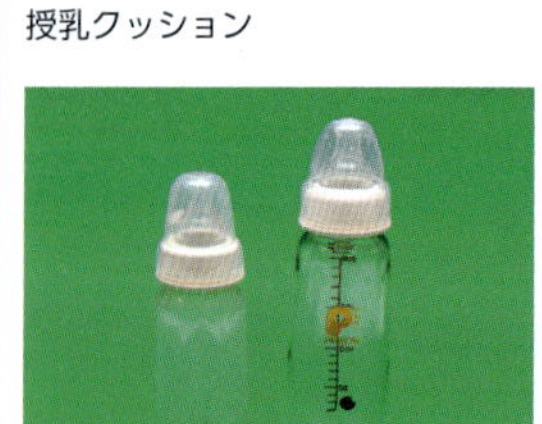

哺乳瓶(右：ガラス製, 左：プラスチック製)

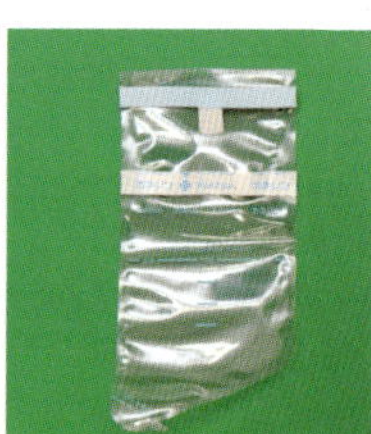

母乳保存用バッグ

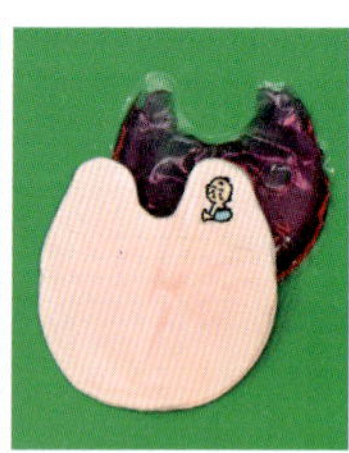

乳房冷却ジェル(上)とカバー

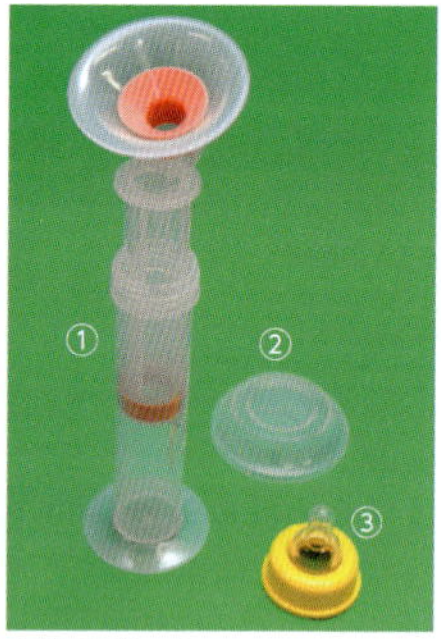

①搾乳器, ②キャップ, ③授乳用乳首

手順

要点	留意点・根拠
1 母乳育児の情報提供を行う ①母乳育児の利点(表 1)の説明と母親の意欲を確認する	**根拠** 母乳育児の利点を説明・指導することは, 母乳育児を推進するための動機づけとなる. また, 母親自身の意欲の確認も母乳育児推進には必要である ▶ 意欲が低い場合は, その理由を把握する. 情報に誤解がある場合は, 母乳育児に対する正しい情報を提供する **コツ** 母乳育児の推進への動機づけは, 妊娠中か

表1　母乳育児の利点

子どもにとっての利点
・日齢・月齢にあった成分の母乳が分泌され，消化がよい
・母乳には病気に対する免疫物質が含まれている（母親が罹患した疾患に関して）
・母乳には抗菌作用がある：子どもの免疫力を高める
母親にとっての利点
・手間がかからず，いつでも子どもに栄養を補給できる
・母乳にエネルギーがとられるため，産後のダイエットに効果がある
・母乳育児により排卵抑制状態が続くため，エストロゲン依存性の癌発生リスクを下げる
母親・子ども双方の利点
・皮膚が密着することにより，母子の愛着を促進する
社会的な利点
・人工乳を調乳することで生じる経費の削減，二酸化炭素の削減，ごみの削減などにつながる

表2　母子同室のオリエンテーション

①新生児のケア（おむつ交換，抱き方，観察方法）
②授乳方法
・安全管理に関すること
　a 新生児の転落防止（授乳室に来る場合は，抱くのではなく，必ずコットに寝かせたまま移動するように指導する．また母親のベッドで添い寝する場合はバンパーを使用する）
　b 感染防止に対する指導（授乳・おむつ交換など処置前後の手洗いの遵守）
　c 新生児の連れ去り防止に対する指導（母親がトイレ，シャワーなどに行く時は，新生児を必ず看護師に預けるように指導する）
③授乳，新生児の排泄に関する記録方法

要点	留意点・根拠
	ら母親学級や個別指導で行うことが効果的である
2 分娩後に早期母子接触を行う ①分娩直後に早期母子接触を行う（p.516「第4章-4【1】早期母子接触と母子同室」参照）	▶母親・新生児の健康状態に問題がなければ，出生直後に早期母子接触を行う **根拠** 出生後2時間は，母子の関係性を築くうえで重要な時間といわれている．その時間に母子の接触を図ることは，母乳育児を確立するために重要である **コツ** 新生児の体温が低下しないよう，温めたバスタオルなどで新生児の身体を包み込むようにする **注意** 母親・新生児の健康状態が悪化している場合は，母子の救命が最優先されるので行わない **注意** 出生直後は，新生児が母胎外環境に適応する時期であり，状態の変化が起きやすい時でもある．早期母子接触を行う際には，新生児の急変に即座に対応できるように看護師はそばを離れない
②分娩直後に早期授乳を行う	▶①の早期母子接触の後に直接授乳が可能であれば授乳介助を行う **根拠** 新生児は，母親の乳輪部のモントゴメリー腺から分泌されるにおいによって自ら乳頭に向かい，授乳を開始するといわれている．原始的行動を阻害しないよう早期に直接授乳することは，母乳育児を推進する上で重要である **コツ** 早期母子接触を行う時と同様に，新生児の体温が低下しないように，温めたバスタオルなどで新生児の身体を包み込むようにする **注意** 母親が分娩損傷の処置を受けている間に早期授乳を図ろうとしても，処置に対する苦痛から直接授乳に集中できなかったり，身体を動かしたりすることで，新生児が転落する危険がある．母親の状態を観察して，直接授乳できる状態かどうかを判断する **事故防止のポイント** 新生児の転落に注意する

要点	留意点・根拠
3 母子同室の環境を整える ①母子同室のオリエンテーションを行う	▶母親と新生児の健康に問題がなければ，分娩室から継続して母子同室を行う 根拠 母子をできるだけ離さないようにすることで直接授乳回数が増え，母乳育児確立に効果的であるといわれている ▶母子同室のオリエンテーションをする．基本的な内容は表2のとおりである 根拠 母子同室時に基本的な新生児に対するケアの技術や知識がないと，母子同室に対する母親の不安が高くなる．また，新生児の安全を守れるようにするためにも，オリエンテーションが必要となる コツ 分娩後，母親に詳細な母子同室のオリエンテーションを行うことは，母親の身体的状況や時間的問題から困難である．妊娠中から母親学級や妊婦健診時の個別指導で指導・説明する．また，看護師からの口頭の説明だけではなく，母親があとで確認できるように，パンフレットを用意しておくと効果的である 注意 母親の分娩時の状況，産後の状態，新生児の健康状態から母子同室が可能かどうかを看護師は的確に判断する．いずれかに問題がある場合，無理に母子同室を行うと，健康問題の悪化，事故の発生，マタニティブルーズの発生などのリスクが高まる
②母子同室の環境を整える 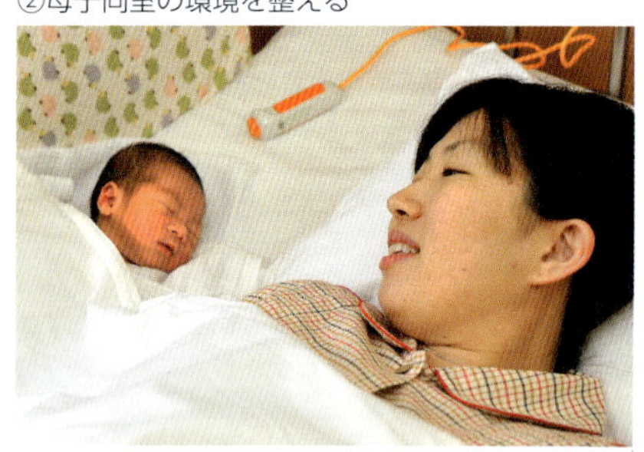	▶産科病棟では褥婦だけではなく，妊婦も入院している．病床管理の問題もあるが，褥婦が気兼ねなく母子同室できるためと妊婦の安静を図るために，多床室の場合は褥婦だけの部屋に調整する 根拠 褥婦・妊婦の混合部屋にすると，互いのニーズが満たされず，ストレスの原因となる場合がある
・病室の温度・湿度を調整する	根拠 新生児に合わせた温度・湿度に調整する．室温24～25℃，湿度50～60%が適切である 事故防止のポイント 新生児の転落，新生児の連れ去りに注意する．感染を防止する
4 直接授乳の指導を行う **《産褥0～2日目》** ①頻回の直接授乳 ・新生児が泣いたら，授乳間隔を気にせず，そのつど授乳するように指導する	根拠 頻回授乳が母乳分泌促進に効果的である

要点	留意点・根拠
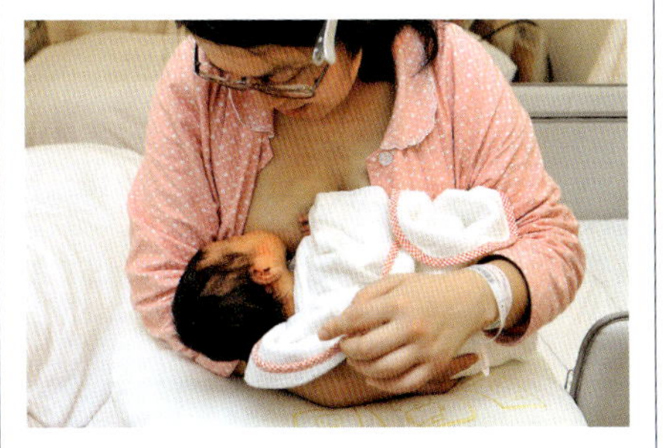	▶ 母親が直接授乳を正しくできるようになるまでは，看護師の観察が重要である．病室を定期的に訪問したり，日中は授乳室に来てもらったりして，直接授乳が適切にできているかを観察する．直接授乳が上手にできない場合は，看護師が介助し，視覚的・体感的に理解できるように指導する
・母親の乳頭の状態，乳汁分泌状態を観察する	根拠 適切な直接授乳ができていないと，乳頭トラブルの原因となる 事故防止のポイント 不適切な授乳方法による乳頭トラブルを防ぐ
《産褥 3～4 日目》 ①乳房のうっ滞の際の授乳	▶ 産褥 3～4 日目は血液やリンパ液が乳房組織に充満し，うっ滞を起こして乳房緊満を起こすことがある．母親は乳房痛を覚え，直接授乳に不安を感じる時期でもある．この時期は，直接授乳が母親一人ではうまくできないこともあるので，看護師が介助する必要性が高まる 根拠 乳房痛により，母親が直接授乳をうまくできないことで，母乳育児が阻害されるリスクが高まる．看護師が介助することで，そのリスクを回避・低減させる
②乳房の冷罨法 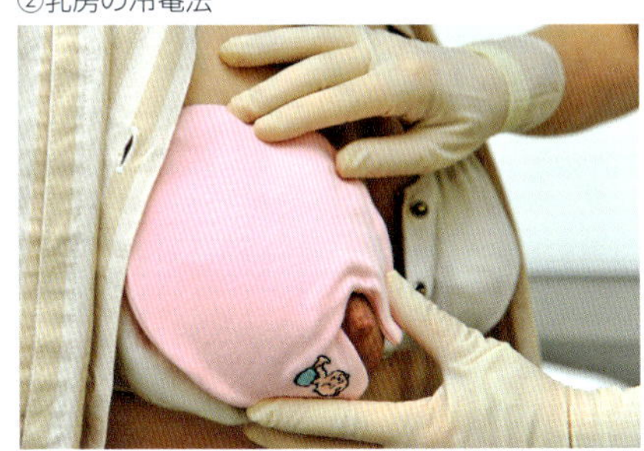 乳房冷却ジェルによる冷罨法	▶ 乳房緊満で乳房痛が著しい場合は，乳房の冷罨法をすると疼痛が緩和される 根拠 乳房緊満の原因は，血液やリンパ液が乳房組織内に充満し，うっ滞するためである．乳房の冷罨法によって血管を収縮させ，うっ滞を改善する 注意 冷やしすぎると，乳汁分泌低下につながるので注意する
《産褥 5～6 日目》 ①分泌期の直接授乳 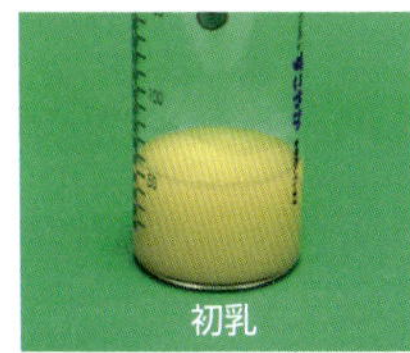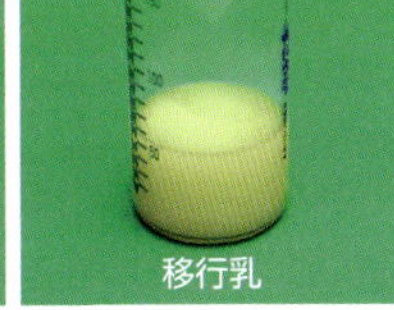 母乳の変化	▶ 乳汁分泌量が増加し，新生児の摂取量よりもその量が上回ると，排乳が十分にできないことで，乳房緊満感が増強する．その場合は，直接授乳後に残乳を排乳する　乳房うっ滞による乳房緊満との臨床症状は類似しているが，この時期の乳汁の状態は初乳から移行乳・成乳の性状に変化しているので，分泌期の乳房緊満と判断する指標となる 根拠 残乳をそのままにしておくと，乳腺炎の原因となる場合がある．搾乳して排乳する．p.383「第3 章-4【4】搾乳」参照 コツ 正常分娩では，通常，産後 4～5 日目の，

要点	留意点・根拠
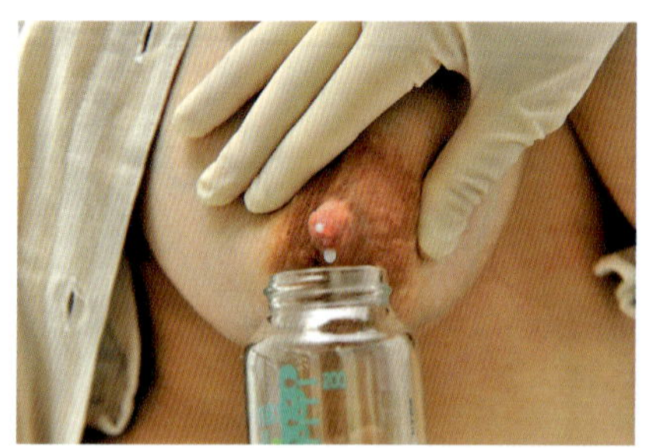 用手による搾乳 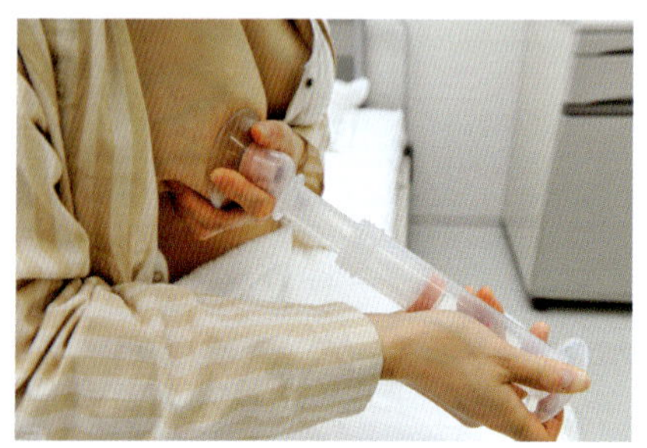 搾乳器による搾乳	乳汁分泌が増加し始めた時点で退院となることが多い．ホルモンバランスの関係から，産褥2週間以降に本格的に乳汁分泌量は増加してくる．退院後は，授乳後の乳房の変化を観察し，残乳（乳房緊満感）を感じた場合は，搾乳を怠りなく行うように指導する **コツ** 搾乳器は，乳管が十分に開通してから搾乳の補助用具として用いる．最初は用手による搾乳を行い，射乳反射（乳頭刺激で乳汁分泌が促進された状態）が起こってから搾乳器を補助的に用いる．こうすることで効果的に搾乳ができ，また吸引圧による乳頭トラブルが低減される **注意** 乳管が十分に開通しない状態で搾乳器を使用すると，吸引圧によって乳頭に発赤や亀裂が起こることがある．搾乳器を使用する時は，過度な吸引圧をかけないように指導する
5 退院後の母乳育児に関するフォローアップを行う	
①退院1週間後の観察	▶退院時の母乳栄養が確立できておらず，不安感が強い母親は，退院1週間程度で来院してもらい，乳頭のチェック，乳汁分泌状態，新生児の体重増加量，母親の育児不安などをチェックし，傾聴する場を設ける **根拠** 退院後1週間は産後2週間にあたり，乳汁が本格的に分泌されてくる時期である．その時期に乳房チェック，直接授乳方法のチェックを行うことは，母乳育児支援の推進につながる
②産後1か月健診時の観察	▶産後1か月健診時に再度，乳頭のチェック，乳汁分泌状態，新生児の体重増加量などをチェックし，母乳育児が問題なく行われているかを把握する **根拠** 母乳のみで栄養補給している場合の新生児の体重増加は，母乳育児が円滑に行われていることを示す指標となる．また乳頭・乳房の状態を観察することで，直接授乳がトラブルなく進んでいるかを評価する **コツ** 実際に直接授乳の様子を観察して，評価する
③記録する ・乳汁分泌量，乳房の状態，直接授乳の手技，母親の言動，新生児の状態を記録する	**根拠** 行ったケアの評価と経時的変化を観察するために，記録は重要である

2 乳房トラブルのケア

永澤 規子

目的 乳房トラブルを改善し，母乳育児を推進する．
チェック項目 乳頭損傷（乳頭発赤，亀裂，血疱，水疱），乳腺炎（うっ滞性，化膿性）
適応 乳頭損傷，うっ滞性乳腺炎，化膿性乳腺炎
注意 褥婦のプライバシーに配慮する．乳房の状態を観察し，適切なケアを選択する．誤ったケアで状態を悪化させない．
禁忌 化膿性乳腺炎の場合の乳房マッサージ
事故防止のポイント 間違ったケアによる乳房トラブルの悪化防止，感染防止，薬物アレルギー防止

必要物品　バスタオル，フェイスタオル，乳房冷却ジェルおよびカバー，乳頭保護カバー，乳頭保護軟膏，感染防止物品（ディスポーザブル手袋，ビニールエプロン）

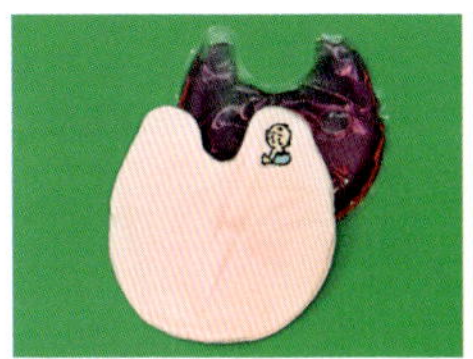
乳房冷却ジェル（上）とカバー

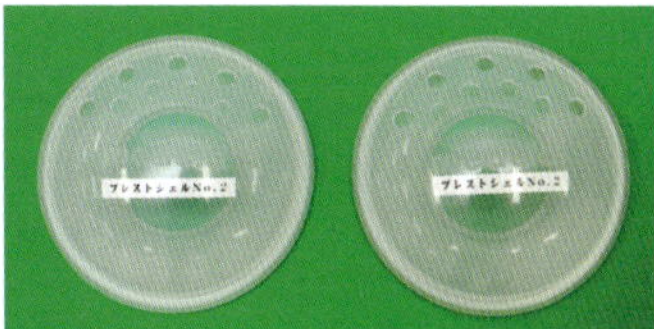

乳頭保護カバー（ブレストシェル）

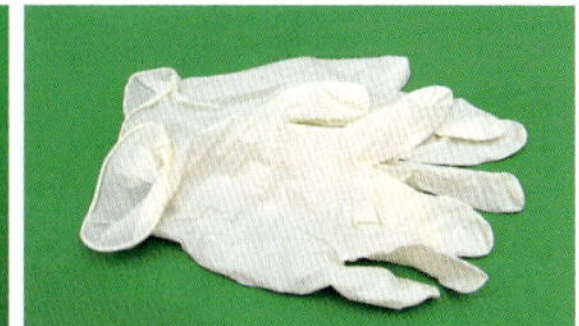
ディスポーザブル手袋

乳房マッサージ（排乳介助）

手順

要点	留意点・根拠
1 乳房の状態を観察する ・化膿性乳腺炎かうっ滞性乳腺炎かを観察する ・化膿性乳腺炎の症状：全身性の発熱，乳房炎症部位の皮膚の発赤，硬結，疼痛があり，疼痛は安静にしていても痛むという状態．血液検査でも白血球の増加，CRP 値の上昇が認められる ・うっ滞性乳腺炎の症状：乳汁が乳房内に残っているために，乳房内のその周囲に物理的な圧迫刺激が加わり，乳房痛や発赤，腫脹，熱感という炎症症状が出現している状態	**根拠** 原因によって治療・援助方法が異なるため，乳腺炎の病態を把握することは重要である ▶化膿性乳腺炎は細菌感染を原因とするため，治療は安静，冷罨法の実施，抗菌薬の投与の適応となる．乳房マッサージは禁忌となる．排乳を試みてもなかなか排乳されず，排泄された乳汁は膿汁の性状を示すため，授乳には使用できない ▶うっ滞性乳腺炎の治療は排乳することであり，これにより乳房内の圧迫を除去できる
2 環境・必要物品を整える ①乳房マッサージ室の環境を整える ・プライバシーを保つ ・室温を 24～25℃ 程度に調整する ・空調からの風が褥婦に直接当たらないようにする	**根拠** プライバシーを保つことで褥婦の羞恥心を緩和し，また，様々な質問がしやすい **根拠** 乳房を露出するため，寒くないように室温調整する **根拠** 空調からの風が直接当たると，空気の対流により熱が奪われ，体温が低下することで褥婦が

要点	留意点・根拠
	寒さを感じる．よって風が褥婦に直接当たらないようにする 注意 乳房マッサージ室が準備できない場合は，病室で行うこともあるが，その場合は，ベッド周囲のカーテンを引き，プライバシーに関わる話はしないようにする
②必要物品を整える	▶不足のないように整える 根拠 ケアをスムーズに行えるようにする
3 乳房マッサージ（排乳介助）を行う ①褥婦に排乳の必要性を説明する	▶目的を説明する 根拠 乳房トラブルの改善方法を理解する
②体位を整える ・仰臥位にする	▶乳房痛が著しい場合に行う排乳のためのマッサージは，褥婦を仰臥位にして実施する 根拠 乳腺が比較的まっすぐになるため排乳しやすく，褥婦の排乳時の疼痛も軽減される．座位で排乳すると，乳房の重みにより乳腺が屈曲して排乳しにくい．ただし，仰臥位で行った場合は哺乳瓶に母乳をためることが難しく，母乳はタオルに浸みこませ，廃棄することが多い
・トラブルのある乳房が，看護師の介助側となるようにする	根拠 ケアをスムーズに行いやすい コツ 両側の乳房ケアが必要な場合は，看護師がケアを行う乳房側に移動するか，または，褥婦に体位を変換してもらう．そうすることで介助者が乳房と近くなり，ケアを行いやすい
・不必要な露出を避けるため，ケアを行う乳房以外はバスタオルで覆う	根拠 羞恥心の緩和と露出による体温喪失を防止する
③看護師は身支度を整える ・手洗いをする	根拠 看護師の手を介した感染防止のため，処置前に手洗いを行う
・ビニールエプロン，ディスポーザブル手袋を装着する	根拠 乳汁は体液であり，感染防止の視点から防護具を装着する
④排乳を行う ・乳房基底部を円を描くように動かす	根拠 円を描くように動かすことにより，乳房内の血液循環をよくし，血液やリンパ液のうっ滞を改善する
・看護師は片手で乳房の基底部を支持するように固定する 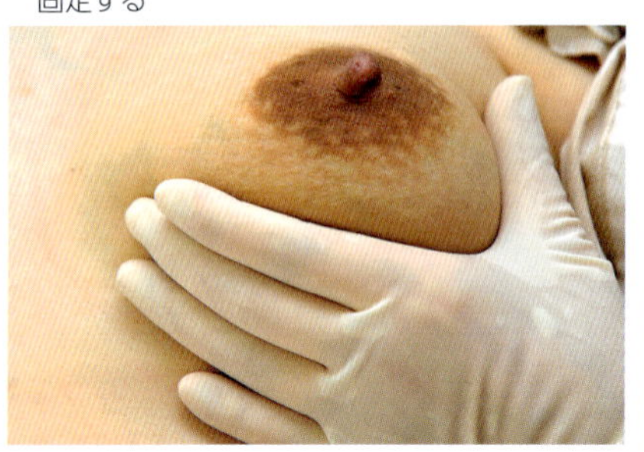	根拠 排乳時に乳房が動かないようにすることで，排乳しやすくなる

要点	留意点・根拠
・利き手の母指と示指の指腹を用いて乳輪部を体幹に向かって垂直に押す	根拠 乳腺を圧迫して排乳する

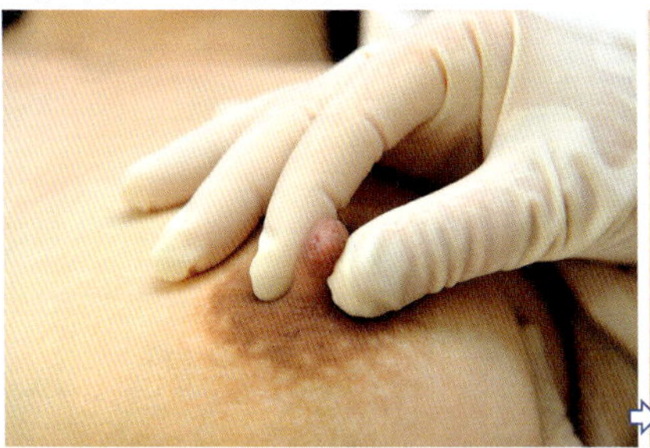
利き手の母指と示指の指腹で乳頭部を軽く圧迫する

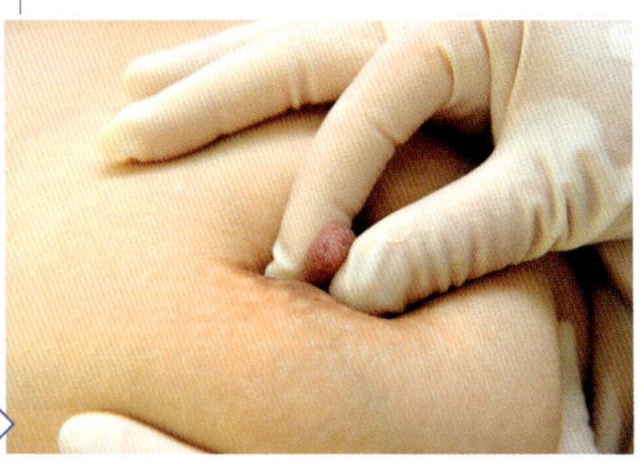
乳頭部を圧迫している指先で，乳輪部を体幹に向かって垂直に押す

要点	留意点・根拠
・母指と示指の指腹を合わせるように圧迫し，圧迫しながら，乳頭方向に両指を引き上げて排乳する	▶乳頭を圧迫しながら，乳頭口の方向に両指を引き上げて排乳する 根拠 排乳の残りがないように全体的に行う

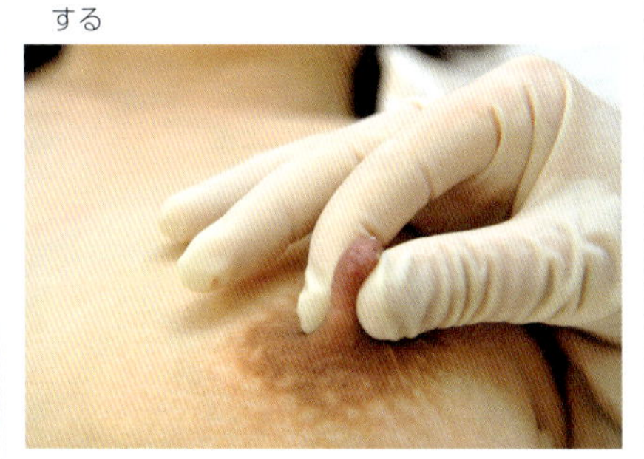

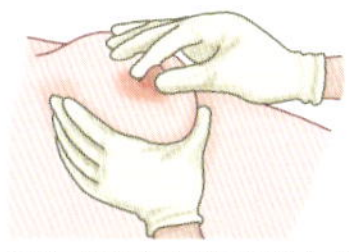
介助者の手を寝かせた排乳方法：横への圧迫で排乳しやすい場合もある

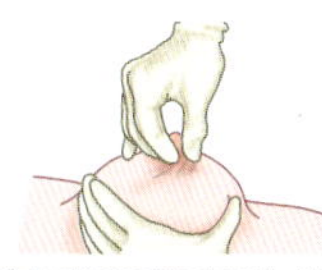
介助者の手を立てた排乳方法：手が疲れにくく乳汁の飛び散りも防げる

注意 乳房は温めない．乳房を温めると一時的に乳房の血液循環がよくなり，乳腺が拡大するため，排乳をしやすく感じるが，温めてから半日程度で張り返しが起こり，乳房緊満がひどくなる

要点	留意点・根拠
・温かいタオルで乳房の周囲に飛び散った乳汁を清拭する	根拠 乳汁をきれいに拭きとっておかないと，乳汁成分の糖質などにより，皮膚にかぶれを起こす場合がある コツ 乳房を温めないように手早く清拭する 事故防止のポイント 間違ったケアによって乳房トラブルを悪化させない

4 後片づけをし，記録をする

①使用物品を片づける

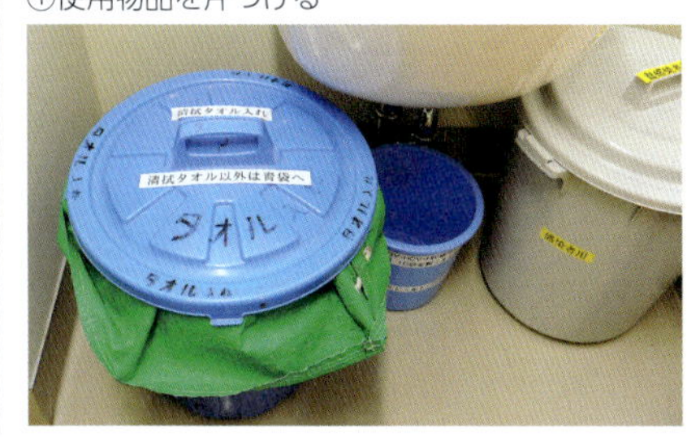

▶使用したタオルはクリーニングに出す．ビニールエプロン，ディスポーザブル手袋は専用の廃棄容器に捨てる 根拠 看護師はもちろんのこと，医療廃棄物処理業者にも感染が起こらないよう配慮する

2 乳房トラブルのケア

要点	留意点・根拠
②手洗いをする	根拠 看護師の手を介した感染を防止するために，処置後も必ず手洗いをする 事故防止のポイント 感染を防止する
③記録する ・排乳前後の乳房の状態を記録する	根拠 行ったケアの評価と経時的変化を観察するために記録は重要である

乳頭痛のケア

手順

要点	留意点・根拠
1 乳頭の損傷状態を観察する ①乳頭発赤・血疱・水疱，亀裂などをみる	▶ 視覚的な観察と，褥婦の疼痛の訴えを把握する 根拠 乳頭保護の必要性の判断や，適切な授乳方法を選択するために観察は重要である
2 乳頭痛を緩和する方法を説明する ①乳頭保護の具体的方法と，乳頭に負担をかけない授乳方法を説明する	根拠 乳頭保護により疼痛を緩和する．また，乳頭の状態に合った授乳方法を行うことで，乳頭痛の緩和，乳頭損傷の悪化防止を図る **《授乳方法のアドバイスの要点》** ・直接授乳は，乳頭に負担をかけないように，新生児の吸啜(てつ)する時間を短くする．それでも乳頭痛が緩和されない場合は，一時的に直接授乳を中止し，乳頭の損傷が軽快するまで搾乳を行い，搾乳した乳汁を新生児に与える．詳細は，p.380 搾母乳の授乳，p.383「第3章-4【4】搾乳」参照
3 乳頭を保護する ①必要部品をそろえる ②乳頭保護を行う ・乳頭にオリーブ油，必要によっては医師が処方する抗菌薬入りの軟膏を塗布し，乳頭保護カバーで保護する 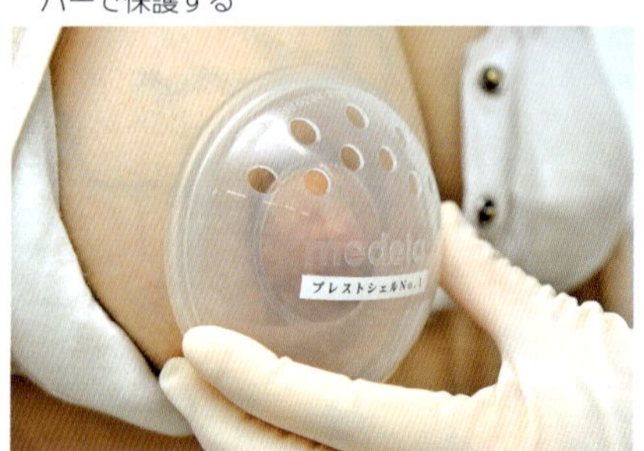 ブレストシェルによる乳頭保護	▶ 不足のないように整える 根拠 ケアをスムーズに行えるようにする ▶ カバーがなければ，ガーゼや綿花で保護する 根拠 薬剤の塗布による下着への汚染防止と，乳帯などの下着に乳頭がすれて痛みを感じるのを防止する 注意 オリーブ油や抗菌薬入り軟膏を塗布する場合は，感染防止のため，手洗い後，手袋を装着して塗布する．また，抗菌薬入り軟膏を使用する際は，アレルギーに注意する 事故防止のポイント 薬物アレルギーに注意する．感染を防止する．間違ったケアにより乳房トラブルを悪化させない

要点	留意点・根拠
4 後片づけをし，記録する ①使用物品を専用容器に廃棄する	▶使用した手袋は，医療廃棄物専用容器に廃棄する 根拠 乳頭損傷部から滲出している体液は，感染源となる．看護師はもちろんのこと，廃棄物処理業者が感染しないように，廃棄物の処理を正しく行う
②処置終了後は必ず手洗いを行う	▶看護師は，1つの処置が終了するたびに手洗いを遵守する 根拠 看護師の手を介した感染を防止する 注意 褥婦がセルフケアで行う場合は，手袋を装着する必要はないが，感染防止のために処置の前後に褥婦自身も手洗いを遵守するように指導する
③記録する ・乳頭の状態と行ったケアの内容を記録する	根拠 行ったケアの評価と経時的変化を観察するために記録は重要である

乳房痛のケア

手順

要点	留意点・根拠
1 乳房を観察する ①乳房痛のある乳房の状態を観察する	▶視覚的な観察と褥婦の疼痛の訴えを把握する 根拠 乳房トラブルの状態に合った適切なケアを選択するために観察は重要である
2 乳房痛緩和の援助を行う ①乳房に冷罨法を実施する 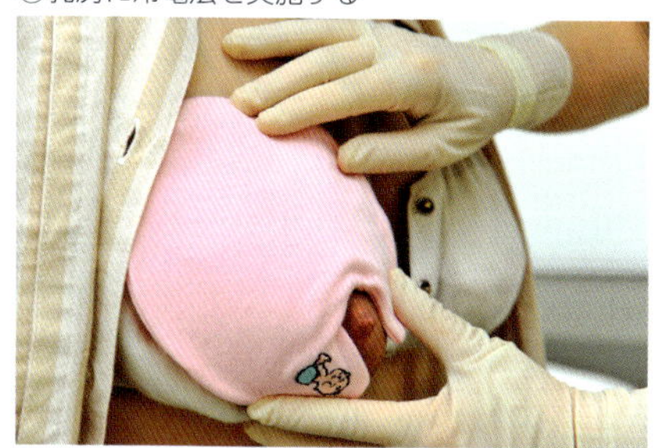	根拠 乳房の冷罨法は，血管を収縮し，うっ血状態の乳房を改善する 事故防止のポイント 間違ったケアにより乳房トラブルを悪化させない．低温熱傷に注意する
3 後片づけをし，記録をする ①使用物品を片づける	▶冷罨法に使用した物品を洗浄し，乾燥後，消毒用アルコール綿で拭く．その後，再度乾燥させ，冷蔵庫に入れる．カバーはクリーニングに出す 根拠 感染を防止する
②記録する ・乳房の状態と褥婦の乳房痛の状態，行ったケアの内容を記録する	根拠 経時的変化を観察するために記録は重要である

3 授乳

永澤 規子

目的
・新生児に必要な栄養を直接授乳によって与える.
・直接授乳できない場合には，搾乳した乳汁を新生児に与える.
・乳汁が禁止されている場合には，新生児に必要な栄養を人工乳で与える.

チェック項目 乳頭の状態，乳汁分泌状態，乳頭・乳房トラブルの有無と程度，母親の授乳技術，新生児の哺乳障害の有無と程度，乳汁の授乳が禁止となった原因

適応 すべての褥婦

注意 感染防止につとめる．乳頭の形態に合った授乳方法を選択する．適切な授乳姿勢を指導し，乳頭トラブルを防ぐ.

禁忌 健康状態が悪化している褥婦

事故防止のポイント 新生児の転落防止，搾母乳の取り違え防止，新生児の誤嚥や窒息防止，感染防止，不適切な授乳による乳頭・乳房トラブルの発生防止

必要物品
・直接授乳時：新生児保持用具（授乳クッション，枕），円座（座位で外陰部に疼痛がある場合），脚台（必要時），乳頭矯正具（ニップルフォーマー）（必要時）
・搾母乳を与える場合：スプーン，カップ，搾乳器（必要時），母乳保存用バッグ
・母乳禁止の場合：哺乳瓶，乳首，人工乳，温湯
　感染防止物品：ディスポーザブル手袋，ビニールエプロン

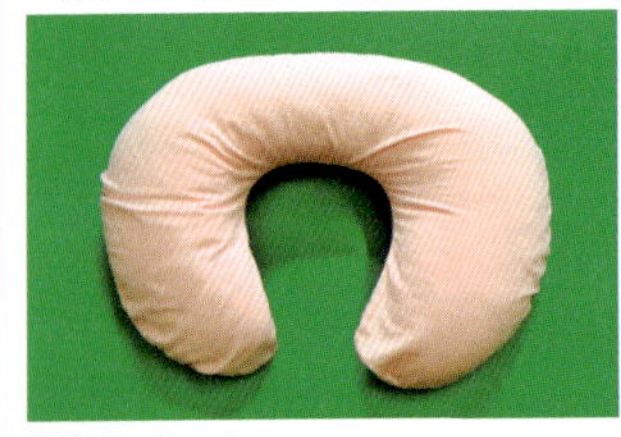

授乳クッション

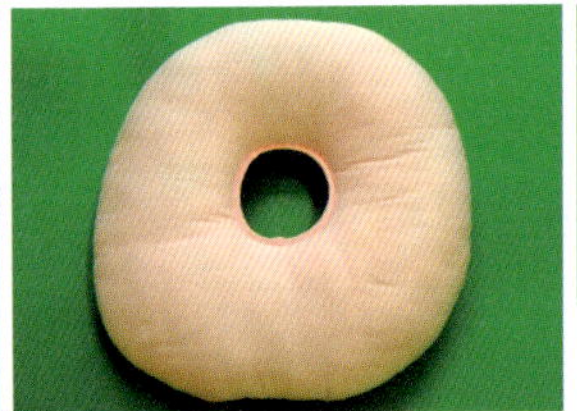

円座

ディスポーザブル手袋

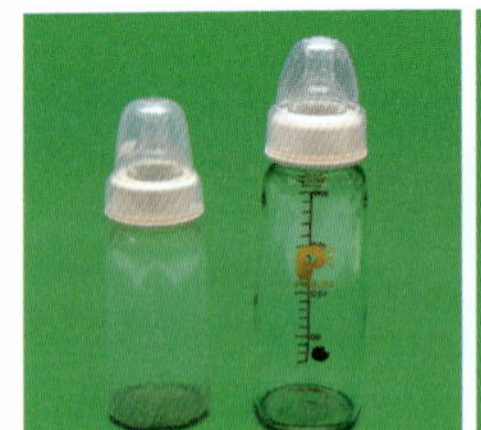

哺乳瓶（右：ガラス製，左：プラスチック製）

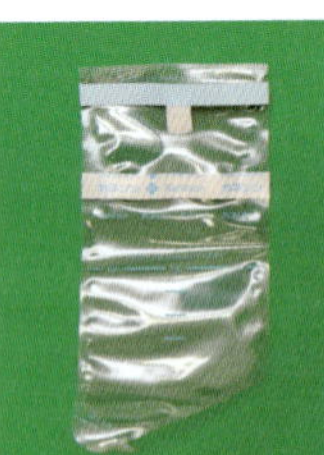

母乳保存用バッグ

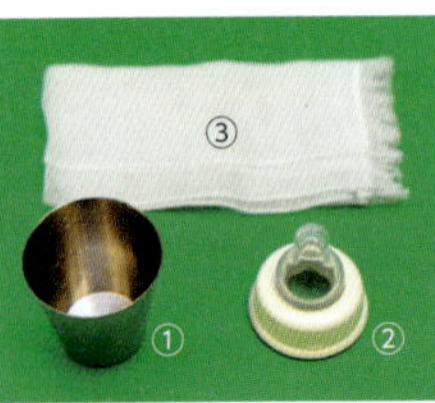

①授乳用カップ，②乳首，③ガーゼ

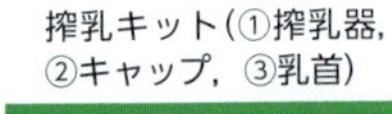

搾乳キット（①搾乳器，②キャップ，③乳首）

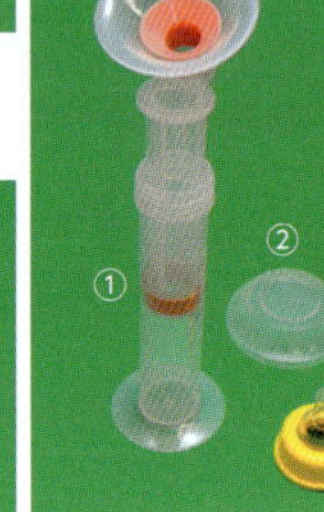

乳頭矯正具（ニップルフォーマー）

直接授乳

手順

要点	留意点・根拠
1 環境・必要物品を整える ①授乳環境を整える ・プライバシーに配慮して環境を整える．また室温は，24〜25℃に設定する 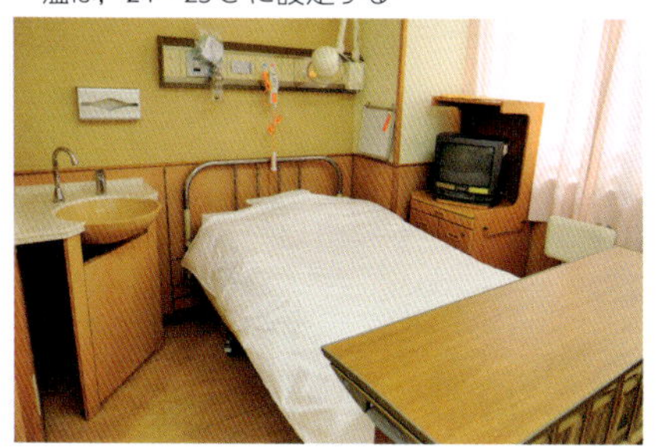	根拠 授乳時は乳房を露出するため，プライバシーに配慮することで，褥婦が気兼ねなく授乳できる．また，寒暖による不快感をもたないように室温を調整する 注意 ここでいうプライバシーは個室対応を意味するのではなく，褥婦が乳房を露出するのに適した空間の準備を指している．複数で使用できる授乳室を用意できると，母親同士の仲間意識が生まれる利点もある
②母親の身支度をする ・直接授乳が行いやすいように乳房を露出しやすい服装とするように指導する 	根拠 十分に乳房が出せないと，直接授乳を適切に行うことができない．最近では，乳房のみが露出できる授乳用の寝衣もあるが，母親が不慣れな時期には，十分に乳房が露出できる服装にするほうが，正しい姿勢で直接授乳ができる
③必要物品を整える ・新生児を安全かつ適正に保持できる物品をそろえる 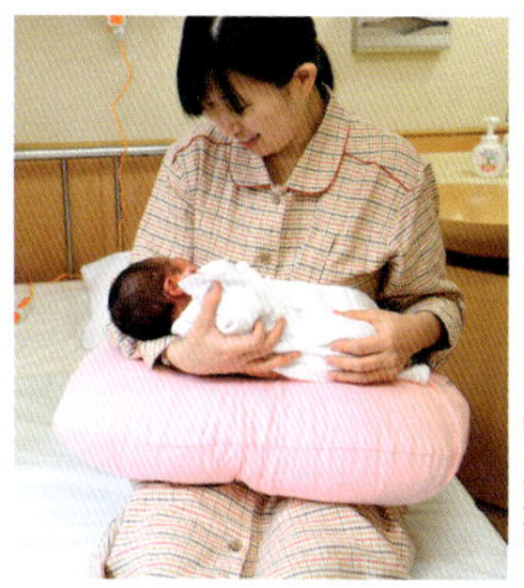 授乳クッションを用いて新生児を安全かつ適正に保持する	根拠 新生児を保持することで，落下の危険を避ける．また，適正な保持を行うことで，直接授乳の姿勢を正しく保てる 注意 感染防止のために清潔な物品を使用する．入院中は，褥婦個人の専用として使用する 事故防止のポイント 新生児の転落に注意する．感染を防止する

3 授乳

要点	留意点・根拠
2 新生児の授乳準備をする ①おむつを交換する ・石けんで手洗いを十分に行う	**根拠** 感染防止のため新生児に触れる前に手を洗う **コツ** 看護師が見本となって母親に手洗いの方法を視覚的に指導する
・おむつを開け，排泄がないかを確認する．排泄がある場合はおむつ交換を行う 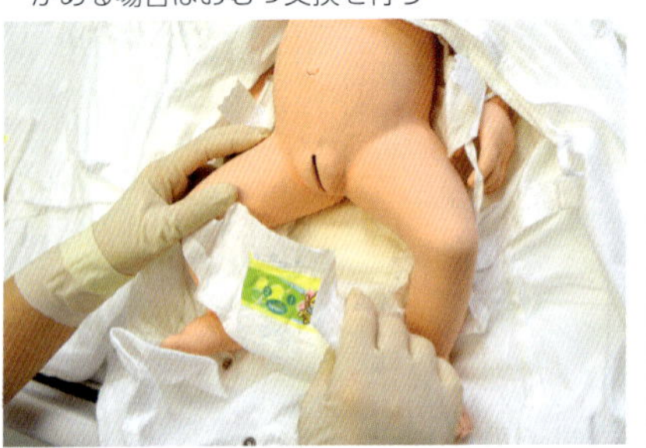 排泄の有無を確認する	**注意** おむつ交換を介助する場合は，感染防止のために手洗い後にディスポーザブル手袋を装着する．ディスポーザブル手袋は，新生児ごと，排泄ごとに交換する **事故防止のポイント** 感染を防止する **根拠** 排泄したまま（特に排便）授乳すると，新生児が不快感を覚え，母乳を吸啜（てつ）することに集中できない場合がある．また，授乳時におむつを汚染したままにしておくと，排泄物による外陰部・殿部への刺激により，おむつかぶれの原因となる
・新生児の衣類を整える	**根拠** おむつ交換後は，新生児の衣類が乱れて，新生児の保持が的確にできず，新生児の落下につながる危険がある．また，衣服が乱れていると，母親と新生児の密着性が低くなり直接授乳が効果的に行えない
②看護師・母親ともに手を洗う  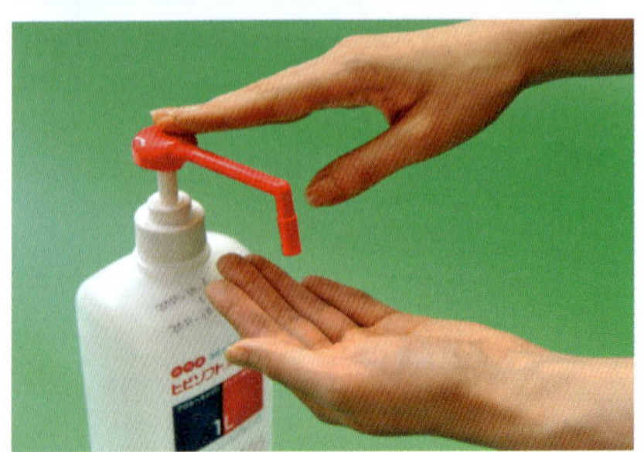 石けんでの手洗いの後，消毒用速乾性アルコール製剤で消毒する	▶ おむつ交換後，石けんで手洗いを十分に行う．その後，消毒用速乾性アルコール製剤で両手を消毒する．看護師は，母乳に直接触れるような場合，ディスポーザブル手袋を装着する **根拠** 手洗いは感染防止のために重要である **注意** おむつ交換後の手洗いの後に新生児の体重測定を行ったり，その記録を行ったりした場合は，授乳をする直前に再度手を洗う．おむつ交換後の手洗いの後にすぐに授乳を行う場合は，そのまま授乳を行ってよい **事故防止のポイント** 感染を防止する

要点	留意点・根拠
3 乳頭を直接授乳しやすいように整える ①乳頭・乳房を観察する 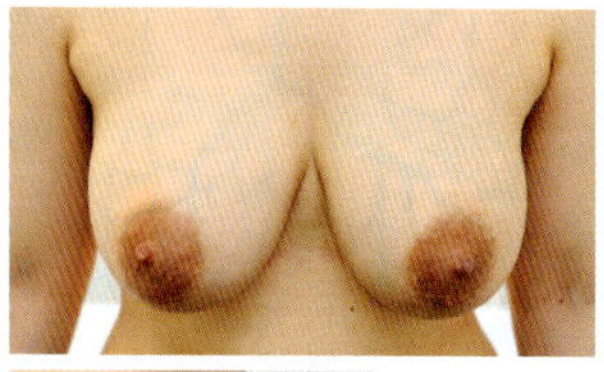 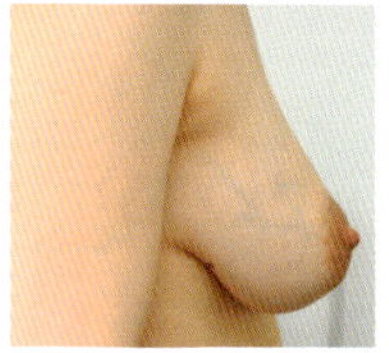	▶乳頭の状態，形態異常の有無と程度，乳房の緊満状態，乳汁分泌状態を観察する **根拠** 直接授乳を困難にさせる乳頭・乳房の状態がないかを観察する **注意** 特に乳頭の形態異常（扁平乳頭，陥没乳頭，短頭乳頭）がある場合に，直接授乳を行う際は，乳頭に合った直接授乳方法を選択しないと乳頭トラブルの原因となる **事故防止のポイント** 不適切な授乳によって乳頭・乳房トラブルを起こさない **コツ** 扁平乳頭，陥没乳頭，短頭乳頭は，直接授乳困難や乳頭損傷などの乳頭トラブルの原因となる．乳頭トラブルを予防する目的で，妊娠中（30〜32週頃から）から形態異常の矯正のために，ニップルフォーマーを装着すると，有効な場合がある．使用方法については，産後も引き続き指導する
②乳頭マッサージを指導する 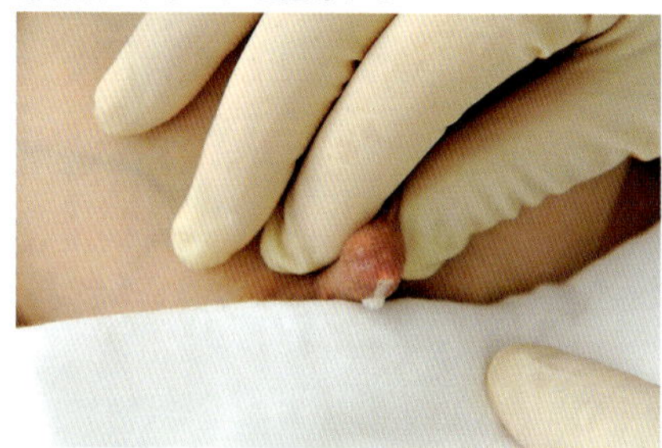	▶母親に授乳直前に乳頭マッサージと，軽く搾乳を行うよう指導する **根拠** 乳頭を軟らかくすることによって，新生児が吸啜しやすくなるとともに，乳頭損傷防止につながる．また軽く搾乳を行うように乳頭を刺激すると，射乳反射が起こって，新生児が効果的に哺乳を行えるようになる **コツ** 乳頭マッサージは，乳頭を母指と示指で痛みを感じない程度に，やさしく軽く圧迫する（乳頭の全周を行う）．また，母親に口頭で説明するよりも，視覚的・感覚的にわかるように，実際に行ってみせるとよい **注意** 圧迫する時，母指と示指で乳頭をねじるようなマッサージは，乳腺を傷つけるおそれがあるので行わない
4 新生児を授乳体位に保持する ・直接授乳の姿勢を整える ①新生児をコットから抱き上げる ②新生児を抱いたまま，椅子に腰かける ※必要時，腰かける位置に円座を置いておく	**根拠** 分娩外傷や脱肛，痔核などがあると，授乳による座位姿勢が疼痛を悪化させ，直接授乳の姿勢が保持できない．また疼痛のために新生児の転落や外陰部の圧迫による分娩損傷部や脱肛，痔核の悪化，治癒遅延を起こす場合がある．円座を使用することで，座位による外陰部にかかる圧力を低減し，これらの緩和・防止を図る
③授乳する側の乳房を露出し，乳頭の位置と新生児の口の位置が自然に同位置にくるように姿勢を整える	**根拠** 乳頭と新生児の口が適切な位置にないと，乳頭に過伸展の負荷がかかる．また，深く乳首をくわえさせられなかったり，姿勢の保持が困難となり，新生児の口から乳首が外れてしまったりする ▶姿勢を整えるために，必要時には新生児の保持用具（クッション，枕）や脚台を用いる **根拠** 直接授乳を正しい位置で行うためと，新生児の転落

要点	留意点・根拠
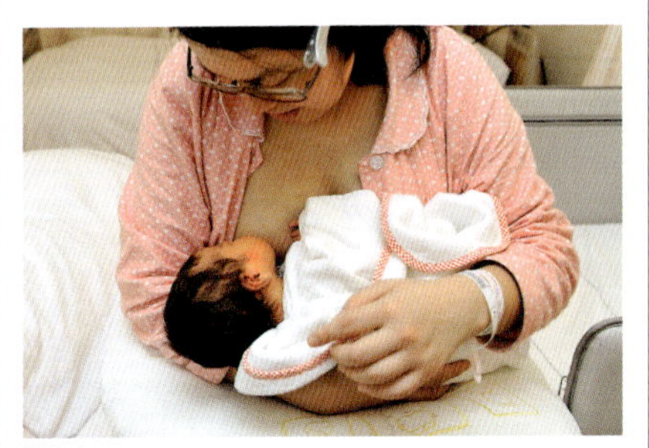 横抱き  脇抱き（フットボール抱き）  縦抱き	防止のために行う ▶ 授乳姿勢は，乳房全体からまんべんなく直接授乳できるように一定時間が経過したら変更する（時間の目安は 10 分程度とする） **根拠** 新生児が直接授乳で吸啜する母乳は，新生児の口唇の上下方向の乳腺から分泌されるものが中心である．そのため，授乳姿勢を変えないと，母乳の吸啜に偏りが起こり，乳汁が貯留した乳腺にトラブルが起こる可能性が高まる **注意** 授乳姿勢を変換する時に，新生児の転落に注意する **事故防止のポイント** 新生児の転落に注意する．不適切な直接授乳によって乳頭・乳房トラブルを起こさない
・添い寝して授乳することもある 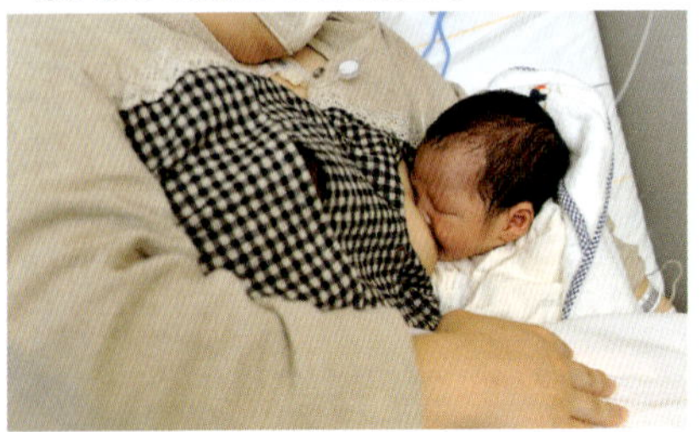	**事故防止のポイント** 添い寝をする場合は，母親も入眠してしまい，乳房や身体で新生児が窒息しないように注意することを指導する

要点	留意点・根拠
5 吸着（ラッチオン，latch on）の方法を指導する ①乳房と児の頭部を支えて，新生児が乳頭を垂直に吸着できるようにする 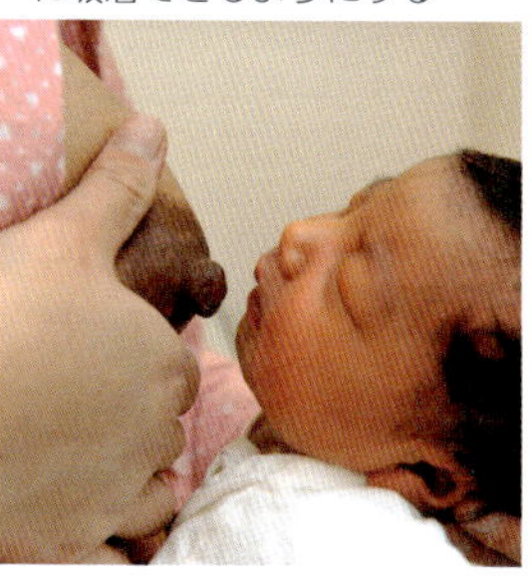	根拠 乳頭を垂直に吸着することで乳頭へ偏った力が加わらず，乳腺の乳汁を均等に吸啜することができる．また，乳頭部への不均衡な吸着を防ぐことで，乳頭トラブル（発赤・腫脹・亀裂）を起こさないようにする コツ 母親がコツをつかむまで，看護師が乳房と新生児の頭部を保持して吸着を介助し，視覚的・感覚的な指導を行う ▶ 直接授乳を始める際は，吸着がしにくい乳頭や乳汁分泌が少ない乳房から行う　根拠 新生児の吸啜力・吸啜意欲は空腹時である授乳開始時が最も強い．吸啜力・吸啜意欲が強い時のほうが，吸いつきにくい乳頭や分泌が少ない乳房でも，直接授乳が効果的に行えることが多い
②新生児が乳頭に吸いつくようにする ・新生児の口唇を乳頭で刺激する 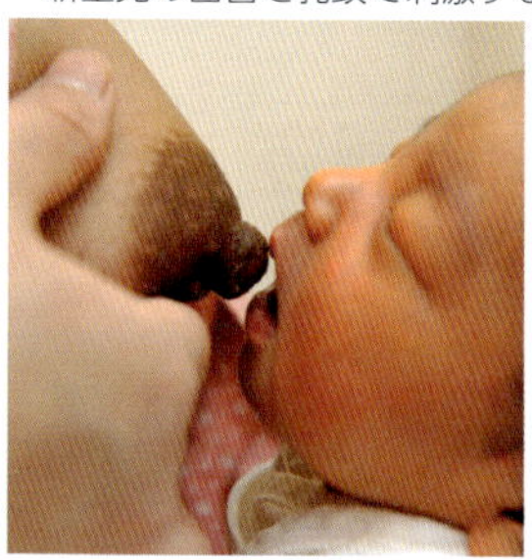	根拠 新生児の吸啜反射を誘発する コツ 母親がコツをつかむまで看護師が乳房と新生児の頭部を保持して，吸着介助を行い，視覚的・感覚的な指導を行う
③乳頭を新生児の口にくわえさせる 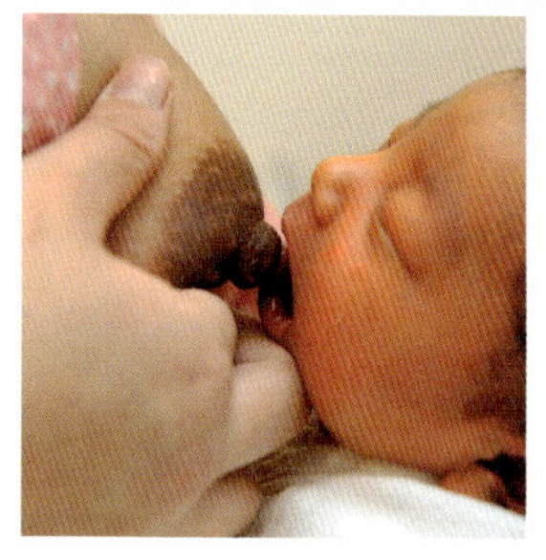	▶ 新生児が②の刺激で口を開けた時に，素早く乳頭をくわえさせる　根拠 新生児が口を大きく開けた時に，タイミングよく乳頭を吸着させることで，乳頭を深くくわえさせることができる コツ 新生児が乳頭を吸着しようとする時に，下顎を指で押し下げると口が大きく開きやすい

要点	留意点・根拠
④新生児が乳頭を深く吸着しているか確認する 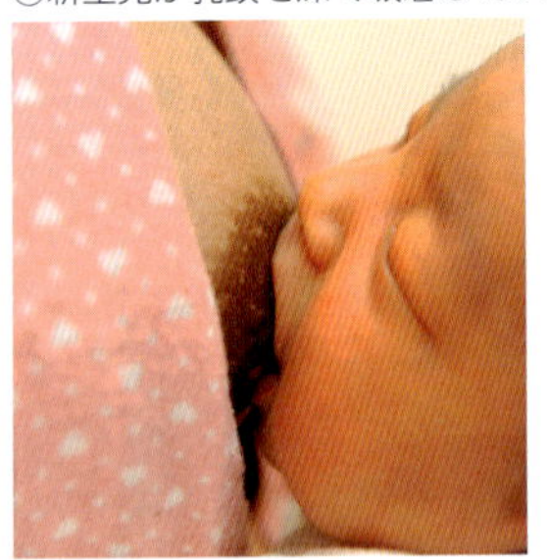	▶乳輪部まで新生児の口に含まれているかを確認する．また，新生児の口唇(特に下唇)が新生児の口腔内に入り込んでいないかを確認する 根拠 乳頭が深く新生児の口に吸着されていないと，乳頭損傷を起こしたり，効果的に母乳を吸啜することができない．また，新生児の口唇が口腔内に入り込んでいると，吸啜時に乳頭と新生児の口腔に隙間ができ，効果的な吸啜ができずに乳頭に負担をかけたり，母乳を効率よく吸啜できない コツ 適切な直接授乳ができているかどうかを評価するには，直接授乳後の乳頭の状態を観察する．不適切な授乳であると，乳頭が直接授乳後に変形している 事故防止のポイント 不適切な直接授乳によって乳頭・乳房トラブルを起こさない
6 直接授乳中の母子を観察する ①直接授乳中の新生児を観察する ・直接授乳時間を観察する	根拠 直接授乳を両側乳房で30分以上行っても新生児が満足せず，母乳をほしがる場合は，吸着が適切にできていないか，乳汁分泌不足の可能性がある
・新生児が吸啜時に舌を鳴らすような音をたてていないかを聞く	根拠 乳頭が深く吸着されていない場合や，乳頭が新生児の舌の上にのっていない場合，乳頭が新生児の口に垂直に入っていない場合など，適切な直接授乳ができていないと吸啜時に音がする
・新生児の口から乳頭が外れていないかをみる 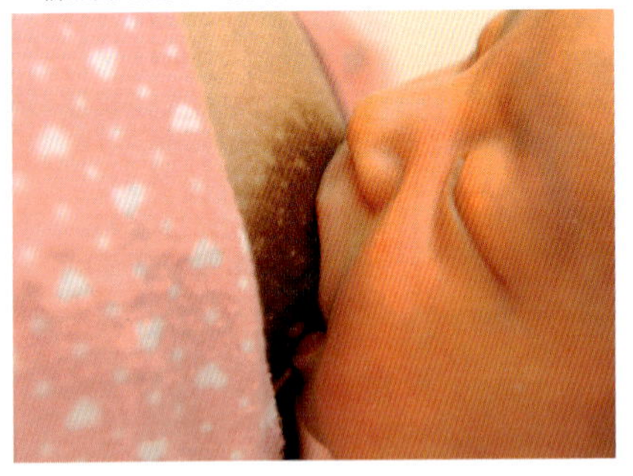	根拠 適切な吸着ができないと，乳頭が新生児の口から外れやすい
②直接授乳中の母親を観察する ・直接授乳中に乳頭痛がないかを観察する	根拠 正しい吸着ができていないと，新生児の吸啜による力学的負荷が乳頭にかかり，乳頭痛を感じる
・直接授乳中の母親の姿勢を観察する	根拠 新生児を保持する姿勢が正しく(乳頭の位置と新生児の口の位置が，母親の自然な姿勢で同位置にある)ないと，母親が疲労を感じたり，適切な吸着ができない
・外陰部の疼痛が増強していないかを観察する．母親の表情や発する言葉を観察する	根拠 外陰部の疼痛が増強していると，直接授乳に集中できずに，適切な体位がとれず，効果的な直接授乳ができない場合がある

要点	留意点・根拠
	注意 体位の崩れから新生児が転落するおそれがある 事故防止のポイント 不適切な授乳によって乳頭・乳房トラブルを起こさない．新生児の転落に注意する
7 直接授乳終了後の新生児ケアを行う ①排気をさせる ・直接授乳終了後は，新生児を縦抱きにして，背中をさするか，軽く叩き，排気を促す 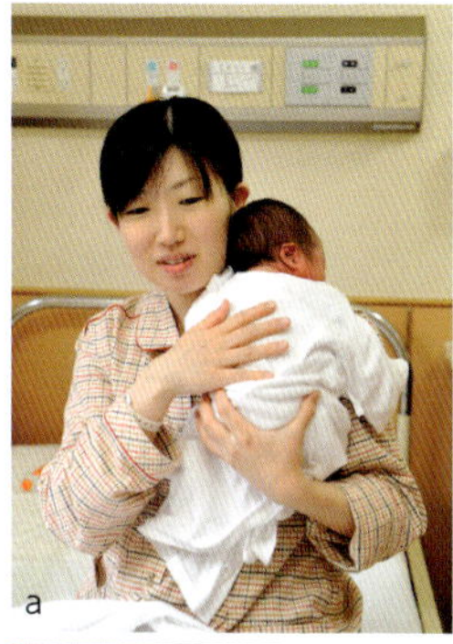 a 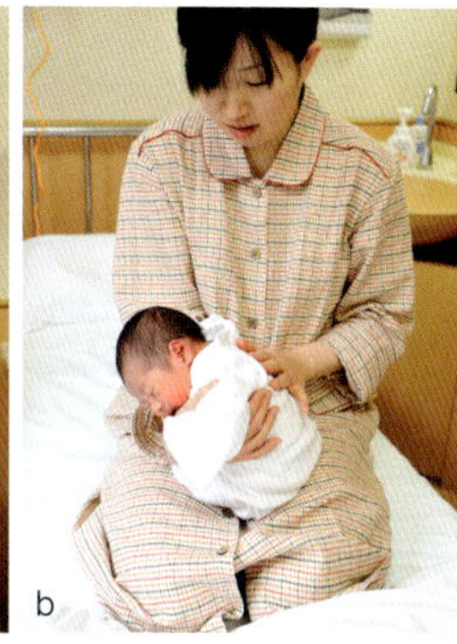 b 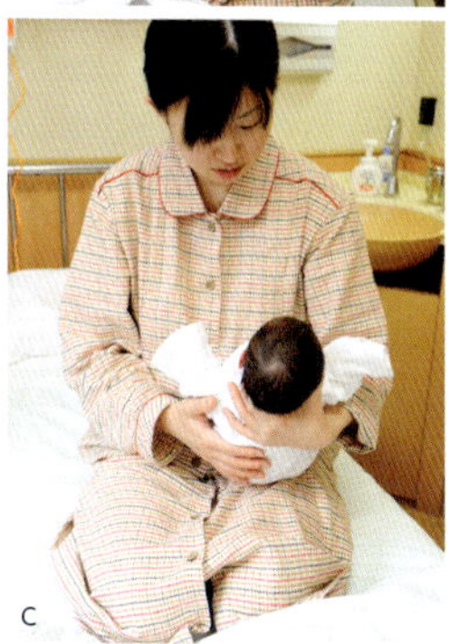 c	根拠 新生児は授乳時に空気も一緒に嚥下している．新生児の胃の噴門部は解剖学的に未熟で，締まりが緩く，胃内容物が逆流しやすい．排気を十分に行わないと，後で排気が起こった時に胃の内容物を嘔吐しやすい ▶排気時の体位は，母親の肩に新生児の頭を横向きに乗せる方法(a)と，母親の膝の上に新生児を腰かけさせて，母親の片手で新生児の上半身をやや前傾姿勢とし，背中をもう一方の手でさする，軽く叩く方法(b)，新生児を膝に腰かけさせ，両手でその背部を支えた座位で行う方法(c)などががある 根拠 空気は軽いため，新生児の上半身を立てて，背中をこすることで排気がしやすくなる 注意 いずれの方法でもよいが，新生児は，排気のために背中を下から上にさすると，背中をそり返らせる反射(ペレス反射)があるため，母親が新生児の保持に慣れていない場合は，新生児の落下防止のために(b)や(c)が安全である
②おむつ交換をする ・おむつを開け，排泄がないかを確認する ・おむつ交換が終了したら，再度石けんで手洗いを十分に行う	▶排泄がある場合はおむつ交換を行う 根拠 授乳が終わると新生児は眠りに入る．おむつが汚染されたまま眠ると排泄物による外陰部・殿部への刺激によりおむつかぶれの原因となる 根拠 排泄物で手が汚染されているので，感染防止のため手を洗う 注意 看護師がおむつ交換を介助する場合は，感染防止のために手洗い後にディスポーザブル手袋を装着する．ディスポーザブル手袋は，新生児ごと，排泄ごとに交換する

要点	留意点・根拠
③新生児をコットに休ませる	▶掛け物などを調整し，安眠しやすい環境を整える 根拠 睡眠中は体温が奪われやすい．特に新生児は，体温調節機能が未熟なため，低体温となりやすい．掛け物や室温を整え，低体温を防止し，新生児が安眠できるように調整する 注意 排気介助をしても10分以上排気がみられない場合は，新生児の上半身をやや挙上し，顔を横に向けてコットに寝かせる．そうすることで，コットに休ませたあとに排気し，胃内容物の逆流が起こった場合に誤嚥を防止することができる 事故防止のポイント 新生児の転落，新生児の誤嚥に注意する．感染を防止する
8 後片づけをし，記録をする ①使用物品を片づける	▶看護師が使用した手袋は，医療廃棄物専用容器に廃棄する．乳汁が付着した病院共用のタオル類は，クリーニングに出す 根拠 感染防止のために体液が付着した物品は，廃棄または洗浄する 事故防止のポイント 感染を防止する
②記録する ・直接授乳時間と新生児の排泄状況を記録する．記録は，母親が行えるように指導する	根拠 記録により直接授乳時間の変化がわかり，母乳育児が円滑に進んでいるかどうかを観察する指標となる．また，排泄状況の記録は乳汁が十分に分泌されているかどうかや，また，新生児の健康状態を把握する情報となる．さらには，母親が記録することで，新生児の健康管理を母親自身で行うことができるようにする

搾母乳の授乳

手順

要点	留意点・根拠
1 新生児の授乳の準備をする	▶乳頭トラブルや母体の健康問題で直接授乳ができない場合は，問題が解決し，直接授乳できるまでの間，搾乳を行い，それ(搾乳した乳汁)を飲ませる ▶直接授乳と同様に，おむつを交換する

要点	留意点・根拠
2 搾母乳を準備し，授乳する ①搾母乳を準備する ・搾母乳を 37℃ 程度(人肌程度)に温める  搾母乳の湯煎	▶ 冷蔵母乳は微温湯で湯煎する．冷凍母乳は，流水で解凍後に微温湯で湯煎する 禁忌 母乳を電子レンジで温めるのは禁忌である．母乳の免疫成分が破壊される ・搾乳方法については，p.383「第3章-4【4】搾乳」参照 注意 搾母乳には，母親のフルネーム，搾乳日時・時間，搾乳量を記載し，どの母親の搾母乳かが明確にわかるようにする 事故防止のポイント 搾母乳の取り違えを起こさないように注意する
②搾母乳を授乳するための物品を整える ・消毒済みの清潔な物品を用意する	根拠 感染防止を図る ▶ 搾母乳はスプーンかカップで与える 根拠 哺乳瓶で与えると直接授乳が可能になった時に，乳頭混乱という現象がみられる場合がある．これは，哺乳瓶の乳首に慣れてしまい，新生児が母親の乳頭からの直接授乳を嫌がり直接授乳困難の原因となることをいう．そのため，搾母乳を授乳する時は，スプーンかカップを使用することがよいとされている．ただし，母親が不慣れで誤嚥の可能性が高いと判断した場合には，看護師が行うか，哺乳瓶で授乳を行う
③搾母乳を授乳する	注意 搾母乳を新生児に与える時は，誤嚥しないように新生児のペースに合わせてゆっくりと行う コツ 最初はスプーンやカップでうまく授乳できず，こぼすことが多いが，慣れてくるとこぼさず上手に搾母乳を飲めるようになる．また，新生児が安心して搾母乳を摂取できるようにするためと，新生児が手を動かして，スプーンやカップを落としたり，誤嚥したりすることを防止するために，身体をバスタオルなどで覆うとよい 事故防止のポイント 新生児が誤嚥しないように注意する

カップで授乳

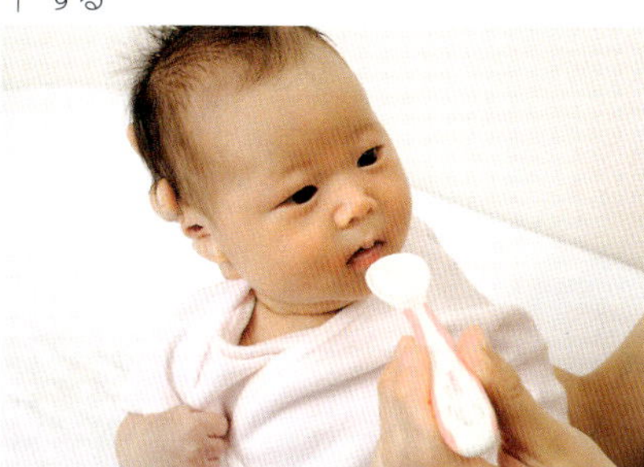

スプーンで授乳

要点	留意点・根拠
3 授乳終了後，新生児ケアを行う	▶ 直接授乳 と同様(p.379 参照)
4 後片づけをし，記録をする	▶ 直接授乳 と同様(p.380 参照)

人工乳の授乳

手順

要点	留意点・根拠
1 新生児の授乳の準備をする	▶ 母親が疾患をもっていて，治療のために薬物を投与する必要があるなどの理由で，母乳が禁止される場合がある．その場合は，人工乳による新生児の栄養補給を行う ▶ 直接授乳と同様に，おむつ交換を行う
2 人工乳を準備し，授乳させる ①必要物品を整える ・人工乳を表1のように調乳する	▶ 衛生面に注意して行う 根拠 衛生的に人工乳を調乳して感染防止を図る 表1 人工乳の調乳手順 ①水を沸騰させ 70℃ 程度に冷ます ②哺乳瓶にできあがり量の 1/2 程度の①を入れる ③粉ミルクの説明書に従って，できあがりに必要な量の粉ミルクを専用スプーンで②に入れる ④哺乳瓶を振って粉ミルクを溶かす ⑤④にできあがり量になるように①の残りを足す ⑥人工乳を人肌程度まで冷ましてから哺乳させる
・新生児に合った乳首を準備する	▶ 新生児に合った乳首を準備し，人工乳の授乳がスムーズに行えるようにする 根拠 この場合は，直接授乳は行わないので，乳頭混乱を防止する必要がないため，哺乳瓶で授乳を行う
②人工乳を授乳する	▶ 新生児を安全に保持して授乳する．体位は横抱きで，頭部をやや反屈姿勢にすると飲ませやすい 根拠 頭部をやや反屈姿勢にすることで，人工乳を嚥下しやすい コツ 人工乳授乳の場合，出生後1週間以内の哺乳量は(生後日数+1)×10 mL が目安となる．その後の目安は，人工乳の説明書に準じて増量していく．また新生児の体重の増加状態も授乳量の指標となる
3 授乳終了後，新生児ケアを行う	▶ 直接授乳 と同様(p.379 参照)
4 後片づけをし，記録をする	▶ 直接授乳 と同様(p.380 参照)

4 搾乳

永澤 規子

目的
・乳頭トラブルや新生児の健康問題で直接授乳できない場合に，哺乳瓶や栄養チューブで新生児に与える乳汁を確保する．
・直接授乳ができない場合に，乳汁の分泌維持を図る．

チェック項目 乳頭の状態，乳汁分泌状態，乳頭・乳房トラブルの有無と程度，新生児が直接授乳できない場合の病態の有無と程度

適応 直接授乳ができない場合（新生児が NICU/GCU 入院，新生児の哺乳障害，乳頭トラブル）

注意 感染防止に努める．乳房・乳頭を傷つけるおそれのある手技は行わない．

禁忌 母乳禁忌（母親の疾患による薬剤内服が新生児に影響する場合），母体の健康悪化

事故防止のポイント 不衛生な搾乳による乳汁の汚染防止，不適切な搾乳による乳房の損傷防止，感染防止，搾母乳の管理不備による腐敗防止，搾母乳の取り違え防止

必要物品　哺乳瓶，母乳保存用バッグ，フェイスタオル，搾乳キット（搾乳器，キャップ，授乳用乳首），感染防止物品（ディスポーザブル手袋，ビニールエプロン）

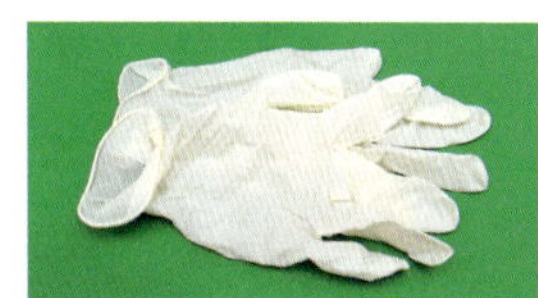
ディスポーザブル手袋

哺乳瓶

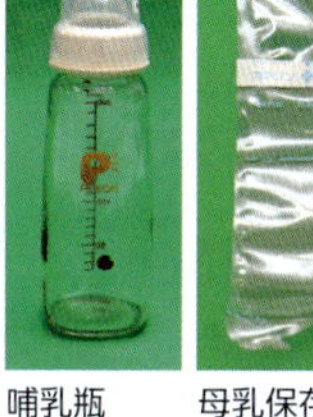
母乳保存用バッグ

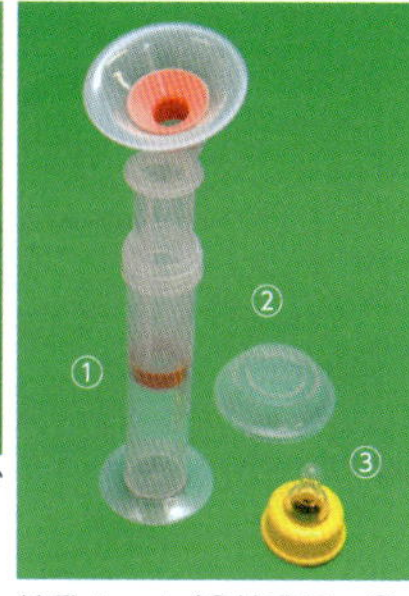

搾乳キット（①搾乳器，②キャップ，③授乳用乳首）

用手搾乳

手順

要点	留意点・根拠
1 環境・必要物品を整える ①授乳環境を整える ・プライバシーに配慮して環境を整える．また室温は，24～25℃ に設定する 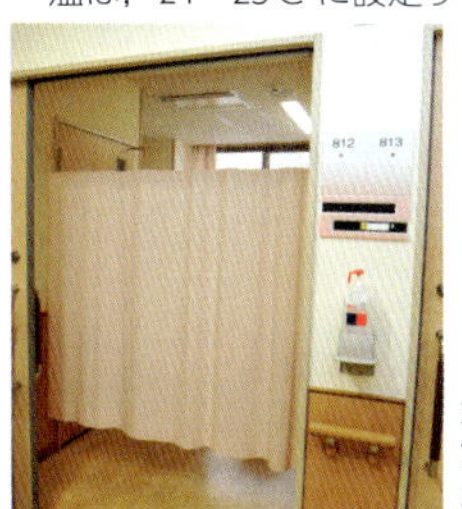 カーテンを閉めるなどプライバシーに配慮する	▶ 短期間の搾乳（乳頭トラブル，直接授乳後の残乳の排乳）は，用手搾乳を行う **根拠** 搾乳時は乳房を露出するため，プライバシーに配慮することで，褥婦が気兼ねなく搾乳できる．また，寒暖による不快感をもたないように室温を調整する

要点	留意点・根拠
②褥婦の身支度をする ・搾乳が行いやすい，乳房を露出しやすい服装にするように指導する 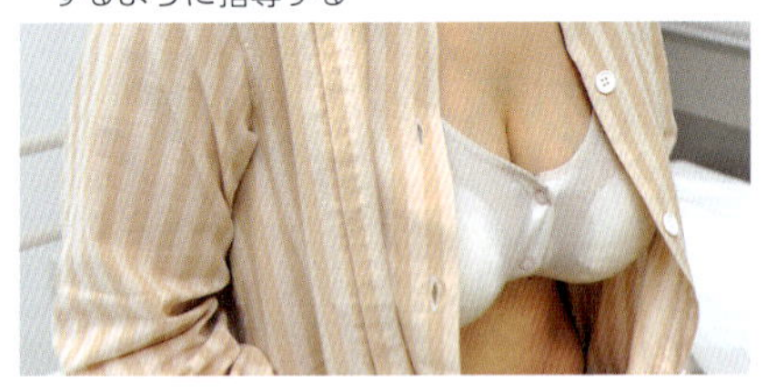 ③必要物品を整える ・搾乳に必要な清潔な物品を準備する	根拠 十分に乳房が出せないと，搾乳を適切に行うことができない 根拠 乳汁を衛生的に取り扱うために，清潔なものを用意する 事故防止のポイント 不衛生な搾乳による乳汁の汚染を防ぐ
2 手を洗う ①看護師・褥婦ともに手を洗う 	▶石けんを用いて手洗いを十分に行う．その後，消毒用速乾性アルコール製剤で両手を消毒する．看護師は，乳汁に直接触れるような場合，ディスポーザブル手袋を装着する 根拠 手洗いは，感染防止のために重要である 事故防止のポイント 感染を防止する
3 搾乳する **《看護師による搾乳方法の指導》** ①搾乳方法を褥婦に指導する ・看護師が搾乳方法を実践してみせる ②搾乳する手（通常，看護師の利き手）の母指と示指を搾乳する乳房の乳輪の最外輪部に向かい合わせになるように置く 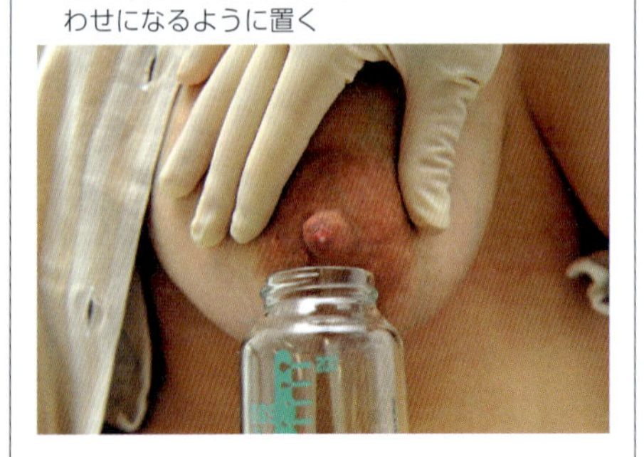	根拠 視覚的・感覚的に指導することで，褥婦は搾乳方法を理解しやすくなる 注意 乳汁は体液である．看護師が搾乳する場合は，感染防止のためにディスポーザブル手袋を装着して行う 根拠 解剖学的に乳腺を効果的に圧迫できる位置である 注意 搾乳時に乳房を擦るようにしごいたり，力を入れ過ぎると乳房の皮膚が発赤したり，傷がついたりする．搾乳時の指の位置は，写真のように乳頭部と乳房の境界部に当てて搾乳する．また母親の表情や訴えを聞きながら行い，強い痛みを感じるような搾乳はしない

要点	留意点・根拠
③もう一方の手で乳汁を受けるための哺乳瓶を乳頭の下に添える	根拠 乳汁は乳頭からしたたるので，搾乳した乳汁を効果的に受けられる位置に哺乳瓶をもってくる

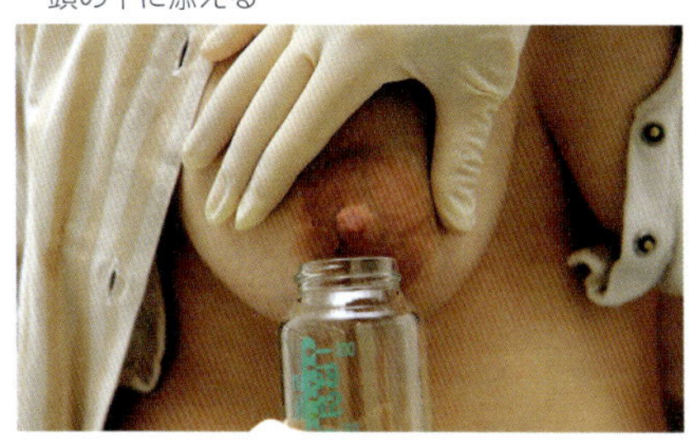

要点	留意点・根拠
④乳輪の最外輪部に置いた母指と示指を，軽く外側に開きながら乳房基底部に向かって圧迫する(a)	根拠 乳管を圧迫することで，乳汁を乳頭口方向に導き，排乳しやすくする
⑤乳房基底部の方向に圧迫した母指と示指で，乳輪部をつまむようにし(b)，その指を乳頭口方向に向けて動かす(c)	根拠 乳汁を乳頭口方向に導く

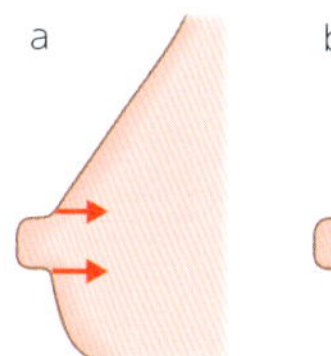

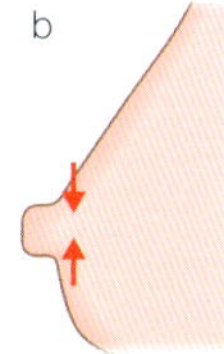

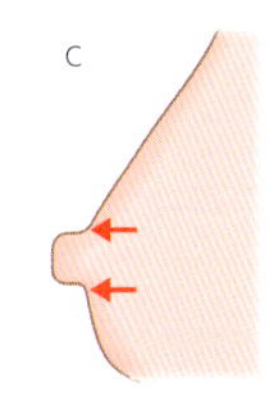

図中 a～c は，写真の a～c と対応

図 1　**母指と示指による乳管の圧迫の方向**

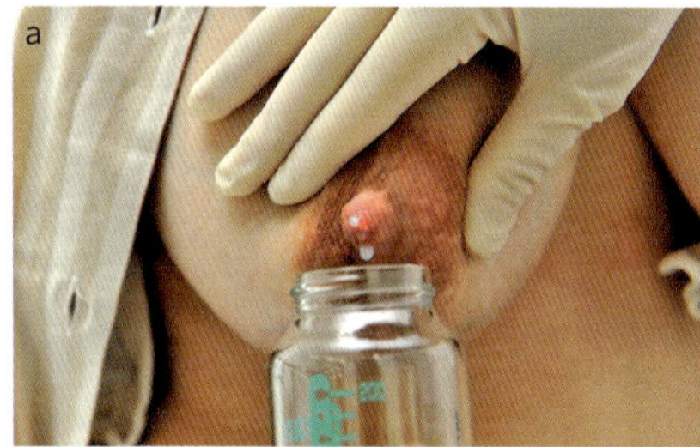

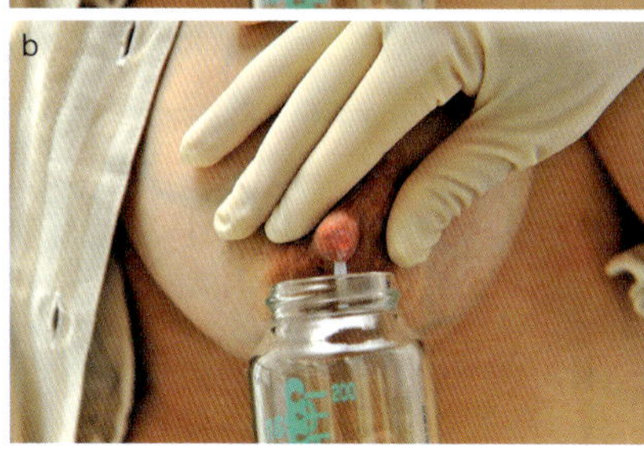

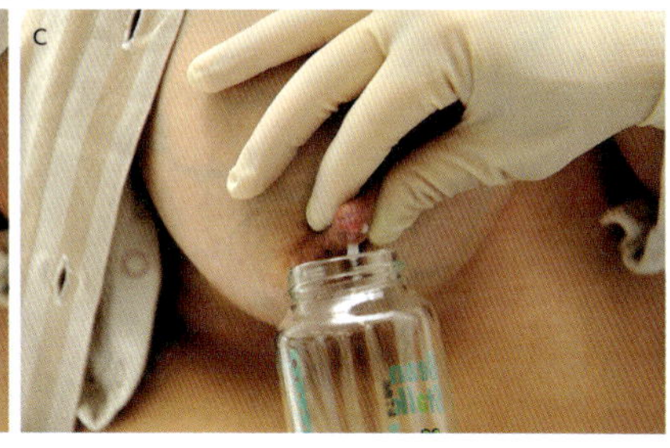

要点	留意点・根拠
⑥④⑤の指の動きを新生児が吸啜(てっ)するリズムで行う	根拠 新生児が乳頭を吸啜するリズムで刺激することで，排乳とともに脳下垂体からのオキシトシンやプロラクチン分泌を促進し，乳汁の産生を促す
⑦乳房全体から搾乳できるように，母指と示指を乳輪部の全周に動かしながら搾乳する	根拠 乳汁は乳房全体の乳管から排出されるので，残乳がないよう全体を搾乳する
《褥婦自身による搾乳》	
①指導した方法を褥婦自身に実践してもらう	コツ 看護師がそばに付き添い，介助しながら実践してもらう
②最初に褥婦の利き手を確認し，利き手で実施してもらう	根拠 搾乳は，基本的に利き手で行わないと力がうまくコントロールできない

要点	留意点・根拠
③以下，前述〈看護師による搾乳方法の指導〉の②から⑦までの手技を実践してもらう 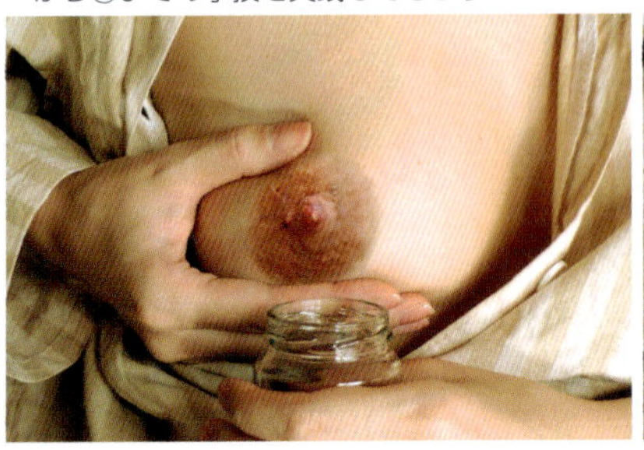	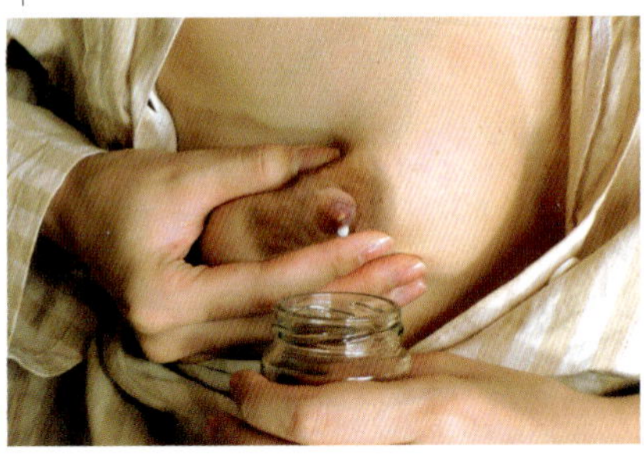
④搾母乳を保管する 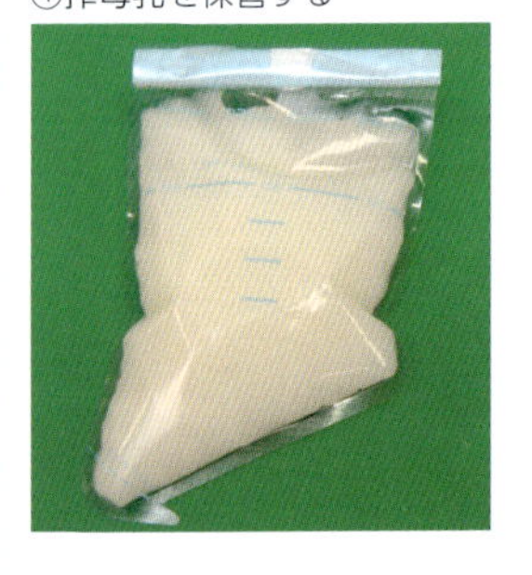	▶搾母乳を哺乳瓶のまま冷蔵保管するか，母乳保存用バッグに入れて冷凍保管する **根拠** 搾母乳を適切に管理することで，母乳の腐敗を防ぐ **注意** 搾母乳を使用する時間によって保管方法が異なる．冷蔵母乳は，安全のために基本的に24時間以内に使用する．長期保存を必要とする場合は冷凍する．また，搾母乳は，取り違えを防ぐために母親のフルネーム，搾乳日時，搾乳量を明記する **事故防止のポイント** 感染を防止する．搾母乳の保存方法の不備による腐敗を防ぐ．搾母乳の取り違えに注意する
4 手を洗う ①看護師・褥婦ともに手を洗う	▶石けんを用いて手洗いを十分に行う．その後，消毒用速乾性アルコール製剤で両手を消毒する **根拠** 手洗いは，感染防止のために重要である **事故防止のポイント** 感染を防止する
5 後片づけをし，記録をする ①使用物品を片づける	▶看護師が使用した手袋は，医療廃棄物専用容器に廃棄する．乳汁が付着した病院共用のタオル類は，クリーニングに出す **根拠** 感染防止のために，体液が付着した物品は廃棄または洗浄する
②記録する ・搾乳した日時，搾乳量を記録する ・記録は褥婦自身で行えるように指導する	**根拠** 記録により，搾乳量の変化，搾乳回数を把握する．乳汁分泌を維持するためには，頻回の搾乳が必要である．褥婦が適切に搾乳していることを記録と搾乳量から把握し，不十分とアセスメントした場合は，搾乳の必要性を再指導する．また，搾乳ができない理由も把握する．搾乳の自己管理ができるようにするために，褥婦自身で記録できるようにする

搾乳器による搾乳

手順

要点	留意点・根拠
1 環境・必要物品を整える	※新生児が新生児科(NICU/GCU)に入院した場合や，新生児に口腔の異常(口唇口蓋裂など)があって直接授乳が難しい場合には，長期的な搾乳が必要となることがある．その場合，用手搾乳では，腱鞘(しょう)炎を起こしたりして，搾乳を継続できないことが多い．そのため，搾乳器を活用して搾乳が継続できるようにする．長期となる場合は，搾乳器のレンタルを勧める
①搾乳環境を整える ・プライバシーに配慮して環境を整える．室温は，24～25℃ に設定する	根拠 搾乳時は乳房を露出するため，プライバシーに配慮することで，褥婦が気兼ねなく搾乳できる．また，寒暖による不快感をもたないように，室温を調整する
②褥婦の身支度をする ・搾乳が行いやすい，乳房を露出しやすい服装にするように指導する	根拠 十分に乳房が出せないと，搾乳を適切に行うことができない
③必要物品を整える ・搾乳に必要な清潔な物品を準備する	根拠 乳汁を衛生的に取り扱うために清潔なものを用意する 事故防止のポイント 不衛生な搾乳による乳汁の汚染を防ぐ
2 手を洗う ①看護師・褥婦ともに手を洗う	▶石けんを用いて手洗いを十分に行う．その後，消毒用速乾性アルコール製剤で両手を消毒する ▶看護師は，乳汁に直接触れるような場合，ディスポーザブル手袋を装着する
3 搾乳を行う ①搾乳器の取り扱い方法を褥婦に指導する 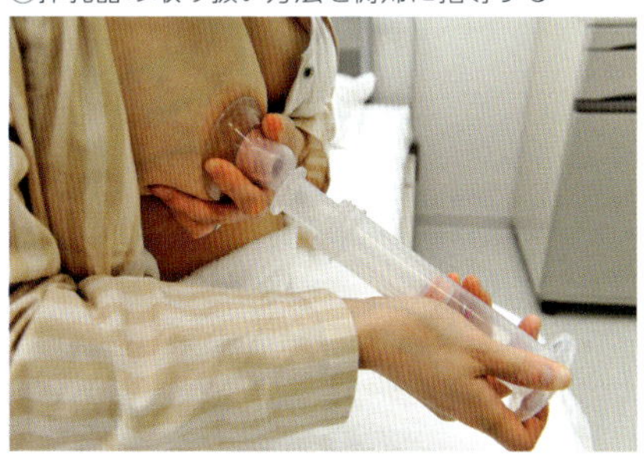 吸引圧が均等にかかるように，乳頭に装着するキャップは密着してつける	▶搾乳器の取り扱い説明書をよく読んでもらう 根拠 誤った使用によるトラブルを防止する 注意 搾乳キットは感染防止の観点から褥婦個人で購入し，個人管理とする 事故防止のポイント 感染を防止する

要点	留意点・根拠
シリンジ状の手動式搾乳器	▶強い圧力で引かないようにする．また，分泌状態をみながら，持続的吸引をしないようにする
②搾母乳を保管する	▶搾母乳を哺乳瓶のまま冷蔵保管するか，母乳保存用バッグに入れて冷凍保管する 根拠 搾母乳を適切に管理することで，乳汁の腐敗を防ぐ 注意 搾母乳を使用する時間によって保管方法が異なる．冷蔵保管は，安全のために基本的に24時間以内に使用する．長期保存を必要とする場合は冷凍する．また，搾母乳は，取り違えを防ぐために母親のフルネーム，搾乳日時，搾乳量を明記する 事故防止のポイント 感染を防止する．搾母乳の保存方法の不備による腐敗を防ぐ．搾母乳の取り違えに注意する
4 手を洗う ①搾乳後は手洗いを十分に行う	▶石けんを用いて手洗いを十分に行う．その後，消毒用速乾性アルコール製剤で両手を消毒する 根拠 手洗いは，感染防止のために重要である 事故防止のポイント 感染を防止する
5 後片づけをし，記録をする ①使用物品を片づける ②記録する	▶使用した搾乳キットは，使用ごとに次亜塩素酸ナトリウムなどで消毒する 根拠 乳汁が衛生的に搾乳できるようにする ▶用手搾乳と同様，搾乳をした日時，搾乳量を記録する

第4章
新生児のケア

1
新生児のアセスメント

1 バイタルサイン

1 | 呼吸・心拍・体温

大林 陽子

目的 新生児の生命徴候の観察，子宮外適応現象の観察，全身状態の客観的指標とする．

チェック項目 意識レベル，体温，心拍，呼吸，異常の有無(発熱，低体温，心雑音，不整脈，チアノーゼ，呼吸障害，無呼吸など)

適応 新生児(生後28日未満の児)

注意 新生児の名前を確認する．不要な侵襲を加えないよう，手順に沿って観察を進める．

事故防止のポイント 新生児の転落防止，清潔操作遵守による感染防止，新生児の取り違え防止

必要物品 小児用聴診器(①)，電子体温計(②)，ストップウォッチ(③)，掛け物(バスタオル，毛布)，消毒用アルコール綿(④)，記録用紙，筆記用具

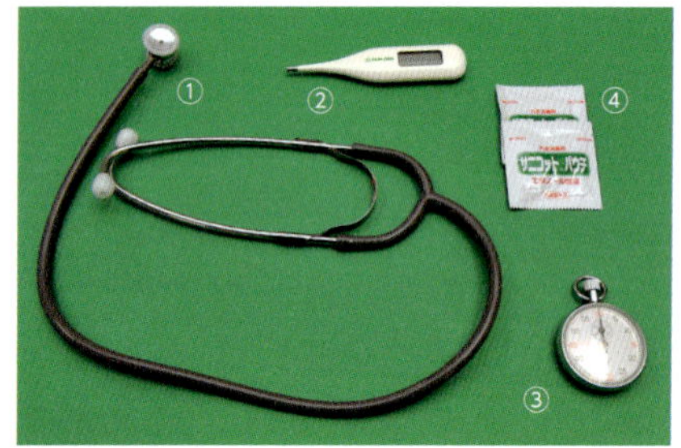

手順

要点	留意点・根拠
1 環境・使用物品の準備を整える ①事前に母親に説明を行い，了承を得る 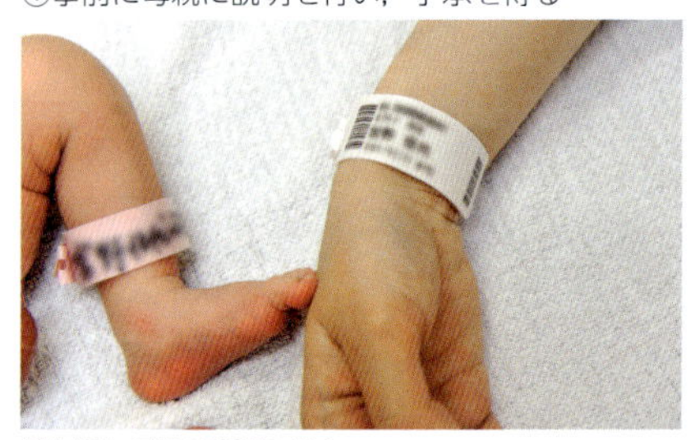 新生児と母親の標識の照合	▶新生児の観察の目的，時間，方法などを説明し，母親の了解を得る **根拠** 新生児の人権に配慮し，母親の了承を得る **注意** 新生児と母親の標識を必ず照合する **事故防止のポイント** 取り違えを防止する
②看護師は衛生学的手洗いを行う	**根拠** 新生児は免疫能が未熟なため感染しやすく重篤になりやすいので，感染防止は重要である
③観察する環境を整える ・外界からの影響を受けない環境を整える	▶騒音のない静かで明るい部屋(500ルクス程度)で，新生児が外界からの影響を受けない環境を整える．新生児の安静時に観察するため，授乳後や啼泣(ていきゅう)後は避け，刺激やストレスのない環境で行う
・室温などを調整する	▶室温25～26℃，湿度50～60％に調整し，新生児に直接風が当たらないよう空調を調節する **根拠** 新生児は体温調節機能が未熟で環境による影響を受けやすく，室温が低いと低体温，室温が高いと体温の上昇を招きやすい
④必要物品を準備点検し，消毒する	▶アルコール消毒された清潔な物品を準備する

要点	留意点・根拠
	根拠 新生児は感染に対する抵抗力が弱い

2 バイタルサインを測定する

①新生児の意識レベルを観察する

・新生児の意識レベル（state 1〜6，p.397，表 1）を観察し，state 1〜4 の深睡眠から静覚醒の状態で観察する

根拠 state 5〜6 の活動覚醒および啼泣時は活動による影響を受ける

▶ 新生児の空腹時および哺乳直後は避ける

根拠 空腹時は啼泣し，活動しがちとなり，哺乳直後は活動後で体温が上昇している可能性がある．また，新生児の胃の形状が樽状，かつ，噴門括約筋が未熟なため，少しの体動でも嘔吐，溢（いっ）乳しやすい状態にある

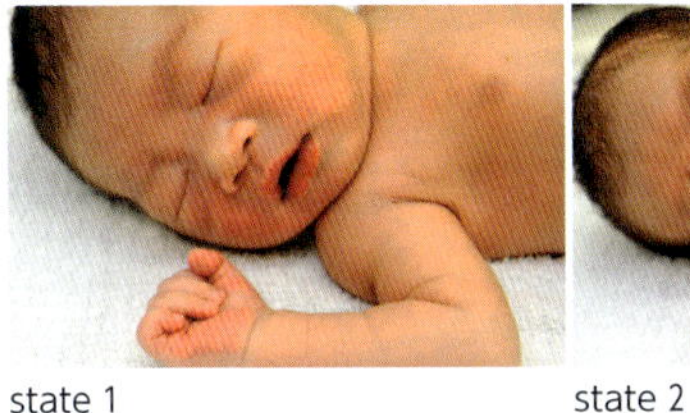
state 1

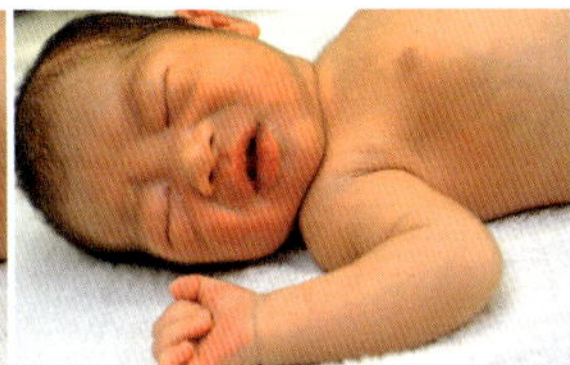
state 2

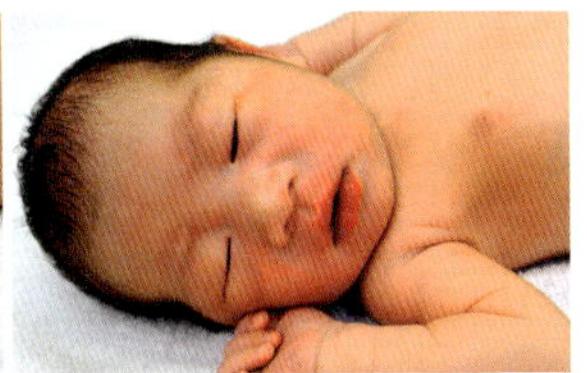
state 3

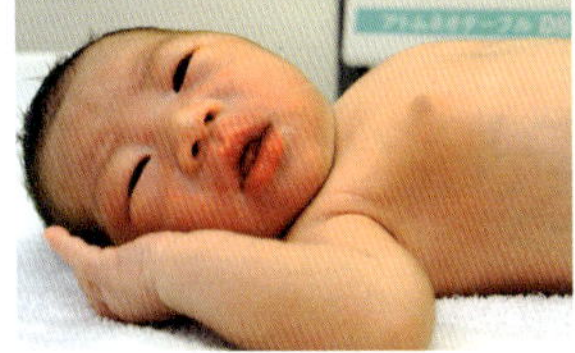
state 4

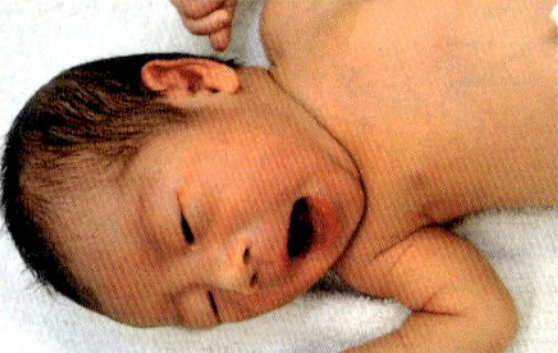
state 5

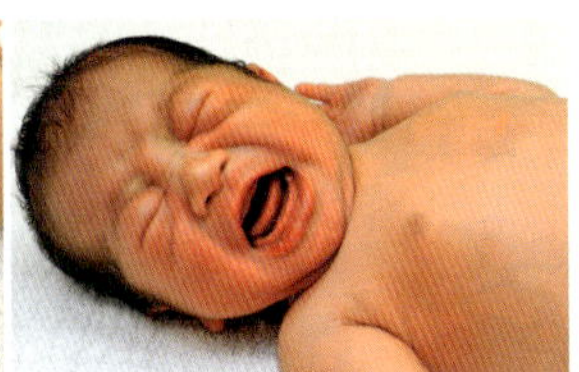
state 6

②新生児の準備を整える

・観察に必要な範囲を露出するために，衣服を取る

根拠 新生児の体温低下を予防するため，露出は最小限にする

コツ 新生児の安静を妨げないよう，衣服はやさしく取る．また，手が冷たいと新生児が刺激により覚醒して泣き出すことがあるので，新生児に触る前に，温水で手を洗う，手をこすり合わせるなどして手を温めておく

③呼吸状態を観察する

・腹部まで露出し，視診により呼吸数を 1 分間測定し，呼吸様式，リズムを観察する

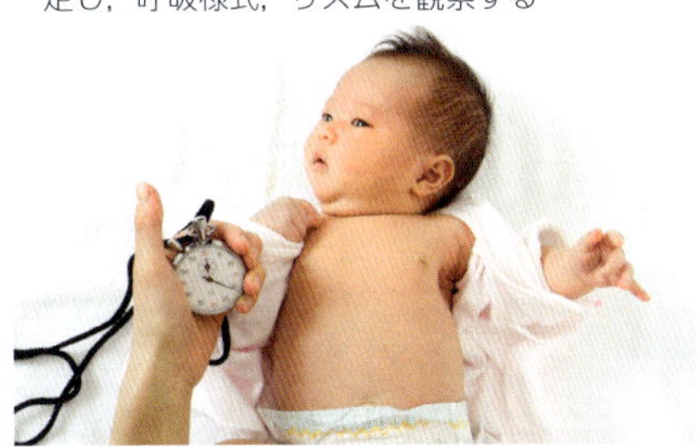

▶ 胸部と腹部の動きを観察し，同調しているかをみる　根拠 新生児は腹式呼吸である

コツ 腹部まで観察できるようにおむつを下げ，腹壁の動きを観察する．視診で呼吸数を測定できない時は，聴診器で呼吸数を測定する

要点	留意点・根拠
・呼吸数を測定したら，聴診器の膜面を手掌内で温め，膜面を胸壁にやさしくのせる 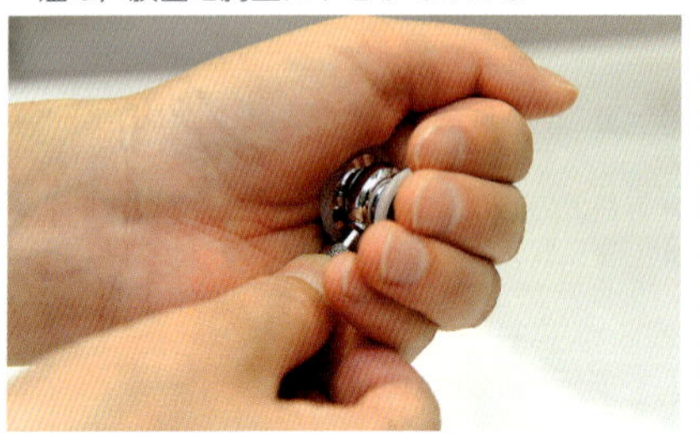 聴診器の膜面を手掌で温める	根拠 膜面が冷たいと新生児に冷感を与え，刺激になり，覚醒して啼泣することがある
・呼吸音を聴取し，副雑音や左右差がないかを聴取する（図1） 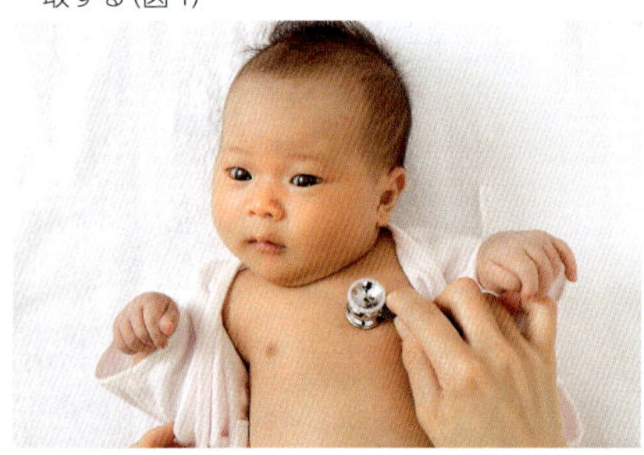	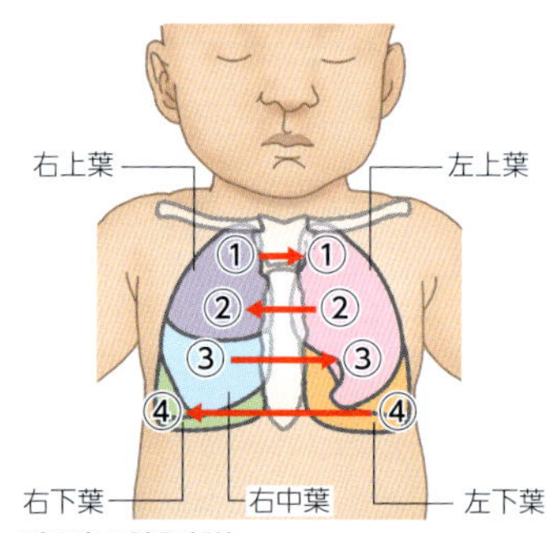 図1　呼吸音の聴取部位 注意 呼吸の異常（鼻翼呼吸，下顎呼吸，陥没呼吸，呻吟（しんぎん），喘鳴，無呼吸，多呼吸）がみられたら，呼吸数，呼吸音とその左右差，努力様呼吸の有無，副雑音（断続性ラ音，連続性ラ音）の有無を聴取する．同時に，④の心拍数，心雑音の有無を聴取する．さらに，チアノーゼ（末梢性か中心性か）の程度を観察する 根拠 呼吸の異常の原因は，呼吸器系にある場合と循環器系にある場合とがあるので，系統的に観察する
④心音，心拍を聴診する ・聴診器の膜面を手掌内で温め，心尖部（第5肋間胸骨左縁）に膜面を当て，Ⅰ音，Ⅱ音を聴取する（図2） 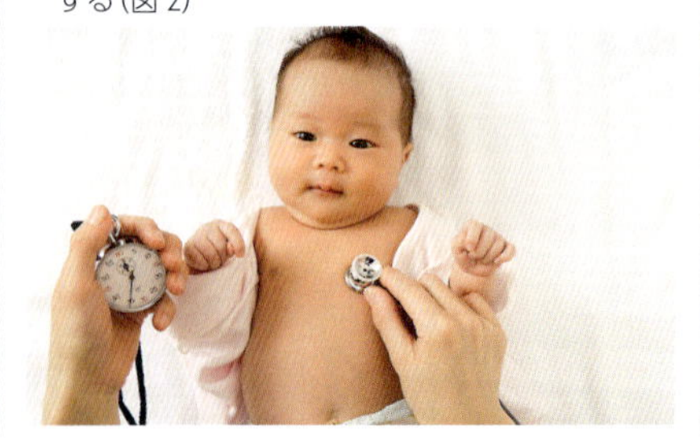	根拠 正常心音はⅠ音，Ⅱ音からなり，Ⅲ音，Ⅳ音のほかに心雑音が聴取される場合がある 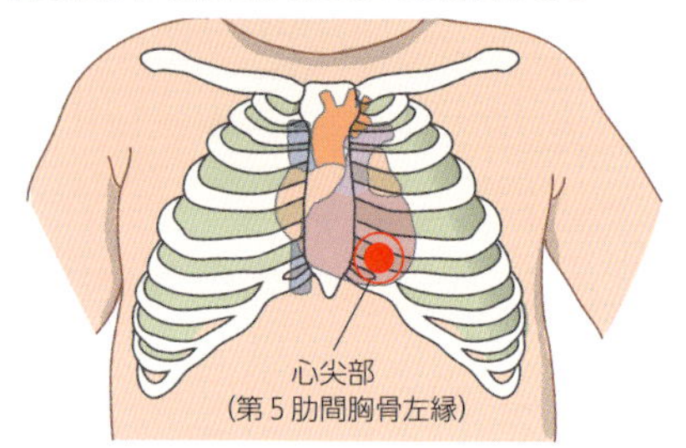 図2　心音の聴取部位

要点	留意点・根拠
・心拍数を 1 分間測定する	コツ できるだけ安静時に聴取し，呼吸音と判別する ▶ リズム不整や心雑音の有無を聴取する．同時に，チアノーゼの有無を観察する コツ 新生児に冷感を与えないよう配慮する 根拠 冷たいと刺激になり，新生児が覚醒して啼泣することもある
《心雑音がある場合》 ・その部位と程度を注意深く聴取し，その他の症状（多呼吸，哺乳力不良，活気のなさ，四肢冷感，皮膚色不良など）を観察する	根拠 心雑音がある場合は心疾患が疑われるため，他の症状も観察する 注意 出生後から 2～3 日は動脈管の自然閉鎖が起こる過程であったり，一時的な三尖弁逆流などにより一過性に心雑音が聴取されることもあるので，他の症状とあわせて経過を注意深く観察する コツ 心雑音の聴取には聴診器のベル面が適しており，胸壁に軽く密着させて聴取する 注意 心雑音は聴取部位により，胸骨右縁上部では大動脈弁狭窄など，胸骨左縁下部では心室中隔欠損など，心尖部では僧帽弁閉鎖不全などの病態が疑われる
⑤体温を測定する	▶ 中性温度環境（体温が正常範囲に維持され，酸素消費量とエネルギー消費量とが最小となる環境温）を整える ▶ 中性温度環境は新生児の体重，在胎週数，日齢，状態により異なるが，健常新生児の場合は着衣した状態で環境温を 25～26℃ に調整する ▶ 身体の露出を最小限にして，腋窩温を測定する 根拠 新生児は体温調節可能温度域が狭く，成人や乳幼児に比べて，環境温度の変化に伴い容易に低体温や高体温となる．このため新生児の低体温や高体温を防ぐ
《腋窩の場合》 ・新生児の腋窩の最深部（腋窩動脈）に体温計の先端をやや下方から挿入し，腋窩に隙間ができないよう新生児の上腕に手を添えて固定する	根拠 深部温に近い値を得るため皮膚を密着させて外気の影響を受けないようにする．新生児は皮下脂肪が少なく皮膚が密着しにくいので値が低く出やすい．また，新生児は自分では腕を固定できない コツ 測定中も衣服や掛け物で身体を覆い，保温に努める

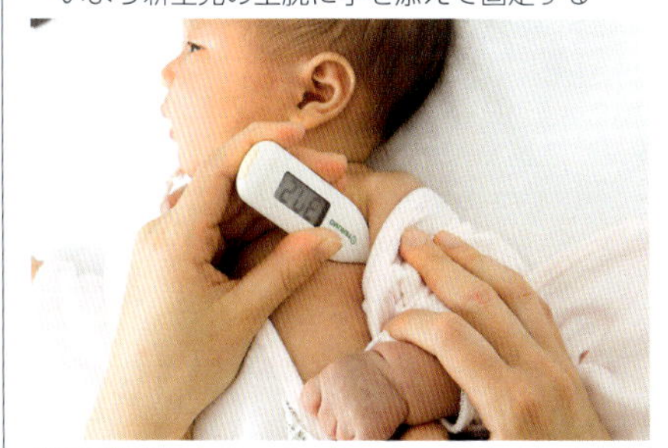

腋窩で測定する

要点	留意点・根拠
《頸部の場合》 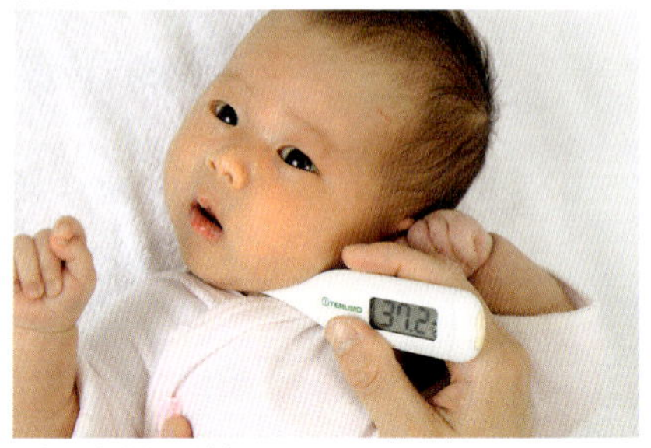 頸部で皮膚温を測定する	コツ 頸部の動脈走行付近の皮膚に体温計の先端(感温部)を密着させて測定してもよい
《直腸の場合》 ※中枢温として正確な値を得たい場合，直腸温を測定する	注意 新生児への侵襲を考慮し，直腸温の測定は最小限にする 根拠 腋窩温も正しい部位，方法で測定すれば深部温に近い値が得られる
・新生児の殿部が動かないよう片方の手で固定し，利き手で体温計を持ち，体温計がベッドと水平になる角度で肛門から 1～1.5 cm 挿入する	根拠 測定中の新生児の体動により体温計の挿入の長さが変動し，直腸の損傷を招いたり，体温計が抜けるのを防ぐ コツ 殿部を支えるために，片手で新生児の鼠径部から殿部をはさむように保持し，固定する
・測定後，四肢の冷感やチアノーゼの有無を観察する	
⑥新生児の衣服を整え，安全な場所に寝かせる	▶新生児に終了を伝え，衣服を整え，ベッドに寝かせて，掛け物をかける 根拠 安全を保ち，保温に努め，低体温を防ぐ
3 記録をする	
①観察結果を評価し，記録する	▶観察結果を総合的にアセスメントして新生児の状態を評価し，基準範囲からの逸脱がある場合，継続して様子をみてよいか，医師に報告すべきかを判断する 根拠 新生児は正常な状態であっても基準値を逸脱することがあるため，観察結果から全身状態をアセスメントし，総合的に状態を判断する 緊急時対応 状態に応じた適切な処置を行うと同時に，速やかに医師に報告する
②観察結果を母親に説明する	▶専門用語を避け，わかりやすく説明する
4 後始末をする	
①使用物品をアルコール消毒し，元の場所に片づける	
②看護師は手を洗う	事故防止のポイント 感染を防止する

評価

1 新生児の体温・心拍数・呼吸数の基準値

観察，アセスメントにより総合的に全身状態を判断する．特に基準範囲を逸脱する場合は，他の観察結果とあわせて判断する．

1. 体温

36.5～37.5℃（腋窩温），直腸温では 0.4℃ 程度高くなる．
測定結果とあわせて低体温，高体温の場合，まずは中性温度環境にあるか，衣服や掛け物が適切かを確認し，四肢の冷感やチアノーゼの有無を観察する．低体温が続くと，低酸素血症，低血糖，代謝性アシドーシスを引き起こすこともある．また，高体温は環境温によることが多いが，重篤な感染症のこともあるため，顔面紅潮，多汗，多呼吸，頻脈，熱感の有無を観察する．高体温が続くと脱水になり，代謝性アシドーシスをきたし，死に至ることもあるので高体温にならないようにする．

2. 心拍

110～160/分．
心拍数を測定すると同時にリズム不整，心雑音の有無を聴取し，全身や四肢末端・口唇のチアノーゼの有無を観察する．

3. 呼吸

40～50 回/分．
肺音を聴取し，副雑音や左右差がないか，陥没呼吸や伸吟の有無を観察する．

2 意識レベル

表 1　新生児の意識レベル（state）とその特徴（ブラゼルトン新生児行動評価法）

特徴	state 1 深睡眠	state 2 浅睡眠	state 3 まどろみ	state 4 静覚醒	state 5 活動覚醒	state 6 啼泣
活動性	体動なし，時「びっくり」反射	体動はわずか，身体を少し動かす	変化する	体動少ない	活発，時に泣きたてる	活発，号泣
呼吸	ゆるやか，規則的	規則的	不規則	規則的	不規則	乱れる
眼	なし	急速眼球運動（REM）	まぶたが重い，目は開くか閉じている	ぱっちり目を開け，注視する	開眼，あまりはっきりと開けていない	開眼，またはかたく閉じている
顔	時に吸啜．その他の運動なし	時に微笑．ぐずり泣き	時々動く	明るく，目ざめた状態	活発な顔面の運動あり	しかめっつら
反応性	強い刺激にのみ反応．目ざめさせることが困難	外的・内的刺激に対する反応性亢進	反応が遅い	環境内の刺激に注意を向ける	刺激（空腹，疲労，不快など）に敏感	不快な刺激に敏感

竹内　徹：新生児期における母子相互作用――その意義と臨床現場でのケア，教育と医学 50(6)：17，2002 より一部改変

●文献
1）佐世正勝ほか編：ウエルネスからみた母性看護過程＋病態関連図　第 3 版，pp.847-849，医学書院，2016
2）仁志田博司：新生児学入門　第 5 版，pp.123-125，医学書院，2018

1 バイタルサイン

2｜アプガースコア

大林 陽子

目的 出生直後の新生児の状態の評価(新生児の生理学的評価)
チェック項目 心拍，呼吸，筋緊張，反射，皮膚の色
適応 出生1分後および5分後の新生児
注意 環境の温度を調整して新生児の体温の喪失を防ぐ．アプガースコアの低い新生児の処置は迅速に行う必要がある．早期の対応が新生児の予後を改善することを念頭においてケアを行う．
事故防止のポイント 新生児の転落防止，清潔操作遵守による感染防止

必要物品 ラジアントウォーマー(開放型保育器)，小児用聴診器(①)，ストップウォッチ(②)，消毒用アルコール綿(③)，ディスポーザブル手袋，バスタオル

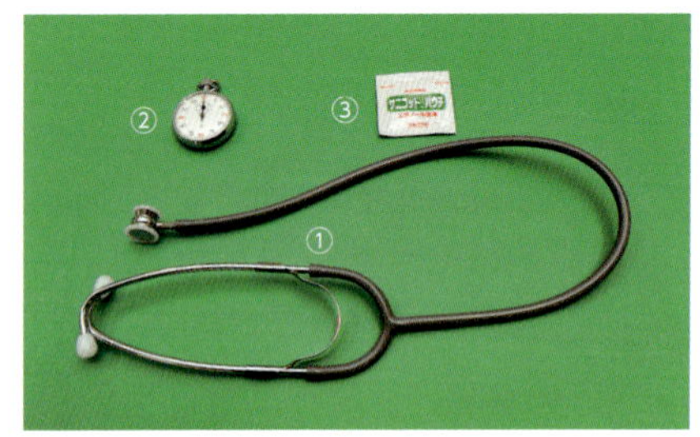

手順

要点	留意点・根拠
1 環境・使用物品の準備を整える ①看護師は衛生学的手洗いをする 	**根拠** 新生児は免疫能が未熟なため感染しやすく，また，重篤になりやすいので感染防止は重要である
②環境を整える 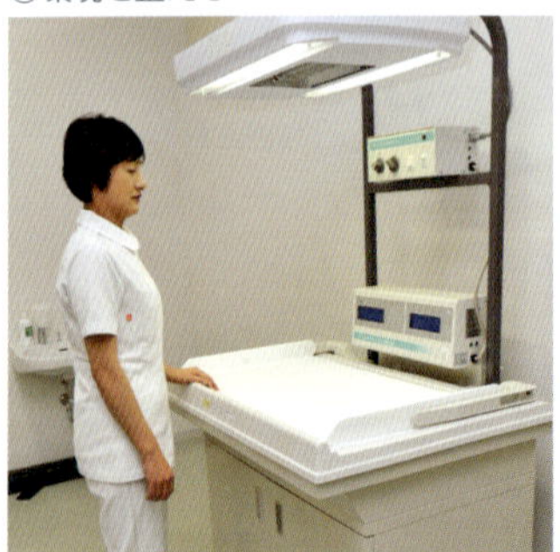 ラジアントウォーマー	▶室温を25〜26℃に設定し，気流の少ない場所にラジアントウォーマーを設置する **根拠** 室内の気流を避けて対流による熱喪失を防ぐ ▶新生児が生まれる30分以上前には電源を入れ，38℃前後に設定して温めておく **根拠** 出生直後の新生児は母体環境(36.5℃前後)から低温環境に移行する上，放射による熱喪失，全身が羊水で濡れているため蒸散による熱喪失が大きい **注意** 出生後0〜6時間の中性温度環境は32〜34℃であるが，出生直後は熱喪失が大きいため，ラジアントウォーマーは38℃前後に設定し，新生児の体温が37℃前後に保たれるよう設定温度を調節する

要点	留意点・根拠
③必要物品を準備する	▶すぐに観察・採点できるよう物品を準備しておく **根拠** 分娩介助者から新生児を受け取り，すぐに出生後のケアを行うため
・聴診器，バスタオル(2枚)を菱形に敷き，ラジアントウォーマーの上で温めておく	**根拠** バスタオルを温め伝導による熱喪失を防ぐ
④事前に新生児の状態を予測し，必要な対応ができる準備を整える	▶事前に母児のハイリスク因子に関する情報を確認する．特に，在胎週数，母体合併症の有無，母体糖尿病児，胎児発育不全，早産児，前期破水および羊水混濁や胎児機能不全の徴候，分娩経過の異常などは重要である **根拠** 現在の新生児の状態がハイリスク因子によるものなのか，分娩後に生じたものなのかを判断する助けとなる．また，必要な備えができる
⑤ディスポーザブル手袋を装着する	**根拠** 出生直後の新生児には母体の羊水および血液が付着しており，看護師の感染を防ぐ必要がある **コツ** 手袋の装着時，指先までしっかりと装着しておくと作業がしやすい
2 アプガースコアの観察と採点を行う	▶考案者アプガーの名になぞらえ，APGAR〔appearance(皮膚の色)，pulse(心拍)，grimace(刺激に対する反射)，activity(筋緊張)，respiration(呼吸)〕を観察する
①新生児の出生から1分後にアプガースコアの採点に必要な状態(心拍，呼吸，筋緊張，刺激に対する反射，全身の皮膚の色)を観察する 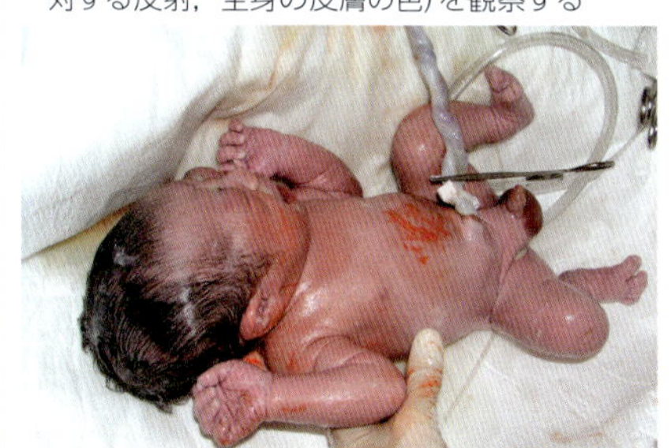 出生直後の新生児	▶1分後の観察は，分娩介助者が分娩補助台の上で新生児の出生後のケア(呼吸の確立のための吸引や清拭，保温のための羊水の拭き取り，臍帯切断など)を行いながら実施することが多い **注意** 蘇生の必要性は出生直後から評価し，初期処置はアプガースコアの採点の前に開始する．出生直後のチェックポイント3項目(早産児，弱い啼泣，筋緊張低下)のうち，いずれかを認める時には，蘇生の初期処置を開始する **緊急時対応** 出生直後から筋緊張が低下して，全身がだらんとしている場合，すぐに陽圧換気(バッグバルブマスク)による蘇生を行う必要がある **コツ** 5項目ともに1分後の状態を観察するため，瞬時に判断する
②心拍動の状態を観察する 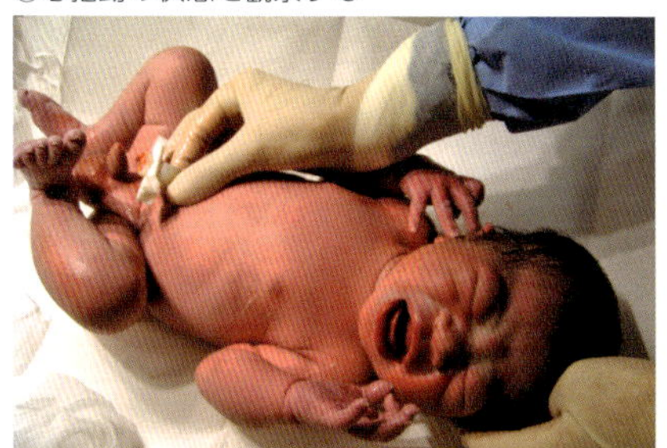 臍帯拍動を触知する	▶心基部(第5肋間胸骨左縁上部)付近に示指～環指の指腹をやさしく当てて，心拍動の有無を観察する．臍帯拍動をみることも多い ▶心拍数が100/分以上の場合はアプガースコア(以下同)2点，100/分未満の場合は1点，心拍が全く触知できない場合は0点とする **注意** 出生直後は心拍数が160/分を超えることもあるが，その後，30分程度で徐々に正常範囲(110～160/分)へと移行する

要点	留意点・根拠
③呼吸状態を観察する ・出生5分後は強く泣いている	▶新生児の泣き方を観察する．強く泣いている，または，腹壁が上下した，浅くない規則的な呼吸が認められれば2点とする．弱い泣き声，または，腹壁が小刻みに不規則に上下する浅い呼吸の場合は1点とする．全く啼泣(ていきゅう)せず，腹壁が動いていない場合，0点とする コツ 啼泣がみられない時は素早く腹壁も観察する
④筋緊張を観察する 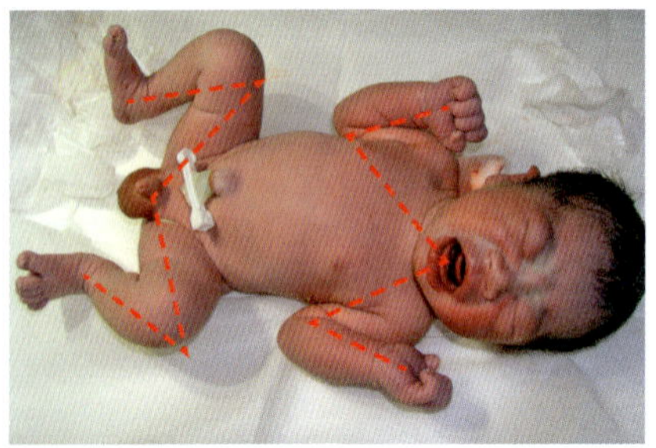 上肢がW字，下肢がM字の状態	▶四肢を活発に動かしている，または，動かしていない場合でも四肢が屈曲姿勢(上肢はWの字のように肘関節を屈曲，下肢はMの字のように膝関節を屈曲)をとっていれば2点とする．四肢が屈曲姿勢をとっていないが，肘関節および膝関節をいくらか曲げていれば1点とする．四肢がだらんとのびている場合は0点とする
⑤刺激に対する反射を観察する	▶新生児が啼泣している，または，足底への刺激やカテーテルによる鼻腔・口腔吸引などの刺激に対して咳をする，嘔吐するような反射がみられた場合は2点とする．刺激に対して，顔をしかめたり，多少の体動がある場合は1点とする．泣いたり，咳をしたり，顔をしかめる反射が全くない場合，0点とする
⑥全身の皮膚の色を観察する 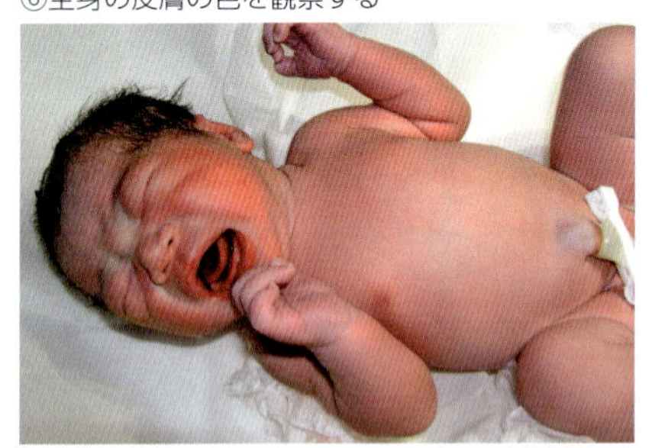 全身ピンクの状態	▶全身がピンク色の場合，2点とする．顔面・体幹はピンク色であるが四肢のみチアノーゼがみられる場合，1点とする．全身蒼白，またはチアノーゼ(暗紫色)がみられる場合，0点とする
⑦アプガースコアを採点し，状態を評価する(表1，表2)．同時に必要な蘇生や処置，ケアを行う	▶5項目の点数を合計し，状態を評価する．合計点数が8点以上の場合はそのまま経過を観察する 根拠 8点以上であれば，その後，順調に子宮外の生活に適応すると考えられる 注意 5分後に8点にならない場合，必要な処置および観察を行い，8点以上になった時間(生後何分か)を確認，記録する 緊急時対応 評価が7点以下で軽症および重症仮死の場合，酸素吸入をし，脊柱を上下にこすった

表1　アプガースコア

項目	0点	1点	2点
心拍数	なし	100/分未満	100/分以上
呼吸	なし	弱い泣き声／不規則な浅い呼吸	強く泣く／規則的な呼吸
筋緊張	だらんとしている	いくらか四肢を曲げる	四肢を活発に動かす
反射	反応しない	顔をしかめる	泣く／咳嗽・嘔吐反射
皮膚の色	全身蒼白または暗紫色	体幹ピンク／四肢チアノーゼ	全身ピンク

表2　状態の評価の指標

合計点数	評価
8～10点	正常
4～ 7点	軽症仮死
0～ 3点	重症仮死

＊4～6点を軽症仮死とする場合もある．

要点	留意点・根拠
	り，足底をたたくなどの皮膚刺激により呼吸の確立を優先的に行う．その後も呼吸状態が悪く，チアノーゼが続く時は，新生児科・小児科の医師と連携し，できるだけ早くNICUおよび専門病院への新生児の搬送を検討し，速やかに搬送する 注意 早期の対応が新生児の予後を良好にするため，処置や対応はできる限り迅速に行う．出生前から悪い状態が予測される場合，小児科・新生児科医師が分娩時に立ち会うこともあるため，連携して新生児のケアにあたる
・NCPRアルゴリズム＊に基づき，出生直後の新生児に蘇生が必要かどうかの判断を行う ＊NCPRアルゴリズム：新生児蘇生法(Neonatal Cardio-Pulmonary Resuscitation)の手順のこと	▶すべての分娩における新生児仮死に対する初期対応を分娩に立ち会うすべての医療者が迅速かつ確実に行うためのアルゴリズムである ▶アルゴリズムの流れに則り，出生直後の新生児の状態の評価項目である①早産児，②弱い呼吸・啼泣，③筋緊張の低下の3項目を評価する．いずれも認めなければ母親のそばでルーチンケアを行う．3項目中1つでも該当すれば蘇生のステップに入り，初期処置を行う．以降，NCPRアルゴリズムに基づいた処置を実施していく
⑧新生児を分娩介助者から安全に受け取り，ラジアントウォーマーのバスタオルの上に寝かせる	▶分娩介助者と声をかけ合い，新生児を確実に受け取り，ラジアントウォーマーの上に安全に寝かせる 事故防止のポイント 分娩介助者から新生児を受け取る際は転落防止に努める．また，ラジアントウォーマーからの新生児の転落防止に努める 注意 状態が変化しやすい時期であるため，新生児のそばを離れてはならない．万が一，新生児から目を離す時は，必ず手前の補助台をセットして転落を防止する ▶新生児を最初に寝かせたバスタオルが濡れたら，すぐに取り除いて乾いたバスタオルの上に寝かせる　根拠 伝導による熱喪失を防ぐ 注意 新生児は母体内では37～38℃の環境下にあるため，ラジアントウォーマー下の設定温度38℃前後でも低体温になりやすい．また，身体が羊水で濡れていると蒸散による熱喪失につなが

要点	留意点・根拠
	るため，素早く羊水を拭き取り，不必要な露出を避ける
⑨新生児の出生から5分後にアプガースコアの採点に必要な状態（心拍，呼吸，筋緊張，刺激に対する反射，全身の皮膚の色）を観察する 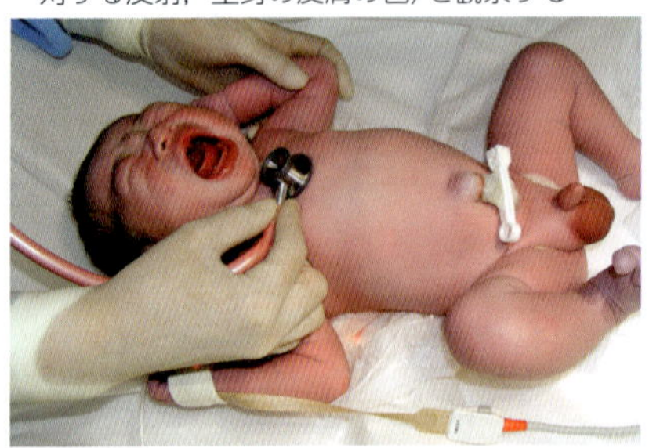	▶出生から5分後に観察する コツ 5項目ともに5分後の状態を観察するため，瞬時に判断する 注意 1分後の観察・判定方法に準ずるが，心拍数は聴診器を用いて観察する
・呼吸，筋緊張，刺激に対する反射，全身の皮膚の色を観察する（1分後の観察・評価に準ずる） ・心尖部（第5肋間胸骨左縁）に聴診器の膜面を当て，心拍数を1分間測定する（図1） 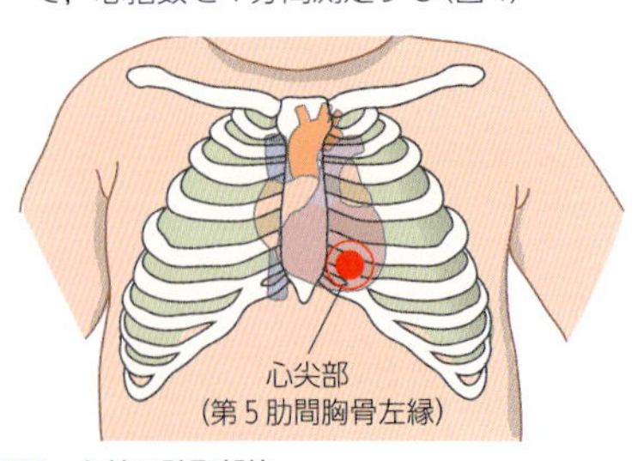 図1 **心拍の聴取部位**	コツ 聴診器を当てる前に膜面を手掌内で温め，新生児に冷感を与えないよう配慮する 根拠 冷たいと刺激になる ▶心拍数が100/分以上の場合，2点とする．100/分未満の場合，1点とする．心拍が全く聴取できない場合，0点とする 注意 出生5分後は心拍数が160/分を超えることもあるが，その後，30分程度で徐々に正常範囲（110～160/分）へと移行する
⑩評価が終了したら，新生児のその他の状態を観察する	▶出生間もない新生児はささいなことでも正常な状態から逸脱しやすいので，必要な観察を行いつつ，必要な処置やケアを行う
3 記録，評価をし，使用物品の後始末をする	
①観察した結果を記録する	▶診療録，助産録の「アプガースコア」の欄に，1分後，5分後の合計点数を記入する．その際，5項目の内容がわかるように印をつける
②使用した物品の後始末を行う	▶使用した聴診器，ストップウォッチを消毒用アルコール綿で消毒し，所定の位置に片づける．ラジアントウォーマーの台上や側面についた血液や羊水をきれいに拭き取る
③終了後，看護師はディスポーザブル手袋を外し，手洗いをする	事故防止のポイント 感染防止に努める

文献

1）細野茂春監修：日本版救急蘇生ガイドライン2015に基づく新生児蘇生法テキスト　第3版，pp.43-45，50，メジカルビュー社，2016

2 視診

1 全身の状態と便・尿の性状

大林 陽子

目的 新生児の状態を観察し，健康状態，発育状態，生理的変化について正常な経過をたどっているかを把握，診断し，異常の早期発見および対処，危険の予測とその回避に役立てる．

チェック項目 全身（頸部，胸部，腹部，背部，四肢，生殖器），便・尿の性状

適応 新生児（生後28日未満の児）

注意 環境の温度を調整して新生児の体温の低下を防ぐ．不要な侵襲を加えることがないよう，手順に沿って観察を進める．

事故防止のポイント 清潔操作遵守による感染防止，診察中の新生児の転落防止

必要物品　ラジアントウォーマー，バスタオル，筆記用具，記録用紙

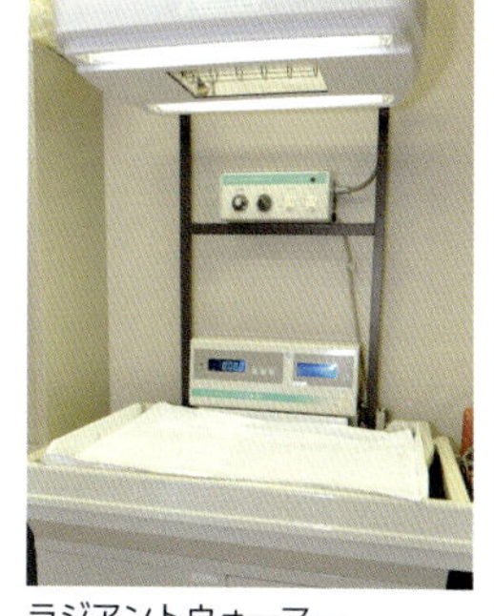
ラジアントウォーマー

手順

要点	留意点・根拠
1 環境・使用物品の準備を整える ①看護師は衛生学的手洗いをすませる	**根拠** 新生児は免疫能が不十分なため感染しやすく，また，重篤になりやすいので感染防止は重要である
②観察する環境を整える ・外界からの影響が少ない環境を整える	▶ 騒音のない静かで明るい部屋（500ルクス程度）で，新生児への外界からの影響を最小限にした環境を整える．新生児の安静時に観察するため，授乳後や啼泣（ていきゅう）後は避け，刺激やストレスのない環境で行う
・室温などを調整する	▶ 室温25～26℃，湿度50～60％に調整する **根拠** 新生児は体温調節機能が未熟で環境による影響を受けやすく，室温が低いと低体温，室温が高いと体温の上昇を招きやすい
・ラジアントウォーマーを温めておく	**根拠** 新生児を裸にして全身を観察するため，新生児が低体温にならないようあらかじめ保温する ▶ 同時に使用するバスタオルも温めておく
2 新生児の準備を整える ①事前に出生前，出生時の情報を確認する 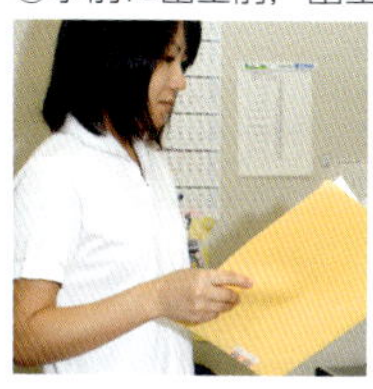	▶ 事前に母児のハイリスク因子に関する情報を確認する．特に，在胎週数，母体糖尿病児，胎児発育不全，早産児，前期破水など．妊娠中の母体合併症の有無，分娩経過の異常の有無（前期破水や羊水混濁，胎児機能不全の有無）は重要である **根拠** 現在の新生児の状態がハイリスク因子によるものなのか，分娩後に生じたものなのかを判断する助けとなる

要点	留意点・根拠
②新生児の準備を整える	▶ 新生児の空腹時および哺乳直後を避ける 根拠 空腹時は啼泣して活動しがちとなり，哺乳直後は新生児の胃の特徴により少しの体動でも溢(いっ)乳や嘔吐をしやすい状態にある
・衣服を取り外し裸にする	▶ おむつは外して，開いたまま殿部の下に敷いておく 根拠 排便・排尿がみられた場合，すぐに対処できるようにする コツ 新生児の安静を妨げないよう，衣服はやさしく取り外す 事故防止のポイント 新生児の転落防止のため，診察中は新生児のそばを離れない，また，目を離さないように気をつける
3 新生児の全身の観察を行う ①全身を診察・観察しやすいように寝かせる	▶ 新生児の頭部を看護師の左側にして寝かせる 根拠 診察しやすいよう整える
②体格・バランスをみる 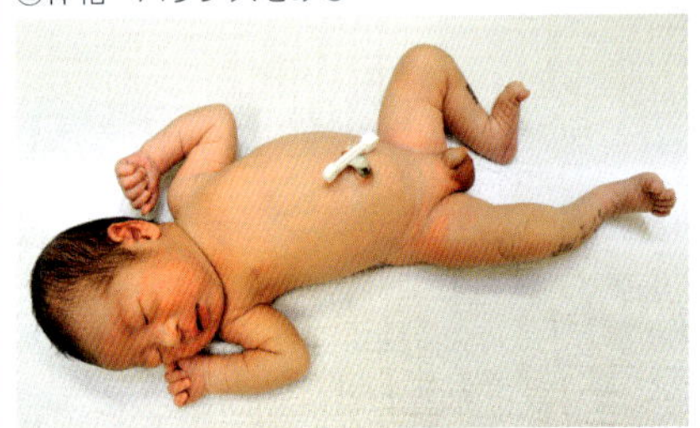	▶ 新生児の全身を眺め，何頭身であるかみる．続いて，四肢と体幹のバランス，胸囲と腹囲のバランスをみる ▶ 在胎 37 週以降(正期産)に生まれた新生児は 4 頭身，それよりも早ければ早いほど 4 頭身よりも頭部の割合が大きい(妊娠 9 週では 2 頭身，16 週までに 3 頭身)．また，四肢は体幹に比べて短く，胸囲よりも腹囲の方が大きい
③姿勢をみる 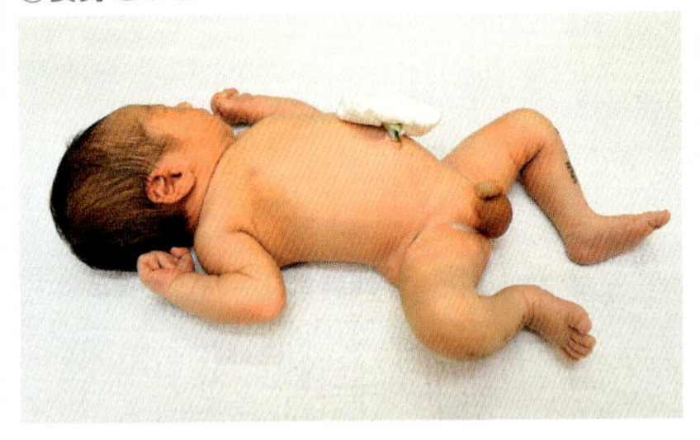	▶ 四肢の屈曲の度合いや左右対称性をみる 根拠 新生児は屈筋が優位に働き，肘関節と膝関節を屈曲した姿勢をとる．上肢は W，下肢は M の字の形に似る 注意 睡眠時には屈曲が弱まることもある
④筋緊張・四肢の動きをみる 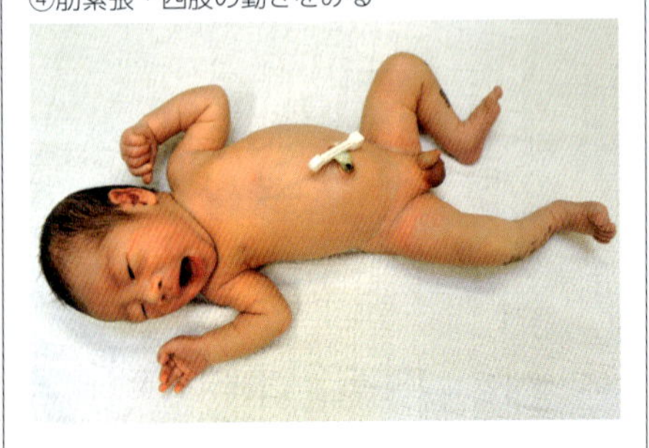	▶ 上下肢の動きが正常か観察する．分娩麻痺による上肢の動きの片側性の有無，過剰振戦，痙攣などの異常を観察する ▶「何となく元気がない：not doing well」「いつもと様子が違う」といった徴候にみられる活動性の低下，自発運動の減少，啼泣力の低下，筋緊張の低下，末梢循環不全(皮膚の色が悪い，四肢末端が冷たい)，傾眠傾向，過敏の状態の有無をあわせて観察する 注意 not doing well の症状がみられる新生児に最も考えられる疾患は，敗血症，髄膜炎などの重篤な全身感染症である．手遅れにならないため

要点	留意点・根拠
	にも，看護師は他の症状，状態を含めて医師に報告し，指示のもと対応する
⑤皮膚の色をみる ・全身および四肢の皮膚の色をみる 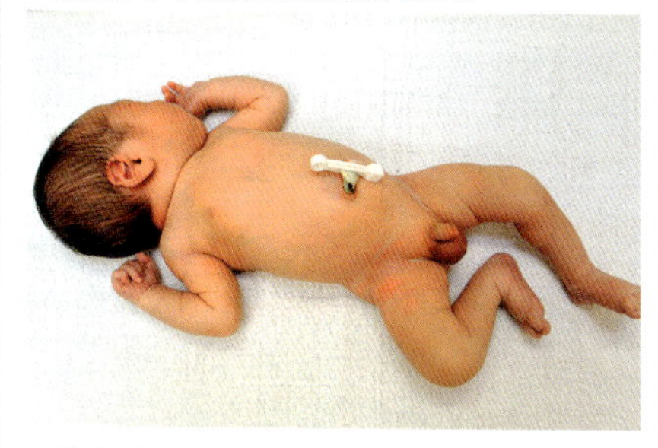	▶成熟児では赤みを帯びたピンク色をしている．生後数日間は四肢末端が紫色のことがあるが，他に異常がなければ病的ではないため，経過を観察する **根拠** 末梢の血流速度が遅いのが理由である．また，四肢のチアノーゼは低体温や多血症の場合にもみられるので，冷感の有無も観察する **注意** 四肢や口唇周囲にみられる末梢性チアノーゼは病的ではないが，顔面全体や体幹にみられる中心性チアノーゼは何らかの異常が疑われる．また，全身の皮膚色が蒼白の場合も貧血や循環不全，重篤な感染症が疑われる
・黄疸が生理的範囲を逸脱していないか確認する	▶新生児の生理的黄疸では，生後3～5日をピークに全身の皮膚や眼球結膜の黄染により皮膚が黄色く見える．肉眼で黄疸が認められるのは血清ビリルビン値が7～8 mg/dL以上とされる．生理的黄疸の場合は，新生児の在胎週数，日齢，体重減少率，哺乳状況，排泄状態，活気の有無を経日的に観察し，生理的範囲を逸脱していないか確認する **注意** 黄疸の出現時期が生後24時間以内の早発黄疸の場合は溶血性黄疸が疑われるため，早期に小児科医に連絡し，必要な対処を行う **注意** 貧血の場合も黄色っぽく見えるので黄疸と間違うことがある
⑥皮膚の状態をみる ・発疹や湿疹，出血斑や母斑，血管腫の有無を観察する 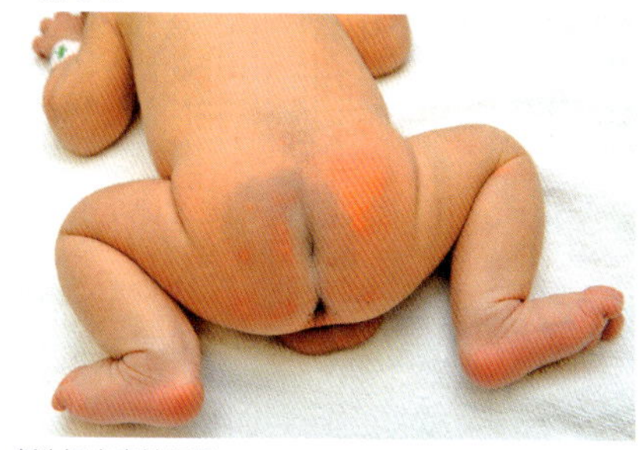 新生児中毒性紅斑	▶皮膚色に続いて確認する ・新生児中毒性紅斑は新生児中毒疹ともいわれ，最初は紅斑として始まり，のちに中央部が白～黄色の丘疹となるもので，生後3日頃までにみられるが自然に消失する ・鼻皮脂は成熟徴候の1つ(p.409参照)で，皮脂腺が肥大した黄白色の点状丘疹で，1週間ほどで消失する ・稗粒腫(はいりゅうしゅ)は白または黄色の直径1 mm程度の丘疹で，数週間で消失する ・蒙古斑は黄色人種に認められる青あざで，殿部にみられる ・汗疹(あせも)は頸部や腋窩にできやすい ・おむつ皮膚炎(かぶれ)は肛門周囲にみられる発赤と皮膚のただれで，便や尿による汚染と皮膚の湿潤によりできる
・皮膚の落屑(らくせつ)(皮膚の表皮が乾燥して剥離する状態)や亀裂の有無を観察する	▶生後数日間は全身の落屑がみられることがある **根拠** 落屑や亀裂は未熟徴候の1つであるが，成熟児の手足にもみられる **注意** 全身の落屑や亀裂が著明で，口唇が乾燥している場合には脱水が疑われる．発熱の有無や体重(減少率や増減傾向)，哺乳および排泄状況，活

要点	留意点・根拠
	気や傾眠の有無をあわせて観察する
⑦浮腫の状態をみる	▶ 全身性および局所性の浮腫がないか観察する．特に，出生直後から体重増加がある場合は浮腫による異常が疑われる 根拠 浮腫は水と電解質のバランスに異常をきたして生じることが多い．また新生児は細胞外液が過剰な状態で生まれているため，通常，生理的体重減少がみられる 注意 全身の著明な浮腫は胎児水腫が疑われ，四肢末端の局所性の浮腫はターナー症候群などの先天疾患が疑われる
⑧意識状態をみる	▶ 新生児の意識レベル（state 1～6）を観察する（p.393「第 4 章-1【1】バイタルサイン①呼吸・心拍・体温」参照）

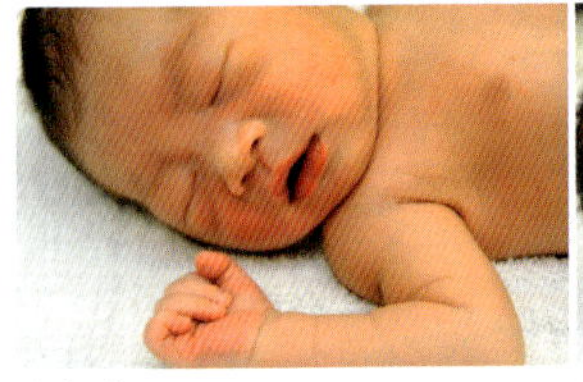
state 1

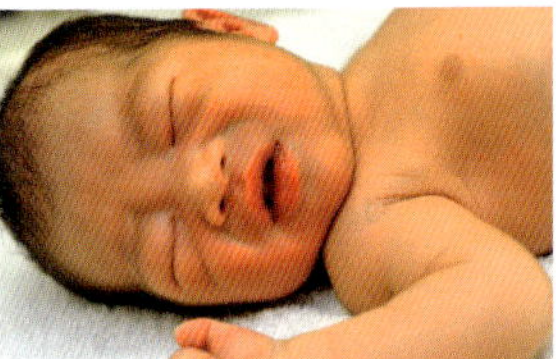
state 2

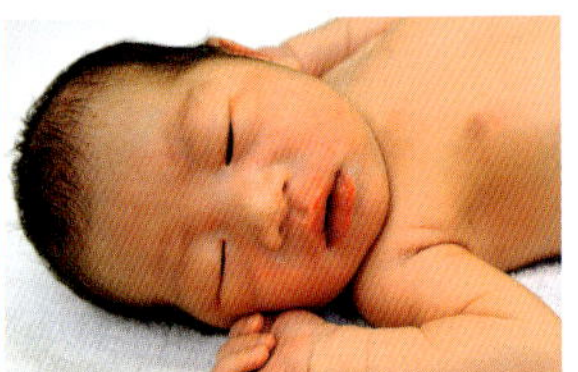
state 3

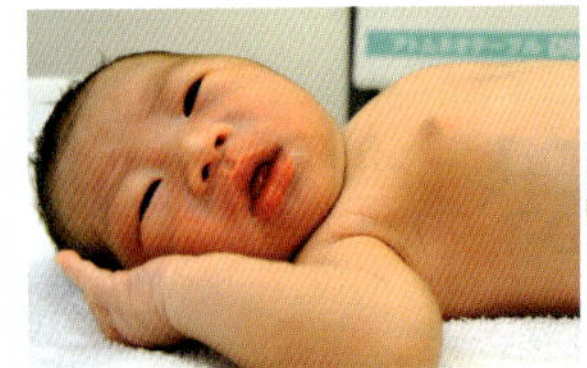

state 4

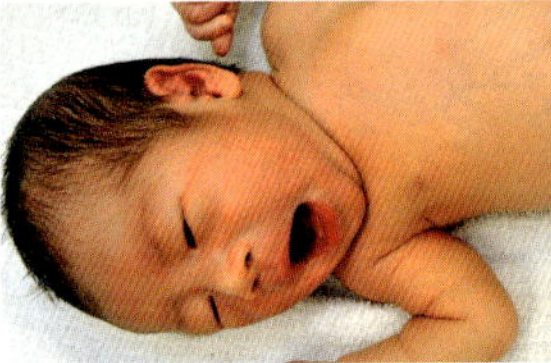
state 5

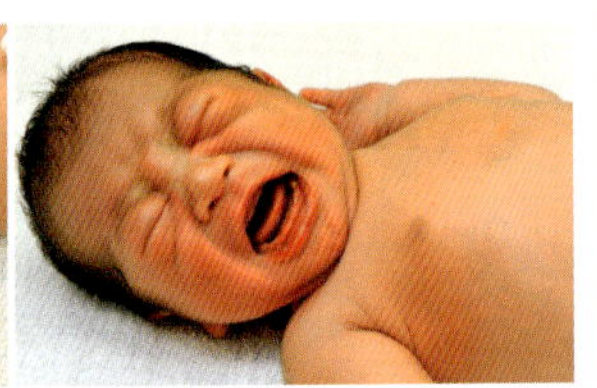
state 6

新生児の眼と全身の状態を観察し，閉眼（深い睡眠）して自発運動がみられなければ state 1，閉眼（浅い睡眠）してわずかな自発運動がみられれば state 2，うっすら開眼して（まどろんでいる）顔をしかめる様子がみられるが活動性が低い場合は state 3，静かにしっかりと開眼して活動は最小限の時は state 4，明らかに開眼して四肢を活発に動かすが啼泣はない時は state 5，開眼して活動性が高く激しく啼泣している時は state 6 と判断する

要点	留意点・根拠
4 頭部，顔の観察を行う ①頭部をみる 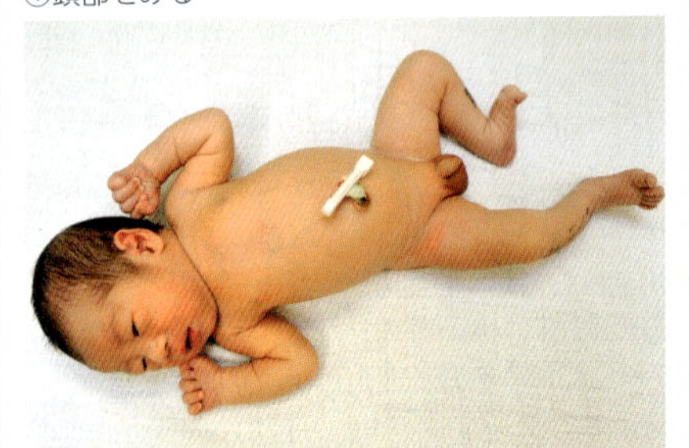 全体のバランス（4 頭身）をみる	▶ 頭の大きさと身体のバランスをみる．まず，頭部の高さが身長のおよそ 1/4（4 頭身）であるかをみる 注意 頭部が大きい場合は水頭症，小さい場合は小頭症が疑われる．頭囲を計測して標準値と比較して判断する．判断の目安として，在胎期間別出生時体格標準曲線上の頭囲を参考にする

要点	留意点・根拠
②頭部の形をみる 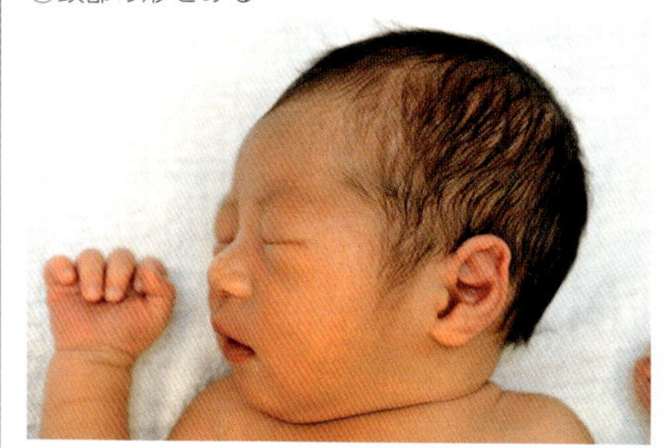 正常な頭部の形	▶新生児の上体を少し起こして，頭部全体の形をみる　根拠 寝かせたままでは後頭部が見えない ▶前方後頭位分娩では児頭は頭頂が伸びた形（長頭蓋）をしている　根拠 児頭は小斜径周囲が最小になるように変形するため ▶産瘤（さんりゅう）は生後24〜48時間以内にほぼ消失するため，経過を観察する　根拠 産道通過時の圧迫により児頭先進部にできる皮下組織に滲出液が貯留して生じる浮腫である 注意 頭血腫との鑑別が必要．産瘤は骨縫合を越え，波動はない ▶骨盤位分娩や帝王切開分娩では児頭の変形はなく，後頭部が突出して丸い形をしている
③表皮の欠損，外傷の有無をみる	▶頭部全体の表皮の欠損の有無，外傷の有無を観察する 注意 鉗子分娩や吸引分娩の場合には，器械装着部位に外傷がみられることがあるので，血液や羊水をよく拭き取り，注意深く観察する
④顔面をみる 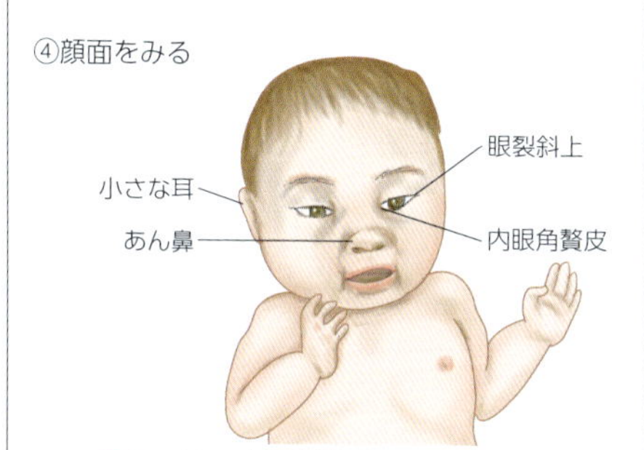 図1　ダウン症候群様顔貌（顔面）	▶顔つきが何となくおかしい，元気がなさそうな顔つきなど，気になることがないか観察する 注意 おかしいと感じる時には小奇形を合併していることもある．先天異常の新生児では疾患により顔貌に特徴がみられる．また，元気のない顔は敗血症の可能性もある 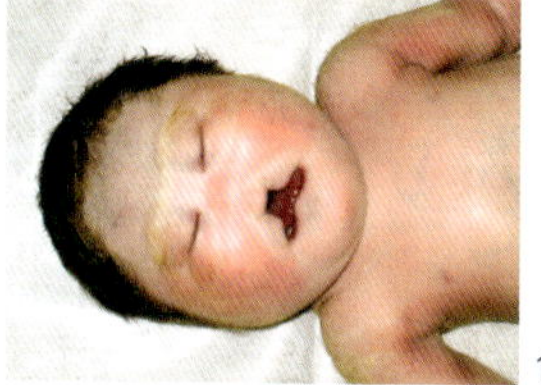 13トリソミー
⑤眼をみる ・眼の位置，眼裂の大きさを観察する．また，眼窩（がんか）間の広さが適切か観察する 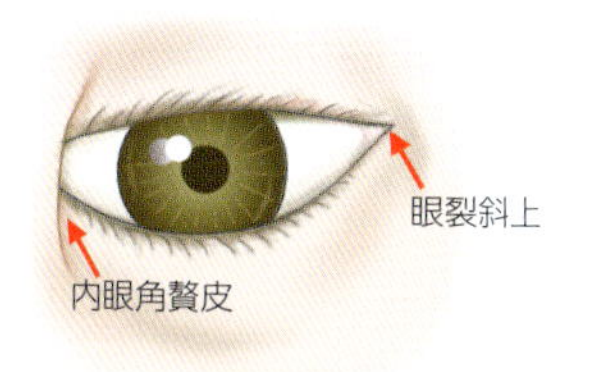 図2　ダウン症候群様顔貌（眼）	▶内眼角と外眼角を結んだ線が5度以上，外眼角側が上昇しているものを眼裂斜上といい，ダウン症候群様顔貌にみられる
・眼球結膜下出血の有無を観察する	根拠 産道通過時に加わる静脈のうっ血によって生じる．臨床的には問題なく，1か月頃までに自然に消失する コツ 出血が認められる時は，母親が心配するので早めに説明する

要点	留意点・根拠
・結膜炎の有無と眼脂の有無を観察する	**根拠** 涙目や軽度の眼脂は多くみられ，生理的な鼻涙管狭窄によるものである．2〜3 か月で自然に寛解する **注意** 生後 1 日に化学的刺激性結膜炎，生後数日後に細菌感染による細菌性結膜炎がみられることがある．眼脂の量が多く，黄色の場合は二次感染が疑われるため，抗菌薬などの治療（点眼）が必要になる
・落陽現象の有無を観察する	▶ 開眼しているのに眼球が下がるように動くかどうか観察する **根拠** 軽度で一時的であれば生理的なものである **注意** 落陽現象が高度で長期にわたる場合，頭蓋内圧の亢進が疑われる
⑥耳をみる ・耳介に変形がないか，副耳（耳介の前や頬に生じるポリープ状・小結節状の腫瘤）の有無を観察する	▶ 左右の耳全体を丁寧にみる
・耳の位置を確認する 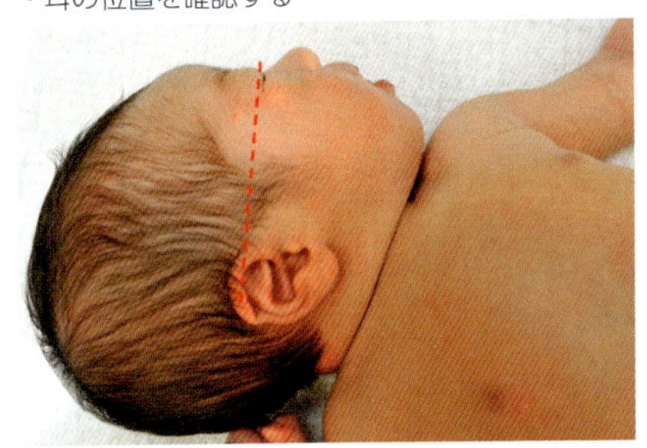 耳の位置を確認する	▶ 耳介上端が両眼を結んだ線の延長線上にあるかを観察する **根拠** 耳介上端が両眼を結んだ線の延長線より低い「耳介低位」は小奇形の 1 つで，様々な染色体異常症にみられる
⑦口唇，口蓋裂をみる ・口唇の異常，口蓋裂の有無を確認する 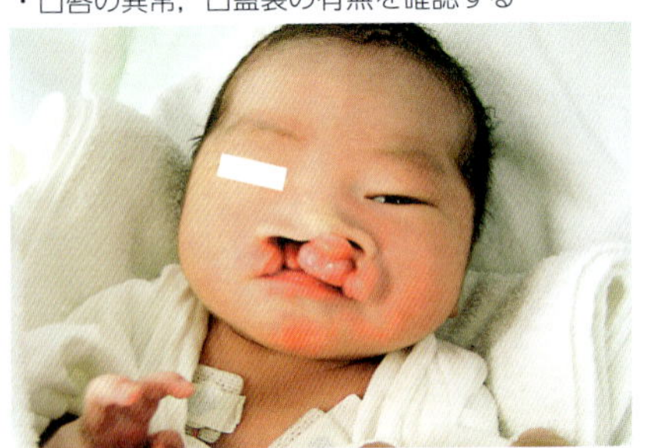 口唇口蓋裂 〔写真提供：佐世正勝〕	▶ 口唇に異常がないか，断裂がないかを確認する．続いて，口蓋裂がないかを舌圧子で新生児の舌を下方に圧して確認する **注意** 口唇裂と口蓋裂は合併する場合が多いが，他の奇形を伴う頻度が高いので注意が必要である
・魔歯の有無を確認する	▶ 新生児の上下の歯肉を観察し，魔歯（出生時にすでにはえている歯．白い小さな突起物のようなもの）があるかどうか観察する ▶ 出生時にすでに歯がある場合と出生後早期に歯が出る場合があるが，もろく抜けやすいので自然になくなる

要点	留意点・根拠
⑧あごをみる	▶ あごの大きさに異常がないか，小顎(がく)症ではないか観察する 注意 小顎症の場合，呼吸障害の原因となる
⑨鼻をみる 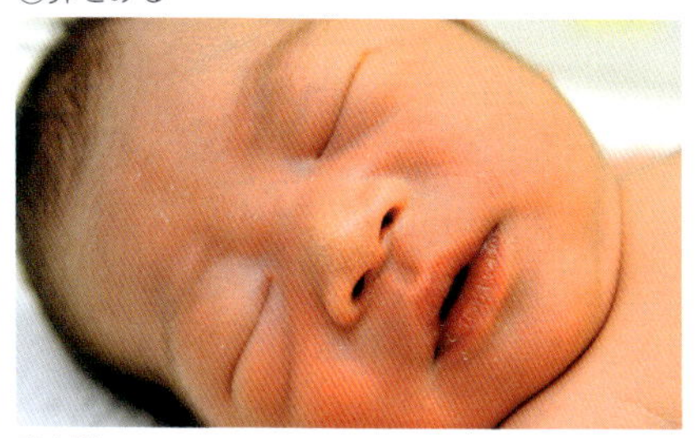 鼻皮脂	▶ 鼻の位置や形状を観察する．成熟児では鼻尖に限局した黄白色の点状丘疹があり，鼻皮脂といわれる
5 頸部，胸部の観察を行う ①首の動き，形をみる	▶ 同一方向ばかり向いていないか，いずれの方向にも首を動かしているか観察する．また，うなじの皮膚が過剰に肥厚していないか，鳥の翼のように見えるしわがないかを観察する 注意 斜頸は自然寛解することが多い．また，頸部に皮膚の肥厚がある場合ダウン症候群(21トリソミー)，翼状頸はターナー症候群が疑われる
②胸部をみる ・胸郭の形をみる	▶ 新生児を正面から，続いて側方からみて，左右径と前後径がほぼ等しい(円形)か観察する 根拠 新生児の胸郭は成人よりも前後径が大きく，円形に近い．発育に伴い左右径が大きくなる
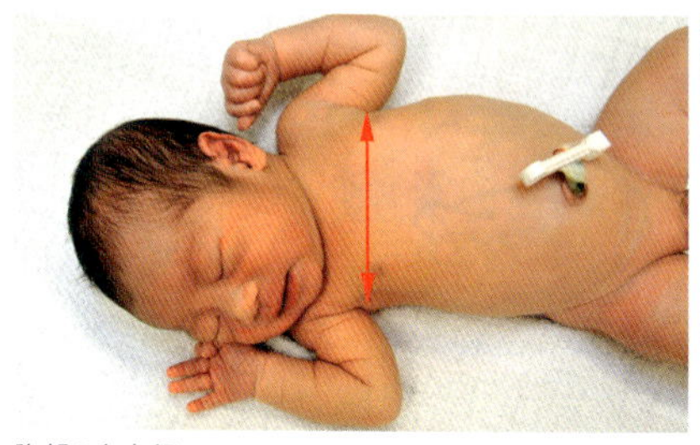 胸部の左右径	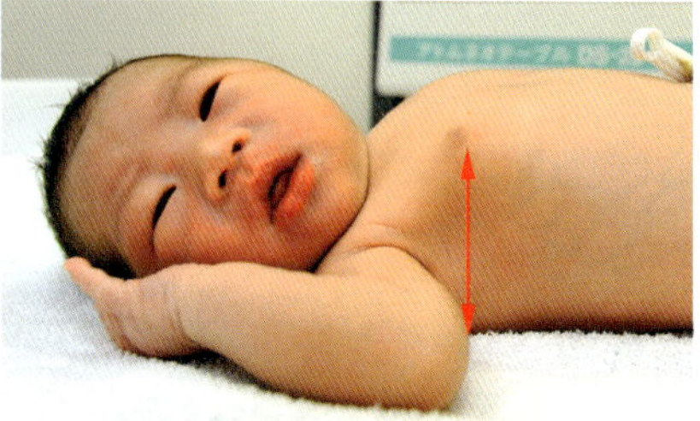 胸部の前後径
・胸壁の動きを観察する	▶ 胸壁の動きを観察し，胸壁が陥没(陥没呼吸)していないか，腹部と胸部が交互に動いて(シーソー呼吸)いないか観察する　根拠 新生児の胸郭そのものが柔らかいため，呼吸障害がある場合，胸壁に著明な陥没が認められる
・乳房(乳輪，乳頭)の大きさを観察する	根拠 乳房(乳腺組織)は男女とも直径5〜10 mmである．母体からのエストロゲンの作用により乳房の肥大や魔乳(乳頭部付近からの乳汁様の水分の分泌)がみられることもある．男女問わずみられ，自然に寛解する

要点	留意点・根拠
6 腹部の観察を行う ①腹部をみる ・腹部の大きさ，形を観察し，膨満や陥没がないか観察する 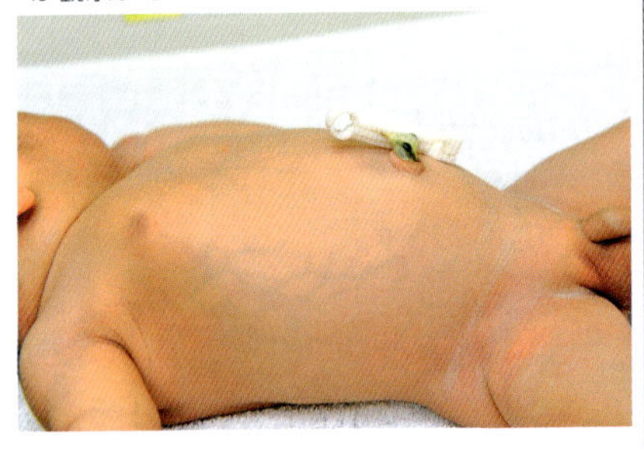	▶膨満している場合，皮膚が緊張して光沢がみられないか観察する **根拠** 新生児は体重に対する腸の容量が大きいため腹部が膨れており，特に哺乳後は膨隆して見える **注意** 著明な腹部膨満(皮膚が緊張して光沢がある場合)は，腹部腫瘤や感染症，胃穿孔などの異常が疑われるため，嘔吐やその他の症状を注意深く観察する
・腹壁をみて，欠損がないかを観察する	▶欠損がある場合，腹壁破裂や臍ヘルニアがないか観察する

②臍部をみる

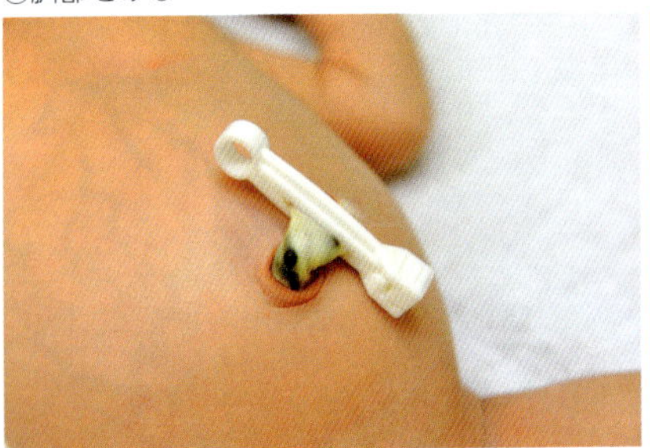

正常な臍帯の経過(生後半日)

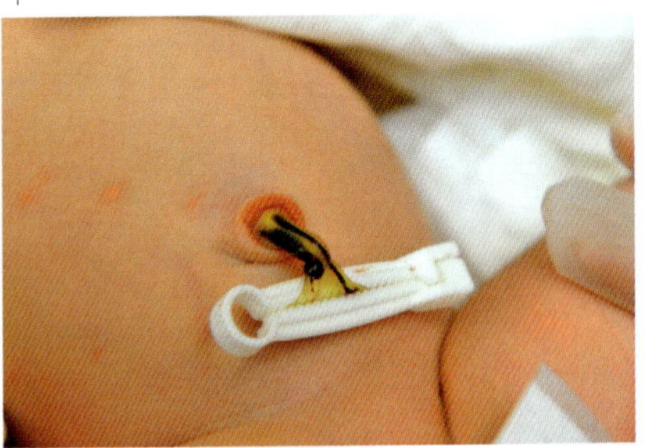

正常な臍帯の経過(生後2日目)

要点	留意点・根拠
・臍輪部からの出血や分泌物がないか，周囲の皮膚に発赤がないか観察する	▶出血がある場合，清潔な綿花で拭き取り，乾燥に努める **根拠** 臍部からの出血や膿性の分泌物，皮膚の発赤がある場合，臍部の感染による臍炎が疑われる **注意** 臍輪からの出血が持続する場合，絹糸による結紮が必要なこともある
・臍帯の乾燥の程度を観察する	▶臍帯は生後4〜7日程度で自然に脱落する．臍脱後は臍輪部からの出血や膿性の分泌物がなく，自然に乾燥するのを観察する ▶臍輪部に肉芽が形成(臍肉芽腫)されることがあり，自然に治癒しない場合は硝酸銀で焼灼すると治癒に向かう
・腹部膨満の有無を観察し，臍ヘルニアの有無をみる ・臍部を過剰な皮膚が周囲を覆っていないか観察する	**根拠** 腹部膨満は臍ヘルニアが疑われるが，1歳までに自然寛解するため，様子をみることが多い ▶腹壁から数cmの高さに皮膚が盛り上がることもある．これは臍皮といわれるが，治療の必要はない **注意** 皮膚に覆われることにより臍輪部が湿潤しやすいので，沐浴後には水分をよく拭き取り，乾燥に努める

要点	留意点・根拠
7 背部の観察を行う ①背部をみる 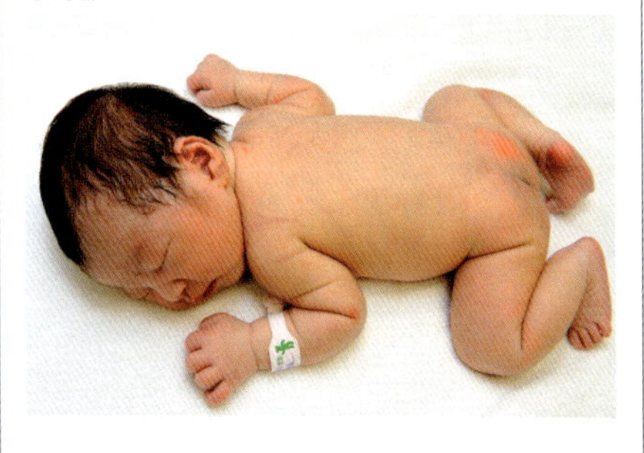	▶新生児を腹臥位にして寝かせる．背部が左右対称か，異常な姿勢（ゆがみ）がないか，毳毛(ぜいもう)，房状毛髪，仙骨部のくぼみ，小瘻孔，嚢胞や腫瘤の有無を観察する **根拠** 新生児の脊柱はまっすぐで彎(わん)曲がない．成熟児では背部の毳毛はほとんどみられない．脊椎が彎曲していたり，下部脊椎の皮下に嚢胞（髄膜瘤）や腫瘤があれば，二分脊椎が疑われる **注意** 二分脊椎がないか確認する
8 四肢の観察を行う ①四肢をみる ・四肢の屈曲を観察する 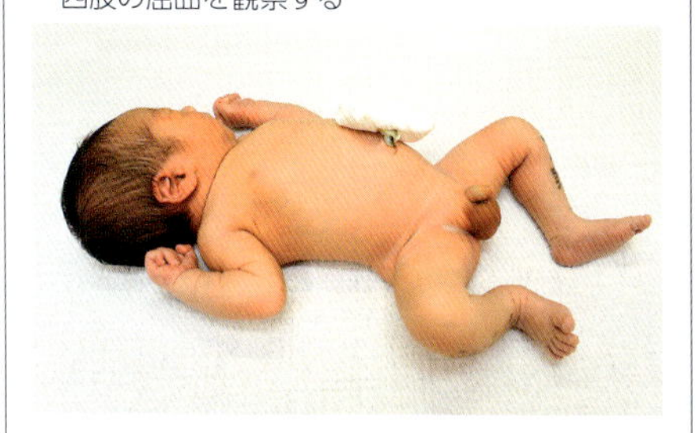	▶四肢は軽度屈曲し，上肢はW，下肢はMの字の形をとっているか，だらりとしていないか，過剰に筋緊張が強くないか観察する **根拠** 新生児は屈筋が優位に働き，肘関節と膝関節を屈曲している
・四肢の動きが活発か，左右対称か，長さの左右差がないか観察する	▶活動している時やモロー反射の際に患側の上肢が伸展し，健側の手しか上げない様子がないか観察する **根拠** 肩甲難産による上腕神経麻痺（エルプ麻痺）が疑われる
・内反足，外反足ではないかを観察する	▶両下肢の足底が合わさるように内側に向かい合っていないか，逆に，足底が反り合うように外側に向いていないかを観察する **根拠** 内反足や外反足が疑われる．原因は子宮内の姿勢によることが多く，用手的に容易に正常域に戻せる範囲なら自然に回復するため様子をみる
・多指症，合指症，欠損がないことを確認する 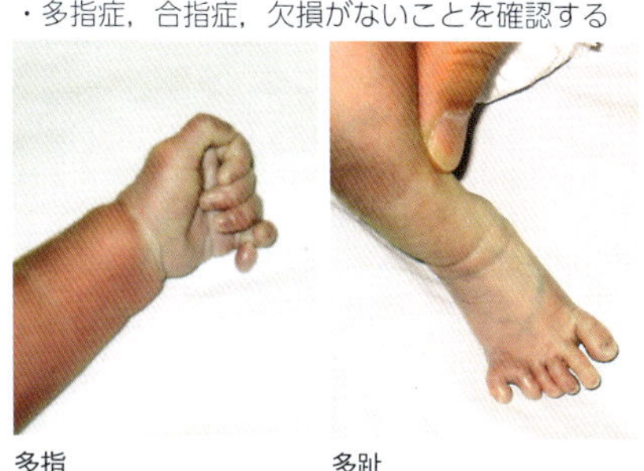 多指　多趾 〔写真提供：佐世正勝〕	▶手足の指が5本ずつあるか確認し，多指症，合指症，欠損がないことを確認する．指の形や配列を観察する

要点	留意点・根拠
・手掌を開いて，しわをみる	コツ 指が開かない時は，新生児の小指側から看護師の示指を入れていくと手掌が開くことが多い 根拠 手掌を横断するしわが1本の場合を単一手掌屈曲線(猿線)といい，ダウン症候群(21トリソミー)にみられる．健常児にみられることもある
・手足の爪の形や伸び方を観察する 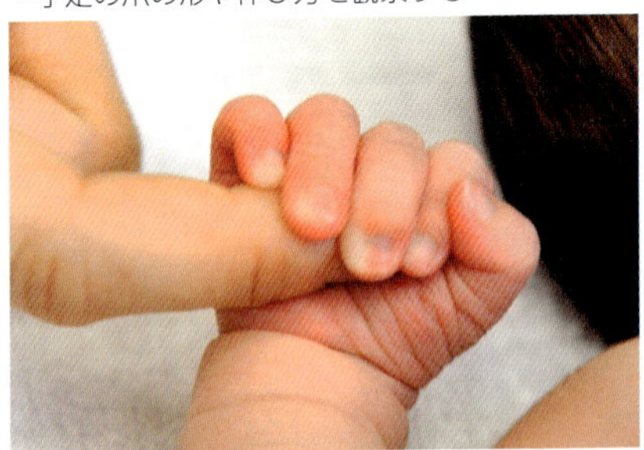 看護師の指を握らせて爪の形，伸び方を観察する	根拠 爪が指頭を越えるのは成熟徴候の1つである コツ 看護師の指を握らせるようにすると爪を観察しやすい
9 生殖器の観察を行う ①生殖器をみる	▶外陰部を観察し，外性器の形で性別を判断する 根拠 正しい性別の決定が，新生児の一生に重大な影響を及ぼす．生後すぐに判断し，迷う場合は直ちに専門医に相談する．精巣(睾丸)が触れれば男児と判断する 注意 性分化異常症(半陰陽)ではないか観察する
②男児の生殖器をみる 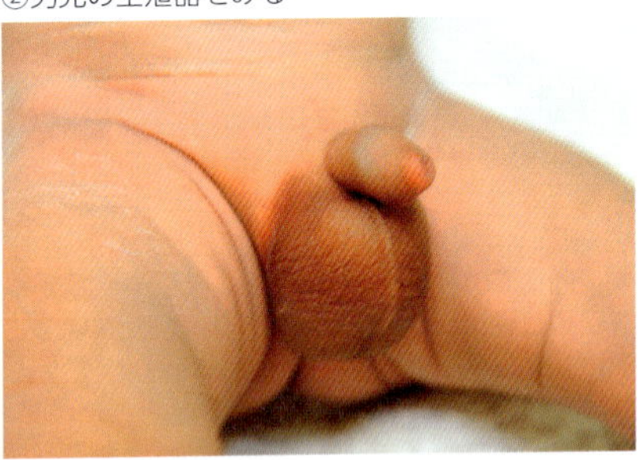 正常な男児の生殖器	▶陰茎の長さ，陰嚢(のう)の形や大きさ，しわ，左右差を観察する ▶成熟児の場合，陰嚢の長さは約3 cmである．陰嚢にしわが少なくむくんだような状態の場合，陰嚢水腫が疑われる．後ろ側からライトで照らし，光の透過性を見て(透光試験)，ヘルニアと鑑別する．陰嚢水腫の場合，1年以内に自然に治癒する ▶陰嚢が極端に小さい場合は停留精巣が疑われる
③女児の生殖器をみる	▶大陰唇が小陰唇を覆っているか，性器出血や帯下がないか観察する 根拠 大陰唇が小陰唇を覆うのは成熟徴候の1つである．性器出血や帯下は母体のエストロゲンの作用による消退性出血(新生児月経)で，自然に消失する

要点	留意点・根拠
10 肛門の観察を行う ①肛門をみる 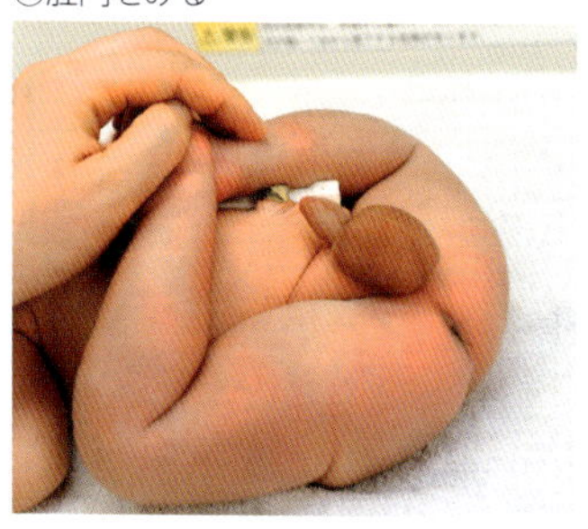 正常な肛門	▶肛門があるかどうか，排便の有無と同時に観察する **注意** 外見上，正常に見える膜様閉鎖の場合もあるので，排便が確認されるまで観察する 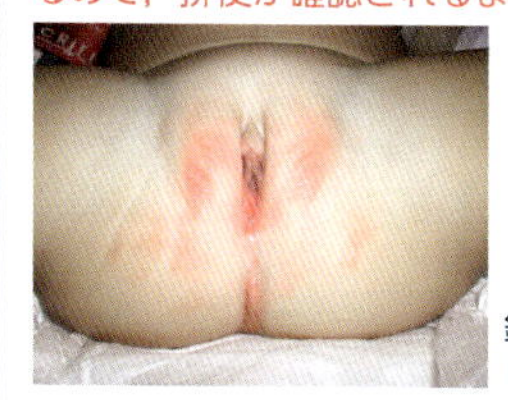 鎖肛 〔写真提供：河崎正裕〕
11 便・尿の性状の観察を行う ①便の性状を観察する 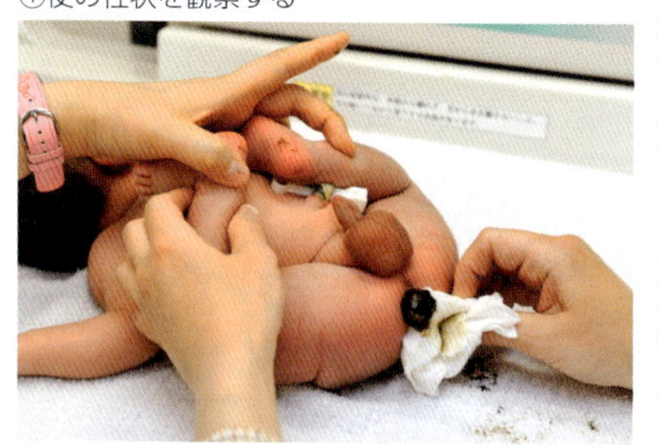 胎便（※実際のおむつ交換時は手袋を装着する）	▶おむつの中に排泄された便の色，性状，臭い，量，混入物の有無を観察する ▶初回排便は通常生後24時間以内にみられ，初めは胎内で取り込んだ羊水や胆汁色素，腸内分泌物などを成分とした胎便といわれる暗緑色の粘稠(ねんちゅう)な便でほぼ無臭である．その後，哺乳が進むのに伴い，2～3日頃には黄緑色の移行便，4～5日以降は黄色の普通便となる **注意** 哺乳状況により，便の性状の変化には個人差がみられる
②尿の性状を観察する	▶おむつの中に排泄された尿の色，性状，量を観察する ▶初回排尿は通常生後24時間以内にみられる．新生児の尿は淡黄色であるが，生後間もなくオレンジ色～赤色の混じった尿（尿酸塩が混じった尿，レンガ尿ともいわれる）が排泄されることもあるが，自然に消失する
12 評価，記録し，使用物品の後始末をする ①観察した結果をアセスメントし，状態を判断する ②結果を記録する ③後片づけをする ④看護師は手洗いをする	▶触診・聴診で得た結果とあわせて総合的に判断し，異常が疑われれば専門医と連携してケアにあたる ▶観察，判断の結果を記録する ▶使用したラジアントウォーマーの電源を切り，アルコール消毒する **事故防止のポイント** 感染防止に努める

文献

1）仁志田博司：新生児学入門　第5版，pp.45-56，医学書院，2018
2）医療情報科学研究所編：病気がみえる vol.10 産科　第4版，p.239，255，メディックメディア，2018

2 視診

2 | 成熟度の診断

大林 陽子

目的 新生児の成熟徴候を確認し，新生児が在胎週数に相応する生理的・機能的・形態的発育を遂げているか診断する助けとする.

チェック項目 身体計測値(体重，身長，頭囲)，神経学的所見(筋の緊張度と関節の柔軟度)，身体外表所見(皮膚，耳介，乳房，外陰，足底)

適応 分娩予定日からの在胎週数に比べて新生児の発育・発達状態に差が認められる，妊娠初期の超音波検査による分娩予定日の算出がなされていなかったなど，身体計測値，理学的検査法を用いた評価法による在胎週数の推測が必要な新生児

注意 診察によって新生児に不適切な身体侵襲を与えないように気をつける．日齢による変化をふまえて評価する.

禁忌 新生児の状態が悪い場合(新生児の状態改善を優先する)

事故防止のポイント 清潔操作遵守による感染防止，診察中の新生児の転落防止，適切な技術による新生児への身体侵襲防止

必要物品 ラジアントウォーマー，バスタオル，記録用紙，筆記用具

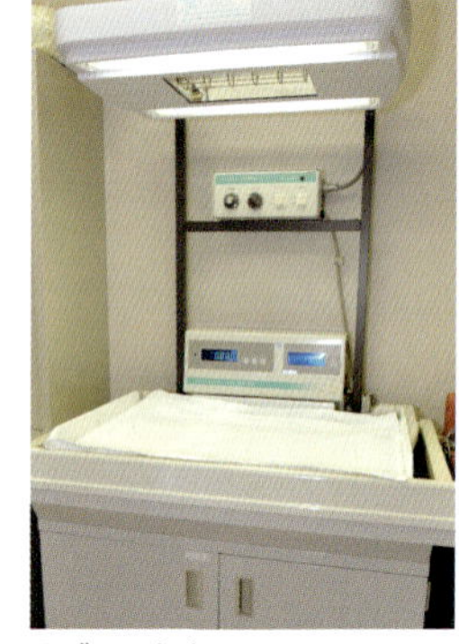

ラジアントウォーマー

手順

要点	留意点・根拠
1 環境・使用物品の準備を整える ①看護師は衛生学的手洗いをすませる ②観察する環境を整える	▶ p.403「第 4 章-1 【2】視診①全身の状態と便・尿の性状」参照
2 新生児の準備を整える ①事前に出生前，出生時の情報を確認する ②新生児の準備を整える	▶ p.403「第 4 章-1 【2】視診①全身の状態と便・尿の性状」参照
3 身体計測により成熟度を評価する ①身体計測値から在胎週数を推測する ※体重，身長，頭囲の測定技術については，p.432「第 4 章-1 【4】身体計測」参照 ②以下の項目について，在胎週数に比較して適切な発育であるか評価する	▶体重，身長，頭囲を測定し，在胎週数を推測する **根拠** 成熟度の判断のために正確な在胎週数を知る必要がある ▶身体計測値を在胎週数基準値にあてはめて，該当する週数相当の発育を遂げているか確認する ▶予想されていた在胎週数は正しいか評価する．新生児が正期産前後であれば，簡便な方法としてアッシャー Usher 法を用いて評価する

表1 出生時の迅速な在胎週数の評価(アッシャー法)

項目	36週以前	37〜38週	39週以降
足底のしわ	足底後3/4に1〜2本	足底前2/3	足底全体〜かかと
乳腺組織の大きさ	2 mm	4 mm	7 mm
頭髪	細かくふさふさ，縮れている	細かくふさふさ，縮れている	粗くしなやか，まっすぐ
耳介	軟骨なし	中等度の軟骨	厚い軟骨で硬い
精巣(睾丸)	小さくしわの少ない陰嚢(のう)に精巣部分下降	—	正常大でしわの深い陰嚢に精巣完全下降

要点	留意点・根拠
・足底のしわ	▶新生児の足底にあるしわの部位と程度を観察する(表1)

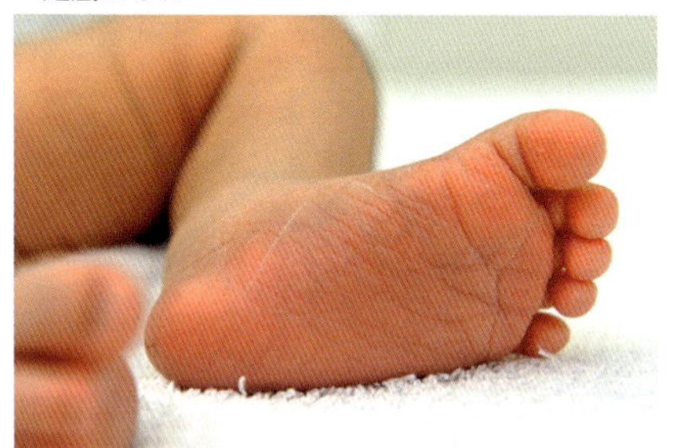
足底のしわを観察する

要点	留意点・根拠
・乳腺組織の大きさ	▶乳腺組織の大きさを観察する．乳輪周囲にやさしく触れて，乳腺組織と皮膚の境界を観察する

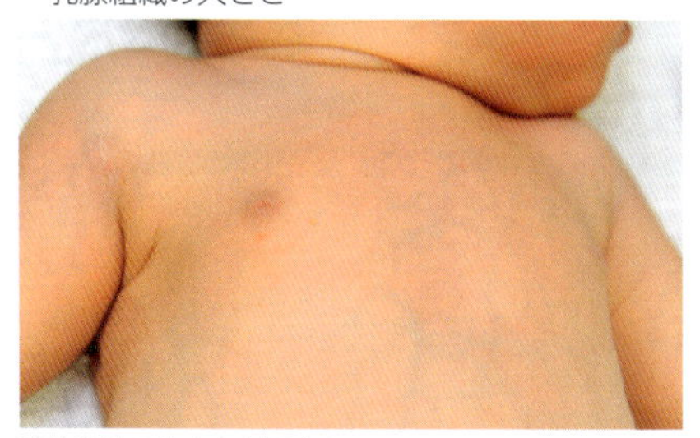
乳腺組織の大きさを観察する

要点	留意点・根拠
・頭髪 ・耳介	▶頭髪の太さ，量，縮れの程度を観察する ▶耳介の軟骨の有無と厚さの程度を観察する

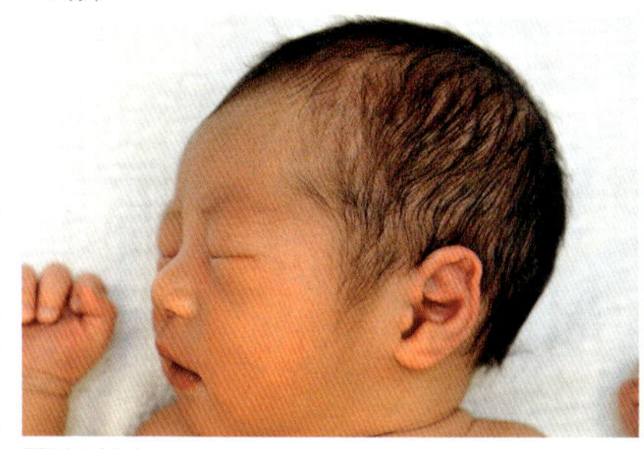
頭髪を観察する

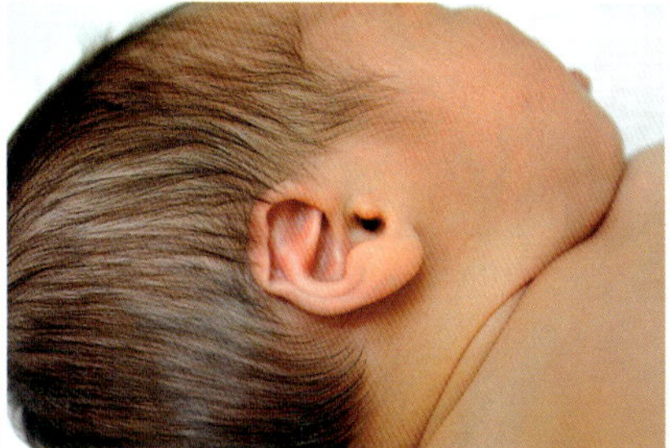
耳介を観察する

要点	留意点・根拠
・性器 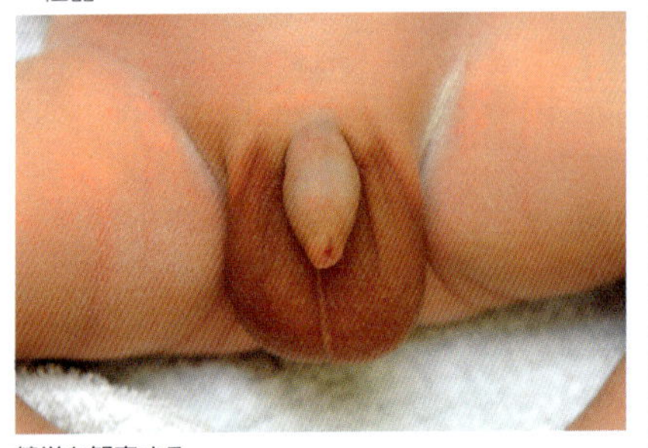 精巣を観察する	▶ 男児の場合，陰茎および精巣の大きさやしわの程度を観察する．陰嚢水腫の場合，陰嚢が腫れたように見え，ペンライトなどによる透光試験で全体が明るく見える．また停留精巣の場合，片側なら精巣の左右差があり，両方なら精巣が極端に小さいことがある ▶ 女児の場合，大陰唇と小陰唇の状態を観察する 根拠 大陰唇が小陰唇を覆っていれば，成熟徴候と判断できる
4 理学的検査による評価①神経学的所見（筋の緊張度と関節の柔軟度）による評価を行う	▶ 神経学的所見，身体外表所見は単独ではなく，両者を組み合わせた方法がより高い精度で在胎週数を推定できる
①新生児が安静であることを確認し，仰臥位に寝かせる ②バラード Ballard らの評価法の採点基準（p.422，図 1a）の一覧表の項目に基づいて，視診，触診を組み合わせて評価する	▶ 筋の緊張度は未熟であるほど低く，全身が軟らかい．一方，関節の柔軟性は未熟なほど硬い 根拠 分娩予定日に近づくにつれ，母体中に骨盤などの関節を軟らかくするホルモン（リラキシン）が増加し，それが新生児に移行するため，成熟児ほど関節が軟らかくなるといわれている．しかし生後 1 か月ころには関節は硬くなる 注意 診察により新生児への不適切な身体侵襲を与えないよう，正確な方法で行う
1）姿勢 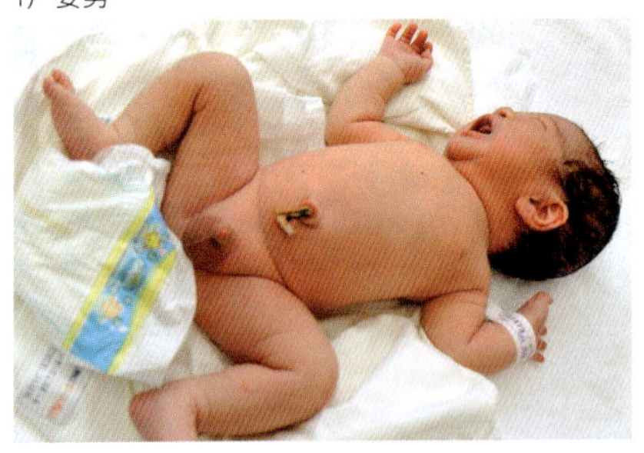	▶ 視診により新生児の姿勢（四肢の屈曲の度合いや左右対称性）を観察する
2）手の前屈角 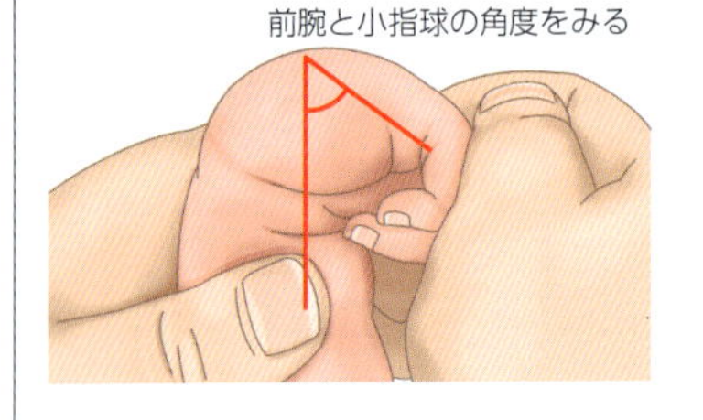 	▶ 母指と示指で新生児の手を前腕の方向へ十分屈曲させるように圧力を加えた時，前腕と小指球（小指側のふくらんだ部位）の角度を観察する

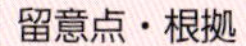

要点	留意点・根拠
3）足首の背屈	▶新生児の足底に母指を当て，他の指を新生児の脚の背面に置いて，足を脚の前面に向けて屈曲させた時，足関節の背屈の程度を観察する

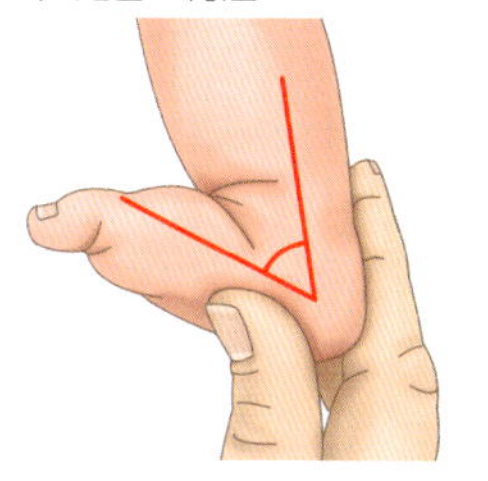

要点	留意点・根拠
4）腕の戻り反応	▶新生児の腕を5秒間屈曲させた後，両手を包み込むようにして引っ張って十分に伸展させ，それから手を離す．この時，上肢の動きを観察し，肘関節の屈曲の程度を観察する

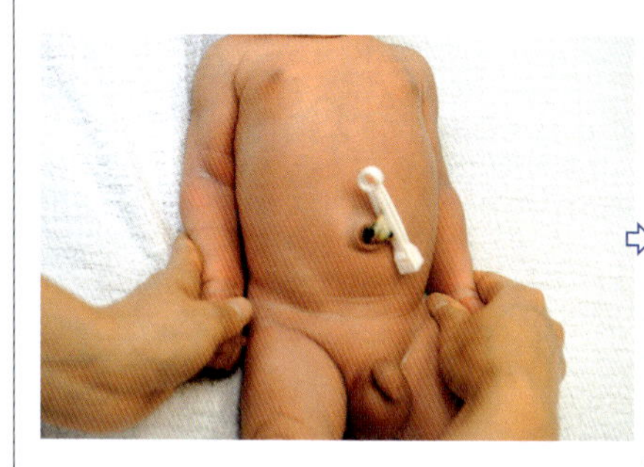

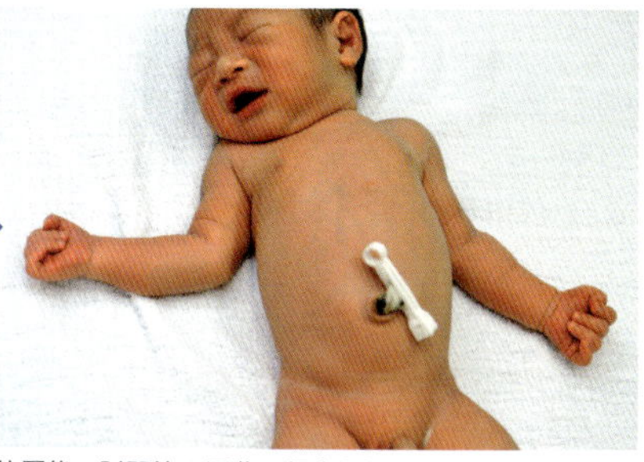

伸展後，肘関節の屈曲の程度をみる

要点	留意点・根拠
5）脚の戻り反応	▶新生児の股関節と膝関節を両手で同時に完全に5秒間屈曲させ，次に脚を引っ張って下肢を伸展させた後，手を離す．この時，下肢の動きを観察し，股関節と膝関節の屈曲の程度を観察する

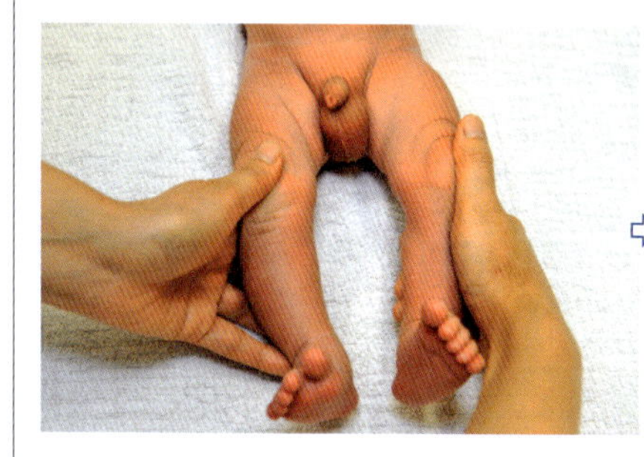

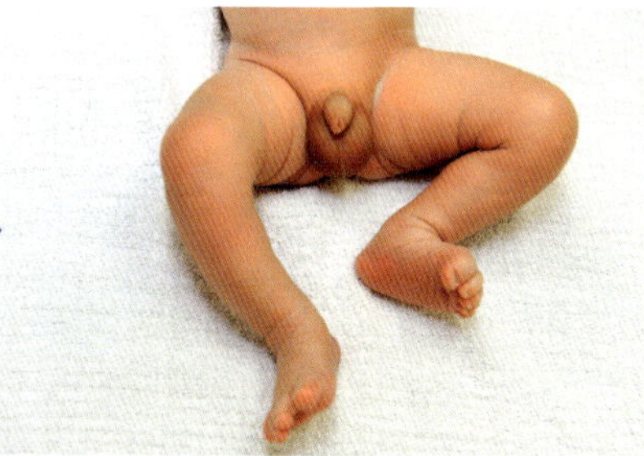

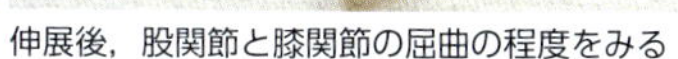

伸展後，股関節と膝関節の屈曲の程度をみる

要点	留意点・根拠
6）膝窩角 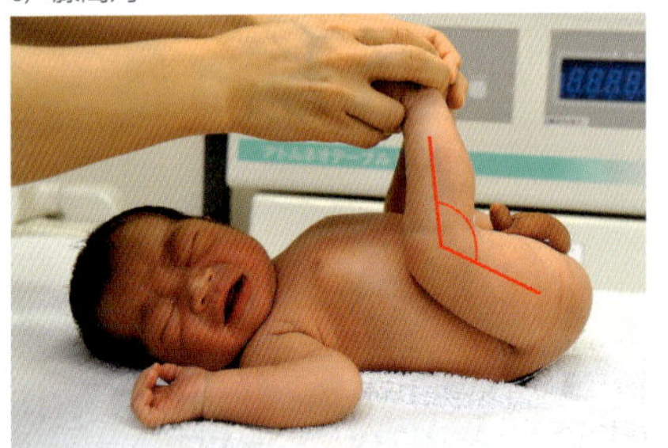 膝窩の角度をみる	▶ 左の母指と示指で新生児の大腿を胸壁につけて膝胸位にした後，右の示指で足関節の後部を圧迫して下肢を伸展させる．この時，膝窩の角度を観察する
7）かかと-耳	▶ 新生児の足を持って，頭部に近づけ，足と頭の距離，膝の伸展の度合いを観察する
8）スカーフ徴候 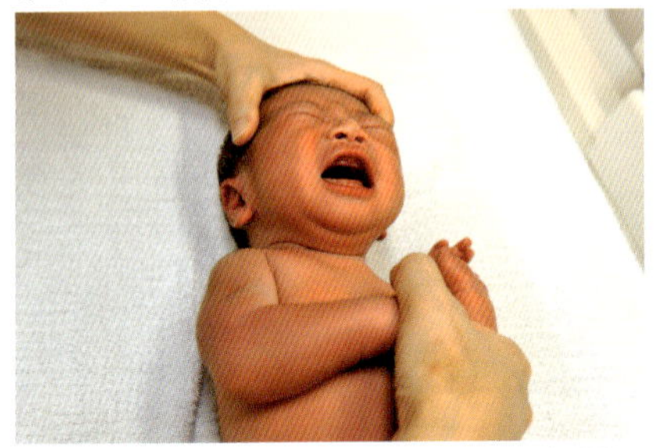 一方の手首を反対側の肩に巻きつけるように引っ張る	▶ 新生児を仰臥位にして顔を正面に向けた状態で，一方の手首をつかみ，首に巻き付けるようにして反対側の肩の後方に持っていく．この時の肘の位置を正中線を基準にして観察する **根拠** 筋トーヌスの低下がある場合，腕が首にぴったりと巻きつくので，スカーフ徴候陽性という
9）頭部の遅れ 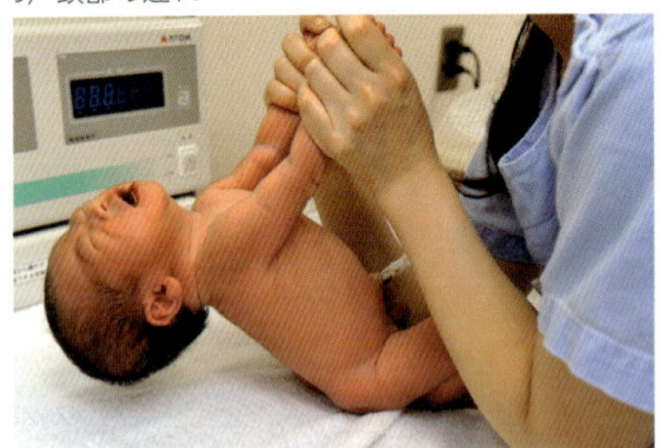 座位に引き起こした時の体幹と頭部の位置関係をみる	▶ 新生児を仰臥位にして両手を握り，ゆっくりと座位に引き起こす．この時，頭部と体幹の位置関係について，頭部が後ろに垂れるのか，頭部を体幹より前に出すのか，その程度を観察する

要点	留意点・根拠
10) 腹位水平宙づり 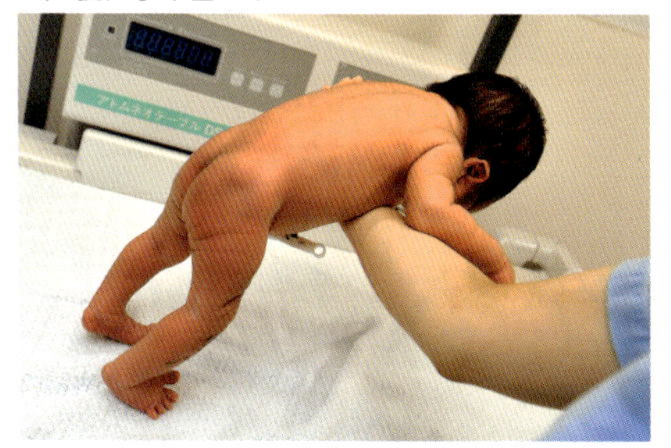	▶新生児を腹臥位に寝かせ，胸の下に手を当てて持ち上げる．この時，背部の伸展の程度，上肢と下肢の屈曲の程度，頭部と体幹の位置関係を観察する
③新生児に終了を伝え，衣服を整えてベッドに寝かせ，掛け物をかける	根拠 安全を保ち，保温に努め，低体温を防ぐ
5 理学的検査による評価②身体外表所見による評価を行う ①新生児が安静であることを確認し仰臥位に寝かせる ②バラード Ballard らの評価法の採点基準(p.422，図 1b)の一覧表の項目に基づいて，身体外表所見(皮膚，耳介，乳房，外陰，足底)による評価を行う	
1) 浮腫	▶手足に明らかな浮腫がないか視診と触診により観察する．下腿の脛骨部を母指と示指の指腹で軽く圧迫して圧痕が残らないか観察する
2) 皮膚の構造	▶皮膚の状態を視診と触診により観察する．皮膚の薄さと厚さ，皮膚の表皮剥離や亀裂の有無と程度を観察する
3) 皮膚の色 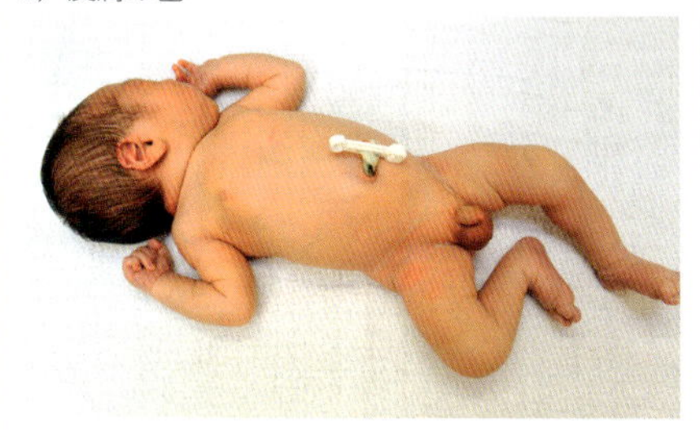	▶全身の皮膚の色を観察する．手掌や足底，耳や口も観察する
4) 皮膚の(不)透明度(体幹)	▶皮膚の透明度を観察する．体幹に静脈，細静脈がどの程度みられるか，腹壁に数本の大きな血管がどの程度みられるか観察する

要点	留意点・根拠
5）うぶ毛（背部） 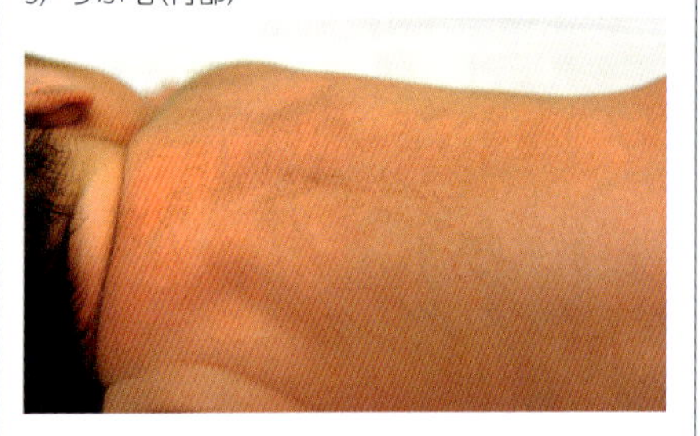	▶ 背部のうぶ毛の部位と程度を観察する
6）足底のしわ 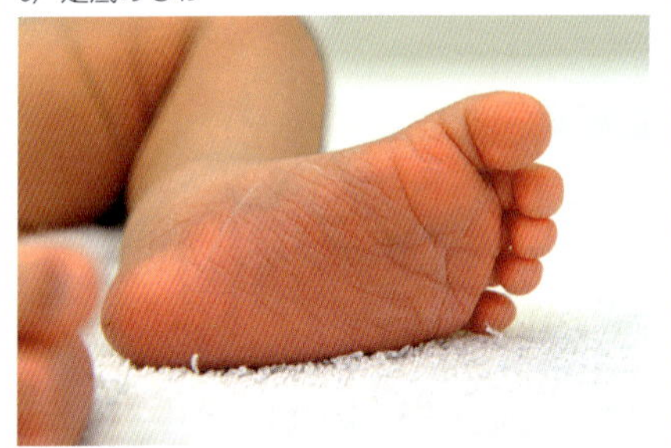	▶ 足底に赤い線や陥没線がみられる場合，その部位と程度を観察する
7）乳頭の形成	▶ 乳頭と乳輪の大きさ，乳頭の隆起の有無，乳輪の辺縁の隆起の有無を観察する
8）乳房の大きさ	▶ 乳腺組織が触れるかどうか触診により観察する

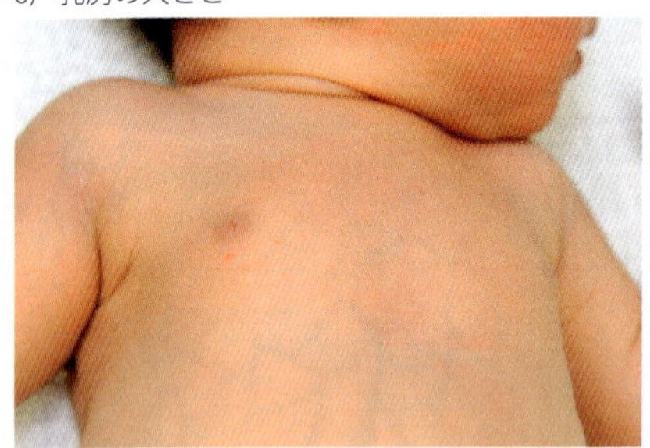

乳頭の形成

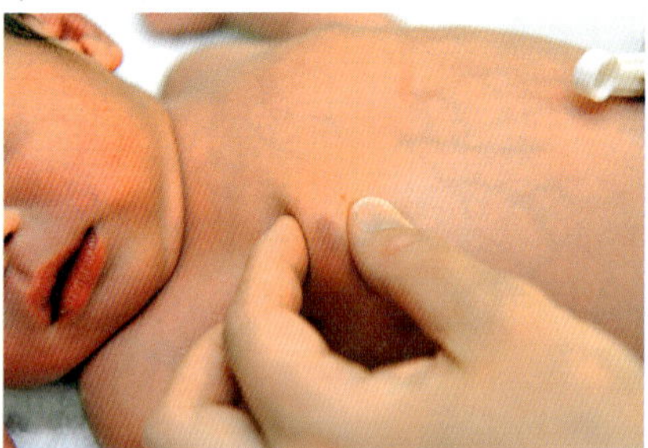

乳房の大きさ

要点	留意点・根拠
9）耳の形 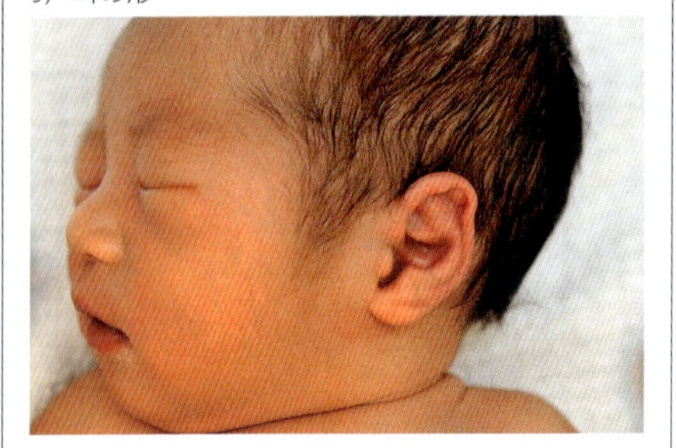	▶ 耳介が平坦か，耳介の上部全体が十分に内彎曲しているか観察する

要点	留意点・根拠
10）耳の硬さ 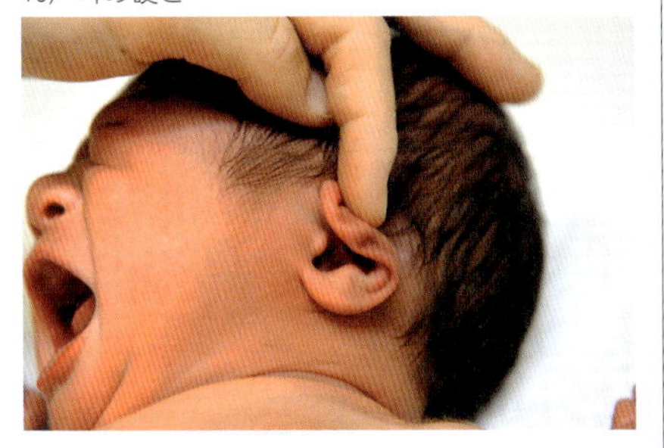	▶耳介の硬さを触診により観察し，辺縁まで軟骨があるか確認する．また，耳介が軟らかい場合，折り曲げられるか確認し，その後，手を離して元の形に戻るかどうか，また，戻る速さを観察する
11）性器（男児・女児） 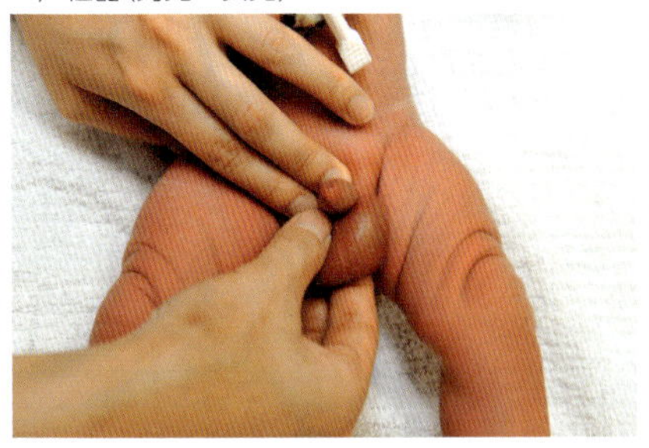	▶男児の場合，停留精巣の有無と程度を触診により観察する．女児の場合，大陰唇が小陰唇を覆っているか，小陰唇が露出していないか観察する
③新生児に終了を伝え，衣服を整えてベッドに寝かせ，掛け物をかける	▶新生児に終了を伝え，ねぎらいの言葉をかける．衣服を整え，ベッドに寝かせて掛け物をかける 根拠 安全を保ち，保温に努め，低体温を防ぐ
6 記録，評価をし，使用物品の後始末をする ①観察した結果をアセスメントし，状態を判断する	▶観察で得た結果を採点し，在胎週数を推定する．総合的にアセスメントし，成熟度を判断する 注意 生後5日以降の新生児は正しい評価の対象とはならない．身体外表所見は日齢により変化する，特に皮膚の所見は生後3日以降は不正確になることをふまえておく
・在胎期間別出生時体重標準曲線を用いて，在胎週数に対する出生体重を評価し，相当体重児であるか確認する ・専門医と連携する必要があるかを判断する	根拠 これらの結果を総合的に判断する
②結果を記録する	▶観察，判断の結果を記録する
③後片づけをする	▶使用したラジアントウォーマーの電源を切り，アルコール消毒する
④看護師は手洗いをする	事故防止のポイント 感染防止に努める

●文献

1）横尾京子編：助産学講座8　助産診断・技術学Ⅱ［3］新生児期・乳幼児期，pp.41-43，医学書院
2）仁志田博司：新生児学入門　第5版，pp.33-36，医学書院，2018

a．神経学的所見

	−1	0	1	2	3	4	5
姿勢		腕も脚も伸展	股関節，膝関節でわずかに屈曲	脚がより強く屈曲	腕も屈曲	腕も脚も屈曲	
手の前屈角	>90°	90°	60°	45°	30°	0°	
腕の戻り		伸展したまま 180°	140°〜180°	110°〜140°	90°〜110°	<90°	
膝窩角	180°	160°	140°	120°	100°	90°	<90°
スカーフ徴候							
かかと-耳							

b．身体外表所見

	−1	0	1	2	3	4	5
皮膚	浸潤している もろく，透けてみえる	ゼラチン様 紅色で半透明	滑らかで，一様にピンク 静脈が透けて見える	表皮の剥離または発疹 静脈はわずかに見える	表皮の亀裂 体の一部は蒼白 静脈はほとんど見えない	厚く，羊皮紙様 深い亀裂 血管は見えない	なめし革様 亀裂 しわが多い
うぶ毛	なし	まばら	多数密生	うすくまばら	少ない うぶ毛のない部分あり	ほとんどない	
足底表面 足底部のしわ	足底長 40〜50 mm：−1 <40 mm：−2	足底長 >50 mm なし	かすかな赤い線	前 1/3 にのみ	前 2/3 にあり	全体にしわ	
乳房	わからない	かろうじてわかる	乳輪は平坦 乳腺組織は触れない	乳輪は点刻状 乳腺組織は 1〜2 mm	乳輪は隆起 乳腺組織は 3〜4 mm	完全な乳輪 乳腺組織は 5〜10 mm	
眼/耳	眼裂は融合している ゆるく：−1 硬く：−2	眼裂開口している 耳介は平坦で折り重なったまま	耳介にわずかに巻き込みあり 軟らかく折り曲げるとゆっくり元に戻る	耳介に十分な巻き込みあり 軟らかいが折り曲げるとすぐに元に戻る	耳介に十分な巻き込みあり 硬く，折り曲げると瞬時に元に戻る	耳介軟骨は厚く 耳介は十分な硬さあり	
性器（男児）	陰囊部は平坦で表面は滑らか	陰囊内は空虚 陰囊のしわはかすかにあり	精巣は上部鼠径管内 陰囊のしわはわずかにあり	精巣は降下 陰囊のしわは少ない	精巣は完全に下降 陰囊のしわは多い	精巣は完全に降下し，ぶらさがる． 陰囊のしわは深い	
性器（女児）	陰核は突出 陰唇は平坦	陰核は突出 小陰唇は小さい	陰核は突出 小陰唇はより大きい	大陰唇と小陰唇が同程度に突出	大陰唇は大きく 小陰唇は小さい	大陰唇が陰核と小陰唇を完全に覆う	

評点

スコア	週数
−10	20
−5	22
0	24
5	26
10	28
15	30
20	32
25	34
30	36
35	38
40	40
45	42
50	44

Ballard JL, et al : New Ballard score, expanded to include extremely premature infants. J Pediatr 119(3) : 417-423, 1991

図 1　身体外表所見と神経学的所見による成熟度の評価法（New Ballard 法）

3 触診

大林 陽子

目的 新生児の状態を観察し，健康状態，発育状態，生理的変化について正常な経過をたどっているかを把握・診断し，異常の早期発見および対処，危険の予測とその回避に役立てる．

チェック項目 頭部，頸部，胸部，腹部，四肢，生殖器，原始反射

適応 新生児

注意 診察によって新生児に不適切な身体侵襲を与えないよう気をつける．観察に適した時間に行う．哺乳直後の腹部触診などは望ましくない．

禁忌 新生児の状態が悪い場合（新生児の状態改善を優先する）

事故防止のポイント 清潔操作遵守による感染防止，診察中の新生児の転落防止

必要物品 ラジアントウォーマー，バスタオル，記録用紙，筆記用具

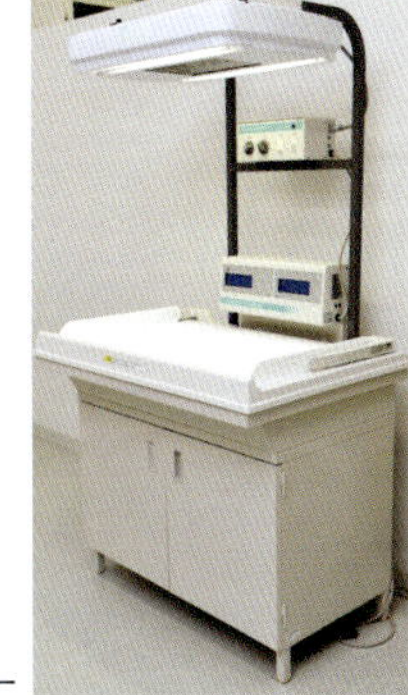

ラジアントウォーマー

手順

要点	留意点・根拠
1 環境・使用物品の準備を整える ①看護師は衛生学的手洗いをする	**根拠** 新生児は免疫能が不十分なため感染しやすく重篤になりやすいので，感染防止は重要である
②観察する環境を整える ・外界からの影響が少ない環境を整える	▶騒音のない静かで明るい部屋（500 ルクス程度）で，新生児への外界からの影響を最小限にした環境を整える．新生児の安静時に観察するため，授乳後や啼泣（ていきゅう）後は避け，刺激やストレスのない環境で行う
・室温などを調整する	▶室温 25～26℃，湿度 50～60% に調整する **根拠** 新生児は体温調節機能が未熟で環境による影響を受けやすく，室温が低いと低体温，室温が高いと体温の上昇を招きやすい
・ラジアントウォーマーを温めておく	**根拠** 新生児を裸にして全身を観察するので新生児が低体温にならないよう，あらかじめ保温する ▶同時に使用するバスタオルも温めておく
2 新生児の準備を整える ①事前に出生前，出生時の情報を確認する	▶事前に母児のハイリスク因子に関する情報を確認する．特に，在胎週数，母体糖尿病児，胎児発育不全，早産児，前期破水など．妊娠中の母体合併症の有無，分娩経過の異常の有無（前期破水や羊水混濁，胎児機能不全の有無）は重要である **根拠** 現在の新生児の状態がハイリスク因子によるものなのか，分娩後に生じたものなのかを判断する助けとなる

要点	留意点・根拠
②新生児の準備を整える 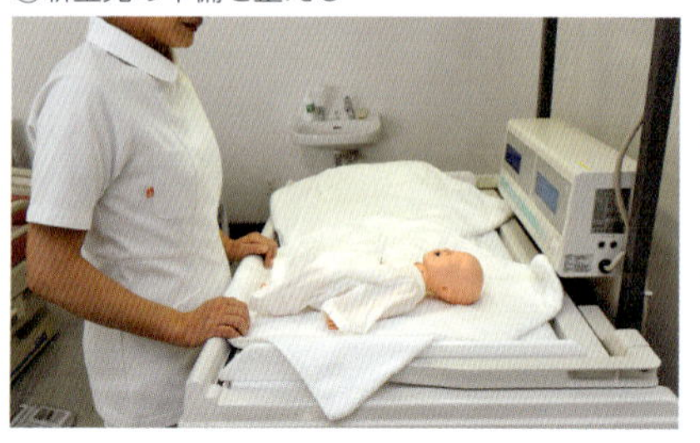	▶ 新生児の空腹時および哺乳直後を避ける 根拠 空腹時は啼泣して活動しがちとなり，哺乳直後は新生児の胃の特徴により少しの体動でも溢(いっ)乳や嘔吐をしやすい状態にある 事故防止のポイント 新生児の転落防止のため，診察中は新生児のそばを離れない．また，目を離さないように気をつける
・衣服を取り外し，上半身を裸にして，バスタオルをかける	根拠 保温に努める コツ 新生児の安静を妨げないよう，衣服はやさしく取り外す
 動画 4-2 **3 頭部の観察を行う** ①頭部が観察しやすいよう，新生児の上体を少し持ち上げる 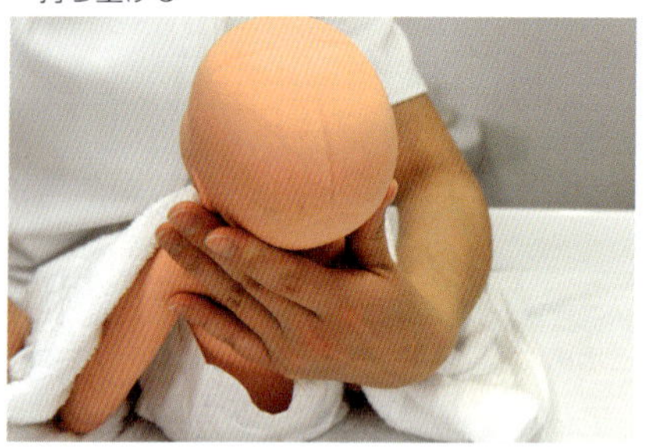	▶ 新生児の上体を少し持ち上げて，頭部全体が観察できるようにする コツ 触診は看護師の利き手で行う．反対側の手掌全体で後頭結節から肩甲あたりを支え，安定させる
②骨縫合と骨重積の状態を観察する ・骨縫合の離開がないか観察する	▶ 矢状縫合，冠状縫合，人字縫合(ラムダ縫合)を触れながら，骨縫合の離開がないか観察する ▶ 矢状縫合の離開は 1 cm 以内の場合は生理的範囲とする．冠状縫合や人字縫合が開いている場合は頭蓋内圧の亢進を疑う 注意 骨が軟らかいので，指で強く圧迫しないようにする

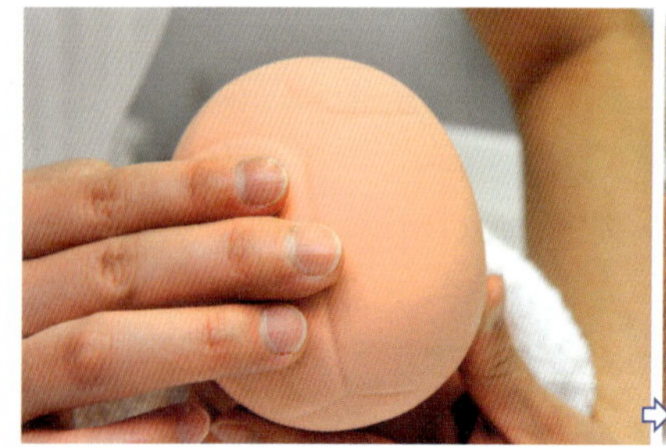

示指，中指，環指の指腹を頭頂部に水平にやさしく当てて矢状縫合を把握する

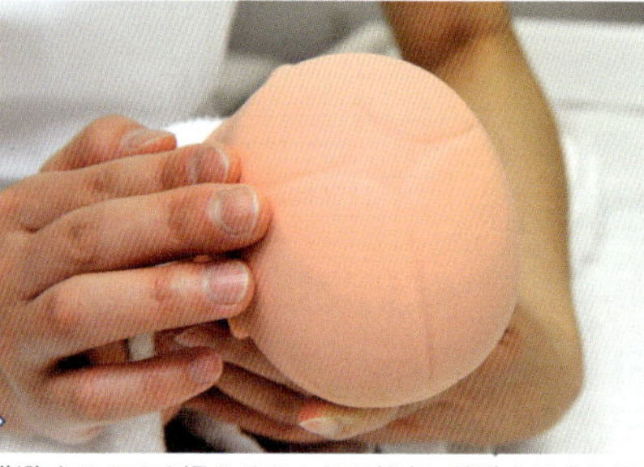

指腹をそのまま滑らせるように前方へ移動させると冠状縫合が触れる

要点	留意点・根拠
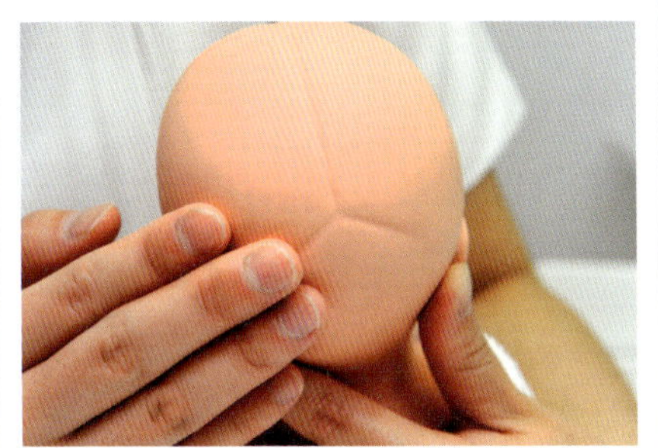 指腹を後頭へ移動させると人字縫合（ラムダ縫合）が触れる	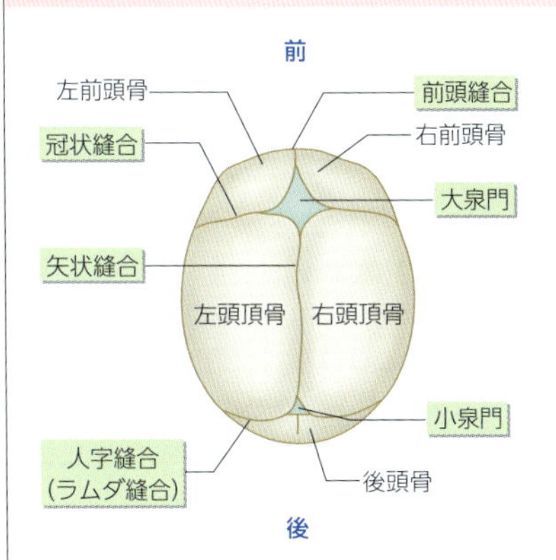
・骨重積の有無を観察する	▶ 矢状縫合を確認し，示指，中指，環指の指腹を児頭に水平に当てて，やさしく左右にずらしながら骨重積の有無を観察し，右上か左上か判断する　根拠 骨重積は産道通過時の圧迫で生じ，分娩時の胎向が第1胎向の場合は右上に，第2胎向の場合は左上に重なり，その強さで産道通過の難易度が推察できる
③大泉門，小泉門の状態を観察する ・大泉門を観察する 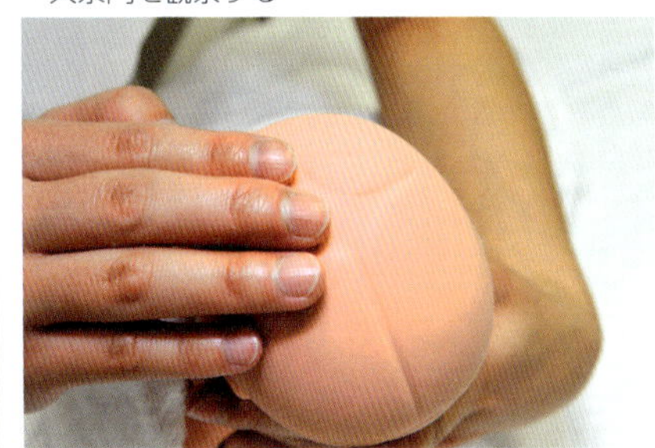 大泉門を観察する	▶ 示指，中指，環指の指腹で矢状縫合を触れて前方にすべらせながら移動し，三角形様に広がる菱形の皮膚様の軟らかい部分（大泉門）が触れるか観察する．大泉門の部分をやさしく指腹をすべらせながら平坦であるか確認し，膨隆や陥没の有無を観察する　根拠 大泉門は菱形で約2 cm径の大きさで，発育に伴い生後1歳6か月頃に閉鎖する　注意 大泉門が大きく開き，膨隆している場合は頭蓋内圧が高く，水頭症や脳浮腫が疑われる．閉じている場合は頭蓋骨早期癒合症や小頭症，陥没している場合は脱水が疑われる
・小泉門を観察する 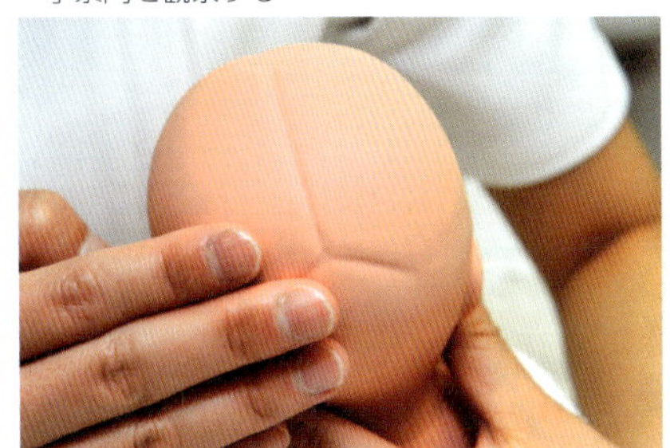 小泉門を観察する	▶ 示指，中指，環指の指腹で矢状縫合を触れて後方にすべらせながら移動し，矢状縫合から人字縫合が触れるあたりで三角形様に広がる部分（小泉門）が触れるか観察する ▶ 小泉門は生後3〜6か月頃に閉鎖するが，出生時に閉じていても正常である

表1　産瘤と頭血腫の比較

	産瘤	頭血腫
出現時期	分娩直後	生後2～3日
出現部位	児頭先進部	児頭先進部が多いが限定されない．複数個のこともある
骨縫合との関係	骨縫合線を越えうる	骨縫合線を越えない
波動	触れない	触れる
消失時期	生後2日まで	時間がかかる．生後1か月以上消失しないことが多い

要点	留意点・根拠
④産瘤，頭血腫，帽状腱膜下血腫の観察をする（頭部全体をみたのち，手掌全体で頭部を覆うようにやさしく触れる）	▶産瘤は頭頂から後頭付近に伸びてむくんだように触れる．出生時から確認でき，生後24～48時間以内にほぼ消失する **根拠** 産道通過時の圧迫によりできた先進部の皮膚の浮腫とうっ血である ▶頭血腫は左右の側頭付近に部分的にふくらみが触れる．生後2日以降に生じることが多い **根拠** 産道の圧迫で頭蓋骨から骨膜が剝離して，頭蓋骨と骨膜の間に生じた血腫である ▶帽状腱膜下血腫は出生後12～24時間以降に発症する **根拠** 帽状腱膜と頭蓋骨の間に生じた血腫であり，血腫が限局することなく頭蓋全体に及ぶことで頭血腫と鑑別する
 動画 4-3 **4 頸部，胸部の観察を行う** ①胸鎖乳突筋の緊張，腫瘤を観察する 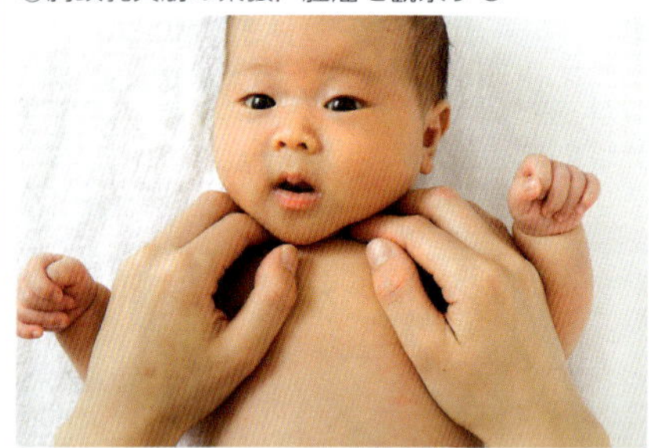 左右の胸鎖乳突筋に指腹全体で触れて観察する	▶左右の胸鎖乳突筋に沿って指腹全体で触れ，しこり（腫瘤）が触れるか確認する．腫瘤がある場合，新生児は腫瘤のない方を向くようになり，腫瘤側に向けても抵抗があることが多い **根拠** しこりが触れれば筋性斜頸が疑われる．出生時に触れることはまれで，1か月健診で気づかれることが多い．自然に寛解する
②鎖骨骨折の有無を観察する 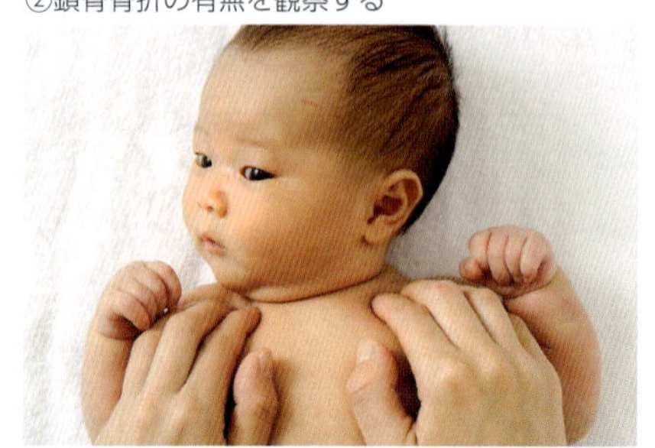 左右の鎖骨に指腹をすべらせるように触れて確認する	▶頸部中央の下にある左右の鎖骨に指腹を当てて，外側に向かって指腹をすべらせるように触れ，段差がないかを確認する **根拠** 骨折があると段差があり，押すとグズグズとした感触が触れる．肩甲難産に合併することが多いが難産でなくてもみられる．新生児は無症状で，多くは自然に寛解する

要点	留意点・根拠
5 腹部の観察を行う ①腹部を観察する ・おむつを外し，そのまま殿部に敷いておく	根拠 排便，排尿がみられた時，すぐに対処できる
・手で触れながら観察する 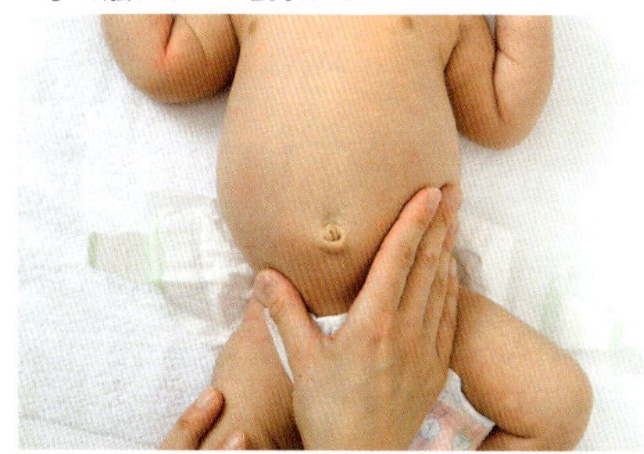 片方の手掌で腹部全体を覆うように触れながら観察する 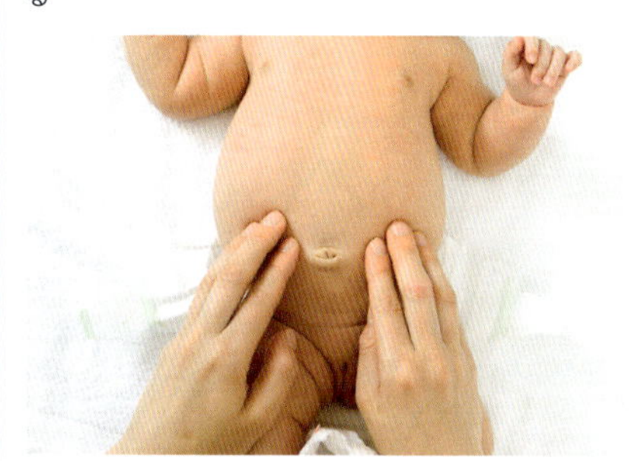 腹部全体を覆うように触れながら観察する	▶温かい手でゆっくりと腹部全体を覆うように触れ，腹部全体を両脇から軽くはさむようにしながら，腹筋の緊張や腹部の硬さ，波動の有無を観察する ▶示指と中指の指腹で腸の走行に沿って軽く圧迫する 根拠 腸蛇行部の一部に硬い部分が触れれば便の貯留，腹部の波動があれば腹水貯留，全体的に硬く触診時に顔をしかめたり啼泣すれば腹膜炎の可能性がある コツ 新生児の両足を少し持ち上げると腹筋が少し緩み触れやすい 注意 哺乳直後は触診により嘔吐を誘発しやすいので避ける ▶正常であっても肝臓は右季肋部で2〜3 cm 触れ，また，脾臓もその先端を触れる
6 四肢の観察を行う ①四肢を観察する 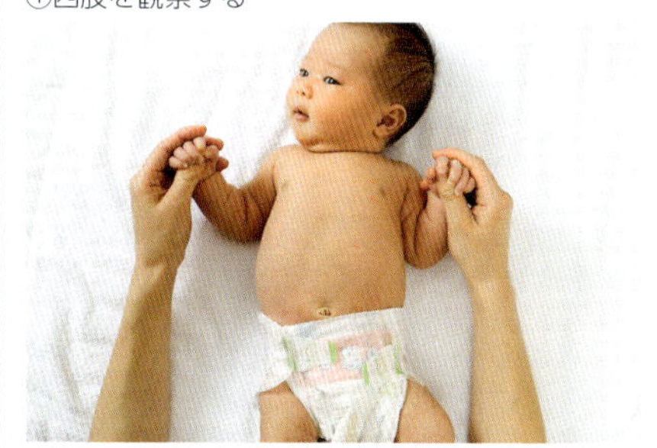 四肢を末端まで丁寧に触れて観察する	▶温かい手で四肢全体を末端（手掌と足底）まで丁寧に触れ，冷感がないか観察する 根拠 生後数日間は母体外生活への適応時期で，四肢の冷感がみられることもある
②骨折の有無を観察する	▶上肢に触れた時に痛がる表情や反応がないか，自発運動がみられるか観察する 根拠 まれに肩甲難産により上腕骨骨折を起こすことがあり，骨折を疑う

<table>
<tr><th>要点</th><th>留意点・根拠</th></tr>
<tr><td>

③股関節脱臼の有無を観察する

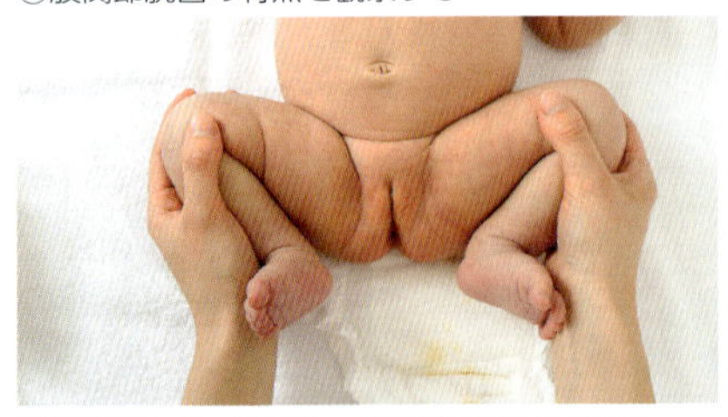

股関節をやさしく開排し，制限があるか観察する

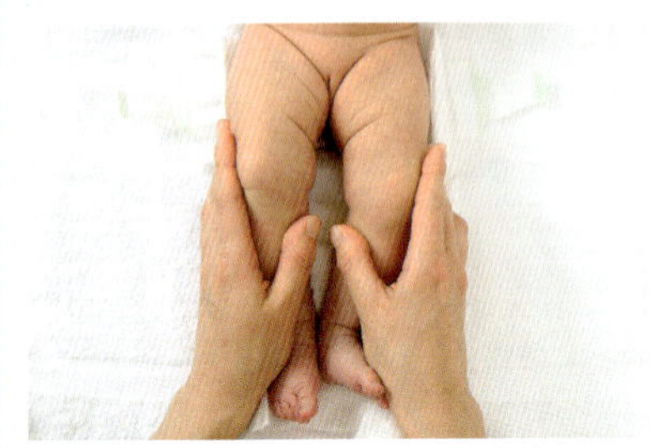

両下肢を伸展させて，大腿部のしわを観察する

</td><td>

▶ 両膝関節から下腿を両手で保持し，股関節を90度に屈曲する．あまり力を入れないで，両股関節を外側に向かって広げ，そのまま両下肢を伸展させる

注意 両股関節を外側に向かって広げた時，くりっとした感覚（クリックサイン）がないか観察する

注意 股関節が十分に開かない（開排制限），両下肢を伸展した時に長さに左右差があり，大腿部のしわが増加して深くなる時に，股関節脱臼が疑われる

▶ 正常股は屈曲外転外旋位をとるが，脱臼股では内転内旋である．両足を伸展させると脱臼側の大腿部のしわの数が増加し深くなる．膝の後ろの皮膚の線に左右差が出る

</td></tr>
<tr><td>

7 背部の観察を行う

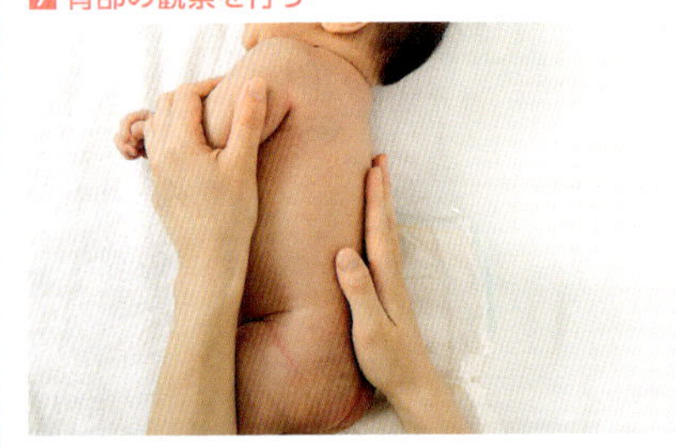

</td><td>

▶ 新生児を側臥位にして片方の手で支え，もう一方の手掌全体を背部の下方に当て，上方へ向けてなでるように触れながら，脊柱がまっすぐで彎(わん)曲がないか，異常な姿勢（ゆがみ）がないか観察する

</td></tr>
<tr><td>

8 生殖器の観察を行う

①停留精巣（睾丸）の有無を観察する

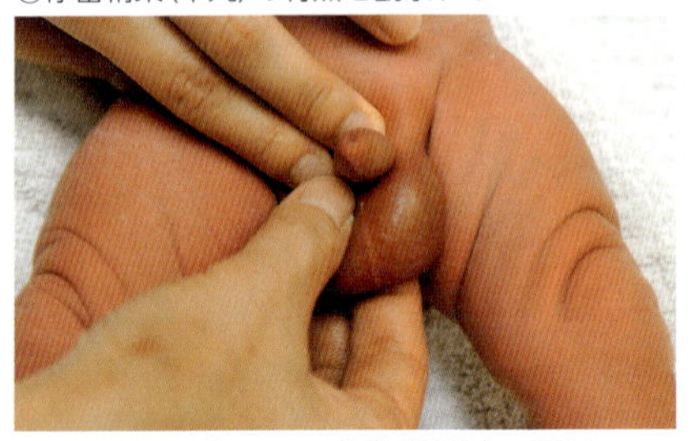

母指，示指，中指を用いて精巣が陰嚢内に下降しているかどうかを確認する

②観察が終わったら，おむつをつける

</td><td>

▶ 男児の場合，陰嚢(のう)に精巣が下降しているかどうか観察する．陰茎のすぐ脇にある陰嚢の片方を母指，示指，中指で包むようにやさしく持ち上げ，付け根から軽く押さえながら手前に引くと小さく硬い精巣が触れる．両方の精巣が陰嚢内に下降して触れるかどうかを確認する

▶ 出生直後から観察され，片側の場合は1年以内に下降する確率が高いのでそのまま様子をみるが，両側の場合は内分泌学的な治療や手術が必要になる

</td></tr>
</table>

要点	留意点・根拠
9 原始反射の有無を観察する ①原始反射を観察する時期を判断する	▶新生児の状態を判断し，睡眠を妨げないタイミングを選ぶ　**根拠** 反射は刺激により誘発される反応をみるものである．このため，新生児の睡眠時を避け，刺激による新生児へのストレスを加えない配慮が必要である
動画 4-4 ②モロー反射の有無を確認する ・新生児を仰臥位に寝かせて，片方の手掌で新生児の後頭から肩甲周辺を支えて上体を 45 度程度起こす ・支えた手を床（ベッド）側へ急に落とすような動作をして，直後に上体を支える	▶その際，新生児が両手を広げて抱きつくような動作をするか確認する．また，両手の手関節と指が内屈しているか確認する ▶反射がみられない場合，中枢神経の機能低下や末梢神経障害が疑われる．また，上肢の動きが左右対称でない場合，分娩麻痺や骨折が疑われる ▶反射は生後 4～5 か月で消失する **注意** 落差が大きいと新生児に過度の刺激を与えてしまうので，落差は最小限とする

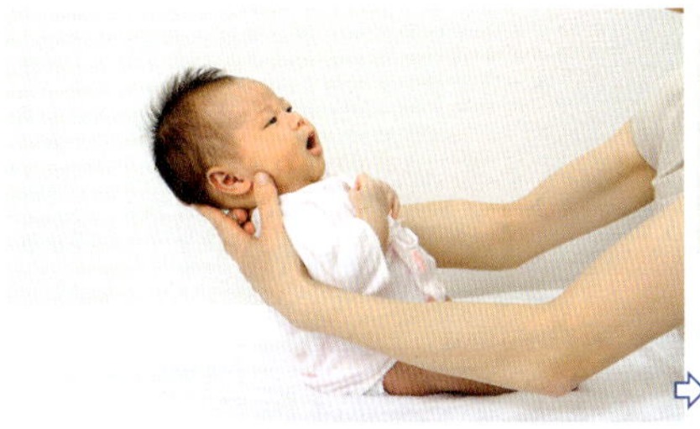

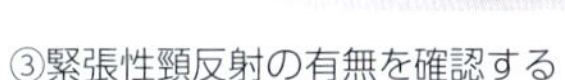

要点	留意点・根拠
③緊張性頸反射の有無を確認する	▶新生児を仰臥位に寝かせ，頭を左右どちらか一方に向け，頭が向いた側の上下肢が伸展し，反対側の上下肢が屈曲するか確認する ▶生後 4～5 か月で消失する

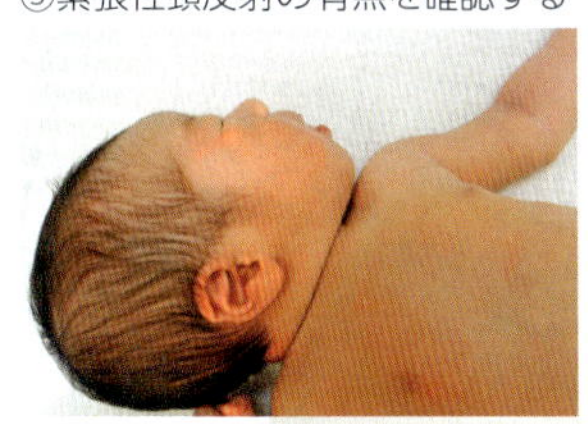

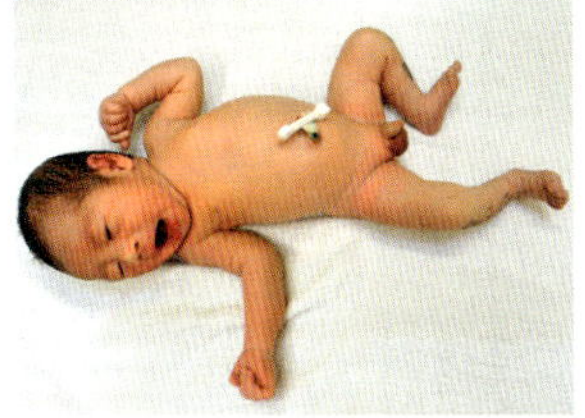

顔を向けた側の上肢と下肢が伸展，反対側が屈曲するか確認する

3 触診

要点	留意点・根拠
動画 4-5 ④口唇追いかけ(ルーティング)反射の有無を確認する  口唇，口角付近を指で軽く刺激して反射を確認する	▶新生児の口唇や口角付近を指で軽くつつくように刺激すると，刺激の方向に顔を向けて，口を開いて指をくわえようとするしぐさがあるか確認する 根拠 反射がみられない，または，弱い場合，脳幹障害や先天性筋疾患が疑われる ▶生後4～6か月で消失する
⑤吸啜(てつ)反射の有無を確認する 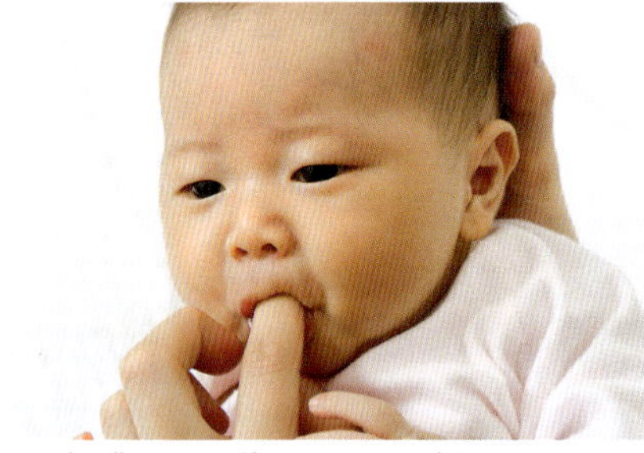 口の中に指を入れ，強く吸いつくか確認する	▶口の中に指や乳首を入れた時，強く吸いつくか確認する 根拠 反射がみられない場合，脳障害や上部脊髄損傷が疑われる ▶生後6か月頃に消失するが，それ以降もみられる場合，前頭葉障害が疑われる
動画 4-6 ⑥手掌把握反射の有無を確認する 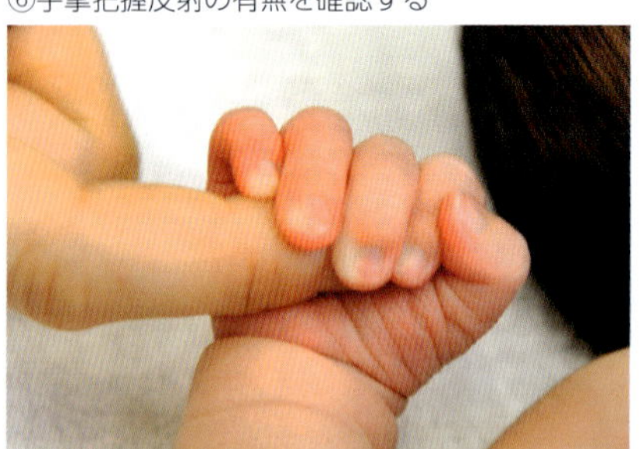 手掌に指を当て，その指を握るような動作がみられるか確認する	▶新生児の手掌に指を当てると，その指を握るような動作がみられるか確認する 根拠 反射がみられない場合，脳障害や上部脊髄損傷が疑われる ▶生後4か月頃に消失するが，それ以降もみられる場合，前頭葉障害が疑われる

要点	留意点・根拠
⑦足底把握反射の有無を確認する 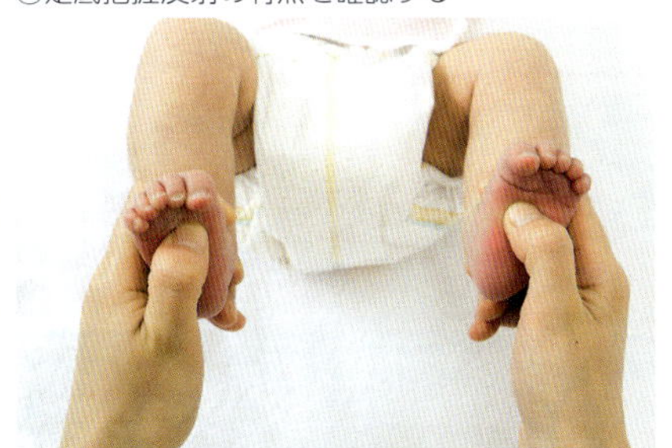 母趾球を指で圧迫し，全趾が屈曲するか確認する	▶新生児を寝かせて，片方の足を軽く固定し，母趾球を指で圧迫した時，全趾を屈曲する動作がみられるか確認する 根拠 反射がない場合，脳障害や二分脊椎などの脊髄障害，末梢神経障害が疑われる ▶生後 6 か月頃消失する
 動画 4-7 ⑧自動歩行反射の有無を確認する 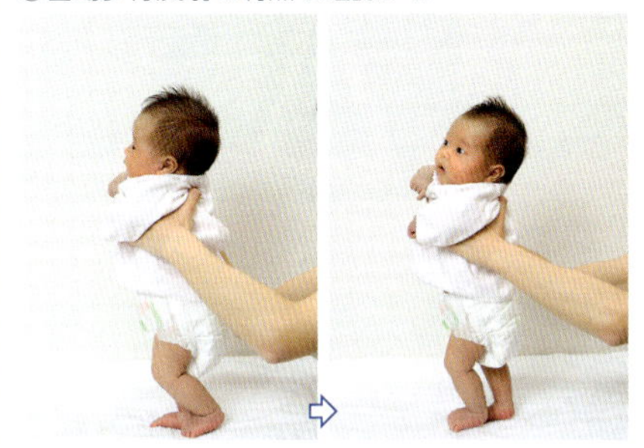 腋窩から両手を入れて抱きかかえ，立たせるようにして足底を床につけた時，下肢を交互に動かし，歩行するような動作がみられるか確認する	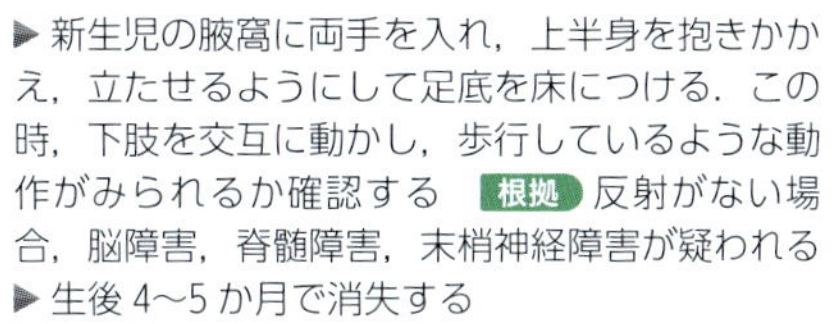 ▶新生児の腋窩に両手を入れ，上半身を抱きかかえ，立たせるようにして足底を床につける．この時，下肢を交互に動かし，歩行しているような動作がみられるか確認する 根拠 反射がない場合，脳障害，脊髄障害，末梢神経障害が疑われる ▶生後 4〜5 か月で消失する コツ 両手の母指球を新生児の背部に密着させるように当て，示指，中指，環指で前胸部を包みこむように把持すると新生児の頸部がある程度固定され，頸部が安定する
⑨新生児に終了を伝え，衣服を整えてベッドに寝かせる	▶新生児に終了を伝え，ねぎらいの言葉をかけ，衣服を整える．ベッドに寝かせて，掛け物をかける 根拠 安全を保ち，保温に努め，低体温を防ぐ
10 記録，評価をし，使用物品の後始末をする ①観察した結果をアセスメントし，状態を判断する	▶触診で得た結果と視診，聴診との結果をあわせて総合的に判断し，異常が疑われれば専門医と連携してケアにあたる
②結果を記録する	▶観察，判断の結果を記録する
③後片づけをする	▶使用したラジアントウォーマーの電源を切り，アルコール消毒する
④看護師は手洗いをする	事故防止のポイント 感染防止に努める

●文献

1）仁志田博司：新生児学入門　第 5 版，pp.30-32，45-56，医学書院，2018

4 身体計測

大林 陽子

目的 新生児の出生時の発育状態を観察し，異常の早期発見や危険の予測に役立てる．また，その後の経過中の異常を早期に発見する指標とする．

チェック項目 体重，身長，肩甲周囲，胸囲，腹囲，腰囲，肩幅，腰幅，頭部(頭囲，小斜径周囲，大斜径周囲，前後径，小斜径，大斜径，小横径，大横径，大泉門)

適応 全身状態が安定している新生児

注意 環境の温度を調整し，露出部位を最小にして新生児の体温喪失を防ぐ．測定器具の操作を適切に行い，身体侵襲を防ぐ．

禁忌 新生児の状態が悪い場合(新生児の状態改善を優先する)

事故防止のポイント 清潔操作遵守による感染防止，計測中の新生児の転落防止，新生児の皮膚損傷防止，器具の適切な操作による新生児への身体侵襲防止

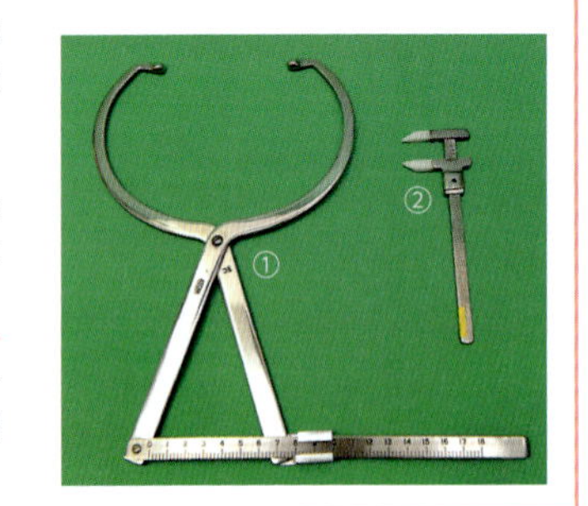

必要物品 ラジアントウォーマー，体重計，身長計，メジャー(mm 単位のもの)，児頭計測器(①)，ノギス(②)，消毒用アルコール綿，バスタオル，筆記用具，記録用紙

手順

要点	留意点・根拠
1 環境・使用物品の準備を整える ①測定する環境を整える 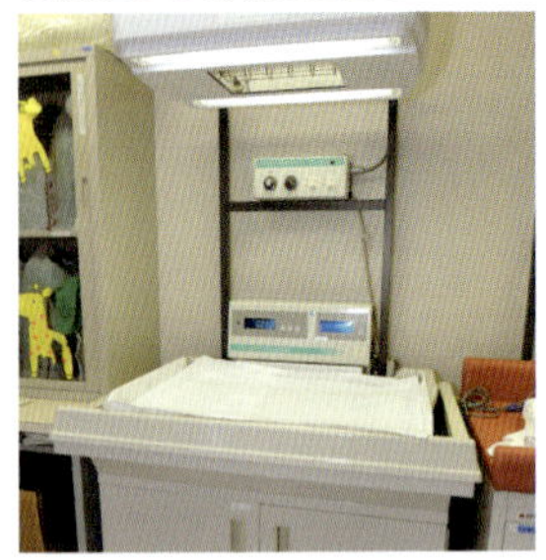 ラジアントウォーマーを温めておく	▶室温 25〜26℃，湿度 50〜60％ に調整する．ラジアントウォーマーを事前に温めておく **根拠** 測定時，新生児が裸になるので，低体温を防ぐ
②看護師の準備，衛生学的手洗いをする	▶身につけている時計やアクセサリーを外し，衛生学的手洗いをすませる **事故防止のポイント** 新生児に触れる際は新生児を傷つけないよう配慮する．また，感染防止に努める
③使用物品を準備して，アルコール綿で消毒しておく	▶メジャーと児頭計測器を消毒しておく **事故防止のポイント** 新生児への感染防止に努める
2 新生児の準備を整える ①新生児が測定してもよい状態であるかを観察・判断する	▶新生児の状態(意識レベル，バイタルサイン，その他の一般状態)を観察し，身体計測をしてよいか判断する **根拠** 新生児の安静を妨げない ▶空腹時と哺乳直後を避ける **根拠** 空腹時は泣

要点	留意点・根拠
②母親に新生児の身体計測の目的や方法，所要時間について説明する ③新生児を母親から預かり，温まったラジアントウォーマーの上に静かに寝かせる 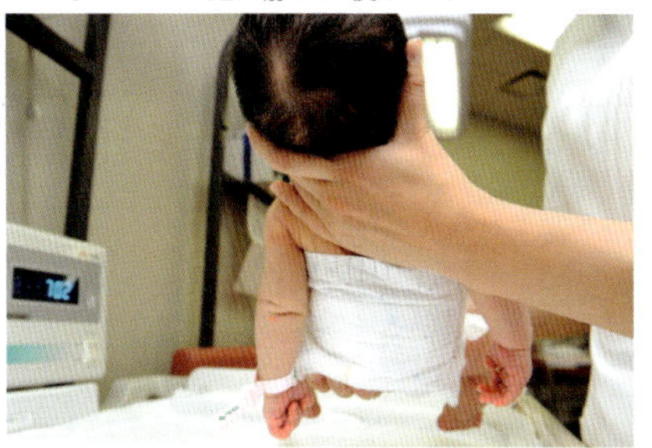 新生児を安全に抱き上げ，ラジアントウォーマーの上に寝かせる	いて体動が激しいため，正確な値が得られにくい．また哺乳直後は，少しの体動で溢(いっ)乳や嘔吐を誘発する 根拠 出生時の計測値は，今後の新生児の成長発達を判断する際に参考になる 根拠 新生児の保温に努める ▶新生児を抱き上げる際には，左手掌を大きく広げて母指の指腹を新生児の右耳の後ろに，中指の指腹を左耳の後ろに当てて，手掌全体で新生児の後頭から肩甲付近までを支える．右手の母指は新生児の右鼠径部にのせて，残りの4指を殿部に当てて右手全体で挟むようにして殿部を支える ▶スケール台の中央に静かに殿部からのせて，頭を降ろす
3 体重を計測する ①体重計の電源を入れ，スケール台の上にバスタオルを敷いて，風袋補正で体重計の数値を0に合わせる ②衣服を脱がせる．おむつは最後に外す ③新生児を安全に保持してスケール台の中央に静かに殿部からのせ，頭部を静かに降ろす ④表示値が安定するのを確認し，数値を素早く読む ⑤新生児を頭の方から抱き上げて，安全な場所に寝かせる	▶標準値：2,900～3,100 g 前後 根拠 新生児を寝かせた時に不快(冷感や硬さ)を感じさせない 根拠 正確な体重を測定する 根拠 排尿や排便の可能性がある ▶新生児をスケール台から抱き上げるとすぐに数値が0に戻ってしまうため，新生児をのせたまま数値を読む 注意 転落を防止するため新生児を確実，安全に保持し，スケール台の中央部にのせる．また看護師は常に体重計のすぐそばに立ち，手をかざすなどして新生児の転落を防止する
 **4 身長を計測する** **《身長計による計測》** ①身長計の上にバスタオルを敷き，その上に新生児を静かに寝かせる ②頭側は，眼窩点と耳珠点とを結んだ直線が台板(水平面)に垂直になるように児頭を固定し，新生児の膝関節を伸展させて，両足底が足板にぴったり付くように当て，素早く計測値を読む 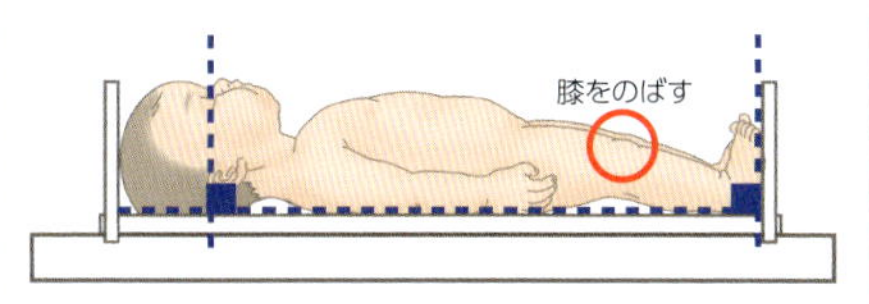 	▶標準値：48～50 cm 根拠 新生児を寝かせた時に不快(冷感や硬さ)を感じさせない 根拠 膝関節を伸展させないと正確な計測値が得られない コツ 新生児の下肢はM字の姿勢を保っているため，膝関節は屈曲している．膝関節を伸展させる時は，新生児の負担が最小限になるよう素早く行う

要点	留意点・根拠

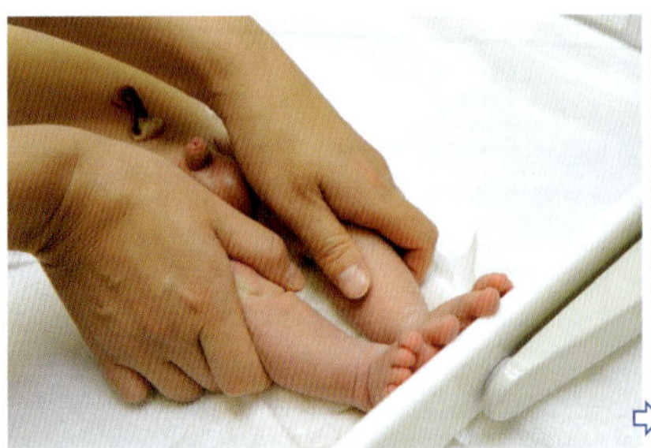

膝関節を伸展し両足底を足板に付ける

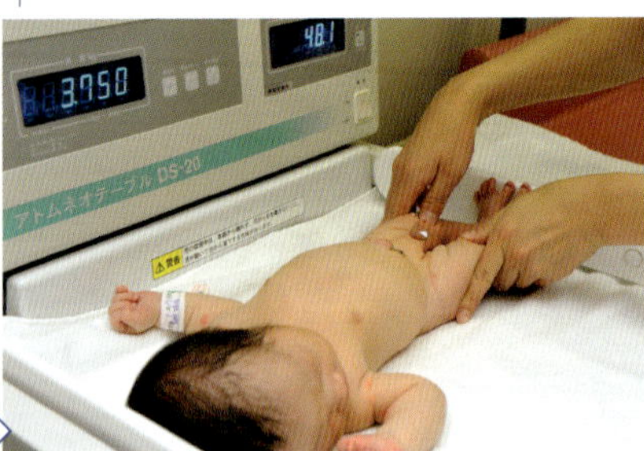

計測値を素早く読む

《メジャーによる計測》

①新生児の右側に立ち，新生児の右体側面の各部位（頭頂，大転子，膝関節，足底）が計測できるように新生児の姿勢を保持する

②新生児の頭頂部にメジャーの0点を置き，右大転子までメジャーを当て，計測値を読み取る．この値をAとする（a）

③大転子から膝関節までメジャーを当て，計測値を読む．この値をBとする（b）

④膝関節から足底までメジャーを当て，計測値を読む．この値をCとする（c）

▶ 新生児の自然な姿勢での計測であるため，膝関節に与える負担が少ない

コツ 新生児に体動がみられる時は，新生児の動きに合わせて無理なく計測する

▶ 各計測値を加えた値（A＋B＋C）が身長となる

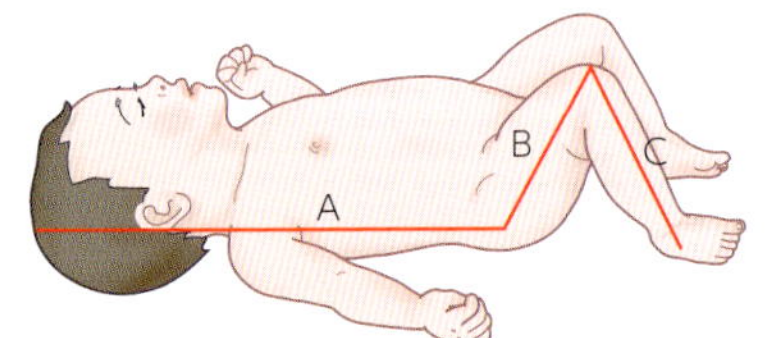

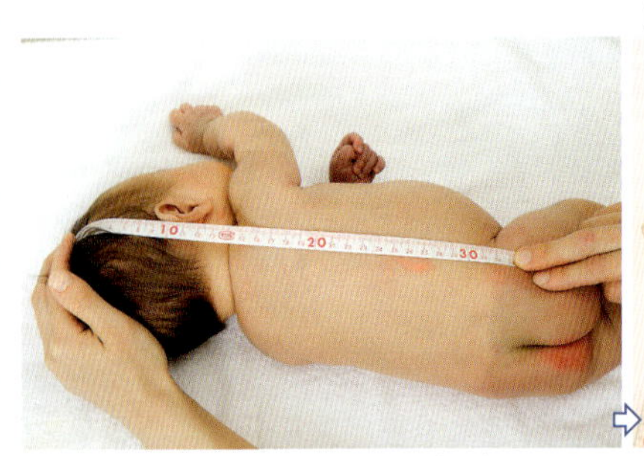

a．頭頂部から大転子までを計測する（＝A）

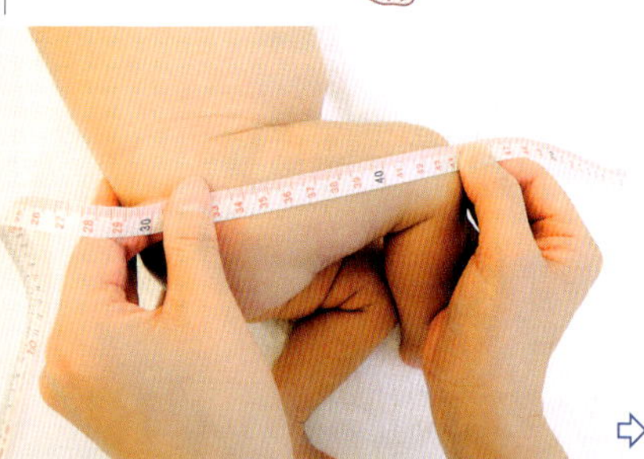

b．大転子から膝関節までを計測する（＝B）

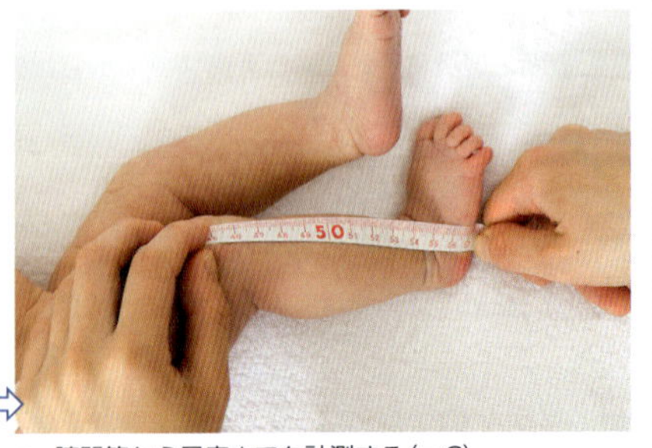

c．膝関節から足底までを計測する（＝C）

要点	留意点・根拠
動画 4-10 **5 肩甲周囲，胸囲，腹囲，腰囲を計測する** ※写真は新生児期を過ぎたモデルで撮影している	
《肩甲周囲》 ①新生児の後頭結節から肩甲周辺全体を片方の手掌で支えて上体を起こし，もう一方の手でメジャーを肩甲の下に入れ，そのまま新生児を静かに寝かせる	▶両側肩峰直下約 1 cm の上腕を通る周囲径，標準値：35 cm **注意** メジャーは皮膚に密着させ，折れ曲がったり強く締めすぎたりしないように当てる
②両手で両側肩峰を確認し，そこから約 1 cm 下がった上腕の部位を通る位置にメジャーを当てる	**コツ** 身体の下になったメジャーがずれないように注意しながら，メジャーの左右端を両手で少し持ち上げ，新生児の肩甲周囲をくるむように前に回して当てる
③新生児の上腕を身体に密着させて，身体の下になったメジャーの位置がずれないように注意しながら計測値を読む 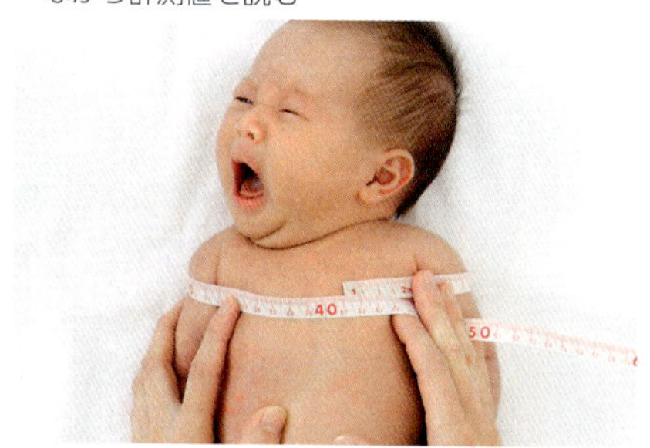 肩甲周囲を計測する	**コツ** 新生児の上腕が動いて計りにくい時は，看護師の小指球全体で児の上腕を軽く支えるようにして，固定しながら測定する
《胸囲》 ①肩甲周囲を計測した後，後ろに回したメジャーはそのまま少し下方に，両肩甲骨下縁の位置を確認しながらずらす	▶両肩甲骨下縁と左右の乳頭を通る周囲径，標準値：32 cm
②両上肢をよけてメジャーを腋窩から体前面に回し，両手でメジャーを持ち上げながら左右の乳頭を通る位置を確認し，計測値を読む 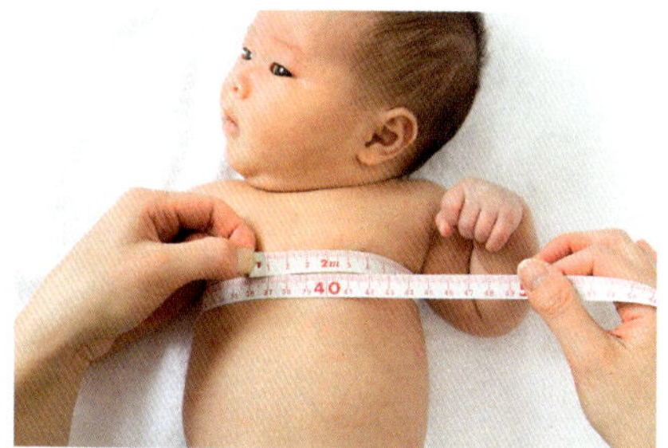 胸囲を計測する	▶新生児の呼吸によりメジャーが動く(1～2 cm 程度)ため，自然な呼吸をしている時の呼気の終わり頃に素早く計測する
《腹囲》 ①胸囲を計測した後，メジャーをそのまま下方に，臍部の高さまでずらす	▶臍上を通る腹部の周囲径，標準値：32～33 cm

4 身体計測

要点	留意点・根拠
②メジャーが臍上を通り，体軸に垂直であることを確認し，計測値を読む 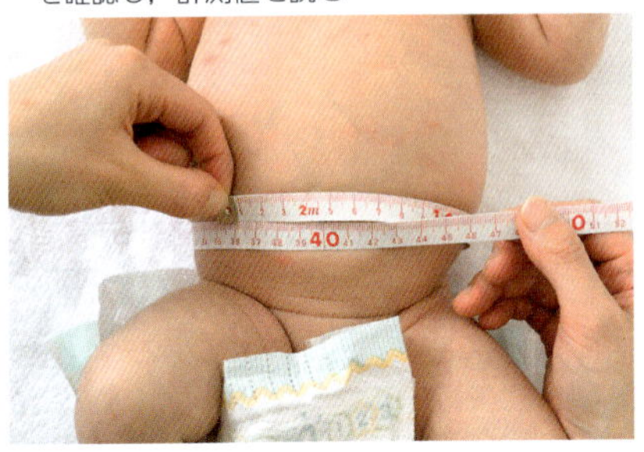	▶ 新生児の呼吸によりメジャーが動く(1～2 cm 程度)ため，自然な呼吸をしている時の呼気の終わり頃に素早く計測する
《腰囲》 ①腹囲を測定した後，背部に回したメジャーをそのまま下方へずらす ②新生児の大転子を確認し，メジャーを大転子の位置の殿部に当てる ③両手でメジャーを持ち，大転子の位置を確認して周囲にメジャーを回し，計測値を読む 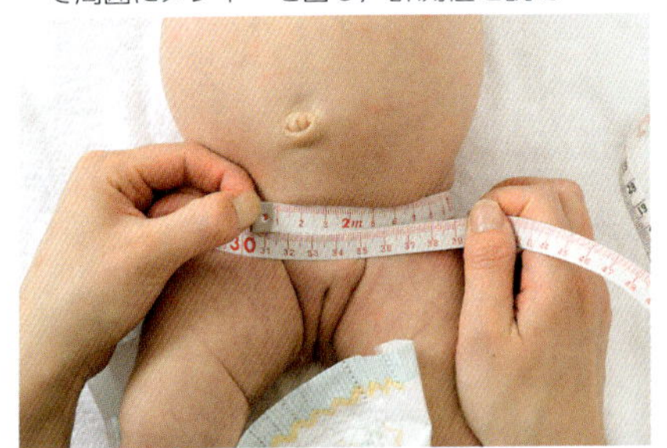 腰囲は下肢を少し伸ばすようにして計測する	▶ 両側の大転子を通る周囲径，標準値：27 cm コツ 新生児の下肢を少し下方に伸ばすようにすると，メジャーが皮膚に密着して正確な値が得られる
動画  4-11 **6 肩幅，腰幅を計測する** ①消毒した使用物品をラジアントウォーマーの隅に置き，温めておく 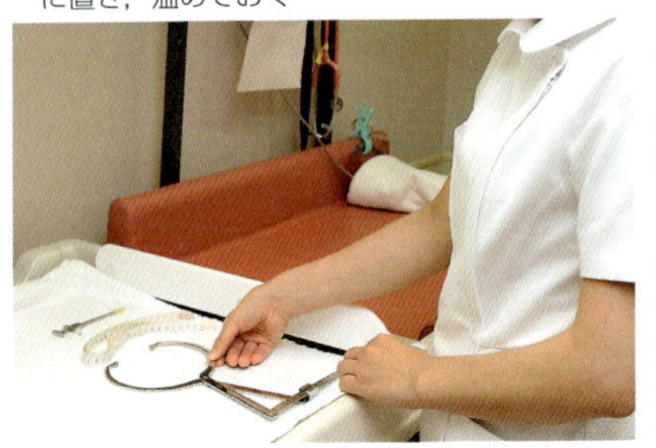	根拠 測定の際，新生児に冷感を与えないようにする
②計測器の両先端を両手の母指と示指，中指の指腹で包むように持ち，母指の付け根あたりで計測器全体を支えるように把持する	根拠 計測器の先端が新生児の皮膚に強く当たらないよう，常に計測器の先端を示指で保護する 注意 計測器は常に正しく把持し，計測は計測器

要点	留意点・根拠
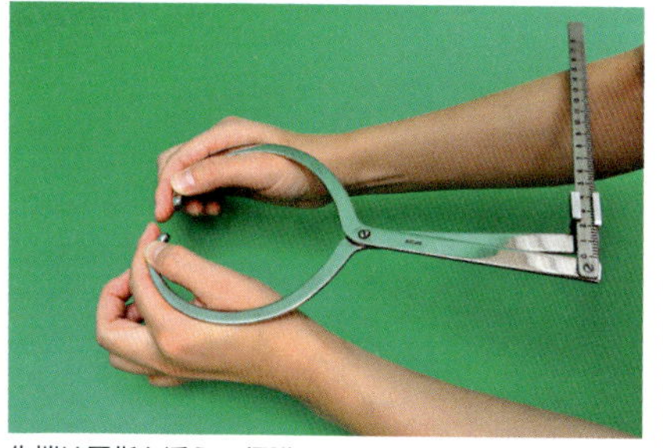 先端は示指を添えて保護する	の先端が新生児の皮膚に軽く当たるところで値を読む 事故防止のポイント 正しい計測器の持ち方で新生児の身体への損傷を防止する
《肩幅》 ①計測器を把持しながら，両側の肩峰を中指，環指の指腹を用いて触診により確認する	▶ 両側の肩峰間の距離，標準値：11～12 cm
②計測器の先端を示指で保護しながら，両肩峰に軽く当て，手前の目盛りを素早く読む 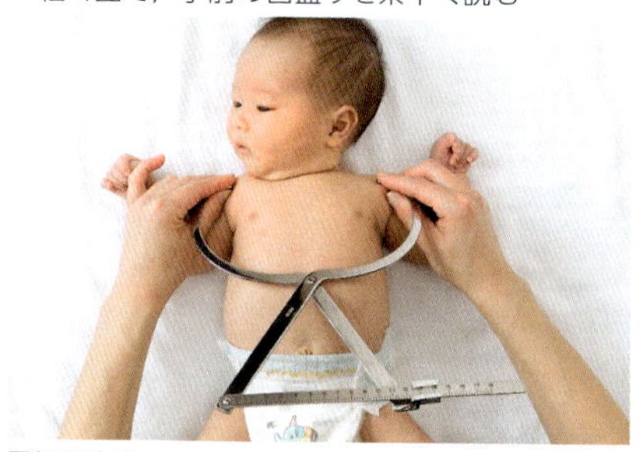 肩幅の計測	コツ 計測器の先端に示指を添えて固定する 注意 新生児の保温のため，計測部位以外はバスタオルで覆い，不必要な露出は避ける ※写真では見やすさを考慮し，バスタオルで覆っていない
《腰幅》 ①計測器を把持しながら，両側の大転子を中指，環指の指腹を用いて触診により確認する	▶ 両側の大転子間の距離，標準値：9 cm
②計測器の先端を示指で保護しながら，両大転子に軽く当て，手前の目盛りを素早く読む 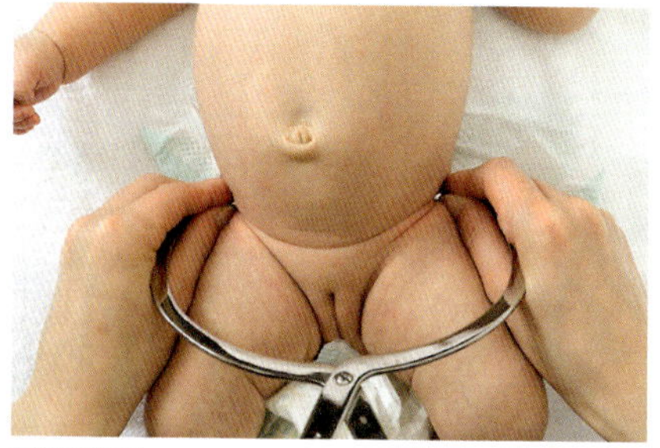 腰幅の計測	コツ 計測器の先端に示指を添えて固定する
③計測器を新生児に当たらない場所に置き，着衣を整える	根拠 不必要な露出を避け，保温に努める

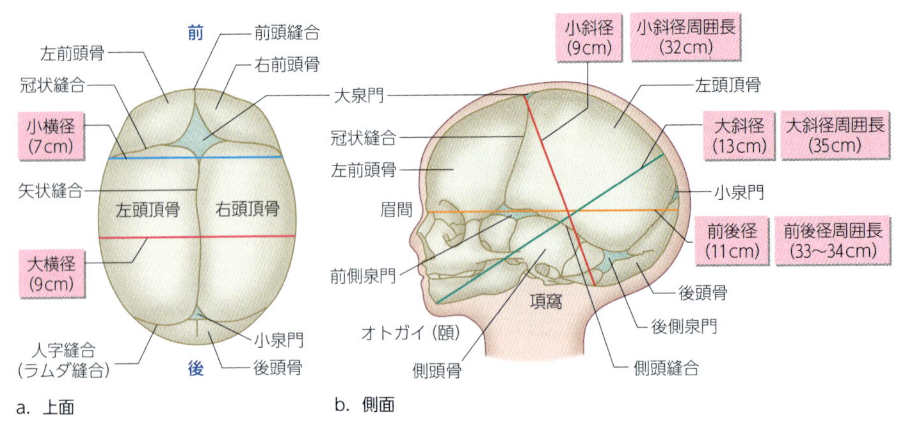

図1 成熟胎児頭蓋骨と径線(平均値)

要点	留意点・根拠
7 新生児頭部の各部位を計測する ※写真は新生児期を過ぎたモデルで撮影している ①新生児を着衣のまま，必要があればバスタオルをかける，あるいはくるむなどしてラジアントウォーマーの中央で仰臥位に寝かせる	**根拠** 新生児の保温に努める **コツ** バスタオルにくるむと新生児が安心しやすい
《頭囲(前後径周囲長)》 ①片手で新生児の頭部を少し持ち上げる．もう一方の手指全体で新生児の後頭の突出した部分(後頭結節)を触診により確認し，その部分にメジャーを当て，そのまま頭部を降ろして寝かせる	▶ 前後径測定部を通る周囲長，標準値：33〜34 cm
②両手でメジャーを持ち，眉間を通る位置に当てて計測値を読む 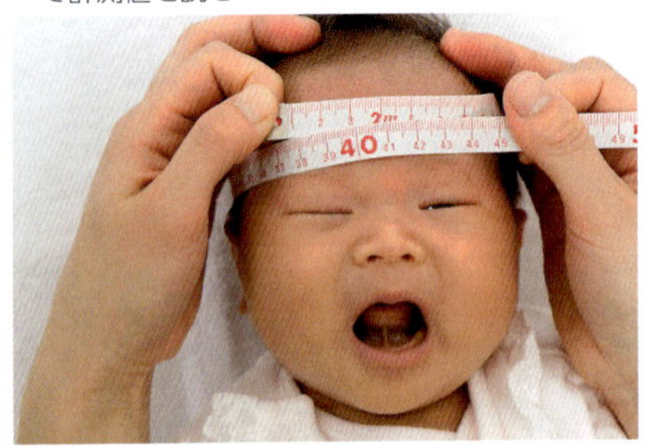 頭囲の計測	**注意** メジャーが折れ曲がらないように密着させて当てるが，強く締めすぎない
《小斜径周囲長》 ①新生児を側臥位にする ②片手で新生児の頭部を少し持ち上げる．もう一方の手で大泉門中央と項窩を通る位置を確認し，その位置にメジャーを当て，そのまま頭部を降ろして寝かせる	▶ 小斜径測定部を通る周囲長，標準値：32 cm

要点	留意点・根拠
③両手でメジャーを持ち，小斜径測定部を通る周囲長を計測する	注意 メジャーが折れ曲がらないように密着させて当てるが，強く締めすぎない

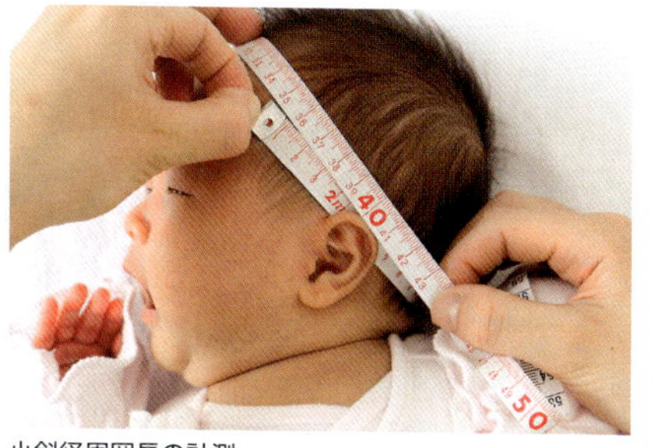
小斜径周囲長の計測

要点	留意点・根拠
《大斜径周囲長》 ①新生児を側臥位にしたまま片手で頭部を少し持ち上げる．オトガイ部先端と後頭との距離が最大となる位置を確認し，その位置にメジャーを当て，そのまま頭部を降ろして寝かせる	▶ 大斜径測定部を通る周囲長，標準値：35 cm
②両手でメジャーを持ち，大斜径測定部を通る周囲長を計測する	注意 メジャーが折れ曲がらないように密着させて当てるが，強く締めすぎない

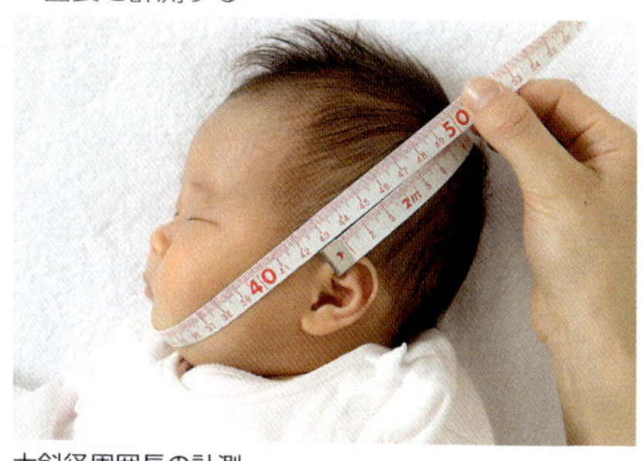
大斜径周囲長の計測

要点	留意点・根拠
③児頭を少し持ち上げてメジャーを取り除き，仰臥位に戻して寝かせる	
《前後径》 ①新生児を側臥位にする	▶ 後頭結節から眉間までの最大距離，標準値：11 cm
②計測器を母指と示指で把持しながら，看護師の前腕内側で新生児を支えるようにやさしく固定する	コツ 新生児を完全な側臥位にすると，正しい部位が確認しやすい．また正確な計測値が得られる
③左手に把持した計測器の先端を新生児の眉間に軽く当て，固定する	コツ 計測器の先端に示指を添えて固定する 事故防止のポイント 児頭の損傷を防止する
④計測器を把持した右手の中指，環指の指腹で触診により後頭の突出した部分(後頭結節)を確認する	
⑤計測器の先端に示指を添えて固定し，先端を軽く当てて，手前の目盛りを素早く読む	

要点	留意点・根拠
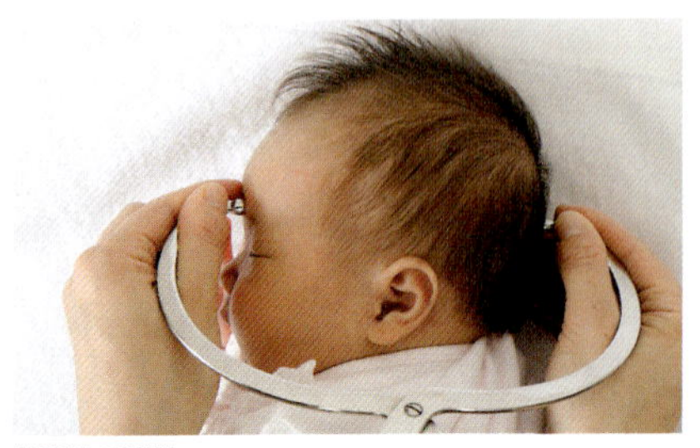 前後径の計測	
《小斜径》 ①新生児を側臥位にしたまま，左手の計測器の先端に示指を添えて保護しながら，先端を大泉門の中央に固定する ②右手の中指，環指の指腹で触診して後頭直下のくぼみ（項窩）を確認し，計測器の先端に示指を添えて固定し，手前の目盛りを素早く読む	▶大泉門中央から項窩（後頭結節直下のくぼみ）までの最大距離，標準値：9 cm 注意 大泉門は軟らかいため，計測器の先端に示指を添えて固定する 事故防止のポイント 児頭の損傷を防止する
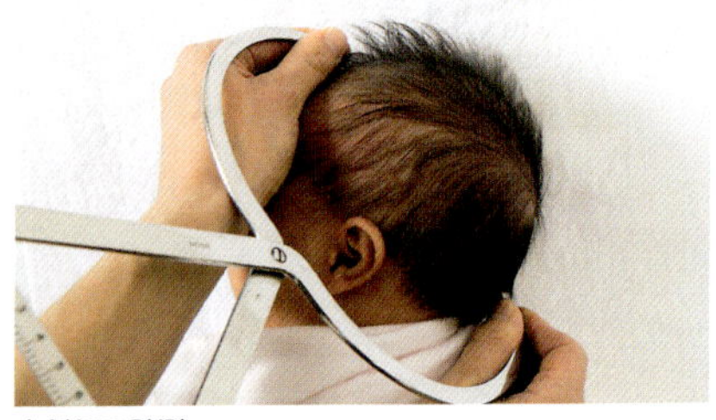 小斜径の計測	
《大斜径》 ①新生児を側臥位にしたまま，左手の計測器の先端に示指を添えて保護しながら，先端をオトガイ部先端に固定する ②左手は後頭までの距離が最大になる位置を確認しながら，計測器の先端に示指を添えて固定し，手前の目盛りを素早く読む	▶オトガイ（頤）部先端から後頭までの最大距離，標準値：13 cm
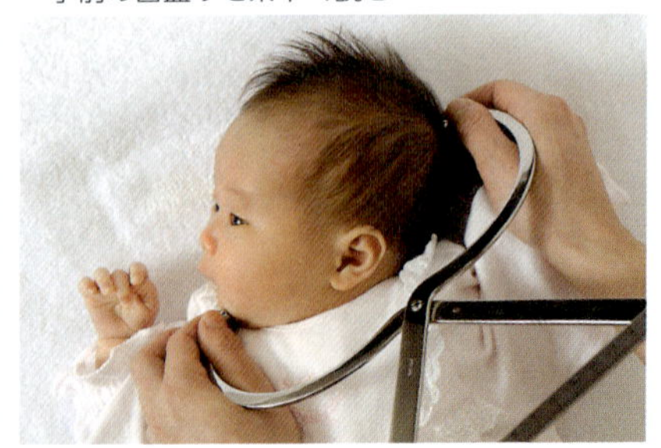 大斜径の計測	
③計測器を新生児に当たらない位置に置き，新生児を仰臥位に戻す	事故防止のポイント 児頭の損傷を防止する

要点	留意点・根拠
《小横径》 ①計測器を母指と示指で把持しながら，中指，環指の指腹を用いて触診により大泉門の位置を確認する	▶ 左右冠状縫合の最大距離，標準値：7 cm
②それに続く冠状縫合を中指，環指の指腹でなぞり，縫合が途切れる手前の位置に計測器の先端を軽く当て，手前の目盛りを素早く読む  小横径の計測	コツ 計測器の先端に示指を添えて固定する 事故防止のポイント 児頭の損傷を防止する
《大横径》 ①計測器を母指と示指で把持しながら，中指，環指の指腹を用いて触診により両側頭骨の突出した部分を確認する	▶ 左右の頭頂骨結節間の最大距離，標準値：9 cm
②その部分に計測器の先端を軽く当て，手前の目盛りを素早く読む  大横径の計測	コツ 計測器の先端に示指を添えて固定する 事故防止のポイント 児頭の損傷を防止する
《大泉門》 ①左手の示指，中指，環指で大泉門の位置と大きさを確認しながら，右手にノギスを持ち，大泉門の向かい合う2枚の骨の間隙を計測する 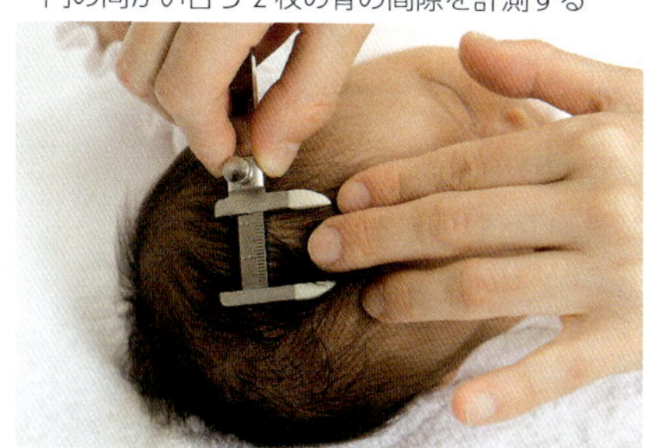 大泉門の計測	▶ 大泉門は菱形で約2 cmの大きさがある．発育に伴い，生後1歳6か月頃に閉鎖する 注意 ノギスの計測部分を児頭に強く押し付けない コツ あらかじめノギスを2 cm程度に設定しておくとよい 注意 大泉門が大きく開き，膨隆している場合は，頭蓋内圧が高く，水頭症や脳浮腫が疑われる．一方，閉じている場合は，頭蓋骨早期癒合症や小頭症が疑われる．また，陥没している場合は脱水が疑われる

要点	留意点・根拠
②新生児に終了したことを伝え，ねぎらいの言葉をかけ，安全な場所に寝かせる	▶新生児の安全に配慮する
8 記録し，使用物品の後始末をする ①計測した結果を診療録および母子健康手帳に記入する	▶計測した値を記録し，標準値と比較して異常の有無を確認する ▶母親から預かっている母子健康手帳に身長，体重，頭囲，胸囲を記入する．母親に身体計測の結果について説明し，母子健康手帳の児の成長発達に関する内容について説明する
②後片づけを行う	▶使用した児頭計測器やメジャー，ラジアントウォーマーを消毒用アルコール綿できれいに拭き，使用した物品を片づける
③看護師は手洗いをする	事故防止のポイント 感染防止に努める

文献

1）佐世正勝ほか編：ウエルネスからみた母性看護過程＋病態関連図　第3版，pp.836-838，医学書院，2016

5 聴診

大林 陽子

目的 新生児の状態を観察し，健康状態，発育状態，生理的変化について正常な経過をたどっているかを把握・診断し，異常の早期発見および対処，危険の予測とその回避に役立てる．

チェック項目 呼吸音，心音，心拍数，腸蠕動音

適応 新生児

注意 心拍数は必ず1分間測定する．露出部分を最小にして体温の低下を防ぐ．

禁忌 新生児の状態が悪い場合（新生児の状態改善を優先する）

事故防止のポイント 清潔操作遵守による感染防止，診察中の新生児の転落防止

必要物品 小児用聴診器，消毒用アルコール綿，ラジアントウォーマー，バスタオル，記録用紙，筆記用具

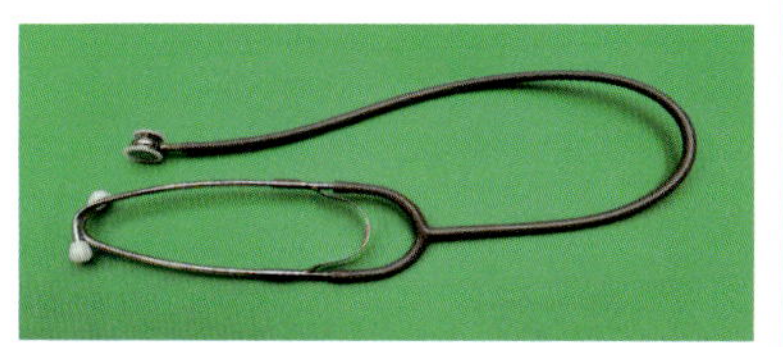

小児用聴診器

手順

要点	留意点・根拠
1 環境・使用物品の準備を整える	
①看護師は衛生学的手洗いをする	**根拠** 新生児は免疫能が不十分なため感染しやすく，また，重篤になりやすいので感染防止は重要である
②観察する環境を整える ・外界からの影響が少ない環境を整える	▶騒音のない静かで明るい部屋（500ルクス程度）で，新生児への外界からの影響を最小限にした環境を整える ▶新生児の安静時に観察するため，授乳後や啼泣（ていきゅう）後は避け，刺激やストレスのない環境で行う
・室温などを調整する	▶室温25〜26℃，湿度50〜60%に調整する **根拠** 新生児は体温調節機能が未熟で環境による影響を受けやすく，室温が低いと低体温，室温が高いと体温の上昇を招きやすい
・ラジアントウォーマーを温めておく 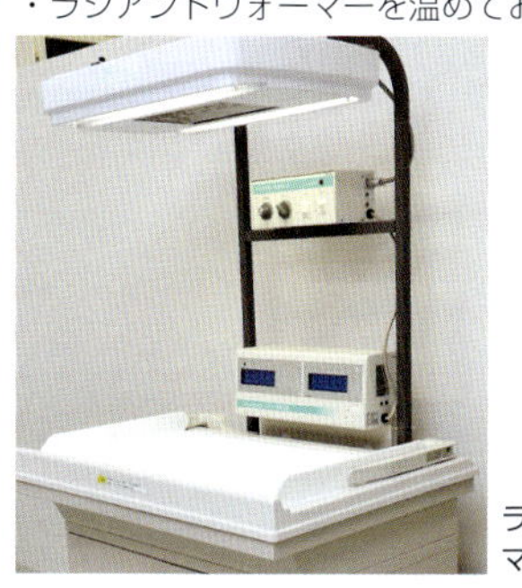 ラジアントウォーマーを温めておく	**根拠** 新生児を裸にして全身を観察するので，低体温にならないようあらかじめ保温する ▶同時に使用するバスタオルも温めておく

要点	留意点・根拠
2 新生児の準備を整える ①事前に出生前，出生時の情報を確認する 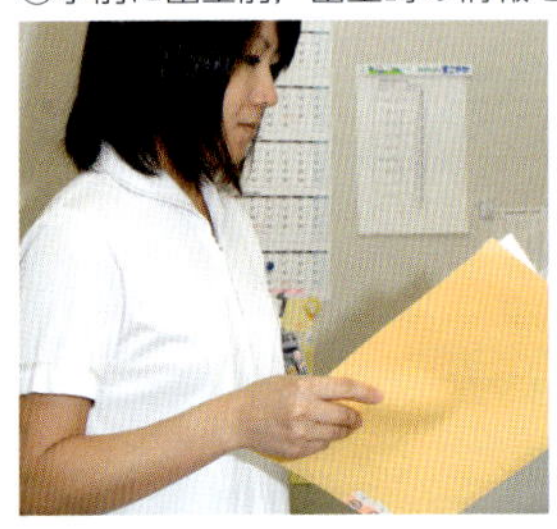	▶事前に母児のハイリスク因子に関する情報を確認する．特に，在胎週数，母体糖尿病児，胎児発育不全，早産児，前期破水など．妊娠中の母体合併症の有無，分娩経過の異常の有無（前期破水や羊水混濁，胎児機能不全の有無）は重要である 根拠 現在の新生児の状態がハイリスク因子によるものなのか，分娩後に生じたものなのかを判断する助けとなる
②新生児を温めたラジアントウォーマーの上に寝かせ，衣服を脱がせて準備を整える 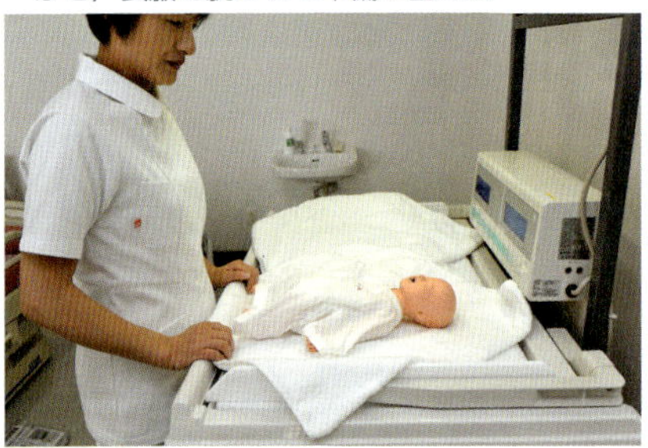	▶新生児の空腹時および哺乳直後を避ける 根拠 空腹時は啼泣して活動しがちとなり，哺乳直後は新生児の胃の特徴により少しの体動でも溢(いつ)乳や嘔吐をしやすい状態にある
・衣服を脱がせ裸にする．おむつは外して，そのまま殿部の下に敷いておく	根拠 排便・排尿がみられた場合，応急に対処できるようにする コツ 新生児の安静を妨げないよう，衣服はやさしく脱がす 事故防止のポイント 新生児の転落防止のため，診察中は新生児のそばを離れない，また，目を離さないように気をつける
3 泣き声を観察する ①新生児の泣き声を観察し，異様にかん高くないか，ネコが鳴くような鳴き方でないか確認する	根拠 異様にかん高い泣き声は中枢神経の異常が疑われる．また，ネコが鳴くような泣き方の場合，染色体異常が疑われる
 動画 4-13 **4 胸部の聴診を行う** ①聴診器の膜面を手掌で温める 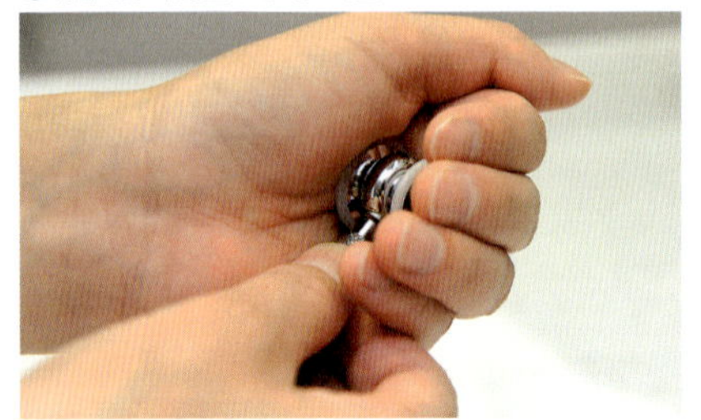	根拠 聴診器を当てた時，新生児に不快（冷感）を感じさせない．冷たいと刺激になり，新生児が覚醒して啼泣することもある

要点	留意点・根拠
②聴診器の膜面を胸壁にやさしく当て，呼吸音を聴取する（図 1） 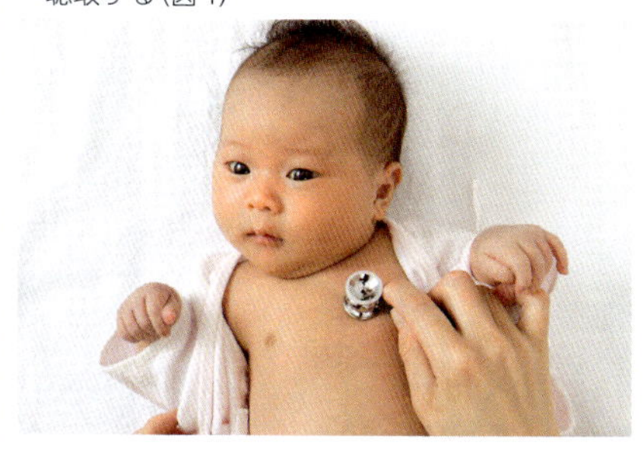	▶副雑音や左右差がないか聴取する 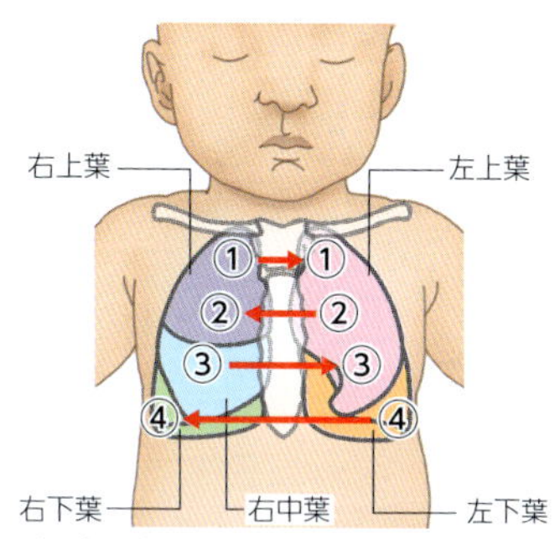 図 1　**呼吸音の聴取部位** 注意 呼吸の異常（鼻翼呼吸，下顎呼吸，陥没呼吸，呻吟（しんぎん），喘鳴，無呼吸，多呼吸）がみられたら，呼吸数，呼吸音とその左右差，努力様呼吸の有無，副雑音（断続性ラ音，連続性ラ音）の有無を観察する．同時に，④の心拍数，心雑音の有無を聴取する．さらに，チアノーゼ（末梢性か中心性か）の程度を観察する 根拠 呼吸の異常の原因は，呼吸器系にある場合と循環器系にある場合があるため，系統的に観察する
③聴診器の膜面を心尖部（第 5 肋間胸骨左縁）に当て，心音を聴取する（図 2）	▶Ⅰ音，Ⅱ音を聴取する　根拠 正常心音はⅠ音，Ⅱ音からなり，Ⅲ音，Ⅳ音のほかに心雑音が聴取される場合がある コツ できるだけ安静時に聴取し，呼吸音と判別する 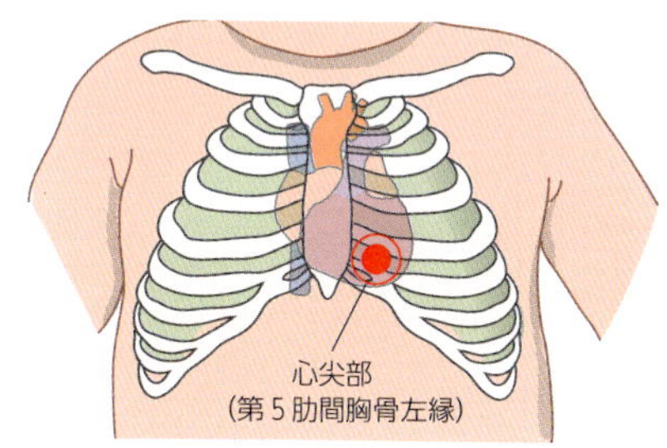 図 2　**心音の聴取部位**

5
聴診

要点	留意点・根拠
④心拍数を 1 分間測定する．同時にリズム不整，心雑音を聴取する．さらに，チアノーゼの有無を観察する 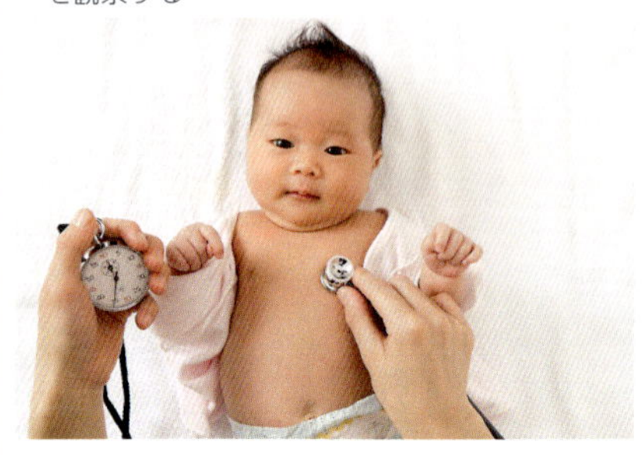	▶ 心雑音がある場合，その部位と程度を注意深く聴取し，その他の症状(多呼吸，哺乳力不良，活気のなさ，四肢冷感，皮膚色不良など)を観察する **根拠** 心雑音がある場合は心疾患が疑われるため，他の症状も観察する **注意** 出生後から 2～3 日は動脈管の自然閉鎖が起こる過程であったり，一時的な三尖弁逆流などにより一過性に心雑音が聴取されることもある．他の症状とあわせて注意深く観察する **コツ** 心雑音の聴取にはベル面が適しており，胸壁に軽く密着させて聴取する **注意** 心雑音の聴取部位が胸骨右縁上部では大動脈弁狭窄など，胸骨左縁下部では心室中隔欠損など，心尖部では僧帽弁閉鎖不全などの病態が疑われる
5 腹部の聴診を行う ①聴診器の膜面を手掌で温め，腹部にやさしく当てる ②腸蠕動音を聴取する 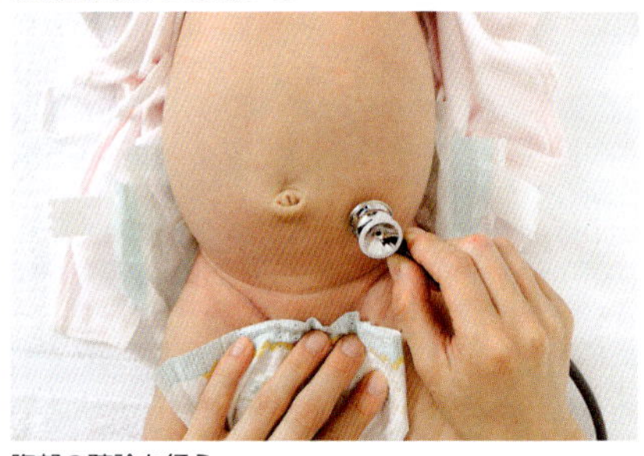 腹部の聴診を行う ③新生児に終了を伝え，ねぎらいの言葉をかけ，着衣を整えてベッドに寝かせて掛け物をかける	**根拠** 膜面は高音の聴診に適しており，腸蠕動音は高調音に分類される ▶ 腸の走行を意識しながら，右下腹部，右上腹部，左上腹部，左下腹部の 1 点を選択し，聴診する **根拠** 新生児の場合，腸蠕動音はどの部位で聴取しても反響により同じように聞こえることが多い ▶ 腸蠕動音は 1 分間に 4～12 回程度，不規則に聴取できる．音の有無，程度(亢進，減弱・消失)，音の性質，いつもと違う音などを意識して聴取する **根拠** 腸蠕動音が常に聴取される場合は腸蠕動が亢進しており，機械的閉塞として閉塞性のイレウスが疑われる．また，腸蠕動音が聴取されない場合，機能的閉塞として腹膜炎や麻痺性イレウスが疑われる **根拠** 安全を保ち，保温に努めて低体温を防ぐ
6 記録し，使用物品の後始末をする ①観察した結果をアセスメントし，状態を判断する ②結果・評価を記録する ③後片づけをする ④看護師は手洗いをする	▶ 聴診で得た結果と視診・触診との結果をあわせて総合的に判断し，異常が疑われれば専門医と連携してケアにあたる ▶ 観察，判断の結果を記録する ▶ 使用したラジアントウォーマーの電源を切り，消毒用アルコール綿で拭く **事故防止のポイント** 感染防止に努める

● 文献

1）仁志田博司：新生児学入門　第 5 版，pp.45-47，医学書院，2018

6 黄疸

永見 桂子

目的 新生児の黄疸が生理的範囲を逸脱していないか把握，診断し，異常の早期発見および対処，危険の予測とその回避に役立てる

チェック項目 黄疸の程度，新生児の在胎週数，出生体重，体重減少率，日齢，哺乳状況，悪心・嘔吐，排泄状況，意識レベル(state)，啼泣(ていきゅう)状態，姿勢，原始反射，神経症状(嗜眠傾向，筋緊張，易刺激性)

適応 新生児(生後28日未満の児)

注意
- 視診による黄疸の程度の評価は，肉眼的に難しく，誤りをきたしやすいことを念頭におく．
- 経皮的ビリルビン値測定はあくまでも血清ビリルビン値を推定するスクリーニングとして行い，経皮的ビリルビン値は新生児の日齢や出生体重とあわせて評価する．

事故防止のポイント 新生児の転落防止，周辺の危険物による危害防止，新生児の皮膚損傷防止，清潔操作順守による感染防止

必要物品　黄疸計(経皮ビリルビン計)，消毒用アルコール綿，ディスポーザブル手袋(必要時)，新生児用ベッド，掛け物

手順

要点	留意点・根拠
1 環境・必要物品の準備を整える ①観察する環境を整える ・室温・湿度などを調整する	▶室温25～26℃，湿度50～60%に調整する．新生児に直接風が当たらないよう，空調設備の風量・風向を調整する **根拠** 新生児は体温調節機能が未熟であり，環境による影響を受けやすい．新生児を裸にして全身の皮膚の色調を視診するため，新生児が低体温にならないよう保温に努める
②看護師の準備をする ・爪が伸びていないことを確認し，腕時計や指輪を外す．胸ポケットには何も入れない	**根拠** 診察に伴い，新生児を傷つける恐れのあるものを身に着けない **事故防止のポイント** 新生児に触れる際は皮膚損傷など身体を傷つけないよう配慮する
・看護師は衛生学的手洗いをする	**事故防止のポイント** 清潔操作を順守して感染を防止する **注意** 沐浴を行っていない新生児には，まだ羊水や血液が付着している．感染症のある新生児，感染症の疑いのある新生児の場合は，ディスポーザブル手袋を装着する
③黄疸計(経皮ビリルビン計)を点検・準備する ・充電され，確実に測定可能な状態であることを確認する ・黄疸計が基準値の範囲内で正常に作動するか確認する(1日1回以上)	▶黄疸計のレディランプの点灯状態が測定可能であることを示しているか確認する ▶黄疸計のメニュー画面で「チェッカー」を選択し，プローブをドッキングステーション(充電器)のリーディングチェッカーに垂直に押し当て，検査値が基準値の範囲内であることを確認する

要点	留意点・根拠
・消毒用アルコール綿で黄疸計のプローブを清拭する	注意 検査値が基準値の範囲内に入っていない時はリーディングチェッカーと黄疸計のプローブの清掃を行い，再度測定し，黄疸計が正常に作動することを確認する 根拠 新生児は感染に対する抵抗力が弱い．複数の新生児に使用するため，新生児一人ひとりへの使用前後に確実にプローブを消毒する 事故防止のポイント 測定機器を介した新生児間の感染防止に努める 注意 感染症のある新生児，感染症の疑いのある新生児への使用は最後にする
2 新生児の準備を整える ①事前に出生前，出生時，出生後の経過に関する情報を確認する	▶事前に重症黄疸のリスクファクターに関する情報を確認する．特に，早産児，糖尿病母体児，血液型不適合・免疫性溶血性疾患の有無，分娩経過の異常の有無，分娩時外傷（頭血腫など）の有無，きょうだいの強い黄疸の既往，血清ビリルビン値の急速な上昇の有無，母乳哺育などを把握する 根拠 生理的範囲を超え，病的黄疸に移行しやすい新生児をいち早くアセスメントし，適切な治療につなげる
②新生児の状態（意識レベル，哺乳状況，排泄状況など）を確認する 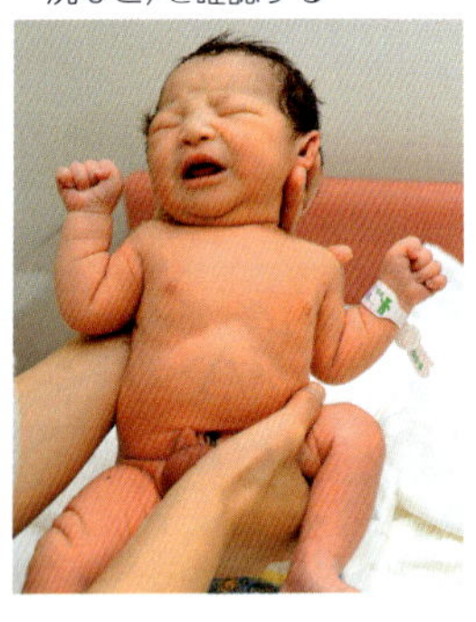	▶視診による黄疸の観察，黄疸計を用いた経皮的ビリルビン値測定に伴う新生児への負担を最小限にし，確実に評価できるよう，新生児の覚醒レベルがstate 3（まどろみ）か，state 4（静かに覚醒）であることを確認する 注意 新生児の状態に応じて適宜，視診による黄疸の観察，黄疸計を用いた経皮的ビリルビン値測定の順序を考える．新生児の安静を守るため，なるべく泣かさないよう観察する ▶沐浴前など，新生児を裸にして全身を観察することのできる場面に合わせて，視診による黄疸の観察と経皮的ビリルビン値測定を実施する 根拠 新生児の睡眠をできるだけ妨げないよう配慮する．哺乳前など啼泣し体動が激しい場合は皮膚損傷や転落の危険がある．哺乳直後は体動に伴い溢(いっ)乳・吐乳しやすい．新生児を裸にして全身を観察することのできる沐浴前に測定する （「第4章-1【2】視診①全身の状態と便・尿の性状」「2 新生児の準備を整える」p.403参照）

要点	留意点・根拠
3 黄疸を視診により観察する ・視診により全身の皮膚の色調を観察する ・クラマー法などを用いて肉眼的に全身のどの範囲まで黄疸が広がっているか確認する	▶ 可視的黄疸は顔面から始まり胸部，腹部，四肢末端に広がっていく ▶ クラマー法では5つのゾーンに分け，ゾーン④以上（④より末梢の部位）の黄疸を認める場合は採血が必要とされる（図1） ▶ 生後24時間以内に肉眼的黄疸が認められる早発黄疸を見逃さないよう，移行期（生後24時間以内）は8時間ごとに観察し，その後少なくとも1日1回以上，新生児の経過や状態に合わせて観察する **注意** 特に重症黄疸のリスクファクターのある新生児は観察の頻度を増やし，黄疸計を用いた経皮的ビリルビン値測定を併用する．早発黄疸の場合，血清ビリルビン値の上昇速度が速く，経皮的ビリルビン値との乖離が生じる可能性がある．早発黄疸が認められた場合は病的黄疸の確定診断が必要であり，医師に連絡し，その後の指示を受ける **根拠** 健常児の出生時の血清ビリルビン値は1 mg/dL程度であるが，出生後漸増し，血清ビリルビン値が8 mg/dL以上になる日齢2〜3日頃には肉眼的に黄疸を確認できる．間接ビリルビンが脂肪組織に貯留するため皮膚が黄染して見え，クラマー法で黄疸の進行度を把握する．生後24時間以内に出現する肉眼的黄疸は急速な溶血に伴いビリルビン産生が一気に進んでいることを示しており，ビリルビンによる脳障害の予防のため早急な治療が必要となる（「第4章-1【2】視診①全身の状態と便・尿の性状」「3 新生児の全身の観察を行う」p.404参照）

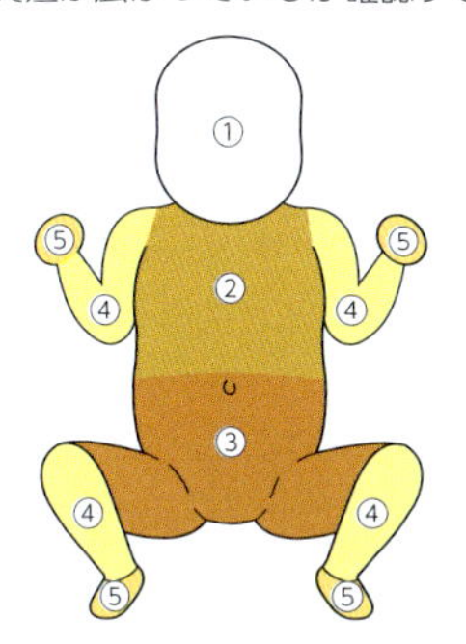

図1　**クラマー法による黄疸の進行度**
横尾京子編：助産学講座8　助産診断・技術学Ⅱ［3］新生児期・乳幼児期　第5版，p.58，医学書院，2013

要点	留意点・根拠
4 経皮的ビリルビン値を測定する ・黄疸計で経皮的ビリルビン値を測定する	▶ 黄疸計で経皮的ビリルビン値を少なくとも1日1回以上（施設の基準により異なる），決められた時間に測定し，日々（経時）の変化を把握する **根拠** 新生児の病的黄疸には，生後24時間以内に肉眼的黄疸が認められる早発黄疸，血清ビリルビン値が正常域を超えて高値を示す重症黄疸，生後2週間以上にわたり黄疸が続く遷延性黄疸がある（図2）．新生児黄疸が生理的か否かは的確な判断が求められる． **注意** 黄疸の進行度，黄染の強さ，神経症状（嗜眠傾向，筋緊張，易刺激性）など血清ビリルビン値の上昇が予測される場合は，定時の測定時刻を待たずに早めに測定する ▶ 黄疸計は測定値が血清ビリルビン相当値（mg/dL）で表示される

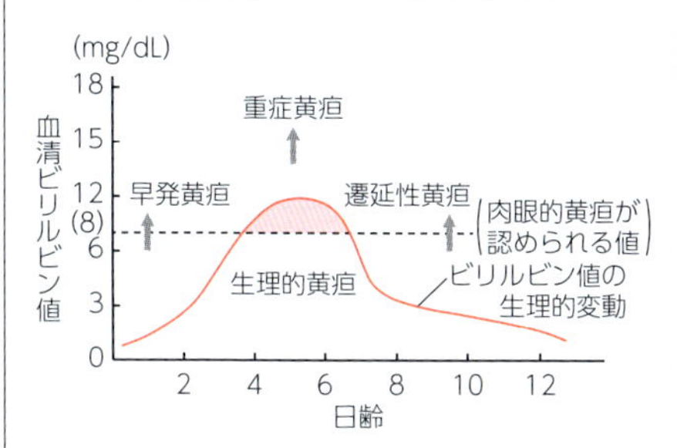

図2　**新生児黄疸（生理的黄疸と病的黄疸）**
仁志田博司編：新生児学入門　第5版，p.292，医学書院，2019

要点	留意点・根拠
①新生児用ベッド(診察台，沐浴台など)の上に，着衣のまま新生児を寝かせる 	注意 測定値は，前額部と胸骨部の各部位で 2 回以上測定し，前額部と胸骨部それぞれについて平均表示値を読み取る．測定値の採用の仕方(平均化の回数設定などを含め)は施設により異なるので，各施設での統一した基準を用いる
②新生児の顔が左右に動かないよう，手掌で頭部を包み込んで固定し，前額部中央の測定部位を確認する 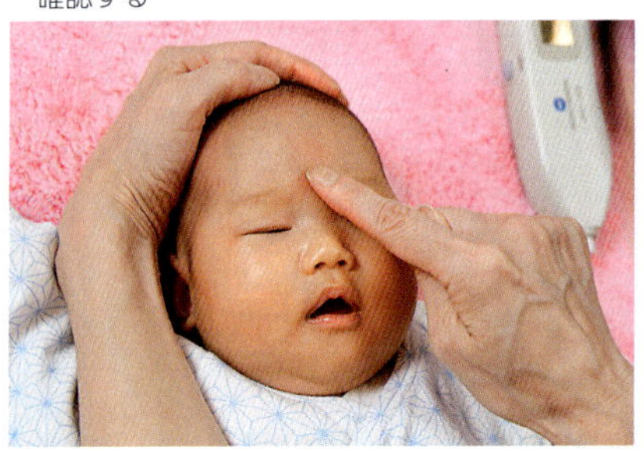	▶ 血流の少ない部位や皮下組織が角質化している部分では皮下組織のビリルビン濃度が低くなっている場合があるため，測定部位は血流の多い前額部を選択する． ▶ 経日(経時)的な変化を把握できるよう，測定部位を前額部中央に統一する 注意 黄疸計のプローブを正しく垂直に測定部位に当てられず傾いてしまうと測定値がばらつくことがある．新生児の動きが落ち着いていることを確認し，新生児の頭部を手掌で包み込んで固定する
③黄疸計のプローブを新生児の前額部の測定部位に垂直に押し当て，デジタル表示の数値を読み取る 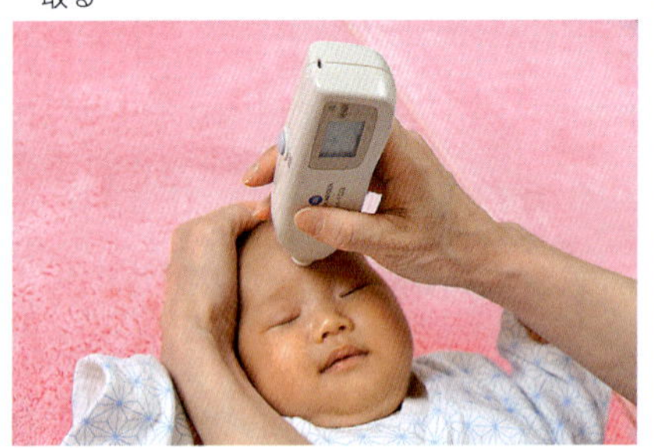	注意 黄疸計のプローブの先端を新生児の前額部中央に押し当てると光が放射されるため，直接目に光が入らないよう，新生児が閉眼していることを確認する

要点	留意点・根拠
④新生児の衣服のひもを解いて前を開き，胸腹部を露出させ，胸骨部中央の測定部位を確認する 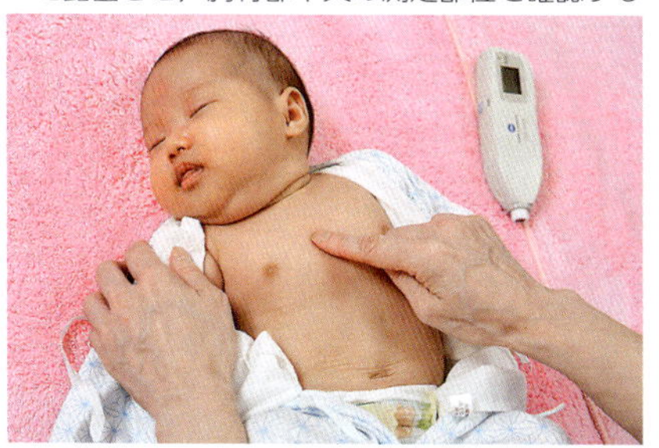	▶測定部位は前額部と同様，血流の多い胸骨部を選択する． ▶経日（経時）的な変化を把握できるよう，測定部位を胸骨部中央に統一する
⑤新生児が急に動かないよう，手掌で上体を包み込んで固定し，黄疸計のプローブを新生児の胸骨部中央の測定部位に垂直に押し当て，デジタル表示の数値を読み取る 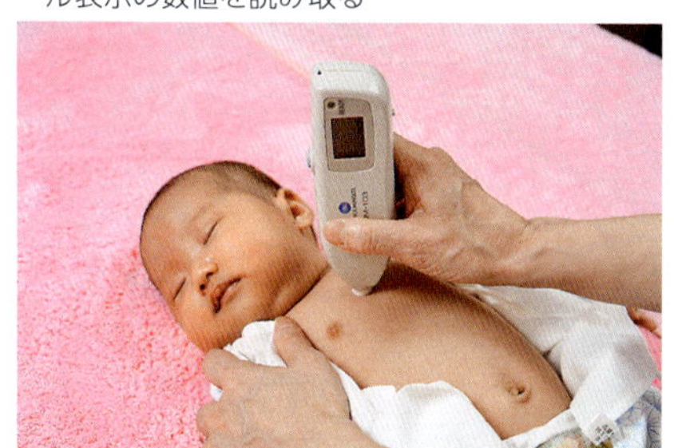	注意 黄疸計のプローブを正しく垂直に測定部位に当てられず傾いてしまうと測定値がばらつくことがある．新生児の動きが落ち着いていることを確認し，新生児の上体を手掌で包み込んで固定する 注意 黄疸計のプローブの先端を新生児の胸骨部中央に押し当てると光が放射されるため，直接目に光が入らないよう，新生児が閉眼していることを確認する
5 記録をし，使用した物品の後始末をする ①必要な記録を行う	▶視診による黄疸の観察と経皮的ビリルビン値測定で得た結果を記録し，出生体重・日齢とあわせて総合的に判断する．必要時，医師に連絡し，必要な対処を行う 根拠 血清ビリルビン値が基準値を超えた場合には，ビリルビンによる脳障害の予防のため光線療法などの治療を開始する必要がある
②使用した物品を片づける	▶使用した黄疸計のプローブを消毒用アルコール綿で拭き取り，黄疸計をドッキングステーション（充電器）に戻す
③看護師は手洗いをする	▶ディスポーザブル手袋を装着していた場合は，手袋を外して所定の容器に捨て，手洗いをする 事故防止のポイント 感染防止に努める

●文献

1）横尾京子編：助産学講座 8　助産診断・技術学Ⅱ［3］新生児期・乳幼児期　第 5 版，p.58，医学書院，2013
2）仁志田博司編：新生児学入門　第 5 版，医学書院，2019
3）平澤美惠子，村上睦子監修：写真でわかる母性看護技術アドバンス，p.59-61，インターメディカ，2017

2

新生児の環境整備

1 室温・湿度・音・照明

大林 陽子

目的 新生児の胎外生活への適応が順調に経過し，適切な環境で養護される．
チェック項目 室温，湿度，音，照度，室内環境
適応 新生児
注意 室温は外気温の影響を受けるので必ず温湿度計で測定し，室温などを調整する．

必要物品 温湿度計，騒音計，照度計

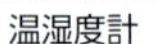
温湿度計

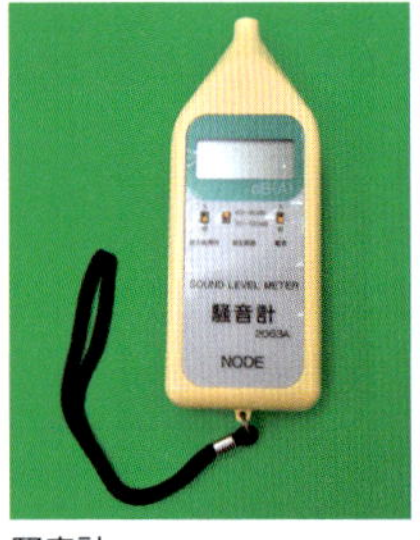

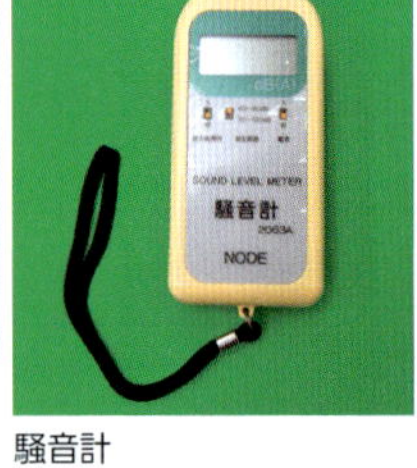
騒音計

照度計

手順

要点	留意点・根拠
1 新生児にとって適切な環境を整える ①適切な温度・湿度を整える 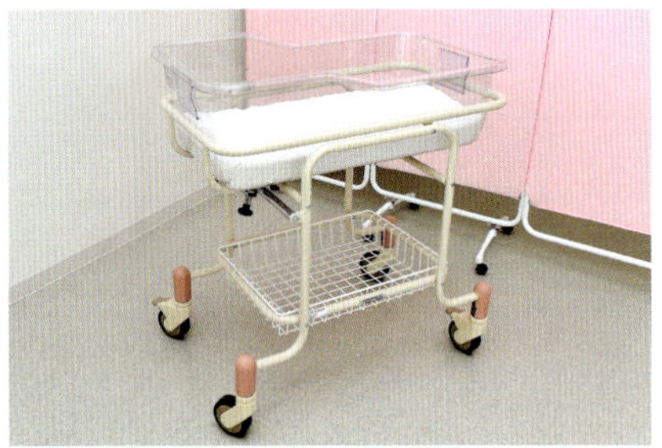	▶ 室温 25～26℃，湿度 50～60％ に整える．新生児が過ごす室内には温湿度計を設置し，いつでも確認できるようにする **根拠** 新生児は体温調節機能が未熟で環境に左右されやすく，容易に低体温や発熱を起こす．このため中性温度環境を維持する **注意** 外気温が 30℃ を超える時(夏季の昼間)や低すぎる時は，空調の設定温度よりも実際の室温が高くなったり低くなったりするため，必ず温湿度計で温度を確認する ▶ 多くの施設は中央管理方式の空調設備であるため，新生児が過ごす環境としては室温が低く，また湿度が低い状態である．適度な温湿度が保たれるよう，個別に空調装置を調整する ▶ 空調の風が新生児に直接当たらないように風向を調節するか，コットの場所を変える **根拠** 新生児の体温を左右する
②適切な音環境を整える	▶ 新生児が静かな環境で過ごしているか，必要に応じて室内の音環境を測定し，確認する ▶ 施設内は静かな環境が整えられている．しかし看護師の話し声や足音，ドアの開閉音，医療器具を使用する際に出る音が新生児にとっては騒音となり得ることを常に意識して行動する **根拠** 新

要点	留意点・根拠
	生児は子宮内では 40～60 デシベルの環境下にいる．これは生活上の騒音レベルでは「深夜の市内住宅地～静かな図書館」のレベルである
③適切な照度環境を整える	▶ 新生児が適切な照度環境で過ごしているか，必要に応じて室内の照度を測定し，確認する ▶ 新生児を診察する際に必要な照度は，白色蛍光灯で 500 ルクス以上が望ましい．また，普段過ごす室内は必要以上に明るすぎないように配慮する．特に昼間は直射日光が入らないよう，カーテンやブラインドで調節する 根拠 照度を落とすことは新生児の呼吸や循環を安定させる
④母子同室中は母親に環境を整える必要性と方法を説明し，実際に行ってもらう 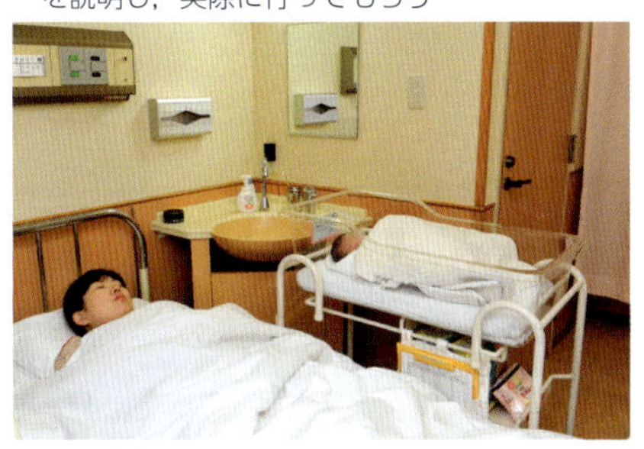	▶ 新生児にとって望ましい環境や調整方法について母親に説明し，調整方法を示しながら，実際に行ってもらう．訪室時には環境を確認する 根拠 退院後の母親の育児にも役立つ

●文献

1）横尾京子編：助産学講座 6　助産診断・技術学Ⅱ[3]新生児期・乳幼児期　第 5 版，pp.94-95，医学書院，2013

2 事故・感染防止

大林 陽子

目的 新生児が適切な養護のもとにおかれ，事故や感染が起こらない．
チェック項目 新生児の全身状態，養護環境，感染・事故防止対策，医療スタッフの事故に対する意識
適応 すべての新生児，母親とその家族，すべての医療従事者
注意 新生児の安全に細心の注意を払う．新生児の身体から外れないネームバンドを装着し，名前の確認を怠らない．
事故防止のポイント 新生児への身体侵襲防止，感染防止，転落防止，取り違え防止，連れ去り（誘拐）防止，熱傷防止，窒息・誤嚥防止

手順

要点	留意点・根拠
1 新生児の感染防止のため環境を調整する ①感染源を除去する	**根拠** 新生児は免疫能が未熟なため感染しやすく，また，重篤になりやすいので感染防止は重要である ▶ 何らかの感染症のある者，または疑いのある者は新生児に近づかない，近づけさせない
②伝播経路を遮断する  衛生学的手洗い  擦式消毒用アルコール製剤による手指消毒	▶ 新生児に用いる器具や物品は必ず清潔なものを使用する．また，「1 処置 2 手洗い」を原則とし，処置前後に衛生学的手洗い，または擦式消毒用アルコール製剤による手指消毒を徹底する ▶ 新生児のケアや処置には，ディスポーザブル手袋を装着し，処置後，廃棄する．同じ手袋を他の新生児と共用しない ▶ 新生児間の感染を防ぐため，コットの間隔は 60 cm 以上あけて，使用する機器は消毒用アルコールによる消毒を徹底する（共用しないことが望ましい）

要点	留意点・根拠
③新生児の抵抗力を増強する ・出生直後の早期母子接触を推奨する	▶ p.516「第 4 章-4【1】早期母子接触と母子同室」参照 根拠 無菌状態で出生し，出生直後に母親の肌に触れると，母親の皮膚にある常在菌が新生児の皮膚に付着し，健常な細菌叢が早期に定着する．これが感染対策上，極めて有用である
・母乳育児が順調にいくよう必要な授乳ケアを行う 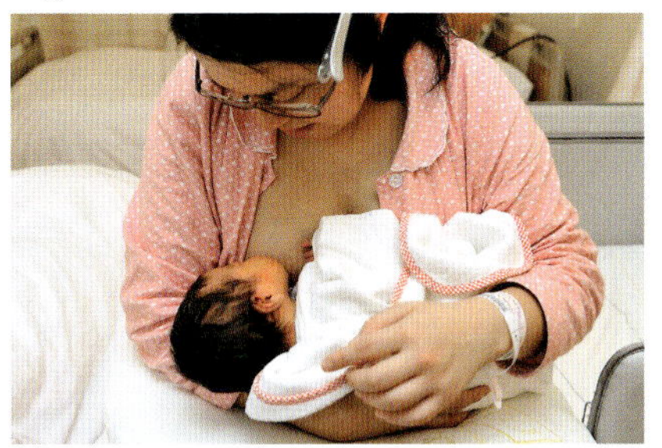 母乳育児に必要なケアを行う	根拠 母乳には抗体や感染防御作用をもつ蛋白質や糖，酵素などが含まれており，母乳は新生児の免疫能，抗体産生能を高める
・新生児の身体に付着した胎脂を無理に取り除かない	根拠 胎脂は細菌の侵入に対し，保護作用，皮膚バリア機能を有する
④自家感染を防止する	▶ おむつ交換はディスポーザブル手袋を装着し，排便したおむつ交換後は手袋を速やかに廃棄する．また，次のケアの前にも必ず手洗いを行う
⑤新生児室内で起こる水平感染を防止する 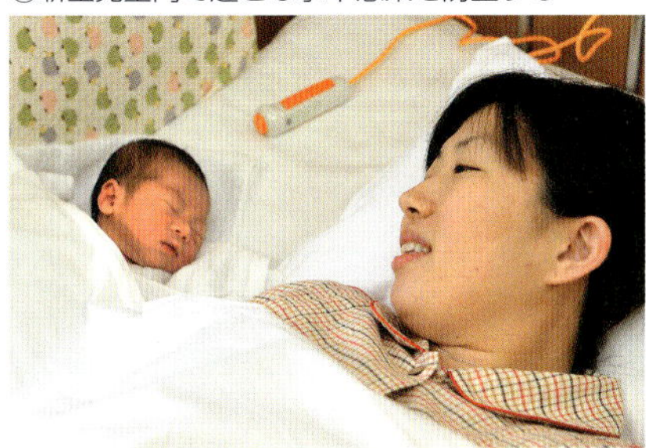 母子同室の推奨	▶ 母子同室を推奨する 根拠 新生児室で 1 人の看護師が多数の新生児を，また，1 人の新生児が多くの人の手に触れることは，母子同室で 1 人の母親が 1 人の新生児に触れるよりも水平感染の機会が増す 注意 母児間の感染の可能性，母親の不安や疲労が強いなど，母児の状態を判断して母子同室の適否を判断する 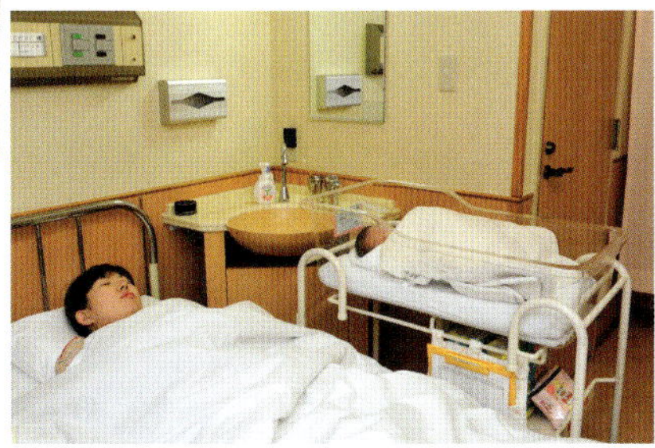
⑥新生児が過ごす部屋（環境）を清潔に保つ	▶ 部屋の床面は乾式清掃（固く絞ったモップで汚れを拭き取る）を基本とし，ほこりが舞い上がらないようなモップを用いる．この方法で落ちない汚れは，ピンポイント拭きをする 根拠 新生児への感染の伝播経路は汚染された環境表面からではなく，その表面に接触した看護師の手を介する

要点	留意点・根拠
	ことがほとんどである ▶ 新生児のコットや部屋の中の物品で高頻度に使用するものは少なくとも 1 日 1 回は中性洗浄剤や消毒用アルコールで拭き，清潔にする ▶ 床面の清掃は看護補助者や業者が行う施設が多いため，方法を説明する
2 新生児の取り違え事故を防止する ①母児の標識を装着する 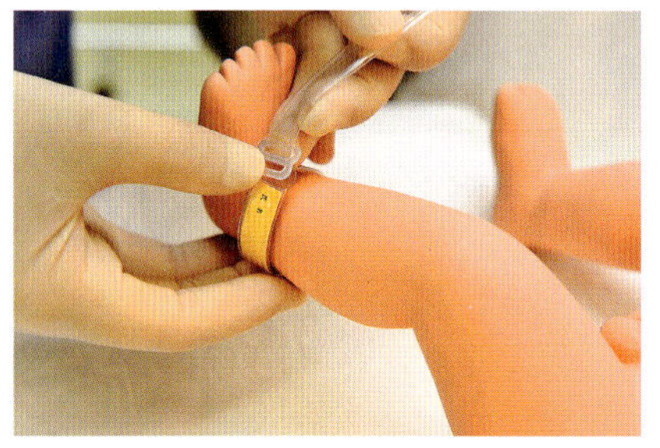	▶ 出生直後，臍帯を切断する前に標識（ネームバンドなど）を新生児の手または足に装着する．また，母親にセットになった標識を装着してもらう（分娩介助者が行うことが多い） **根拠** 出生直後から取り違えを防止する
②ケアごとに母児の標識を確認する 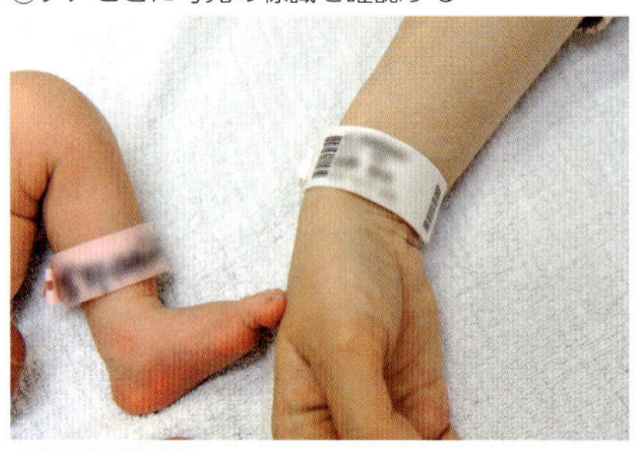 母児の標識を照合	▶ 入院中は母児ともに標識を装着してもらい，ケアごとに確認する **根拠** 入院中の取り違えを防止する **注意** 氏名は必ずフルネームで確認する
③新生児をコットから出した時，コットに戻す時は，コットの名札と標識を確認する	▶ コットに寝かせる時も，コットの名札と標識を確認してから寝かせる **根拠** 他の新生児との取り違えを防止する
④母親から新生児を一時預かったあと，新生児を母親に引き渡す時は，母児の標識を確認して引き渡す	**根拠** 他の新生児との取り違えを防止する
⑤母児の標識が外れないよう常に確認する	▶ 機会あるごとに標識が外れたり，外れそうになっていないか確認する．必要に応じて装着しなおす

要点	留意点・根拠
3 新生児の転落を防止する ①新生児を抱く時は安全，確実に抱え持つ 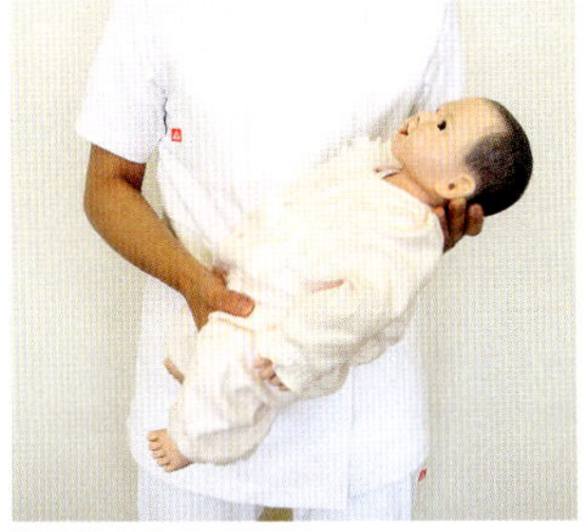 児の抱き方	▶新生児を抱き上げる際には，左手掌を大きく広げて母指の指腹を新生児の右耳の後ろに，中指の指腹を新生児の左耳の後ろに当てて，手掌全体で新生児の後頭から肩甲付近（小指球が当たる位置）までを支える．右手の母指は新生児の右鼠径部にのせて，残りの4指で殿部を支え，右手全体で挟むようにして殿部を支える ▶新生児を抱く時は，足を肩幅程度に開き，新生児を看護師の身体に引き寄せると安定し，看護師の肩にかかる負担も少ない **根拠** 作業姿勢の安定性は身体の重心と支持基底面の広さに依存する（ボディメカニクス）
②移動中の新生児の転落を防止する 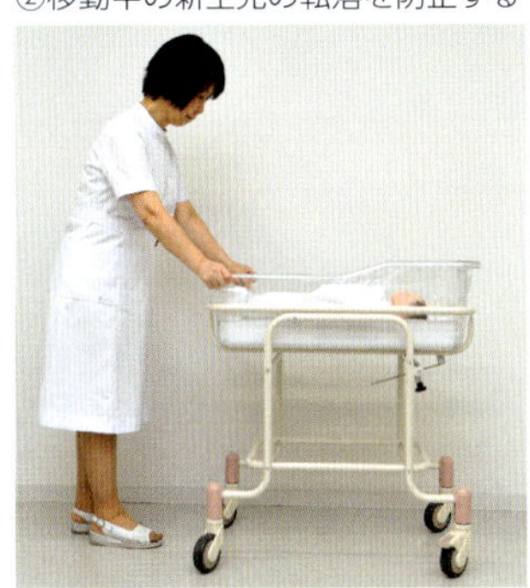 コットで移動	▶新生児の移動の際は移送用コットを使用する ▶新生児を抱いて移動する時は，障害物がないこと，床が濡れていないことを確認してから移動する．日常的に安全な移動スペースが確保されるよう環境を整えておく ▶新生児を体重計など何らかの処置台にのせた時は，看護師はすぐそばに立ち，手をかざして転落を防止する
③新生児のコットからの転落を防止する	▶新生児を寝かせるコットは，大きな揺れでコットが転倒しないよう，車輪は2輪のみ固定する ▶コットの安全性を日ごろから点検し，車輪がきしまないよう手入れしておく
4 危険物による新生児への危害を防止する ①新生児が過ごす場所の周囲に危険物がないようにする 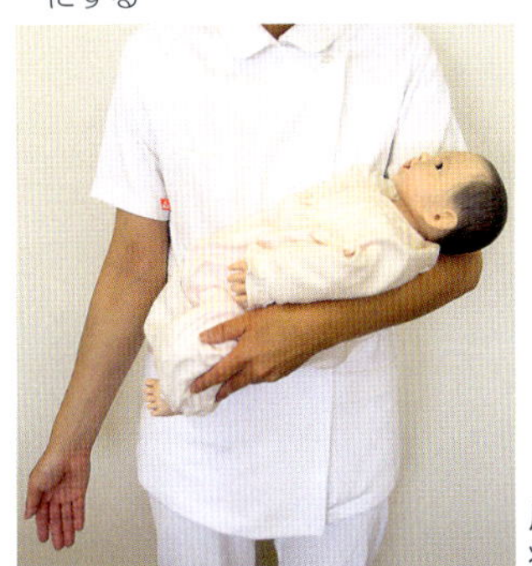 片手が使える状態の抱っこ	▶新生児を抱く時は両手で安全にしっかりと抱えるのが原則であるが，事故防止の視点からは，片方の上腕全体で児を包み込むように抱き寄せ，危険物から保護する必要がある時には，いつでももう一方の手がすぐに使えるように抱く ▶コットや新生児が寝ている場所の近くや上に，落下物がないよう環境を整える ▶コットの中で使用した注射針やそのキャップなど，新生児を損傷するおそれのある物をコット内に置いたままにしない．処置の際も物品は処置台にのせて使用する

要点	留意点・根拠
5 沐浴中の事故(熱傷，水難)を防止する ①適温の湯を準備して，沐浴を行う	▶ 沐浴の湯は温度計を用いて適温を準備するが，新生児を湯に入れる前に必ず看護師自身の肘関節の内側でも温度を確かめて熱傷を防止する 根拠 手の指先よりも肘関節の内側の皮膚は敏感である ▶ 沐浴中に新生児を湯の中に落とさないよう，新生児の保持を確実に行う
《安全な新生児の支え方，固定の仕方》 ・児頭の支え方 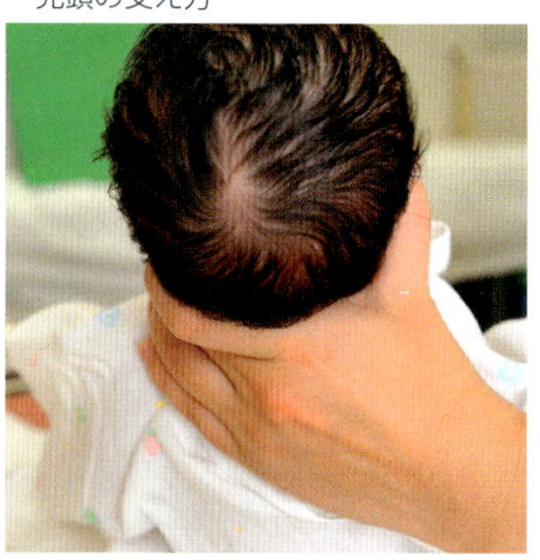	▶ 左手掌を大きく広げて，母指と中指の指腹を新生児の両耳の後ろに当て，小指球を新生児の肩甲付近に当てると新生児の後頭から頸部，肩甲全体を支えられ，安定する
・沐浴槽内での新生児の安定	▶ 沐浴槽の手前の縁に看護師の左手前腕後面を付けて固定すると安定する(a) ▶ 新生児を湯に入れた時，新生児の殿部が浴槽の底面に付く程度の湯量にすると，新生児が座った格好になり安定する．また，新生児の身体の一部(足底など)を浴槽壁や底面に付けると新生児が安心する(b)

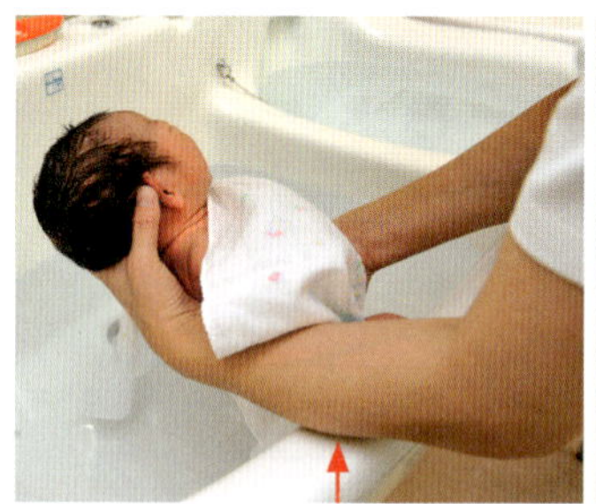
a. 看護師の前腕後面を付けて固定

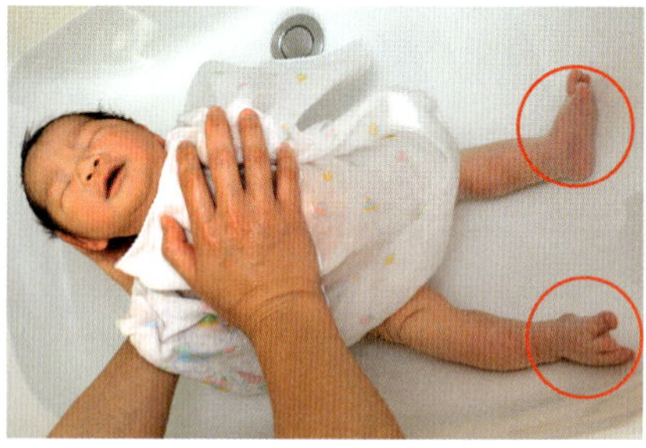
b. 新生児の身体の一部を付けて固定

要点	留意点・根拠
6 窒息・誤嚥を防止する ①適切な寝具により窒息を防止する	▶マットレスや枕は適切な硬さのものを用いて，新生児が沈まないようにする．また，掛け物（バスタオルや毛布）は新生児の身体を圧迫しない軽さのものを用いる **注意** 新生児の顔の近くに掛け物やガーゼハンカチなどの窒息の原因となるようなものを置かない **注意** 鼻汁などの分泌物が鼻腔をふさいでいないか観察し，あれば取り除く（p.499「第4章-3【7】清潔②沐浴」の「④新生児の耳・鼻を清潔にする」参照） ▶腹臥位をとる場合は，必ず観察下で行い，必要な時以外は行わない **根拠** 乳幼児突然死症候群のリスク因子である
②哺乳後の誤嚥を防止する ・哺乳後，十分な排気を行う ※十分な排気がなかった場合，新生児の顔を横に向けるか，側臥位にする．また，コットの頭部を少し挙上して新生児を寝かせる 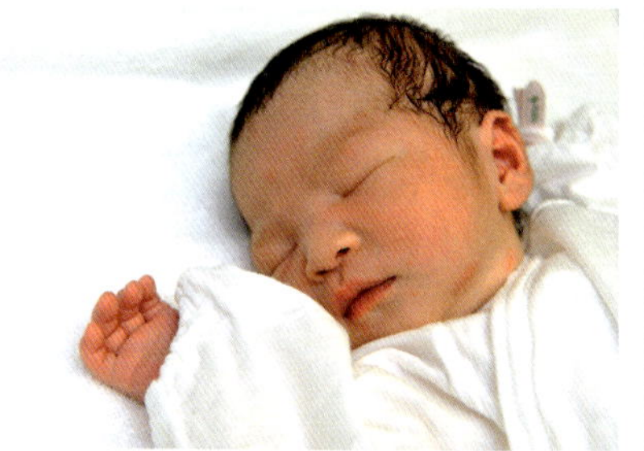 顔を横に向けるか側臥位にする	**根拠** 溢（いっ）乳や吐乳による誤嚥を防ぐ **コツ** 新生児を側臥位にする際は，背中に折りたたんだバスタオルを当てると体位が安定しやすい ▶新生児が嘔吐をもよおす様子がみられたら，抱き上げて排気を行う．また，溢乳や吐乳がみられた時も，すぐに新生児の顔を横に向け側臥位にするか，抱き上げて排気し，悪心や嘔吐がおさまるまで注意深く観察する **注意** 突然の嘔吐は新生児の嗚咽（おえつ）するような声や吐いた音により気づかされることもある．新生児の状態には五感で敏感に反応し，速やかに対処する
7 新生児の連れ去り（誘拐）を防止する ①新生児の連れ去り（誘拐）を防止する ・母親や家族が新生児のそばを離れる時は看護師に預けるよう説明する	▶新生児を預かる場所には必ず看護師がいるようにする ▶母子同室の場合，母親や家族に連れ去り（誘拐）の防止について理解してもらう **注意** 短時間でも必ず預けてもらう ▶席を外す際は，他の看護師に依頼したり，鍵をかけて連れ去りを防止する
・機会あるごとに新生児の人数を確認し，連れ去りにすぐに対応できるようにする	**事故防止のポイント** 新生児の連れ去りを予防する
8 事故防止対策および発生時の対応の周知を図る ①母子同室の母親が新生児の事故を防止できるように説明する	▶母親や家族にも新生児の事故の危険性について説明し，看護師と同様に事故防止の方法を理解し，実施してもらう **根拠** 母子同室中，新生児は母親のそばにいる時間が多く，退院後の育児にも役

2 事故・感染防止

要点	留意点・根拠
	立つ 注意 母子同室を始める時から説明し，同室中は母親が対応できているか確認する
②母子同室中では災害時の避難に備え，コットに新生児搬送用クーファン（収納袋兼防災頭巾付き）を設置し，母親に使用方法を説明する	▶母親に災害の危険性について説明し，避難の際には，新生児の安全を母親自ら守る行動をとれるようにしてもらう

新生児搬送用クーファン

収納袋兼防災頭巾

要点	留意点・根拠
③看護師は日常的に意識して事故防止対策に取り組む	▶看護師は事故の可能性を常に意識して，事故防止対策に取り組む 根拠 意識することが事故を未然に防ぐことにつながる
④事故発生時の報告ルートを確立させて，母児および家族へ早期に対応できるようにする	▶事故が起きた際は，母児とその家族にできる限り早く，誠実に対応し，説明担当者は 1 人にして継続してサポートする体制を整える 根拠 情報を錯綜（そう）させたり，家族の不信感を増幅しないように対応する
⑤災害発生に備え，避難誘導に関するマニュアルを作成し，スタッフ全員への周知を図る	▶地震や火災などの災害が発生した時に備え，避難誘導や新生児の搬出に関するマニュアルを作成しておく．また，災害を想定した避難訓練を消防署との連携のもと定期的に行い，その際，マニュアルの点検・見直しを行う ▶マニュアルはスタッフ全員の目が届くところに置き，防災グッズの置き場所も明示しておく 根拠 スタッフ全員への周知を図る

●文献

1）横尾京子編：助産学講座 6　助産診断・技術学Ⅱ［3］新生児期・乳幼児期　第 5 版，p.46，医学書院，2013
2）仁志田博司：新生児学入門　第 5 版，pp.71-73，116-122，338-339，医学書院，2018
3）佐世正勝ほか編：ウエルネスからみた母性看護過程＋病態関連図　第 3 版，pp.856-857，医学書院，2016
4）林時仲：まるわかり NICU 感染対策「出生直後の感染対策」，ネオネイタルケア　22（9）：10-12，16-19，2009
5）馬目裕子：赤ちゃん観察のプロになるコツ 20「早期カンガルーケア」，ネオネイタルケア　22（9）：16-17，2009

3

新生児の養護技術

1 保温

大林 陽子

目的 新生児の保温に努め，低体温を防ぐ，または改善する．
チェック項目 体温，四肢冷感，室温・湿度，寝具，湯たんぽの温度と位置
適応 すべての新生児
注意 不適切な保温による低体温，高体温に注意する．
事故防止のポイント 湯たんぽによる熱傷防止

必要物品 寝具（毛布，バスタオル，マットレス，マットレスパッド，敷きシーツ），帽子，湯たんぽとカバー，ラジアントウォーマー，消毒用アルコール綿

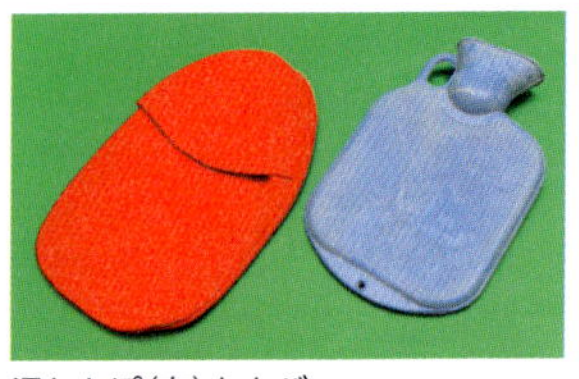
湯たんぽ（右）とカバー

手順

要点	留意点・根拠
1 新生児の保温に努める	
①新生児が過ごす場所（病室・新生児室）を適切な温湿度に保つ	▶ p.454「第 4 章-2【1】室温・湿度・音・照明」参照
②適切な寝具を整える ・寝具の素材を確認する	▶ 保温効果，吸湿性があり，新生児の身体を圧迫しないものであることを確認する **根拠** 新生児の呼吸や体動を妨げない軽さのものが望ましい
・寝具の枚数を確認する	▶ 確認の際，新生児の体温が皮膚温で 36.5～37.5℃ に保たれ，四肢冷感がないか観察する **根拠** 新生児の体温は環境に左右されやすいため，体温が正常範囲にない場合，まず環境や衣服，寝具の状況を確認し，調整する
※新生児の体温が高い場合は掛け物を取り除き，低い場合は追加する	▶ 掛け物を追加する時は，その重さで新生児の呼吸を妨げないように注意し，バスタオルで新生児をくるみ手足が露出しないようにする．さらにバスタオルを敷くなどの工夫をする **コツ** おくるみは掛け物よりも保温効果が高い **コツ** 手の冷感は袖の中に手をおさめることで改善することが多い ▶ 体温調節のために環境を調整した場合，1 時間前後で体温を測定し，適切であるか確認する
③適切な衣服を調整する	▶ 室温が 25～26℃ に調整されている場合，新生児の衣服は短着，長着の 2 枚程度が望ましい．吸湿性があるものがよい **根拠** 新生児の身体の動きを妨げないよう 2 枚程度が望ましい ▶ 皮膚温が 36.5～37.5℃ に保たれ，四肢冷感がないことを確認する ▶ 出生直後は頭部からの熱喪失を防ぐため，帽子を着用することが多い．体温が安定したら取り除く **根拠** 頭部からの蒸散による熱喪失を防ぐ
④出生直後の新生児の保温のために湯たんぽを準	▶ 新生児の出生 30 分～1 時間前に湯たんぽを準

要点	留意点・根拠
備する ・ゴム製の湯たんぽに60℃程度の温湯を2/3程度入れ，空気を抜いてゴム栓を確実に締めて漏れがないか確認し，カバーをかける	備し，新生児を収容するコットを温めておく ▶金属製の湯たんぽの場合の湯温は80℃程度 注意 ゴム栓の締め方が不十分な場合，湯が漏れ出して熱傷の危険性がある．また，漏れ出た湯が寝具を濡らし，冷たくなった寝具が新生児の体温を奪い低体温になるのを防止する
⑤低体温がみられた場合，湯たんぽで保温する 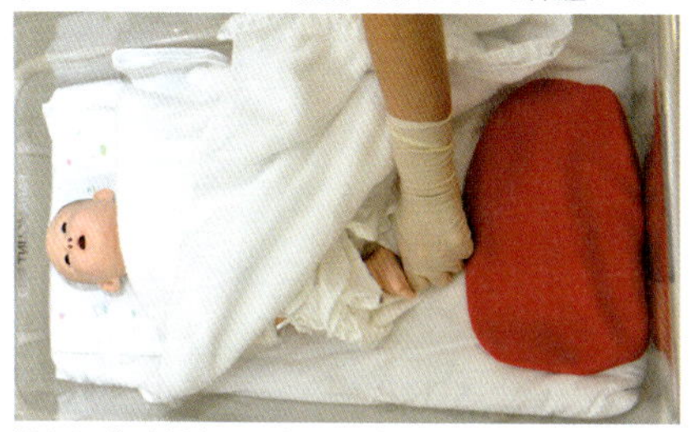 湯たんぽは新生児から握りこぶし1つ分以上離して置く	▶環境の調整や掛け物を増やしても低体温が改善されない場合，湯たんぽで新生児の保温に努める 注意 再検温後も低体温が改善されない場合，できるだけ早めに行う ▶湯たんぽは新生児の足元から握りこぶし1つ分以上離した場所に置き，その上から掛け物をかけて寝具の中全体を保温する 事故防止のポイント 新生児の足に湯たんぽが直接当たることによる低温熱傷を防止する
・保温してから1時間前後で体温を再検する ・新生児の状態を観察し，低体温が改善されれば湯たんぽを取り除く	注意 体温が高くなり過ぎないよう調整する ▶低体温が続く場合は，適宜温湯を交換して保温に努める 注意 コットに湯たんぽを入れたままにしない
・湯たんぽを片づける際は，中の湯をすべて抜き去り，乾燥させてから片づける	根拠 湯たんぽの劣化を防ぐ
⑥ラジアントウォーマー(開放型保育器)で保温する 	▶新生児が過ごす室内は，室温26℃前後，湿度50〜60％に整えるが，観察や清潔のほか，様々な処置のために皮膚を露出したり，裸にする必要がある．その際，ラジアントウォーマーを用いて，新生児の保温に努める ▶出生体重が3,000gの新生児の場合，裸の状態ではラジアントウォーマーは32℃に設定し，温めておく．その際，新生児を寝かせる場所付近に温湿度計を置いて，32℃に保たれるよう設定温度を調節する 根拠 裸の新生児の中性温度環境は32℃前後である
・ラジアントウォーマーの設定温度を調整する	▶ラジアントウォーマーの設定温度は，新生児の体温が皮膚温で36.5〜37.5℃の範囲に保たれるよう調整する 根拠 最初は標準の設定で準備し，その後は低体温や高体温にならないよう新生児の状態に応じて調節する
・使用後は電源を切り，消毒用アルコール綿で拭いて清潔にする	根拠 ラジアントウォーマーは多数の新生児に共用される

●文献

1）佐世正勝ほか編：ウエルネスからみた母性看護過程＋病態関連図　第3版，pp.854-855，医学書院，2016

2）横尾京子編：助産学講座6　助産診断・技術学Ⅱ[3]新生児期・乳幼児期　第5版，pp.15-17，医学書院，2013

2 点眼

木村 奈緒美

目的 産道感染（クラミジア，淋菌）による，新生児感染性結膜炎を予防する．

チェック項目 出生時のバイタルサイン，新生児の眼の状態，母体の感染症の有無（クラミジア，淋菌）

適応 出生後 1 時間以内の新生児

注意 点眼時間が遅れないように注意する．

事故防止のポイント 誤薬防止，点眼薬の使用期限の確認，転落防止，スタンダードプリコーション の遵守

必要物品 抗菌点眼薬（マクロライド系抗菌薬，テトラサイクリン系抗菌薬），滅菌清浄綿，膿盆，手指消毒薬，石けん，ディスポーザブル手袋，ラジアントウォーマー

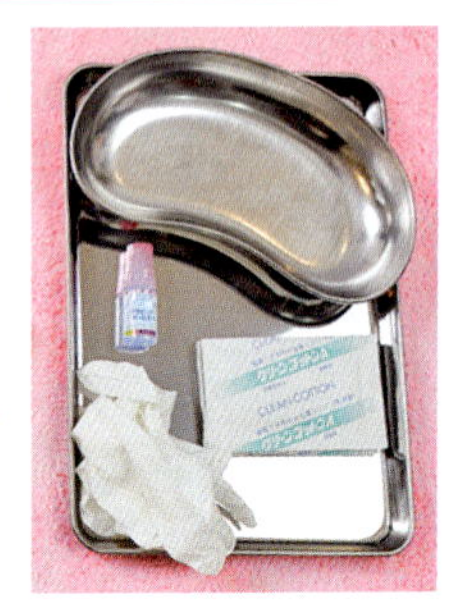

手順

要点	留意点・根拠
1 環境を整え必要物品を準備する ①分娩室内の環境を整える	▶ 室温は 25～26℃ に調整し，ラジアントウォーマーは温めておく **根拠** 出生後 1 時間以内に点眼するため，新生児の安全を確保して行う目的でラジアントウォーマー上で行う．ラジアントウォーマーは温めた状態を保つことで，新生児の体温低下を防ぐ
②必要物品を整える ・点眼する薬剤名の確認，開封日，使用期限，保存方法を確認する ③看護師は衛生学的手洗い後，ディスポーザブル手袋を装着する	**注意** 誤薬とならないように与薬の際には 6R（正しい患者，正しい薬，正しい目的，正しい用量，正しい用法，正しい時間）を確認する **事故防止のポイント** 出生後は羊水や血液などが付着しているため，スタンダードプリコーションの遵守により感染予防に努める
2 新生児の準備をする ①母親に点眼の目的について説明する	▶ 児の呼吸・循環動態が安定していれば，多くの場合，出生後 1 時間は早期の母子接触の機会であるため，母子接触の途中で点眼を実施する場合は，母親に点眼の目的を説明し，児を一時預かることを伝える **コツ** 児の全身状態の観察をする時に同時に済ませておくと忘れずに実施できる
②新生児を預かり，ラジアントウォーマー上に寝かせる ③新生児に衣服を着用させるか，バスタオルでくるみ保温する ④新生児の名前を確認する	**注意** 出生後 1 時間は体温が変動しやすく，安定していない．また，新生児は体表面からの熱の喪失が大きく，体温が低下しやすいので，着衣やバスタオルを用いて保温する **注意** 点眼対象児の誤認または誤薬を避けるためネームバンドの名前や識別番号を確認する．施設によっては，点眼薬が母親の名前で処方されていることもあるので注意する

動画 4-15

要点	留意点・根拠
3 点眼を実施する	
①新生児に声をかけながら手技を行う	
②滅菌清浄綿を開封し取り出し，左右の眼瞼や眼周囲を清拭する	コツ 滅菌清浄綿は水分が多くそのまま使用すると水分が眼に入ることがあるため，軽く絞る 事故防止のポイント 使用する滅菌清浄綿は左右の眼に1枚ずつ使用することで，感染を予防する 根拠 出生直後は眼周囲の汚れ（胎脂，血液など）があるため，点眼液が確実に入るよう眼周囲の汚れを取り除く
③利き手ではない手で新生児の頭部を固定する	コツ 利き手ではない手で頭部を軽く固定すると，新生児が動かず，薬液を入れやすい
④利き手で点眼薬を持ち，他方の手の母指で眼瞼を下方に開き，眼瞼結膜を露出させる（a）	▶ 下眼瞼を十分に下に開くことで，薬液を確実に結膜嚢に入れる
⑤薬液を結膜嚢に1滴確実に入れ，軽く眼瞼を閉じる（b）	根拠 上下の眼瞼を閉じることで薬液を眼球全体に浸透させる コツ 薬液は角膜ではなく，結膜嚢に入れると刺激が少ない

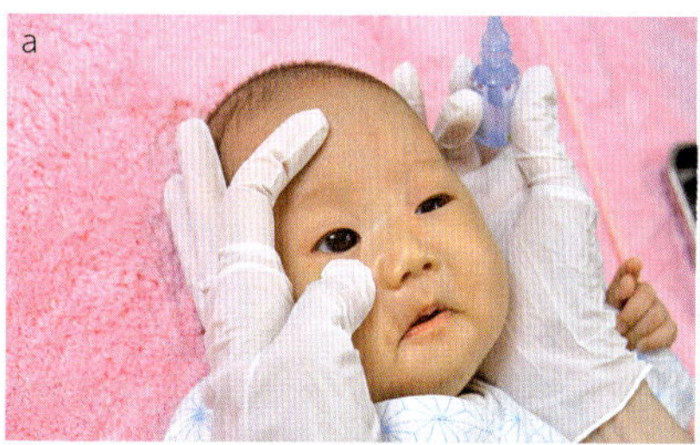
a

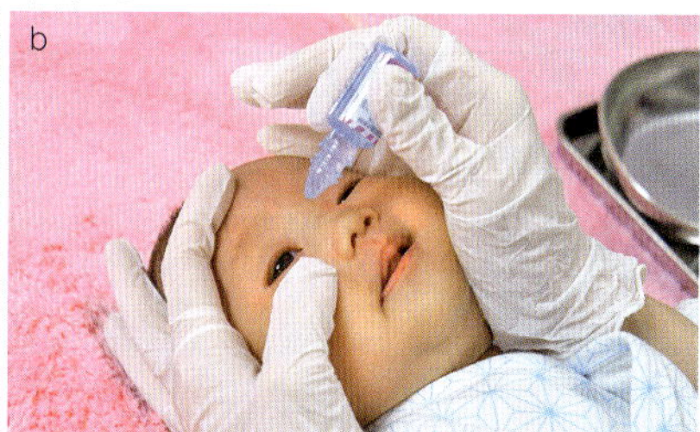
b

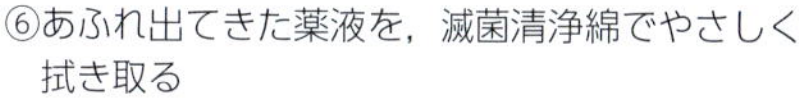

要点	留意点・根拠
⑥あふれ出てきた薬液を，滅菌清浄綿でやさしく拭き取る	▶ 反対側の眼も同様に行う

要点	留意点・根拠
⑦終了したことを母親に説明する	
4 後片づけをし記録する	
①使用した滅菌清浄綿は廃棄し，使用した膿盆を片づけてから，ディスポーザブル手袋を外す ②使用した点眼薬を片づける ③必要事項を記録する	▶ 点眼時刻，薬剤名，点眼後の状態について記録する 注意 点眼薬の種類により保存方法や使用期限に違いがあるため，片づける時は薬剤の使用法に従って取り扱う．新生児個人用の点眼薬として処方された場合は，新生児の氏名（母親の氏名）が書かれた薬袋などに入れて保管し，他の新生児が使用することが起こらないよう注意する

3 臍処置(出生直後・臍脱落まで)

木村 奈緒美

目的 臍帯切断面からの感染を予防し，臍帯の乾燥を促進する．
チェック項目 全身状態，臍の切断面(出血，滲出液の有無)，臍輪部(発赤，腫脹，熱感，出血，分泌物の有無，臭気の有無)，臍帯の乾燥の程度
適応 出生直後の新生児，臍帯未脱落の新生児
注意
・低出生体重児や早産児など，治療を要する新生児は医師の指示に従う．
・感染予防のためスタンダードプリコーションの遵守を徹底する．
※臍処置の方法は施設によって異なることがある．
事故防止のポイント 感染徴候の早期発見，転落防止，スタンダードプリコーションの遵守

必要物品 臍帯クリップ，アルコール綿(アルコール綿球)，ガーゼ(綿球)，手指消毒薬，ディスポーザブル手袋，ラジアントウォーマー
必要時：絹糸，臍帯用ガーゼ，綿棒，絆創膏(皮膚への刺激が少ないもの)，はさみ

手順

要点	留意点・根拠
1 環境を整え必要物品を準備する ①分娩室内の環境を整える ②看護師は衛生学的手洗いをし，ディスポーザブル手袋を装着する ③必要物品を準備する	▶室温は 25～26℃ に調整し，ラジアントウォーマーは温めておく **根拠** 出生直後は羊水や血液などにより体温が低下しやすく，さらに体温調節機能も未熟なため **事故防止のポイント** 臍帯切断後の臍帯は血液などが付着しているため，スタンダードプリコーションを遵守し感染予防に努める
2 出生直後の臍処置を行う ①ラジアントウォーマー上で，新生児の全身状態の観察をする 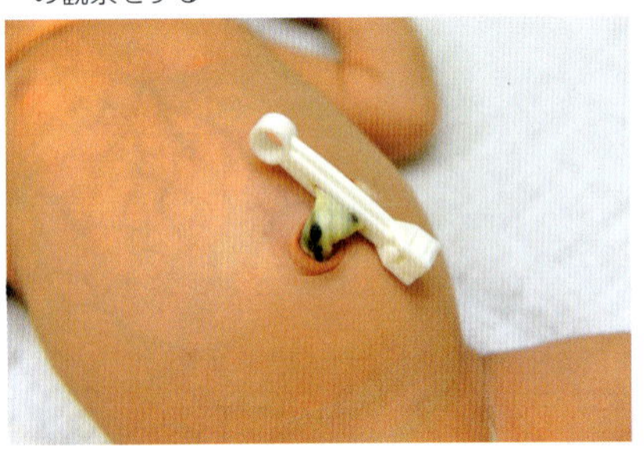	**根拠** 新生児を受け取った看護師は，呼吸・循環動態の確立を確認し，全身状態の観察をしつづけて臍処置をする
②臍帯クリップを利き手ではない手でつまみ，軽く持ち上げ，臍切断面，臍輪部周囲の観察をする	▶新生児を受け取った看護師は臍クリップが確実に装着され，止血されているか確認する ▶滲出液の有無を観察する **注意** 出生後に助産師もしくは医師が臍帯クリップを装着して臍帯を切断し，新生児担当の看護師

要点	留意点・根拠
③血液や付着物などによる汚染があれば，ガーゼ（綿球）で除去する	に渡されることが多い 根拠 臍帯周囲の汚染を除去することで臍の切断面，臍輪部の観察がしやすくなり，消毒薬の効果も上がる
④アルコール綿で臍切断面，臍全体，臍輪部を消毒し，十分に乾燥させる	
⑤消毒後，臍部に直接おむつがあたらないようにする	根拠 臍や臍帯付着部におむつが当たることで発赤の原因となったり，尿による汚染から感染の原因となったりすることがある
⑥衣服を整え，終了する ⑦物品を片づける ⑧出生時の臍の状態について記録する	事故防止のポイント 処置中はラジアントウォーマーからの落下防止のため，目を離さない．柵を設置するなど安全対策を行う
3 生後 24 時間から臍脱落までの臍処置を行う	
①沐浴もしくはドライテクニックの後，新生児の保温に注意を払い，臍切断面，臍輪部の観察を行う	根拠 沐浴やドライテクニック後に行うため，不必要な露出を控えて熱の喪失を防ぎ，体温の低下を防止する
②臍帯が十分に乾燥していれば，臍帯クリップを外す 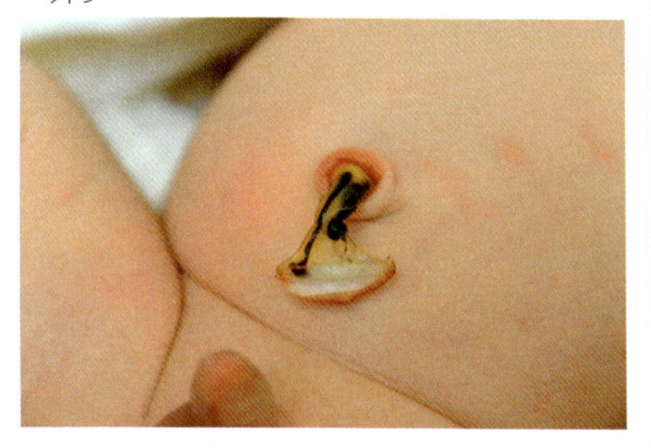	注意 臍帯は通常 24〜48 時間程度で乾燥する．太い臍帯は乾燥に時間がかかることがあるため，乾燥が十分でない場合は絹糸で再度結紮し直してもよい
③綿棒やガーゼで臍輪部の血液や分泌物による汚れを十分に除去する	根拠 綿棒やガーゼで汚れを除去することで細菌の繁殖を抑え，乾燥を促進する
④アルコール綿で臍切断面，臍輪部を消毒する ⑤衣服を整え，終了する ⑥物品を片づける	
⑦入院中の臍周囲の状態は毎日記録する．入院中に臍帯が脱落した場合は，それも記載する	注意 脱落した臍帯の取り扱いについては施設によって対応が違うため，施設の方法に準じた方法を選択する

4 栄養

神谷 摂子

目的 新生児の成長・発達に必要な栄養を十分に摂取できる．

チェック項目

新生児：バイタルサイン，意識レベル，吸啜力・哺乳意欲・哺乳力，哺乳障害の有無，嚥下状態，悪心・嘔吐の有無，腹部膨満の有無，排泄状況，黄疸の有無と程度，生後日数，体重

母親：バースプラン，全身状態，バイタルサイン，乳房・乳頭の状態，乳汁分泌状態，母親の授乳技術

適応 経口哺乳が可能な新生児

注意

- 新生児と母親の状態，母親の希望に合わせた栄養方法を選択する．
- 正常な経過の新生児であれば，新生児の睡眠-覚醒サイクルに合わせた授乳を促す．
- 新生児とコミュニケーションをとり，情緒の発達を促進するために声をかけながら実施する．

禁忌 全身状態が悪く，経口哺乳が困難な新生児

事故防止のポイント 感染防止，窒息防止，誤嚥防止，熱傷の防止（人工栄養による授乳時）

必要物品

初回授乳・自律授乳：ディスポーザブル手袋（必要時），ガーゼハンカチ，バスタオル，クッション（必要時）

人工栄養の場合：哺乳瓶，人工乳首（哺乳用カップ），粉ミルク（液体ミルク），湯（水を沸騰させ 70℃ に調節），ガーゼハンカチ，ディスポーザブル手袋（必要時）

※液体ミルクの場合，湯は不要

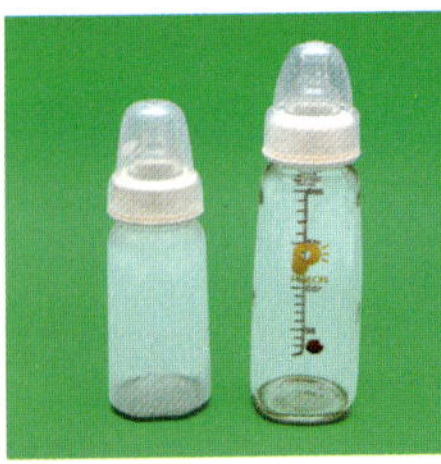

哺乳瓶

ガーゼハンカチ

初回授乳の援助

手順

要点	留意点・根拠
1 事前に母親のバースプランを確認する ①分娩直後の早期母子接触・初回授乳を希望しているか確認する	▶ 分娩直後の早期母子接触・初回授乳について事前に説明を受け，方法や効果など母親が十分に理解したうえで希望している場合に実施する ▶ 早期母子接触・初回授乳は母子の状態が不安定な分娩直後に，分娩台上で行うことが多いため，分娩台（ベッド）からの転落の危険性，新生児の状態変化への対応が遅れる可能性がある

要点	留意点・根拠
2 環境を整え，準備をする ①初回授乳に適した環境に整える ②看護師は衛生学的手洗いを行い，ディスポーザブル手袋を着用する ・看護師の手が冷たくないか確認する	▶室温は 25～28℃，湿度は 50～60% に調整する **事故防止のポイント** 感染症または感染症の疑いの有無に関係なく，出生直後のため，衛生学的手洗いの後，ディスポーザブル手袋を装着し，感染を防止する
3 母子の状態を確認する ①母子ともに早期母子接触および初回授乳が可能な状態かを確認する ・分娩中・後の母子の状態から判断する	▶母親：全身状態，バイタルサイン，意識レベル，出血量，疲労度，初回授乳の希望の有無 ▶新生児：全身状態，バイタルサイン，意識レベル，アプガースコアなどから総合的に判断する **注意** 母親の希望があっても母子双方の状態が実施に適していない場合は，早期母子接触および初回授乳は中止し，状態が安定してから行う **根拠** 出生直後の新生児は状態が不安定であり，異常が起こりやすい．母親も分娩時の出血量や疲労度によっては，処置を優先しなくてはならない場合もある
4 出生直後の初回授乳を援助する ①早期母子接触を行う 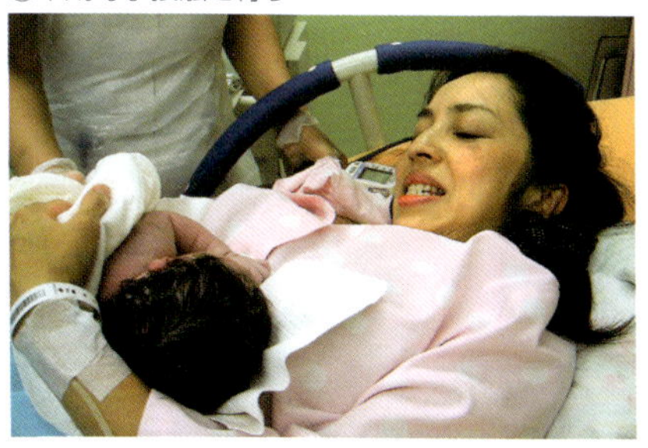	▶早期母子接触については，p.516「第 4 章 -4【1】早期母子接触と母子同室」参照
②早期母子接触中の新生児の状態を観察し，早期母子接触を継続し，初回授乳が可能な状態か判断する ・母子の状態を観察し，近くで見守る	▶母親：全身状態，バイタルサイン，意識レベル，子宮収縮状態，出血量，疲労度，希望の有無 ▶新生児：全身状態，バイタルサイン，意識レベルなどから総合的に判断する **根拠** 分娩後 2 時間以内は，母親は出産後の身体の疲労や復古現象，新生児は胎外生活適応に向けて非常に不安定な状態である．そのため，異常を早期に発見し，急変時にはすぐに対応できるようにする
③乳頭探索行動*がみられたら，初回授乳を援助する *乳頭を探すしぐさ．頭を持ち上げ，乳首を探して吸い付こうとする	▶出生直後の新生児の自然な行動を妨げることなく，初回授乳のタイミングを待つ **根拠** 新生児は出生後母親の腹部の上に乗った後，しばらくして静覚醒の状態（静かに覚醒した状態）に入り，その後乳首を探索する行動に入る．これには個人差があり，平均約 30 分前後の時間を要する ▶看護師の都合で哺乳意欲のない新生児に無理に

4　栄養

要点	留意点・根拠
	授乳させることはせず，新生児のタイミングに合わせて行う 注意 乳頭探索行動がみられる以前に初回授乳を実施しても，吸啜がうまくできないことが多い．そのことにより，母親が不安を感じないようにする必要がある
・新生児に哺乳意欲があっても，母親が不慣れなどの理由で乳首をうまく捉えられない場合は，母親の体勢や新生児の位置などを調整できるよう援助する	根拠 初産婦は授乳に不慣れであり，狭い分娩台の上ではうまく体勢を整えられないことがある．また分娩後の疲労などにより自力で体勢を調整できない母親もいる
④新生児が乳首を捉えて吸啜できていることを確認する	注意 新生児が入眠傾向になる前に初回授乳が行えるよう，タイミングを逃さない 根拠 新生児は出生直後から約 1 時間程度覚醒状態にあるが，その後徐々に入眠傾向になり，約 2 時間経過すると睡眠状態となる．タイミングが合わず新生児が吸啜できないことで母親が不安を感じることがないようにする必要がある
⑤リラックスして初回授乳ができるように，母親と新生児の体勢を整える 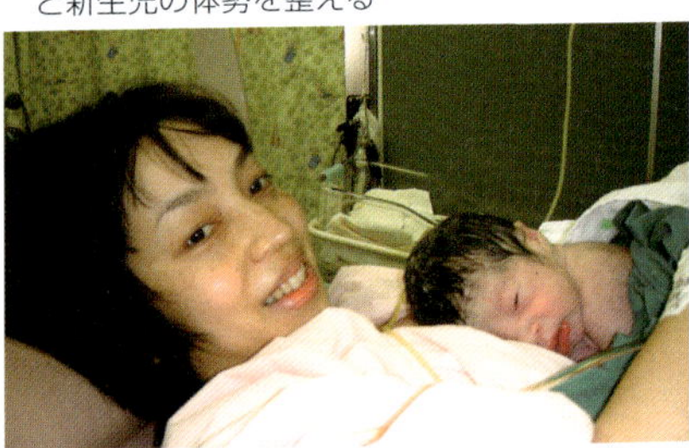	▶ 母親が無理な体勢をしていたり，必要以上に力が入っていたりすることがないよう，リラックスできる体勢に調整する 根拠 分娩直後のため，身体への負担を最小限にする コツ 新生児の転落を防止するために，クッションやバスタオルを用いて体勢を安定させる 注意 初回授乳中，看護師は母子の近くで授乳の様子を見守る 根拠 異常を早期発見し，急変時にはすぐに対応できる
・新生児をバスタオルなどで保温する	根拠 新生児は低体温になりやすいため，常に熱喪失を最小限にする援助が必要である コツ 保温に用いるバスタオルは，ラジアントウォーマーなどで温めて適宜交換するとよい 事故防止のポイント 母子の状態を授乳中の母子の邪魔にならない位置で観察し，新生児の低体温や転落を防止する
⑥母親に初回授乳の状況を伝える	▶ 新生児が上手に吸啜できていること，母親もうまく授乳できていることを伝える ▶ この時期の初回授乳が与える母乳育児への影響や母子関係，また，母親の子宮復古に効果的であることを説明する
⑦母子の状態の観察を続ける ・異常があれば授乳を中止し，必要な対処を行う	▶ この時期は，母親は産後の弛緩出血，創痛や疲労感の増強，気分不快が，新生児では低体温，呼吸障害や呼吸抑制などが起こりやすい時期である 根拠 出生直後の新生児の状態は不安定である．また母親も分娩直後 2 時間は十分な観察が必要である
⑧初回授乳を終了する	▶ 初回授乳の終了時間には明確な根拠はないが，出生後 2 時間か，新生児が入眠するまで，あるいは母親が終了を希望した時点を終了の目安とする

自律授乳の援助

手順

要点	留意点・根拠
1 母乳育児の希望を確認する ①新生児の欲求に基づいた授乳が行えるように調整する ②母親の母乳育児の希望を再確認し，それに応じて援助する	▶母親の母乳育児に関する知識に応じて母乳育児のメリット，方法，母乳分泌の仕組みなどを説明し，母乳育児に対する意思を確認する **根拠** 母親の希望に沿わない授乳方法で援助した場合，母親の負担となることがある
2 環境を整える ①授乳に適した環境を整える ②看護師は衛生学的手洗いを行う ・看護師の手が冷たくないか確認する	▶室温は 24～26℃，湿度は 50～60% に調整する **事故防止のポイント** スタンダードプリコーションに応じた手洗いを行い，感染を防止する **注意** 感染症または感染症の疑いのある新生児に哺乳援助する場合は，衛生学的手洗いの後，ディスポーザブル手袋を装着する
3 母子の状態を確認し，母子の準備をする ①母親と新生児の状態を観察し，授乳に適したタイミングであるか判断する 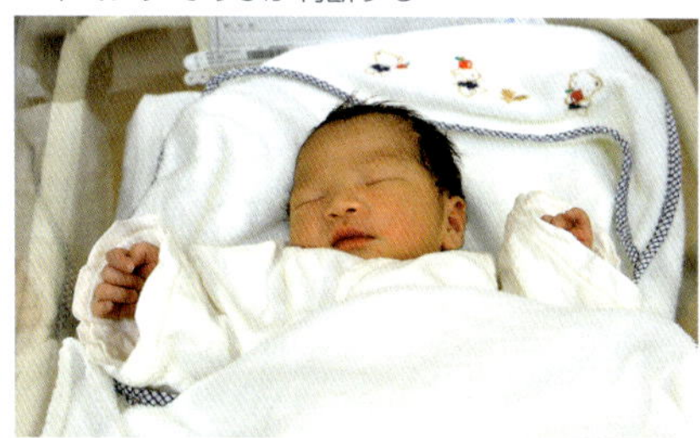 状態の安定した新生児	▶母子の全身状態を観察し，安定していることを確認する ▶母親の乳房・乳頭の状態，母乳分泌状況，疲労度，授乳ができる状態かどうかを観察する ▶新生児の覚醒状態，哺乳意欲，前回の授乳時間を確認する．授乳に適した児の睡眠-覚醒状態の段階は state 3～5 である(p.393「第 4 章-1【1】バイタルサイン①呼吸・心拍・体温」の「①新生児の意識レベルを観察する」参照)
②授乳のタイミングであれば，母親の準備（身支度）をする	▶母親が新生児の哺乳意欲を正しく察知できるように援助する．哺乳のタイミングのサインは，身体をもぞもぞと動かしてむずかる，手を口に持っていく，乳首を探しているようなしぐさをする，舌を出す，吸うように口を動かすなどである
③新生児の排泄の有無を確認する	▶排泄があればおむつ交換を行い，衛生学的手洗いを行う **根拠** 不快を取り除いて哺乳に集中できるようにする
4 自律授乳を援助する ①直接授乳を行う	▶直接授乳の方法は，p.375「第 3 章-4【3】授乳」の「4 新生児を授乳体位に保持する」参照
②哺乳中の新生児の様子，母親の状態を観察する ・効果的な哺乳ができているか，ポジショニングとラッチオン（吸着）を観察する	**根拠** 母乳をうまく哺乳できず，新生児に必要な栄養が摂れない．また，乳頭・乳房のトラブルの原因となることがある

要点	留意点・根拠
 正しいポジショニング：母親がリラックスしているか，新生児の身体と母親が密着しているか，頭と身体がまっすぐになっているか	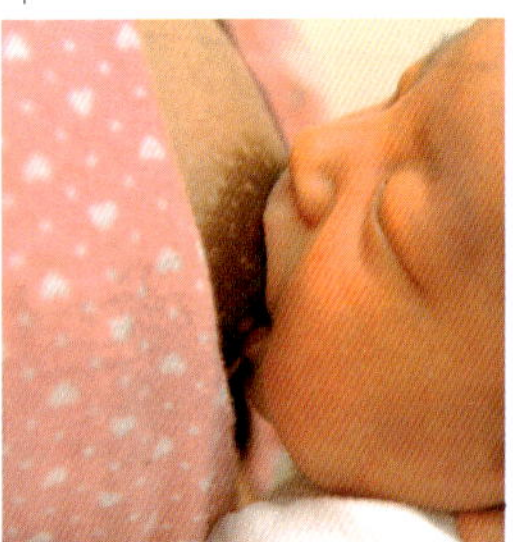 適切なラッチオン：口が大きく開き乳輪部まで深くくわえられているか，下唇が外向きに開いているか，下顎が乳房にふれているかなど
③新生児に必要なエネルギー必要量を摂取できるよう援助する． ・個々の新生児に適した哺乳量を確認する	▶ 生後日数，体重，黄疸，排泄状況など，新生児の全身状態，母親の乳房の状態と合わせて適切な量を摂取できているかを確認する 根拠 新生児の栄養は生きるためだけでなく，急速な発育を遂げるため，十分な栄養を摂取する必要がある
・新生児に必要な栄養について母親に説明し，必要量を授乳できるようにする	▶ 新生児期は 120 kcal/kg/日が必要とされている．生後 1 週間の 1 回の哺乳量の目安は日齢×10 mL (g) であり，1 日の回数は 8 回前後が望ましい．新生児の胃の大きさの変化や，母乳の分泌状況によるが，自律授乳の場合は 10 回以上となることもある
 動画 4-16 **6 排気させる** ①哺乳後，溢(いっ)乳や吐乳がないよう十分な排気を行う 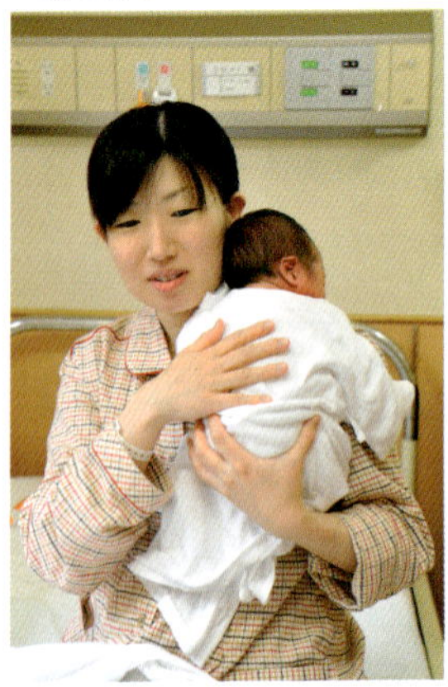 十分な排気を行う	根拠 新生児の胃は噴門部の締まりが緩く，成人に比べ内容物が逆流しやすい ▶ 排気の方法は，p.379「第 3 章-4【3】授乳」の「③排気をさせる」参照 事故防止のポイント 溢乳や吐乳による誤嚥や窒息を防止するため，しっかり排気させる 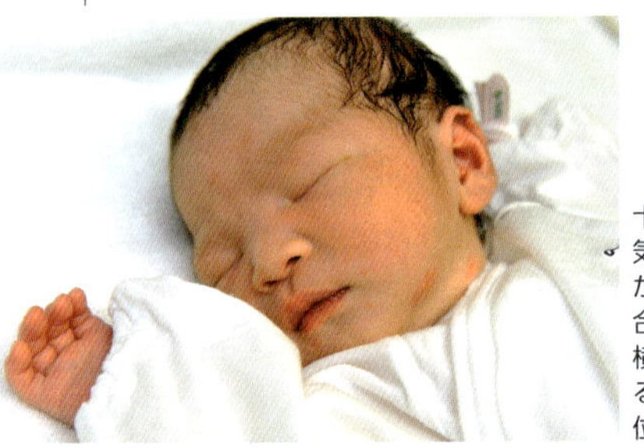 十分な排気がなかった場合，顔を横に向けるか側臥位にする
・十分な排気がなかった場合，新生児の顔を横に向けるか側臥位にする．あるいはコットの頭部を少し挙上してから，新生児を寝かせる	コツ 側臥位にする場合，丸めたバスタオルを背部に当て固定すると体勢が安定する

要点	留意点・根拠
②溢乳や吐乳，それをうかがわせる徴候がみられたら，すぐに顔を横に向けるか抱き上げて排気させる	▶悪心や溢乳，吐乳が治まるまで，注意深く観察する 注意 溢乳は様子をみるが，頻回に吐乳がみられる場合は，医師に報告し適切な対処をする

人工栄養による授乳の援助

手順

要点	留意点・根拠
1 新生児の栄養に関する母親の意思を確認する ①母親の状態または栄養に関する母親の意思から人工栄養による授乳を実施することを説明し，意思を確認する	▶母乳により新生児へ感染の可能性がある場合，新生児の発育や健康状態を維持するために必要な栄養が母乳のみでは確保できない場合，また母親の疾患などにより母乳育児が行えない場合，母親が母乳育児を希望しない，または混合栄養を希望する場合など，母親・家族の意思を確認し新生児に人工乳を授乳する
2 新生児の状態を確認し，準備する ①人工乳の授乳に適したタイミングであるか観察し，判断する 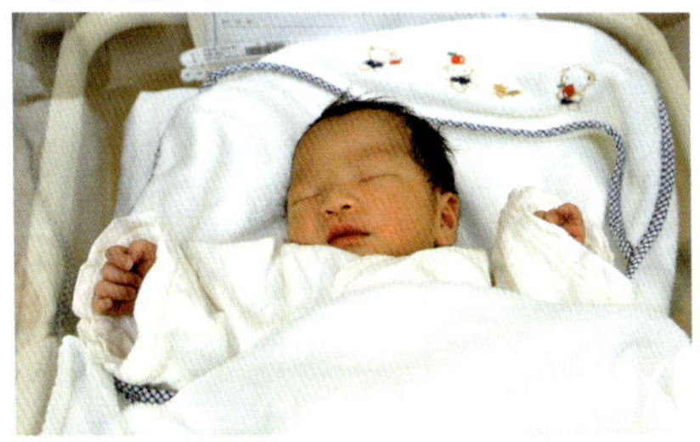 状態の安定した新生児	▶全身状態，覚醒状態，哺乳意欲，前回の授乳時間を確認する．授乳に適した児の睡眠-覚醒状態の段階は state 3〜5 である（p.393「第 4 章-1【1】バイタルサイン①呼吸・心拍・体温」の「①新生児の意識レベルを観察する」参照） 注意 生後 24 時間を経過しても哺乳意欲がみられない，吸啜力が緩慢，空腹による啼泣がないなどの場合は，状態を注意深く観察する．哺乳意欲がなくても低血糖の予防のため必要であれば授乳を試みることもある
②新生児の排泄の有無を確認する	▶排泄があれば衛生学手洗いを行い，おむつ交換を行う 根拠 不快を取り除いて哺乳に集中できるようにする
③看護師は衛生学的手洗いを行う ・看護師の手が冷たくないか確認する	事故防止のポイント スタンダードプリコーションに応じた手洗いを行い，感染を防止する 注意 感染症または感染症の疑いのある新生児に授乳する場合は，衛生学的手洗いの後，ディスポーザブル手袋を装着する
3 環境を整え必要物品を準備する ①授乳に適した環境を整える ②人工乳による授乳に必要な物品を衛生的に準備する	▶室温は 24〜26℃，湿度は 50〜60% に調整する 事故防止のポイント 消毒済みの物品を使用し，感染を防止する ▶新生児の必要量に合わせた哺乳瓶の大きさ，哺乳力に合った人工乳首を選択する 根拠 新生児

4 栄養

要点 / **留意点・根拠**

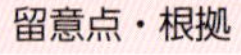

の状態に適した物品の選択により，体力の消耗を軽減し，飲みすぎを防止することができる

動画 4-17

③人工乳を準備する

《粉ミルクの場合》

・水を沸騰させ 70℃ 程度に冷ました湯を準備する

・粉ミルクの説明書を確認し，必要な湯の量と粉ミルクの量を確認する

▶ 沸騰させた後 70℃ 程度に冷ました湯で調乳する **根拠** 細菌による感染リスクを減少させるため

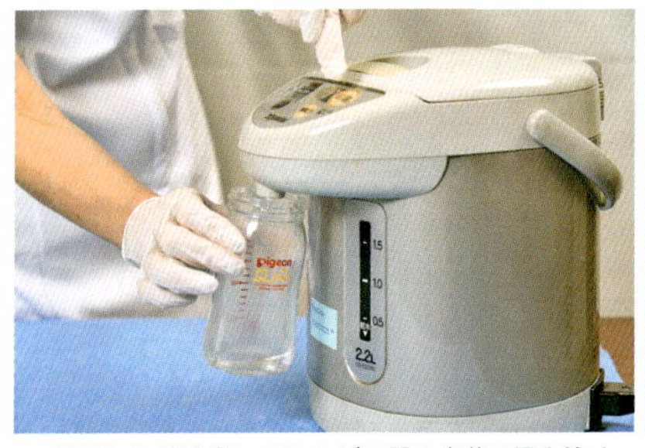

a. 消毒した哺乳瓶にできあがり量の半分の湯を注ぐ

b. 粉ミルクを専用の計量スプーンで正確に計り，哺乳瓶に入れる

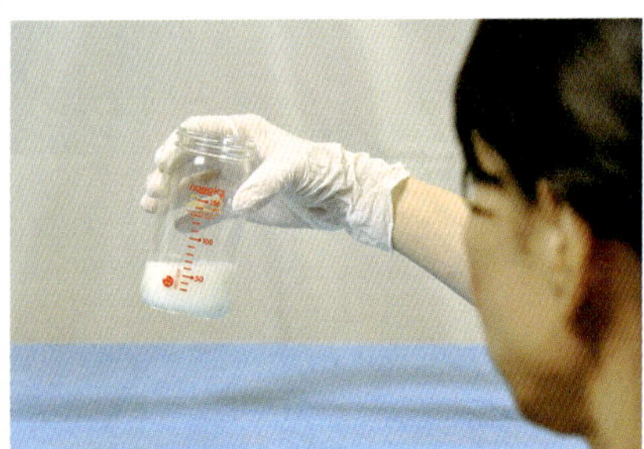

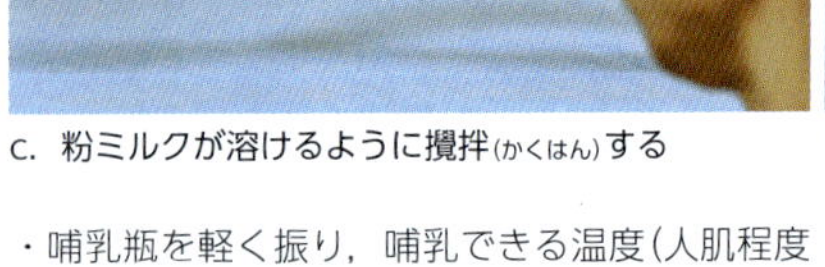

c. 粉ミルクが溶けるように攪拌(かくはん)する

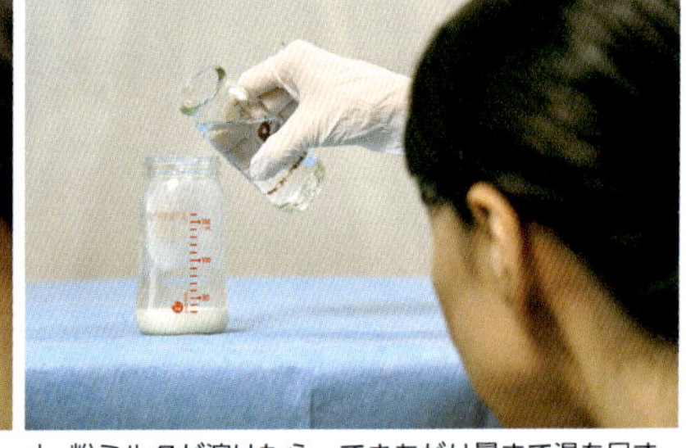

d. 粉ミルクが溶けたら，できあがり量まで湯を足す

・哺乳瓶を軽く振り，哺乳できる温度(人肌程度 37.0℃)まで流水などで冷ます

・人工乳の温度を確認する.

▶ 冷却水は哺乳瓶の下の方に当てるようにする **根拠** 人工乳首の汚染を防ぐため

▶ ミルクを前腕内側に数的垂らして温度が適温かを確認する

事故防止のポイント 人工乳の哺乳による熱傷を防止するため，必ず哺乳前に実施する

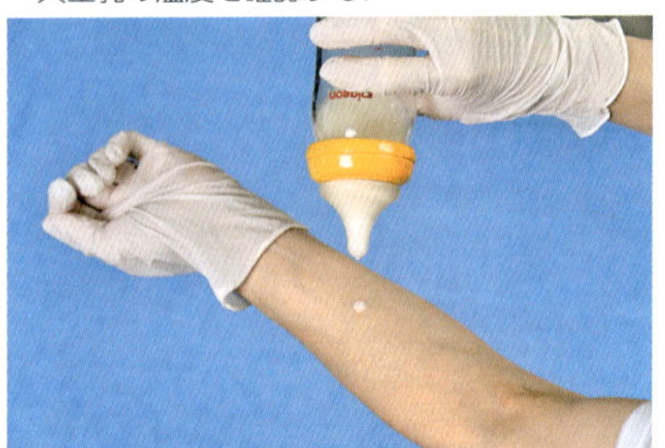

《液体ミルクの場合》

・常温での哺乳が可能であるため，開封後哺乳瓶に移し，すぐに与えることができる

注意 冬季など常温では冷たすぎる場合は，カイロなどで容器の外から温めるか，哺乳瓶に移してから湯煎で温める

要点	留意点・根拠
4 人工乳を授乳する	
①新生児を横抱きにし，首元にガーゼハンカチを置く	
②人工乳首で新生児の口唇付近を軽く刺激する	▶新生児の探索反射に合わせて，口を開いた時に舌の上に人工乳首をのせる
③新生児に声をかけながら授乳する	**コツ** 顎と頸部が少し離れる程度に頭部をそらせると，新生児が哺乳しやすい ▶新生児が吸啜することを確認したら，舌を人工乳首に巻き付けることができるように口腔内にしっかり挿入する **コツ** 哺乳瓶内の人工乳の残量に合わせ，空気が入らないように哺乳瓶を傾ける
④哺乳中の新生児の様子を観察する	▶授乳中は哺乳力や授乳中の全身状態(顔色，皮膚色，呼吸状態，悪心の有無，誤嚥の有無など)を観察する **注意** **皮膚色の変化や呼吸状態の悪化，悪心や嘔吐，誤嚥などがみられたら，すぐに哺乳瓶を外し，排気させる**(排気の方法は，p.379「第3章-4【3】授乳」の「③排気をさせる」参照) ▶排気後に新生児の状態が落ち着き，問題がなければ，人工乳の授乳を続行する．改善しない場合は医師へ報告し適切な対処をする
⑤哺乳が終了したら人工乳首を外す	▶人工乳がなくなったら指で新生児の顎を少し下げるか，人工乳首を哺乳瓶ごとずらし，口腔内の陰圧を解除して人工乳首を外す
《カップで授乳する場合》 ・別の容器で作った人工乳をカップに移し，カップ授乳する 	▶直接授乳と並行して人工乳を与える必要がある場合に実施する **根拠** ゴムの乳首を使って授乳すると，新生児に乳頭混乱を生じる可能性がある．カップの使用により混乱を防止し，直接授乳への影響を少なくする
⑥哺乳量を確認する	▶哺乳量と哺乳時間を確認する
⑦新生児の口元を拭き，上手に哺乳できたことを伝える	

要点	留意点・根拠
5 排気させる ①哺乳後，溢乳や吐乳がないよう十分に排気を行う 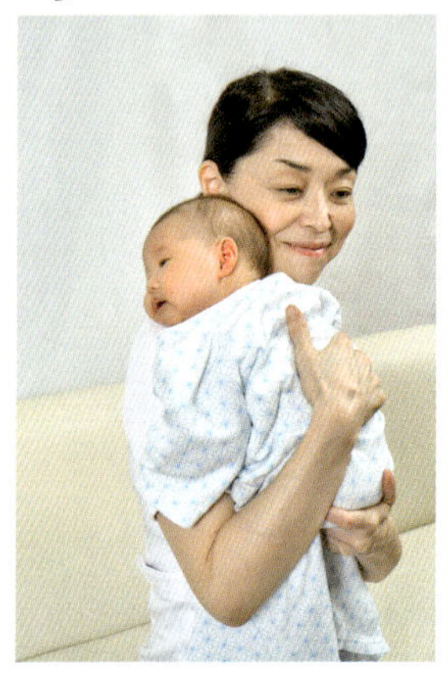	根拠 新生児の胃は噴門部の締まりが緩く，成人に比べ胃の内容物が逆流しやすい ▶ 排気の方法は，p.379「第 3 章-4【3】授乳」の「③排気をさせる」参照 事故防止のポイント 溢乳や吐乳による誤嚥を防止するため，十分に排気させる
②排泄の有無を確認する ・排泄していればおむつ交換を行う	根拠 授乳後，新生児は眠りに入るので，快適に安眠できるようにする．さらにおむつが汚染された状態が続くと，排泄物による外陰部や殿部への刺激でおむつ皮膚炎を起こす可能性がある
③新生児をコットへ寝かせる ・十分な排気がなかった場合，新生児の顔を横に向けるか側臥位にする．あるいはコットの頭部を少し挙上してから，新生児を寝かせる	▶ 寝かせる前に，コット内の環境を確認し，安眠できる環境に整える（適した掛け物か，危険物はないか）
6 使用した物品を片づけ，必要事項を記録する ①飲み残した人工乳は廃棄する	事故防止のポイント 感染防止のため，飲み残した人工乳を新生児に与えない 根拠 細菌が繁殖しやすい
②使用した哺乳瓶と人工乳首は中性洗剤で洗浄し，規定の方法で消毒する	注意 哺乳瓶内に人工乳が残らないようにブラシを使う 根拠 細菌の繁殖を防ぐ
③衛生学的手洗いを行う．ディスポーザブル手袋装着時は外して手洗いをする	▶ ディスポーザブル手袋は医療用廃棄物専用容器に廃棄する
④必要事項を記録する	▶ 哺乳量，哺乳時間，哺乳力，排泄の有無，授乳中の新生児の状態など

● 文献

1）神谷摂子ほか：分娩直後のカンガルーケア（BKC）プロセスと所要時間．日本保健科学学会誌，15(3)：121-131，2012
2）日本ラクテーション・コンサルタント協会編：母乳育児支援スタンダード 第 2 版，pp.93-94，167-172，医学書院，2015
3）仁志田博司編：参加スタッフのための新生児学　改訂第 2 版，p.21，メディカ出版，2007

5 与薬(ビタミン K)

木村 奈緒美

目的 ビタミン K_2 シロップ(ケイツーシロップ)を確実に内服させ，新生児ビタミン K 欠乏性出血を防ぐ.

チェック項目 全身状態，悪心・嘔吐の有無，哺乳意欲の有無，哺乳時間，哺乳量

適応 合併症をもたない正期産の新生児

注意

・出生後 24 時間以内，出生後 1 週間程度，1 か月健診時の 3 回投与する.
・哺乳意欲や哺乳力の状態を確認してから内服をさせる.
・内服後は嘔吐によりケイツーシロップが排出されていないか観察する.

禁忌 低出生体重児や早産児，合併症のある新生児は小児科医師の指示に従う.

事故防止のポイント 誤薬，誤嚥，感染の防止

必要物品 ケイツーシロップ 0.2% 1 mL(メナテトレノン)，薬杯(乳首)，ガーゼハンカチ，ディスポーザブル手袋，手指消毒薬

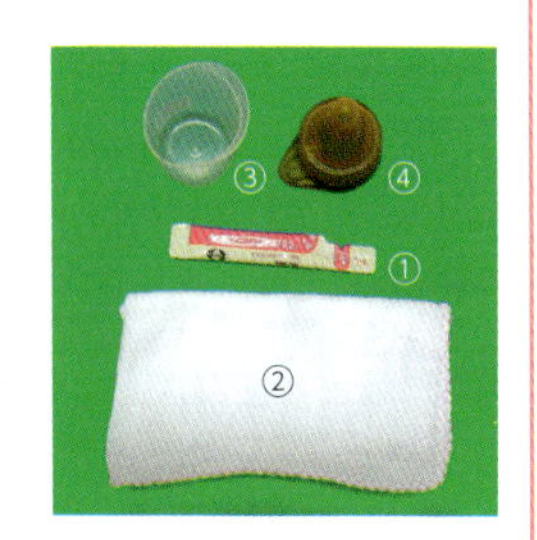

手順

要点	留意点・根拠
1 環境を整え必要物品を準備する ①環境を整える ②与薬する新生児をネームバンドと内服指示書または処方箋で，複数の看護師でチェック(ダブルチェック)する ③新生児を観察する ④看護師は衛生学的手洗い後，ディスポーザブル手袋を装着する ⑤必要物品を準備する ⑥ケイツーシロップを開封し，準備する	▶ 室温は 25〜26℃，湿度は 50〜60% に整える **根拠** 与薬する新生児の誤認を防ぐため，2 名の看護師で確認する ▶ ケイツーシロップを確実に内服するため，新生児の哺乳意欲の状態を観察する **注意** 生後 24 時間以内では内服後に初期嘔吐することがあるため，哺乳可能か判断する **コツ** 沐浴後や，最後の授乳から時間が経過しているタイミングならば，哺乳欲求によりスムーズに内服できる
 **2 ケイツーシロップを与薬する** 《薬杯による内服方法》 ①看護師は椅子に座り，新生児の上半身を少し立てた状態で抱く ②新生児の首元にガーゼハンカチを置く ③ケイツーシロップを入れた薬杯の縁で新生児の下唇を刺激する ④児が舌を出す動作に合わせて，ケイツーシロップを数滴ずつ舌の上にのせ，なめるよう飲ませる 《乳首による内服方法》 ①看護師は椅子に座り新生児を膝に座らせるように抱く	**根拠** 薬杯による内服は，ごく少量ずつ舌の上にのせるため，上半身を少し立て気味に抱くことで，口腔内に入れる量を調整しやすい **根拠** 下唇の刺激によって探索反射と捕捉反射が起こり，児が舌を出すような動きをする. **事故防止のポイント** 薬杯での内服は，口腔内に入ったケイツーシロップを嚥下できているか確認しながら内服を行うことで誤嚥・嘔吐を防ぐ ▶ 授乳時と同じ姿勢でよい

要点	留意点・根拠
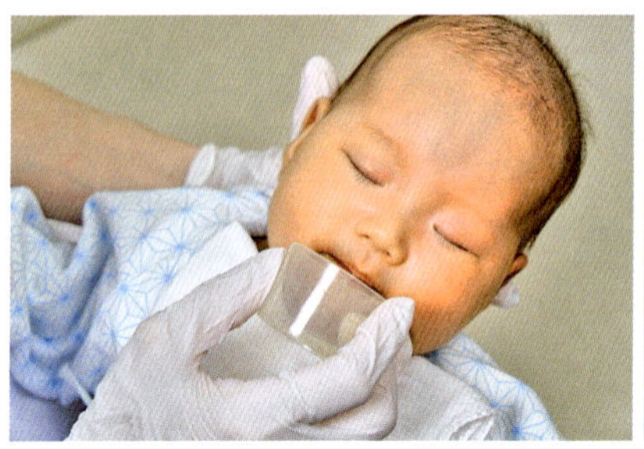 薬杯による内服 ②新生児の首元にガーゼハンカチを置く ③乳首をしっかりと舌の奥でくわえさせる ④利き手で乳首を固定し，別の看護師に乳首内に開封したケイツーシロップを注いでもらう	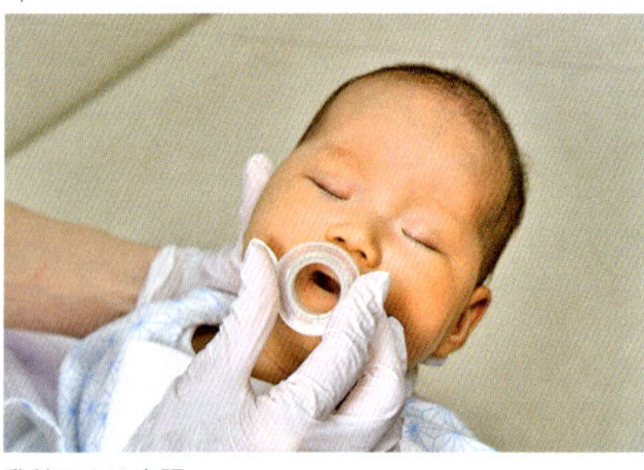 乳首による内服 根拠 舌の上に乳首をのせることで吸啜反射により乳首を吸う コツ 乳首は利き手でしっかりと把持し固定することで，ケイツーシロップをこぼすことなく内服させることができる 注意 乳首を舌にのせる前にケイツーシロップを入れると乳首の穴から薬剤が漏れることがあるため，乳首をくわえさせてから入れる
3 排気をさせる ①指定量を最後まで内服させ，排気をさせる 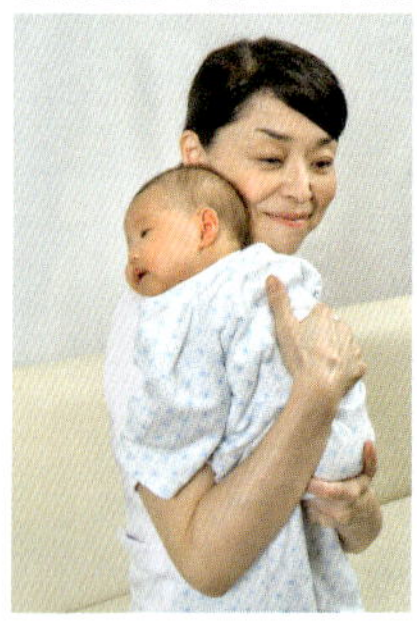	根拠 排気をすることで，ケイツーシロップの嘔吐を防ぐ 注意 内服後しばらくは，嘔吐によりケイツーシロップが排出されていないか観察を続ける．内服直後に嘔吐によってケイツーシロップを排出した場合は，医師の指示に従う ▶ 排気の方法はp.379「第3章-4【3】授乳」の「③排気をさせる」参照
②寝かせる場合は，新生児コット頭部側を15～30度程度の角度になるよう上げるか，顔を横向きにした姿勢で寝かせる ③新生児に上手に内服できたことを伝え，ねぎらいの言葉をかける	根拠 嘔吐による誤嚥を防ぐ
4 後片づけをし記録する ①使用した物品を片づけ，終了する ②内服時刻，薬剤名，服薬量，服薬時の状況について記録をする ③母親に内服したことを告げ，嘔吐した場合などはすぐに看護師に知らせるように伝える	根拠 薬剤は通常15～30分で小腸より吸収される．30分以内の嘔吐であれば，ケイツーシロップが吸収されていない可能性があり，再度内服する必要があるため，内服から嘔吐までの時間を把握する

6 更衣

神谷 摂子

目的
・清潔な衣類を身に着け，身体の清潔を保つ
・環境に適した衣類を選び，新生児の体温を適切に保つ

チェック項目 バイタルサイン，全身状態，発汗の有無・程度，衣服の汚れの有無と程度

適応
・衣服が汚れている場合
・目に見える汚染がない場合も，新生児は新陳代謝が活発なため1日1回は着替えを行う

注意
・室温・湿度を調節し，すきま風や空調設備の通風口からの風が直接当たらない場所を選択する．窓の近くは外気温の影響を受けやすいため避ける．
・新生児の姿勢（WM型）をふまえ，上下肢に負担のかかる着脱操作を避ける．
・新生児に声をかけながら実施する．

事故防止のポイント 更衣中の転落防止，感染防止，低体温防止

必要物品
長着，短着，紙おむつ（あるいは布おむつ，おむつカバー），消毒用アルコール綿，擦式消毒用アルコール製剤，ディスポーザブル手袋（必要時）

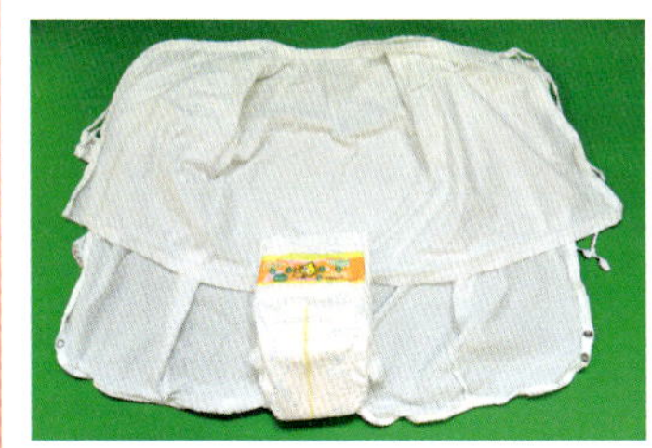
長着，短着，紙おむつ

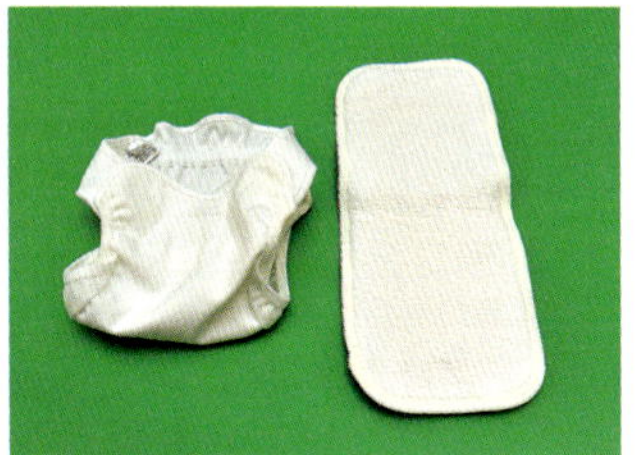
布おむつ（右）とおむつカバー（左）

手順

要点	留意点・根拠
1 更衣が可能か判断する ①全身状態，意識レベルを観察する	▶新生児の意識レベルがstate 1（深睡眠）でないことを確認する（p.393「第4章-1【1】バイタルサイン①呼吸・心拍・体温」参照） **根拠** 新生児の睡眠を妨げないように配慮する
②前回の授乳時間を確認する	▶授乳直前または直後は避ける **根拠** 授乳直前は新生児が泣くことが多く，体動が激しくなる．そのため更衣中の転落の危険性が高まり，また不要に体力を消耗する可能性がある．授乳直後では更衣に伴う体動により，溢(いっ)乳や嘔吐しやすい状態になる ▶授乳後1時間程度経過していることが望ましい．ただし衣服の汚染状態によってはすぐに行ったほうがよい場合もある

要点	留意点・根拠
③更衣が可能か判断する ・①②の観察内容から総合的に判断する	▶ 衣服に目に見える汚染がなくても 1 日 1 回は着替えを行う 根拠 新生児は新陳代謝が活発であり，発汗が多い
2 環境を整え，準備をする ①更衣に適した環境に整える	▶ 室温は 24～26℃，湿度は 50～60% に調整する 注意 すきま風や空調設備の送風口からの風が直接当たらない場所で，窓の近くは避ける 根拠 風が当たると熱が奪われ，低体温になるおそれがある．また窓付近は外気温の影響を受けて，気温の変化が大きい ▶ ラジアントウォーマーを使用する場合は，あらかじめ保温しておく 根拠 新生児は体表面積が成人に比べて大きく，皮下脂肪が少ない，また熱産生機能が未熟であるため低体温になりやすい 事故防止のポイント 常に熱喪失を最小限にするよう心がける
・衣服が広げられる平らで安全な場所を選択する	事故防止のポイント 転落を防止する
②看護師は不要なものを外す	▶ 指輪や時計など，新生児にとって危険なものを外す 根拠 新生児の皮膚は薄く，傷つきやすい 注意 長い爪，割れた爪なども肌を傷つけるので，ケアをしておく
③衛生学的手洗いを行う ・看護師の手が冷たくないか確認する	事故防止のポイント スタンダードプリコーションに応じた手洗いを行い，感染を防止する 注意 感染症または感染症の疑いのある新生児の場合，衛生学的手洗いの後，ディスポーザブル手袋を装着する
動画 4-19 **3 衣類を準備する** ①新生児の大きさ，環境や季節に応じた適切な衣類を用意する（表 1）	▶ 新生児の過ごす環境が 24～26℃，湿度 50～60% に調整されている場合，長着，短着，紙おむつが適切である ▶ 着せすぎは新生児の体動を妨げる可能性がある．状況に応じて掛け物で調整する 根拠 新生児の体温は環境に左右されやすい

表 1　新生児の衣類選択時のポイント

素材	・綿 100% が基本 ・通気性，吸湿性に富んでいる ・保温性がある ・刺激が少ない ・伸縮性があり体動を妨げない ・肌触りが良い
注意点	・肌着は刺激の少ない素材で，縫い目やタグの位置なども気をつける ・おむつカバーは，防水性があり頻回な洗濯に耐えられる丈夫なもの

要点	留意点・根拠
②衣類を長着，短着，紙おむつの順に重ねて準備する	▶ 長着と短着の両袖を通し広げておく．おむつは新生児の殿部の位置に置く 根拠 素早く着替えができるようにする ▶ ラジアントウォーマーを使用する場合は，保温中のラジアントウォーマー上で同様に衣類を準備する

要点	留意点・根拠
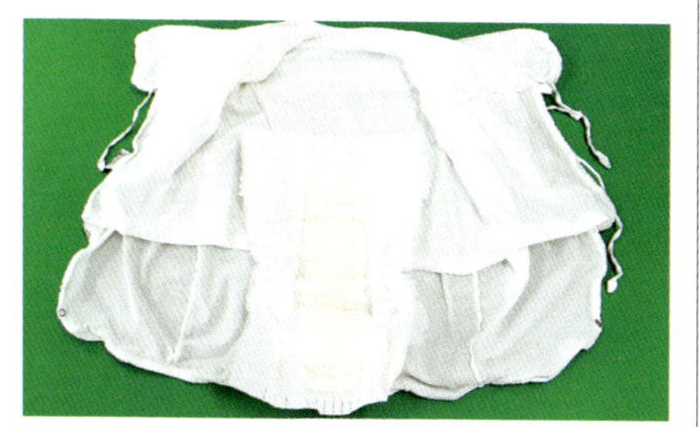 長着と短着の袖を通し，その上におむつをのせる	
4 汚れた衣類を脱がし，おむつを外す ①セットした衣類の隣に，新生児を静かに寝かせる	**注意** 新生児を寝かせた後はそばを離れない **根拠** 体動により転落する可能性がある **事故防止のポイント** やむを得ず新生児のそばを離れる時は，新生児をコットに移す．ラジアントウォーマー上では補助台を立てて転落を防止する
②短着の紐を外して前を開く ③片袖を脱がせる 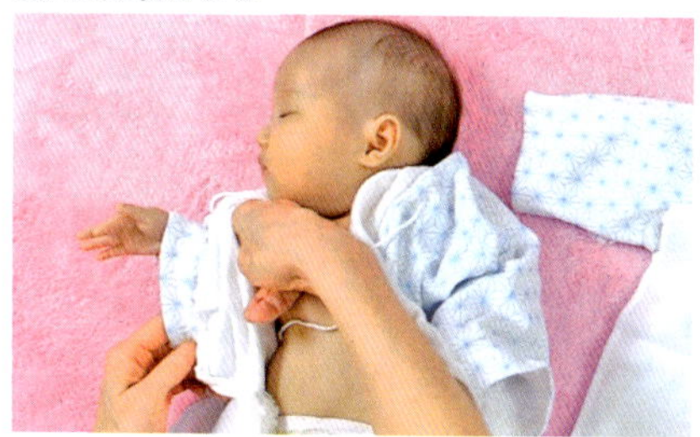 内側から肘関節を持ち，他方の手で袖を引き抜く	▶長着と短着はまとめて脱がせる **コツ** 片方の手で衣服の内側から肘関節を持ち，他方の手で衣服の袖をたぐり，引き上げながらゆっくり腕を袖口から抜く **注意** 新生児の肘関節に負担をかけず，姿勢に無理のないようにする．新生児の腕を引っ張らないようにする
④反対側も同様に脱がせる ⑤おむつを外し，小さく丸める 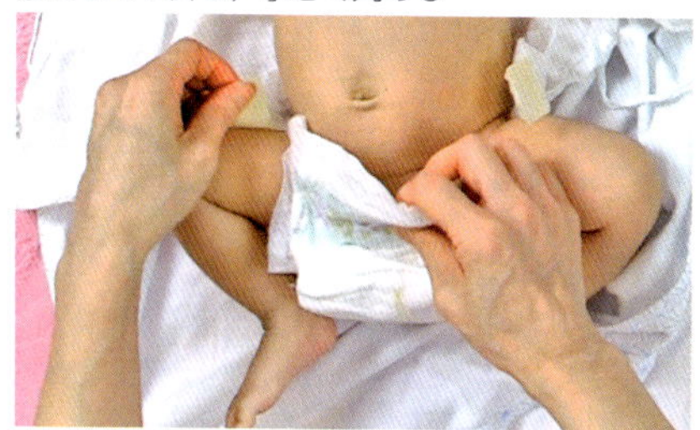	**根拠** おむつの汚染を周囲に拡大させない ▶おむつに汚染があった場合，おむつの汚染がない部分でおしりを拭き，さらにお尻拭きなどできれいにお尻を拭いてからおむつを小さく丸める
《新しい衣類の上に新生児を寝かせている場合》 ①片方の手で頭部から頸部を支え，上体を少し起こし，他方の手で汚れた衣類を腰部付近まで下げて内側に丸める ②上体を元に戻した後，殿部を少し挙上し，丸めた衣服を取り除く	

要点	留意点・根拠
5 新しい衣類を着せる ①片方の手で後頭部から頸部，肩甲部を支え，他方の手で殿部を支えて新生児を抱き上げ，着替え用の衣服の上に寝かせる ②着替え一式の上に寝かせた後，すぐにおむつを軽く当てる 	根拠 排尿による新しい衣類の汚染を防ぐ
③両肩を衣類で覆う ④関節に負担をかけないよう袖に通す 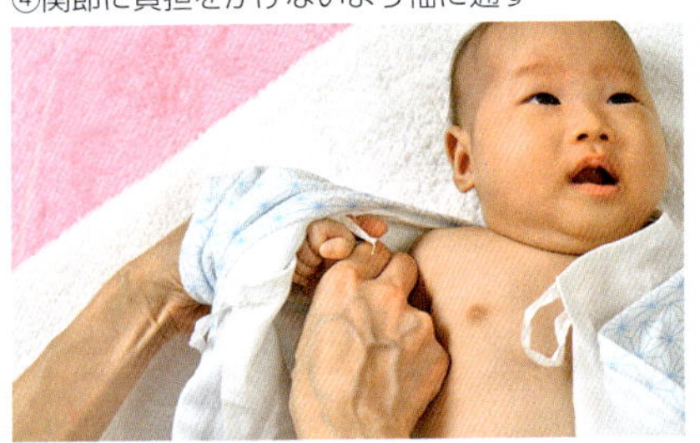 肘関節を持ち迎え手で袖に通す	根拠 保温に努め，低体温を防止する ▶長着・短着の袖口を合わせてたぐる．片方の手で迎え手をし，他方の手は肩口から肘関節を持ち，袖に通す コツ 迎え手をする方の手で新生児の手掌を持ち，送り手は肘関節が袖を通った後，胸元を袖とは反対側に軽く引く 注意 袖に通す時，新生児の腕を引っ張らない
⑤反対側も同様に袖に通す ⑥肘関節がしっかり袖の中にあるか確認する 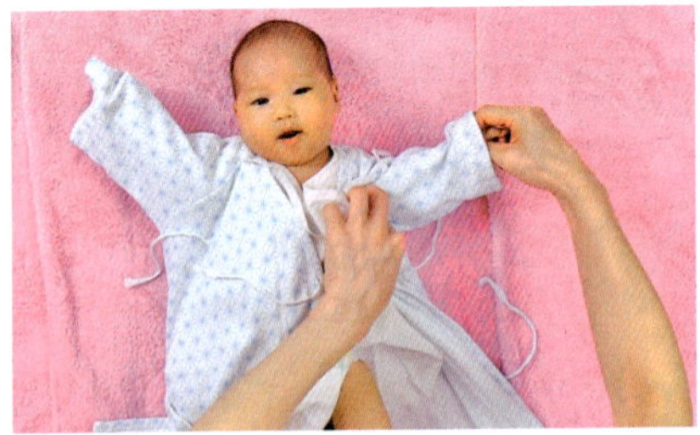 肘関節が袖の中にあるか確認する	▶肘関節がしっかり袖を通っているか，衣類の上から確認する 根拠 肘関節が袖の中に通ってないと，上肢の動きが妨げられる．また衣類がはだけやすい
⑦おむつを当てる（p.486「第4章-3【7】①おむつ交換」参照）	コツ 男児は前方に，女児は後方におむつがしっかり当たるようにする 根拠 男児と女児では尿道口の位置が異なるため，確実におむつで尿を受け，尿が漏れるのを防ぐ
・臍にかからないように両側のテープで固定する	注意 布おむつの場合は臍にかからないように手前の余分な部分を外側に折りたたみ，おむつカバーを当てて両側のマジックテープを止める

要点	留意点・根拠
⑧テープ固定後，腹部と大腿部周囲がきつくないか確認する 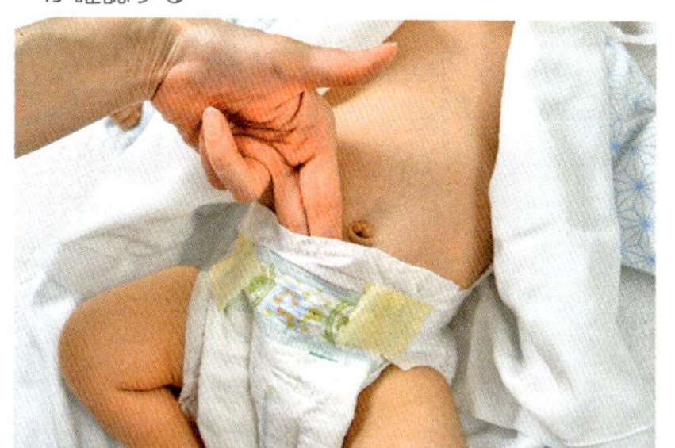 目安はウエストに指が 1～2 本挿入できる程度	根拠 おむつが濡れた場合，臍部の湿潤を防ぐ ▶テープ固定の強さは，看護師の指が 1～2 本挿入できる程度とする 根拠 腹部周囲がきつすぎる場合，腹部の動きを妨げて呼吸に影響を与える．大腿部の場合は，きついと下肢の動きを妨げ，逆に緩いとおむつがずれ，排泄物で衣類を汚染する可能性がある
⑨衣類の襟元を合わせて紐を結ぶ  短着の襟合わせは「右前」にする	▶襟合わせは長着，短着ともに，右の前身頃が手前（下）になる「右前」にする．きつすぎない程度に合わせる 根拠 皮膚の露出を最小限にし，体温の喪失を防ぐ 注意 襟合わせを逆（左前）にすると亡くなった人に対する着付け方になる
⑩衣類のしわを伸ばす	▶殿部の下に片手を差し込んで軽く持ち上げ，他方の手で長着，短着の背部を下方に静かに引く
⑪新生児に終了したことを伝え，ねぎらいの言葉をかけ，コットに寝かせる	
5 使用した物品を片づけ，必要事項を記録する	
①使用した物品を片づける	▶汚れた衣類はランドリーバッグに入れる ▶外したおむつは，使用済みのおむつ入れに廃棄する．使った布おむつとおむつカバーは，それぞれ決められたランドリーボックスに入れる
②更衣をした場所を消毒用アルコール綿で拭く	▶消毒後，ラジアントウォーマーを使用していた場合は必ず電源を切る
③看護師は衛生学的手洗いをする	▶ディスポーザブル手袋を装着して実施した場合は，外して衛生学的手洗い，または擦式消毒用アルコール製剤による手指消毒をし，手袋は医療廃棄物専用容器に廃棄する
④必要事項を記録する	▶更衣中に観察した新生児の状態，排泄の有無などを記録する

●文献

1）平澤美恵子ほか監：写真でわかる母性看護技術，pp.83-86，インターメディカ，2008

6 更衣

7 清潔

1 | おむつ交換

大林 陽子

目的 排泄状態に異常がないか観察する．便や尿の汚染によるおむつ皮膚炎(かぶれ)を防ぐ．
チェック項目 新生児の全身状態，陰部・肛門周囲の皮膚の状態，排便・排尿の時間・量・色・性状
適応 排便・排尿がみられた新生児，哺乳前の新生児，啼泣(ていきゅう)している新生児
注意 股関節に負担をかけないように注意して行う．
事故防止のポイント 清潔操作遵守による感染防止

必要物品 布おむつとおむつカバー，または紙おむつ(紙おむつの場合，カバーは不要)，市販のお尻拭きまたは綿花(湯に浸したもの)，ディスポーザブル手袋，ナイロン袋

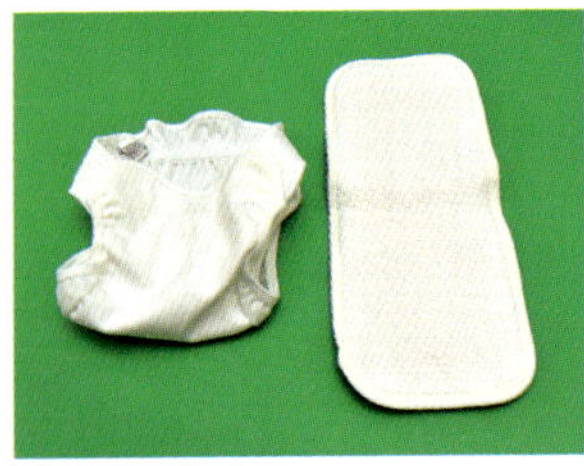
布おむつ(右)とおむつカバー(左)

紙おむつ

綿花

ディスポーザブル手袋

手順

要点	留意点・根拠
1 環境・使用物品の準備を整える ①環境を整える	▶室温は26℃前後，湿度50～60%に調整する．空調の風が新生児に直接当たらないよう調整する **根拠** 新生児の保温に努める
②看護師の準備をする ・看護師は衛生学的手洗いをし，ディスポーザブル手袋を装着する	**事故防止のポイント** 清潔操作遵守によって感染を防止する
③必要物品を準備する ・紙おむつまたは布おむつとおむつカバー，綿花(湯に浸したもの)，ナイロン袋を準備する	**注意** 市販の「お尻拭き」を使用してもよい．ただし，香料や消毒薬，アルコールを含んでいるものもあり，これらの成分は皮膚のpHを変化させて皮膚炎を起こしたり悪化させることがある．かぶれがみられたら使用しない

要点	留意点・根拠

動画 4-20

2 おむつを交換する

①おむつを取り替えるタイミングを判断する

▶哺乳前，および新生児が啼泣している時に取り替える　**根拠** 不快を取り除く．啼泣の原因の1つとしておむつの汚れによる不快が考えられる
注意 不必要に取り替えることは新生児の安静を妨げる

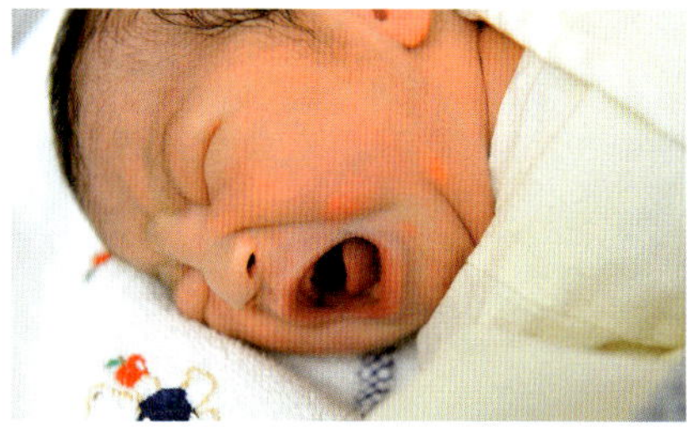

②必要物品をベッドサイドに準備し，新生児におむつを交換することを伝える

③掛け物を取り除き，新生児の長着と短着を上に軽くたくし上げ，おむつ(布おむつの場合はおむつカバーとおむつ)を手前に広げる

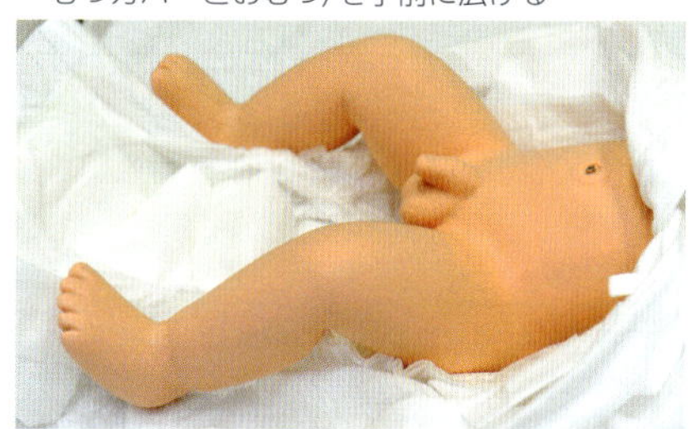

④排泄された便や尿，肛門周囲の状態を観察する

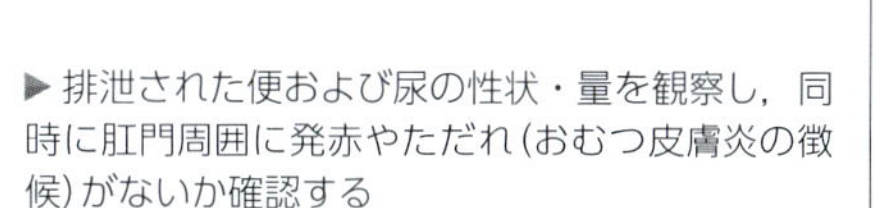

▶排泄された便および尿の性状・量を観察し，同時に肛門周囲に発赤やただれ(おむつ皮膚炎の徴候)がないか確認する
コツ 新生児の尿は無色に近いため，尿の有無がわかりにくい．臭いをかいで判断する

⑤綿花で皮膚の汚れを拭き取り，清潔にする
・排尿のみの場合，綿花を1枚手に取り，陰部をきれいに拭き取る
・排便のある場合，汚れたおむつの手前のきれいな部分で肛門周囲の便を取り除くように拭き取り，その部分を折りたたんで殿部の下に入れ込む．排泄物に応じた量の綿花を手に取り，便を拭き取る

コツ 男児の場合は陰茎と陰嚢(のう)の間，陰嚢の後ろに，女児の場合は大陰唇の内側に便が残りやすいので確認して拭き取る．女児は陰唇を軽く広げるようにしながらやさしく拭き取る
▶汚れた綿花は汚れたおむつの上に邪魔にならないように置く

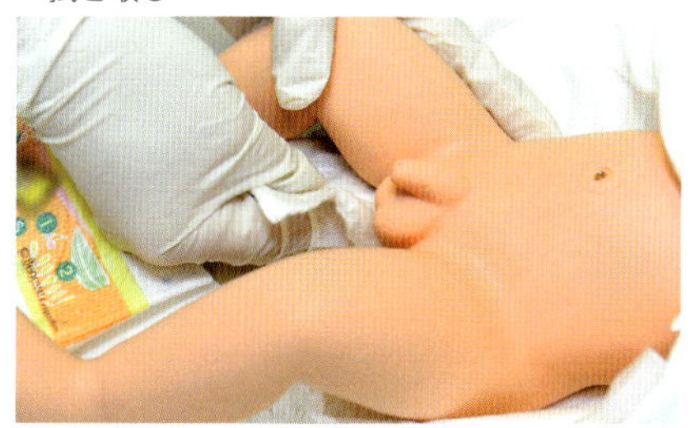

要点	留意点・根拠
⑥新しいおむつを汚れたおむつの下に敷く 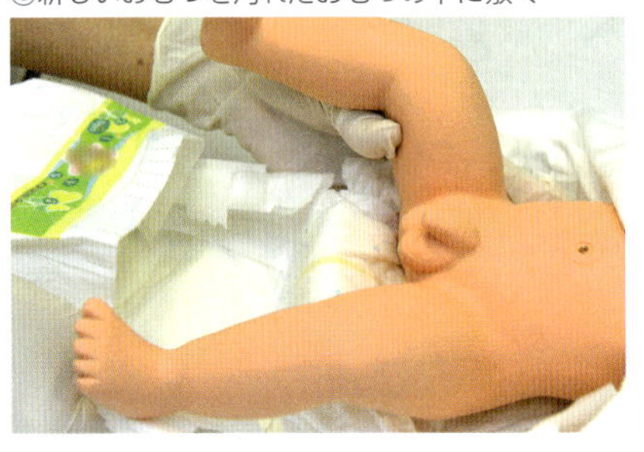	
⑦殿部を持ち上げ汚れたおむつを取り外す 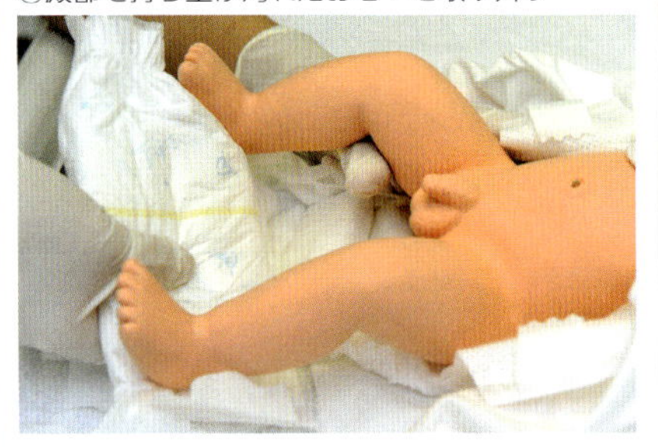	▶拭き取った綿花をおむつの中に入れて丸める．もう一方の手の示指から小指を腰から殿部に当て，母指を大腿から鼠径部付近に当てて挟むようにして殿部を持ち上げる．その間に汚れたおむつを素早く抜き取る **注意** 新生児の殿部を持ち上げる際，両足を手に持って引き上げる方法は，新生児の股関節に負担がかかり，脱臼を起こすことがある
⑧おむつ皮膚炎の徴候（肛門周囲の発赤，ただれ，亀裂など）がみられる場合，乾燥を促し，清潔を保つ	▶紙おむつは吸水性に富む．吸水性・吸湿性の高いおむつを使用する ▶頻回におむつ交換を行う **根拠** 便や尿の長時間の接触により起こるおむつ皮膚炎（かぶれ）を防止する ▶殿部浴（1 日 1 回程度，洗面器を用いて殿部だけを温湯に浸し，洗浄する）を取り入れる ▶かぶれがひどい場合は医師に相談し，軟膏を処方してもらう
⑨看護師はディスポーザブル手袋を外す	
⑩新生児の殿部を新しいおむつの上にのせる．おむつは臍より下にまとまるように適切な強さで当てる 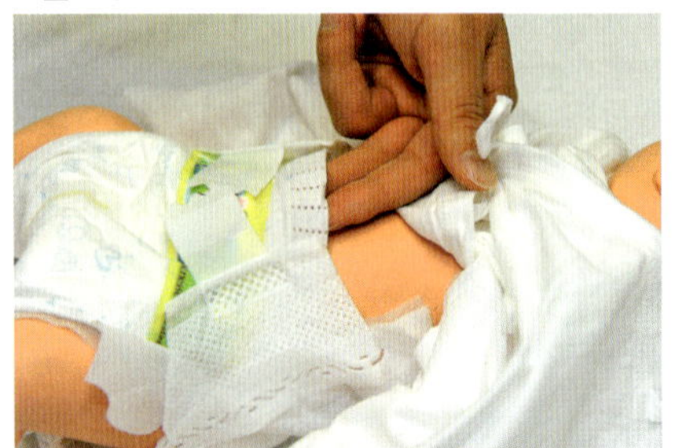 臍の下でまとめ，指が 1～2 本入る程度に	▶おむつを当てる強さは，新生児の皮膚とおむつの間に看護師の指が 1～2 本入る程度とする **根拠** 新生児の呼吸や下肢の動きを妨げない **コツ** 男児の場合，陰茎を下に向けておむつを当てる **根拠** 臍周囲のおむつが濡れず，臍帯の乾燥を妨げない ▶布おむつの場合はおむつを臍の下にまとまるように手前に折り返し，おむつカバーをする

要点	留意点・根拠
⑪新生児に終了したことを伝え，衣服や掛け物を整える	
⑫排便・排尿が1日に少なくとも1回以上あるか確認し，新生児の状態をアセスメントする	▶初回排便・排尿の後，便・尿が1日1回以上みられるか確認する．最終排便・排尿時間を把握しておき，全身状態や腹部の観察を行いながら，哺乳状況との関連をアセスメントし，水分出納のバランスを検討する ▶排尿がない場合，尿道口付近を刺激して様子をみる ▶排便がない場合，腹部に「の」の字マッサージを試みたり，肛門周囲を刺激する．それでも排便がなければ，綿棒の先にオリーブオイルを塗布して綿の部分を肛門に挿入して刺激する 注意 綿棒の挿入は肛門から1 cm程度とし，肛門の粘膜を傷つけない コツ 刺激によりすぐに便が出たらおむつを取り替える．すぐに出ない時は，一旦おむつを当てて様子をみる ▶刺激しても便や尿が排泄されない時は専門医と連携して必要な対処をする
3 記録をし，使用した物品の後始末をする	
①排便・排尿の観察結果を記録する	▶排便・排尿の時間，量・色・性状など，観察した結果を記録する
②使用した物品の後始末をする	▶汚れたおむつ，綿花などをナイロン袋に入れ，片づける
③看護師は手洗いをする	

7 清潔

2 沐浴

大林 陽子

目的
・身体の清潔を保つ.
・全身を観察する機会とする.
・血液循環を促し，哺乳意欲を高めること，睡眠を促すことにより新生児の発育を促進する.
・毎日同じ時間帯に行い，新生児の生活リズムがつくのを助ける.

チェック項目
・沐浴前：バイタルサイン，哺乳時刻
・沐浴中：全身の皮膚の状態，事故の危険性

適応 全身状態が安定している新生児

注意 全身を観察できる機会なので，背部，後頸部，殿部などを観察しながら行う．事故防止に細心の注意を払う．汚れやすい頸部，腋窩などのくびれ部分や殿部を意識的に丁寧に洗い，沐浴時間を延長させない.

禁忌 全身状態が悪く，沐浴により状態の悪化の可能性のある新生児

事故防止のポイント 清潔操作遵守による感染防止，沐浴中の新生児の転落・熱傷防止，深爪による手指の皮膚の損傷を防ぐ

必要物品 沐浴槽，ガーゼハンカチ(①)，沐浴布(あれば)(②)，洗面器(かけ湯用)(③)，ディスポーザブル手袋，着替え一式(長着，短着，紙おむつ，あるいは布おむつとおむつカバー)，バスタオル2枚，湯温計(④)，ベビーソープ(石けん)(⑤)，綿棒(子ども用)2本程度(⑥)，ベビーブラシ(⑦)，ベビー用爪切り(⑧)，ガーゼ
- **後片づけ**：消毒液(塩化ベンザルコニウムなど)，スポンジ，ランドリーバッグ

手順

要点	留意点・根拠
1 新生児の準備を整える	
①新生児の状態を観察し，沐浴してもよい状態か判断する	▶新生児のバイタルサイン，その他の一般状態を観察し，沐浴してもよい状態か判断する ▶新生児の状態が悪い(発熱がある，異常呼吸やチアノーゼがある，活気がない，哺乳力不良など)場合は，状態を悪化させないよう沐浴は行わない．もしくは状態に応じてドライテクニックを行う **注意** 新生児の状態が悪い場合，専門医と連携して適切に対処する
②新生児の意識レベル，哺乳状況を把握する	▶新生児の意識レベルがstate 1(p.393「第4章-1【1】バイタルサイン①呼吸・心拍・体温」参照)でないこと，哺乳前後でないことを確認する **根拠** 新生児の睡眠を妨げないよう配慮する．哺乳前は泣いて体動が激しく，転落の危険や体力を消耗させる可能性があり，哺乳直後は少しの体動

要点	留意点・根拠
	で溢(いっ)乳・嘔吐をしやすい．哺乳後は1時間ほど経過してから沐浴を行う
③母親に新生児の沐浴を行うことを伝え，了承を得る	▶母親に新生児の状態について説明し，了承が得られたら，沐浴の目的・方法，所要時間について説明する
2 環境・必要物品の準備を整える	
①沐浴室の環境を整える	▶沐浴室の室温は25〜26℃前後，湿度は50〜60%に整える．新生児に空調の風が直接当たらないよう調整する **根拠** 新生児の保温に努める
②看護師の準備をする ・看護師は衛生学的手洗いをすませる	**事故防止のポイント** 清潔操作遵守によって感染を防止する **注意** 感染症の新生児，感染症の疑いのある新生児の場合はディスポーザブル手袋をつけて行う
③着替えを準備する ・長着と短着は袖を通して広げ，その上の新生児の殿部がくる位置におむつカバーとおむつを広げてセットする ・着替えの上にバスタオルを菱形になるようにセットする	▶沐浴槽にできるだけ近く，安定した広いスペースに着替え(長着，短着，おむつ，おむつカバー)を準備する
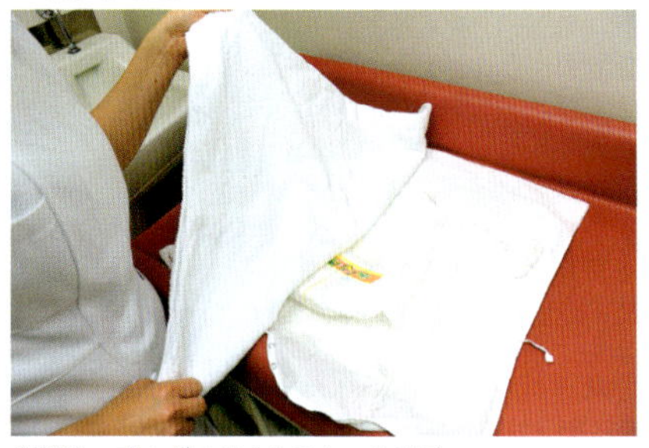 着替え一式とバスタオルをセットする	
④必要物品を準備する  沐浴槽の台座の上に，ベビーソープ，ガーゼハンカチなどを置く	▶沐浴槽の台座にベビーソープとガーゼハンカチを置く．着替えを置いた付近に沐浴布，綿棒，ベビーブラシ，爪切りを置く **根拠** 沐浴剤は皮膚の保護作用はあるが，汚れを落として全身の清潔を保つにはベビーソープ(石けん)が適している **事故防止のポイント** 台座の上は石けん分と湯で滑りやすい．落下した時に新生児にぶつかる危険がないように，新生児から離して置く
⑤沐浴槽に湯をため，湯温を調整する ・湯温計で湯温を確認し，適温(38〜40℃)に調節する	**根拠** 湯温は新生児の状態(特に体温)，室温・湿度，時季に応じて判断する

要点	留意点・根拠
・温度計を用いない場合は，新生児を湯に入れる前に看護師自身の肘関節の内側で温度を確かめる方法でもよい 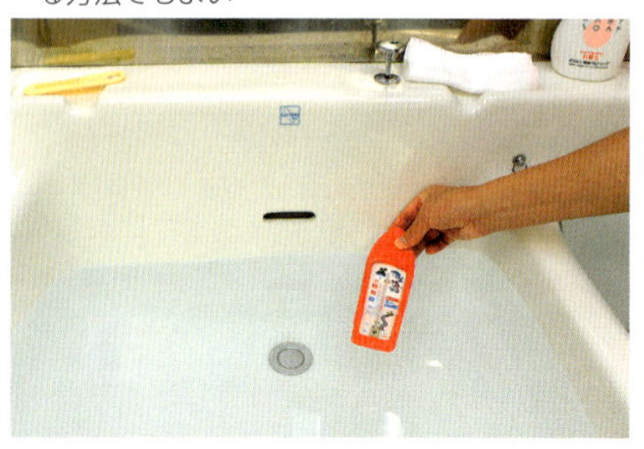	根拠 熱傷を防止する．肘関節の内側の皮膚は指先よりも敏感である 事故防止のポイント 沐浴槽の湯が適温であることを確認し，熱傷を防止する ▶ 湯の量は沐浴槽の 6～8 分目とする 根拠 6 分目程度だと，新生児を浴槽に入れた時に殿部が底について座ったような格好になり，安定しやすい
⑥準備ができたら，新生児を沐浴室に連れてくる	▶ 準備ができたら，母親から新生児を預かり，沐浴室に連れてくる 根拠 準備ができるまで，新生児は安全な場所で過ごす
 動画 4-21 **3 沐浴を行う** ①新生児の衣服を脱がせ，安全に保持する．新生児の頭部を固定し，安定させる 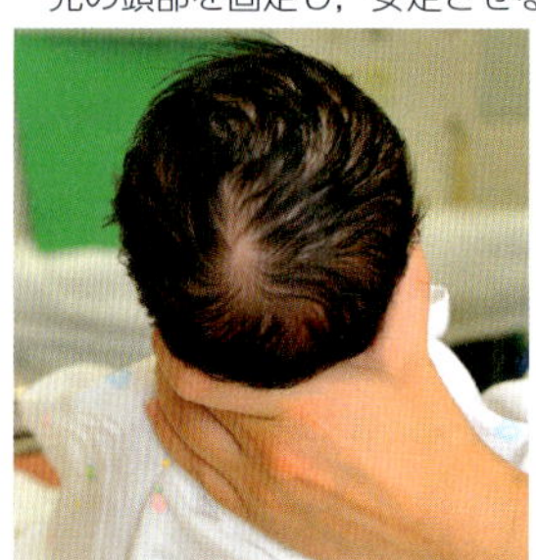 頭部の支え方 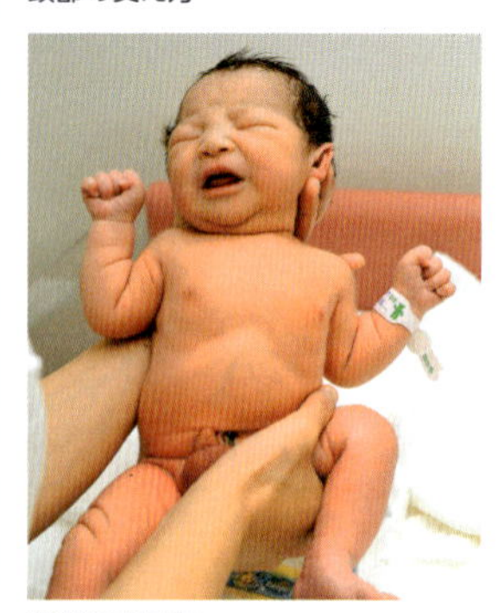 殿部の支え方	▶ 新生児の衣服を脱がせ，おむつを取り除く 根拠 袖は送り手で脱がせ，新生児の関節に負担をかけない コツ おむつは湯に入れる直前まで軽く当てておき，排泄物の飛散や汚染を防ぐ ▶ 左手を母指と他の 4 指に分けて開き，手掌に児の後頭を載せる．母指と示指の指腹が耳介裏側に位置するように調整する．手掌全体で児の後頭部と後頸部を保持し，児頭を支える 根拠 頭部をしっかりと保持できると，沐浴中の新生児が安定し，多少の体動があっても転落の危険を回避できる コツ 殿部を保持する前におむつを取り除き，沐浴布をかける．沐浴布は首元から肩まで覆い，新生児をくるむように包み，端を左手で支える．沐浴布でくるむことで新生児が安心する
②新生児を湯の中にゆっくりと入れる	▶ 新生児の足，または殿部からゆっくりと湯の中に入れる．胴体まで入れたら，看護師の左前腕後面を沐浴槽の縁につけて固定する

要点	留意点・根拠
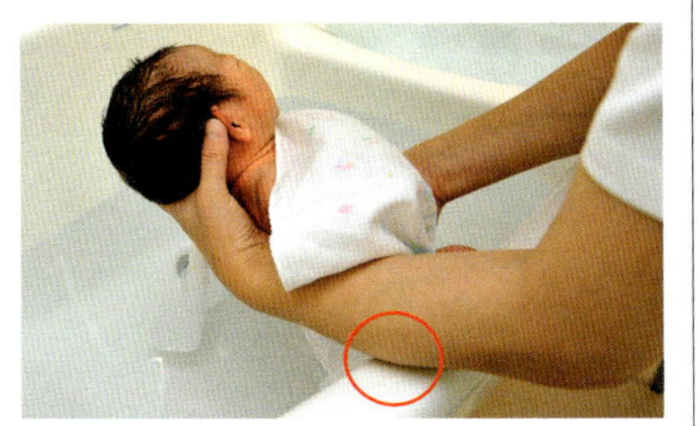 看護師の前腕を沐浴槽の縁につけて固定する 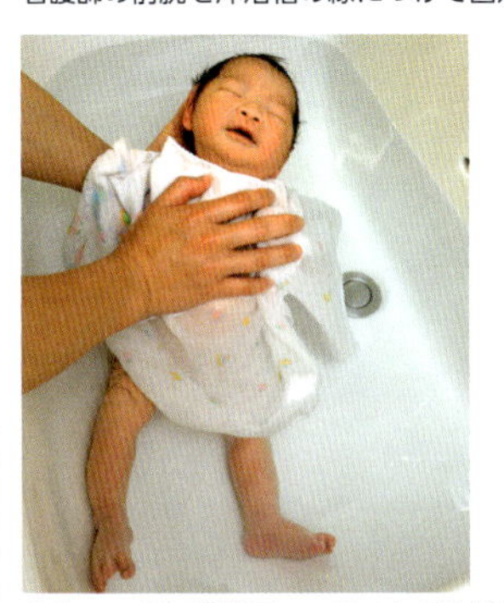 身体の一部を浴槽面につけると新生児は安心する	コツ ゆっくり入れると新生児はびっくりせずに入浴できる．びっくりして泣き出した時は，①湯に入れた後，右手を殿部から離して，新生児の胸の上で新生児の両手を包み込むように手掌を当てて静かに湯につからせ，落ち着くのを待つ．②新生児の身体の一部（足底がよい）を浴槽面につける，を試みる 注意 湯の中では滑りやすいので，不要に新生児を揺すらない．泣き止むまで待ち続けていると入浴時間が長くなり，新生児の体力を消耗させる．しばらくしても泣き止まない時は様子を見ながら沐浴を続ける
③ガーゼハンカチを使いやすいように持ち，絞る  ガーゼハンカチの持ち方	▶ガーゼハンカチを4つ折りにし，湯に浮かせる．右手の示指を突き出し，ガーゼハンカチの中央をすくい上げるように水面から上げて，残りの4指でガーゼハンカチを手掌内に包み込んで絞る 根拠 使いやすく，その後のすすぎなどが短時間でスムーズにできる
④眼，顔面，耳を清拭する ・ガーゼハンカチでくるんだ示指を新生児の目頭に当て，目尻に向かって拭く 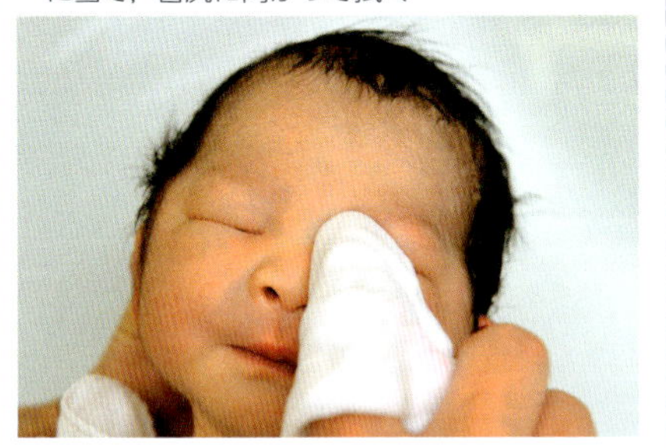	▶拭いた面をずらすか，一度，ガーゼをすすいで絞り，もう一方の眼を目頭から目尻に向かって拭く　根拠 最も清潔を保つ必要のある眼を最初に拭く 注意 眼脂がある場合，眼脂のない方（左右および目頭，目尻）からある方へ拭き，感染を防ぐ 根拠 涙管の炎症，感染を防止し，汚れを取り除きやすい．ただし，先天性鼻涙管閉塞による涙嚢(のう)炎がある場合は，目尻から目頭に向かって拭き取り，悪化を防止する コツ 新生児が開眼していても，示指を目頭に近づけると自然に閉眼する

要点	留意点・根拠
・額に示指を当てて，外側に半円を描くようにこめかみを通り，鼻の下，あごに向かって拭き取る．同様に，もう片側の額，こめかみ，鼻の下，あごまで拭き取る 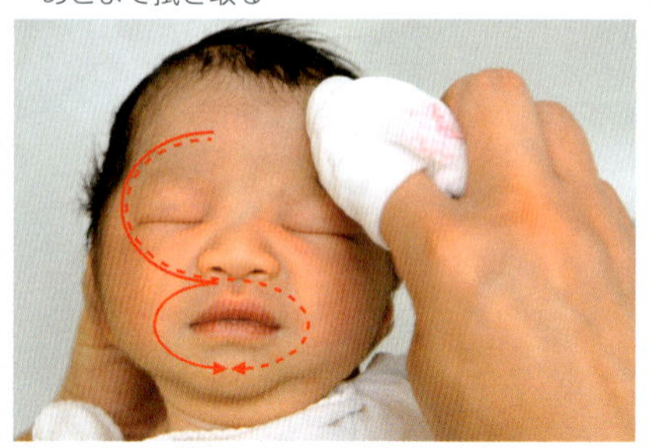	コツ 額から「S」の字を描くようにしてもよい ▶ガーゼハンカチをすすいで絞り，拭き残した眉付近，鼻の上，口周囲を拭き取る 根拠 口周囲は哺乳により汚れやすいので念入りに拭く
・ガーゼハンカチをすすいで絞り，耳介とその裏側を片方ずつ拭く 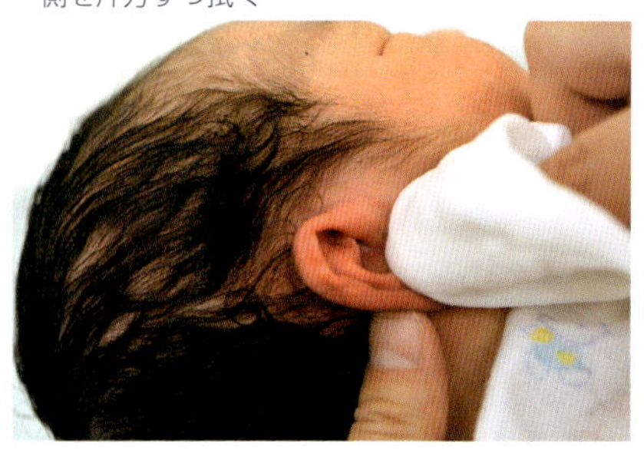	
⑤頭部を洗う ・毛髪全体を濡らす 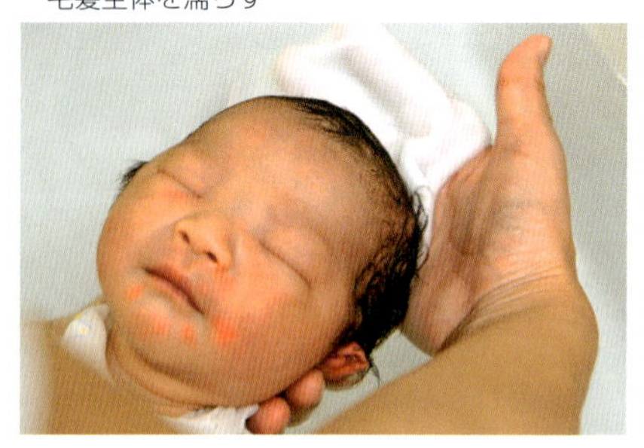	▶ガーゼハンカチに湯を含ませて，毛髪全体をまんべんなく濡らす ▶頭部を洗う時，耳介は無理に押さえなくてよい．ただし，耳に湯が入ることが心配であれば耳介を押さえてもかまわない ▶耳に湯がかかっても体温で乾くので心配しなくてよい．外耳道の入り口付近なら，外側からタオルやガーゼを軽く当てる程度で吸収する コツ 左手を軽く外転させて児の顔面が上を向くようにすると，湯が耳の方向に流れず洗いやすい

要点	留意点・根拠
・頭部全体を輪を描くように洗う 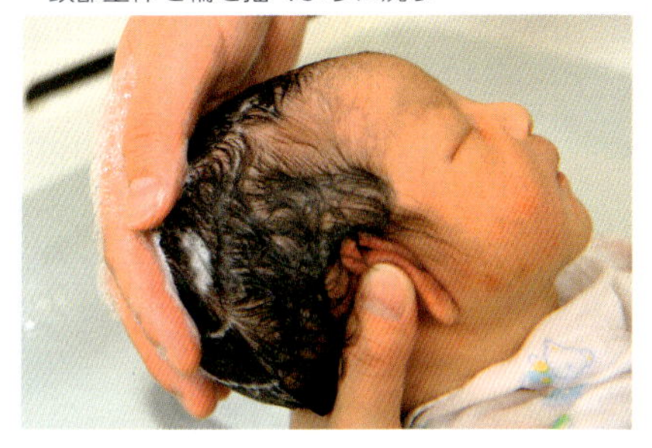	▶ベビーソープを右手にとり，頭部全体を包むように輪を描きながら全体を洗う 注意 ベビーソープはポンプ式でムース状の場合はそのまま新生児につけて洗うが，固形石けんや液体石けんの場合は手の中で泡立ててから洗う 根拠 泡立てると洗いやすく，石けん分が落ちやすいので短時間で行え，新生児への負担が最小限になる コツ 生後初めての沐浴では，付着している血液や羊水を丁寧に取り除く．ベビーソープで洗ったままベビー用のくしでとかすと，頭部や毛髪にこびりついた血液が落ちやすい
・ガーゼハンカチですすぐ 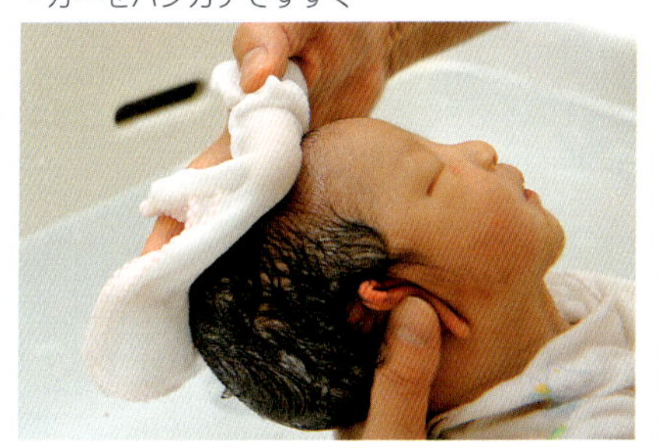	▶右手のガーゼハンカチに湯を含ませて，頭部の石けん分を静かに洗い流す コツ 手で洗うよりガーゼハンカチを用いると石けん分を短時間で確実に洗い流せる ▶ガーゼハンカチを絞り，頭部の水分を拭き取る 根拠 蒸散による熱喪失を防ぐ
⑥頸部を洗う 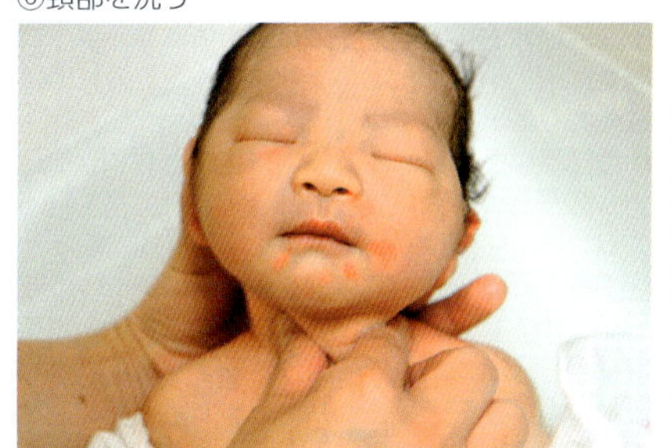 頭を後方へ反らせ，母指と示指で首を洗う	▶沐浴布を頸部から取り外し，右手でかけ湯をする．ベビーソープを右手にとり，新生児の首元に母指と示指を広げて当て，手前に引き寄せるようにやさしく洗う．その後，ガーゼハンカチで石けん分を洗い流し，沐浴布をかける コツ 新生児の頭部を後方へ少し反らせると頸部が観察しやすく，しっかり洗える
⑦上肢を洗う 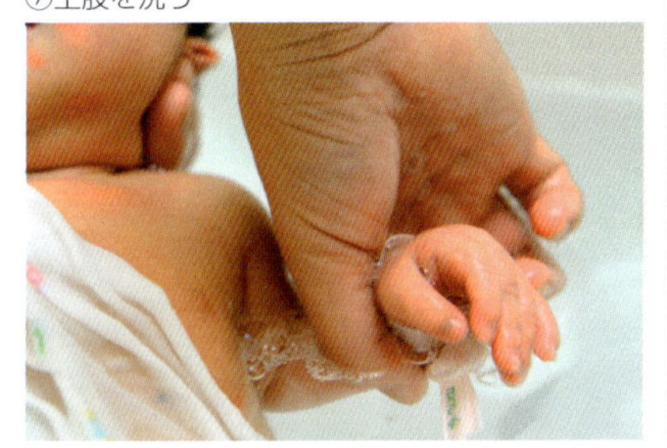	▶左右どちらかの上肢から沐浴布を取り外し，ベビーソープを右手にとり，肩をくるむように握り，腋窩を洗った後，手の方に向かってくるくると回しながら洗う 根拠 洗い残しが少ない ▶手を洗い終わったら，そのまま湯の中に手を入れて素早く石けん分を洗い流す．その後，ガーゼハンカチで上腕の石けん分を洗い流し，沐浴布をかける．もう一方の上肢も同様に洗う 根拠 新生児は姿勢上，手を口唇の近くに持っていきやすいため石けん分が口に入らないようする コツ 新生児は手を握っていることが多いが，湯の中に手を入れるか，看護師の指を新生児の小指側から手掌の中に入れていくと手を開く

要点	留意点・根拠
⑧胸部から腹部を洗う 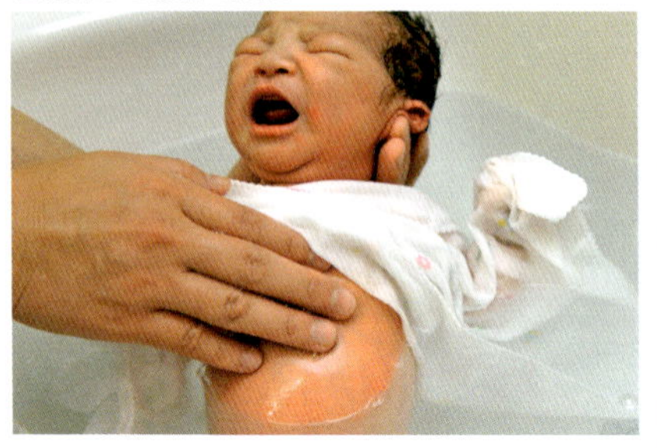	▶沐浴布を上半身から取り外し，ベビーソープを手にとって洗い，ガーゼハンカチで石けん分を洗い流し，沐浴布をかける コツ 新生児の排便を促す必要がある時は，「の」の字マッサージをしながら洗うとよい．腸の走行に沿ったマッサージで腸蠕動を促す
⑨下肢を洗う 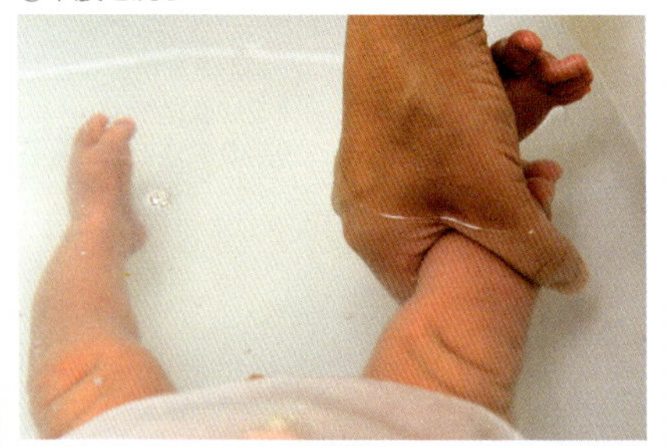	▶下肢の沐浴布を取り外し，ベビーソープを右手掌の中に包むようにとり，湯の中の足をくるむように握り，くるくると回しながら鼠径部まで洗う．ガーゼハンカチで石けん分を洗い流す 根拠 洗い残しが少ない
⑩新生児を腹臥位にして，後頸部，背部，殿部を洗う 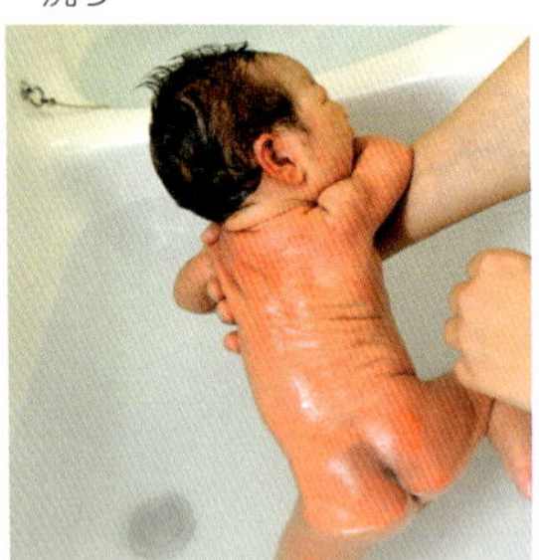 腹臥位にして右手で支える 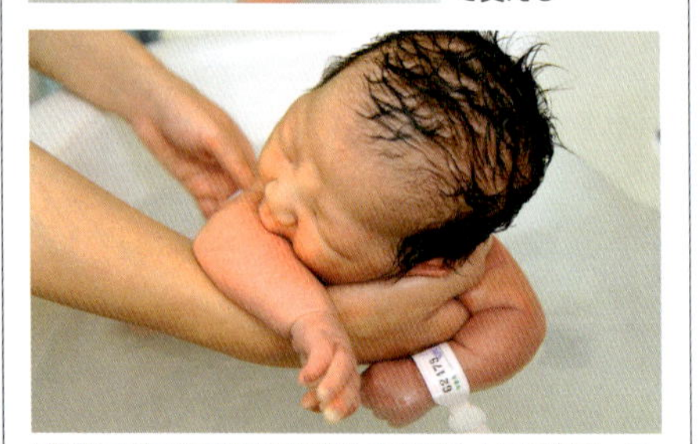 広げた右手を新生児の胸部全体を覆うように当て，示指～小指までの 4 指をそろえて腋窩の下から新生児を支える	▶沐浴布をすべて取り去り，新生児を腹臥位にする．広げた右手で新生児の胸部全体に覆うように当て，示指～小指までの 4 指をそろえて腋窩の下に沿わせて当てる ▶看護師は両手で新生児の体幹をはさむように保持しながら新生児を腹臥位にして，新生児を右手で支える コツ 看護師の右前腕後面を沐浴槽の縁につけて固定する．次いで，新生児の右肘を看護師の右前腕にかけると，新生児の身体が安定する 注意 新生児を腹臥位にした際に，新生児の顔が水面につかないように気をつける．新生児の右肘を看護師の右前腕にかけないと，新生児が後ろに滑り落ちやすく危険である コツ 腹臥位にする動作をスムーズに行うと新生児が不安にならずに安定する ▶左手でベビーソープを手にとり，新生児の後頸部から背部，殿部まで洗い，ガーゼハンカチで石けん分を洗い流す

要点	留意点・根拠

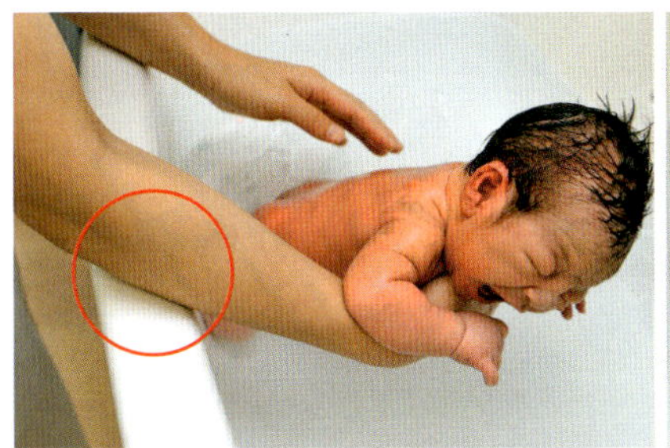

看護師の右前腕後面を沐浴槽の縁につけて固定する

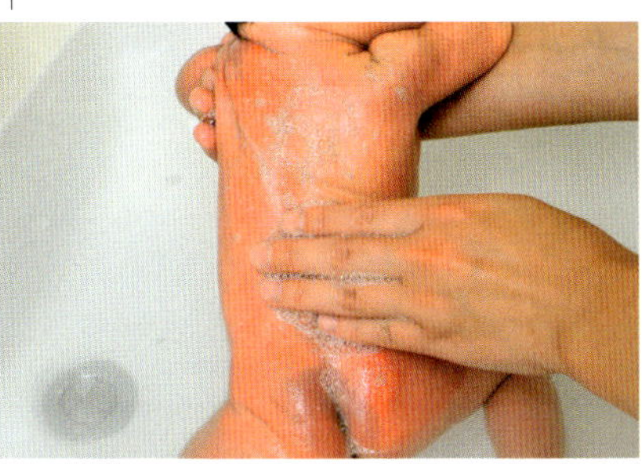

後頸部，背部，殿部を洗う

⑪新生児を仰臥位に戻し，上半身に沐浴布をかけ直して陰部，肛門を洗う

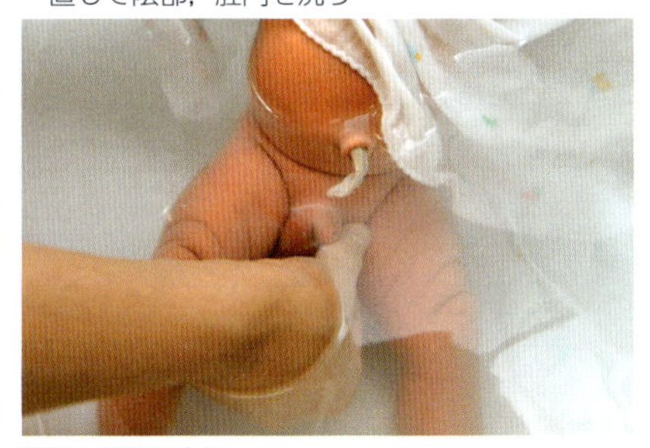

陰部，肛門を洗う

▶ 最初に新生児の頭部を支えた要領で後頭から肩付近を支え，両手で新生児の体幹をしっかりと保持し，仰臥位に戻す．上半身に沐浴布をかけ直す

▶ ベビーソープを右手にとり，陰部を洗う．男児は陰茎と陰嚢(のう)の間，陰嚢の後ろ，女児は陰唇の内側に汚れが残りやすいのできれいに洗う．ガーゼハンカチで石けん分を洗い流す

▶ ベビーソープを右手にとり，肛門とその周囲を洗い，ガーゼハンカチで石けん分を洗い流す

根拠 陰部と肛門は便や尿が付着した部分なので最後に洗う

▶ 新生児の胸に看護師の手を当てて，首まで湯に浸るように身体を沈め，全身を温める

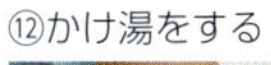

⑫かけ湯をする

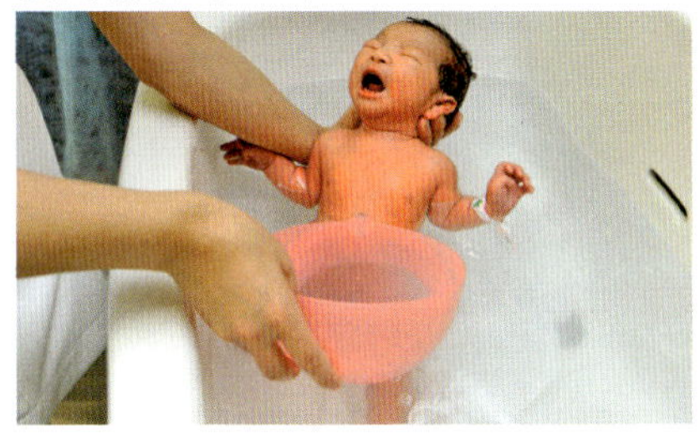

▶ 沐浴布を取りはずす

▶ 洗面器の湯を右手で持ち，新生児に洗面器が当たらない程度の近い位置から，新生児の下半身，腹部，胸部，頸部の順に静かに湯をかける

根拠 新生児がびっくりしないように，近い位置，かつ下半身からかけ湯をする

▶ かけ湯は必要に応じて行う

⑬全体を通してのポイント

▶ 新生児を湯の中に入れる時間は 5 分程度が望ましい．それ以上かかると新生児の体力を消耗させる **根拠** 哺乳力の低下や体重減少につながることもある

▶ 手順の⑥～⑪まで，順序立てて洗うと洗い残しがないが，洗う順序や方法にこだわらなくてもよい(ただし，陰部と肛門は最後に洗う)．大切なのは，汚れが残りやすい皮膚が重なり合う部分(頸部，腋窩，臍部，鼠径部，陰部)を丁寧に洗い，石けん分をしっかり洗い落とし，沐浴の目的が果たされることである

要点	留意点・根拠
4 新生児の全身の水分を拭き取り，着衣を整える	
①新生児を安全に湯から出し，水分を下に落とす	▶ 新生児の頭部と殿部をしっかりと保持して新生児を湯から出し，水分を下に落とす コツ 殿部を支えた右手の 4 指を下方に向けて伸ばし，右手掌内にたまった水分を下に落とす 注意 新生児を揺らさらないこと
②新生児をバスタオルの上に寝かせ，全身の水分を拭き取り，バスタオルを取り外す 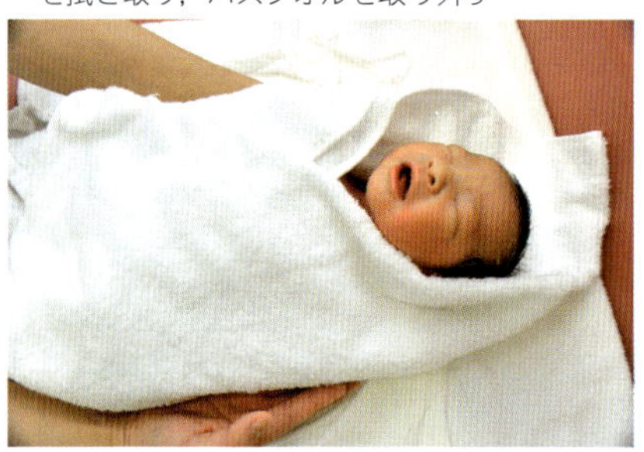 新生児をバスタオルでくるみ，押さえ拭きをする	▶ 新生児を速やかに準備してあるバスタオルの上に寝かせて，バスタオルでくるむようにして，押さえ拭きする 根拠 素早く拭き取ることで蒸散による熱喪失を防ぐ コツ 水分の残りやすい頭髪部分，皮膚が重なり合う頸部や腋窩，握ったままの手掌，肘窩，臍部，鼠径部，陰部，膝窩の水分を拭き取る．特に臍部は乾燥を促すため念入りに拭く ▶ 新生児の上体を少し起こして，バスタオルを下方へずらし，殿部を支えて，バスタオルを下から取り除く
③新しい衣服を着せる ・最初におむつを着ける 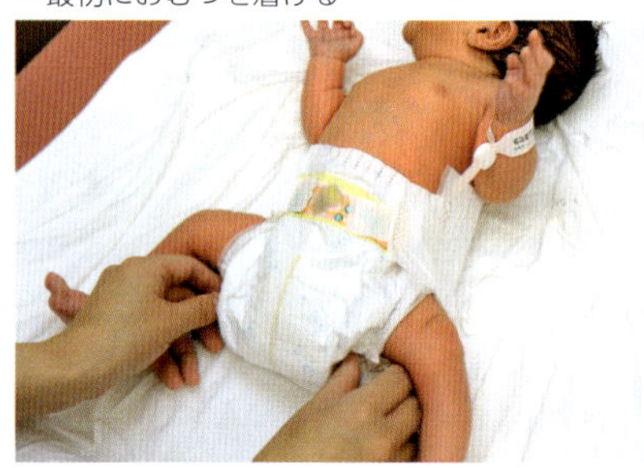	▶ 新生児を準備した着替えの上にのせて，最初におむつを着ける 根拠 突然の排尿による汚染を防ぐ ▶ おむつを臍にかからないように手前に折りたたみ，カバーを当てる．おむつを当てる強さは看護師の指が 1～2 本入る程度とし，マジックテープを止める 根拠 新生児の呼吸や下肢の動きを妨げないようにおむつを当てる．濡れたおむつが当たらないことで臍部の湿潤を防ぎ，乾燥を促す コツ 男児の場合，陰茎を下に向けておむつを当てると，臍部付近のおむつの湿潤を防げる
・上肢に袖を通す 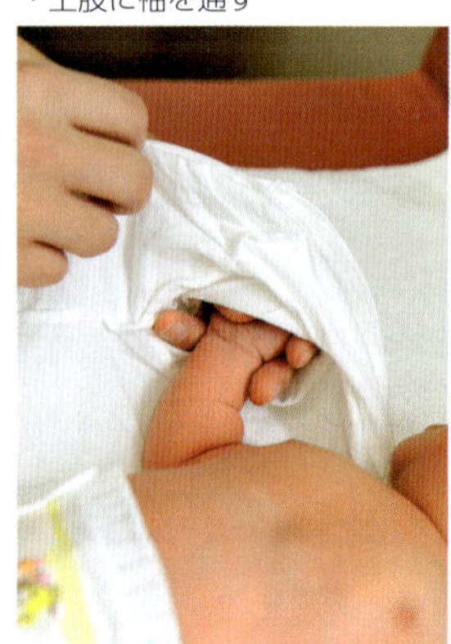 迎え手で肘まで袖に入れる	▶ 袖口から看護師の手を入れて，迎え手で新生児の手をとり，もう一方の手で肩口から送り手で新生児の上肢を袖に通す．反対側も同様にして袖を通す コツ 肘が衣服の脇に引っ掛かっていないか確認し，上肢が動かしやすいようにする

要点	留意点・根拠
・短着の襟を首元に合わせ，次いで，長着の襟を合わせ，ひもを結ぶ	根拠 首元からの熱喪失を防ぎ，保温に努める
④新生児の耳・鼻を清潔にする ・新生児の頭部を固定して耳を清潔にする 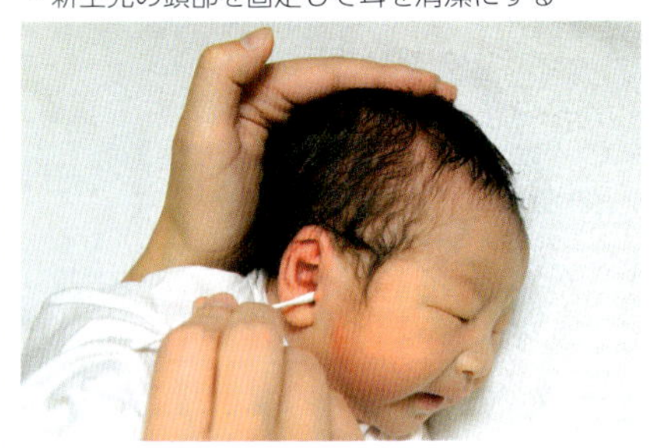	▶耳の中に垢がみられた時に行う．新生児の顔を横に向けて固定し，綿棒の先を外耳道の見える部分まで入れて，手前に引きながら垢を拭き取る．反対側の耳も同様に行う 注意 頭部を固定して行うこと 根拠 新生児の体動により綿棒が奥まで入って鼓膜を傷つけるおそれがある コツ 覚醒時には，母指を頭部に添えるとしっかり固定できて安全である
・新生児の頭部を固定して鼻を清潔にする 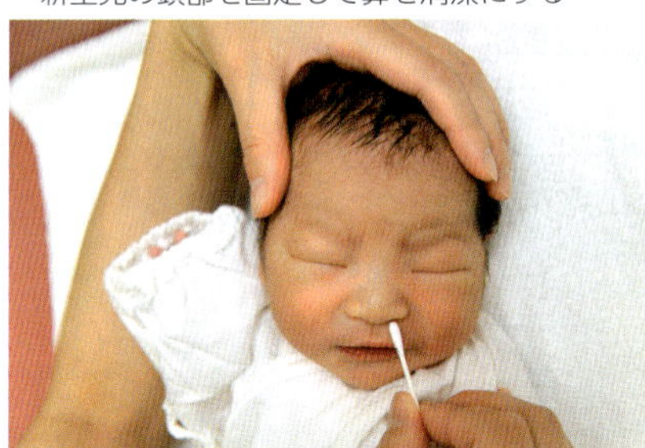	▶鼻腔に鼻汁や垢がみられ，呼吸を妨げている時に行う．頭部を固定して実施する 根拠 新生児の頭部が動くと中に入れた綿棒が鼻粘膜を傷つけることがある．新生児が泣いて嫌がる時には無理に行わない コツ 母指と中指の指腹を新生児の顎または耳の後ろに当てて，頭部を固定する ▶綿棒の先を鼻の中の見える部分まで入れて，鼻汁や垢を取り除く．反対側も同様に行う コツ 綿棒を軽く回しながら手前に引くと鼻汁が綿棒の先に巻きついて容易に取り除ける．手前まで出てきたら，素早くガーゼなどで拭き取る
⑤頭髪を整える 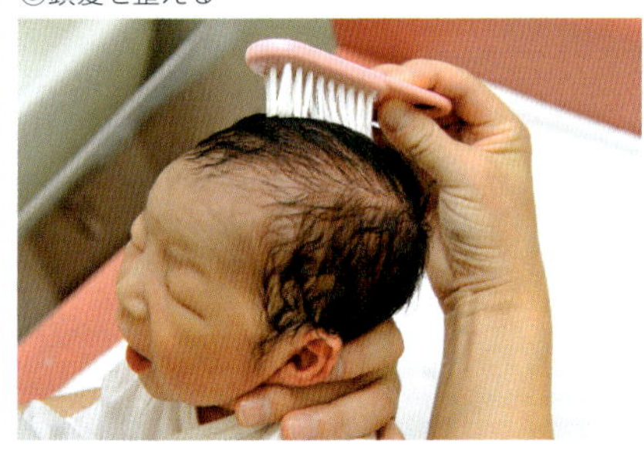	▶新生児の上体を少し起こし，ベビーブラシでやさしく髪を整える
⑥新生児の爪が伸びていないか観察し，伸びていたら，爪を切る	根拠 手を顔にもっていき，爪で皮膚を傷つける ▶新生児の意識レベルを確認し，沐浴後，新生児が寝ていれば，続けて爪を切る 根拠 安全かつ短時間で行える 注意 泣いている時や体動が活発な時は，深爪になる危険があるので行わない
・新生児の手掌に看護師の示指を入れ，握らせる ・指頭を越えて伸びている爪の白い部分を少し残す程度に切り，切り取った爪は捨てる	根拠 新生児の把握反射を利用して指を固定する コツ よく寝ていて握らない場合は，指を1本ずつもち，固定する 注意 爪の白い部分がなくなるまで切ると，皮膚と爪の間に出血することがある

要点	留意点・根拠
⑦新生児に終了したことを伝え，母親のもとに新生児を連れていく	事故防止のポイント 深爪による手指の皮膚の損傷を防止する ▶新生児に終了したことを伝え，労をねぎらう．母親に沐浴中の新生児の様子を伝え，新生児を母親に戻す
5 記録をし，使用した物品の後始末をする ①必要な記録を行う ②沐浴槽を洗浄し，物品を片づける ③看護師はディスポーザブル手袋を装着していた場合，外して手洗いをする	▶観察した結果，実施した時間など記録する ▶使用したガーゼハンカチと沐浴布は絞って，バスタオルはそのままランドリーバッグに入れる ▶沐浴槽の湯を排水し，消毒液（塩化ベンザルコニウムなど）を洗浄用スポンジなどにつけて全体を洗浄し，洗剤が残らないように洗い流す．その後，清潔な布で拭き取り，乾燥させ細菌の増殖を防ぐ 注意 物品を置いている台座部分やゴム栓と鎖部分も丁寧に洗う 事故防止のポイント 感染防止に努める．特に，感染症のある新生児，感染症の疑いのある新生児の沐浴は最後に行うか，感染症児用の沐浴槽で行い，終了後，消毒液に1時間程度浸して消毒する（個々の感染症対策に応じる）

●文献

1）平澤美惠子ほか監：写真でわかる母性看護技術，pp.56-69，インターメディカ，2008

7 清潔

3 ドライテクニック(全身清拭)

神谷 摂子

目的 身体の清潔を保つ

チェック項目 バイタルサイン，意識レベル，皮膚の状態，全身状態，直近の授乳時間

適応 沐浴が実施できない状態の新生児，体力の消耗を最小限にしたい新生児

注意

- 室温・湿度を調節し，すきま風や空調設備の送風口からの風が直接当たらない場所を選択する．窓の近くは外気温の影響を受けやすいため避ける．
- 環境を調節し，周囲に危険物がないか確認する．
- 不必要な露出を避け，熱の喪失を防ぐ．
- 新生児の皮膚を傷つけないように，看護師は不要なもの(指輪や時計など)などを外し，爪も常に手入れしておく．
- 胎脂が付着している場合，無理に取り除く必要はない．
- 新生児に声をかけながら実施する．

禁忌 全身状態が悪く，身体機能を悪化させる可能性がある新生児

事故防止のポイント 転落防止，感染防止，低体温防止，熱傷防止，新生児の負担を増強しないよう短時間で行う

必要物品 ボウル(洗面器)，湯温計，ガーゼハンカチ，新生児用処置台(ラジアントウォーマー)，温湿度計，着替え用衣類(長着，短着，紙おむつ)，バスタオル，ベビー用綿棒(数本)，ベビーブラシ，擦式消毒用アルコール製剤，ディスポーザブル手袋(必要時)

長着，短着，紙おむつ

湯入りボウルと湯温計

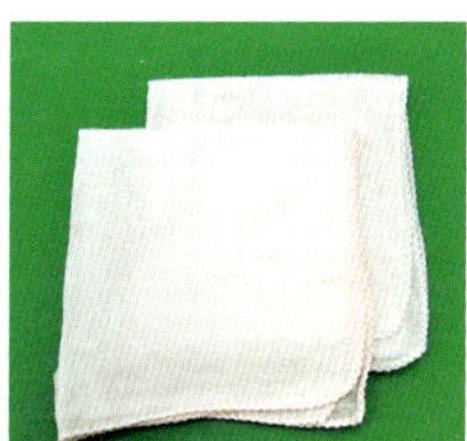

ガーゼハンカチ

手順

要点	留意点・根拠
1 新生児の状態を確認する ①バイタルサイン，意識レベル，全身状態を観察する	**注意** 発熱，低体温，異常呼吸，チアノーゼ，活気がない，哺乳力不良などを認めた場合，または ドライテクニックを行うことで新生児の負担となる可能性がある場合は行わない ▶新生児の意識レベルが state 1(深睡眠)でないことを確認する(p.393「第 4 章-1【1】バイタルサイン①呼吸・心拍・体温」参照) **根拠** 新生児の睡眠を妨げないように配慮する

要点	留意点・根拠
②前回の授乳時間を確認する 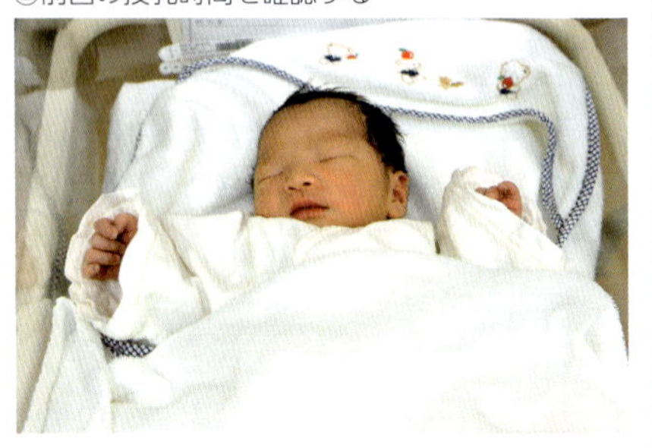	▶ 授乳直前・直後を避ける **根拠** 授乳直前は新生児が泣くことが多く，体動が激しくなる．そのため清拭中の転落の危険性が高まり，また不要に体力を消耗する可能性がある．授乳直後では清拭に伴う体動により，溢(いっ)乳や嘔吐しやすい状態になる ▶ 授乳後 1 時間程度経過していることが望ましい
③ドライテクニックを行ってよい状態か判断する	▶ 全身状態，バイタルサイン，意識レベル，授乳時間から，総合的に判断する
④母親に新生児にドライテクニックを行うことを伝え，了承を得る	▶ 母親に新生児の状態とドライテクニックの目的，方法，所要時間について説明し了承が得られたら実施する
2 環境を整え，準備をする	
①新生児室の環境を整える	▶ 新生児室の室温は 24～26℃，湿度は 50～60％に調整する **注意** すきま風や空調設備の送風口からの風が直接当たらない場所で，窓の近くは避ける **根拠** 風が当たると熱が奪われ，低体温になるおそれがある．また窓付近は外気温の影響を受けて，気温の変化が大きい ▶ ラジアントウォーマーを使用する場合は，あらかじめ設定温度で保温しておく **根拠** ドライテクニックは沐浴に比べ熱の喪失が少ない清潔ケアだが，新生児は伝導，蒸散，対流，輻射により熱喪失が大きく低体温になりやすい **事故防止のポイント** 常に熱喪失を最小限にするよう環境を整え，低体温を防止する
②看護師は不要なものを外す	▶ 指輪や時計など，新生児にとって危険なものを外す **根拠** 新生児の皮膚は薄く，傷つきやすい **注意** 長い爪，割れた爪なども肌を傷つけるので，ケアをしておく
③衛生学的手洗いを行う	**事故防止のポイント** スタンダードプリコーションに応じた手洗いを行い，感染を防止する **注意** 感染症または感染症の疑いのある新生児の場合は，衛生学的手洗い後，ディスポーザブル手袋を装着する
3 必要物品を準備する	
①新生児用処置台の上に，衣類を長着，短着，紙おむつの順に重ねて準備する	▶ 長着，短着は両袖を通して広げておく．おむつは新生児の殿部の位置に置く **根拠** 素早く着替えができ，熱が奪われるのを防ぐ ▶ ラジアントウォーマーを使用する場合は，ラジアントウォーマー上で同様に衣類を準備する

要点	留意点・根拠
②広げた衣類の上にバスタオルを広げる 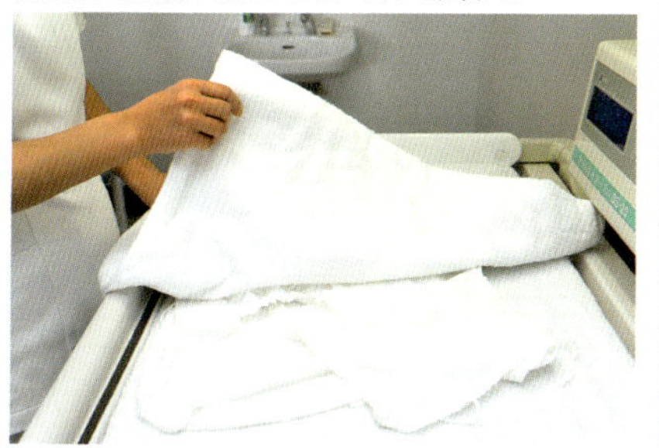 重ねた衣類の上におむつを広げ，バスタオルを菱形になるように置く	▶バスタオルは，衣類の上に菱形になるように置く
③ワゴンに湯(45～50℃)の入ったボウル，ガーゼハンカチ，綿棒，ベビーブラシ，湯温計を準備する 	事故防止のポイント 湯が入ったボウルは，新生児に湯がかからないように離れた場所に置いて，熱傷を防止する
④母親から新生児を預かり，新生児室へ移動する	事故防止のポイント 新生児の転落防止のため，コットごと移動する
 動画 4-22 **3 ドライテクニックを行う** ①新生児を準備した新生児用処置台の上に静かに寝かせる 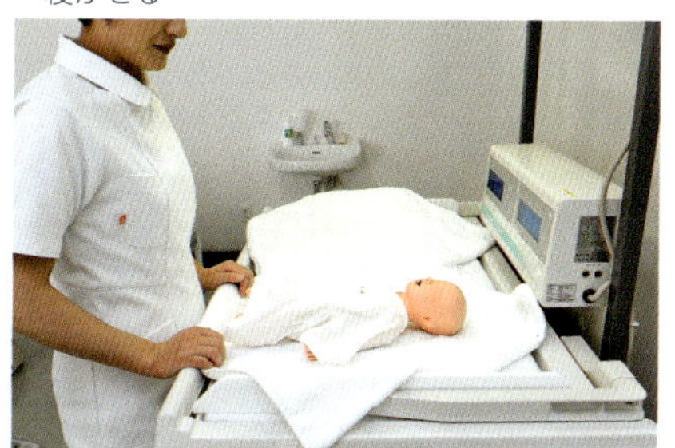	▶新生児処置台の近くにコットを配置した後，新生児を移動する 事故防止のポイント 動線をできるだけ短くして，転落を防止する 注意 新生児用処置台に新生児を寝かせた後は処置台から離れない　根拠 新生児用処置台は周囲の柵が低いので，体動により転落のおそれがある 事故防止のポイント やむを得ず新生児のそばを離れる時は，新生児をコットに移す．ラジアントウォーマーの場合は補助台を立て，転落を防止する
②ガーゼハンカチを湯に浸し，片手で絞る	▶手掌内に握りこんで絞る コツ 湯に浸す前にガーゼハンカチを四つ折りにし，示指に巻きつけておくと，絞った後でも広げやすい

要点	留意点・根拠
③ガーゼハンカチを広げて示指に巻きつけ，余分な部分を手掌内に握りこむ  ガーゼハンカチを示指に巻きつけ，残りを手掌内に握りこむ	
④看護師の前腕内側にガーゼハンカチを当てて，湯の温度を確認する 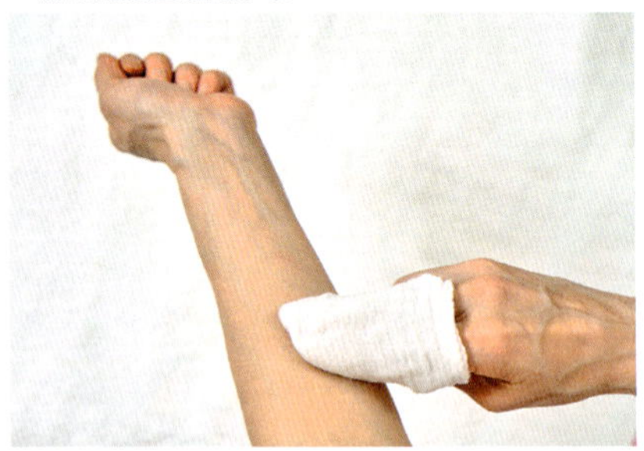 絞ったガーゼハンカチを前腕内側に当てて温度を確認する	▶少し熱いと感じる程度の温度がよい ▶湯の温度が低い場合は，湯を足して適温に調節する 根拠 湯の温度が低いと伝導，蒸散により低体温となる可能性が高い 事故防止のポイント 実施直前に再度，用意した湯が適温であることを確認し，熱傷あるいは低体温を防止する 注意 湯温を確認したガーゼハンカチで新生児を拭かない．湯温を確認後，再度湯に浸して軽くすすぎ絞り直す 根拠 看護師の皮膚に触れた面が不潔になっている
⑤顔面，耳を拭く	▶ p.493「第4章-3【7】清潔②沐浴」の「④眼，顔面，耳を清拭する」参照
⑥頭部を拭く ・後頭部から肩甲部にかけて非利き手で支え，上体を少し起こして児頭を固定する ・利き手の手掌全体に広げたガーゼハンカチで頭部を覆い，円を描くようにやさしく清拭する 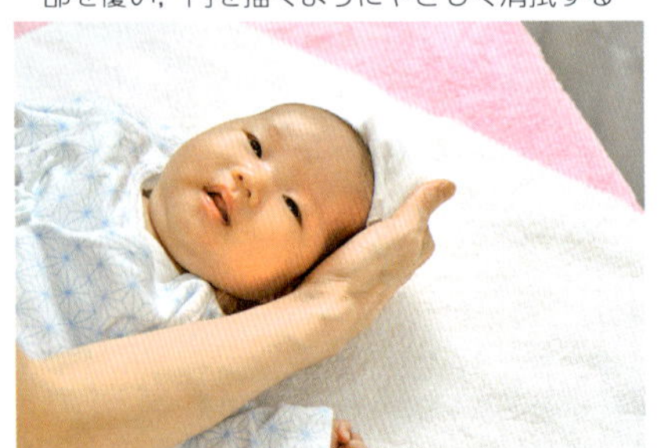 ガーゼハンカチで頭部を覆い，円を描くように拭く	▶熱の喪失を防ぐため顔面，耳，頭部を清拭中は衣類を着た状態で実施する．あるいは身体にバスタオルをかけて実施する 根拠 不必要な露出を避け，体温の低下を防止する ▶拭いた後，必ずガーゼハンカチをゆすぐ

要点	留意点・根拠
・拭き終えたら児頭を静かに下ろし，バスタオルで水分をよく拭き取る  頭部をバスタオルで押さえ拭きし水分を取る	▶敷いてあるバスタオルで押さえ拭きする 根拠 頭部からの蒸散による熱の喪失を防ぎ，体温の低下を防止する
⑦頸部を拭く ・衣類の襟元を緩め，ゆすいだガーゼハンカチで頸部を拭く 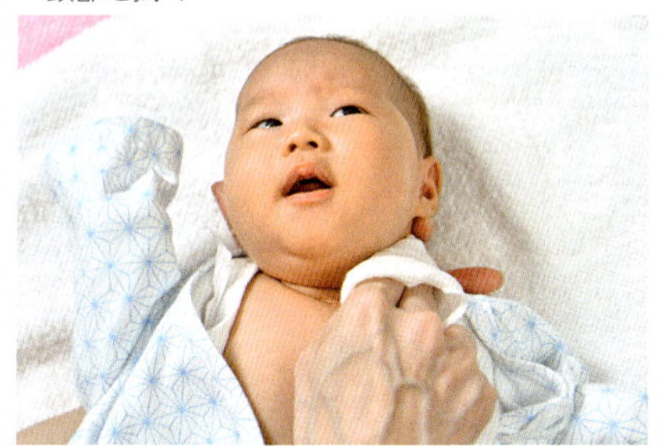 しわをやさしく伸ばしながら拭く	▶新生児の頸部はしわが多いため，しっかり伸ばして拭き残しがないようにする コツ 非利き手で，後頸部から背部を少し持ち上げると顎と頸部の間が開いてしわが伸び，拭きやすい
⑧胸部，腹部を拭く ・衣類の前を開き，胸部を露出させ拭く 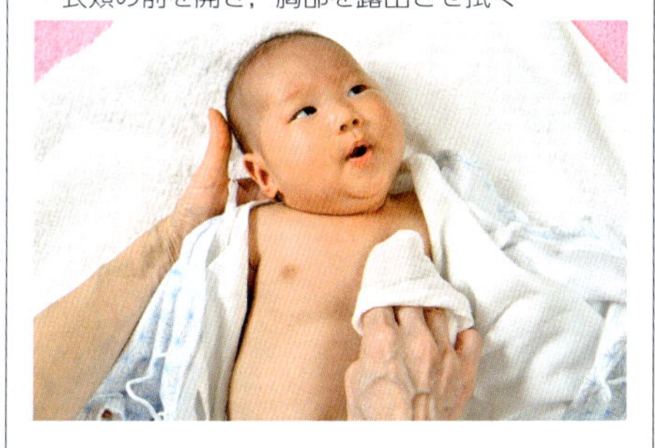	▶ガーゼハンカチは適宜ゆすぐか面を変えて使用する ▶衣類の袖を通したまま拭くかバスタオルをかけて，不必要な露出を避ける　根拠 蒸散や不必要な露出による熱の喪失を防ぎ，体温の低下を防止する ▶片方の手で肘関節を支え，軽く引き寄せると同時に，他方の手で袖をたぐって上方に外して脱がせる．反対側も同様に脱がせる ▶片方ずつ脱がせて拭く方法でもよい 注意 新生児の肘関節に負担をかけないようやさしく持ち，決して腕を引っ張らない．また，姿勢に無理のないように動かす ▶長着・短着をまとめて脱がせる
・おむつのテープを外し，腹部を露出させて拭く	コツ おむつは，完全には取り外さず，陰部に当てたまま拭く　根拠 排尿による汚染を防ぐため
・拭き終えたら，新生児をバスタオルでくるむ ・ガーゼハンカチをゆすぐ	根拠 蒸散や不必要な露出による熱の喪失を防ぎ，体温の低下を防止する

要点	留意点・根拠
⑨上肢，腋窩を拭く ・袖を脱がせる 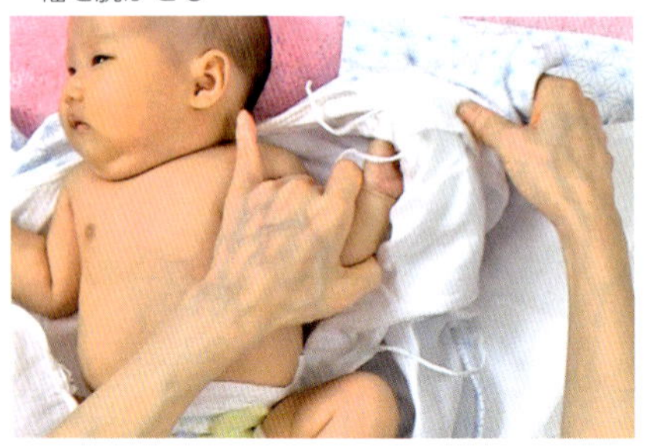	
・拭いていない側の上肢，胸腹部などにはバスタオルをかける	
・手関節を持って手掌を開き，手のひら，上腕，前腕，肩にかけてガーゼハンカチで包むように拭く	コツ 新生児の原始反射である把握反射によって，手掌が開きにくいことがある．その場合，小指側から親指を挿入すると開きやすい
・新生児の肘関節を持ち，上肢を軽く挙上し腋窩を拭く 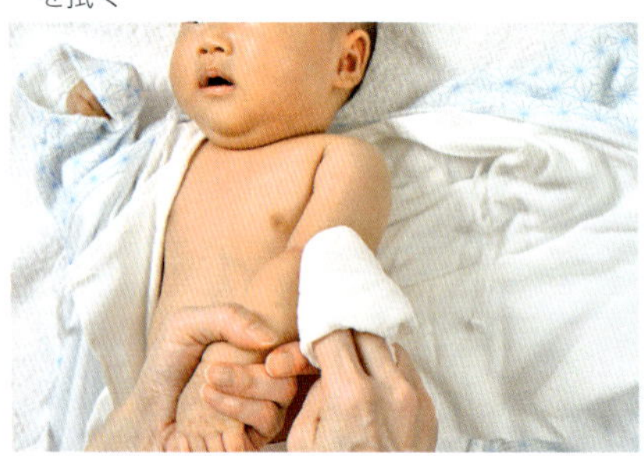 肘関節を下から支えて上腕を拭く	コツ 前腕を拭く時は手関節を，上腕を拭く時は肘関節を片方の手で下から支え，姿勢に合わせて負担がかからないように拭く
・拭き終えた上肢にバスタオルをかける	▶常に不必要な皮膚の露出を避ける
・ガーゼハンカチをゆすぐか面を変えて，反対側の上肢，腋窩を同様に拭く	
⑩下肢を拭く ・上半身など，清拭をしていない部位にはバスタオルをかけ，下肢を露出させる	コツ 排尿による汚染を防ぐため，下肢の場合もおむつを完全には外さず，陰部に当てたままにする ▶不必要な露出を避ける 根拠 蒸散や不必要な露出による熱の喪失を防ぎ，体温の低下を防止する
・片方の手で足関節を持ち，足部，下腿をガーゼハンカチで包むように拭く	コツ 足関節，膝関節は片方の手で下から支えるように持つことで，新生児に負担がかからない
・膝関節を持ち，大腿，鼠径部をガーゼハンカチで包むように拭く	注意 膝の裏側，鼠径部など皮膚が重なり合う部分は汚れが残りやすい．やさしくしわを伸ばしながら丁寧に拭く

要点	留意点・根拠
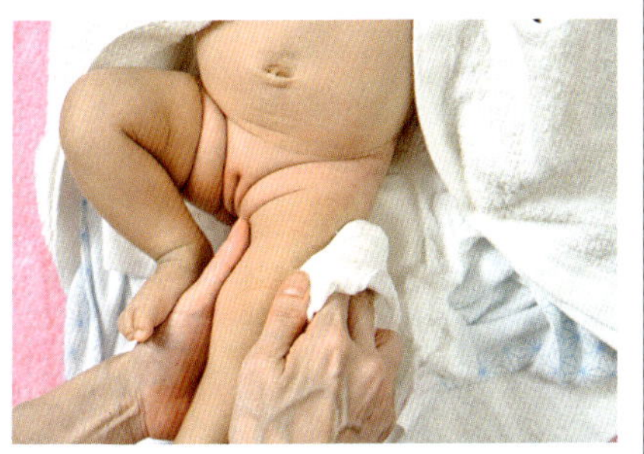 大腿は膝関節を下から支えて新生児に負担をかけないように拭く	
・拭き終えたらバスタオルをかける ・ガーゼハンカチをゆすぐか面を変えて反対側の下肢も同様に拭く	▶不必要な露出を避ける　根拠 蒸散や不必要な露出による熱の喪失を防ぎ，体温の低下を防止する
⑪背部，殿部を拭く ・バスタオルをかけたまま新生児を側臥位にし，背部のみを露出する ・ゆすいだガーゼハンカチで背部から殿部まで拭く 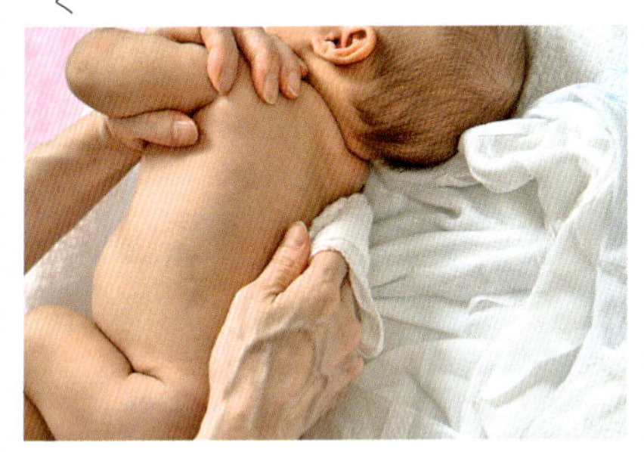	
⑫着用していた衣類，おむつを丸めて足元にまとめる	▶衣類とおむつは，それぞれ内側に丸める 根拠 用意してある衣類や周囲のものに汚れを拡大させない
⑬仰臥位に戻した後バスタオルをかけ直し，丸めた衣類とおむつを取り除く 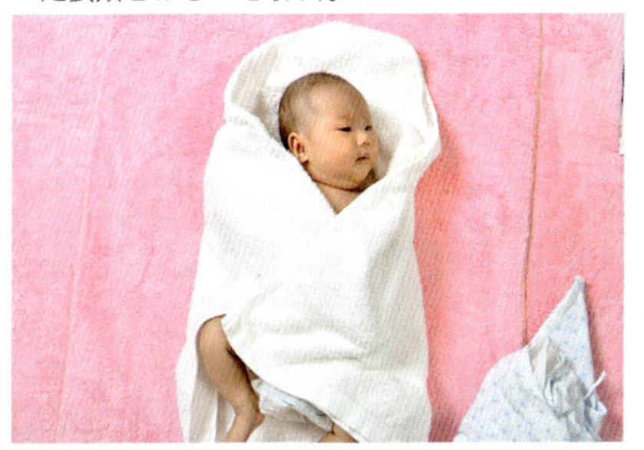 バスタオルをかけ直し，脱がした衣類とおむつをそれぞれ内側に丸めて取り除く	

要点	留意点・根拠
⑭陰部，肛門を拭く ・バスタオルをかけたまま，陰部のみを露出する ・ゆすいだガーゼハンカチで陰部を拭く 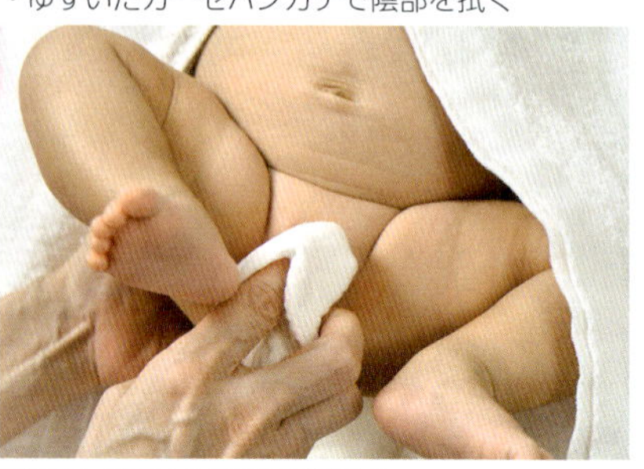 拭き残しがないように丁寧に拭く	▶男児：陰嚢の皮膚は薄いので，皮膚の重なりを伸ばし，丁寧に拭く 根拠 陰嚢のしわや裏側は皮膚が重なっているため汚れがたまりやすく，また拭き残しが多い部分である ▶女児：前方から後方に向かって拭く 根拠 尿道口・腟口が不潔になることを避け，感染を防止する 注意 女児の陰部にある分泌物を除去する場合，無理にこすらない
・ゆすいだ（拭く面を変えた）ガーゼハンカチで肛門とその周囲を拭く	コツ 新生児の両膝を曲げ，片方の手で両足を腹部上で軽く押さえて固定すると拭きやすい コツ 乾燥した胎便が付着している場合は，水分を多めに含ませた綿花で拭くと除去しやすい
・終了後すぐにおむつを軽く当てる	根拠 排尿による汚染を防ぐ
4 新しい衣類を着せる（p.481「第 4 章-3 【6】更衣」参照）	
①くるんでいたバスタオルを外し，清潔な衣類の上に，新生児を寝かせ，軽くおむつを当てておく	根拠 排尿による汚染を防ぐ
②片袖ずつ腕を通す	注意 袖を通す時，新生児の腕を引っ張らない
③臍の処置を行う（p.468「第 4 章-3 【3】臍処置」参照）	注意 両方の肘関節がしっかり袖を通っているか確認する 根拠 上肢の動きが妨げられ，また衣類がはだけやすい
④おむつを当てる（p.486「第 4 章-3 【7】①おむつ交換」参照）	注意 おむつは臍にかからないように固定する
⑤衣類の襟元を合わせて紐を結ぶ	注意 襟合わせは長着，短着ともに右前にし，きつすぎない程度に合わせる
⑥衣類のしわを伸ばす	
5 その他の部位を清潔にする	
①耳，鼻を綿棒で清潔にする（p.499「第 4 章-3 【7】清潔②沐浴」の「④新生児の耳・鼻を清潔にする」参照）	
②頭髪をベビーブラシで整える	
③爪を切る	▶新生児は出生時から爪が指頭を越えおり，新生児用爪切りで切る
6 新生児を母親の元に戻す	
①新生児に終了したことを伝え，ねぎらいの言葉をかける	
②コット内の環境を整える	▶コット内の寝具に汚染はないか，危険なものはないかなどを確認する 事故防止のポイント 新生児用処置台は周囲の柵が低

要点	留意点・根拠
	いので，転落防止のため新生児を寝かせたままそばを離れない．ラジアントウォーマーの場合は転落防止のため，補助台を立てたうえで行う
③新生児をコットに寝かせる	▶新生児用処置台の横にコットを配置し，新生児を移動する 事故防止のポイント 動線をできるだけ短くして，転落を防止する 事故防止のポイント 新生児の取り違え防止のため，新生児のネームバンドとコットのネームプレートで必ず確認したうえで移動する
④母親の元に戻す	▶母親にドライテクニックの終了と実施中の新生児の様子を伝える
7 使用した物品を片づけ，必要事項を記録する	
①使用した物品を片づける	▶ガーゼハンカチ，バスタオル，衣類はランドリーバッグに入れる ▶おむつはおむつ入れに廃棄する ▶ボウルは洗浄用スポンジに消毒液(塩化ベンザルコニウム液など)をつけて洗い，消毒液が残らないようによく洗い流す．その後，清潔な布で水分を拭き取り乾燥させる ▶新生児用処置台は，消毒用アルコール綿で拭く
②看護師は衛生学的手洗いをする	▶ディスポーザブル手袋を装着していた場合は外し，衛生学的手洗い，または擦式消毒用アルコール製剤による手指消毒をし，使用した手袋は医療廃棄物専用容器に廃棄する
③必要事項を記録する	▶ドライテクニック中に観察した新生児の状態，実施時間などを記録する

●文献

1）森恵美ほか：系統看護学講座　専門分野Ⅱ　母性看護学各論．pp.280-283，医学書院，2015

2）平澤美恵子，村上睦子監：写真でわかる母性看護技術．pp.71-78，インターメディカ，2008

3）横尾京子責編：助産師基礎教育テキスト 第6巻 産褥期のケア 新生児期・乳幼児期のケア．pp.153-155，日本看護協会出版会，2019

8 抱き方・寝かせ方

永見 桂子

目的 新生児用ベッドから診察台・処置台などへの移動時，沐浴時，授乳時などに，新生児の特徴に配慮した抱き方・寝かせ方がなされ，新生児が安全で適切な養護のもとにおかれる．

チェック項目 意識レベル(state)，姿勢，原始反射，哺乳状況，排泄状況，全身状態の異常の有無(発熱，低体温，心雑音，チアノーゼ，呼吸障害など)

適応 新生児(生後 28 日未満の児)

注意

・冷たい手で触れる，急に身体を動かすなど不快な刺激を避ける．
・定頸(首がすわること)していないため後頸部を保持し，児頭を支える．
・新生児の反応を確認し，コミュニケーションを意識する．

禁忌 状態の安定していない新生児，急変時

事故防止のポイント 新生児の転落防止，新生児を抱いた状態での転倒防止，周辺の危険物による危害防止，新生児の皮膚損傷防止，清潔操作順守による感染防止，新生児の取り違えの防止

必要物品 新生児用ベッド，掛け物，ディスポーザブル手袋(必要時)

手順

要点	留意点・根拠
1 環境・必要物品の準備を整える ①環境を整える	▶ 室温 25〜26℃，湿度 50〜60% に調整する **根拠** 新生児の保温に努める **注意** 移送を伴う場合は，移送先の室温・湿度を確認する．移送中の新生児の顔色や様子に注意する
②看護師の準備をする ・爪が伸びていないことを確認し，腕時計や指輪を外す．胸ポケットには何も入れない ・看護師は衛生学的手洗いをする	**根拠** 抱きあげた際などに，新生児を傷つけるおそれのあるものを身に着けない **事故防止のポイント** 清潔操作を順守して感染を防止する **注意** 沐浴を行っていない新生児には，まだ羊水や血液が付着している．感染症のある新生児，感染症の疑いのある新生児の場合は，ディスポーザブル手袋を装着する
2 新生児の準備を整える ①移送に使用するコット(新生児用ベッド)の安全を確認する	▶ 新生児の移送を伴う場合には，コットを用いるので，コット内に不要な物品が置かれていないこと，コットの汚れや破損などがないことを確認する **根拠** 新生児を抱いたままの移動は転倒・転落のリスクを伴うため極力避ける **注意** 新生児を抱いたまま移動する際は，事前に周辺に障害物がないこと，床がぬれていないことなどを十分確認する (p.456「第 4 章-2【2】事故・感染防止」参照)
②移送前には，ネームバンドなど新生児標識と	**事故防止のポイント** 移送に伴う他の新生児との取り

要点	留意点・根拠
コットのネームカードの記載事項が一致していることを確認する ③新生児の状態(意識レベル，活動状況，哺乳状況，排泄状況など)を確認し，新生児への負担を最小限にする	違えを防ぐ(p.456「第4章-2【2】事故・感染防止」参照) 根拠 新生児の睡眠をできるだけ妨げない配慮が必要である．また，哺乳前など啼泣(ていきゅう)し体動が激しい場合は転落の危険があり，哺乳直後は体動に伴い溢(いっ)乳・吐乳しやすいので，これらの時間帯を避ける

動画 4-23

3 新生児を抱く

①新生児の後頸部に右手を差し込み，軽く頭部を持ち上げる

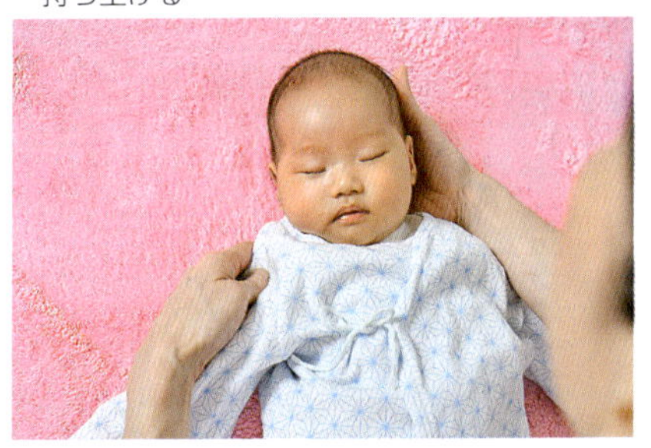

▶新生児に触れる時や抱き上げる時には，冷たい手で触れる，急に身体を動かすなど不快な刺激を避ける．反射的に手足を大きく動かすこともあり，声をかけながらやさしく触れ，確実にしっかりと支える

▶コットなど新生児が寝ている場所の正面に立つ

根拠 新生児に対して前傾姿勢をとりやすく，楽に抱き上げることができる．新生児の転落防止にもつながる

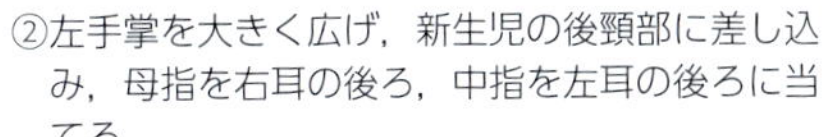

②左手掌を大きく広げ，新生児の後頸部に差し込み，母指を右耳の後ろ，中指を左耳の後ろに当てる

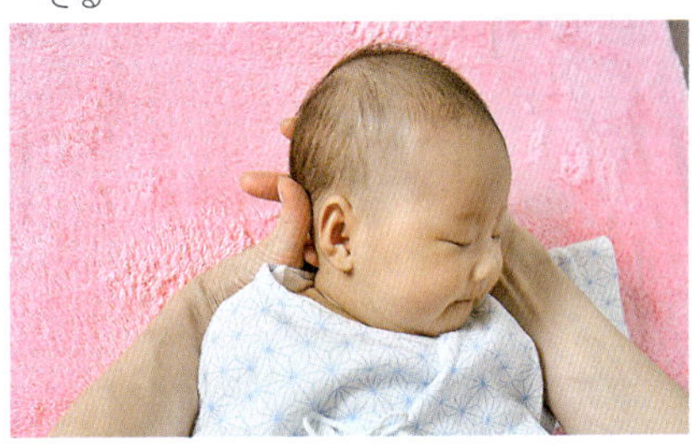

▶耳の後ろに指を当てる時は，爪で新生児の皮膚を傷つけないように，指腹で支え持つ

事故防止のポイント 新生児の皮膚の損傷を防止する

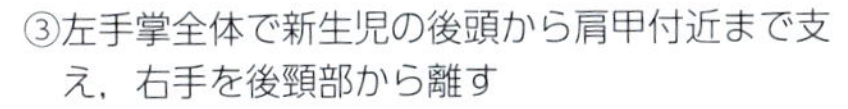

③左手掌全体で新生児の後頭から肩甲付近まで支え，右手を後頸部から離す

▶新生児の頭部がぐらつかないよう，母指とその他の4指を左右に開いて頭部を支え，手掌で後頸部を支える　根拠 新生児は頭部が重く，頸部の伸筋群が弱く定頸していないため，抱き上げる際には後頸部をしっかりと支える

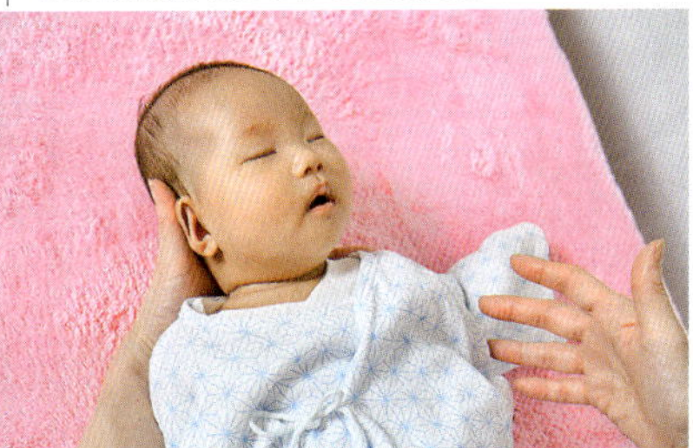

8 抱き方・寝かせ方

要点	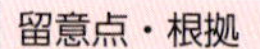 留意点・根拠
④右手の母指を新生児の右鼠径部に当て，残りの 4 指を殿部の下に差し込む (a) ⑤両手で新生児をしっかり支え，頭部と殿部を持ち上げる (b)	▶ 新生児の下肢の自然な姿勢を妨げないよう，股間から 4 指を差し込み，手掌で殿部を支える 根拠 新生児は屈筋が優位に働き，膝関節を屈曲した姿勢をとる．深く眠っている時には，屈曲が弱まり開排外転の姿勢をとることもある．股間から手掌を差し入れて支えるとより安定感が増す

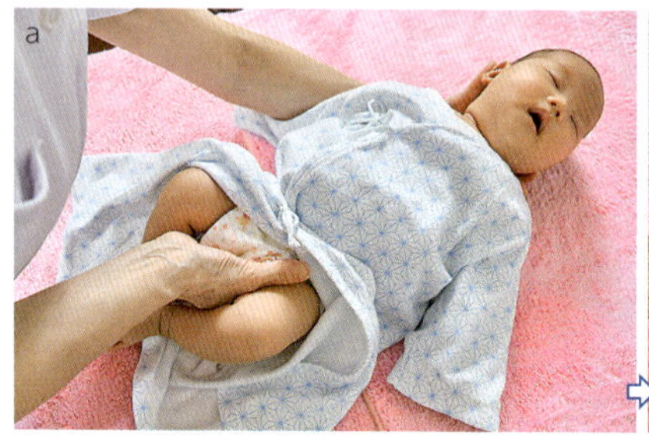
a

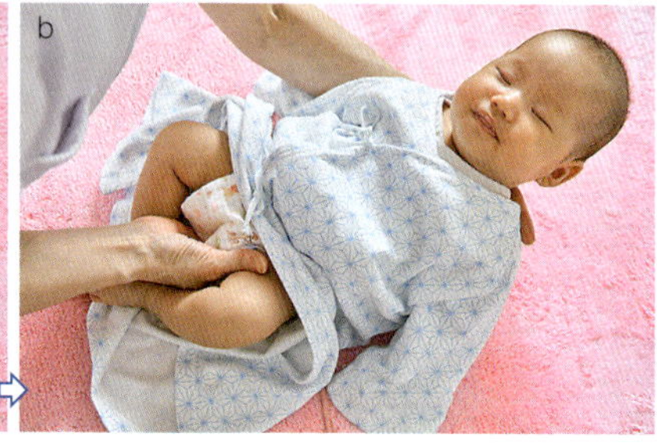
b

要点	留意点・根拠
⑥前傾姿勢を保ちながら，新生児を自分の身体に沿わせて抱き上げる	▶ 新生児を自分の身体に沿わせ，やさしく声をかけながら，包み込むようにしてゆっくりと抱き上げることで，新生児に安心感を与える
⑦軽く身体を後方に戻し，対面姿勢からゆっくり新生児の向きを変え，新生児の身体を胸部に引き寄せる (c)	▶ 新生児の下半身を自分の身体に密着させて安定させ，対面姿勢からゆっくりと向きを変える
⑧新生児の身体を自分の身体に密着させたまま，左上肢をすべらせるように動かし，左手掌で新生児の殿部と股関節を支える (d)	▶ 新生児の首がねじれたり，うつむいたり，のけぞったりしないよう支え，新生児の耳，肩，腰のラインがまっすぐになっているか確認する

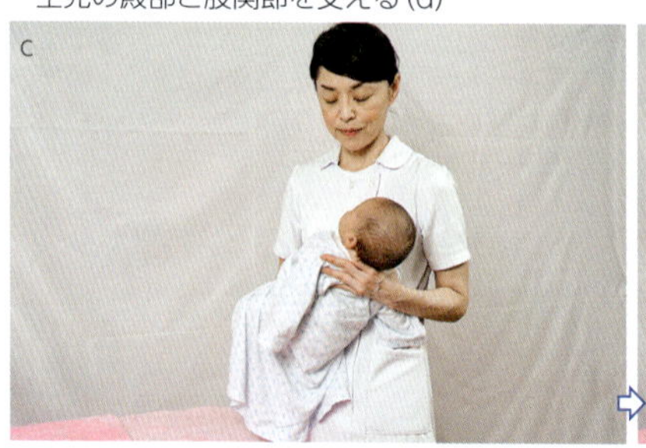
c

d

要点	留意点・根拠
⑨左上肢の肘窩が新生児の後頸部の下にくるようにし，左前腕を肩甲部，体幹に沿わせて，右手で殿部と股関節を支える	▶ 新生児の反応を観察し，コミュニケーションをとりながら新生児がリラックスしていることを確認する

要点	留意点・根拠
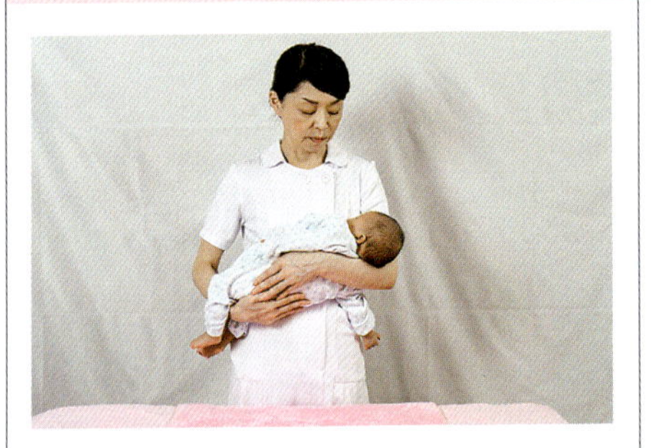	コツ 新生児の殿部が自分の臍ぐらいの高さにくるようにする．そして，新生児の上体が少し高くなるようにして，自分の方に引き寄せ側腹部で固定すると肩や腕への負担が減る ▶新生児は両手で抱くことが原則であるが，事故防止の視点から，片方の上肢全体で新生児を包み込むように抱き寄せ，もう一方の手で危険時に新生児を防護できるように抱く方法もある（p.456「第4章-2【2】事故・感染防止」参照）
 動画 4-24 **4 新生児を寝かせる** ①肩甲部，体幹，殿部を支えている左上肢は動かさずに，右手を新生児の後頸部に伸ばす 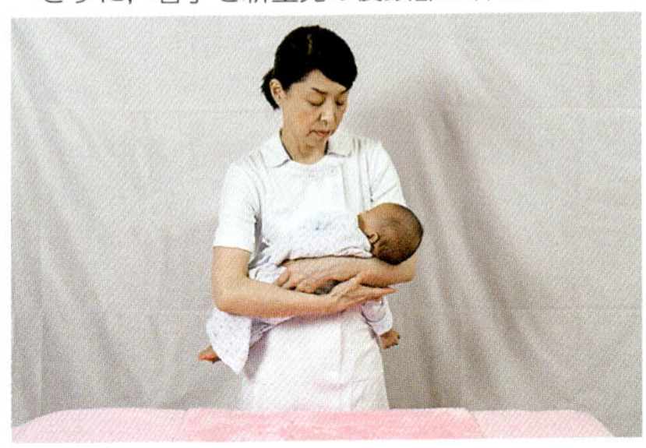	▶片方の上肢全体で新生児を包み込むようにしっかりと抱き寄せ，新生児の後頸部を支えるもう一方の手を横方向にゆっくりとずらす 根拠 新生児は頭部が重く，頸部の伸筋群が弱く定頸していないため，対面姿勢をとる際には後頸部をしっかりと支える 注意 新生児の殿部を支えていた手をずらし，抱き上げた時とは反対の手で後頸部を支えるため，もう一方の上肢全体で新生児をしっかり支え，転落に注意する
②新生児の後頸部に右手掌を差し込み，母指を左耳の後ろ，中指を右耳の後ろに当てる（e） ③右手掌全体で新生児の後頭から肩甲付近まで支え，左上肢で殿部を支えながら，ゆっくりと新生児の身体の向きを変え，対面姿勢をとる（f）	▶耳の後ろに指を当てる時は，爪で新生児の皮膚を傷つけないように，指腹で支え持つ ▶新生児の下半身を自分の身体に密着させて安定させ，ゆっくりと向きを変え，対面姿勢をとる

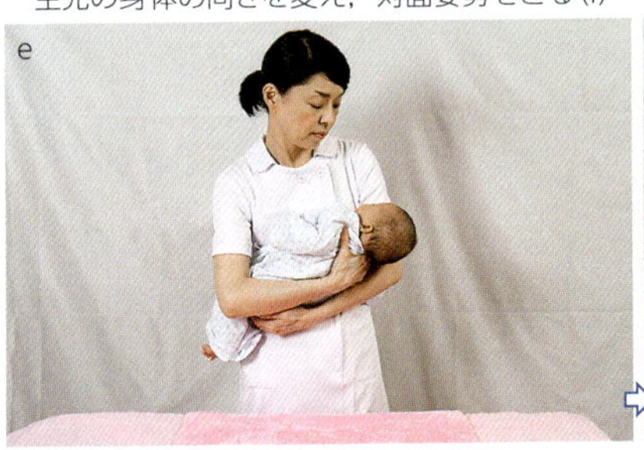
e

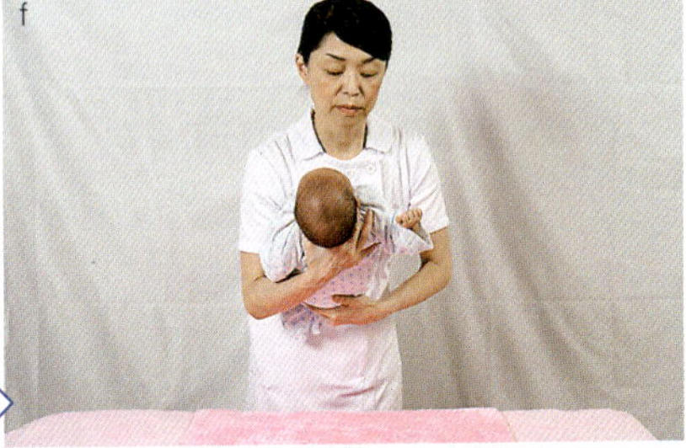
f

要点	留意点・根拠
④前傾姿勢をとりながら，新生児をベッド上に近づけ，新生児の殿部をゆっくり下ろす	▶ベッドなど新生児を寝かせる場所の正面に立つ 根拠 対面姿勢から前傾することで，楽に抱き下ろすことができる．新生児の転落防止にもつながる 注意 新生児を寝かせる場所の周辺に危険物がないか確認する
⑤新生児の殿部を支えていた左手を離し，右手とともに後頸部に添える	▶新生児の殿部を先に下ろし，寝具などの上にしっかり接地してから，殿部を支えていた手を離

要点	留意点・根拠
⑥両手で新生児の頭部を支えながらゆっくりとベッド上に下ろす	す コツ 新生児を抱き下ろす時には，殿部，背中，頭部の順に下ろしていくことで，新生児への負荷が少なく安心を与えることができる ▶新生児をベッドの上に下ろしきり，新生児が落ち着いていることを確認したら，支えていた手をゆっくり抜き出す
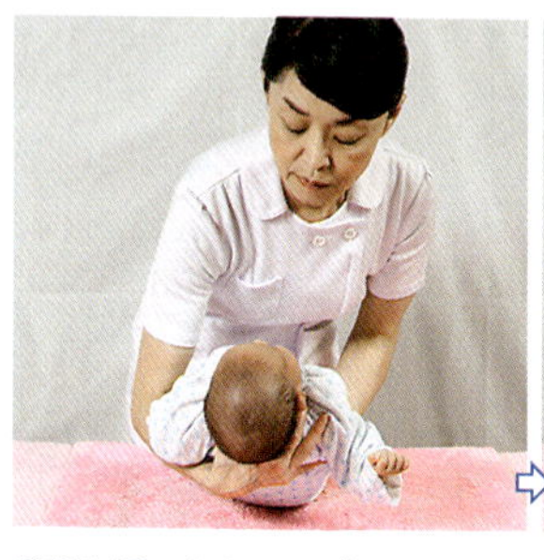 ⇨ 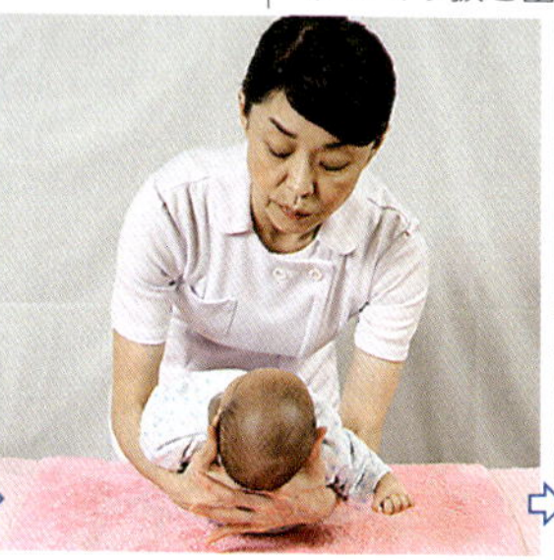 ⇨ 	
⑦新生児のおむつのずれや衣服の乱れを整え，掛け物をかける 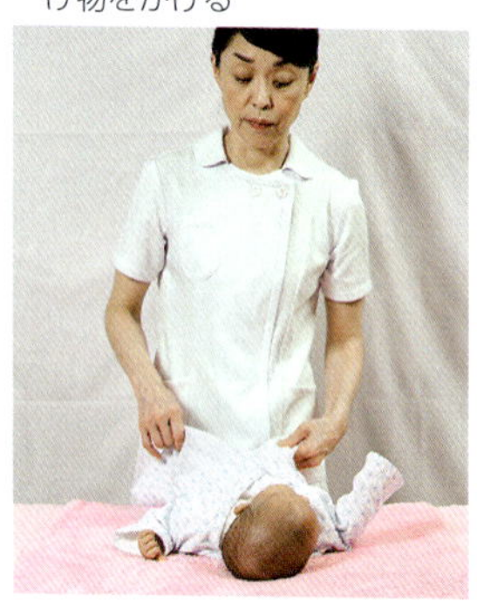	▶襟元が乱れている場合は，短着(肌着)と長着の襟元を合わせてひもを結びなおす．新生児の殿部から背部にかけて左手を差し込み，下半身をいくぶん持ち上げながら，短着(肌着)と長着を引っ張り，しわを伸ばして整える 根拠 保温に努めるとともに皮膚への刺激を防ぐ
⑧コットに寝かせる時はネームカードとネームバンドなど新生児標識の記載事項が一致していることを確認する	事故防止のポイント 他の新生児との取り違えを防ぐ
5 記録をし，使用した物品の後始末をする ①必要な記録を行う	▶新生児の移送時，抱く時，寝かせる時に観察した新生児の状態・反応などを記録する
②使用した物品を片づける ③看護師は手洗いをする	▶ディスポーザブル手袋を装着していた場合は，手袋を外して所定の容器に捨て，手洗いをする 事故防止のポイント 感染防止に努める

●文献

1）平澤美惠子，村上睦子監：写真でわかる母性看護技術アドバンス，インターメディカ，2017

2）荒木奈緒，中込さと子，小林康江編：ナーシング・グラフィカ　母性看護学③母性看護技術　第4版，2019

4
愛着行動支援技術

1 早期母子接触と母子同室

大林 陽子

目的 母児・家族の接触を勧め，母児・家族関係の確立を促す．
チェック項目 母親の意思，母児の状態，家族の様子，環境
適応 出生後の新生児と母親で，ともに状態が安定し急変の可能性がないと判断された場合．また早期母子接触(early skin to skin contact)中は，新生児蘇生に熟練した医療者が常に対応できる状況であること
注意 新生児の状態が安定していることを確認してすすめる．母親の疲労を考え無理にはすすめない．
禁忌 状態の安定していない母児，急変時
事故防止のポイント 母児，特に出生後の新生児の急変による重症化防止，新生児の転落防止

必要物品 バスタオル(数枚)，クッションや枕，パルスオキシメータ

早期母子接触(出生直後～2時間)

手順

要点	留意点・根拠
1 母親の意思，母児の状態を確認する ①母親の希望を確認する(図1)	▶事前に母親のバースプランに早期母子接触の希望があるか確認しておく．その際，母親に早期母子接触の意義(表1)や方法について説明し，理解度を確認する **根拠** 母親が自らの希望が果たされるようにする．また，母児に負担がかからないことを知ってもらう ▶母親の早期母子接触に関する知識が不十分な場合，表1の内容について説明し，質問に応じる
②新生児の出生後，母児の状態を観察し，早期母子接触ができるか確認する	▶臍帯が切断され，新生児の呼吸が確立し，状態が安定しているか，1分後および5分後のアプガースコアが8点以上であるかを観察・確認する ▶母親に異常がないかを観察する **注意** 出生直後の新生児は呼吸・循環状態が不安定で，急変する可能性もあるので，新生児の状態の安定を優先する．また，母体の異常があれば，その対処を優先する
2 早期母子接触を実施する ①新生児の保温に留意し，早期母子接触を行う 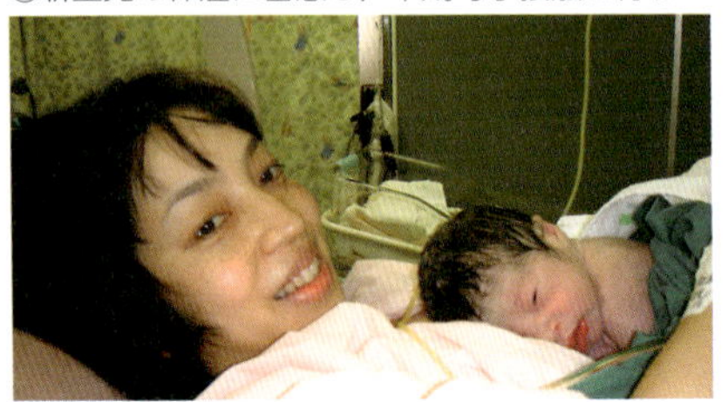	▶温度28℃，湿度50～60%とし，空調の風が直接新生児に当たらないように調整する **根拠** 出生直後の新生児は蒸散，輻射(放射)，伝導による熱喪失が大きく，低体温になりやすいため，新生児の低体温を防止する ▶母児の状態を観察できる照度を保ち，異常の早期発見と対処に努める

バースプラン用紙

（記入日　○年 3月10日）

お名前　○○○○　　出産予定日　○年 5月10日

電話番号　078－233－○○○○

出産や育児についての希望をご自由にお書きください。
安全を最優先した上で，できるだけご希望に沿えるようにいたします。

【どのようなお産を希望されていますか？】

○陣痛があるときの過ごし方，希望するお産
- なるべく痛みをのがせるように，いろいろな姿勢をとりたい
- 好きな音楽（CD）を聞いて過ごしたい。
- 自分とダンナさんが一緒に出産したという感じの出産をしたい。

○立ち会う人（家族，医師・助産師など）とその人にして欲しいこと
- ダンナさんにそばにいて欲しい
- できるだけ楽にいられるように助産師さんや医師には呼吸法を教えてもらったり，どうすればいいか提案して欲しい。励まして欲しい。

○気になっていることやして欲しくないこと
- できるだけ痛いことはして欲しくない。
- 出産までどのくらいかかるのか，教えて欲しい。

○赤ちゃんが生まれたらしたいこと
- すぐに抱っこしたい（カンガルーケア）
- 母乳を飲ませてあげたい。

○その他
- できれば陣痛促進剤を使わず，自然に産みたい。
- わからないことばかりなので，いろいろ教えて欲しい。

【産後はどのようなことを希望されていますか？】

○授乳について
- できるだけ母乳で育てたいけど，そんなにこだわってはいません。
- 夜，眠れない時や疲れた時は助けて欲しい。

○入院生活や食事について
- できるだけ赤ちゃんと一緒に過ごす時間を多くしたいけど，眠れない時は助けて欲しい。
- ダンナさんや家族が面会に来た時も赤ちゃんに会えるようにしたい。

○その他

図1　バースプラン用紙の例

表1　早期母子接触の意義

出生直後の早期母子接触とは	生まれてすぐの新生児を母親の胸にのせて，母児の胸を合わせるように抱く(skin to skin contact)ことをいう
有効性	母児間の皮膚の接触により， ・新生児は正常細菌叢を獲得できる ・熱移動による新生児の保温効果が得られる ・新生児の呼吸・循環状態を安定させる ・母親の愛着行動や母乳育児によい影響をもたらす
ケア中の留意点	・出生直後の新生児は状態が不安定であり，ケアには呼吸・循環状態の安定が優先されるため，開始時期は新生児の状態に応じて決まる ・実施中の新生児の異常の早期発見，対処のため，パルスオキシメータを装着しながら行う ・できる限り長く続ける(母児の状態がよければ生後2時間，または最初の授乳が終わるまで)ことで，母乳育児に効果があるとされている ・接触時間は，母児の状態や希望に応じる

要点	留意点・根拠
②新生児の身体の羊水や血液を丁寧に拭き取り，乾いたバスタオルで新生児を覆うようにして，母親の胸に新生児を腹臥位で寝かせる	**根拠** 母児の接触による熱移動の保温効果は得られるが，出生直後の新生児の低体温を防止するため，掛け物などで保温する必要がある
③新生児の顔は，鼻や口をふさがないように少し横を向かせて母親に顔が見えるようにして，バスタオルをかける	▶新生児の呼吸を妨げないように注意する **根拠** 窒息を防止する ▶母児のアイコンタクトがとれるようにする **根拠** 出生直後の新生児は，意識がはっきりしているものの，静かにしている状態(state 3)にあり，それが60～90分続く．この間は感覚が最も鋭く，新生児はそばにいる母親を見て，声を聞き，それに反応する
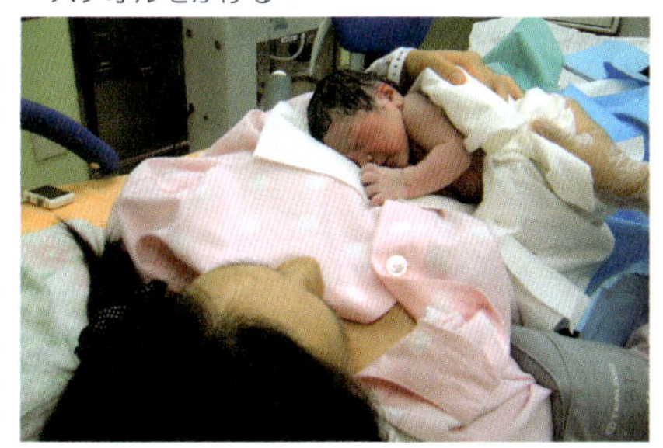	
④母親が無理なく新生児を抱けるように体位を調整する ⑤母児の身体に負担がかかっていないか確認する	▶母親は，胸にのせた新生児を両腕で軽く支える程度にしてもらう．母児の身体の隙間にバスタオルやクッションを入れて，母児の体位を安定させる **根拠** 母児がリラックスして接触できる **コツ** セミファウラー位(30度程度上げる)にすると，母親がリラックスして過ごしやすくなり，新生児の顔も見えやすくなる

1 早期母子接触と母子同室

要点	留意点・根拠
⑥ベッド柵を上げて固定する	▶母児の身体や衣類が挟まっていないことを確認してからベッド柵を上げる 事故防止のポイント 母児のベッドからの転落を防止する
⑦早期母子接触中は常に母児の状態を観察し，異常がないことを確認する．急変にすぐ対応できるようにしておく	注意 呼吸障害，徐脈，低体温，チアノーゼの有無を視診，触診により確認する．体温は出生後，1時間後，2時間後に測定するが，新生児の身体に触れて，必要があると判断すればその都度測定する コツ 新生児の顔色（皮膚の色）が観察できるように室内の照度を調節する ▶特に，新生児の呼吸・循環状態に注意し，足にパルスオキシメータを装着した状態で早期母子接触を行う．また，母児に異常がないか，時間の経過に伴い，母親の新生児を抱く姿勢や上肢に負担がかかっていないか確認し，調整する 注意 常に母児の状態を観察する．1時間後，2時間後にはバイタルサインの測定と全身状態の観察をし，早期母子接触を続けてよいか判断する 注意 新生児の酸素飽和度，心拍数をモニタリング中は，アラーム音にすぐに対応できるようにする 事故防止のポイント 新生児の急変による重症化を防止する
《母児・家族の愛着を促す》 ①ベッドを調節してセミファウラー位に整え，母親に新生児の顔が見えるようにする 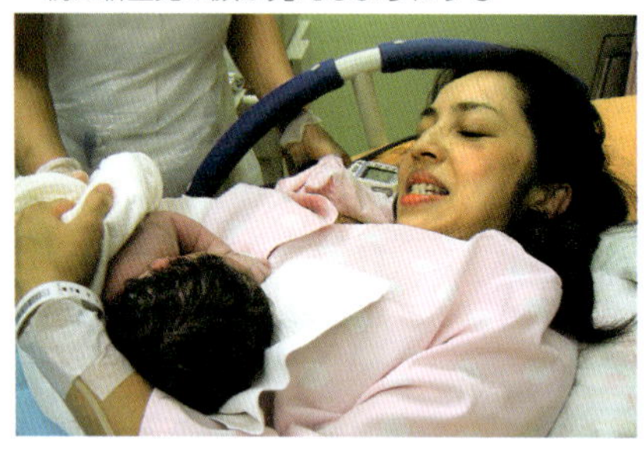	▶母児のアイコンタクトがとれるようにする 根拠 新生児は出生直後からわずかだが視力があり，焦点が合う距離は30～40 cmである．これは新生児から授乳中の母親の顔までの距離にほぼ一致する
②母親と新生児の接触を勧め，新生児の反応について肯定的に伝え，新生児に話しかけ，触れることをすすめる．これらの意義についても伝える	根拠 母親の喜びや自信につながり，母子関係の確立によい影響を与える 注意 出産によっては母親の疲労が強く，新生児に関心を向けられない場合もある．母親の反応や様子を観察しながら，無理のないよう配慮してすすめる
③母親が新生児に対して気になることや心配があれば，丁寧に説明し，対応する	根拠 母親は新生児のちょっとした変化や動作が気になることもある．すぐに対応して安心して過ごせるようにする
④新生児が乳房を探したり，乳頭をなめるような様子がみられたら，新生児の口元を母親の乳頭に近づけて，乳頭・乳輪をくわえられるように	▶授乳方法は，p.470「第4章-3【4】栄養」参照 根拠 出生後1時間以内に初回授乳ができるようにする

要点	留意点・根拠
する	
⑤看護師は暖かく安らげる環境づくりに努め，自分の存在も母児が過ごす環境の一部であると意識し，言動に気をつける	根拠 母児が安心し，リラックスして新生児と過ごす時間に集中できるようにする 注意 ゆったりとした雰囲気をつくり，一方で，常に異常の早期発見，対処に努める
⑥家族〔夫(パートナー)，上の子どもなど〕もできるだけ早く一緒に過ごせるよう配慮し，面会する環境を整え，新生児との愛着形成を促す．家族にも新生児の反応について肯定的に伝え，新生児に話しかけ，新生児への接触をすすめる．また，それらの意義についても伝える	根拠 夫や家族の喜びにつながり，家族関係の確立によい影響を与える 注意 家族の反応や新生児に対する働きかけなどを観察し，それに応じて配慮してすすめる

母子同室

手順

要点	留意点・根拠
1 母児の状態に応じて，母子同室をすすめ，母児の接触による愛着行動を促進する	
①母親の母子同室の希望の有無を確認する	▶ 母子同室の意義や方法(表 2)に関する理解度を確認しながら説明し，母親が無理なく行えるよう配慮する．質問には丁寧に応える コツ 母親が自ら母子同室をしたいと思えることが大切である
②母児の状態が安定しているか観察し，母子同室を実施してもよいか確認する	▶ 母親の生育歴やパーソナリティ，価値観などの情報を得てアセスメントしておく 根拠 母児の状態が安定していること，母親の意思に応じて母子同室をすすめる 注意 母親に分娩による疲労や会陰部の創傷がある場合，母親に負担のかからない方法を調整する．母親の回復に応じて育児をサポートしたり，状態に応じて新生児を預かる配慮も必要である
③母児・家族の愛着行動が促進されるよう環境を整える	▶ 新生児の養護環境については，p.454「第 4 章-2【1】室温・湿度・音・照明」参照 根拠 新生児が適切な環境で養護されることは絶対条件である

表 2 母子同室の意義と方法

意義		方法	
	・母児が一緒に過ごすことは自然なことで，接触が増えることで母親の愛着行動が促され，母児の絆が形成される ・新生児の世話をすることが育児技術の習得になり，親としての自信につながる ・新生児が欲しがる時にすぐ授乳でき，母乳育児を確立しやすくなる		・母児の状態が安定していれば出生後から開始し，状態に応じて継続・中断する ・新生児に応じた室内環境を整える ・疑問や不安があれば，随時知らせるように説明する ・母親が不在になる時，体調が悪い時は，必ず看護師に新生児を預けるよう説明する

要点	留意点・根拠
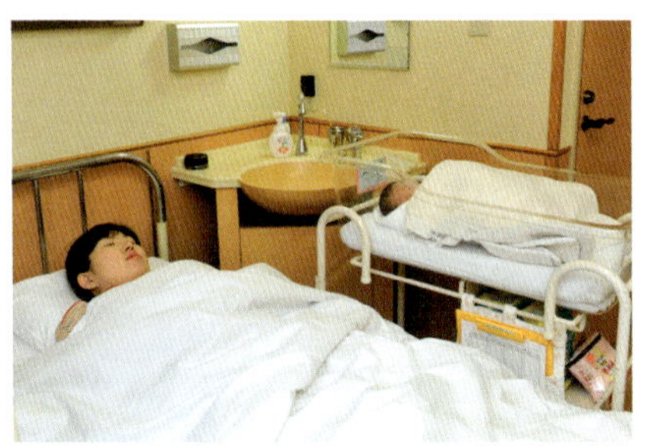 母子同室の部屋の様子	
④母親に新生児を見つめる，声をかける，肌と肌が触れることをすすめ，新生児との触れ合いを促す	根拠 母子関係の確立によい影響を与える
⑤母児の触れ合いの意義に関する母親の理解度を確認しながら伝える	根拠 母親の働きかけが新生児の大脳辺縁系を介して発達を促す刺激になる．同時に，母児は安らぎが得られ，絆が形成される．また，母親役割の獲得を順調にする
⑥家族にも新生児との触れ合いがもてるよう面会をすすめ，母親同様に触れ合い，家族で過ごす時間を共有できるようにする	根拠 家族の絆の形成を促進する．父親の意識を高め，父親役割の獲得を順調にする
⑦母親・父親ともに新生児の世話(抱っこ，おむつ交換，着替えなど)に参加し，新生児との触れ合いをすすめる	根拠 育児技術の習得を通して親としての自信の獲得にもつながる．さらに，新生児の反応を積極的に読みとることによって，新生児との関係も深まる コツ 看護師は母親と父親にうまくできていることを伝えたり，新生児と似ているところを伝え，会話の中で自然に親としての意識や自信がもてるよう働きかける 注意 母児，父親の様子や反応，新生児の受容状況，各々の関係について，機会あるごとに観察し，調整・サポートする

文献

1）仁志田博司：新生児学入門　第5版，pp.73，85-91，医学書院，2018

2）西澤和子ほか：カンガルーケア・ガイドライン　トピック3正期産児に出生直後に行う「カンガルーケア」，ネオネイタルケア 22(10)：57-64，2009

3）馬目裕子，山本淳子：赤ちゃん観察のプロになるコツ20，ネオネイタルケア 22(9)：16-23，2009

索引

数字・欧文

3D エコー　150
3 次元超音波検査　150
13 トリソミー　407
18 トリソミー　150
21 トリソミー　409, 412
24 時間食事思い出し法　88

AFI　153
AFI 法　153
APGAR　399
BMI　38, 79
body mass index　79
BPD　148
—— の計測　148
BPD 値の妊娠週数との相関　150
BPS　56, 57, 61
—— の評価法　61
CST　56
—— の判定基準　56
CTG　154, 158
—— の記録　158
CTG 所見　158
De Lee のステーション　167, 171
FHR acceleration　61
MVP 法　152
NCPR アルゴリズム　401
NST　49, 61
—— の施行回数　56
—— の判定　53, 54
VAS テスト　53

和文

あ

アールフェルト徴候　237
愛着　518
アクティブチェア　251
足首の運動　358
足首の背屈　417
脚の戻り反応　417
あせも　405
アッシャー法　415
圧迫法　105, 256
アプガースコア　236, 398, 401
—— の採点　236
歩く運動　97
アルコール摂取　86
アロマセラピー　106, 258
安楽な姿勢　192
安楽な体位　192

い

移行乳　275
移行便　413
意識レベル，新生児の　393, 406
意識レベルとその特徴，新生児の　397
衣生活，妊婦の　109
一絨毛膜一羊膜　247
一絨毛膜一羊膜性の双胎　245
一絨毛膜二羊膜　247
一過性徐脈　55, 160
—— の軽度と高度についての分類基準　161
一過性頻脈　54, 55, 160
移動の介助，褥婦の　291
イメジェリー　255
イレウス　446
岩田帯　111
インタビュー
——, 産婦の　122
——, 褥婦の　264
——, 妊婦の　4
—— の要点，褥婦の　265
陰囊水腫　416

う

ウエストニッパー　321, 326, 333, 334, 350
ウォーキング　97
—— のポイント　98
うっ滞性乳腺炎　367
腕のストレッチ　98
腕の戻り反応　417
うぶ毛　420
運動，妊婦の　96
運動を始める時期　97

え

栄養，新生児の　470
栄養状態の評価　79
会陰保護　219
—— の目的　219
会陰裂傷　237, 276
—— の分類　237
腋窩温　395
液体ミルク　476
円座　327, 348
猿線　412
塩分　84

お

黄疸　447
黄疸計　447
横断像の描出，モニター画面の　59, 146
押さえ拭き　498
おしるし　115
悪心・嘔吐　176
おむつカバー　486
おむつ交換　486
おむつ皮膚炎　405, 487, 488
悪露　295
—— の観察　277, 295
—— の性状　297
—— の測定　310
—— の量　297
悪露交換　337
悪露量の測定　296
温罨法　257, 335

か

ガーゼハンカチ　504
—— の持ち方　493
外陰の観察項目，産婦の　165
外陰部
—— の触診，褥婦の　284
—— の診察，褥婦の　283
—— の診察時の体位　19
—— の清潔，産婦の　189
—— の清潔ケア，褥婦の　315
—— の洗浄　340
外陰部の観察

——, 産婦の　134, 165
——, 褥婦の　276
——, 妊婦の　19, 71
外結合線　48
—— の測定　46
外斜径　48
—— の測定　47
外診台への移動　344
外測法　156
外測法ピーク　142
開排制限　428
外反足　411
顔の観察
——, 産婦の　133
——, 褥婦の　273
——, 新生児の　406
——, 妊婦の　14, 23
顔の触診，褥婦の　278
画縁胎盤　244, 247
かけ湯　497
下降，児頭の　142
下向部　138
—— の種類　167
下肢
—— の上げ下ろし運動　359
—— の観察，褥婦の　277
—— の観察，妊婦の　19
—— の触診，褥婦の　284
—— の娩出　224
下肢静脈瘤　26
下肢の浮腫　26
—— の評価基準　28
下垂　169
仮性陥没乳頭　27, 280
家族の状況　7
肩関節の運動　358
肩幅　437
—— の計測　436, 437
肩回しの運動　98
過短臍帯　247
過長臍帯　247
活動，産婦の　192
活動覚醒　396, 406
カップでの授乳　477
化膿性乳腺炎　367
カフェイン　85
紙送りスピード，記録紙の　50
紙おむつ　486
カルシウム　83
—— の過剰摂取　85
—— の摂り方　85
眼球結膜下出血　407
環境ホルモン　81
眼瞼結膜　273
冠状縫合　424
汗疹　405
感染源の除去　456
感染防止　456
浣腸の必要性　181
浣腸方法，産婦の　182
嵌入，児頭の　142
陥没呼吸　409
陥没乳頭　25, 274
顔面の浮腫　278
眼裂斜上　407

き

帰室後の問診　266
基線細変動減少　161
基線細変動消失　161
基線細変動正常　161
基線細変動増加　161
気道の確保，児の　225
休息
——, 産婦の　195
——, 褥婦の　322
——, 妊婦の　104
—— の援助，産婦の　196
休息・睡眠環境　323
吸着　377, 473
吸啜反射　430
キュストナー徴候　237
胸囲の計測　435
仰臥位低血圧症候群　40
胸郭の形，新生児の　409
狭骨盤　48
胸部の観察，新生児の　426
胸部の聴診，新生児の　444
胸壁の動き，新生児の　409
棘間径　48
—— の測定　46
禁煙の指導　86
筋緊張の観察，新生児の　400
筋性斜頸　426
緊張性頸反射　429

く

クーファン　462
クスコ腟鏡　71
屈位　35
苦痛様表情　133
屈曲外転外旋位　428
首の運動　358
クラマー法　449
—— による黄疸の進行度　449
クリックサイン　428

け

経穴　257
経口与薬　328
軽擦法　105
径線の平均値　48
計測診
——, 産婦の　144, 154
——, 褥婦の　286
——, 妊婦の　36, 39
経腟分娩　337
ケイツーシロップ　479
経皮的ビリルビン値　449
—— の測定　449
頸部の観察，新生児の　426
血圧
——, 産婦の　130
——, 褥婦の　271
——, 妊婦の　12
血圧測定
——, 産婦の　128
——, 褥婦の　268
——, 妊婦の　9
血管数の確認　240
血清ビリルビン相当値　449
血清ビリルビン値　449
欠損，指の　411
結膜炎　408
減塩　84
肩甲周囲の計測　435
肩甲難産　427
肩甲の娩出　222
原始反射　429
懸垂腹　17

こ

更衣　481
——, 妊婦の　109
—— に適した環境　482
—— の援助，産婦の　191
口蓋裂　408
口腔内の清潔，産婦の　189
合谷　257
後在肩甲の娩出　223
合指症　411
口唇追いかけ反射　430
後陣痛緩和　333
口唇の異常　408
後頭頂骨進入　168
後不正軸進入　168

肛門圧迫　218
肛門の引き締め運動　359
肛門部の観察，褥婦の　277
肛門部の保護　218
後羊水　169
誤嚥の防止　461
股関節脱臼　428
呼吸，新生児の　392, 397
呼吸音
——, 新生児の　394
—— の聴取，新生児の　445
—— の聴取部位，新生児の　394, 445
呼吸状態の観察，新生児の　393
呼吸数
——, 産婦の　130
——, 褥婦の　271
——, 妊婦の　12
——, 新生児の　394
呼吸数測定，褥婦の　271
呼吸の確立，児の　225
呼吸法　252
腰の上げ下ろし運動　359
腰幅　437
—— の計測　436, 437
個人的背景　6
骨産道　170
—— の観察　166
—— の観察項目　166
骨重積　424, 425
—— の観察　168
コットの安全　510
骨盤位　63
—— の頻度　34
骨盤外計測　44, 45
—— の意義　48
骨盤腔内での胎児の位置　171
骨盤腔への進入様式　168
骨盤計　41, 45
骨盤底筋群　359
骨盤誘導線　208, 224
骨縫合　171, 424
固定，児頭の　142
粉ミルク　476
小林の徴候　237
コントラクションストレステスト　56

さ

災害時の避難　462
臍処置　468
——, 出生直後の　468
——, 生後 24 時間から臍脱落まで　469
砕石位　71
臍帯　238, 247
—— の観察　239
—— の乾燥　410
—— の牽引　230
—— の切断　226, 228
—— の長さ　239
—— の捻転回数　239
—— の太さ　239
臍帯クリップ　227, 468
臍帯巻絡　221
臍帯巻絡解除の手技　221
臍帯雑音　67
在胎週数の評価　415
最大垂直羊水ポケット法　152
臍帯切断の手技　222
ザイツ法　138, 143
サイナソイダルパターン　161
臍肉芽腫　410
臍皮　410
臍部　410
臍ヘルニア　410
最良聴取部位　63, 64
臍輪部　410
搾乳　383, 384
——, 褥婦自身による　385
搾乳環境　387
搾乳器　366, 372, 383, 387
—— による搾乳　387
搾乳方法の指導　384
搾母乳　381
—— の授乳　380
—— の保管　386, 388
鎖骨骨折　426
坐薬の挿入　329
さらし木綿　111
三陰交　257
産後スケジュール　338
産後疼痛ケア　326
産褥椅子　327
産褥体操　357
産褥パッドの当て方　235
産褥復古の観察　293
三胎の胎盤　246
産徴　115
産痛　250
—— のメカニズム　250
産痛緩和　248
産道の観察　165
産瘤　426
—— と頭血腫の比較　426

し

シーソー呼吸　409
耳介　415
耳介低位　408
自家感染の防止　457
痔核　327
—— の整復　332, 345
—— への対処　343
痔核悪化防止　348
子宮頸部
—— の硬さ　167
—— の展退度　167
—— の向き　167
子宮硬度　294
子宮雑音　67
子宮収縮状態　232
子宮収縮の強さ　139
子宮底　294
—— の位置　43
—— の位置変化　294
—— の観察　229
子宮底高　39, 41, 42, 43, 294, 297
——, 褥婦の　282
—— の計測　41
子宮底最高点　40
子宮底長　39, 40, 43, 294, 297
—— の概算法　43
—— の計測　40
—— の測り方　41, 294
子宮内圧　142
子宮破裂の前徴候　141
子宮復古　293
子宮復古状態の評価　297
嗜好品の摂取　85
事故・感染防止　456
脂質　82, 83
志室　257
四肢の観察，新生児の　427
四肢の屈曲　411
矢状縫合　424
視診
——, 産婦の　131
——, 褥婦の　272
——, 新生児の　403
——, 妊婦の　13
持針器　233
視診による観察項目
——, 産婦の　135
——, 妊婦の　20
姿勢

──，産婦の　192
──，褥婦の　318
──，新生児の　416
──，妊婦の　100
姿勢保持の援助，褥婦の　320
自然排尿がない場合の援助，産婦の　181
下着，妊婦の　110
膝窩角　418
失禁　356
児頭計測器　432
自動血圧計　9
児頭
── の位置　147
── の骨盤腔への進入に関する用語　142
── の支え方　460
── の損傷防止　440, 441
── の娩出　220
児頭大横径の計測　144
児頭大横径の評価　150
自動歩行反射　431
児背の触診　35
シムス位　108
斜頸　409
射乳　299, 300
射乳状態の観察　298
シャワー浴の援助
──，産婦の　187
──，褥婦の　314
周郭胎盤　244, 247
収縮輪　141
重症黄疸　449
縦断像の描出，モニター画面の　60, 146
収納袋兼防災頭巾　462
絨毛膜外性胎盤　247
手掌把握反射　430
出血量の観察　234
出産環境の整備　200
出産準備　112
出生時の在胎週数の評価　415
出生直後の児の処置　224
受動喫煙　86
手動式血圧計　9
受動的注意集中　253
授乳　372
── に適した環境　475
── の姿勢　375
授乳準備　374
授乳方法のアドバイス　370
授乳量の観察　301
腫瘤　426
シュレーダー徴候　237
小横径　441
── の計測　441
小顎症　409
上肢の観察，妊婦の　16, 23
小斜径　440
── の計測　440
小斜径周囲長　438
── の計測　439
床上排泄の援助，褥婦の　307
上前腸骨棘間の距離　46
小泉門　425
上部脊髄損傷　430
情報収集のポイント，褥婦の　265
上腕骨骨折　427
上腕の静脈　331
初回授乳　470, 471
── の援助　470
── の環境　471
食材の選び方　81
食事記録法　88
食事指導，褥婦の　305
食事摂取基準，妊婦の　83
食事摂取の注意点　80
食事摂取量の評価法　88
食習慣のチェックポイント，褥婦の　304
触診
──，褥婦の　278
──，新生児の　423
──，妊婦の　22
──，産婦の　136
触診による観察項目
──，産婦の　142
──，妊婦の　27
食生活
──，産婦の　174
──，褥婦の　304
──，妊婦の　76
食中毒の予防　81
褥婦の痔核への対処　343
褥婦の脱肛への対処　343
食物汚染　81
食物繊維　83
初乳　275
自律訓練法　252
自律授乳　305, 473
── の援助　473
次饝　257
心音
── の聴取，新生児の　445
── の聴取部位，新生児の　394, 445
── の聴診，新生児の　394
神経学的所見　416, 422
── による成熟度の評価法　422
人工栄養による授乳の援助　475
進行性変化　278
人工乳首　477
人工乳　475
── の授乳　382, 477
── の準備　476
── の調乳手順　382
人工破膜　217
深呼吸　105
心雑音　395, 446
人字縫合　424, 425
深睡眠　397, 406
真性陥没乳頭　27, 274
新生児
── に必要な栄養　474
── の衣類選択時のポイント　482
── の感染防止　456
── の支え方　460
── の体重変化　300
── の抱き方　511
── の連れ去り防止　461
── の転落防止　459
── の取り違え事故の防止　458
── の寝かせ方　513
── への危害防止，危険物による　459
新生児黄疸　449
新生児室の環境　502
新生児蘇生セット　204
新生児蘇生法　401
新生児中毒疹　405
新生児中毒性紅斑　405
新生児搬送用クーファン　462
身体外表所見　419, 422
── による成熟度の評価法　422
身体活動レベル　82
身体計測，新生児の　432
身体清拭，褥婦の　312
身体的ケアによる産痛緩和法　256
身体的情報　6
身長計による計測　433

身長
——, 妊婦の　36
—— の計測, 新生児の　433
—— の計測, 妊婦の　36
陣痛持続時間　142
陣痛室　201
陣痛周期　142
—— と陣痛の強さ　141
陣痛の評価　142
陣痛発作時間の相違　141
陣痛発作時のマッサージ法　257
陣痛用トランスデューサー　51
心拍
——, 新生児の　392, 397
—— の聴取部位, 新生児の　402
—— の聴診, 新生児の　394
心拍数の測定, 新生児の　446
心拍動の状態, 新生児の　399
腎兪　257
心理的情報　6

す

水銀血圧計　12
水銀体温計　12
水銀の取り扱い　12
推奨体重増加量　38
推定エネルギー必要量, 年齢別の　82
水難防止　460
水分摂取　87
—— の援助, 産婦の　177
水平感染の防止　457
睡眠
——, 産婦の　195
——, 褥婦の　322
——, 妊婦の　104
—— の援助, 産婦の　195
睡眠環境　323
スカーフ徴候　418
ストラスマン徴候　237
スポーツドリンク　87

せ

静覚醒　397, 406
性器　421
清潔
——, 産婦の　186
——, 褥婦の　312
——, 妊婦の　93
清潔野
—— の作成　212, 214
—— の範囲　212
清拭の援助, 産婦の　188
清拭法, 外陰部消毒　214
正軸進入　168
成熟胎児頭蓋骨と径線　438
成熟胎盤　247
成熟度の診断　414
正常な収縮輪　141
正常な胎盤　241
正常乳頭　274
生殖器の観察, 新生児の　428
精巣　416
成乳　275
性分化異常症　412
生理的黄疸　405, 449
生理的収縮輪　139, 141
脊髄障害　431
背中のストレッチ　98
セルフコントロールによる産痛緩和法　249
遷延一過性徐脈　55, 160, 161
遷延一過性頻脈　55, 160
遷延性黄疸　449
前後径　439
—— の計測　440
—— の測定　47
前後径周囲長　438
前在肩甲の娩出　223
洗浄法, 外陰部消毒　213
全身清拭　501
漸進的リラクセーション法　253
全身の観察
——, 産婦の　132
——, 褥婦の　272
——, 新生児の　404
——, 妊婦の　14
全身の状態, 新生児の　403
先進部の下降度　167
先進部の種類　167
浅睡眠　397, 406
先天性筋疾患　430
前頭頂骨進入　168
前頭葉障害　430
尖腹　17
前不正軸進入　168, 169
泉門　171
前羊水　169

そ

早期授乳　363
早期母子接触　363, 470, 471, 516
—— の意義　517
双合診における観察項目, 妊婦の　73
双合診の診察・介助　73
双胎
—— の胎盤　245
—— の膜性診断　247
—— の卵性診断　247
双胎胎盤　245
早発一過性徐脈　55, 160
側結合線　48
足底のしわ　415, 420
足底把握反射　431
足浴　105, 258
—— の援助, 産婦の　188
蹲踞位　192

た

ターナー症候群　409
第 1 横位　147
第 1 後頭位　63
第 1 骨盤位　63, 147
第 1 次検索　229
第 1 斜径　47
第 1 頭位　147, 223
第 1 標識　226
第 2 横位　147
第 2 後頭位　63
第 2 骨盤位　63, 147
第 2 頭位　147, 223
第 3 回旋　220
第 4 回旋　222
第 5 腰椎棘突起の見つけ方　46
胎位　34
体位の工夫　250
退院後の母乳育児　366
退院前日の問診　267
大横径　148, 441
—— の計測　441
体温
——, 産婦の　130
——, 褥婦の　271
——, 新生児の　392, 397
——, 妊婦の　12
—— の低下防止　505
体温測定
——, 褥婦の　269
——, 妊婦の　10
体格区分　38
体格指数　79
体幹の娩出　224
体幹の支え方　224
胎向　34

退行性変化　278
胎脂　457
胎児各部の鑑別方法　171
胎児各部分の触診上の特徴　35
胎児筋緊張　60, 61
胎児呼吸様運動　60, 61
胎児死亡率　61
胎児心音　62, 67
―― の探し方　64
胎児振動音刺激試験　53
胎児心拍数　65
―― の判定　66
胎児心拍数一過性変動　55, 160
胎児心拍数基線　55, 160
胎児心拍数基線細変動　55, 160
胎児心拍数陣痛図　154
胎児心拍数波形　161
―― の管理指針　162
―― の分類に基づく対応と処置　162
―― の分類判定　161
胎児心拍数モニタリング　54
―― に使用される用語　160
胎児の位置　34
―― と膀胱の変形　180
―― の診断　34
―― の評価　142
胎児の回旋の状態　168
胎児部分の鑑別　171
大斜径　440
―― の計測　440
大斜径周囲長　439
―― の計測　439
体重
――, 妊婦の　36
―― の計測，新生児の　433
―― の測定，褥婦の　286
体重増加量　36
体重測定，妊婦の　37
胎勢　34
―― による胎児の形態的特徴　35
―― の診断　35
大泉門　425, 441
―― の計測　441
大転子間径　48
―― の測定　46
大転子の見つけ方　46
胎動　60, 61
胎動音　67
大動脈音　67
胎盤　246
―― の大きさ　244
―― の重さ　245
―― の観察項目　247
―― の計測　244
―― の始末　246
―― の石灰化　242
―― の第 1 次検索　232
―― の娩出　229
胎盤圧出法　231
胎盤遺残　241
胎盤計測　238
胎盤後血腫　242
胎盤実質　238, 247
―― の観察　241
―― の娩出　230
胎盤重量　247
胎盤所見　247
胎盤剝離徴候　237
胎便　413
胎胞　169
胎胞形成　169
ダウン症候群　409, 412
ダウン症候群様顔貌　407
抱き方，新生児の　510
多指症　411
正しい姿勢と悪い姿勢，妊婦の　101
脱臼　488
脱肛　327
―― の整復　332, 345
―― への対処　343
脱肛悪化防止　348
脱出，臍帯の　169
タッチング　256
縦抱き　376
単一手掌屈曲線　412
男女雇用機会均等法　107
炭水化物　82, 83
断端の観察　228
断端の消毒　228
蛋白質　82, 83

ち

乳首による内服方法　479
恥骨痛緩和　334
腟鏡　68, 71
腟鏡診，褥婦の　288
腟鏡診から得られる情報　289
窒息の防止　461
腟の観察項目　166
遅発一過性徐脈　55, 160, 161
注射　330
注射部位　331
中性温度環境　395, 454
超音波診断　144
超音波ドップラー法　64
超音波トランスデューサー　51
超音波プローブ　59
―― の当て方　152
腸雑音　67
聴診
――, 新生児の　443
――, 妊婦の　62
―― で聞こえる音の特徴　67
聴診法　9
腸蠕動音の聴取　446
直接授乳　364, 365, 473
直腸温の測定　396
直腸内与薬　329
鎮痛薬の使用　328, 333, 335, 348

つ

ツボ　256
連れ去り防止，新生児の　461
つわり　81

て

帝王切開分娩　337
啼泣　397, 406
ディスコーダント・ツイン　245
低体温防止　484
低蛋白血症の指導　305
ティネル徴候　23
停留精巣(睾丸)　416, 428
適切な環境，新生児にとって　454
鉄　83
―― の吸収阻害作用(促進作用)をもつ食品　85
鉄分の摂り方　85
手の前屈角　416
デリのステーション　167, 171
点眼　466
―― の実施　467
電子体温計　10
殿部の支え方，沐浴時の　492
殿部浴　488
電話での問診，産婦の　126

と

トイレへの歩行介助，褥婦の　311
頭位　63
頭囲　438

—— の計測　438
頭血腫　426
透光試験　412
動作，褥婦の　318
疼痛緩和　327, 347
導尿　353
——，産婦の　208
頭髪，新生児の　415
頭部の遅れ　418
頭部の観察，新生児の　406, 424
頭部の支え方，沐浴時の　492
ドップラー胎児心音計　62
ドライテクニック　501, 503
トラウベ型桿状聴診器　62, 65
トラウベ法　65

な

内診
——，妊婦の　68
——，産婦の　163
——，褥婦の　288
—— から得られる情報　289
—— による観察項目，産婦の　170
—— による観察項目，妊婦の　74
内診指の挿入　166
内診所見の表記法　168
内診台　68
—— への移動　344
—— への移動介助　338
内診法における観察項目，妊婦の　73
内蔵キャリパーの使い方　149
内測法　142, 156
内反足　411
内分泌かく乱物質　81
泣き声の観察　444
ナトリウム　83
軟産道の観察　166

に

二絨毛膜二羊膜　247
二絨毛膜二羊膜性双胎の胎盤　245
日常生活動作
——，妊婦の　100
—— のポイント　102
日常生活の状況　7
ニップルフォーマー　372
二分脊椎　411, 431
二分胎盤　241
入院時期の判断，産婦の　126
入院時の主訴　124
入院時の問診　124
入院時の問診項目，産婦の　126
入院中の問診　124
入院の時期　115
乳管の圧迫の方向　385
乳汁の観察　302
乳汁の性状　302
乳汁分泌　275
—— の観察　298
乳汁分泌促進のための指導　305
乳汁分泌量の観察　302
乳腺開口　299
—— の観察　298, 299
乳腺組織の大きさ　415
乳頭
—— の異常　275
—— の形成　420
—— の形態　27, 274
—— の触診，褥婦の　279
—— の突出状態　25
—— の保護　370
乳頭矯正具　372
乳頭混乱　274
乳頭探索行動　471
乳頭痛のケア　370
乳頭の観察，妊婦の　17, 25
乳頭マッサージ　375
乳房
—— の異常　274
—— のうっ滞　365
—— の形態　274
—— の形態とタイプ　21
—— の触診，褥婦の　279
—— の冷罨法　365, 371
—— の大きさ　420
乳房緊満感　270
乳房痛のケア　371
乳房トラブルのケア　367
——，新生児の　409
乳房の観察，褥婦の　274
乳房の観察，妊婦の　16
乳房マッサージ　367, 368
乳幼児突然死症候群　461
入浴　105
—— の援助，産婦の　186
尿道口の状態　352
尿の性状，新生児の　403
尿閉時のケア　352
尿量の測定，褥婦の　286
二裂胎盤　241
妊娠期の栄養必要量　82
妊娠後期の子宮，膀胱，直腸の位置　90
妊娠高血圧症候群における高血圧の診断基準　12
妊娠週数と子宮底の位置　43
妊娠週数と子宮の大きさ　43
妊娠初期の子宮，膀胱，直腸の位置　90
妊娠性肝斑　14
妊娠線　18, 94
妊娠中の体型の変化　110
妊娠中の体重増加量とリスク　38
妊娠の時期別の推定エネルギー必要量　82
妊娠の受容　113
妊娠前の体格とリスク　38
妊婦
—— の歩き方　20
—— のシートベルト装着方法　102
—— の姿勢　15, 20
—— の身体的特徴　20
—— の付加量　85
妊婦体操　98
妊婦用ガードル　110

ぬ

布おむつ　486

ね

ネームバンド　458
寝かせ方，新生児の　510, 513
熱傷の防止　460, 503
年齢別の推定エネルギー必要量　82

の

脳幹障害　430
脳障害　430, 431
ノギス　432
ノンストレステスト　49
ノンリアクティブ　53

は

バースプラン　116, 470, 516
バースプラン用紙　117
バースレビュー　264, 266
バイオフィジカルプロファイルスコア　56, 57, 61
—— の評価表　61
排気　379, 474, 478, 480

排気時の体位　379
排泄
——, 産婦の　179
——, 褥婦の　307
——, 妊婦の　89
—— の援助，産婦の　183
排泄時の歩行介助，褥婦の　310
バイタルサイン
——, 産婦の　127
——, 褥婦の　268
——, 新生児の　392
——, 妊婦の　8
排乳　368
排乳介助　367, 368
排尿時痛　355
—— の緩和　336, 355
排尿障害の内容と程度　351
排尿障害への対処　351
排尿状態の確認　90
排尿の援助，尿意がない場合，産婦の　180
背部の観察，新生児の　428
排便コントロール　349
ハイリスク因子，妊婦の　6
稗粒腫　405
白色梗塞　242
剝離出血　237
波形レベル　162
破水　74
—— の診断　74
バックアップテスト　56
鼻の清潔　499
バラードらの評価法　416
—— の採点基準　419
半陰陽　412
反屈位　35, 63
半座位　251
バンドル収縮輪　141
—— の上昇　141
バンドルの病的収縮輪　139

ひ

ビショップスコア　171
ビタミンA　83, 84
ビタミンD　83, 84
ビタミンK　479
ビタミン類の摂り方　84
鼻皮脂　405, 409
皮膚の色　419
皮膚の構造　419
皮膚の透明度　419
標識　458
病的黄疸　449
病的収縮輪　139, 141
貧血指導，褥婦の　305
ピンチテスト　27

ふ

ファウラー位　193
不規則な子宮収縮　26, 30
不規則な陣痛　115
腹囲
——, 妊婦の　39, 43
—— の計測，新生児の　435
—— の測定，妊婦の　42
腹位水平宙づり　419
腹式深呼吸　252
腹水貯留　427
腹帯　110, 321, 326, 333, 334, 350
副胎盤　241
腹直筋の弛緩の程度　282
腹直筋の離開　276
腹部
—— の観察項目，産婦の　137
—— の形の異常　17
—— の緊張　26
—— の触診，褥婦の　282
—— の診察，産婦の　137
—— の聴診，新生児の　446
—— のマッサージ　106
腹部の観察
——, 産婦の　133
——, 褥婦の　276
——, 新生児の　427
——, 妊婦の　17, 25
腹壁の欠損　410
腹壁破裂　410
腹膜炎　427, 446
浮腫　406, 419
——, 顔面の　278
不正軸進入　168
腹筋を戻す運動　358
フットボール抱き　376
浮動，児頭の　142
ブライスキー骨盤計　39, 44
ブラクストン・ヒックス収縮　26, 30
ブラゼルトン新生児行動評価法　397
ブラント・アンドリュース胎盤圧出法　231
ブレストシェル　370
分娩開始の判断　126
分娩介助　204
分娩介助者の準備　210
分娩が近づいた徴候　115
分娩経過中の診断と評価　126
分娩経過と過ごし方　115
分娩室　205
分娩準備状態の観察　170
分娩進行状態の観察　166
分娩進行状態の判断　126
分娩進行に応じた産痛の部位　250
分娩セット　204, 216
分娩損傷　327
分娩直後の問診　266

へ

ベビーソープ　491
変動一過性徐脈　55, 160, 161
便の性状，新生児の　403
扁平骨盤　48
扁平乳頭　274

ほ

膀胱充満　137
縫合セット　204
縫合の介助　233
帽状腱膜下血腫　426
保温，新生児の　464
保健指導，妊婦の　80
歩行の介助，褥婦の　320
保護綿　219
ポジショニング　474
母子同室　516, 519
—— の意義と方法　519
—— のオリエンテーション　363
—— の環境　364
母児標識　226
母性健康管理指導事項連絡カード　107
母体心拍数との鑑別　65
母乳育児　362
—— の利点　363
母乳育児支援　362
哺乳意欲　475
母乳の禁忌　304
哺乳のタイミング　473
母乳哺育　305
哺乳量　474
—— の目安，人工乳の　382

ま

膜性診断　245

魔歯 408
マタニティマーク 106
マッサージ 105
マッサージ法 256
末梢神経障害 431
まどろみ 397, 406
麻痺性イレウス 446
マルチン骨盤計 39, 44

み

ミクリッツ＝ラデツキー徴候 237
ミハエリス菱形 47
耳の硬さ 421
耳の形 420
耳の清潔 499
脈拍，褥婦の 271
脈拍数
——, 産婦の 130
——, 妊婦の 12
—— の測定，妊婦の 10
脈拍測定，褥婦の 270

む

無影灯の調整 71

め

メジャーによる計測 434
滅菌ガウン 211
—— の着用 211
滅菌手袋の着用，分娩介助時の 212
メナテトレノン 479

も

蒙古斑 405
沐浴 490, 492
沐浴剤 491
沐浴室の環境 491
沐浴槽の洗浄 500
沐浴中の事故防止 460
モロー反射 429
問診
——, 産婦の 122
——, 褥婦の 264
——, 妊婦の 4

や

薬杯による内服方法 479

ゆ

誘拐防止，新生児の 461
有窓胎盤 242
湯温の確認 504
湯温の調整 491
湯たんぽ 464
——, 金属製の 465
——, ゴム製の 465

よ

腰囲の計測 436
溶血性黄疸 405
葉酸 83, 84
用手搾乳 383
羊水
—— の観察 218
—— の計測部位 151
—— の深さ 152
羊水過少 61
羊水指数 153
—— の求め方 153
羊水指数法 153
羊水深度 152
—— の計測 152
羊水ポケット 61, 152
羊水量 61
—— の測定 151
—— の判定 153
腰痛緩和 334
腰部のマッサージ 106
翼状頸 409
横抱き 376
与薬 479

ら

落陽現象 408
ラジアントウォーマーの設定温度 465
ラッチオン 377, 474
ラムダ縫合 424, 425
卵膜 169, 238, 243, 247
—— の観察 243
—— の強度 243
—— の欠損 243
—— の付着部位 244
—— の娩出 231

り

リアクティブ 53
離床介助，褥婦の 318
離床への援助，褥婦の 318
立位の介助，褥婦の 320
稜間径 48
—— の測定 46
リラキシン 416

る

ルーティング反射 430

れ

冷罨法 258
レオポルド触診法 29, 32, 50, 63, 137
—— の診察の基本的な注意 31
—— の第 1 段の観察項目 32
—— の第 2 段の観察項目 33
—— の第 3 段の観察項目 33
—— の第 4 段の観察項目 34
レンガ尿 413

ろ

労働基準法 106

わ

脇抱き 376
ワルトン膠様質 239